여러분의 합격을 응원하는

해커스공무원의 특별 혜택

FREE 공무원 한국사 **특강**

해커스공무원(gosi.Hackers.com) 접속 후 로그인 ▶ 상단의 [무료강좌] 클릭 ▶ 좌측의 [교재 무료특강] 클릭

공무원 한국사 **기출 사료 모음집**(PDF)

해커스공무원(gosi.Hackers.com) 접속 후 로그인 ▶ 상단의 [교재 · 서점 → 무료 학습 자료] 클릭 ▶
본 교재의 [자료받기] 클릭

해커스공무원 온라인 단과강의 **20% 할인쿠폰**

B94F59738CA89382

해커스공무원(gosi.Hackers.com) 접속 후 로그인 ▶ 상단의 [나의 강의실] 클릭 ▶
좌측의 [쿠폰등록] 클릭 ▶ 위 쿠폰번호 입력 후 이용

* 등록 후 7일간 사용 가능(ID당 1회에 한해 등록 가능)

해커스 회독증강 콘텐츠 **5만원 할인쿠폰**

C3EB548869DA537P

해커스공무원(gosi.Hackers.com) 접속 후 로그인 ▶ 상단의 [나의 강의실] 클릭 ▶
좌측의 [쿠폰등록] 클릭 ▶ 위 쿠폰번호 입력 후 이용

* 등록 후 7일간 사용 가능(ID당 1회에 한해 등록 가능)
* 월간 학습지 회독증강 행정학/행정법총론 개별상품은 할인쿠폰 할인대상에서 제외

쿠폰 이용 관련 문의 **1588-4055**

단기 합격을 위한
해커스 커리큘럼

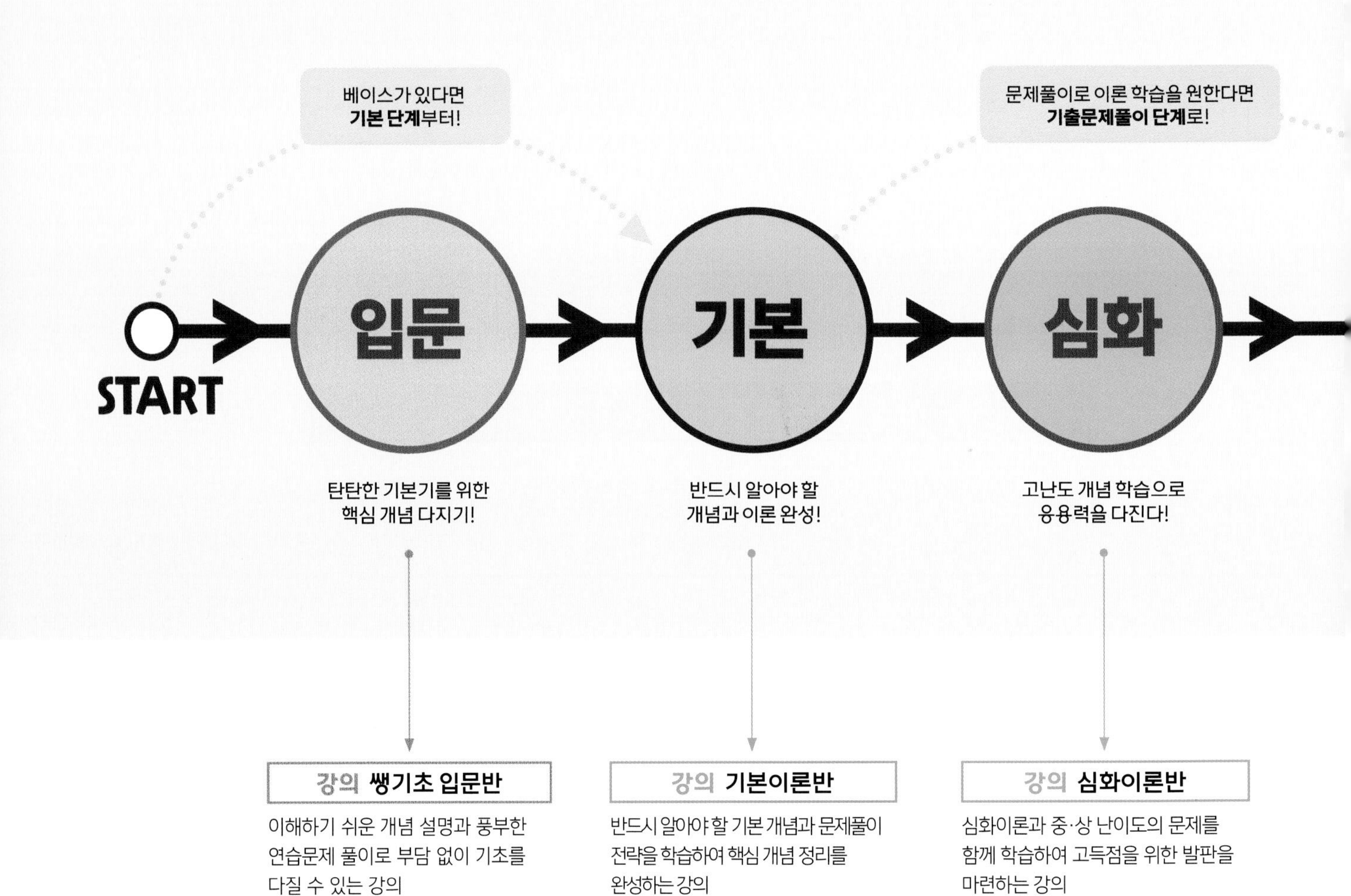

강의 쌩기초 입문반

이해하기 쉬운 개념 설명과 풍부한 연습문제 풀이로 부담 없이 기초를 다질 수 있는 강의

강의 기본이론반

반드시 알아야 할 기본 개념과 문제풀이 전략을 학습하여 핵심 개념 정리를 완성하는 강의

강의 심화이론반

심화이론과 중·상 난이도의 문제를 함께 학습하여 고득점을 위한 발판을 마련하는 강의

단계별 교재 확인 및
수강신청은 여기서!
gosi.Hackers.com

* 커리큘럼은 과목별·선생님별로 상이할 수 있으며, 자세한 내용은 해커스공무원 사이트에서 확인하세요.

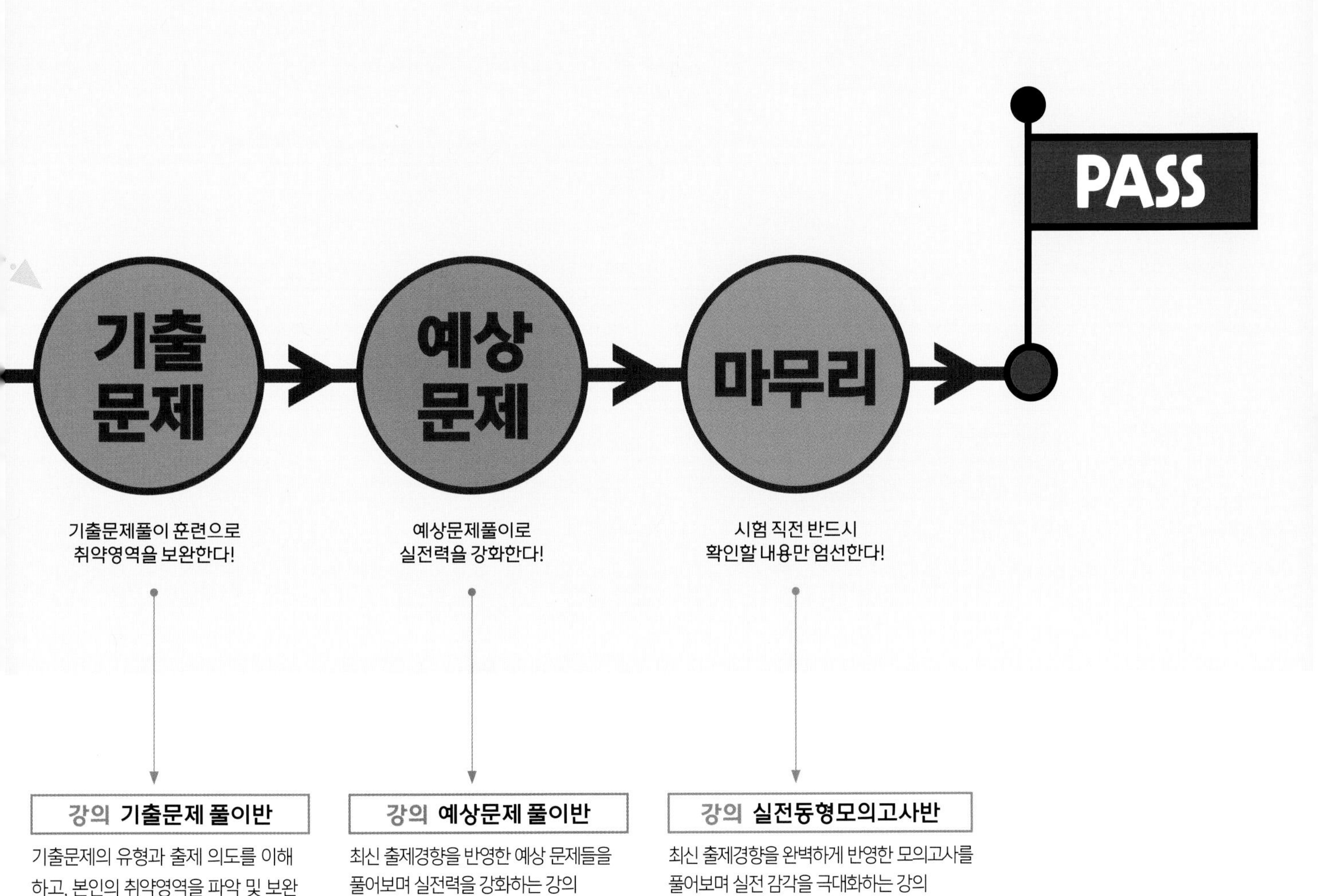

강의 기출문제 풀이반

기출문제의 유형과 출제 의도를 이해하고, 본인의 취약영역을 파악 및 보완하는 강의

강의 예상문제 풀이반

최신 출제경향을 반영한 예상 문제들을 풀어보며 실전력을 강화하는 강의

강의 실전동형모의고사반

최신 출제경향을 완벽하게 반영한 모의고사를 풀어보며 실전 감각을 극대화하는 강의

강의 봉투모의고사반

시험 직전에 실제 시험과 동일한 형태의 모의고사를 풀어보며 실전력을 완성하는 강의

공무원 한국사

합격 가이드

방대한 양의 한국사, 어떻게 공부해야 할까요?

우리 역사가 흘러온 기나긴 시간만큼 공무원 한국사 시험에서 다루는 내용은 매우 방대합니다. 그렇게 때문에 무작정 모든 내용을 암기하는 것보다, 먼저 각 시대의 큰 흐름을 이해한 후 실제 시험에 자주 나오는 핵심 개념과 고득점 획득을 위한 심화 개념을 암기하고, 이후 OX 빈칸 문제를 통해 학습한 내용을 점검하면서 실력을 키워가야 합니다. 이것이 학습 시간 대비 최대의 효과를 거둘 수 있는 가장 효과적인 공무원 한국사 학습 방법입니다.

합격을 향해 달려가시는 수험생 여러분,
해커스공무원이 여러분을 합격의 길로 가이드 하겠습니다.

공무원 한국사 **최신 출제 경향** 및 **대비 전략**

1. 시대별 출제 경향

전근대사와 근현대사의 출제 비중은 6:4 정도로, 전근대사가 근현대사보다 더 많이 출제되고 있으며, 시대 통합형 문제도 꾸준히 출제되고 있습니다. **전근대사에서는 고려가, 근현대사에서는 근대가 가장 많이 출제**되고 있습니다. 최근 출제 경향을 살펴보았을 때, 선사를 제외하고 각 시대별로 1~2 문제의 차이만 보일 뿐 거의 비슷하게 출제되므로 **모든 시대를 고르게 학습해야 합니다.**

시험 구분	총 문항 수	시대별 출제 문항 수								
		선사 시대	고대	고려 시대	조선 전기	조선 후기	근대	일제 강점기	현대	시대 통합
국가직 9급	총 20 문항	0~2 문항	3~4 문항	3~4문항	1~4항	1~3문항	2~3문항	1~5 문항	1~2문항	0~2 문항
지방직 9급	총 20 문항	0~2 문항	3~4 문항	2~5 문항	1~3 문항	1~3 문항	2~3 문항	2~4 문항	2~3 문항	0~1 문항
서울시 9급	총 20 문항	1~2문항	3~4 문항	3~4 문항	1~4 문항	1~4 문항	2~4 문항	1~2 문항	1~2 문항	0~1 문항
법원직 9급	총 25 문항	1~3 문항	1~6 문항	2~5 문항	0~4 문항	3~6 문항	2~4 문항	2~6 문항	2~4 문항	0~1 문항
국회직 9급	총 20 문항	0~2 문항	2~3 문항	3~4 문항	0~3 문항	2~3 문항	1~3 문항	1~3 문항	3~4 문항	0~1 문항

2. 분류사별 출제 경향

공무원 한국사 시험에서 가장 많이 출제되는 분류사는 정치사로, 모든 시험에서 가장 많이 출제됩니다. 정치사 다음으로 많이 출제되는 문화사는 만점 방지용 문제로 자주 출제되므로 심화적인 개념 학습이 필요합니다. 또한 특정 시기의 정치·사회·경제·문화와 관련된 사실을 통합적으로 이해해야 풀 수 있는 분류 통합 문제도 출제됩니다.

시험 구분	총 문항 수	분류사별 출제 문항 수					
		선사 시대	정치	경제	사회	문화	분류 통합
국가직 9급	총 20문항	0~2 문항	10~13 문항	1~4 문항	0~4 문항	3~6 문항	0~2 문항
지방직 9급	총 20문항	1~2 문항	9~16 문항	0~3 문항	0~1 문항	4~5 문항	0~1 문항
서울시 9급	총 20문항	1~2문항	12~17 문항	0~3 문항	0~1 문항	3~5 문항	0~1 문항
법원직 9급	총 25문항	1~3 문항	13~18 문항	3~5 문항	0~2 문항	2~6 문항	0 ~1 문항
국회직 9급	총 20문항	0~2 문항	11~14 문항	2~3 문항	0~3 문항	1~4 문항	0~2 문항

3. 대비 전략

선사~조선 후기

선사~조선 후기(전근대사)에서는 왕의 업적·재위 시기의 사실을 묻는 문제가 자주 출제됩니다. 또한 문화사 출제 비중이 높아짐에 따라 역사서와 문화재에 대한 문제도 자주 출제되고 있습니다. 여러 사건들의 전후 관계를 묻는 문제는 출제 빈도는 상대적으로 낮지만 어렵게 출제되는 경우가 많습니다.

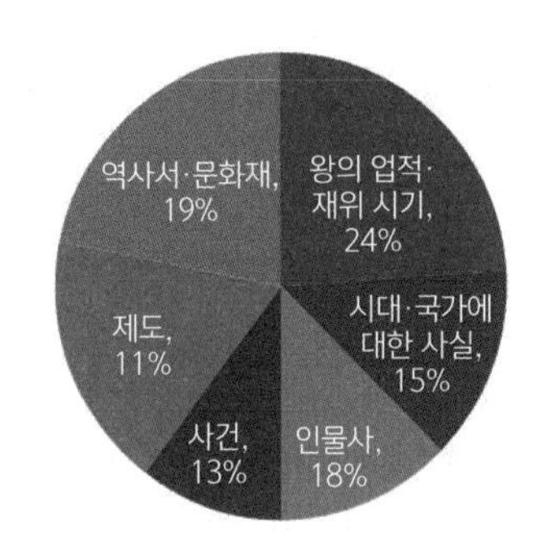

대비전략

① 국가별 주요 왕의 업적과 재위 시기의 사실·상황을 연결시켜 암기합니다.
② 각 시대별로 성격이 비슷한 역사서를 비교하여 정리합니다.
③ 국가별 문화재를 사진과 함께 정리하고, 문화재의 소재 지역까지 정확히 암기합니다.
④ 시기별 정치·경제·사회·문화적 사실의 순서를 정리합니다.

근대~현대

근대~현대(근현대사)에서는 여러 사건에 대한 문제가 가장 많이 출제됩니다. 또한 근대의 각종 단체나, 일제 강점기의 무장 투쟁 단체에 대한 문제도 자주 출제됩니다. 사건이나 정부 정책들을 순서대로 나열하는 문제나, 연도를 정확히 알아야 풀 수 있는 문제가 높은 난이도로 출제됩니다.

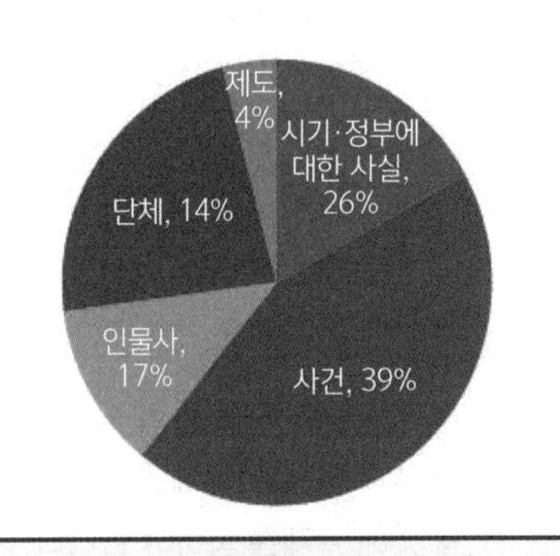

대비전략

① 사건의 배경, 전개 과정, 결과와 의의를 하나의 흐름으로 이해합니다.
② 근대·일제 강점기의 주요 단체의 활동 시기와, 주요 활동 내용을 꼼꼼히 암기합니다.
③ 흐름이 어느 정도 잡혔다면, 중요 사건·정부 정책의 연도를 꼼꼼히 암기합니다.

분류사별

정치사의 출제 비중이 매우 높으며, 그 다음으로는 문화사의 출제 비중이 높습니다. 사회사·경제사·분류 통합형 문제의 경우 출제 비중이 높지는 않지만 고난도 문제로 출제되는 경우가 많습니다. 선사 시대 문제는 거의 모든 시험에 한 문제 이상 출제되고 있으나, 난이도는 낮아지는 추세입니다.

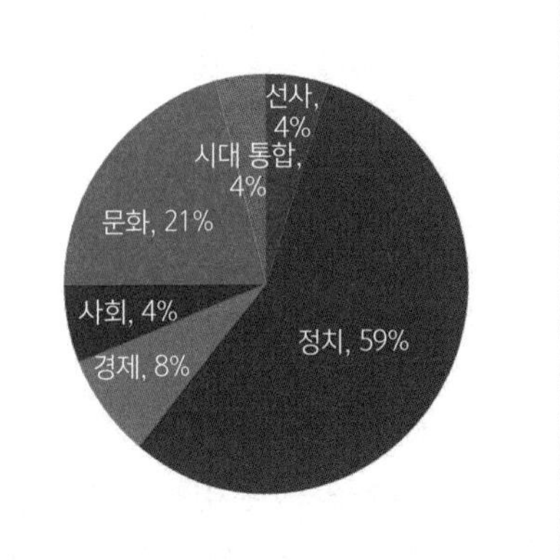

대비전략

① 출제 비중이 가장 높은 정치사를 우선적으로 학습해야 하며, 문화사는 각 시대별 역사서와 문화재 등을 정리해야 합니다.
② 경제사는 특정 시대의 경제 상황과 수취 제도를 암기하고, 사회사는 정치·경제사와 함께 통합하여 물어보기도 하므로, 각 시대별 사회의 모습을 정치적, 경제적 상황과 연결 지어 파악해야 합니다.

공무원 한국사 **만점 학습 전략**

1. 흐름을 먼저 이해한 후 핵심 개념을 정리하고, 주요 사건의 연도를 암기해야 한다!

공무원 한국사 시험에는 흐름과 함께 디테일한 연도를 암기하지 않으면 풀 수 없는 문제들이 출제되고 있습니다. 따라서 시대 상황과 역사적 사실에 대한 흐름을 전반적으로 먼저 파악한 후 디테일한 개념을 정리하고, 주요 사건의 연도는 꼼꼼하게 암기하는 전략이 필요합니다.

(가) 시기에 있었던 사실로 옳은 것은? [2024년 국가직 9급]

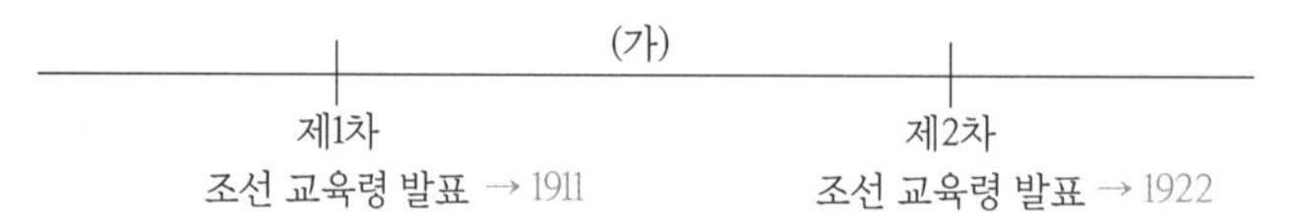

① 경성 제국 대학이 설립되었다. → 1924
② 근대 교육 기관인 육영 공원이 설립되었다. → 1886
③ 일본에서 2·8 독립 선언서가 발표되었다. → 1919
④ 보안회의 주도로 일본의 황무지 개간권 반대 운동이 일어났다. → 1904

답 ③

만점 학습 전략

[해커스공무원 한국사 기본서]로 시대 흐름과 핵심 개념을 한번에 정리하고, 주요 사건의 연도를 확실하게 암기하자!

[해커스공무원 한국사 기본서]는 '한눈에 보는 시대 연표'를 제공하여 그래프를 통해 한 시대의 흐름을 파악하고, 동시에 핵심 내용을 시간 순서대로 정리할 수 있도록 하였습니다. 또한 디테일한 사건의 발생 시기를 암기할 수 있도록 본문 개념 설명에 핵심 개념과 함께 정확한 연도 및 월을 제시하고, 시기 나열형 문제로 자주 출제되는 개념의 경우 '기출 연표'를 통해 조그마한 연표로 정리하였습니다.

2. 만점 방지용 문제, 빠르게 선택지의 참 거짓을 판단하고 소거법을 이용한다!

공무원 한국사 시험의 가장 큰 특징 중 하나는 만점 방지용 문제가 출제되는 것입니다. 선택지 안에 헷갈릴 수 있는 참과 거짓을 섞어 놓던가, 생소한 서적이 출제되기도 합니다. 따라서 학습자들은 짧은 시간 안에 선택지의 단어 하나하나를 읽고 빠르게 참 거짓을 판단하면서 소거법을 통해 문제를 풀어야 합니다.

밑줄 친 '곽재우'에 대한 설명으로 옳지 않은 것은? [2023년 지방직 9급]

> 여러 도에서 의병이 일어났다. …(중략)… 도내의 거족(巨族)으로 명망 있는 사람과 유생 등이 조정의 명을 받들어 의(義)를 부르짖고 일어나니 소문을 들은 자들은 격동하여 원근에서 이에 응모하였다. …(중략)… 호남의 고경명 · 김천일, 영남의 곽재우 · 정인홍, 호서의 조헌이 가장 먼저 일어났다.
> -『선조수정실록』-

① 홍의장군이라 칭하였다. → O
② 의령을 거점으로 봉기하였다. → O
③ 행주산성에서 일본군을 크게 무찔렀다. → X
④ 익숙한 지리를 활용한 기습 작전으로 일본군에 타격을 주었다. → O

답 ③

만점 학습 전략

[해커스공무원 한국사 기본서]의 OX 빈칸 핵심 개념 점검으로 만점 방지용 문제에 대비하자!

[해커스공무원 한국사 기본서]는 시험장에서 빠르고 정확하게 문제를 풀 수 있도록 각 소단원 별로 'OX 빈칸 핵심 개념 점검'을 배치하여 총 약 1,500 문항의 OX 빈칸 문제를 제공합니다.

3. 처음 보는 사료도 해석할 수 있어야 한다!

최근 공무원 시험에서는 사료나 자료를 제시하고 이를 해석하여 인물의 업적, 제도의 특징 등을 도출해야 하는 사료·자료 제시형 문제가 평균 76%의 비율로 절반 이상 출제되고 있습니다. 문답식 문제와는 달리 사료 제시형 문제는 어느 시대인지, 어떤 왕에 해당하는 사료인지를 해석해야 문제를 풀 수 있기 때문에 생소한 사료라도 핵심 키워드를 찾아 정답을 도출해내는 연습을 꾸준히 해야합니다.

다음의 논설을 작성한 인물에 대한 설명으로 옳은 것은? [2024년 국가직 9급]

> 이 날을 목 놓아 우노라[是日也放聲大哭]. …(중략)… 천하만사가 예측하기
> → 시일야방성대곡 → 장지연
> 어려운 것도 많지만, 천만 뜻밖에 5개조가 어떻게 제출되었는가.
> → 을사늑약
> 이 조건은 비단 우리 한국뿐 아니라 동양 삼국이 분열할 조짐을 점차 만들어 낼 것이니 이토[伊藤] 후작의 본의는 어디에 있는가?
> → 이토 히로부미

① 한성순보를 창간하였다.
② 『한국통사』를 저술하였다.
③ 「독사신론」을 발표하였다.
④ 황성신문의 주필을 역임하였다.

답 ④

만점 학습 전략

[해커스공무원 한국사 기본서]의 기출 사료 모음집으로 빠르고 정확한 사료 해석 능력을 키우자!

[해커스공무원 한국사 기본서]는 반드시 학습해야 하는 핵심 기출 사료와 교과서 사료를 구분하여 '기출 사료 읽기'와 '교과서 사료 읽기'로 제시하였습니다. 또한, 최근 5개년 간 출제된 사료 및 사료에 대한 핵심 키워드를 짚어주는 '공무원 한국사 기출 사료 모음집(PDF)'을 제공하고 있습니다.

만점이 보이는 학습 구성

1

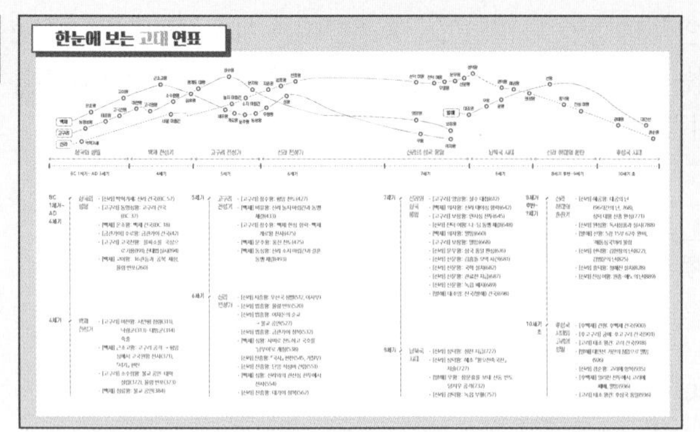

흐름과 핵심 내용을 동시에 잡는 <한눈에 보는 시대 연표>

각 시대의 본문 앞에 해당 시대의 **핵심 내용을 시대의 흐름에 따라 그래프로 구조화·도식화**하였습니다.
이를 통해 각 시대의 흐름과 핵심 내용을 한눈에 파악하고 쉽게 이해할 수 있습니다. 또한, **주요 정책과 사건 등을 연표로 함께 제시**하여 수험생들이 외우기 어려워하는 '연도'를 흐름 순서에 따라 암기할 수 있도록 하였습니다.

2

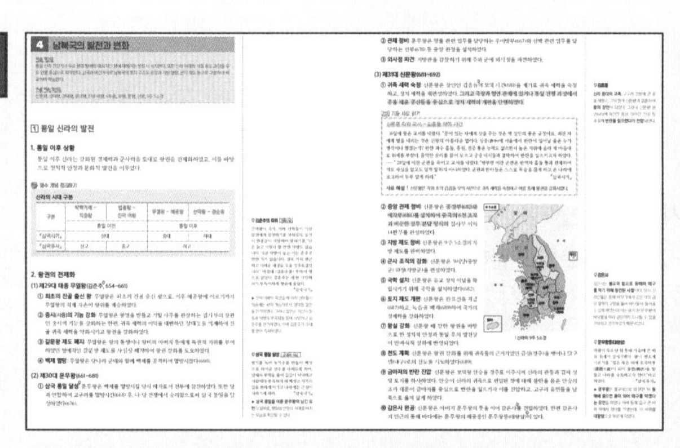

최신 기출을 분석하여 필수 개념을 체계적으로 정리한 본문

방대한 한국사를 공무원 시험에 출제되는 **필수 개념만 분석**하여 체계적으로 정리하였습니다.

기출 사료 읽기

최신 기출은 물론 역대 공무원 한국사 시험에 출제된 사료 중에서 **출제 빈도가 높았던 사료**를 '기출 사료 읽기'로 제시하였습니다.

필수 개념 정리하기

놓치기 쉬운 필수 개념을 오래 기억할 수 있도록, 표 또는 도식으로 한 번 더 정리하였습니다.

3

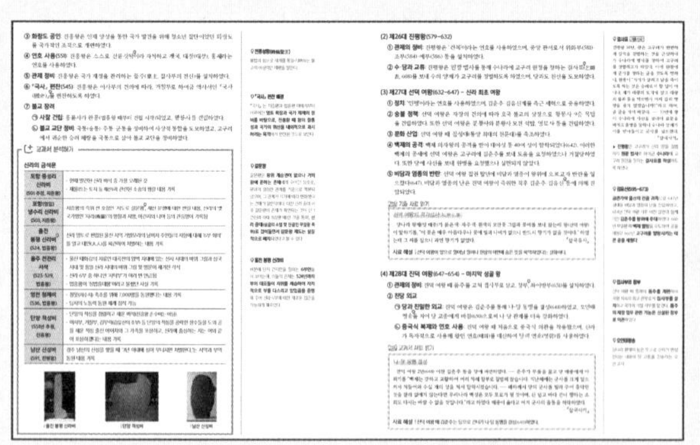

8종 고등학교 역사 교과서에 수록된 내용을 철저히 분석하여 반영

8종 고등학교 역사 교과서에 수록된 내용을 철저히 분석 및 반영하여 심화 개념을 효과적으로 학습할 수 있습니다.

교과서 사료 읽기

출제 가능성이 높은 8종 고등학교 역사 교과서의 사료를 '교과서 사료 읽기'로 제시하였습니다.

교과서 분석하기

심화 문제에 대비할 수 있도록 8종 고등학교 역사 교과서에 수록된 내용을 철저히 분석하여 '교과서 분석하기'로 제시하였습니다.

이해를 돕는 보충 개념과 사료 정리

자칫 놓치기 쉽지만 반드시 알아두어야 하는 **심화·보충 개념과 사료**도 꼼꼼히 학습할 수 있도록 모두 정리하였습니다.

- 본문 이론의 개념 이해를 돕는 사건의 배경이나 용어 설명, 사료, 관련 심화 개념 등을 정리하였습니다. 또한, 효율적인 이론 학습 및 회독 학습을 할 수 있도록 **성격에 따라** 기출연표, 기출사료, 교과서 사료로 **구분**하였습니다.

5

OX 빈칸 핵심 개념 점검

핵심 개념 1 | 고구려의 건국과 성장

01 고구려는 유리왕 때 졸본에서 국내성으로 천도하였다. □ O □ X

02 고구려 태조왕이 동옥저를 정벌하고 빼앗아 성읍으로 삼았다. □ O □ X

03 고구려의 고국천왕은 순노부, 소노부 등의 5부를 행정 단위 성격의 5부로 개편

04 고구려의 고국천왕은 [ ]를 국상으로 등용하고 빈민을 구제하기 위한 제도

핵심 개념을 집중 점검하는 <OX 빈칸 핵심 개념 점검>

공무원 시험 기출 포인트를 분석하여 꼭 알아두어야 할 중요 내용을 **OX 문제와 빈칸 문제로 구성하고 '핵심 개념'별로 정리**하였습니다. 이를 통해 학습한 단원의 핵심 개념을 한 번 더 점검할 수 있습니다. 또한, 참 또는 거짓을 빠르게 판단해야 하는 개념은 OX 문제로, 암기가 필요한 개념은 빈칸 문제로 제시하여 **공무원 시험 경향에 맞게 학습한 개념을 점검**할 수 있도록 하였습니다.

6

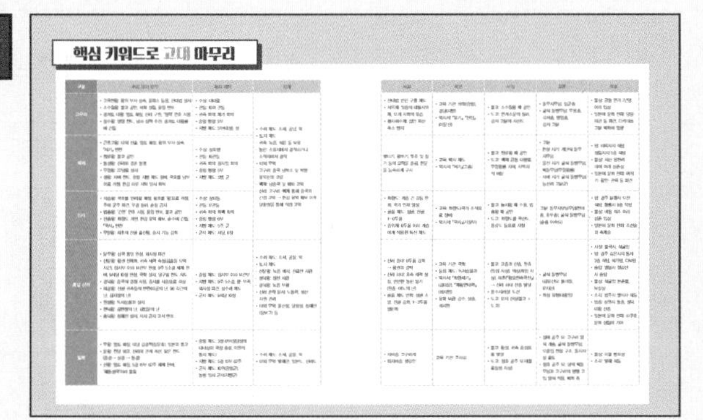

필수 암기 포인트를 한번에 외울 수 있는 <핵심 키워드로 시대 마무리>

정치 - 경제 - 사회 - 문화 순으로 학습한 시대를 **분류사별로 통합하여 핵심 포인트만 암기할 수 있게 정리**하였습니다.
각 시대의 암기 포인트를 한 눈에 정리하고 쉽게 외울 수 있도록 하였으며, 정치 + 경제, 경제 + 사회 등 분야를 통합해서 출제하는 **통합형 문제 역시 대비**할 수 있도록 하였습니다.

3회독 완성 **학습 플랜**

[1회독] 개념 정리 단계
- 아래 진도표에 따라 매일 학습
- 학습 기간: 60일

[2회독] 집중학습 단계
- 아래 진도표의 이틀 분량을 하루에 학습
- 학습 기간: 30일

[3회독] 실력완성 단계
- 아래 진도표의 사흘 분량을 하루에 학습
- 학습 기간: 20일

1일	2일	3일	4일	5일	6일	7일	8일	9일	10일
Ⅰ 선사 - 01	Ⅰ 선사 - 02	Ⅰ 선사 - 03	Ⅰ 선사 복습	Ⅱ 고대 - 01		Ⅱ 고대 - 02		Ⅱ 고대 - 03	
11일	**12일**	**13일**	**14일**	**15일**	**16일**	**17일**	**18일**	**19일**	**20일**
Ⅱ 고대 복습		Ⅲ 고려 - 01		Ⅲ 고려 - 02		Ⅲ 고려 - 03		Ⅲ 고려 복습	
21일	**22일**	**23일**	**24일**	**25일**	**26일**	**27일**	**28일**	**29일**	**30일**
Ⅳ 조선 전기 - 01		Ⅳ 조선 전기 - 02		Ⅳ 조선 전기 - 03		Ⅳ 조선 전기 복습		Ⅴ 조선 후기 - 01	
31일	**32일**	**33일**	**34일**	**35일**	**36일**	**37일**	**38일**	**39일**	**40일**
Ⅴ 조선 후기 - 02	Ⅴ 조선 후기 - 03	Ⅴ 조선 후기 - 04		Ⅴ 조선 후기 복습		선사 - 조선 후기 총정리		Ⅵ 근대 - 01	Ⅵ 근대 - 02
41일	**42일**	**43일**	**44일**	**45일**	**46일**	**47일**	**48일**	**49일**	**50일**
Ⅵ 근대 - 03		Ⅵ 근대 - 04	Ⅵ 근대 복습	Ⅶ 일제 강점기 - 01	Ⅶ 일제 강점기 - 02	Ⅶ 일제 강점기 - 03		Ⅶ 일제 강점기 - 04	
51일	**52일**	**53일**	**54일**	**55일**	**56일**	**57일**	**58일**	**59일**	**60일**
Ⅶ 일제 강점기 - 05		Ⅶ 일제 강점기 복습	Ⅷ 현대 - 01	Ⅷ 현대 - 02	Ⅷ 현대 - 03	Ⅷ 현대 - 04	Ⅷ 현대 복습	근대 - 현대 총정리	

*학습 플랜은 '대단원(I, II, III) - 중단원(01, 02, 03)'의 순서로 표시하였습니다.

회독별 교재 활용법

1회독
개념 정리 단계

학습기간: 총 60일

교재 활용법

· 본격적인 학습을 시작하기 전 각 단원에 있는 '한눈에 보는 시대 연표'만 시대 순으로 읽으면서 흐름을 파악하고 핵심 내용을 체크합니다.

· 처음부터 완벽하게 암기하려고 욕심을 내는 것보다는 전체적인 내용을 익힌다는 생각으로 개념 학습을 진행하는 것이 좋습니다.

· 이론 정리를 먼저 하는 단계이므로 'OX 빈칸 핵심 개념 점검'은 2회독 때부터 푸는 것을 권장합니다.

2회독
집중 학습 단계

학습기간: 총 30일

교재 활용법

· 이해도가 높은 부분은 1회독 때보다 학습 시간을 단축하는 것이 좋습니다.

· 1회독 때 개념 정리가 잘 되지 않은 시대는 '한눈에 보는 시대 연표'부터 다시 꼼꼼히 학습합니다.

· 본문 오른쪽에 위치한 보조단의 설명까지 정독하면서 책에 실린 내용을 꼼꼼히 익힙니다.

· 'OX 빈칸 핵심 개념 점검'을 함께 풀어보며 공무원 한국사 시험의 문제 유형과 중요 출제 포인트를 익힙니다.

문제집 연계 학습법

[해커스공무원 단원별 기출문제집 한국사] 또는 [해커스공무원 단원별 적중 600제 한국사]를 풀고, 틀렸거나 찍어서 맞힌 문제는 [해커스공무원 한국사 기본서]의 관련 개념을 다시 복습합니다.

3회독
실력 완성 단계

학습기간: 총 20일

교재 활용법

· 전체를 동일한 비중으로 학습하는 것보다 본인이 취약한 시대나 주제를 집중 학습하는 것이 좋습니다.

· 'OX 빈칸 핵심 개념 점검'은 틀린 문제 위주로 학습합니다.

· '핵심 키워드로 시대 마무리'를 통해 주요 키워드를 암기하며 학습을 마무리합니다.

요약집 연계 학습법

[해커스공무원 한국사 기본서]를 통해 한국사 전 범위를 시대별로 정리하였다면, [해커스공무원 단권화 핵심정리 한국사]를 통해 분류사별로 한 번 더 정리한다면 학습한 내용의 암기 효과를 극대화할 수 있습니다.

해커스공무원에서 제공하는 합격 가능성을 높이는 프리미엄 콘텐츠!

01

해커스공무원 온라인 단과강의 20% 할인 쿠폰

공무원 1위 해커스 강사진의 다양한 단과강의를 20% 할인된 가격으로 제공!

02

공무원 한국사 특강 (gosi.Hackers.com)

해커스공무원 한국사 스타 강사의 특강 제공!

03

한국사 이해에 도움을 주는 다양한 부록 제공

한국사 이해에 도움을 주는 '왕조계보표', '유네스코 세계 유산', '근현대 빈출 인물 총정리' 등의 부록 제공!

04

공무원 한국사 기출 사료 모음집 제공 (gosi.Hackers.com)

최근 5년간 출제된 기출 사료와 사료의 핵심 키워드를 짚어주는 '기출 사료 모음집(PDF)' 제공!

05

해커스 회독증강 콘텐츠(할인 쿠폰 수록)

매일 하루 30분씩 꾸준히 학습하는 단계별 코스 제공!

06

공무원 학원 및 시험 정보 (gosi.Hackers.com)

공무원 학원 및 시험에 관한 각종 정보, 다양한 무료 자료, 교재별 핵심정리 동영상강의 및 실전 문제풀이 동영상강의 제공!

해커스공무원

한국사

기본서 **1권 | 전근대사**

해커스공무원

합격에 **꼭 필요한 내용**을 **체계적인 구성**으로 **꼼꼼히 정리**한 **필수 기본서!**

역사는 현재를 살아가는 우리의 삶을 담은 이야기입니다. 그러나 많은 사람들이 '역사는 무조건 암기해야 하는 과목이고 어렵고 재미없다.'라는 고정관념을 가지고 있습니다. 이같은 생각을 반영하듯이 기존의 한국사 개념서는 방대한 양으로 공무원 시험을 준비하는 수험생 여러분들을 힘들게 하였습니다. 이러한 현실에서 꼭 필요한 개념을 흐름에 따라 체계적 · 효율적으로 정리할 수 있도록 **『해커스공무원 한국사 기본서』**를 출간하게 되었습니다.

『해커스공무원 한국사 기본서』는 방대한 한국사 내용을 체계적으로 학습할 수 있는 최적의 교재입니다. '한눈에 보는 시대 연표'에서는 본격적인 학습을 시작하기 전에 해당 시대의 흐름과 핵심 내용을 한눈에 파악할 수 있도록 하였고, 본문에서는 한국사의 흐름과 내용을 일목요연하게 정리하였으며, 관련 사료와 도식화된 개념을 제시하였습니다. 또한 본문과 연계된 'OX 빈칸 핵심 개념 점검'을 구성하여 수험생 여러분들이 본문에서 배운 내용을 핵심 개념별로 구성된 OX 빈칸 문제를 통해 점검할 수 있도록 하였습니다. 그리고 각 단원의 마지막에는 핵심 내용만 골라 표로 정리한 '핵심 키워드로 시대 마무리'를 제공하였습니다.

더불어, 공무원 시험 전문 사이트인 **해커스공무원(gosi.Hackers.com)**에서 궁금한 점을 나누고, 다양한 무료 학습 자료를 함께 이용한다면 학습 효과를 극대화할 수 있습니다.

『해커스공무원 한국사 기본서』를 통해 수험생 여러분들이 원하는 목표에 도달하시기를 진심으로 기원합니다.

해커스 공무원시험연구소

차례

1권 전근대사

IV 조선의 발전

01 조선 전기의 정치

02 조선 전기의 경제·사회

03 조선 전기의 문화

V 조선의 변화

01 조선 후기의 정치

02 조선 후기의 경제

03 조선 후기의 사회

04 조선 후기의 문화

유네스코 세계유산, 왕조 계보표(부록)

공무원 한국사 기출 사료 모음집(PDF)
- 해커스공무원(gosi.Hackers.com) 사이트에서 다운로드

공무원시험전문 **해커스공무원**

gosi.Hackers.com

선사 출제 경향

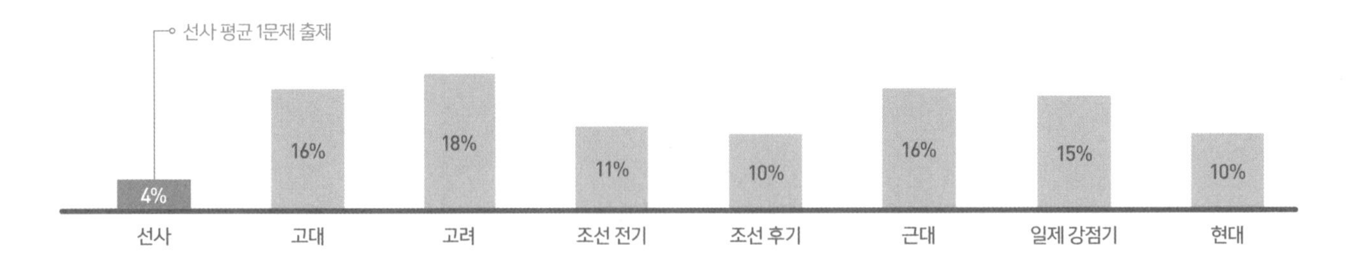

우리 역사의 형성에서는 **매해 평균 4% 수준**으로 문제가 출제됩니다. 우리 역사의 형성은 많은 문제가 출제되는 편은 아니지만, **기본적인 내용을 묻는 문제가 꾸준히 출제**되므로 개념을 확실하게 이해하고 암기하는 것이 중요합니다.

해커스공무원 한국사 기본서 **1권 전근대사**

Ⅰ 우리 역사의 형성

01 한국사의 이해
02 선사 시대의 전개
03 고조선과 여러 나라의 성장

간혹 출제되는 '한국사의 이해' 부분에서는 **역사의 의미**에 대해 묻는 문제가 출제되며, '선사 시대의 전개'에서는 각 시대의 대표적인 **유물과 유적을 제시한 후 해당 시대의 생활 모습을 묻는 문제**가 자주 출제됩니다. '고조선과 여러 나라의 성장'에서는 **고조선의 변화**, **여러 나라의 특징과 풍속을 묻는 문제**가 주로 출제됩니다.

한눈에 보는 선사 시대 연표

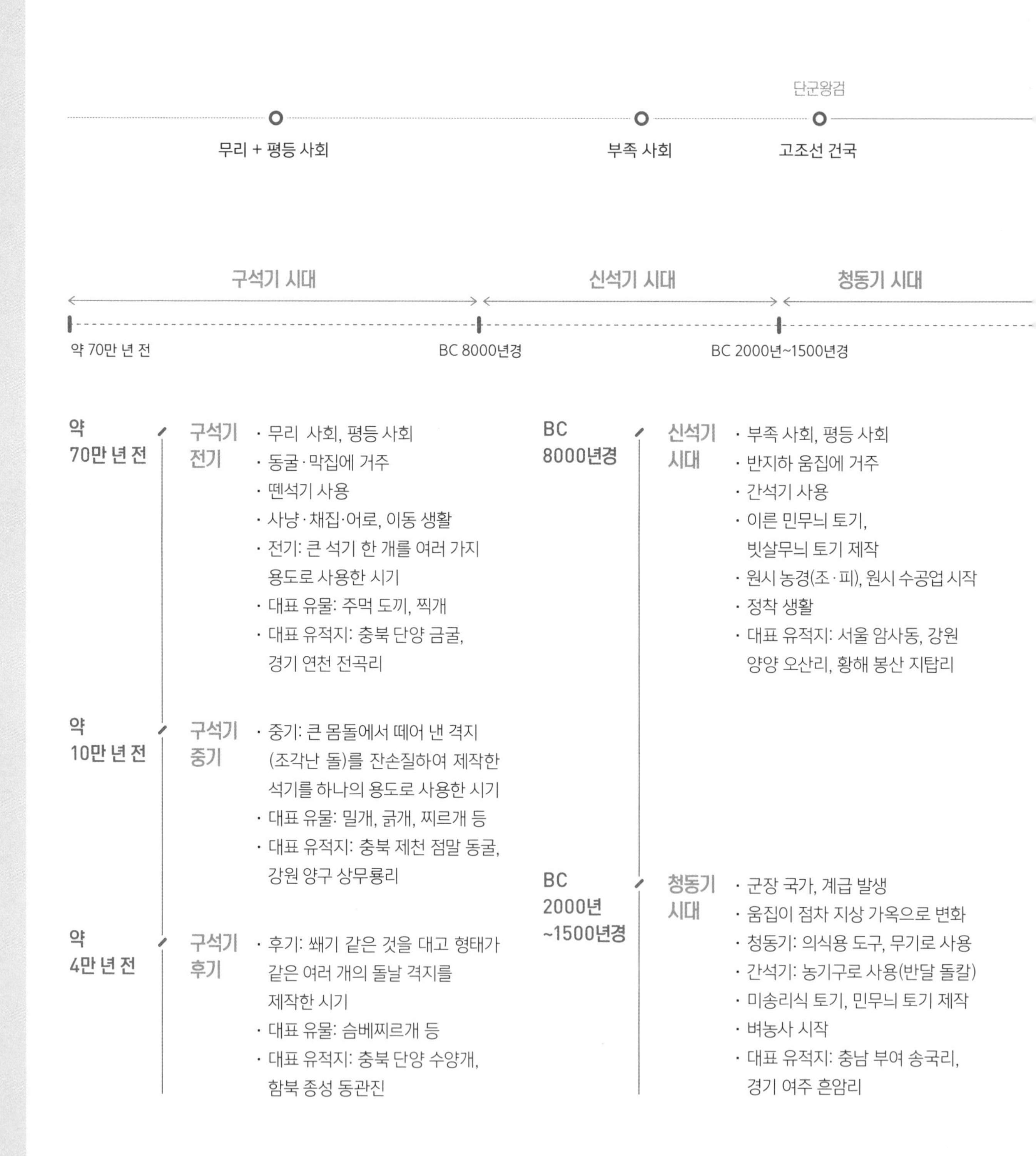

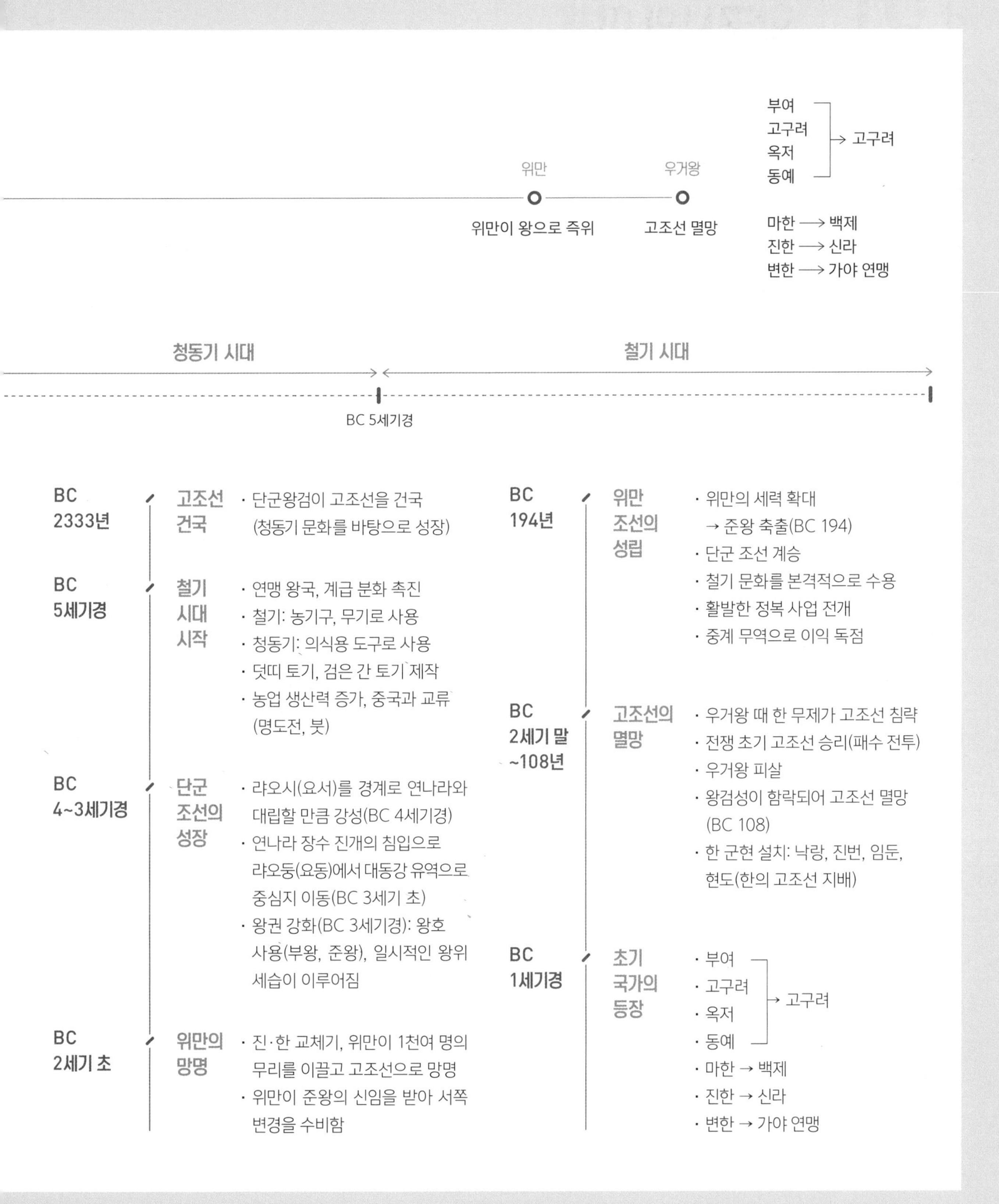

부여
고구려
옥저
동예
→ 고구려
위만
우거왕
위만이 왕으로 즉위
고조선 멸망
마한 → 백제
진한 → 신라
변한 → 가야 연맹
청동기 시대
철기 시대
BC 5세기경
BC 2333년
고조선 건국
· 단군왕검이 고조선을 건국 (청동기 문화를 바탕으로 성장)
BC 5세기경
철기 시대 시작
· 연맹 왕국, 계급 분화 촉진
· 철기: 농기구, 무기로 사용
· 청동기: 의식용 도구로 사용
· 덧띠 토기, 검은 간 토기 제작
· 농업 생산력 증가, 중국과 교류 (명도전, 붓)
BC 4~3세기경
단군 조선의 성장
· 랴오시(요서)를 경계로 연나라와 대립할 만큼 강성(BC 4세기경)
· 연나라 장수 진개의 침입으로 랴오둥(요동)에서 대동강 유역으로 중심지 이동(BC 3세기 초)
· 왕권 강화(BC 3세기경): 왕호 사용(부왕, 준왕), 일시적인 왕위 세습이 이루어짐
BC 2세기 초
위만의 망명
· 진·한 교체기, 위만이 1천여 명의 무리를 이끌고 고조선으로 망명
· 위만이 준왕의 신임을 받아 서쪽 변경을 수비함
BC 194년
위만 조선의 성립
· 위만의 세력 확대 → 준왕 축출(BC 194)
· 단군 조선 계승
· 철기 문화를 본격적으로 수용
· 활발한 정복 사업 전개
· 중계 무역으로 이익 독점
BC 2세기 말 ~108년
고조선의 멸망
· 우거왕 때 한 무제가 고조선 침략
· 전쟁 초기 고조선 승리(패수 전투)
· 우거왕 피살
· 왕검성이 함락되어 고조선 멸망 (BC 108)
· 한 군현 설치: 낙랑, 진번, 임둔, 현도(한의 고조선 지배)
BC 1세기경
초기 국가의 등장
· 부여
· 고구려
· 옥저
· 동예
→ 고구려
· 마한 → 백제
· 진한 → 신라
· 변한 → 가야 연맹

01 한국사의 이해

1 역사의 의미와 한국사

학습 포인트
사실로서의 역사와 기록으로서의 역사를 구별하는 문제가 주로 출제되므로 각각의 내용을 비교하며 학습한다.

빈출 핵심 포인트
사실로서의 역사, 기록으로서의 역사

1 역사의 의미

1. 사실로서의 역사

(1) **객관적 의미의 역사**: 사실로서의 역사는 현재에 이르기까지의 모든 과거에 있었던 사실을 의미한다. 역사란 수많은 과거 사건들의 집합체라는 의미이다.

(2) **랑케**(L. Ranke): "역사학의 임무는 과거의 사실을 있는 그대로 밝히는 것이다."라며 역사를 객관적 사실 그 자체로 보았다.

2. 기록으로서의 역사

(1) **주관적 의미의 역사**: 기록으로서의 역사는 과거의 사실을 토대로 역사가가 조사·연구하여 주관적으로 재구성한 것을 의미한다.

(2) **크로체**(Croce): "모든 역사는 현재의 역사이며 역사가의 사유를 통해 현재에서 재구성된 사실만이 역사이다."라며 역사가의 해석을 강조하였다.

(3) **카**(E. H. Carr): "역사란 현재와 과거의 끊임없는 대화이다."라며 역사가의 해석을 강조하였다(절충주의).

기출 사료 읽기

기록으로서의 역사

역사가와 역사적 사실은 상호 불가분의 관계이다. 사실을 갖추지 못한 역사가는 뿌리가 없기 때문에 열매를 맺을 수 없다. 반면에 역사가가 없는 사실은 생명이 없는 무의미한 존재일 뿐이다. 역사란 무엇일까? 이 질문에 대한 나의 궁극적인 답변은 다음과 같다. 역사는 역사가와 사실이 끊임없이 겪는 상호 작용의 과정이며, 이는 현재와 과거의 끊임없는 대화인 셈이다. - 카(E. H. Carr)

사료 해설 | 제시된 사료는 카(E. H. Carr)가 저술한 『역사란 무엇인가?』에 나오는 내용으로, 역사학자인 카는 객관적 사실을 토대로 한 역사가의 해석을 강조하였다.

사실로서의 역사 기출사료

우리는 역사학에 과거를 재판하고 장래에 유익하도록 인류를 선도한다는 따위의 기능을 기대하여 왔다. 이 글은 그런 허황된 기능을 시도하는 것이 아니다. 단지 그것이 원래 어떻게 있었는가를 보이려 할 뿐이다.
- 랑케(L. Ranke)

▶ 사실로서의 역사의 대표적인 학자 랑케는 역사 서술의 객관성을 강조하였다.

카(E. H. Carr)

영국의 정치학자이자 역사학자로, **역사적 사실의 객관성과 역사가의 주관적 해석을 모두 중시**하는 절충안을 제시하였다.

3. 사료와 사료 비판

(1) 사료

① **사료의 개념**: 사료란 역사적 자료, 과거가 남긴 흔적을 말한다.

② **사료의 종류**

1차 사료	과거 사람들이 남긴 유물이나 유적, 기록 등
2차 사료	후대의 역사가들이 정리한 것

(2) **사료 비판**: 사료에는 기록한 사람의 주관이 반영되어 있으므로 사료 비판이 필요하다.

사료	1차 사료	과거 사람들이 남긴 유물, 유적, 기록 등
	2차 사료	후대의 역사가들이 정리한 것
사료 비판	외적 비판	사료의 진위 여부 및 가공 여부 등을 파악, 사료가 생성된 장소·연대 등에 대하여 탐구
	내적 비판	사료의 내용이 신뢰할 만한 것인지 분석

2 역사 학습의 의미와 목적

1. 역사 학습의 의미

(1) **역사 그 자체를 배움**: 과거 사실에 대한 지식을 늘리고 기억하는 것(역사는 '지식의 보고')을 의미한다(객관적 의미의 역사 강조).

(2) **역사를 통해 배움**: 역사 속의 인물이나 사건, 사실들을 통해 현재의 내가 살아가는 데 필요한 능력과 교훈을 얻을 수 있다는 것을 의미한다(주관적 의미의 역사 강조).

2. 역사 학습의 목적

(1) **현재를 바르게 이해**: 과거 사실을 바탕으로 현재를 바르게 이해할 수 있는 능력을 기를 수 있다.

(2) **역사를 통한 삶의 지혜 습득**: 역사 학습을 통해 현재 우리가 당면한 문제를 파악하고, 미래를 전망하는 삶의 지혜를 습득할 수 있다.

(3) **역사적 사고력과 비판력 함양**: 역사 자료를 분석·평가하는 과정을 통해 원인과 그 의도·목적을 추론하는 사고력, 정당한 평가를 내리는 비판력을 함양할 수 있다.

3 역사의 올바른 이해

세계사적 보편성	모든 민족은 전 인류의 공통된 성질을 가지고 있음
민족의 특수성	각 민족은 자연 환경의 차이에 따라 발생한 언어, 풍속, 종교, 예술 등의 고유한 성질을 가지고 있음
역사의 올바른 이해	세계사적 보편성과 각 민족의 특수성을 균형 있게 파악해야 함

역사는 '지식의 보고'

역사에는 정치·경제·사회·문화 등 여러 방면에 걸친 지식이 포함되어 있다. 즉, **역사는 과거 인간 생활에 대한 지식의 총체**이다. 그러므로 우리는 역사를 배움으로써 인간 생활에 대한 지식의 보고(寶庫)에 다가갈 수 있다.

OX 빈칸 핵심 개념 점검

* 학습한 개념을 OX/빈칸 문제를 통해 점검해보세요.

핵심 개념 1 | 역사의 의미

01 기록으로서의 역사에는 역사가의 주관이 개입되면 안 된다. □ O □ X

02 사실로서의 역사는 시간적으로 현재까지 일어난 모든 과거의 사건을 말한다. □ O □ X

03 상대주의 사관에 따르면 독자는 역사서를 읽을 때 저자의 관점을 염두에 두어야 한다. □ O □ X

04 기록으로서의 역사에 따르면 사료 또한 사람에 의해 '기록된 과거'이므로, 기록한 역사가의 가치관을 분석한다. □ O □ X

05 사실로서의 역사는 주관적 의미의 역사이다. □ O □ X

06 카(E. H. Carr)의 역사관에 따르면 역사가의 주관적인 해석 과정은 객관적인 과거 사실만큼이나 역사를 형성하는 데 중요하다. □ O □ X

07 카(E. H. Carr)의 역사관에 따르면 역사는 ______과 기록이라는 두 가지 측면으로 구성되어 있다.

08 "모든 역사는 현재의 역사다."라는 말은 ______으로서의 역사관에 부합한다.

09 "역사학의 임무는 과거의 사실을 있는 그대로 밝히는 것이다."는 ______로서의 역사를 주장한 대표적인 학자의 말이다.

10 역사를 배운다는 것은 역사가가 선정하고 연구한 ______으로서의 역사를 배우는 것이다.

핵심 개념 2 | 역사의 올바른 이해

11 사료와 역사적 진실이 반드시 일치하는 것은 아니므로 ______이 필요하다.

12 고대 사회의 현세 구복적이고 호국적인 성향의 불교는 우리 역사의 특수성을 보여준다. □ O □ X

13 전근대 사회에서 신분제 사회가 형성되어 있었던 것은 우리 역사의 특수성을 보여준다. □ O □ X

14 두레·계 등의 공동체 조직이 발달한 것은 세계사의 보편적 특징이다. □ O □ X

15 역사를 올바로 이해하기 위해서는 ______과 ______을 균형 있게 파악하려는 자세가 필요하다.

정답과 해설

01	✖ '기록으로서의 역사'는 주관적 의미의 역사로, 역사가의 주관이 개입된다.	09	사실
02	O 사실로서의 역사는 과거부터 현재까지 일어난 모든 사건의 집합체를 말한다.	10	기록
03	O 상대주의 사관에 따르면 독자는 저자의 사관을 염두에 두고 역사서를 읽는 것이 바람직하다.	11	사료 비판
04	O 기록으로서의 역사에 따르면 사료에는 그것을 기록하는 역사가의 가치관이 개입될 수 있으므로, 사료를 기록한 역사가의 가치관을 분석해야 한다.	12	O 현세 구복적이고 호국적인 성향이 강한 고대 사회의 불교는 우리 역사의 특수성을 보여준다.
05	✖ 사실로서의 역사는 객관적 의미의 역사이다.	13	✖ 전근대 사회에서 신분제 사회가 형성되어 있었던 것은 우리 역사의 특수성이 아닌 세계사의 보편적 특징이다.
06	O 카(E. H. Carr)의 역사관에 따르면 역사의 형성에 있어서 역사가의 주관적인 해석 과정은 객관적인 과거의 사실만큼이나 중요하다.	14	✖ 두레·계·향도 등의 공동체 조직이 발달한 것은 세계사의 보편적 특징이 아닌 우리 역사의 특수성을 보여준다.
07	사실	15	보편성, 특수성
08	기록		

02 선사 시대의 전개

1 구석기·신석기 시대

학습 포인트
구석기·신석기 시대의 대표적인 유물과 유적지를 파악하고, 각 시대별 생활상을 구분하여 학습한다.

빈출 핵심 포인트
주먹 도끼, 슴베찌르개, 빗살무늬 토기, 가락바퀴, 움집, 원시 신앙

1 구석기 시대

1. 시기 구분

한반도에서는 약 70만년 전부터 구석기 시대 사람들이 살기 시작하였으며, 구석기 시대는 석기를 다듬는 방법에 따라 전기, 중기, 후기로 구분한다.

시기	특징	도구
전기	큰 석기 한 개를 여러 가지 용도로 사용	주먹 도끼, 찍개
중기	큰 몸돌에서 떼어 낸 격지(조각난 돌)를 잔손질하여 제작한 석기를 하나의 용도로 사용	밀개, 긁개, 찌르개 등
후기	쐐기 같은 것을 대고 형태가 같은 여러 개의 돌날 격지 제작	슴베찌르개 등

2. 구석기 시대의 생활

(1) 경제 활동

① **수렵·어로·채집**: 구석기 시대에는 아직 농경법을 알지 못하였기 때문에 짐승이나 물고기를 잡아먹거나 나무 열매와 뿌리를 채집하여 생활하였다.

② **뗀석기 제작**: 처음에는 찍개 같은 하나의 도구를 여러 가지 용도로 사용하였으나 점차 뗀석기 제작 기술이 발달하면서 용도가 뚜렷한 작은 석기들을 제작하였다.

㉠ **사냥 도구**: 주먹 도끼, 찍개, 찌르개, 팔매돌 등

㉡ **조리 도구**: 긁개, 밀개 등

③ **뼈 도구**: 동물의 뼈나 뿔로 도구를 만들어 사용하였다.

| 주먹 도끼

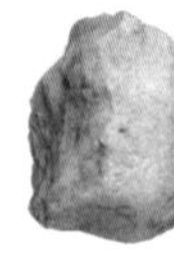
| 찍개

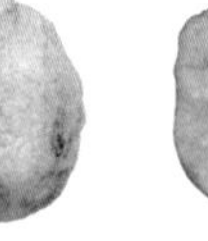

| 긁개

| 밀개

슴베찌르개

슴베찌르개는 주로 구석기 시대 후기에 사용된 도구로, **나무나 뼈에 꽂아서 창처럼 사용**하였다.

구석기 시대의 뗀석기

뗀석기는 돌에 타격을 가하여 형태를 다듬어 만든 석기로 구석기 시대에 주로 제작되었으며, 대표적으로는 주먹 도끼와 긁개 등이 있다.
주먹 도끼는 찍개와 함께 동물을 사냥하거나 땅을 파서 풀이나 나무뿌리를 캐는 등 다양한 용도로 사용되었고, **긁개**는 동물의 가죽을 벗기거나 고기를 저밀 때, 나무나 뼈를 깎을 때 사용되었다.

(2) 주거 생활

① **위치**: 구석기인들은 주로 동굴이나 바위 그늘에서 살거나 지상이나 강가에 막집을 짓고 살았다(움집 ×).

② **집터의 규모**: 작은 것은 3~4명, 큰 것은 10명 정도 살 수 있는 규모였다.

③ **특징**: 구석기 시대 후기의 막집 자리에는 기둥 자리, 불 땐 자리가 남아 있어 당시의 생활상을 추정할 수 있다.

(3) 사회 생활

① **무리 사회**: 구석기인들은 무리를 이루어 큰 사냥감을 찾아 이동 생활을 하였다.

② **평등 사회**: 무리 중에 경험이 많고 지혜로운 사람이 지도자가 되었으나 권력을 갖지는 못하였고, 모든 사람이 평등한 공동체 생활을 하였다.

(4) 예술 활동

① **예술품**: 구석기 시대 후기에 이르러 동물의 뼈나 뿔 등을 이용한 조각품을 제작하였다.

② **특징**: 사냥감의 번성을 비는 주술적 의미를 담아 예술품을 만들었다.

3. 구석기 시대의 유적지

시기	유적지	내용
전기	충북 단양 금굴	우리나라에서 가장 오래된 구석기 유적지(70만 년 전)
	경기 연천 전곡리	아슐리안형 주먹 도끼 출토(모비우스 학설 폐기)
	충남 공주 석장리	· 광복 이후 남한에서 최초로 발굴된 유적지(1964) · 구석기 시대 전기에서 후기까지 이어지는 유적
중기	충북 제천 점말 동굴	· 남한에서 최초로 발견된 동굴 유적 · 사람의 얼굴을 새긴 털코뿔이 뼈 출토(중기 구석기 시대 문화층에서 출토)
	대전 용호동	불을 땐 화덕 자리가 발견됨
	충북 단양 상시리 바위 그늘	남한에서 최초로 인골 출토 → 상시리인(슬기사람)
	강원 양구 상무룡리	찍개, 여러 면 석기, 격지 석기, 흑요석기 등 출토
	평남 덕천 승리산 동굴	한반도에서 인골이 처음으로 발견(승리산인, 아래턱 뼈와 어금니 발견)
후기	충북 청원 두루봉 동굴	흥수 아이라고 불리는 인골 발견
	충북 단양 수양개	주거 유적 발견, 석기 제작지 발견
	함북 종성 동관진	· 일제 강점기에 한반도에서 최초로 발견된 구석기 유적지(1933) · 매머드 등 포유류 화석 발견

모비우스 학설

미국 고고학자 모비우스는 인도 서쪽 일대의 유럽과 아프리카를 주먹 도끼 문화권, 인도의 동북쪽 일대인 아시아를 찍개 문화권으로 구분하고, 동아시아에서는 상대적으로 덜 발달된 석기가 출토된다는 제국주의적 학설을 주장하였다. 그러나 **연천 전곡리에서 동아시아 최초로 아슐리안형 주먹 도끼가 출토**되면서 이 학설은 무너졌다.

충북 청원 두루봉 동굴의 흥수 아이

청원 두루봉 동굴에서 발견된 4만 년 전에 죽은 후기 구석기 시대의 인골로, 고운 흙을 뿌려 놓은 것 등의 매장 흔적이 발견되었다.

교과서 분석하기

아슐리안형 주먹 도끼

프랑스의 생 아슐 유적에서 처음 발견되어 붙여진 명칭으로, 석재의 양면을 정교하게 가공하여 날을 조성한 석기이다. 1978년 연천 전곡리에서 발견된 아슐리안형 주먹 도끼는 전기 구석기 시대의 대표적인 유물로, 사냥과 뼈 가공 등 다양한 방면에서 사용된 다목적 도구였다.

2 중석기 시대

1. 시기

기원전 1만 년경의 시기로서 구석기 시대에서 신석기 시대로 나아가는 과도기를 중석기 시대라고 하며 시기적으로 후기 구석기 시대에 해당한다. 중석기 시대에는 기후가 따뜻해지면서 거대한 짐승이 사라지고 작은 동물과 식물이 번성하였다. 이에 따라 동식물 수렵과 어로, 식물 채집 등이 성행하였다.

중석기 시대
유럽에서는 **구석기 시대에서 신석기 시대로 넘어가는 과도기적인 단계**를 중석기 시대로 부르고 있으나, 우리나라에서 중석기 시대를 설정하는 것은 아직 문제로 남아 있다.

2. 도구의 변화

중석기 시대에는 이전에 비해 더욱 치밀한 수법으로 만든 잔석기를 사용하였고, 한 개 내지 여러 개의 석기를 나무나 뼈에 꽂거나 손잡이를 부착해서 쓰는 이음 도구(톱, 활, 창, 작살)를 제작하였다.

3 신석기 시대

1. 신석기 문화

(1) 형성: 기원전 1만 년경 빙하기가 끝나고 후빙기가 시작되면서 자연환경의 변화와 더불어 인류도 변화하여 신석기 시대가 전개되었다.

(2) 신석기 혁명: 농경과 목축 등 식량을 생산하면서 인류의 생활 양식이 크게 변화하였는데, 이를 신석기 혁명이라고 한다.

신석기 혁명
신석기 시대에는 **농경과 목축이 시작**되어 식량을 채집하는 생활 방식에서 식량을 생산하는 방식으로 전환되었다. 이에 신석기 시대에는 **정착 생활이 가능**하게 되었으며, 생산력 증대에 따라 인구가 증가하였다. 이를 **신석기 혁명**이라 부른다.

2. 시기

우리나라에서는 기원전 8000년경 신석기 시대가 시작되었다.

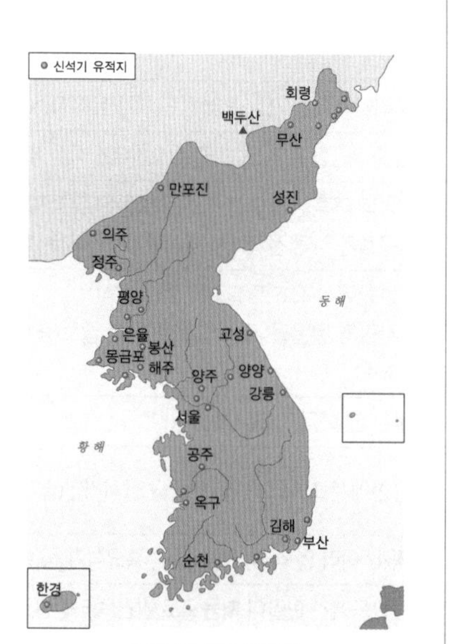

| 신석기 시대 유적지

3. 신석기 시대의 유물·유적

(1) 간석기: 신석기 시대에는 돌을 갈아서 만드는 간석기를 사용하였다. 간석기의 사용으로 부러지거나 무뎌진 석기도 다시 갈아 손쉽게 쓸 수 있게 되었다.

간석기

| 농경 굴지구
(땅을 파고 일구는 도구)

(2) 토기: 신석기 시대에는 음식물을 조리하거나 남은 식량을 저장하기 위해 진흙으로 그릇을 빚고 불에 구워서 만든 토기를 제작하였다.

① 이른 민무늬 토기, 덧무늬 토기, 눌러찍기무늬 토기

㉠ **특징**: 가장 오래된 신석기 시대의 토기이다.

㉡ **출토 지역**: 제주도 한경 고산리, 강원 고성 문암리, 함북 웅기 굴포리 서포항, 강원 양양 오산리, 부산 동삼동 조개더미 등에서 출토되었다.

② **빗살무늬 토기**

㉠ **특징**: 신석기 시대의 대표적인 토기로 밑부분이 뾰족한 형태(V형)이거나 둥근 모양을 하고 있고, 크기도 다양하다.

㉡ **출토 지역**: 서울 암사동, 황해도 봉산 지탑리, 평양 남경, 김해 수가리 등(모두 강가나 바닷가)

| 이른 민무늬 토기

| 덧무늬 토기

| 눌러찍기무늬 토기

| 빗살무늬 토기

(3) 조개더미(패총): 웅기 굴포리, 부산 동삼동 등에서 조개더미가 발견되었다.

4. 신석기 시대의 생활

(1) 경제 활동

① **농경의 시작**: 신석기 시대에 농경과 목축이 시작되었다.

㉠ **재배 작물**: 조·피·수수 등의 잡곡류(벼농사 ×)

㉡ **농기구·조리 도구**: 돌괭이, 돌삽, 돌보습, 돌낫 등 돌로 만든 농기구를 사용하였으며, 나무 열매나 곡물 껍질을 벗기는 데 갈돌과 갈판 등의 조리 도구를 사용하였다.

② **사냥과 고기잡이**: 농업 생산력이 높지 않았기 때문에 사냥과 고기잡이(어로)는 여전히 중요한 식량 생산 수단이었다.

㉠ **사냥**: 활이나 창을 이용하여 사슴이나 멧돼지 등을 사냥하였다.

㉡ **고기잡이**: 그물과 돌이나 뼈로 만든 낚시 도구 등을 이용하여 고기잡이를 하였다.

③ **원시적 수공업**: 가락바퀴(방추차)와 뼈바늘이 출토되는 것으로 보아 의복이나 그물을 만들어 사용한 것으로 추정하고 있다.

(2) 주거 생활

① **움집 제작**: 신석기 시대부터 정착 생활을 시작하면서 거주 공간인 움집이 제작되었다.

㉠ **모양**: 구덩이를 만들어 나무 기둥을 세우고 그 위에 짚이나 풀을 엮어 지붕을 만든 형태였다. 바닥은 원형 또는 모서리가 둥근 네모꼴(방형)로, 중앙에는 취사와 난방을 위한 화덕을 설치하였다.

㉡ **특징**: 햇빛을 많이 받는 남쪽으로 출입문을 만들었으며, 화덕이나 출입문 옆에는 저장 구덩이를 만들어 식량이나 도구를 저장하였다.

② **집터의 규모**: 4~5명 정도의 한 가족이 거주할 수 있는 크기로 제작되었다.

(3) 사회 생활

① **부족 사회**: 신석기 시대에는 혈연 중심(모계의 혈통 중시)의 씨족이 기본 단위였으며, 족외혼을 통하여 부족을 형성하였다.

② **평등 사회**: 신석기 시대에는 연장자나 경험이 많은 자가 자기 부족을 통솔하였으나, 부족 사회 내부에서 계급(지배·피지배 관계)이 발생하지는 않았다.

갈돌과 갈판

가락바퀴와 뼈바늘

| 가락바퀴

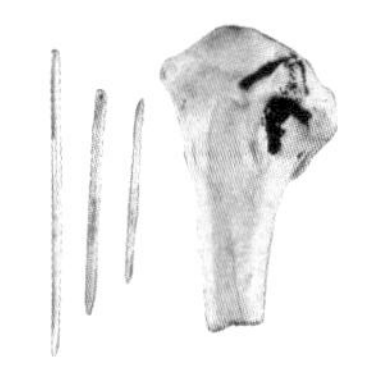
| 뼈바늘과 바늘통

신석기 시대의 움집터

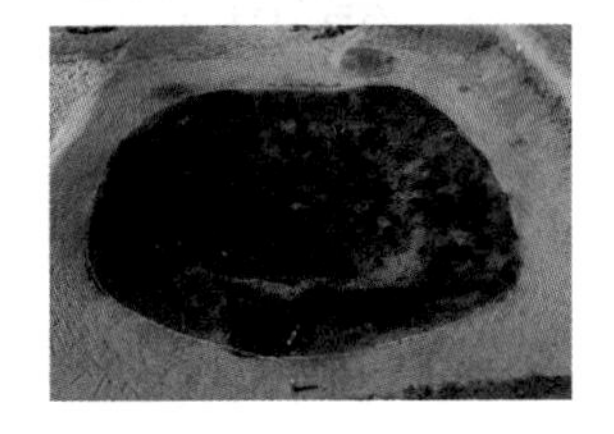

(4) 원시 신앙의 발생

① **배경**: 신석기 시대에는 농경과 정착 생활을 통해 자연의 섭리에 대한 관념이 원시 신앙으로 발전하였다.

② **종류**

애니미즘	농사에 영향을 주는 자연 현상이나 자연물에 정령이 있다고 믿고 숭배
토테미즘	자기 부족의 기원을 특정 동식물과 연결시켜 숭배
샤머니즘	인간과 영혼·하늘을 연결시켜 주는 무당을 믿고, 그 주술에 대해 숭배

(5) 예술 활동

(5) 예술 활동: 신석기 시대의 예술품에는 풍요와 다산을 기원하거나 주술적 신앙의 요소 등이 담겨 있었다. 주로 흙으로 얼굴 모습이나 동물의 모양을 새긴 조각품, 조개 껍데기 가면, 조가비나 짐승의 뼈·이빨로 만든 치레걸이(장식품) 등을 제작하였다.

| 조개 껍데기 가면

(6) 교류 활동: 한반도에 살았던 신석기 시대 사람들은 주변 지역과 활발하게 교류하였다. 남해안 지역 사람들은 주로 일본과 교류하였는데, 여러 유적에서 출토되는 일본산 흑요석과 조몬 토기 등이 교류의 증거이다. 또한 경남 비봉리 유적에서는 통나무배가 발굴되어 한반도와 일본 열도가 해상으로 교류하였음을 짐작할 수 있다.

| 치레걸이

경남 비봉리 유적의 통나무 배

5. 신석기 시대의 유적지

제주 한경 고산리	이른 민무늬 토기, 덧무늬 토기, 눌러찍기무늬 토기 등 출토
강원 고성 문암리	· 100여 점의 토기와 석기 발굴, 옥 귀걸이 등 장신구 출토 · 동아시아 최초의 신석기 밭 유적
강원 양양 오산리	· 한반도에서 가장 오래된 신석기 시대 집터 유적지 발견 · 이른 민무늬 토기, 덧무늬 토기, 눌러찍기무늬 토기 등 출토
함북 웅기 굴포리 서포항	· 구석기 중기·후기, 신석기, 청동기 유물 모두 출토 · 시체의 머리를 동쪽으로 두며, 누운 자세로 매장(동침앙와신전장)한 인골 발견 → 태양 숭배와 사후 세계에 대한 믿음이 있었음을 보여줌 · 신앙과 관련된 개, 뱀, 망아지 등으로 여겨지는 호신부(護身符)가 출토됨
부산 동삼동	· 패총 유적, 조개 껍데기 가면(사람의 눈과 입 모양으로 구멍을 뚫은 형상으로, 집단의 공동체 의식에 사용되었을 것으로 추정), 빗살무늬 토기 등 출토 · 일본산 흑요석기가 출토되어 일본과 원거리 교류나 교역이 있었음을 알 수 있음
서울 암사동	신석기 시대 집터 발견, 빗살무늬 토기 등 출토
황해도 봉산 지탑리 **평양 남경**	탄화된 좁쌀(조·피·수수)이 발견되어 신석기 시대에 농경이 시작되었음을 보여줌
평남 온천 궁산리	· 빗살무늬 토기 출토 · 뼈바늘이 출토되어 신석기 시대에 원시 수공업이 시작되었음을 보여줌
강원 양양 지경리	· 신석기 시대 움집 자리 발견 · 바닥 중앙에 화덕 자리가 있었음을 알려줌

옥 귀걸이(강원 고성 문암리 출토)

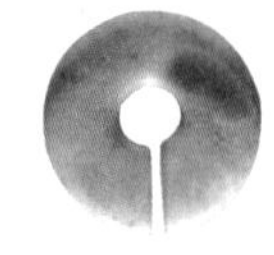
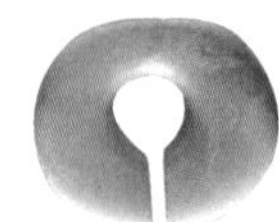

서울 암사동 유적

신석기 시대의 집터를 비롯하여 생활 도구(빗살무늬 토기), 농기구(돌낫) 등의 석기가 대량으로 출토

OX 빈칸 핵심 개념 점검

* 학습한 개념을 OX/빈칸 문제를 통해 점검해보세요.

핵심 개념 1 | 구석기 시대의 생활

01 구석기 시대에는 뗀석기를 주로 이용하였다. □ O □ X

02 구석기 시대 전기에는 주먹 도끼와 슴베찌르개 등이 사용되었다. □ O □ X

03 구석기 시대에 단양 수양개, 연천 전곡리, 공주 석장리 등 강가에 살던 사람들은 주로 고기잡이와 밭농사를 하며 생활하였다. □ O □ X

04 구석기 시대에는 ______와 주먹 도끼 등이 사냥과 채집에 주로 활용되었다.

05 구석기 시대 사람들은 주로 ______이나 바위 그늘, 강가의 막집에서 살았다.

핵심 개념 2 | 구석기 시대의 유적

06 연천 전곡리에서는 사냥 도구인 아슐리안형 주먹 도끼가 출토되었다. □ O □ X

07 구석기 시대의 동굴 유적지로 단양 금굴, 덕천 승리산, 청원 두루봉 등이 있다. □ O □ X

08 단양 수양개에서 발견된 아이의 뼈를 '흥수 아이'라 부른다. □ O □ X

09 구석기 시대의 유적인 충청북도 ______에서 털코뿔이 뼈가 출토되었다.

10 구석기 시대의 유적인 대전 ______ 유적에서 불 땐 자리가 확인되었다.

핵심 개념 3 | 신석기 시대의 생활

11 신석기 시대에는 처음으로 농경이 시작되었다. □ O □ X

12 신석기 시대 사람들은 조개무지(패총)를 많이 남겼다. □ O □ X

13 신석기 시대의 집터는 대부분 움집으로 바닥은 원형이나 모서리가 둥근 사각형이다. □ O □ X

14 신석기 시대에는 마을을 보호하기 위한 방어 시설이 발전하였다. □ O □ X

15 신석기 시대에는 ______와 뼈바늘을 이용하여 옷이나 그물을 만들어 사용하였다.

16 신석기 시대에는 씨족들이 모여서 ______ 사회를 이루었다.

17 신석기 시대에는 ______ 숭배, ______ 숭배와 같은 원시 신앙이 나타났다.

18 신석기 시대에는 갈돌과 갈판 등 ______를 사용하였다.

핵심 개념 4 | 신석기 시대의 유적

19 서울 암사동에서는 바닥이 뾰족하거나 둥근 형태의 빗살무늬 토기가 출토되었다. □ O □ X

20 강원 양양 지경리 유적은 신석기 시대 사람들이 살았던 움집 자리로, 동그란 모양의 바닥 중앙에 화덕 자리가 있다. □ O □ X

정답과 해설

01	O 구석기 시대에는 주먹 도끼, 찍개 등의 뗀석기와 동물의 뼈나 뿔로 만든 뼈 도구 등을 사용하였다.	**11**	O 신석기 시대에는 조, 피, 수수 등의 잡곡류를 재배하는 초보적인 농경이 처음 시작되었다.
02	× 구석기 시대 전기에 주먹 도끼가 사용된 것은 맞지만, 슴베찌르개는 구석기 시대 후기에 제작된 도구로, 뼈나 나무에 꽂아 창처럼 사용되었다.	**12**	O 신석기 시대 사람들은 조개무지(패총)를 많이 남겼으며, 대표적으로 부산 동삼동 유적 등이 있다.
03	× 구석기 시대에는 밭농사를 하며 생활하지 않았다.	**13**	O 신석기 시대에는 주로 움집에 살았으며, 움집 바닥은 원형이나 모서리가 둥근 사각형(방형)이었다.
04	찍개	**14**	× 마을을 보호하기 위한 목책, 환호 등의 방어 시설이 발전한 것은 청동기 시대이다.
05	동굴	**15**	가락바퀴
06	O 구석기 시대 유적지인 경기 연천 전곡리 유적에서는 동아시아 최초로 아슐리안형 주먹 도끼가 출토되었다.	**16**	부족
07	O 구석기 시대의 대표적인 동굴 유적지로 단양 금굴, 덕천 승리산, 제천 점말, 청원 두루봉 등이 있다.	**17**	영혼, 조상
08	× 흥수 아이라고 불리는 인골 화석이 발견된 구석기 시대의 유적지는 충북 청원 두루봉 동굴 유적이다.	**18**	간석기
09	제천 점말 동굴	**19**	O 신석기 시대의 유적인 서울 암사동에서는 바닥이 뾰족하거나 둥근 형태의 빗살무늬 토기가 출토되었다.
10	용호동	**20**	O 강원 양양 지경리 유적에서는 신석기 시대의 둥근 모양의 바닥 중앙에 화덕 자리가 있는 움집터가 발견되었다.

2 청동기·철기 시대

학습 포인트
청동기·철기 시대의 대표적인 유물과 유적지는 반드시 숙지한다. 또한 구석기 시대에서 철기 시대까지 통합적으로 묻는 문제도 자주 출제되므로 각 시대를 서로 비교하며 공부한다.

빈출 핵심 포인트
비파형동검, 세형동검, 반달 돌칼, 민무늬 토기, 미송리식 토기, 송국리식 토기, 고인돌, 붓, 반량전, 거푸집, 계급 발생

1 청동기의 보급

1. 우리나라에 청동기가 보급된 시기

기원전 2000년~1500년경부터 한반도에 청동기 시대가 본격적으로 시작되었으며, 이 무렵 고인돌도 나타나기 시작하면서 한반도의 토착 사회가 형성되었다.

2. 유물과 유적

(1) 청동기

① **특징**: 청동기는 제작이 어렵고 재료가 귀하여 지배자의 장신구나 무기, 의기 등에만 제한적으로 사용되었다.

② **비파형동검**: 비파(악기) 모양과 유사하여 붙여진 이름으로, 만주부터 한반도 전역에 이르는 넓은 지역에서 발견되었다.

③ **거친무늬 거울**: 거울 표면에 줄무늬가 거칠게 새겨진 의식용 거울이다.

④ **청동 방울**: 여러 개의 방울이 달려 소리를 내는 의식용 도구이다. 대표적으로 팔주령(八珠鈴)과 쌍두령(雙頭鈴) 등이 있다.

(2) 간석기

① **농기구**: 반달 돌칼, 홈자귀 등의 석제 농기구가 사용되었다.

② **부장품**: 간돌검이 고인돌의 부장품(껴묻거리)으로 출토되었다.

| 반달 돌칼

(3) 토기

덧띠새김무늬 토기	· 신석기 시대 말기에서 청동기 초기의 토기 · 외면에 얇은 덧띠를 붙인 형태의 토기
민무늬 토기	청동기 시대를 대표하는 토기
미송리식 토기	· 평북 의주 미송리 동굴에서 최초로 발견됨 · 밑이 납작한 항아리의 양쪽 옆으로 손잡이가 하나씩 달려있음 · 청천강 이북, 지린(길림) 성과 랴오닝(요동) 성 일대에 분포함
송국리식 토기	· 부여 송국리 유적에서 처음 발견됨 · 바닥은 납작하고 배의 중간 부분이 약간 부푼 형태의 토기
붉은 간 토기	· 신석기 시대 말기에서 청동기 시대에 사용된 토기 · 붉은색 황토를 이용하여 표면을 매끄럽게 간 토기

비파와 비파형동검

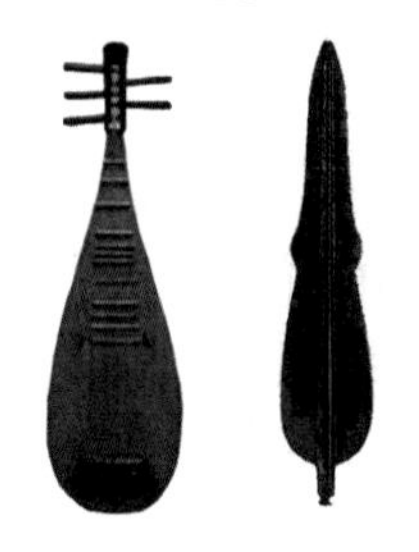

청동기 시대의 간석기

| 홈자귀

| 간돌검

청동기 시대의 토기

| 민무늬 토기

| 미송리식 토기

| 송국리식 토기

(4) 유적

① **특징**: 청동기 유적은 중국의 랴오닝(요령), 지린(길림) 지역을 포함하는 만주 지방과 한반도에 폭넓게 분포되어 있다.

② **주요 유적과 출토 유물**

평북 의주 미송리 동굴	미송리식 토기 등이 출토됨(1959)
경기 여주 흔암리	· 탄화미(米)가 발견되어 청동기 시대에 벼농사가 시작되었음을 보여줌 · 반달 돌칼, 바퀴날 도끼 등이 출토됨
충남 부여 송국리	탄화미, 반달 돌칼, 송국리식 토기, 비파형동검 등이 출토됨
울산 검단리	환호로 둘러싸인 마을 터가 발견됨(1990)

(5) 무덤

① **고인돌**(지석묘)

㉠ **의미**: 고인돌은 지배층의 경제력과 정치권력을 반영한 무덤으로 당시에 계급이 발생하였음을 보여 준다.

㉡ **종류**

탁자식(북방식)	굄돌을 세우고 그 위에 편평한 덮개돌을 올린 형태
바둑판식(남방식)	땅을 파고 그 안에 시신을 넣은 뒤 땅 위에 받침돌을 낮게 놓은 상태에서 덮개돌을 얹은 형태
개석식	받침돌 없이 땅 위에 바로 덮개돌을 덮은 형태

② **돌무지무덤**(적석총): 돌무지무덤은 지면에 구덩이를 파거나 구덩이 없이 시체를 놓고, 그 위에 돌을 쌓아 묘역을 만든 무덤으로, 지배 계급의 무덤이었다.

③ **돌널무덤**(석관묘): 돌널무덤은 돌널(돌로 만든 관)을 만들고 위에 판석을 덮은 것이다.

3. 청동기 시대의 사회 변화

(1) **전문 장인의 출현**: 청동기 제작과 관련된 전문 장인이 출현하였다.

(2) **계급 분화**: 농경의 발달로 농업 생산량이 늘어나 잉여 생산물이 발생하였다. 이로 인해 사유 재산 제도와 빈부의 격차가 나타나 계급이 분화되었다.

2 철기의 보급

1. 시기

기원전 5세기경에 중국 계통의 철기가 유입되면서 철기 시대가 전개되었다.

2. 영향

(1) **정치력 확대**: 철제 농기구의 사용으로 농업이 발달하여 경제 기반이 확대되면서 친족 사회가 확립되고 강력한 정치 조직을 가진 국가가 성립되었다.

고인돌

고인돌을 만들기 위해서는 무게가 수십 톤 이상인 덮개돌을 채석·운반하고 설치하는 등 **많은 노동력이 필요**하였다. 즉, 고인돌은 당시 **지배층의 정치권력과 경제력이 상당히 높았음**을 보여 준다. 유네스코 세계 유산 위원회는 2000년에 고창, 화순, 강화의 고인돌 유적지를 세계 문화유산으로 지정하였다.

고인돌의 종류

| 탁자식 고인돌

| 바둑판식 고인돌

| 개석식 고인돌

돌널무덤

(2) **청동기의 의기화**: 철제 무기의 사용으로 정복 전쟁이 활발해졌는데, 이때 청동기는 모두 의식용 도구로 사용되었다.

3. 중국과의 활발한 교류

(1) **화폐의 출토**: 철기와 함께 명도전, 반량전, 오수전 등이 출토되어 당시 중국과의 활발한 교류를 보여 준다. 특히, 사천 늑도 유적에서는 반량전이 출토되어 중국과 교역한 것을 알 수 있다.

| 명도전 | 반량전 | 오수전

(2) **붓의 출토**: 경남 창원 다호리에서 출토된 붓을 통해 철기 시대에 이미 중국과의 교류를 통해 한자를 사용하였음을 알 수 있다.

4. 청동기 문화의 독자적 발전

(1) **세형동검과 잔무늬 거울**: 청동기 시대 후반 이후 비파형동검은 세형동검으로, 거친무늬 거울은 잔무늬 거울로 발전하였다.

① **동검의 변화**

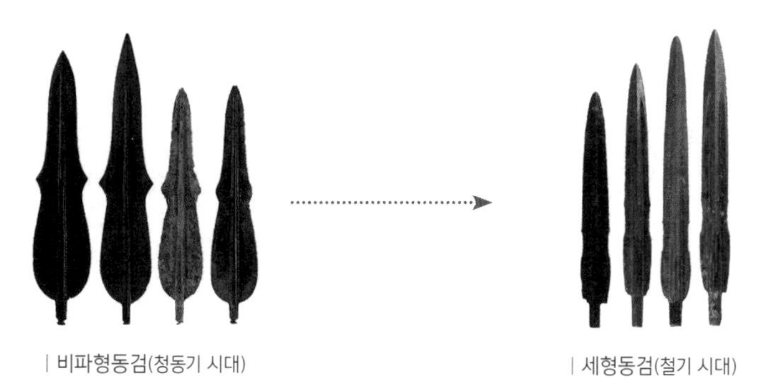

| 비파형동검(청동기 시대) | 세형동검(철기 시대)

② **청동 거울의 변화**

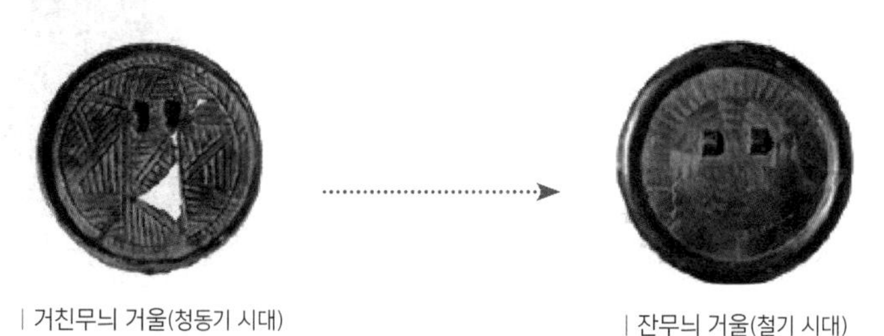

| 거친무늬 거울(청동기 시대) | 잔무늬 거울(철기 시대)

(2) **거푸집**: 청동 제품을 제작하던 틀인 거푸집(용범)이 여러 유적에서 출토되었다. 거푸집은 우리나라에서 독자적인 방식으로 청동기를 직접 제작하였음을 보여주는 유물이다.

중국과의 교류

중국 춘추 전국 시대 연과 제의 화폐인 **명도전**, 전국 시대를 통일한 진의 **반량전**(사천 늑도 유적 출토), 그리고 한에서 사용한 **오수전**이 발견된 점으로 보아 초기 철기 시대부터 **우리나라는 중국과 활발하게 교류**하였음을 알 수 있다.

창원 다호리 출토 붓

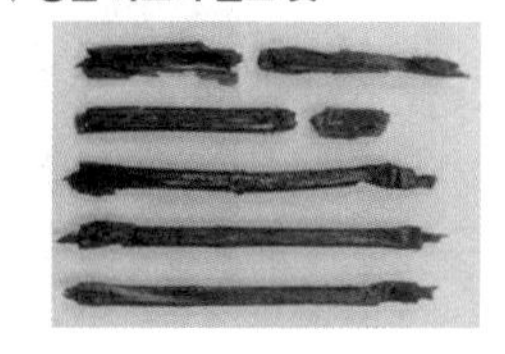

세형동검

세형동검은 청천강 이남에서 주로 발견되며 특히 옛 마한 지역뿐만 아니라 러시아 연해주 지역, 일본 규슈 지역에서도 집중적으로 출토되고 있는데 이는 고대 문화의 전파를 이해하는 데 도움을 준다.

거푸집

| 청동 도끼 거푸집

| 전(傳) 영암 세형동검 거푸집

5. 유물과 유적

(1) 토기

① **민무늬 토기**: 철기 시대에는 민무늬 토기가 다양하게 발전하였다.

② **덧띠 토기**: 덧띠 토기는 입술 단면에 원형, 타원형, 삼각형 띠 문양의 흙을 덧붙여 만든 토기이다.

③ **검은 간 토기**: 검은 간 토기는 표면에 흑연 같은 검은 광물질을 바른 후 매끈하게 갈아 만든 토기이다.

(2) 무덤

① **널무덤**: 토광묘(土壙墓)라고도 하는 널무덤은 구덩이를 파고 직접 주검을 묻는 보편적인 무덤 양식이다.

② **독무덤**: 옹관묘(甕棺墓)라고도 하는 독무덤은 크고 작은 항아리나 독 두 개를 맞붙여 관으로 사용한 것으로, 널무덤과 함께 철기 시대의 대표적인 무덤 양식이다.

| 널무덤

| 독무덤

철기 시대의 토기

| 덧띠 토기

| 검은 간 토기

독무덤

독무덤은 시신을 담는 널을 항아리로 만든 것으로, 신석기 시대부터 조성된 것으로 추정되나, 우리나라의 독무덤은 대체로 철기 시대의 유적에서 발견된다. 영산강 유역에서는 큰 규모의 독무덤이 발견되기도 하였다.

3 청동기·철기 시대의 생활

1. 경제 활동

(1) 간석기의 다양화: 간석기가 다양해지고, 기능이 개선되면서 생산 경제가 발달하였다.

(2) 농경의 발달

① **농업**: 조, 보리, 콩, 수수 등의 밭농사가 중심이었으나 일부 저습지에서는 벼농사를 짓기도하였다. 평양 남경, 여주 흔암리, 부여 송국리, 김해 패총 등에서 탄화미(탄화된 쌀)가 출토되었다.

② **농기구의 발달**: 청동기 시대에는 돌도끼, 홈자귀, 괭이나 나무로 만든 농기구를 통해 땅을 개간하여 곡식을 심었고, 가을에는 반달 돌칼로 이삭을 잘라 추수하였다. 철기 시대에는 나무나 돌로 만든 농기구를 여전히 사용하면서, 낫, 호미, 보습, 괭이 등의 철제 농기를 함께 사용하였다.

청동기 시대 농업

| 농경무늬 청동기

정확한 출토지는 알 수 없으나, 대전 광역시에서 출토된 것으로 전해진다. 머리채가 긴 사람이 두 손으로 따비(논이나 밭을 가는 원시적인 농기구, 쟁기의 일종)를 잡고 한 발로 힘 있게 따비를 밟고 있으며, 따비 밑에는 밭고랑으로 보이는 가는 선을 그어 놓았다.

2. 주거 생활

(1) 집터 유적

① **분포**: 한반도 전역에서 발견

② **배산임수**: 대체로 앞쪽에는 시냇물이 흐르고, 뒤쪽에는 북서풍을 막아 주는 나지막한 야산이 있는 배산임수형의 구릉 지대에 우물을 중심으로 취락이 형성되었다.

(2) 집터의 형태와 구조 변화

① **형태**: 대체로 직사각형 모양이며, 움집은 점차 지상 가옥으로 변화하였다.

② **구조 변화**: 화덕의 위치가 한쪽 벽면으로 옮겨지고, 저장 구덩이도 따로 설치하거나 밖으로 돌출시켜 만들었으며, 주춧돌을 이용해 움집을 제작하기도 하였다.

화덕의 위치

신석기에서 청동기 시대로 접어들면서 화덕의 위치가 대체로 움집 중앙에서 한쪽 벽면으로 이동하였다.

| 신석기 시대

| 청동기 시대

(3) 집터의 크기와 규모

① **크기**: 크기가 다양했으나 보통의 집터는 4~8명 정도 가족이 거주하였다.

② **용도**: 집터의 크기가 다양한 것으로 보아 주거용 외에 창고, 공동 작업장, 공공 집회 장소 등으로 사용했을 것이라 추정하고 있다.

③ **정착 생활의 규모 확대**: 인구의 증가로 정착 생활의 규모가 점차 확대되었고, 산간이나 구릉 지역을 중심으로 넓은 지역에 많은 사람들이 밀집하여 취락을 형성하였다.

(4) 청동기·철기 시대의 주거 변화

① **방어 시설 설치**: 청동기 시대에 부족 간의 전쟁이 빈번해지면서, 마을 주변에 목책(울타리), 환호(마을을 둘러싼 도랑), 토성(흙을 쌓아만든 둑) 등의 방어 시설을 설치하였다.

② **부뚜막(온돌) 시설**: 철기 시대에는 점차 움집을 청산하고 지상 가옥에서 거주하였다. 하남 미사리 유적 등에서는 철기 시대의 부뚜막(온돌) 시설이 발견되었다.

③ **귀틀집과 반움집 등장**: 철기 시대에는 통나무를 이용한 귀틀집과 초가집 형태로 지은 반움집이 등장하였다.

목책과 환호

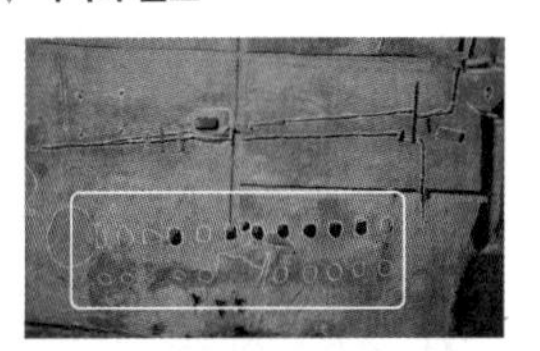

| 이중 목책이 설치된 마을 유적 (부여 송국리)

| 환호가 있는 청동기 시대 마을 유적(창원 서상동)

3. 사회 생활

사유 재산제	생산력의 증대로 잉여 생산물이 생기면서 사유 재산 발생
계급의 발생	· 생산물의 분배와 사유화 때문에 빈부 격차가 나타나면서 지배자와 피지배자의 관계가 형성됨 · 금속 무기의 사용으로 정복 활동이 활발해져 계급 분화가 촉진됨
군장(족장)의 출현	· 계급 사회로 바뀌어 가면서 권력과 경제력을 가진 지배자인 군장이 등장함 · 군장은 부족의 풍요와 안녕을 기원하는 제사를 지냄

4. 예술 활동

(1) 특징: 예술은 종교, 정치적 요구와 밀착해 있었는데, 이는 당시 제사장과 족장들이 사용했던 칼, 거울, 방패 등의 청동 제품이나 토우, 바위그림 등을 통해 확인할 수 있다.

(2) 바위그림(암각화)

울주 대곡리 반구대 바위그림	고래, 사슴, 호랑이, 거북 등을 사실적으로 묘사
고령 양전동 알터 바위 그림	태양을 상징하는 동심원, 십자형, 삼각형 등의 기하학적 무늬를 상징적으로 표현
울주 천전리 바위그림	사슴, 늑대, 동심원 등 다양한 종류의 그림을 새김

바위그림(암각화)

| 울주 대곡리 반구대 바위그림

| 울주 천전리 바위그림

OX 빈칸 핵심 개념 점검

* 학습한 개념을 OX/빈칸 문제를 통해 점검해보세요.

핵심 개념 1 | 청동기 시대의 생활

01 청동기 시대에는 권력을 가진 지배자가 등장하였다. □ O □ X

02 청동기 시대에는 반달 돌칼을 사용하여 곡식의 이삭을 수확하였다. □ O □ X

03 청동기 시대에는 금속 도구가 만들어지면서 석기 농기구는 사라지고 농업이 발전하였다. □ O □ X

04 청동기 시대에는 마을 주위에 ____이나 ____ 등의 방어 시설이 조성되었다.

05 청동기 시대에는 생산력이 발전하면서 사유 재산제와 ____이 발생하였다.

핵심 개념 2 | 청동기 시대의 유물과 유적

06 청동기 시대의 전형적인 유물로는 비파형동검·붉은 간 토기·반달 돌칼·홈자귀 등이 있다. □ O □ X

07 청동기 시대에는 미송리식 토기, 팽이형 토기, 민무늬 토기, 붉은 간 토기 등이 제작되었다. □ O □ X

08 청동기 시대 토기로는 몸체에 덧띠를 붙인 덧무늬 토기가 대표적이다. □ O □ X

09 청동기 시대의 유적인 강화 부근리 유적에서는 탁자식 고인돌이 발견되었다. □ O □ X

10 청동기 시대에는 목을 길게 단 ____ 토기가 사용되었다.

11 청동기 시대의 유적으로는 ____, ____ 등이 있는데, 특히 이 두 유적에서는 불에 탄 쌀이 발견되었다.

12 청동기 시대 후기에 이르면서 한반도 내에서는 비파형동검이 세형동검으로, ____ 거울이 ____ 거울로 바뀌었다.

핵심 개념 3 | 철기 시대의 생활

13 철기 시대에는 지배층의 무덤으로 고인돌이 축조되기 시작하였다. □ O □ X

14 철기 시대에는 원형의 송국리형 주거가 등장하였다. □ O □ X

15 철기 시대에는 움집을 청산하고 지상 가옥에서 거주하기 시작하였다. □ O □ X

16 철기 시대에는 ____, ____ 등의 화폐가 사용되었다.

17 철기 시대에는 ____과 ____ 등의 무덤이 만들어졌다.

핵심 개념 4 | 철기 시대의 유물과 유적

18 철기 시대에는 검은 간 토기를 사용하였다. □ O □ X

19 사천 늑도 유적에서 반량이라는 글자가 새겨진 청동 화폐가 출토되었다. □ O □ X

20 ______ 에서는 문자를 적는 붓이 출토되었다.

정답과 해설

01	O 청동기 시대에는 정치 권력과 경제력을 가진 지배자인 군장이 등장하면서 계급 사회로 발전하였다.	**11**	여주 흔암리, 부여 송국리
02	O 청동기 시대의 반달 돌칼은 벼와 같은 곡식의 이삭을 자를 때 사용하였다.	**12**	거친무늬, 잔무늬
03	✖ 청동기 시대에 금속 도구가 만들어진 것은 맞지만, 석기 농기구가 사라지진 않았다. 청동기 시대에도 여전히 돌보습, 돌괭이 등의 석기 농기구나 나무 농기구를 사용하였다.	**13**	✖ 지배층의 무덤으로 고인돌이 축조되기 시작한 것은 청동기 시대이다.
04	목책, 환호	**14**	✖ 원형의 송국리형 주거는 청동기 시대의 대표적인 유적지인 부여 송국리 유적에서 발견된 집터 유적이다.
05	계급	**15**	O 철기 시대에는 부뚜막 시설 등이 등장하면서 점차 움집이 사라지고 지상 가옥에서 거주하기 시작하였다.
06	O 청동기 시대의 전형적인 유물로는 비파형동검, 거친무늬 거울 등의 청동기와 붉은 간 토기, 그리고 반달 돌칼, 홈자귀 등의 석기가 있다.	**16**	명도전, 반량전
07	O 청동기 시대에는 미송리식 토기, 팽이형 토기, 민무늬 토기, 붉은 간 토기 등이 제작되었다.	**17**	널무덤, 독무덤
08	✖ 덧무늬 토기는 신석기 시대의 토기이다.	**18**	O 철기 시대에는 토기 표면에 흑연 같은 검은 광물질을 바른 후 매끈하게 갈아 만든 검은 간 토기를 사용하였다.
09	O 청동기 시대의 유적지인 강화 부근리 유적에서는 청동기 시대의 대표적 무덤 양식인 탁자식(북방식) 고인돌이 발견되었다.	**19**	O 경남 사천의 늑도 유적에서 반량이라는 글자가 새겨진 중국 진나라의 청동 화폐가 발견되었다.
10	미송리식	**20**	창원 다호리

03 고조선과 여러 나라의 성장

1 고조선의 성장

학습 포인트
청동기 문화를 바탕으로 성립한 고조선의 발전 과정 및 대외 관계 그리고 멸망 과정을 파악한다.

빈출 핵심 포인트
단군 신화, 진개의 침입, 상·경·대부, 위만 조선, 중계 무역, 한 군현, 8조법

1 단군과 고조선

1. 군장 세력의 강화

청동기 문화의 발전으로 군장(족장)이 출현하였고, 이들 중 강한 군장이 주변의 군장 사회를 통합하면서 우리나라 역사상 최초의 국가인 고조선이 건국되었다.

2. 고조선 건국

(1) **건국**: 『삼국유사』와 『동국통감』의 기록에 따르면, 고조선은 기원전 2333년에 단군왕검이 건국하였다. 한편, 단군왕검은 당시 지배자의 칭호였던 것으로 추정된다.

| 고조선의 세력 범위

(2) **고조선에 관한 기록**

① **중국의 기록**: 『관자』, 『산해경』

② **우리나라의 기록**: 『삼국유사』(일연), 『제왕운기』(이승휴), 『세종실록』「지리지」, 『응제시주』(권람), 『동국여지승람』(노사신), 『동국통감』(서거정), 『표제음주동국사략』(유희령) 등

(3) 세력 범위

① **위치**: 고조선은 랴오닝(요령) 지방을 중심으로 성장하여 점차 인접한 족장 사회를 통합하면서 평양을 중심으로 한반도까지 발전하였다.

② **근거**: 비파형동검과 북방식 고인돌, 미송리식 토기, 거친무늬 거울의 출토 지역을 통해 고조선의 세력 범위를 짐작할 수 있다.

『삼국유사』의 고조선 건국 기록 기출사료

『위서』에 이르기를, 지금으로부터 2천여 년 전에 단군왕검이 계셨는데 아사달에 도읍을 정하고 새로 나라를 세워 국호를 조선이라 불렀는데 이때는 중국의 요(堯)임금과 같은 시기였다고 한다. - 『삼국유사』

▶ 『삼국유사』는 단군왕검의 고조선 건국 시기를 '**여고동시**(與高同時, 중국의 요 임금 재위 시기와 같은 시기이다.)'라고 기록하고 있다.

고조선에 관한 중국의 기록

(제나라의) 환공(桓公)이 관자에게 "내가 듣건대 해내(海內)에 귀중한 물건이 있다고 하던데 그것에 대해 들을 수 있겠소?"라고 하니, 관자가 답하길 …… "조선의 문피(文皮, 호랑이·표범과 같이 무늬가 있는 짐승의 가죽)가 그 한 가지입니다." - 『관자』

▶ 고조선에 관한 기록은 『산해경』과 『관자』에 나타나 있으며, 특히 **『관자』에는 고조선이 중국 제(齊)나라와 기원전 7세기에 교역하였다는 기록**이 있다.

3. 단군 신화

(1) 의미

① **건국 신화**: 단군 신화는 우리 민족의 시조 신화로 널리 알려져 있으며, 오랜 세월을 거치면서 전승되어 기록으로 남겨진 것이다.

② **역사적 의미**: 단군 신화에는 청동기 시대의 문화를 토대로 고조선이 건국되었다는 역사적 사실이 반영되어 있다.

교과서 사료 읽기

> **단군 신화**
>
> 『고기(古記)』에 이르기를, 옛날 환인의 서자 환웅은 항상 뜻을 인간 세상에 두고 인간 세상을 이롭게 하고자 하였다. 아버지 환인이 아들의 뜻을 알고 천부인 3개를 주어 세상에 내려 보내서 세상 사람을 다스리게 하였다. 환웅은 3천 명을 데리고 태백산 신단수 밑에 내려와 이를 신시라고 하였다. 그는 풍백, 운사, 우사를 거느리고 인간의 360여 가지 일을 맡아서 세상을 다스리고 교화하였다. 그때 곰과 호랑이가 와서 환웅에게 사람이 되게 해달라고 빌거늘, 신령스러운 쑥과 마늘을 주고 말하되, "너희들이 이것을 먹고, 100일 동안 햇빛을 보지 아니하면 곧 사람이 되리라." 하였다. 곰과 호랑이가 이것을 받아서 먹고 근신하였는데, 곰은 여자의 몸이 되고, 호랑이는 능히 참지 못해 사람이 되지 못하였다. 웅녀는 그와 혼인해 주는 이가 없었는데, 아기 갖기를 빌므로 환웅이 잠깐 변하여 결혼해서 아들을 낳으니, 이를 단군왕검이라고 하였다. 단군왕검이 평양성에 도읍하고, 비로소 조선이라 하였다.
>
> -『삼국유사』
>
> **사료 해설** | 『삼국유사』는 『고기(古記)』를 인용하여 단군 신화를 기록하였는데, 건국자인 단군이 신성한 존재라는 점을 강조하여 고조선의 건국과 지배의 정당성을 강조하고자 하는 의미가 담겨 있다. 이와 달리 『동국통감』은 단군의 고조선 건국 사실을 기록하고 있으나, 단군 신화를 수록하지는 않았다.

(2) 단군 신화 속 고조선의 사회 모습

① **홍익인간**: '널리 인간을 이롭게 한다'는 홍익인간의 통치 이념을 내세워 지배층은 자신의 권위를 내세우고자 하였다.

② **제정일치 사회**: 단군(제사장) + 왕검(정치적 군장)

③ **농경 사회**: 주로 구릉 지대에 거주하면서 농경 생활을 하였으며, 풍백(風伯)·우사(雨師)·운사(雲師)가 바람, 비, 구름 등 농경에 관계되는 일을 주관하였다.

④ **토테미즘**: 곰을 숭배하는 부족은 환웅 부족과 연합하여 고조선을 형성하였으나, 호랑이를 숭배하는 부족은 연합에서 배제되었다.

⑤ **천손 의식(선민 사상)**: 환웅 부족은 자신들이 하늘(천신)의 자손임을 강조하며 자기 부족의 우월성을 과시하였다.

제정일치

정치적 지배자가 제사장의 역할까지 담당하였던 고대 국가의 권력 형태이다. 왕권을 뒷받침하는 현실적인 장치가 발달하지 못한 시기에 종교적 권위는 지배자의 신성함을 강화시켜 주었다.

2 고조선의 발전

1. 단군 조선(고조선)

(1) 발전: 고조선은 랴오닝(요령) 지방에서 성장하여 대동강 유역을 중심으로 독자적인 문화를 이룩하면서 발전하였다.

(2) 대외 관계

① **연과 대립**(기원전 4세기경): 고조선은 기원전 4세기경 랴오시(요서) 지방을 경계로 하여 중국의 연나라와 대립할 만큼 강성하였다.

② **연의 침략**(기원전 3세기 초): 고조선은 기원전 3세기 초 연나라 장수 진개(秦開)의 침략을 받아 랴오둥(요동) 지역을 상실하고 만번한(滿潘汗)을 경계로 위축되면서 랴오허(요하) 유역에서 대동강 지역(평양)으로 수도를 옮긴 것으로 추정된다.

(3) 정치 조직의 정비

① **왕위 세습**: 기원전 3세기경에는 부왕(否王), 준왕(準王) 같은 강력한 왕이 등장하여 왕위를 세습하였다.

② **관직 정비**: 왕 밑에 상(相), 경(卿), 대부(大夫), 대신(大臣), 장군(將軍), 박사(博士) 등의 관직을 마련하였다. 무신은 장군이라고 불렀다.

③ **정치 운영**: 상(相)이 중요한 역할을 수행하여 왕과 협의하거나 국가의 중요한 일을 직접 다스리기도 하였다.

고조선과 연의 대립 기출사료

옛날에 주(周)나라가 쇠약해지고, 연(燕)나라가 스스로 높여 왕이라 칭하고 동쪽으로 땅을 빼앗으려 하자, 기자의 후손 조선후(朝鮮候)도 왕이라 칭하고 군사를 일으켜 연나라를 쳐서 주 왕실을 높이려 했다. 그러나 그 나라 대부(大夫)인 예(禮)가 간언하므로 그만두었다.

- 『삼국지』 「위서」 동이전

▶ 이 기록은 중국인의 시각에서 고조선을 평가하고 있지만 한편으로는 고조선이 중국의 **연나라와 대등하게 맞설 정도로 강성**하였다는 사실을 보여 준다.

2. 위만 조선

(1) 성립 과정

① **유이민 이주**: 중국의 진·한 교체기(기원전 2세기)에 많은 수의 유이민이 고조선으로 이주하였다. 그 중에서 위만은 1천여 명의 무리를 이끌고 연나라 지역에서 고조선으로 망명하였다.

② **위만 조선의 성립**: 위만은 준왕의 신임을 받아 서쪽 변경을 수비하는 임무를 맡았고, 이곳에 거주하는 이주민 세력을 통솔하면서 자신의 세력을 점차 확대하여 나갔다. 이후 위만은 수도인 왕검성으로 쳐들어가 준왕을 축출하고 왕위에 올랐다(기원전 194).

진·한 교체기

진시황제가 사망한 후 진나라는 멸망하였고, 항우와 유방이 천하의 패권을 두고 전쟁을 벌인 끝에 유방이 승리하여 한나라를 건국하였다. 이때를 진·한 교체기라고 한다.

(2) 준왕의 남하: 축출된 준왕은 진(辰)국으로 남하하여, '한왕(韓王)'이라 자칭하였다.

(3) 위만 조선의 성격

① **연립 정권**: 유이민 세력과 토착 세력이 함께 정권에 참여한 연립 정권이었다.

② **단군의 고조선 계승**: 위만의 고조선은 단군의 고조선을 계승한 것으로 보고 있다. 기록에 의하면 위만은 상투를 틀고, 조선인의 옷을 입고 고조선에 왔다고 한다. 또한 위만은 나라 이름을 그대로 조선이라 했고, 위만이 집권한 이후에도 그의 정권에는 토착민 출신으로 높은 지위에 오른 자가 많았다.

(4) 위만 조선의 발전

① **철기 문화 본격 수용**: 위만 조선은 철기 문화를 본격적으로 수용하였다. 철기를 사용함으로써 농업이 발달하고 무기 생산을 중심으로 한 수공업이 융성하였으며, 그에 따라 상업과 무역도 발달하였다.

② **광대한 영토 차지**: 위만 조선은 철제 무기 등 우세한 무력을 바탕으로 활발한 정복 사업을 전개하여 진번과 임둔 세력을 복속시키는 등 영토를 확장하였다.

③ **중계 무역**: 위만 조선은 지리적 이점을 이용하여 동방의 예(濊)나 남방의 진(辰)이 중국의 한(漢)과 직접 교역하는 것을 막고, 중계 무역으로 이익을 독점하였다.

기출 사료 읽기

위만 조선의 성립

연나라 사람 위만(衛滿)도 망명하여 호복(胡服)을 하고 동쪽의 패수를 건너 준왕에게 나아가 투항하였다. …… 위만은 망명자의 무리를 꾀어 내어 무리가 점차 많아지자, 이에 사람을 보내 준왕에게 거짓으로 알리기를 '한나라의 군대가 10곳의 방향에서 쳐들어오니, 들어가 숙위(宿衛)하기를 청합니다.'라고 하고, 마침내 돌아와 준왕을 공격하였다. 준왕은 위만과 싸웠지만 상대가 되지 못하였다.

- 『삼국지』 「위서」 동이전

사료 해설 | 준왕은 위만을 박사로 봉하고 서쪽 변경을 지키도록 하였는데, 위만은 세력을 키운 뒤 준왕을 몰아내고 스스로 왕이 되었다. 이를 위만 조선이라고 한다.

3. 고조선의 멸망

(1) 배경: 고조선이 경제·군사적 발전을 바탕으로 흉노와 연결하여 요동을 위협하였고, 고조선의 중계 무역으로 한(漢)의 경제적 손실이 커졌다. 이러한 고조선의 성장에 불안을 느낀 한의 무제는 우거왕 때 대규모 침략을 강행하였다.

(2) 전개

① **한에 대항**: 고조선은 한때 수도인 왕검성이 포위되는 위기를 맞았으나 1차 접전(패수)에서 한에 대승을 거두었고, 이후 약 1년에 걸쳐 한의 군대에 맞서 대항하였다.

② **고조선의 멸망**: 장기간의 전쟁으로 고조선의 지배 세력은 온건파와 강경파로 분열하였다. 이후 우거왕이 피살되고 왕검성이 함락되면서 고조선은 멸망하였다(기원전 108).

기출 사료 읽기

고조선의 멸망

한나라군이 조선을 공격하자 상 노인, 상 한음, 니계상 참, 장군 왕협 등이 항복을 모의하였는데, 우거왕이 항복하려 하지 않았다. …… 원봉 3년(기원전 108) 여름, 니계상 참이 사람을 시켜 조선왕 우거를 죽이고 항복했다. …… 이로써 마침내 조선을 평정하고 4군(郡)을 세웠다.

- 『사기』 조선전

사료 해설 | 고조선은 한나라의 공격에 맞서 1년 넘게 저항하였지만, 지배층이 분열하면서 왕검성이 함락되어 멸망하였다.

4. 한 군현의 설치와 소멸

(1) 한 군현의 설치: 고조선 멸망 후 한은 고조선의 영토 안에 4개의 군현(낙랑, 진번, 임둔, 현도)을 설치하였다.

(2) 소멸: 한 군현은 토착민의 강력한 반발로 세력이 점차 약화되다가 4세기에 고구려 미천왕의 공격으로 낙랑군(313)과 대방군(314)이 축출되면서 모두 소멸되었다.

(3) 영향: 고조선의 많은 지배층이 한반도 남쪽으로 남하하면서 삼한이 발전하였다.

① **정치**: 한 군현의 설치는 군현 내 토착 세력들의 반발을 일으켰다.

② **경제**: 중국으로부터 철제 농기구가 유입되는 등 농업 생산성이 향상되었다.

③ **사회**: 법 조항이 60여 조로 증가하여 사회 풍속이 점차 각박해졌다.

고조선과 한의 대립

기원전 128년 고조선에 복속해 있던 예(濊)의 군장 남려가 위만 조선의 우거왕에 반기를 들고 한에 투항하자 한은 이곳에 **창해군을 설치**하여 위만 조선 진출의 발판으로 삼고자 하였다. 창해군의 폐지에 대하여 정확한 이유는 알려지지 않았으나, 한의 재정 문제라고 추측되고 있다.

온건파와 강경파

온건파	조선상 역계경, 이계상 삼
강경파	우거왕, 대신(大臣) 성기

위만 조선 성립 ~ 한 군현의 소멸

기원전 194년	위만 조선의 성립
기원전 128년	예의 군장 남려가 한에 투항
기원전 109년	요동도위 섭하가 살해됨, 한 무제의 침입
기원전 108년	왕검성 함락, 고조선 멸망
기원전 107년경	한 군현 설치 - 낙랑, 진번, 임둔, 현도
기원전 82년	임둔, 진번 폐지
기원전 75년	현도군 축출
313~314년	고구려 미천왕이 낙랑·대방군 축출

3 고조선의 사회 모습

1. 8조의 법

(1) **기록**: 8조법 중 3조의 내용만 후한 때 반고(班固)가 지은 『한서』「지리지」에 기록되어 있다.

(2) **내용**

① **살인죄**: '살인자는 즉시 사형에 처한다.'

② **상해죄**: '남의 신체를 상해한 자는 곡물로 보상한다.'

③ **절도죄**: '남의 물건을 도둑질한 자는 소유주의 집에 들어가 노예가 됨이 원칙이며, 용서를 받으려는 자는 50만 전을 내놓아야 한다.'

④ **기타**: 여자의 정절을 중시했을 것으로 추측

(3) **의미**: 8조법을 통해 당시 고조선 사회에서 형벌과 초보적인 노비 제도가 발생하였으며, 노동력과 생명을 중시하였고 재산의 사유화가 이루어졌음을 알 수 있다. 또한 여자의 정절을 귀하게 여겼다고 하는 데에서 가부장적 가족 제도가 확립되었음을 알 수 있다.

(4) **성격**: 8조법은 지배층이 사회 질서를 유지하면서 지배력을 강화하기 위한 수단이었다.

교과서 사료 읽기

8조법

(고조선에서는) 백성들에게 금하는 법 8조가 있었다. 그것은 대개 사람을 죽인 자는 즉시 죽이고, 남에게 상처를 입힌 자는 곡식으로 갚는다. 도둑질을 한 자는 노비로 삼는다. 용서받고자 하는 자는 한 사람마다 50만 전을 내야 한다. 비록 용서를 받아 보통 백성이 되어도 세속에서 오히려 그들은 부끄러움을 씻지 못하여 혼인을 하고자 해도 짝을 구할 수 없다. 이러해서 백성은 도둑질을 하지 않아 대문을 닫고 사는 일이 없었다. 여자는 모두 정조를 지키고 신용이 있어 음란하고 편벽된 짓을 하지 않았다. - 『한서』「지리지」

사료 해설 | 8조법을 통해 고조선의 사회상을 알 수 있으며, 현재 8개의 법 중 3개만 중국 역사서인 『한서』를 통해 전해진다.

2. 한 군현 설치 이후 사회의 변화

(1) **토착민들의 저항**: 토착민들은 한 군현의 억압과 수탈을 피해 이주하거나 단결하여 한 군현에 저항하였다.

(2) **법 조항 증가**: 한 군현은 자신들의 생명과 재산을 보호하고자 엄격한 율령을 시행하여, 법 조항이 60여 조로 증가하였고, 풍속도 각박해졌다.

한 군현 설치 이후 고조선의 법 조항 증가 기출사료

군을 설치하고 초기에는 관리를 요동에서 뽑아 왔는데, 이 관리가 백성이 문단속하지 않는 것을 보았다. 장사하러 온 자들이 밤에 도둑질하니 풍속이 점차 야박해졌다. 지금은 금지하는 법이 많아져 60여 조목이나 된다. - 『한서』「지리지」

▶ 한 군현은 엄격한 법 조항을 제정하여 토착민을 통제하고자 하였다. 이에 **8조에 불과하던 법 조항이 60여 조로 늘어났고 풍속도 각박**해졌다.

OX 빈칸 핵심 개념 점검

* 학습한 개념을 OX/빈칸 문제를 통해 점검해보세요.

핵심 개념 1 | 고조선의 건국과 발전

01 고조선은 한반도를 중심으로 성장하여 점차 세력을 확대하면서 요령 지방까지 발전하였다. □ O □ X

02 단군왕검이라는 명칭을 통해 고조선이 정치적 지배자와 제사장이 일치된 사회였음을 알 수 있다. □ O □ X

03 고조선은 요서 지방을 경계로 연나라와 대립하기도 하였다. □ O □ X

04 고조선은 기원전 3세기경 부왕, 준왕과 같은 강력한 왕이 등장하여 왕위를 세습하였다. □ O □ X

05 고조선에는 왕 밑에서 국무를 관장하던 상이라는 관직이 있었다. □ O □ X

06 기원전 194년에 위만이 고조선의 준왕을 축출하고 스스로 왕이 되었다. □ O □ X

07 고조선 멸망 이후 한(漢)은 고조선 영토에 네 개의 군현을 설치하였다. □ O □ X

08 고조선의 세력 범위가 요동 반도에서 한반도에 걸쳐 있었음을 알게 해 주는 유물은 ______ 동검, ______ 토기, ______ 거울 등이다.

09 위만 왕조의 고조선은 ______ 를 본격적으로 수용하며, 중계 무역의 이득을 취하였다.

10 기원전 108년에 고조선의 ______ 이 살해되고, 왕검성이 함락되었다.

핵심 개념 2 | 고조선의 사회 모습

11 고조선은 형벌과 노비가 존재한 계급 사회였다. □ O □ X

12 고조선에서는 가부장적 사회의 특성이 있었다. □ O □ X

13 한 군현 설치 이후 법 조항이 60여 조로 증가하는 등 풍속이 각박해졌다. □ O □ X

14 고조선은 ______ 을 만들어 사회 질서를 유지하였다.

핵심 개념 3 | 고조선 관련 기록

15 『삼국사기』의 기록에 따르면 고조선은 요 임금 때 건국되었다. □ O □ X

16 이승휴의 『제왕운기』에서는 우리 역사를 단군부터 서술하였다. □ O □ X

17 이규보의 『동명왕편』은 단군의 건국 과정을 다루고 있다. □ O □ X

18 단군 신화는 고려 시대의 역사서인 『 』, 『 』 등에 수록되어 있다.

정답과 해설

01	✖ 고조선은 요령(랴오닝) 지방을 중심으로 성장하여 대동강 유역을 중심으로 한반도까지 세력을 확대하였다.	**10**	우거왕
02	O 단군왕검은 제사장인 단군과 정치적 지배자인 왕검의 의미를 가지고 있어, 고조선이 제정일치 사회였음을 알 수 있다.	**11**	O 8조법 등을 통해 고조선은 형벌과 노비가 존재한 계급 사회였음을 알 수 있다.
03	O 고조선은 기원전 4세기경 요서(랴오시) 지방을 경계로 중국 연나라와 대립할만큼 강성하였다.	**12**	O 여성의 정절을 강조하는 8조법의 내용을 통해 고조선 사회가 가부장적인 사회였다는 것을 알 수 있다.
04	O 고조선은 기원전 3세기경에 부왕, 준왕 같은 강력한 왕이 등장하여 왕위를 세습하였다.	**13**	O 한 군현 설치 이후 엄격한 율령 시행으로 법 조항이 60여 개로 증가하였다.
05	O 고조선은 왕 밑에 상, 대신, 장군 등의 관직을 두었다.	**14**	8조법
06	O 기원전 194년에 위만은 고조선의 준왕을 축출하고 스스로 왕이 되었다.	**15**	✖ 『삼국사기』에는 단군왕검의 고조선 건국에 대한 기록이 없다.
07	O 한은 고조선을 멸망시킨 이후 낙랑, 진번, 임둔, 현도의 4개의 군현을 고조선 영토 안에 설치하였다.	**16**	O 이승휴의 『제왕운기』는 고려 충렬왕 때 편찬된 역사서로, 우리의 역사를 단군부터 서술하였다.
08	비파형, 미송리식, 거친무늬	**17**	✖ 이규보의 『동명왕편』은 단군의 건국 과정을 다루고 있지 않다. 『동명왕편』은 고구려 건국 시조인 동명왕의 업적을 칭송한 일종의 영웅 서사시이다.
09	철기 문화	**18**	삼국유사, 제왕운기

2 여러 나라의 성장

학습 포인트
지도를 통해 철기 문화를 바탕으로 한 초기 국가의 위치를 확인하고, 각 나라의 특징 및 풍습을 담은 대표적인 사료를 파악한다. 또한 각국의 특징을 서로 비교하며 학습한다.

빈출 핵심 포인트
부여(사출도, 영고), 고구려(서옥제, 동맹), 옥저(민며느리제, 골장제), 동예(족외혼, 책화, 무천), 삼한(소도, 철, 수릿날, 계절제)

1 성립 배경

1. 정치적 배경

고조선의 멸망 이후 각 지역의 군장이 왕을 칭하며 연맹 왕국으로 발전하였다.

2. 문화적 배경

발달된 철기 문화를 기반으로 여러 나라가 성장하였다.

2 부여

1. 위치

부여는 만주 길림(지린)시 일대를 중심으로 한 쑹화(송화)강 유역의 평야 지대에서 성장하였다.

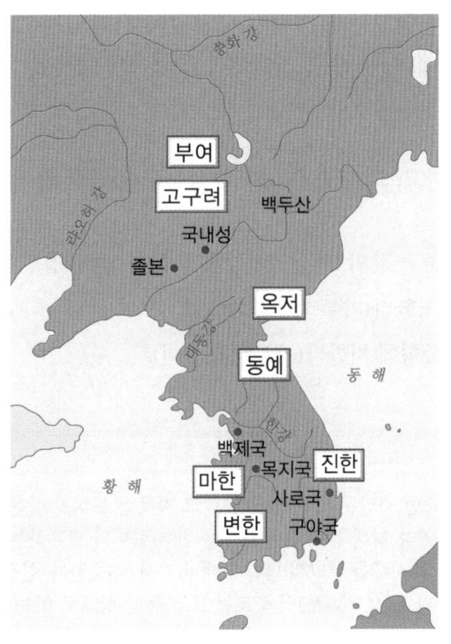

| 철기 시대 초기 국가

2. 발전과 쇠퇴

(1) **발전**: 부여는 1세기 초에 이미 왕호를 사용하였고, 중국과 외교 관계를 맺는 등 여러 정책을 전개하며 발전하였다.

(2) **쇠퇴와 멸망**: 부여는 북쪽으로는 선비족, 남쪽으로는 고구려와 접하고 있다가 3세기 말 선비족의 침입으로 쇠퇴하였다. 이후 고구려의 보호를 받으며 국가를 유지하다가 5세기 말에 고구려에 흡수되었다(494, 고구려 문자왕).

3. 정치

(1) **정치 구조**: 부여에는 왕 아래에 가축의 이름을 딴 가(加, 부족장)인 마가, 우가, 저가, 구가와 대사자, 사자 등의 관리가 있었다.

(2) **5부족 연맹체**: 가(加)는 저마다 사출도라는 행정 구획을 통치하였으며, 이는 왕이 직접 통치하는 중앙과 합쳐 5부를 형성하였다.

부여의 역사적 의의

부여는 연맹 왕국의 단계에서 멸망하였지만 고구려나 백제의 건국 세력이 부여의 한 계통임을 자처하였고, 고구려·백제의 건국 신화도 부여와 같은 원형을 바탕으로 하고 있기 때문에 중요한 역사적 의의를 지니고 있다.

사출도(四出道)

수도를 중심으로 동, 서, 남, 북으로 나눈 부여의 지방 관할 구획이다. 중앙에는 가장 강력한 부족(왕)이 자리를 잡았고, **각 지방에는 말(마가), 소(우가), 돼지(저가), 개(구가) 등 가축의 이름을 딴 관리**가 있었다.

(3) **부여의 왕권**: 가(加)들은 왕을 추대하기도 하였고, 수해나 흉년 등의 이유로 왕을 폐위하기도 하였다. 그러나 왕이 나온 부족의 세력은 매우 강하여 궁궐, 감옥, 창고, 성책 등의 시설을 갖추고 있었다.

부여의 왕권
왕이 죽으면 많을 때는 100여 명까지 순장할만큼 부여의 왕권은 강력하였다. 그러나 한편으로는 가뭄이 들었을 때 왕에게 책임을 묻기도 하였고, 적자가 없을 경우 귀족들이 회의를 통해 후계자를 정하기도 하였다.

4. 경제

부여는 쑹화(송화)강 유역의 평야 지대를 중심으로 농경과 목축을 주로 하였으며(반농반목), 하호(下戶)가 생산 활동을 주도하였다. 대표적인 특산물로 말, 주옥, 모피 등이 있었다.

5. 사회와 문화

(1) **제천 행사**: 부여의 제천 행사인 영고는 본격적인 사냥철이 시작되는 12월(은정월, 殷正月 → 은력 사용)에 행해졌는데, 이는 수렵 사회의 전통을 보여 준다.

(2) **법률(4조목)**

① **살인죄**: '살인자는 사형에 처하고, 그 가족은 노비로 삼는다(엄격한 법 적용, 개인의 생명 중시, 노비 소유 인정).'

② **절도죄**: '남의 물건을 훔치면 물건 값의 12배를 배상하게 한다(1책 12법).'

③ **간음죄**: '간음한 자는 사형에 처한다(가부장적 사회).'

④ **투기죄**: '질투가 심한 부인은 사형에 처한다(가부장적 사회).'

기출 사료 읽기

부여의 법률

형벌이 엄하고 각박하여 사람을 죽인 사람은 사형에 처하고, 그 가족은 노비로 삼는다. 도둑질을 하면 물건 값의 12배를 변상하게 하였다. 남녀 간에 음란한 짓을 한 사람이나 질투하는 부인은 모두 죽였다. 투기는 더욱 증오해서 죽인 후 시체를 나라의 남산 위에 버려서 썩게 한다. 친정집에서 시체를 가져가려면 소나 말을 바쳐야 한다. … 성책(城柵)의 축조는 모두 둥근 형태로 하는데, 마치 감옥과 같았다.
- 『삼국지』 「위서」 동이전

사료 해설 | 부여의 법률로는 현재 4조목만이 전해지고 있는데, 1책 12법, 사유 재산과 노비 소유, 그리고 가부장제를 보호하는 규정이 고조선의 8조법과 매우 유사하다.

(3) **풍습**

① **장례**: 왕이 죽으면 옥갑을 사용하였으며 많은 사람을 부장품과 함께 껴묻는 순장의 풍습이 있었다. 또한 사망한 후에 시신을 오래 두었다가 묻는 풍습이 있어 여름에는 얼음을 사용하였다.

② **혼인**: 유목 사회의 풍습인 형사취수제가 있었다.

옥갑(玉匣)
수백 개의 옥을 꿰매어 만든 장례 용구로, 중국 한나라에서는 천자나 제후가 죽었을 때 옥갑으로 죽은 사람의 온몸을 감쌌다.

형사취수제
형이 죽으면 동생이 형수와 결혼하여 같이 사는 혼인 제도로, 형의 부인과 남은 자녀를 돌보기 위한 것으로 보기도 하고, 형 집안의 재산과 자녀를 다른 부족에게 넘겨주지 않으려는 목적으로 보기도 한다.

(4) **우제점법(牛蹄占法)**: 부여에서는 전쟁이 일어나면 제천 의식을 행하고, 소를 죽여 그 굽으로 길흉을 점치는 점복(우제점법)으로 국가의 운세를 예견하였다.

(5) **기타**: 흰 옷을 즐겨 입었으며, 은력(殷曆, 중국의 역법)을 사용하였다. 또한 큰 소매가 달린 도포와 바지를 입고 가죽신을 신었다.

기출 사료 읽기

부여

- 구릉과 넓은 못이 많아 동이 지역 중에서 가장 넓고 평탄한 곳이다. 토질은 오곡을 가꾸기에는 알맞지만 과일은 생산되지 않는다. 사람들 체격이 매우 크고, 성품이 강직하고 용맹하며, 근엄하고 후덕하여 다른 나라를 노략질하지 않았다. …… 사람이 죽으면 여름철에는 모두 얼음을 사용하여 장사를 지냈다.
- 벼슬은 여섯 가축의 이름을 따서 마가·우가·저가·구가·견사·대사자·사자라 칭했으며 …… 제가들은 별도로 사출도를 주관하는데 큰 곳은 수천 가이며 작은 곳은 수백 가였다. …… 옛 부여의 풍속에 장마와 가뭄이 연이어 오곡이 익지 않을 때, 그때마다 왕에게 허물을 돌려서 '왕을 마땅히 바꾸어야 한다.'라거나 혹은 '왕은 마땅히 죽어야 한다.'라고 하였다.

- 『삼국지』 「위서」 동이전

사료 해설 | 부여는 쑹화 강 유역의 구릉, 평야 지대에서 성장하였으며, 농경과 목축을 주로 하고, 말·주옥·모피를 수출하여 경제적으로 비교적 풍요로웠다. 부여에서는 왕 아래의 가(加)들이 각기 관리를 거느리고 자기 부족을 지배하면서, 왕을 선출하기도 하고 흉년이 들면 왕에게 그 책임을 물어 왕을 바꾸거나 죽이기도 하였는데, 이는 아직 왕권이 미약하였음을 보여준다.

『삼국지』 「위서」 동이전

『삼국지』는 중국 진(晉)나라의 학자 진수(陳壽)가 저술한 중국의 위·촉·오에 대한 역사서이다. 그중 「위서」 동이전은 3세기에 만주와 한반도에 있었던 여러 나라의 정치·경제·사회·문화를 기록하고 있어 한국 고대사를 이해하는 데 매우 중요한 사료로 평가받고 있다.

3 고구려

1. 건국

『삼국사기』의 기록에 따르면 고구려는 부여에서 남쪽으로 내려온 주몽이 건국하였다(기원전 37). 주몽은 부여 지배 계급 내의 분열·대립 과정에서 박해를 피해 남하하여 독자적으로 고구려를 건국하였다.

2. 위치

(1) **초기**: 고구려는 초기에 압록강 지류인 퉁자(동가)강 유역의 졸본(환인) 지방에 정착하였다. 이 지역은 큰 산과 골짜기가 많은 산악 지대였기 때문에 농토가 부족하여 힘써 일해도 양식이 부족하였다.

(2) **후기**: 고구려는 건국 초기부터 막강한 군사력을 바탕으로 주변 소국들을 정복하였다. 이후 평야 지대로 진출하여 도읍을 압록강 근처 지안(집안)의 국내성으로 옮겼으며, 5부족 연맹을 토대로 발전하였다.

졸본성(오녀산성)

고구려의 첫 도읍지로 추정되는 곳으로 지금의 **만주 환인 북쪽에 있는 오녀산성(五女山城)으로 지목**된다.

3. 정치

(1) **정치 구조**: 왕 아래에 상가, 고추가, 대로, 패자 등의 대가들이 있었고, 이들은 각기 사자, 조의, 선인 등의 관리를 거느리고 있었다.

(2) **5부족 연맹체**: 태조왕 때부터 계루부 고씨가 왕위를 세습하였으며, 절노부는 왕비족이 되었다. 두 부족과 함께 토착 세력인 소노부·순노부·관노부가 5부족 중심의 국가 체제를 형성하였다.

고구려의 5부

고구려에는 관나, 환나 등의 여러 나(那)가 존재하였는데 흔히 5부라고 말하는 계루부, 소노부, 절노부, 순노부, 관노부 등은 나(那)의 별칭으로 파악된다.

4. 경제

(1) 정복 전쟁: 고구려는 활발한 정복 전쟁으로 한의 군현을 공략하며 랴오둥(요동) 지방으로 진출하였고, 동쪽으로는 옥저를 정복하여 공물을 받았다.

(2) 약탈 경제

① **정복 활동**: 졸본 지방은 대부분 큰 산과 깊은 골짜기로 이루어진 산악 지대였기 때문에 양식이 부족하여 정복 활동을 통해 식량을 조달하였다.

② **부경**: 지배 계층은 집집마다 부경(桴京)이라는 창고를 두고 여기에 피정복민으로부터 획득한 곡식을 저장하였다.

5. 사회와 문화

(1) 제천 행사

① **조상신 숭배**: 건국 시조인 주몽과 그 어머니인 유화 부인을 조상신으로 섬겨 제사를 지냈으며, 영성과 사직(곡식 신)에도 제사를 지냈다.

② **동맹(10월)**: 고구려는 10월에 농경 의례로서 추수 감사제인 동맹이라는 제천 행사를 성대하게 치렀으며, 아울러 왕과 신하들이 국동대혈에 모여 함께 제사를 지냈다.

(2) 법률: 투기가 심한 부인은 사형에 처하였고, 뇌옥(감옥)이 없고 중대한 범죄자가 있으면 제가 회의를 통해 사형에 처하고 그 가족은 노비로 삼았다. 또한 도둑질한 자는 물건 값의 12배를 배상하도록 하였다(1책 12법).

(3) 풍습: 형사취수제(부여의 영향), 서옥제(데릴사위제)와 점복의 풍습이 있었다.

(4) 장례 풍습: 혼인 때부터 수의를 마련하고, 장례 때에는 금·은 재물을 쓰며 후하게 치렀다. 고구려 지배층은 돌을 쌓아 봉분(돌무지무덤)을 만들고 주변에 소나무와 잣나무를 많이 심었다.

(5) 사회 계층

① **지배층**: 상호(上戶)인 좌식자는 생산 활동을 하지 않는 대신 전쟁에 참여하였다.

② **피지배층**: 하호(下戶)는 식량과 고기, 소금을 상호(좌식자)에게 바쳤다.

교과서 사료 읽기

고구려

· 큰 산과 깊은 골짜기가 많고 평원과 연못이 없어서 계곡을 따라 살며, 골짜기 물을 식수로 마셨다. 좋은 밭이 없어서 힘들여 일구어도 배를 채우기는 부족하였다. 사람들의 성품은 흉악하고 급해서 노략질하기를 좋아하였다.
· 나라에는 왕이 있고, 벼슬로는 상가·대로·패자·고추가·주부·우태·승·사자·조의·선인이 있다. 신분이 높고 낮음에 따라 각각 등급을 두었다. 왕의 종족으로서 대가는 모두 고추가로 불린다. 모든 대가들은 사자·조의·선인을 두었는데, 명단을 반드시 왕에게 보고해야 한다.

-『삼국지』「위서」 동이전

사료 해설 | 초기의 고구려는 산악 지대에 위치하였기 때문에 농토가 부족하여 주변 소국들을 약탈하였다. 또한, 고구려에는 왕 아래 상가, 고추가 등의 대가들이 있었으며, 이들은 각기 사자, 조의, 선인 등의 관리를 거느렸다.

국동대혈(수혈) 기출사료

그 나라(고구려)의 동쪽에 큰 굴이 하나 있는데, 수혈이라 한다. 10월에 온 나라에서 크게 모여 수신을 맞이하여 나라의 동쪽에 모시고 가서 제사를 지내는데, 나무로 만든 수신을 신의 좌석에 모신다.

▶ 국동대혈은 '나라의 동쪽에 있는 큰 동굴'이라는 뜻으로 **수혈**이라고도 불렸다.

서옥제 교과서 사료

구두로 약속이 정해지면 신부집에서 본채 뒤에 작은 별채를 짓는데, 이를 서옥(婿屋)이라 한다. 해가 저물 무렵, 신랑이 신부집 문 밖에 와서 이름을 밝히고 꿇어앉아 절하며 …… 자식을 낳아 장성하면 신부를 데리고 자기 집으로 간다.

-『삼국지』「위서」 동이전

▶ 혼인을 한 뒤 신랑이 신부 집의 뒤꼍에 조그만 집(서옥)을 짓고 살다가 자식이 장성하면 아내를 데리고 신랑 집으로 돌아가는 제도이다.

4 옥저와 동예

1. 특징

위치	함경도 및 강원도 북부의 동해안에 위치하여 선진 문화의 수용이 늦음
정치	· 군장(후, 읍군, 삼로)이 자기 부족을 통치하는 군장 국가 · 고구려의 압력을 받아 연맹 왕국으로 성장하지 못하고 군장 국가 단계에서 멸망

2. 옥저

(1) **경제**: 옥저는 오곡이나 소금, 어물 등 해산물이 풍부하고 토지가 비옥하여 농사가 잘 되었으나 소금, 어물 등을 고구려에 공물로 납부하였다.

(2) **사회와 문화**

① **풍습**: 고구려와 같이 부여족의 한 갈래로, 음식과 주거·예절이 고구려와 비슷하였다. 그러나 장례 풍습과 혼인 풍습은 달랐는데, 이를 보여 주는 대표적인 것이 골장제와 민며느리제(**예부제**)이다.

② **골장제**: 옥저에서는 가족이 죽으면 시체를 가매장하였다가 나중에 그 뼈를 추려서 가족 공동 무덤인 커다란 목곽에 안치하였다. 또 목곽 입구에는 죽은 자의 양식으로 쌀을 담은 항아리를 매달아 놓기도 하였다.

기출 사료 읽기

옥저

고구려 개마대산 동쪽에 있는데 개마대산은 큰 바닷가에 맞닿아 있다. 지형은 동북간이 좁고 서남 간은 길어서 천리 정도는 된다. 북쪽은 읍루, 부여와 남쪽은 예맥과 접해 있다. …… 옥저는 큰 나라 사이에서 시달리고 괴롭힘을 당하다가 마침내 고구려에 복속되었다.

- 『삼국지』 「위서」 동이전

사료 해설 | 옥저는 고구려의 압력을 받아 군장 국가 단계에서 멸망하였다.

3. 동예

(1) 경제

① **윤택한 경제생활**: 동예는 토지가 비옥하고 해산물이 풍부하여 농경, 어로 등을 통해 윤택한 경제생활을 하였고, 명주와 삼베를 짜는 등 방직 기술이 발달하였다.

② **특산물**: 단궁(활), 과하마(키가 작은 말), 반어피(바다표범의 가죽) 등이 유명하였으며, 고구려와 중국에 공물로 바쳤다.

(2) **사회와 문화**

① **제천 행사**(10월 무천): 동예에는 10월에 무천이라는 제천 행사가 있었다.

② **족외혼**: 동예는 씨족 사회의 전통인 족외혼을 엄격하게 준수하였다.

③ **책화**: 동예에서는 산천을 중시하여 각 부족의 영역을 함부로 침범하지 못하게 하였으며, 만약 다른 부족의 생활권을 침범하면 책화라 하여 노비와 소, 말로 변상하도록 하였다.

옥저와 동예의 정치

옥저와 동예에는 각각 옥저현후(沃沮縣侯)와 불내예후(不耐濊侯) 등의 중심 세력이 있었으나 정식 국가 형태를 갖추지 못하였다. 이런 의미에서 옥저와 동예는 전형적인 **군장 국가**였다.

민며느리제(예부제) 기출사료

신부 집에서는 여자가 10살이 되기 전에 혼인할 것을 약속하고, 신랑 집에서는 여자를 맞이하여 성장할 때까지 데리고 있다가 아내로 삼는다. 여자가 어른이 되면 친정으로 돌려보내고, 친정에서는 예물을 요구한다. 신랑 집은 예물을 치르고 신부를 다시 신랑 집으로 데리고 온다.

- 『삼국지』 「위서」 동이전

▶ 옥저에는 여자가 어렸을 때에 남자 집에 가서 살다가 성장한 후에 남자가 여자 집에 예물을 치르고 혼인을 하는 **일종의 매매혼**인 민며느리제의 풍습이 있었다.

골장제 기출사료

장사를 지낼 적에는 큰 나무 곽(槨)을 만드는데 …… 사람이 죽으면 누구나 가매장하여 형체만 덮이도록 했다가 가죽과 살이 썩으면 뼈를 취하여 곽 안에 넣는다. …… 그 가운데에 쌀을 넣고, 곽의 출입구 한쪽에 메어둔다.

- 『삼국지』 「위서」 동이전

▶ 가족 공동묘를 조성하는 옥저의 장례 풍습으로, 두벌묻기·세골장으로 불리기도 하였다.

④ **집터 형태**: 동예 사람들은 바닥이 철(凸)자, 여(呂)자 모양의 가옥에서 생활하였다.

⑤ **기타**: 동예에서는 질병으로 사람이 죽으면 그 사람이 살던 집을 폐기하였으며, 호랑이를 산신으로 여겨 제사지냈다.

교과서 사료 읽기

동예

- 대군장이 없고 한대 이후로 후, 읍군, 삼로 등의 관직이 있어서 하호를 통치하였다. 해마다 10월이면 하늘에 제사를 지내는데 밤낮으로 술마시며 노래 부르고 춤추니, 이를 '무천'이라고 한다.
- 풍속을 보면 산천을 중요시하여 산과 내마다 각기 구분이 있어 함부로 들어가지 않는다. 동성끼리 결혼하지 않는다. 꺼리는 것이 많아서 병을 앓거나 사람이 죽으면 옛집을 버리고 곧 다시 새집을 지어 산다. 마포가 산출되며, 누에를 쳐서 옷감을 만든다. 부락을 함부로 침범하면 노비, 소, 말로 배상하게 하는데 이를 책화라고 한다. - 『삼국지』 「위서」 동이전

사료 해설 | 동예는 옥저와 마찬가지로 '후, 읍군, 삼로'라는 군장이 자기 부족을 통치하는 군장 국가였다. 또한 동예는 공동체 사회의 풍속인 족외혼과 책화라는 풍속을 엄격하게 지켰다.

동예의 집터

바닥이 철(凸)자, 여(呂)자 모양인 가옥의 형태는 동해안 주변에서 발견되고 있어 동예의 독특한 주거 양식으로 주목되고 있다.

| 철(凸)자형 집터

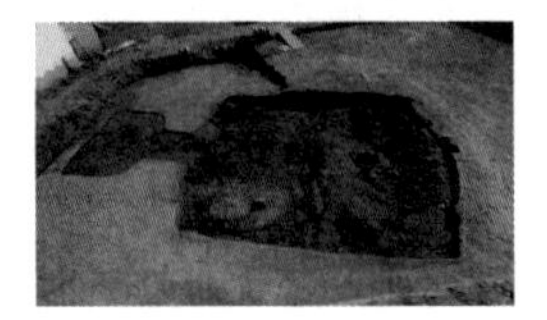

| 여(呂)자형 집터

5 삼한

1. 성립

(1) 진(辰)의 성장: 고조선 남쪽 지역에서 일찍부터 청동기 문화를 바탕으로 진(辰)이 성장하고 있었다. 진은 중국의 한과의 교류를 시도하였지만 고조선의 방해를 받았다.

(2) 연맹체의 등장

① **배경**: 고조선 사회 변동에 따라 유이민이 남하하면서 새로운 철기 문화가 토착 문화와 융합해 사회가 더욱 발전하였다.

② **형성**: 마한, 진한, 변한의 연맹체가 형성되었는데, 이를 삼한이라 한다.

구분	마한	진한	변한
위치	충청·전라	경상, 낙동강 동부	경상, 낙동강 서부
국가 수	54개국	12개국	12개국
중심국	목지국 → 백제국	사로국	구야국
발전	백제	신라	가야 연맹

삼한의 위치

2. 정치

(1) 주도 세력: 삼한 중에서 마한의 세력이 가장 컸으며, 마한의 소국 중 하나인 목지국의 지배자가 마한왕 또는 진왕(辰王)으로 추대되어 삼한 연맹체를 주도하였다.

(2) 군장(지배자): 삼한의 지배자 중 세력이 큰 자는 저수지 관리권을 가진 신지·견지, 세력이 작은 자는 부례·읍차 등으로 불렸다.

(3) 제정 분리와 소도

① **제정 분리**: 삼한에는 정치적 지배자인 군장 외에 제사장인 천군이 있어, 소도에서 농경과 종교에 대한 의례를 주관하였다.

마한 목지국

마한 목지국은 처음에는 성환·직산·천안 지역을 중심으로 발달하였으나 백제의 성장과 지배 영역의 확대에 따라 남쪽으로 이동하여 익산 지역을 거쳐 마지막에 나주 부근(오늘날의 대안리, 덕산리, 신촌리, 복암리)에 자리 잡았을 것으로 추정된다.

② **소도**: 소도는 천군이 주관하는 별읍(別邑)이며 군장의 세력이 미치지 못하는 신성 지역으로, 죄인이 도망하여 이곳에 오면 잡아가지 못하였다. 또한, 소도에는 큰 나무에 방울이나 새 조각 등을 단 솟대를 세워 신성 지역임을 표시하였다.

3. 경제

(1) 농경의 발달

① **벼농사 발달**: 삼한에서는 철제 농기구를 사용하였고, 벼농사도 활발히 행해졌다.

② **저수지 축조**: 벼농사의 발달로 저수지가 축조되었다.

(2) **철의 생산**: 변한에서는 철이 많이 생산되어 낙랑, 왜 등으로 수출하였고, 교역할 때 철을 화폐처럼 사용하였다.

4. 사회와 문화

(1) **제천 행사**: 삼한에서는 해마다 씨를 뿌리고 난 뒤인 5월에 수릿날(단오의 기원)과 곡식을 수확하는 10월에 계절제(상달제, 추석의 기원)를 열어 하늘에 제사를 지냈다.

(2) **주거**: 삼한 사람들은 초가 지붕의 반움집이나 귀틀집에서 거주하였다.

(3) **무덤**: 널무덤, 독무덤 등과 더불어 마한에서는 무덤 주위에 해자 형태의 고랑을 설치한 주구묘 등을 조성하였다.

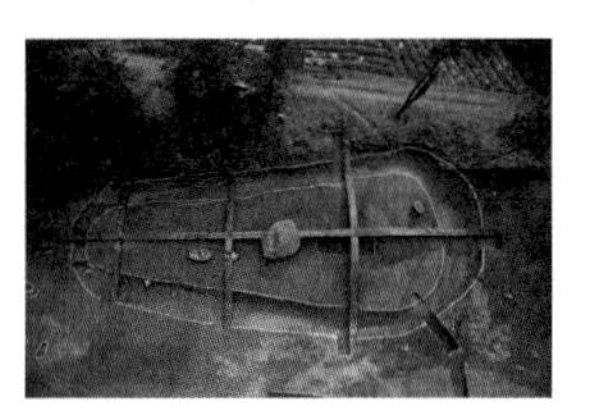

| 마한의 주구묘(전남 나주 용호리)

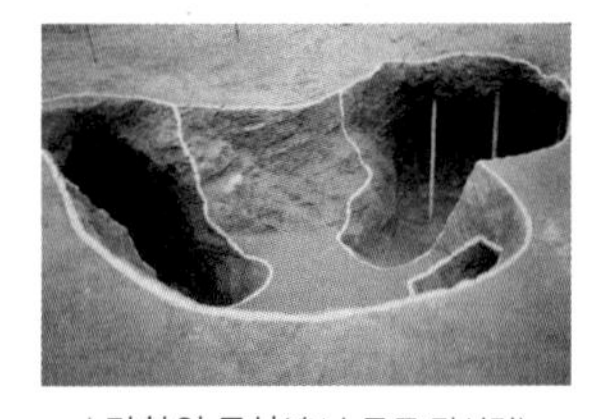

| 마한의 토실(충남 공주 장선리)

(4) **두레**: 삼한은 평야 지대에 위치해 있어 농업이 발달하였고, 두레라는 씨족 사회의 공동체적인 전통을 계승하여 농사 등 여러 가지 공동 작업을 수행하였다.

(5) **풍습**: 편두, 지신밟기의 풍습 등이 있었다. 또한, 장례에 소와 말을 합장하는 후장의 풍습이 있었고, 큰 새의 깃털을 장례에 사용하였다.

기출 사료 읽기

삼한

- 이 나라는 각기 장수(長帥)가 있어 세력이 큰 자는 스스로 신지라 부르고 그 다음 세력을 읍차라 한다. …… 5월이 되어 씨를 다 뿌리고 나면 귀신에게 제사를 올린다. …… 10월에 농사일이 끝나면 또 한 번 이렇게 논다.
- 귀신을 믿기 때문에 국읍에 각각 한 사람씩 세워 천신의 제사를 주관하게 하는데, 이를 천군이라 한다. 여러 나라에는 각각 별읍이 있는데, 이를 소도라 하였다. 큰 나무를 세우고 거기에 방울과 북을 매달아 놓고 귀신을 섬겼는데, 사방에서 도망해 온 사람들은 모두 여기에 모여 돌아가지 않았다. - 『삼국지』 「위서」 동이전

사료 해설 | 삼한의 제천 행사로는 5월의 수릿날과 10월의 계절제가 있었다. 또한, 삼한에는 제사장인 천군이 있었으며, 신성 구역인 소도가 존재하였다.

소도
제사장의 존재를 통해 제정일치 사회에서 **제정 분리의 사회로 전환되어 가는 과정**을 보여주며, 신·구 세력의 갈등을 해소하고자 하는 노력의 하나로 볼 수 있다.

귀틀집
큰 통나무를 정(井)자 모양으로 귀를 맞추어 층층이 얹고 틈을 흙으로 발라 지은 집

해자(垓字)
해자는 적의 침입을 막기 위해 성 밖을 둘러 파서 만든 연못으로, 마한의 주구묘는 **해자 형태의 고랑을 파서 무덤을 보호**하였다.

편두 풍습 기출사료
아이가 태어나면 곧 돌로 그 머리를 눌러서 납작하게 만들려고 하므로, 지금 진한(辰韓) 사람의 머리는 모두 납작하다. 왜(倭)와 가까운 지역이므로 남녀가 문신(文身)을 하기도 한다. - 『삼국지』 「위서」 동이전

▶ 진한과 변한에서는 아이가 태어나면 **머리를 돌로 눌러 납작하게 하는 편두 풍습**이 있었다.

지신밟기
사람들이 모여 땅을 밟는 동작, 지신(地神)을 즐겁게 하고 땅의 생육을 높여 풍요를 기원하는 것으로, **지신에 대한 제사의식**에 속한다.

OX 빈칸 핵심 개념 점검

* 학습한 개념을 OX/빈칸 문제를 통해 점검해보세요.

핵심 개념 1 | 부여

01 부여에는 가축 이름을 딴 마가, 우가, 저가, 구가 등이 있었다. □ O □ X

02 부여에서는 남녀가 간음하거나 부인이 투기가 심하면 사형에 처하였다. □ O □ X

03 부여에서는 사람이 죽으면 가매장한 다음 뼈만 추려 목곽에 안치하였다. □ O □ X

04 부여는 국력이 쇠퇴하여 광개토 대왕 때 고구려에 완전 병합되었다. □ O □ X

05 부여에서는 왕 아래의 여러 가(加)들이 ______를 다스렸다.

06 부여에서는 매년 ____월에 ______라는 제천 행사를 열었다.

07 부여에는 왕이 죽으면 노비 등을 함께 묻는 ____의 풍습이 있었다.

핵심 개념 2 | 고구려

08 고구려에는 5부가 있었으며, 계루부에서 왕위를 차지하였다. □ O □ X

09 고구려는 왕 아래에 상가, 고추가 등의 대가들이 있었으며, 각기 사자, 조의, 선인 등 관리를 거느렸다. □ O □ X

10 고구려에서는 서옥제라는 혼인 풍습이 있었다. □ O □ X

11 고구려에서는 상가, 고추가 등이 ________ 열어 국가 대사를 결정하였다.

12 고구려에는 집집마다 ____이라는 작은 창고가 있었다.

13 고구려의 제천 행사는 ____이었으며 ________에서의 제사가 있었다.

핵심 개념 3 | 옥저와 동예

14 옥저에서는 남의 물건을 훔친 자는 12배의 배상을 하게 하였다. □ O □ X

15 옥저에는 혼인 풍속으로 민며느리제가 있었다. □ O □ X

16 옥저에서는 시체를 가매장하였다가 뼈만 추려 가족 공동 무덤인 큰 나무 덧널에 넣었다. □ O □ X

17 옥저와 동예에서는 읍군이나 삼로라고 불린 군장이 자기 영역을 다스렸다. □ O □ X

18 동예에는 아이가 출생하면 돌로 머리를 눌러 납작하게 하는 풍습이 있었다. □ O □ X

19 동예는 특산물로 ____, ______, ______가 유명하였다.

20 동예에서는 ___월에 ___이라는 제천 행사를 개최하였다.

21 동예에서는 다른 부족의 영역을 침범하면 ___라 하여 노비나 소, 말로 변상하였다.

핵심 개념 4 | 삼한

22 삼한에는 정치적 지배자로 신지, 읍차 등이 있었다. □ O □ X

23 삼한 중 변한에서는 철이 많이 생산되어 낙랑과 왜에 수출하였다. □ O □ X

24 삼한에서는 천군이 신성 지역인 ___에서 농경 의례 등을 올렸다.

25 삼한에서는 파종한 ___과 추수한 ___에는 제의를 행하였다.

정답과 해설

01	O 부여에는 왕 아래 가축의 이름을 딴 마가·우가·저가·구가 등의 대가들이 있었다.	**14**	✖ 도둑질한 자에게 12배를 배상하게 하는 1책 12법은 부여와 고구려의 풍습이다.
02	O 부여에서는 간음한 자와 투기가 심한 부인을 사형에 처하였다.	**15**	O 옥저에는 어린 신부를 남자 집에 데려와서 키우다가 장성하면 남자가 여자 집에 예물을 치르고 혼인하는 풍속인 민며느리제가 있었다.
03	✖ 사람이 죽으면 가매장한 다음 뼈만 추려 목곽에 안치하는 골장제의 풍습이 있었던 나라는 옥저이다.	**16**	O 옥저에는 시체를 가매장하였다가 뼈만 추려 가족 공동 무덤인 큰 나무 덧널에 넣어 매장하는 골장제의 풍습이 있었다.
04	✖ 부여가 고구려에 완전 병합된 것은 문자왕 때인 494년이다.	**17**	O 옥저와 동예에서는 후·읍군·삼로라고 불린 군장이 자기 영역을 다스렸다.
05	사출도	**18**	✖ 아이가 출생하면 돌로 머리를 눌러 납작하게 하는 편두의 풍습이 있었던 나라는 삼한의 진한과 변한이다.
06	12, 영고	**19**	단궁, 과하마, 반어피
07	순장	**20**	10, 무천
08	O 고구려에는 계루·소노·절노·순노·관노부의 5부가 있었으며, 태조왕 때부터 계루부에서 왕위를 차지하였다.	**21**	책화
09	O 고구려에서는 왕 아래의 상가, 고추가 등의 대가들이 각자 사자, 조의, 선인 등의 관리를 거느렸다.	**22**	O 삼한에는 정치적 지배자로 신지, 읍차 등이 있었다.
10	O 고구려에서는 결혼을 하면 남자가 여자 집 한 켠에 서옥이라는 집을 짓고 살다가, 자식을 낳아 장성하면 가족을 데리고 남자 집으로 돌아가는 서옥제의 혼인 풍습이 있었다.	**23**	O 삼한 중 변한은 철이 많이 생산되어 낙랑과 왜 등에 수출하였으며, 철을 화폐처럼 사용하기도 하였다.
11	제가 회의	**24**	소도
12	부경	**25**	5월, 10월
13	동맹, 국동대혈		

핵심 키워드로 선사 시대 마무리

선사 시대

<table>
<tr><th>구분</th><th>경제 · 사회</th><th>문화</th><th>주거</th><th>유물</th><th>유적지</th></tr>
<tr><td>구석기 시대</td><td>• 사냥, 채집, 어로
• 이동 사회
• 무리 사회
• 평등 사회</td><td>• 주술적 의미의 예술품
• 장례 문화(흥수 아이)</td><td>동굴, 바위 그늘, 강가(막집)</td><td>뗀석기: 주먹 도끼(아슐리안형), 슴베찌르개 등</td><td>경기 연천 전곡리, 충남 공주 석장리 등</td></tr>
<tr><td>신석기 시대</td><td>• 초보적인 농경의 시작(농기구, 토기 사용), 사냥과 고기잡이 병행, 원시적 수공업의 시작
• 부족 사회
• 평등 사회</td><td>원시 신앙(애니미즘, 토테미즘, 샤머니즘), 조상·영혼 숭배</td><td>• 해안, 강가
• 움집 거주: 정착 생활, 원형의 집터, 중앙에 화덕 위치</td><td>• 간석기: 돌괭이, 돌보습, 돌낫
• 토기: 이른 민무늬 토기, 덧무늬 토기, 빗살무늬 토기
• 수공업 도구: 가락바퀴, 뼈바늘</td><td>강원 양양 오산리, 황해 봉산 지탑리, 서울 암사동, 평양 남경 등</td></tr>
<tr><td>청동기 시대</td><td>• 벼농사 시작
• 사유 재산 인정, 계급 발생</td><td rowspan="2">• 청동기 시대: 선민 사상의 등장
• 의식용 청동 도구 제작
• 토우 제작: 풍요로운 생산 기원
• 거석 숭배 사상: 고인돌, 선돌
• 바위그림
– 울주 반구대: 동물·고래(풍요, 다산 기원)
– 고령 양전동 알터: 기하학 무늬(태양 숭배)</td><td>• 움집 → 지상 가옥화
• 화덕이 중앙에서 벽면으로 이동
• 배산임수 취락(구릉 지대와 산간에 위치)
• 마을 주변에 환호, 목책 설치
• 집단 취락 형성</td><td>• 무기류: 청동 무기(청동검)
• 농기구: 반달 돌칼(추수 도구)
• 청동기: 비파형동검, 거친무늬 거울
• 토기: 미송리식 토기, 민무늬 토기, 붉은 간 토기
• 무덤: 고인돌, 돌무지무덤, 돌널무덤</td><td>충남 부여 송국리, 경기 여주 흔암리</td></tr>
<tr><td>철기 시대</td><td>• 농업 생산력이 발전한 농경 사회
• 군장 국가에서 연맹 왕국으로 발전</td><td>• 방형의 반움집에 거주 → 점차 지상 가옥에 거주
• 부뚜막 시설 등장</td><td>• 무기류: 철제 무기
• 농기구: 철제 농기구
• 청동기: 세형동검, 잔무늬 거울, 거푸집 → 청동기의 의기화
• 토기: 민무늬 토기의 다양화, 덧띠 토기, 검은 간 토기
• 무덤: 널무덤, 독무덤
• 중국과 교류: 명도전, 붓</td><td>경남 창원 다호리 등</td></tr>
</table>

고조선

구분	내용
건국	• 건국: B.C. 2333년 단군 왕검이 고조선 건국(군장 국가) • 세력 범위: 비파형동검, 북방식 고인돌, 미송리식 토기, 거친무늬 거울 출토 지역과 일치 • 건국 설화: 제정일치 사회(단군왕검), 홍익인간, 토테미즘, 천신·선민사상
발전	• 랴오닝(요령) 지방 중심으로 발전 → 랴오시(요서)를 경계로 연과 대립할 만큼 강성(B.C. 4세기경) • 연의 장수 진개의 침략으로 랴오둥(요동) 지역 상실(B.C. 3세기 초) → 대동강 유역(평양)으로 중심지 이동 → 대동강 유역의 왕검성을 중심으로 독자적인 문화를 이룩함 • 왕권 강화(B.C. 3세기경): 왕위 세습(부왕, 준왕), 상·대부·장군 등의 관직 정비
위만 조선	• 진·한 교체기에 위만을 비롯한 유이민 이주 → 한반도에 철기 문화 전파 • 집권: 위만이 이주민 세력 통솔, 세력 확대 → 준왕 축출 → 위만 집권(B.C. 194년) • 발전 – 본격적인 철기 문화 수용, 농업·수공업 발전 → 상업·무역 발전 – 활발한 정복 사업, 한과 진 사이의 중계 무역 전개 → 한과 대립
멸망	• 한 무제의 침략과 지배층의 내분으로 멸망(B.C. 108년) • 한 군현 설치: 낙랑, 진번, 임둔, 현도
사회	• 8조법: 생명 존중, 노동력 중시, 형벌 존재, 농경 사회, 사유 재산 존재, 노비제 존재(계급 사회) • 한 군현 설치 이후 60여 조로 법 조항 증가

여러 나라

구분	위치	지배층	정치 형태	경제	풍속
부여	쑹화 강 유역 평야 지대	• 왕 • 마가·우가·저가·구가(사출도)	• 5부족 연맹 • 연맹 왕국	• 반농 반목 • 말, 주옥, 모피	• 제천 행사: 영고(12월) • 순장, 우제점법, 1책 12법, 형사취수제
고구려	졸본 → 국내성으로 천도	• 왕 • 대가(상가·고추가)	• 5부족 연맹 • 연맹 왕국	• 약탈 경제(부경) • 맥궁	• 제천 행사: 동맹(10월) • 1책 12법, 서옥제, 형사취수제
옥저	함경도 동해안 지역	읍군, 삼로	군장(족장) 국가 (← 고구려의 압력)	해산물, 소금 풍부	골장제, 민며느리제
동예	강원도 동해안 지역			• 단궁, 과하마, 반어피 • 방직 기술 발달	• 제천 행사: 무천(10월) • 족외혼, 책화
삼한	한반도 남부	• 진왕(목지국) • 신지, 견지(세력 大) • 부례, 읍차(세력 小)	제정 분리 – 정치적 지배자 – 종교적 지배자: 천군(소도)	• 벼농사 발달: 철제 농기구 사용, 저수지 축조 • 변한: 낙랑과 왜에 철 수출	• 제천 행사: 수릿날(5월), 계절제(10월) • 두레, 편두

공무원시험전문 **해커스공무원**

gosi.Hackers.com

고대 출제 경향

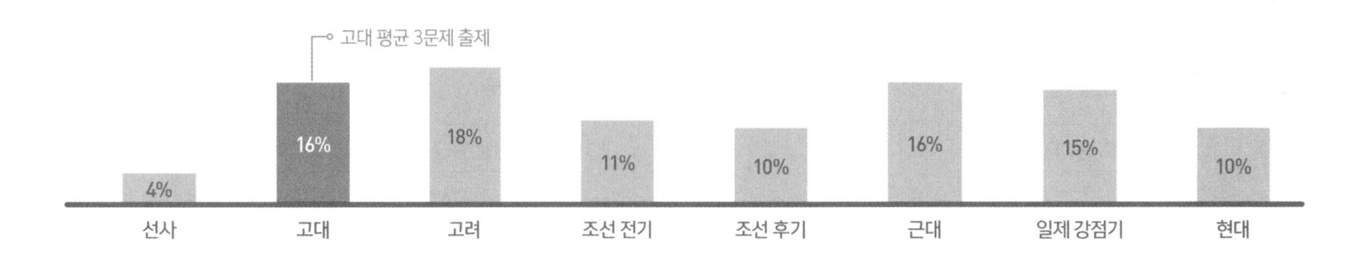

고대에서는 **매 시험마다 평균 3문제**씩 출제됩니다. 정치사 문제의 출제 비중이 월등히 높은 만큼 시대 순서에 따라 왕의 업적, 사건 등을 나열하는 문제나, 동시대의 다른 국가의 상황을 묻는 문제가 자주 출제됩니다. 따라서, 삼국의 발전 내용과 주요 사건의 전개 과정을 **시간의 흐름에 따라 체계적으로 이해하고 학습하는 것이 중요**합니다.

해커스공무원 한국사 기본서 **1권 전근대사**

II 고대의 발전

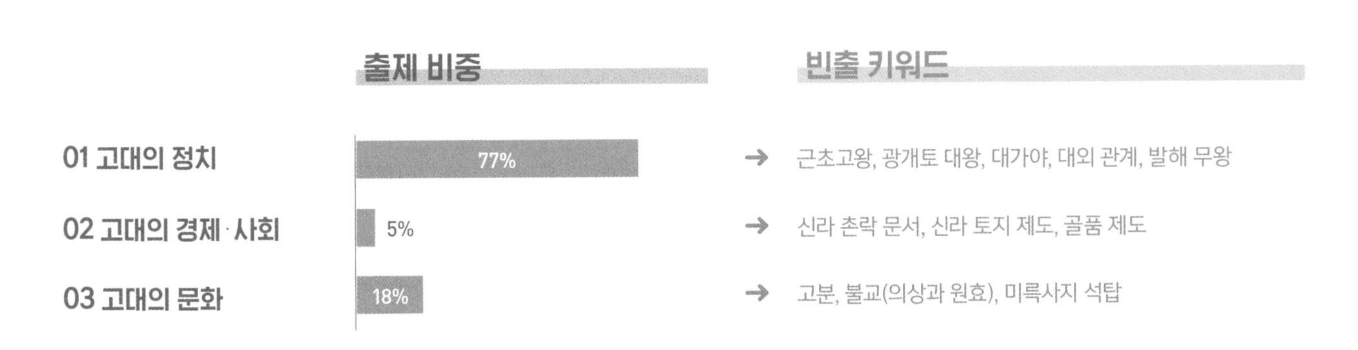

고대는 정치사의 비중이 높은 편이며, **각국의 주요 왕이나 각국 간의 항쟁 및 통치 구조를 묻는 문제**가 주로 출제됩니다. 경제·사회사의 경우 자주 출제되지는 않으나, 신라의 촌락 문서와 골품 제도는 알아두어야 합니다. 문화사에서는 삼국의 주요 문화재와 자장, 원효, 의상 등 **승려 문제**의 출제 비중이 높습니다.

한눈에 보는 고대 연표

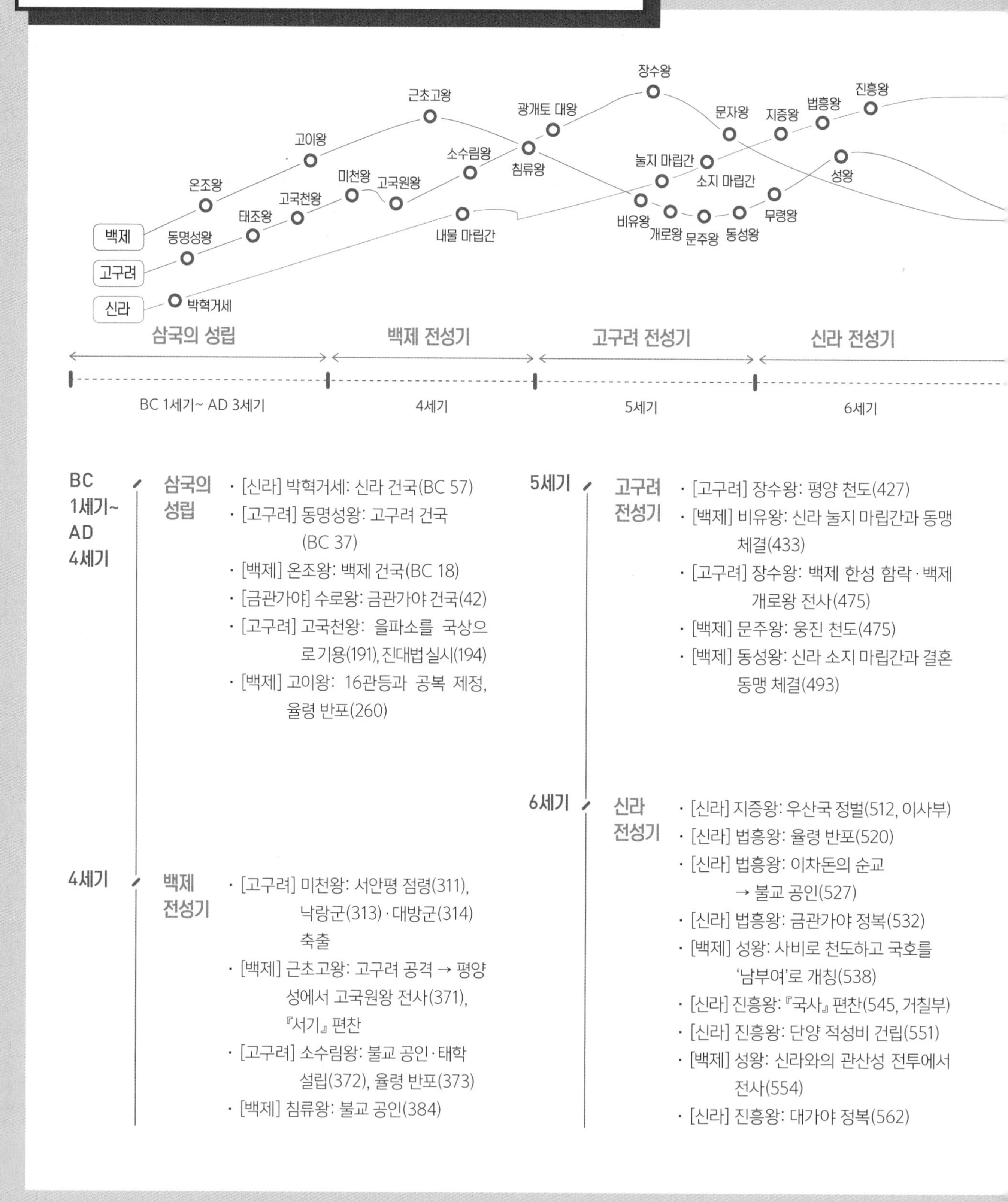

BC 1세기~ AD 4세기 / **삼국의 성립**

- [신라] 박혁거세: 신라 건국(BC 57)
- [고구려] 동명성왕: 고구려 건국 (BC 37)
- [백제] 온조왕: 백제 건국(BC 18)
- [금관가야] 수로왕: 금관가야 건국(42)
- [고구려] 고국천왕: 을파소를 국상으로 기용(191), 진대법 실시(194)
- [백제] 고이왕: 16관등과 공복 제정, 율령 반포(260)

4세기 / **백제 전성기**

- [고구려] 미천왕: 서안평 점령(311), 낙랑군(313)·대방군(314) 축출
- [백제] 근초고왕: 고구려 공격 → 평양성에서 고국원왕 전사(371), 『서기』 편찬
- [고구려] 소수림왕: 불교 공인·태학 설립(372), 율령 반포(373)
- [백제] 침류왕: 불교 공인(384)

5세기 / **고구려 전성기**

- [고구려] 장수왕: 평양 천도(427)
- [백제] 비유왕: 신라 눌지 마립간과 동맹 체결(433)
- [고구려] 장수왕: 백제 한성 함락·백제 개로왕 전사(475)
- [백제] 문주왕: 웅진 천도(475)
- [백제] 동성왕: 신라 소지 마립간과 결혼 동맹 체결(493)

6세기 / **신라 전성기**

- [신라] 지증왕: 우산국 정벌(512, 이사부)
- [신라] 법흥왕: 율령 반포(520)
- [신라] 법흥왕: 이차돈의 순교 → 불교 공인(527)
- [신라] 법흥왕: 금관가야 정복(532)
- [백제] 성왕: 사비로 천도하고 국호를 '남부여'로 개칭(538)
- [신라] 진흥왕: 『국사』 편찬(545, 거칠부)
- [신라] 진흥왕: 단양 적성비 건립(551)
- [백제] 성왕: 신라와의 관산성 전투에서 전사(554)
- [신라] 진흥왕: 대가야 정복(562)

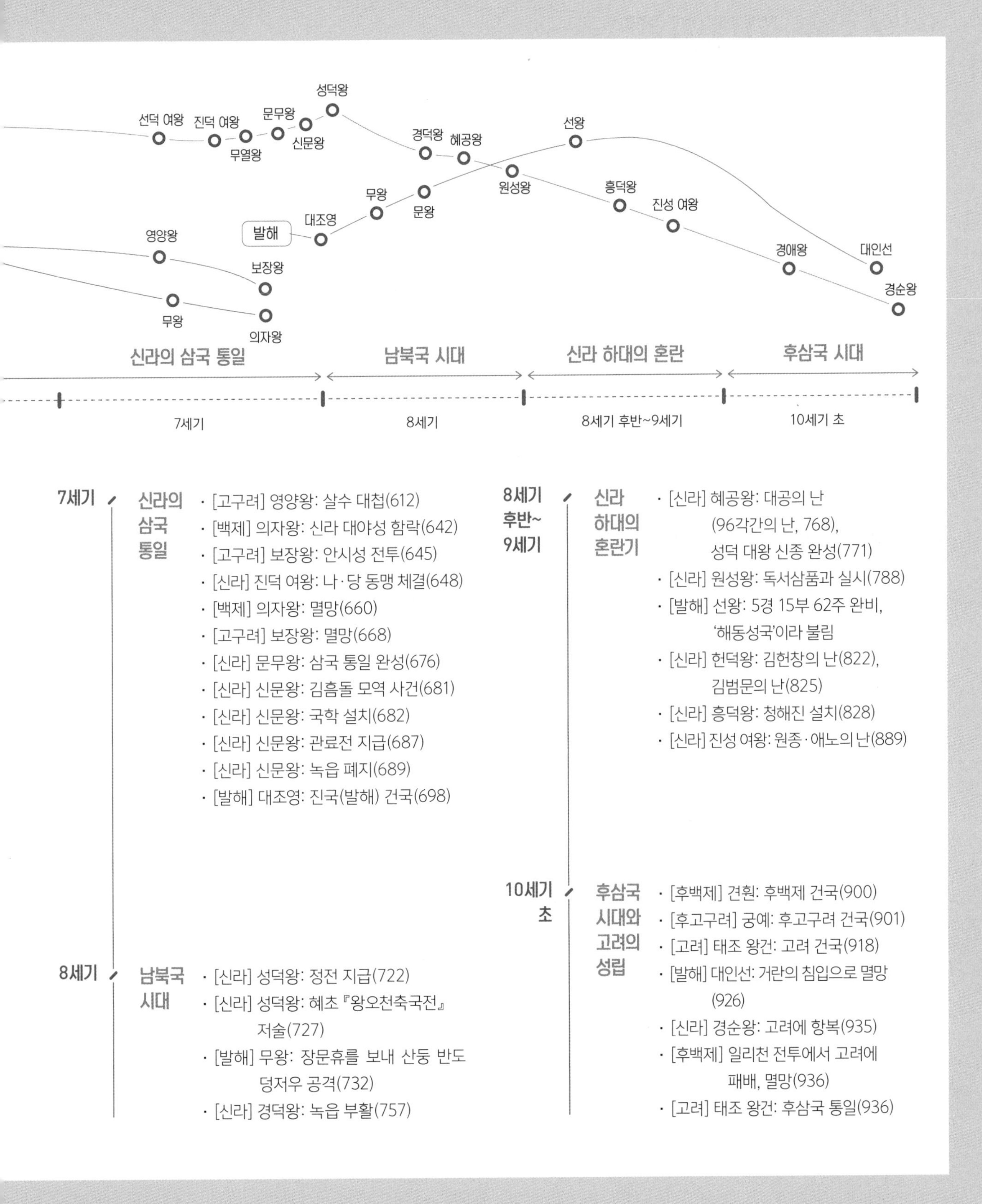

선덕 여왕
진덕 여왕
무열왕
문무왕
신문왕
성덕왕
경덕왕
혜공왕
원성왕
흥덕왕
진성 여왕
경애왕
경순왕
발해
대조영
무왕
문왕
선왕
대인선
영양왕
보장왕
무왕
의자왕
신라의 삼국 통일
남북국 시대
신라 하대의 혼란
후삼국 시대
7세기
8세기
8세기 후반~9세기
10세기 초
7세기
신라의 삼국 통일
· [고구려] 영양왕: 살수 대첩(612)
· [백제] 의자왕: 신라 대야성 함락(642)
· [고구려] 보장왕: 안시성 전투(645)
· [신라] 진덕 여왕: 나·당 동맹 체결(648)
· [백제] 의자왕: 멸망(660)
· [고구려] 보장왕: 멸망(668)
· [신라] 문무왕: 삼국 통일 완성(676)
· [신라] 신문왕: 김흠돌 모역 사건(681)
· [신라] 신문왕: 국학 설치(682)
· [신라] 신문왕: 관료전 지급(687)
· [신라] 신문왕: 녹읍 폐지(689)
· [발해] 대조영: 진국(발해) 건국(698)
8세기
남북국 시대
· [신라] 성덕왕: 정전 지급(722)
· [신라] 성덕왕: 혜초 『왕오천축국전』 저술(727)
· [발해] 무왕: 장문휴를 보내 산둥 반도 덩저우 공격(732)
· [신라] 경덕왕: 녹읍 부활(757)
8세기 후반~9세기
신라 하대의 혼란기
· [신라] 혜공왕: 대공의 난 (96각간의 난, 768), 성덕 대왕 신종 완성(771)
· [신라] 원성왕: 독서삼품과 실시(788)
· [발해] 선왕: 5경 15부 62주 완비, '해동성국'이라 불림
· [신라] 헌덕왕: 김헌창의 난(822), 김범문의 난(825)
· [신라] 흥덕왕: 청해진 설치(828)
· [신라] 진성 여왕: 원종·애노의 난(889)
10세기 초
후삼국 시대와 고려의 성립
· [후백제] 견훤: 후백제 건국(900)
· [후고구려] 궁예: 후고구려 건국(901)
· [고려] 태조 왕건: 고려 건국(918)
· [발해] 대인선: 거란의 침입으로 멸망 (926)
· [신라] 경순왕: 고려에 항복(935)
· [후백제] 일리천 전투에서 고려에 패배, 멸망(936)
· [고려] 태조 왕건: 후삼국 통일(936)

01 고대의 정치

1 고대의 성립

학습 포인트
고대 국가의 체제 정비를 위해 노력하였던 삼국의 왕을 중심으로 학습한다.

빈출 핵심 포인트
태조왕, 고국천왕, 고이왕, 내물 마립간, 금관가야, 김수로, 대가야

1 고대 사회의 성장

1. 고대 국가의 성립과 의의

(1) 성립

① **연맹 왕국의 형성**: 철기 문화를 바탕으로 성장한 여러 군장 국가(소국)들이 우세한 집단의 족장(군장)을 왕으로 추대하여 연맹 왕국을 형성하였다.

② **고구려·백제·신라**: 삼국은 점차 국왕의 권력이 강화되고 부족적 전통이 약화되면서 연맹 왕국 단계를 거쳐 강력한 중앙 집권 국가로 발전하였다. 우리 역사에서는 고구려, 백제, 신라의 순서로 중앙 집권 국가로 발전하였다.

③ **가야 연맹**: 여섯 나라가 연맹한 형태인 가야는 중앙 집권화에 실패하고 연맹이 해체되어 신라와 백제에 흡수되었다.

가야 연맹
낙동강 하류 지역에 북방계 이주민인 수로 집단이 여섯 나라를 세우고 가야국을 중심으로 형성한 연맹체이다. **초기에 가야 연맹의 중심은 수로왕의 금관가야**였으나 4세기 후반 고구려의 압박으로 연맹의 중심이 내륙 지역으로 이동하면서 **5세기 후반에는 고령 지방의 대가야를 중심으로 발전**하였다.

(2) **의의**: 삼국은 강력한 정치력을 바탕으로 중국 세력에 대항하면서 성장하였다. 삼국은 고대 국가로 발전하는 과정에서 민족의 자주성을 확보하고, 민족 문화 형성의 기틀을 마련하였다.

필수 개념 정리하기

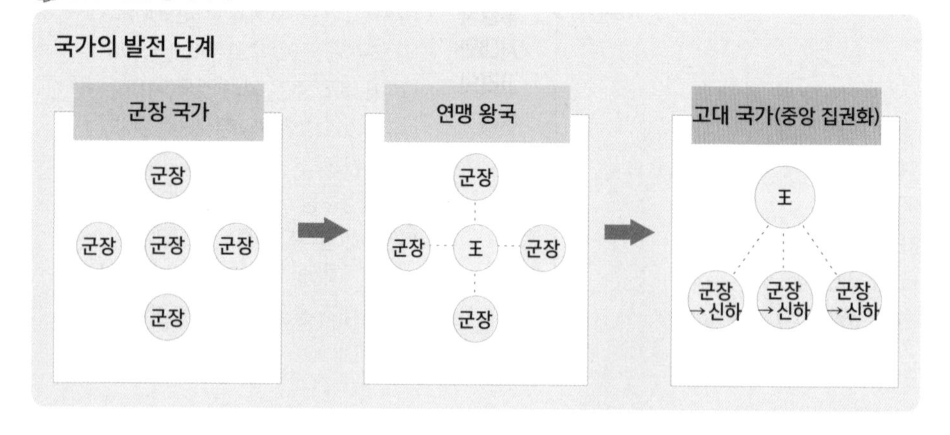

2. 고대 국가의 성격

(1) 왕권 강화

① **지배력 강화**: 왕은 자기 집단에 대한 지배력을 강화하면서 다른 집단(부족)에 대한 지배력도 강화하였다.

② **왕위 세습**: 왕의 지위가 점차 강화되면서 왕위의 부자 상속제가 확립되었다.

(2) 중앙 집권화

① **지방 세력 통합**: 왕권이 성장하면서 지방 부족장(군장) 세력을 왕 아래의 중앙 귀족으로 편입시켰다.

② **중앙 집권 강화**: 지방으로 관리나 군대를 파견하면서 지방 세력을 확실하게 통제하여 중앙 집권 체제를 강화하였다.

(3) 율령 반포

① **체제 정비**: 신분 제도와 중앙 집권적 지배 체제를 마련하기 위해 율령을 반포하였다.

② **관복제와 관등제**: 중앙 집권 체제를 정비하는 과정에서 관복제·관등제를 마련하였다.

(4) 불교 수용: 백성의 사상적 통합을 강화하고 국왕의 권위를 높이기 위하여 중국에서 전래된 불교를 수용하였다.

(5) 정복 활동: 삼국은 주변 지역을 정복하여 국가의 영토를 확장하였으며, 정복 과정에서 성장한 경제력과 군사력을 바탕으로 왕권을 더욱 강화하였다. 고구려는 광개토 대왕과 장수왕, 백제는 근초고왕, 신라는 진흥왕 대에 영토 확장이 절정에 달하였다.

율령
율령은 형률과 법령을 함께 이르는 말로, 율(律)은 사회 질서 유지를 위한 형법이며 영(令)은 행정 체계를 바로 잡기 위한 행정법이다. 율령의 반포는 **중앙 집권 국가 체제가 정비되었음을 의미**한다.

관등제
관리들의 등급을 정한 것으로, 종래의 족장적 성격을 띤 다양한 세력 집단을 **왕 아래에 하나의 체계로 조직하여 상하 관계를 정비**한 것이다.

2 삼국의 성립

1. 초기의 고구려

(1) 건국: 부여 계통의 유이민(주몽) 세력과 압록강 유역의 토착민 세력이 결합하여 졸본성(압록강 지류 동가강 유역)에서 고구려를 건국하였다(기원전 37).

(2) 성장: 활발한 정복 활동을 통해 강화된 군사력과 경제력을 바탕으로 왕권이 안정되었고, 초기의 여러 집단은 5부 체제로 통합되어 발전하였다.

(3) 제1대 동명왕(기원전 37~기원전 19): 고주몽 또는 추모왕으로도 불리었으며, 졸본성을 중심으로 고구려를 건국하였다.

(4) 제2대 유리왕(기원전 19~기원후 18): 도읍을 졸본에서 국내성으로 옮겼다.

(5) 제6대 태조왕(53~146)

① **활발한 정복 활동**: 기원 후 56년 동옥저를 정복하여 영토를 확장하였다.

② **계루부의 왕위 세습**: 왕권의 성장과 함께 왕위 계승권이 종전의 소노부(연노부)에서 계루부로 옮겨지면서 태조왕 때부터 계루부 고씨가 왕위를 독점적으로 세습하였다(형제 상속제).

유리왕의 황조가 기출사료

펄펄 나는 저 꾀꼬리
암수 서로 정답구나
외로울사 이 내 몸은
뉘와 더불어 돌아가랴
-『삼국유사』

▶ 황조가는 꾀꼬리가 날아 모이는 것을 본 유리왕이 후궁들 간의 다툼을 말리지 못한 자신의 처지를 생각하며 지었다고 전해지는 시가로, 후궁들의 대립을 고구려 건국 초기 서로 다른 세력 간의 권력 다툼으로 해석하는 견해도 있다.

③ **5부 체제로 발전**: 통합된 집단들은 집권적인 관료 체계를 갖춘 5부 체제로 발전하였으며, 왕권이 강화되면서 중앙 집권 국가의 기틀이 확립되었다.

(6) 제9대 고국천왕(179~197)

① **부자 상속제**: 왕위 계승이 형제 상속제에서 부자(父子) 상속제로 확립되었다.

② **5부 개편**: 순노부, 소노부 등 부족적인 전통을 지닌 5부를 동·서·남·북·중의 방위를 표시하는 행정적인 성격의 5부로 개편하였으며, 족장들을 중앙 귀족에 편입시켜 중앙 집권화를 진전시켰다.

③ **을파소 등용**: 기존의 부족장 세력들을 통제하기 위하여 구(舊)족장 세력이 아닌 을파소를 국상으로 기용하였다.

④ **진대법 실시**(194): 흉년과 고리대로 인하여 몰락한 농민(빈민)을 구제하기 위한 제도인 춘대추납(春貸秋納)의 진대법을 실시하였다.

2. 초기의 백제

(1) 건국

① **건국**: 고구려 계통의 유이민(온조) 세력과 한강 유역의 토착 세력이 결합하여 하남 위례성에서 백제를 건국하였다(기원전 18).

② **유이민 집단의 우세**: 유이민 집단이 우수한 철기 문화를 토대로 지배층을 형성하였다.

(2) 성장: 마한의 여러 소국을 정복하고, 한 군현을 공격하여 영토를 확장하였다.

(3) 제8대 고이왕(234~286)

① **정치 체제 정비**: 고이왕은 정치 체제를 정비하여 중앙 집권 국가의 토대를 형성하였다.

㉠ **율령 반포**: 삼국 중 가장 먼저 율령을 반포하였다.

㉡ **관등제 정비**: 중국의 선진 문물을 받아들여 관등제(6좌평, 16관등)를 정비하였다.

㉢ **관복제 정비**: 백관의 관복(공복)을 자색·비색·청색으로 정하였다.

㉣ **남당(南堂) 설치**: 왕과 귀족들이 모여 정사를 보는 관청인 남당을 설치하였다.

② **대외 정책**: 낙랑군과 대방군을 공격하는 등 한 군현과 대립하였고, 목지국을 밀어내면서 한강 유역을 완전히 장악하였다.

③ **왕위 세습**: 고이왕 때부터 형제 상속을 통한 왕위 세습이 이루어졌다.

3. 초기의 신라

(1) 건국: 진한 소국 중 하나인 사로국(경주 지방)에서 시작하였고, 경주 지역의 토착민 세력과 유이민 집단의 결합을 바탕으로 박혁거세가 건국하였다(기원전 57).

(2) 초기 국가적 성격

① **3성 교립**: 신라 초기에 왕권이 미약하여 석탈해 집단이 동해안으로 들어오고 계림에서 김알지 세력이 나타나면서 박, 석, 김의 3성이 교대로 왕위를 계승하였다.

② **독자적 세력 유지**: 유력 집단의 우두머리를 이사금(연장자라는 의미)으로 추대하였으나 주요 집단들은 독자적인 세력 기반을 유지하였다.

고구려의 5부

- 5부족은 고구려 형성에 주축이 된 씨족 집단으로, **소노부(연노부)·계루부·절노부·관노부·순노부**로 구성
- 처음에는 5부족 중 가장 우세한 소노부에서 왕위를 계승
- 태조왕 때부터 **계루부의 고씨가 왕위를 세습**
- 고국천왕 때 부족적 성격의 5부가 **행정적 성격의 5부로 개편**

국상

제가 회의의 의장으로, 제가 회의를 통해 **주요 국사에 대한 논의를 진행·의결**하는 역할을 담당하였다. 국상의 역할은 이후 대대로(大對盧)로 이어졌다.

진대법

매년 봄인 **3월부터 7월까지** 가구의 많고 적음에 따라 **관청의 곡식을 풀어** 빈민들을 도와주었다가 가을인 **10월에 갚도록 한 제도이다.**

하남 위례성의 위치

하남 위례성은 **초기 백제의 도읍**으로 '한성'이라고 불리기도 하였는데, 현재까지 정확한 위치를 확인하지 못하고 있다. 대체로 서울 송파구 석촌동에 있는 고구려식 돌무지무덤, 몽촌토성, 풍납토성 등을 통해 이 일대가 하남 위례성이었을 것으로 추정하고 있으며, 이 중 **풍납토성이 최근의 발굴을 통해 가장 유력**해졌다.

남당(南堂)

일명 도당(都堂)이라고도 불렸다. **초기**에는 왕과 관리들이 모여 국가 정사를 의논하고 **행정 사무를 집행**하였으나 국가 체제가 발전하고 행정 부분이 분리된 뒤로는 **형식적인 기구로 변하였다.**

(3) 제17대 내물 마립간(356~402)

① **왕권 강화**: 내물 마립간 때 김씨가 독점적으로 왕위 계승권을 확립(형제 상속)하였으며, 왕의 칭호도 대군장을 뜻하는 마립간으로 변경되었는데, 이는 당시 지배자(왕)의 권력이 이사금이었을 때보다 강해졌음을 반영한 것이다.

② **정복 활동**: 활발한 정복 활동을 전개하여 낙동강 동쪽 진한 지역의 대부분을 차지하였다.

③ **고구려의 내정 간섭**

㉠ **고구려의 왜구 격퇴**: 내물 마립간 때 왜구를 물리치는 과정에서 고구려 광개토 대왕의 도움을 받아 왜구를 격퇴하였다(400).

㉡ **고구려군의 신라 주둔**: 고구려 광개토 대왕의 공격으로 김해의 금관가야를 중심으로 하는 전기 가야 연맹이 쇠퇴하였으며, 고구려군이 신라 영토 내에 머무는 등 신라는 한동안 고구려의 내정 간섭을 받게 되었다.

㉢ **증거**: 광개토 대왕릉비문과, 경주 호우총에서 출토된 호우명 그릇 밑바닥에 광개토 대왕의 호칭이 새겨져 있는 것을 통해 고구려의 내정 간섭 관련 사실을 확인할 수 있다.

3 가야 연맹

1. 성립

(1) 경제 성장에 따른 정치 집단 등장: 가야 연맹은 낙동강 하류의 변한 지역에서 성장하였다. 이 지역은 철기 문화의 발달을 바탕으로 농업 생산력을 증대시켰고, 점진적인 사회 통합을 거쳐 2세기 이후에는 여러 정치 집단들이 등장하였다.

(2) 강력한 토착 세력: 해상을 통해 유이민이 들어오기도 하였으나 대체로 강한 토착 세력을 중심으로 발전하였다.

2. 전기 가야 연맹(금관가야)

(1) 건국: 김수로가 김해 지역에서 금관가야를 건국하였다(42).

기출 사료 읽기

금관가야의 건국 신화

천지가 개벽한 뒤로 가야 지방에는 아직 나라가 없고 또한 왕과 신하도 없었는데, 단지 아홉 추장이 각기 백성을 거느리고 농사를 지으며 살았다. …… 아홉 추장과 사람들이 노래하고 춤추면서 하늘을 보니 얼마 뒤 자주색 줄이 하늘로부터 내려와서 땅에 닿았다. 줄 끝을 찾아보니 붉은 보자기에 금빛 상자가 싸여 있었다. 상자를 열어 보니 황금색 알 여섯 개가 있었다. …… 그 달 보름에 맏이를 왕위에 추대하고 수로라 하였다. 그가 곧 가라국 또는 가야국 왕이며, 나머지 다섯도 각각 다섯 가야의 임금이 되었다.

-『삼국유사』

사료 해설 | 금관가야의 시조인 김수로왕에 관한 신화로, 이 신화를 통해 김수로왕이 금관가야를 건국하였고, 김수로왕뿐 아니라 나머지 가야 연맹체를 통괄하는 세력도 함께 존재했다는 것을 알 수 있다.

(2) 발전: 3세기경에는 정치 집단 간의 통합이 한 단계 더 발전하여 김해의 금관가야를 중심으로 한 연맹 왕국으로 발전하였다(전기 가야 연맹).

호우명 그릇

경주의 호우총에서 발굴된 청동제 그릇으로, 그릇 밑바닥에 '乙卯年國岡上廣開土地好太王壺杅十'(을묘년국강상광개토지호태왕호우십)이라는 글자가 새겨져 있다. 광개토 대왕의 호칭이 새겨진 것과 광개토 대왕릉비와 서체가 유사한 것 등을 통해 **광개토 대왕 사후, 장수왕 대에 광개토 대왕을 기념하기 위해 만든 그릇**으로 추정된다. 호우명 그릇은 **당시 신라와 고구려의 긴밀한 관계를 보여 주는 대표적인 유물**이다.

가야 연맹의 성립

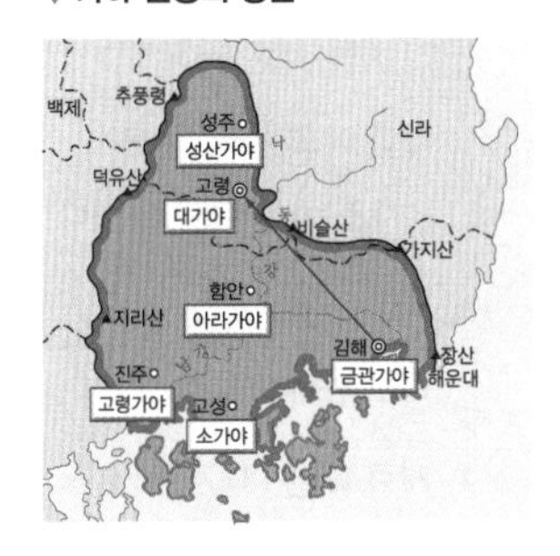

| 가야 연맹의 위치

금관가야 김수로왕과 허황옥

기출사료

"저는 아유타국의 공주로 성은 허이고 이름은 황옥이며 나이는 16살입니다. 본국에 있을 때 부왕과 모후께서 저에게 말씀하시기를, '우리가 어젯밤 꿈에 함께 황천을 뵈었는데, 황천은 가락국의 왕 수로라는 자는 하늘이 내려보내서 왕위에 오르게 하였으니 곧 신령스럽고 성스러운 것이 이 사람이다. 또 나라를 새로 다스림에 있어 아직 배필을 정하지 못했으니 경들은 공주를 보내서 그 배필을 삼게 하라 하고, 말을 마치자 하늘로 올라갔다. …… 너는 이 자리에서 곧 부모를 작별하고 그곳을 향해 떠나라' 라고 하였습니다.

-『삼국유사』

▶ 금관가야의 시조 김수로왕의 비인 **허황옥은 본래 인도 아유타국의 공주였는데, 가락국으로 건너와 수로왕과 혼인을 하게 되었다는 내용**이다.

(3) 쇠퇴: 4세기 초부터 백제와 신라의 팽창에 영향을 받아 세력이 약화되었다.

(4) 해체: 4세기 말에서 5세기 초에 신라를 구원하러 남하한 고구려(광개토 대왕)군의 공격을 받고 금관가야 중심의 전기 가야 연맹은 거의 해체되었고, 가야 지역은 낙동강 서쪽 연안으로 축소되었다.

3. 후기 가야 연맹(대가야)

(1) 대가야 중심의 세력 재편성

① **5세기 初**

㉠ **기존 중심 세력의 약화**: 전기 가야 연맹이 해체되어 김해, 창원 등 남동부 지역의 기존 중심 세력이 약화되었다.

㉡ **신진 세력의 성장**: 낙후 지역이었던 북부 지역의 고령, 합천, 거창, 함양 등지의 세력이 자신들의 영역을 유지하며 성장하였다.

② **5세기 후반**: 새로운 맹주로 성장한 고령 지방의 대가야를 중심으로 후기 가야 연맹이 형성되었다.

기출 사료 읽기

대가야의 건국 신화

시조는 이진아시왕이다. 그로부터 도설지왕까지 대략 16대 520년이다. 최치원이 지은 『석이정전』을 살펴보면, 가야산신 정견모주가 천신 이비가지에게 감응되어 대가야의 왕 뇌질주일과 금관국왕 뇌질청예 두 사람을 낳았는데, 뇌질주일은 곧 이진아시왕의 별칭이고 뇌질청예는 수로왕의 별칭이라고 한다. - 『신증동국여지승람』

사료 해설 | 대가야의 건국 신화로, 이진아시왕 신화라고도 한다. 김수로왕은 금관가야의 시조이며, 이진아시왕은 대가야의 시조로 전해진다.

(2) 발전

① **5세기 후반**: 대가야는 안정된 농업 기반과 철광 개발을 바탕으로 발전하였다. 특히 대가야는 5세기 후반에 중국 남제에 독자적으로 사신을 파견(479)하였고, 백제·신라와 동맹하여 고구려에 대항하는 등 크게 성장하였다.

② **6세기 初**: 대가야는 백제, 신라와 대등하게 세력을 다투었고, 소백산맥 너머 남원군 운봉 지역의 아막산성까지 진출할 만큼 성장하였다. 한편 대가야는 이뇌왕 때 국제적 고립에서 벗어나고자 신라 법흥왕과 결혼 동맹을 체결하였다(522).

대가야와 남제의 관계 기출사료

대가야는 삼한의 종족이며, 지금의 고령에 있었다. 건원 원년(479)에 그 국왕 하지(荷知)는 사신을 보내 남제에 공물을 바쳤다. 남제에서는 국왕 하지에게 "보국장군 본국왕"을 제수하였다.

▶ 대가야는 **5세기 후반**에 중국 남제에 사신을 파견하여 관직을 제수 받을 만큼 성장하였다.

대가야와 신라의 결혼 동맹 기출사료

법흥왕 9년(522) 3월, 가야국(대가야) 왕이 사신을 보내 혼인을 청하였다. 이에 왕(법흥왕)이 이찬(伊飡) 비조부(比助夫)의 누이를 보냈다. - 『삼국사기』

▶ 522년 대가야 **이뇌왕이 신라에 사신을 보내어 청혼**하였고, 신라(법흥왕)에서는 **이찬 비조부의 누이를 대가야에 보내 결혼이 성사**되면서 결혼 동맹이 체결되었다.

4. 가야의 멸망

(1) 금관가야의 멸망(532)

① **신라의 금관가야 정복**: 신라 법흥왕이 김해의 금관가야를 지속적으로 압박하였고, 이를 견디지 못한 금관가야의 마지막 왕인 구형왕(구해왕)이 신라에 항복하였다(532).

② **지역 분할**: 가야의 남부 지역은 신라와 백제가 분할·점령하였다.

(2) 대가야의 멸망(562)

① **관산성 전투 참전**: 신라와 백제의 다툼 속에서 대가야는 신라의 침략을 저지하기 위해 백제(성왕)를 도와 관산성 전투(554)에 참전하였으나 신라에 대패하였다.

② **가야 연맹 해체**: 대가야를 중심으로 한 가야 연맹은 관산성 전투의 패배로 위세가 크게 위축되었고, 결국 신라 진흥왕이 파견한 장군 이사부에 의해 대가야가 멸망하였다(562). 나머지 가야국들도 신라에 병합되면서 가야 연맹은 완전히 해체되었다.

(3) **가야 연맹의 한계**: 가야 연맹은 각 소국이 독자적인 정치 기반을 유지하였기 때문에 중앙 집권 국가로 발전하지 못하고, 연맹 왕국 단계에서 소멸되었다.

기출 사료 읽기

> 가야의 멸망
>
> 1. 금관가야의 멸망
>
> 법흥왕 19년 금관국주 김구해가 아내와 세 아들(노종·무덕·무력)과 함께 가야의 보물을 가지고 와서 항복하였다. 왕은 예를 다하여 대접하고 그 나라를 식읍으로 주었다. 아들 무력은 벼슬이 각간에 이르렀다. - 『삼국사기』
>
> **사료 해설** | 김구해는 금관가야의 왕(구해왕 또는 구형왕)으로, 신라 법흥왕의 지속적인 압박으로 신라에 항복하였다(532). 이때 본국인 금관가야 지역을 식읍으로 받았다는 기록이 전해진다.
>
> 2. 대가야의 멸망
>
> 진흥왕이 이찬 이사부에게 명하여 가라국(대가야)을 공격하도록 하였다. 이때 사다함은 나이 15, 6세였음에도 종군하기를 청하였다. 왕이 나이가 아직 어리다 하여 허락하지 않았으나, 여러 번 진심으로 청하고 뜻이 확고하였으므로 드디어 귀당 비장으로 삼았다. …… 대가야 사람들이 뜻밖에 군사가 쳐들어오는 것을 보고 놀라 막지 못하였으므로 대군이 승세를 타고 마침내 대가야를 멸망시켰다. - 『삼국사기』
>
> **사료 해설** | 대가야는 신라 진흥왕이 파견한 장군 이사부가 이끄는 군대에 의해 신라에 병합되었다(562).

5. 가야의 경제와 문화

(1) 경제의 발달

① **농경 문화 발달**: 고령, 합천 등의 지역에서 일찍부터 벼농사를 실시하는 등 농경 문화가 발달하였다.

② **수공업 발달**: 발달된 농경 문화를 바탕으로 토기의 제작 기술이 보급·발전하고, 수공업이 크게 번성하였다.

③ **중계 무역 발달**: 풍부한 철의 생산과 해상 교통을 이용하여 낙랑과 대방, 일본 규슈 지방을 연결하는 원거리 교역을 통해 중계 무역을 전개하였다. 또한 철기를 만들 때 사용하는 덩이쇠를 화폐와 같은 교환 수단으로 이용하기도 하였다.

(2) 문화의 발달

① **대표 고분 유적**: 김해 대성동 고분(금관가야), 고령 지산동 고분(대가야), 부산 복천동 고분, 함안 말이산 고분, 창녕 계남리 고분, 김해 봉황동 유적 등이 대표적이다.

② **유물**: 고분에서 금동관, 철제 무기와 갑옷, 수레형 토기 등이 발굴되었다.

③ **가야 문화의 전파**

㉠ **신라에 영향**: 가야가 신라에 흡수됨에 따라 우륵(가야금) 등 대가야 출신의 인물들이 신라에서 활약하였다.

㉡ **일본에 영향**: 가야 토기는 일본에 전해져 일본 스에키 토기에 영향을 주었다.

김해 대성동 고분군 유물

| 동복(청동솥)

| 철제 갑옷

고령 지산동 고분군 유물

| 금동관

| 장경호(목항아리)

우륵

대가야의 음악가인 우륵은 대가야가 멸망하기 직전인 **신라 진흥왕 때 가야금을 가지고 신라에 투항**하였다. 이후 우륵은 국원소경(충주)에서 머물며 제자들을 길러내 **가야의 음악을 신라에 전하는 데에 크게 공헌**하였다.

스에키 토기

일본 토기의 하나, 회색 또는 회갈색으로, 단단하며 모양이 정연하고 치밀한 것이 특징으로 **가야 토기의 직접적인 영향**을 받았다.

OX 빈칸 핵심 개념 점검

* 학습한 개념을 OX/빈칸 문제를 통해 점검해보세요.

핵심 개념 1 | 고구려의 건국과 성장

01 고구려는 유리왕 때 졸본에서 국내성으로 천도하였다. □ O □ X

02 고구려 태조왕이 동옥저를 정벌하고 빼앗아 성읍으로 삼았다. □ O □ X

03 고구려의 고국천왕은 순노부, 소노부 등의 5부를 행정 단위 성격의 5부로 개편하였다. □ O □ X

04 고구려의 고국천왕은 ______를 국상으로 등용하고 빈민을 구제하기 위한 제도인 진대법을 실시하였다.

핵심 개념 2 | 백제의 건국과 성장

05 백제는 고구려 계통의 유이민과 한강 유역의 토착 세력이 결합하여 건국되었다. □ O □ X

06 백제는 고이왕 때 왕위의 부자 상속이 확립되었다. □ O □ X

07 백제의 고이왕은 ___좌평제와 ___관등제 및 백관의 공복을 제정하였다.

핵심 개념 3 | 신라의 건국과 성장

08 신라는 내물 마립간 때 3성이 권력을 주고받던 시대가 끝나고 김씨 세습이 이루어졌다. □ O □ X

09 경주 호우총에서 출토된 청동 그릇을 통해 고구려가 신라의 영향력 아래에 있었음을 알 수 있다. □ O □ X

10 신라의 내물 마립간은 왕호를 ______에서 마립간으로 바꾸었다.

핵심 개념 4 | 가야 연맹

11 가야는 낙동강 동쪽의 진한 지역에서 독자적 세력으로 성장하였다. □ O □ X

12 금관가야의 시조는 수로왕이며 건국 설화로 구지봉 전설이 있다. □ O □ X

13 5세기 후반 금관가야가 가야 지역의 중심 세력으로 대두하였다. □ O □ X

14 금관가야는 해상 교역을 통해 우수한 철을 수출하였다. □ O □ X

15 대가야는 호남 동부 지역까지 세력을 확장하였다. □ O □ X

16 금관국의 왕인 김구해가 왕비와 세 아들을 데리고 와 신라 법흥왕에게 항복하였다. □ O □ X

17 금관가야는 고구려 ______의 공격으로 전기 가야 연맹의 주도권을 상실하였다.

18 대가야는 ______와 결혼 동맹을 체결하였다.

19 가야 출신의 ______에 의해 가야금이 신라에 전파되었다.

20 가야에서는 철기를 만들 때 사용하는 ______를 화폐와 같은 교환 수단으로 이용하기도 하였다.

정답과 해설

01	O 고구려는 유리왕 때 졸본에서 국내성으로 천도하였다.	**11**	✖ 가야는 낙동강 하류의 변한 지역에서 성장하였다. 낙동강 동쪽의 진한 지역에서 성장한 세력은 신라이다.
02	O 고구려 태조왕은 활발한 정복 활동으로 동옥저를 복속시켰다.	**12**	O 금관가야의 시조는 수로왕이며 금관가야의 건국 설화로 구지봉 전설이 전해진다.
03	O 고구려 고국천왕은 순노부, 소노부 등 부족적 성격의 5부를 행정적 성격의 5부로 개편하였다.	**13**	✖ 5세기 후반부터 가야 지역의 중심 세력으로 대두한 것은 대가야이다. 금관가야는 4세기 후반에서 5세기 초 신라를 구원하러 온 광개토 대왕의 공격으로 세력이 약화되었다.
04	을파소	**14**	O 금관가야에서는 철이 풍부하게 생산되었고, 해상 교역을 통해 낙랑, 일본 규슈 등에 우수한 철을 수출하였다.
05	O 백제는 온조를 중심으로 한 고구려 계통의 유이민과 한강 유역의 토착 세력이 결합하여 건국되었다.	**15**	O 대가야는 6세기 초에 소백산맥을 너머 호남 동부 지역인 남원, 임실까지 세력을 확장하여 백제, 신라와 대등하게 경쟁할 만큼 성장하였다.
06	✖ 백제는 고이왕 때 왕위의 형제 상속이 확립되었다. 백제 왕위의 부자 상속이 확립된 것은 근초고왕 때이다.	**16**	O 금관국의 마지막 왕인 김구해(구형왕)가 왕비와 세 아들을 데리고 와 신라 법흥왕에게 항복하였다.
07	6, 16	**17**	광개토 대왕
08	O 신라는 내물 마립간 때 왕권이 강화되어 기존에 박·석·김 3성이 교대로 왕위를 세습하던 방식 대신에, 김씨에 의한 왕위 세습 체제가 확립되었다.	**18**	신라
09	✖ 경주 호우총에서 출토된 호우명 그릇 밑바닥에 광개토 대왕의 이름이 새겨져 있는 것을 통해 신라가 고구려의 영향력 아래에 있었음을 알 수 있다.	**19**	우륵
10	이사금	**20**	덩이쇠

2 삼국의 발전과 통치 체제

학습 포인트
각국의 전성기를 이끈 왕에 대해서는 주요 업적을 반드시 숙지한다. 통치 구조는 중앙과 지방 행정, 군사 제도 등으로 구분하여 삼국을 서로 비교하며 학습하도록 한다.

빈출 핵심 포인트
소수림왕, 광개토 대왕, 장수왕, 근초고왕, 성왕, 지증왕, 법흥왕, 진흥왕

1 고구려의 발전

1. 고구려의 성장과 위기

(1) 제11대 동천왕(227~248)

① **오와 수교**: 동천왕은 중국의 위·촉·오 삼국 시대에 삼국의 대립을 이용하여 오나라와 외교 관계를 수립하고, 위나라를 견제하였다.

② **서안평 공격**: 동천왕은 중국과 낙랑의 연결 통로를 차단하기 위해 서안평을 공격하였다.

③ **환도성 함락**: 위나라 장수 관구검의 침입을 받아 수도 국내성 북쪽 배후 산성인 환도성이 함락되어 동천왕이 옥저 지역까지 피난하는 고초를 겪기도 하였다.

(2) 제15대 미천왕(300~331)

① **서안평 점령**: 미천왕은 중국이 5호 16국 시대로 인해 혼란스러운 틈을 타 서안평을 점령하였다(311).

② **낙랑군 축출**: 미천왕은 낙랑군을 축출(313)하고 대방군을 차지(314)함으로써 압록강 중류 지역에서 벗어나 대동강 유역을 확보하였다.

(3) 제16대 고국원왕(331~371) - 고구려의 위기

① **전연(선비족)의 침입**: 고국원왕 때 랴오둥(요동) 지방을 놓고 중국의 전연과 공방전을 전개하다가 전연 모용황의 침공(342)으로 수도가 함락되었다.

② **백제의 침입**: 황해도 지역을 놓고 백제의 근초고왕과 대결하다가 고국원왕이 평양성에서 전사하였다(371).

2. 고구려의 전성기

(1) 제17대 소수림왕(371~384)

① **전진과 수교**: 소수림왕은 백제를 견제하기 위해 중국의 전진과 수교하였다(372).

② **중앙 집권 체제 강화**: 소수림왕은 불교 수용·공인, 태학 설립, 율령 반포 등을 통하여 중앙 집권적인 국가 체제를 더욱 강화하였다.

㉠ **불교 수용·공인**(372): 소수림왕 때 전진에서 외교 사절과 함께 승려 순도(順道)가 고구려에 파견되었는데, 소수림왕은 순도가 가져온 불상과 경문을 받아들여 삼국 중 최초로 불교를 수용·공인하였다.

㉡ **태학 설립**(372): 소수림왕은 우리나라 최초의 국립 대학인 태학을 설립하였다.

㉢ **율령 반포**(373): 소수림왕은 국가 통치의 기본법인 율령을 반포하였다.

서안평
지금의 평안북도 의주에서 압록강 맞은편에 있던 지역으로, 요동과 평양 방면을 연결하는 교통상의 요지였다. 이곳을 고구려가 장악하면 중국으로부터 낙랑군을 고립시킬 수 있어서 전략적으로도 중요한 곳이었다.

전연 모용황의 침공(342)
전연의 모용황 군대가 환도성을 침입하고 고구려를 위협하기 위해 **미천왕릉을 도굴**하여 미천왕의 시신을 가져갔고, 또한 **왕모 및 고구려의 남녀 약 5만 명을 납치**하는 등 만행을 저질렀다.

소수림왕의 중앙 집권 체제 강화
기출사료
- 왕 2년(372)에 전진왕 부견이 사신과 승려 순도를 시켜 불상과 경문을 보내왔다. …… 태학을 세우고 자제를 교육시켰다.
- 왕 3년(373)에 처음으로 율령을 반포하였다. -『삼국사기』

▶ 소수림왕은 불교 공인, 태학 설립, 율령 반포 등을 통해 고구려 발전의 토대를 마련하였다.

(2) 제19대 광개토 대왕(391~412): 광개토 태왕, 영락 대왕, 호태왕 등으로 불린다.

① **정복 사업**: 소수림왕 때의 내정 개혁을 바탕으로 대규모의 정복 사업을 단행하였다.

㉠ **백제 공격**: 백제의 수도인 한성을 공격하여 백제 아신왕을 굴복시키고 한강 이북 지역까지 진출하였다.

㉡ **신라 구원**: 백제·가야·왜의 연합군이 신라를 공격하자, 신라를 지원하여 왜를 격퇴하고, 금관가야를 공격함으로써 한반도 남부까지 영향력을 확대하였다.

㉢ **기타 정벌**: 숙신(여진족)과 비려(거란족)를 정벌하여 만주 일대를 차지하고 후연(선비족)을 공격하여 랴오둥(요동) 지역을 확보하였다.

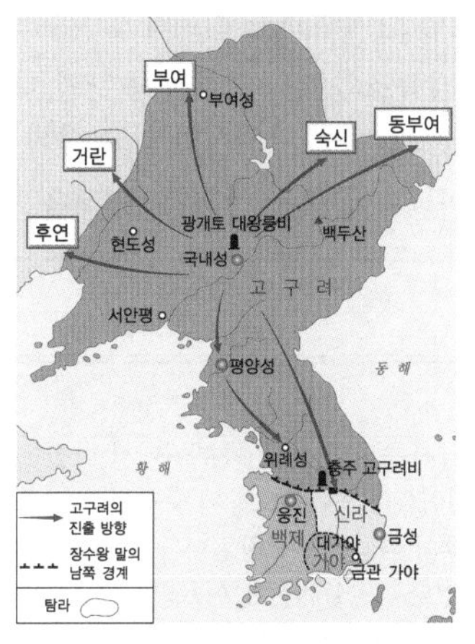

| 5세기 고구려 전성기

② **대국 의식**: 광개토 대왕은 우리나라 최초로 영락(永樂)이라는 연호와 태왕의 호칭을 사용하여 동아시아 강국으로서의 자주성을 대외적으로 표명하였다.

교과서 사료 읽기

광개토 대왕의 신라 구원

신라가 사신을 보내 왕에게 말하기를, "왜인이 그 국경에 가득 차 성을 부수었으니, 노객은 백성 된 자로서 왕에게 귀의하여 분부를 청한다."고 하였다. (영락) 10년(400) 경자에 보병과 기병 5만을 보내 신라를 구원하게 하였다. …… 관군이 이르자 왜적이 물러가므로, 뒤를 급히 추격하여 임나가라의 종발성에 이르렀다. …… 신라의 농성을 공략하니 왜구는 위축되어 궤멸되었다.

– 광개토 대왕릉비 비문

사료 해설 | 광개토 대왕은 신라 내물 마립간의 요청에 따라 신라에 침입한 왜를 격퇴하였다.

(3) 제20대 장수왕(412~491)

① **남하 정책**

㉠ **평양 천도(427)**: 장수왕은 국내성 일대에 기반을 둔 5부의 귀족 세력을 약화시키고, 국가 운영을 뒷받침할 경제적 기반을 확대하기 위해 평양으로 수도를 옮겼으며(427), 더불어 강력한 남하 정책을 추진하였다. 고구려의 평양 천도에 위협을 느낀 신라의 눌지 마립간과 백제의 비유왕은 나·제 동맹을 체결하였다(433).

㉡ **한강 유역 장악**: 장수왕은 백제의 수도인 한성을 함락(475)시켰으며, 이 과정에서 백제 개로왕이 전사하였다. 한편 이를 통해 한강 유역을 장악한 장수왕은 죽령 일대로부터 남양만에 이르는 영토를 확보하였다.

기출 사료 읽기

장수왕의 밀사인 도림과 개로왕

개로왕이 도림의 말을 듣고 나라 사람을 징발하여 흙을 쪄서 성(城)을 쌓고 그 안에는 궁실, 누각, 정자를 지으니 모두가 웅장하고 화려하였다. 이로 말미암아 창고가 비고 백성이 곤궁하니, 나라의 위태로움이 알을 쌓아 놓은 것보다 더 심하게 되었다. 그제야 도림이 도망을 쳐 와서 그 실정을 고하니 왕(장수왕)이 기뻐하여 백제를 치려고 장수에게 군사를 나누어 주었다. –『삼국사기』

사료 해설 | 장수왕의 밀사인 도림의 권유에 따라 백제 개로왕은 대규모 토목 공사를 벌였고, 이로 인하여 백제의 국력이 소진되어 한성이 함락되는 주요 요인으로 작용되었다.

고대의 독자적인 연호 사용

고구려	광개토 대왕	영락
	장수왕(추정)	연가, 연수, 건흥
신라	법흥왕	건원
	진흥왕	개국, 대창, 홍제
	진평왕	건복
	선덕 여왕	인평
	진덕 여왕	태화 → 영휘
장안	김헌창	경운

장수왕 재위 시기의 백제 왕

비유왕	신라 눌지 마립간과 나·제 동맹 체결(433)
개로왕	· 북위에 원병을 요청하는 국서 전송(472) · 장수왕에 의해 한성이 함락되면서 전사함(475)
문주왕	웅진으로 천도(475)
동성왕	웅진 토착 귀족을 대거 등용

장수왕의 한성 함락 교과서 사료

고구려 왕 거련(장수왕)이 군사 3만 명을 거느리고 와서 한성을 포위하였다. 왕(개로왕)이 성문을 닫고 나가 싸우지 못하였다. …… 왕은 상황이 어렵게 되자 어찌할 바를 모르다가 기병 수십 명을 거느리고 성문을 나가 서쪽으로 달아났는데, 고구려 병사가 추격하여 왕을 살해하였다.

–『삼국사기』

▶ 장수왕의 공격으로 475년에 백제의 한성이 함락되고 개로왕은 전사하였으며, 이후 백제는 웅진으로 수도를 옮겼다.

② **지두우 분할 점령(479)**: 장수왕은 북방의 유목 국가인 유연과 흥안령 산맥 일대의 지두우 지역을 분할 점령하여 흥안령 일대의 초원 지대를 장악하였다.

③ **중국 남·북조와의 교류**: 중국 남북조와 각각 교류하는 한편, 대립하고 있던 중국의 두 세력(남조의 송과 북조의 북위)을 조종하는 **다면적인 외교 정책을 추진**하였다.

④ **광개토 대왕릉비 건립(414)**: 아버지인 광개토 대왕의 업적을 기념하기 위하여 광개토 대왕릉비를 건립하였다.

교과서 사료 읽기

고구려의 독자적 천하관

- 옛날 시조 추모왕(鄒牟王)이 나라를 세우셨다. 북부여에서 나셨는데 천제(天帝)의 아들이요, 어머니는 하백(물의 신)의 따님이셨다. …… 추모왕이 나룻가에 이르러 말하기를 "나는 황천(皇天)의 아들이며, 어머니는 하백의 따님인 추모왕입니다. 나를 위하여 갈대를 연결하고 거북이를 떠오르게 하소서."라고 하였다. …… 17세손에 이르러 국강상광개토경평안호태왕이 18세에 왕위에 올랐으니, 왕호를 영락태왕(永樂太王)이라고 하였다. - 광개토 대왕릉비 비문
- 하백의 손자이고 일월(日月)의 아들인 추모성왕께서는 원래 북부여에서 태어나셨다. 천하사방(天下四方)이 이 나라(고구려)가 가장 성스러움을 알았다. - 모두루 묘지명

사료 해설 | 광개토 대왕릉비와 모두루 묘지명에 고구려의 시조 추모왕이 천신의 후손이며, 광개토 대왕이 그 혈통을 이어받았다는 내용이 기록된 것을 통해 고구려가 스스로를 천하의 중심으로 인식하였다는 것을 알 수 있다.

교과서 분석하기

고구려의 비석

1. 광개토 대왕릉비

① **위치:** 중국 지린성 집안시

② **비문 내용:** 건국 신화와 왕실 계보, 광개토 대왕의 정복 활동, 수묘인(능지기) 규정 등

③ **의의:** 고구려의 독자적인 천하관과 4~5세기 한반도와 만주의 정세를 알려주는 자료

2. 충주(중원) 고구려비

① **위치:** 충청북도 충주시 중앙탑면

② **비문 내용:** 고구려 군대가 신라 영토 내에 주둔하고 있다는 사실 기록

③ **의의:** 한반도에 남아있는 유일한 고구려 비석으로 고구려의 남한강 유역 진출을 입증하는 자료

(4) 제21대 문자왕(491~519): 부여를 복속(494)하여 최대 영토를 확보하였다.

(5) 제26대 영양왕(590~618)

① **온달의 출정**: 신라에게 빼앗긴 한강 유역(죽령 이북)의 영토를 수복하기 위해 온달이 출정하였으나, 아단성(아차산성으로 추정) 전투에서 온달이 전사하며 실패하였다.

② **수 공격 및 격퇴**: 중국을 통일한 수의 위협에 맞서 랴오시(요서) 지방을 선제 공격(598)하였다. 이후 이어진 수의 침입을 을지문덕(살수 대첩, 612) 등의 활약으로 격퇴하였다.

③ **『신집』 편찬**: 이문진으로 하여금 기존 역사서인 『유기』를 간추려 5권의 『신집』을 편찬하게 하였다.

(6) 제27대 영류왕(618~642): 당의 침입에 대비하기 위해 천리장성을 쌓기 시작하였으나 연개소문의 정변으로 사망하였다.

광개토 대왕릉비

충주(중원) 고구려비

충주 고구려비는 고구려가 한강을 넘어 충주까지 진출했음을 보여 주는 비석이다.

온달

고구려 25대 왕인 평원왕의 사위로 '바보 온달과 평강 공주' 설화로 유명하다. 온달은 영양왕 때 신라를 공격하여 한강 유역의 수복을 시도하기도 하였다.

(7) 제28대 보장왕(642~668)

① **당과의 전쟁**: 당의 침입을 받았으나 안시성 전투(645) 등을 통해 당군을 격파하였다.

② **멸망**: 나·당 연합군의 공격으로 평양성이 함락당하면서 고구려가 멸망하였다(668).

③ **고구려 부흥 운동**: 보장왕은 랴오둥(요동) 지역에서 고구려 부흥 운동을 추진하였으나 실패하였다.

2 백제의 발전

1. 백제의 전성기

(1) 제13대 근초고왕(346~375)

① **정복 사업**: 근초고왕은 마한 지역을 모두 정복하고, 고구려 평양성을 공격하여 고국원왕을 전사시키는 등 활발한 정복 활동을 벌였다. 이를 통해 백제는 경기·충청·전라도 지역과 낙동강 중류 지역, 강원·황해도의 일부 지역을 포함하는 최대 영토를 확보하였다.

② **대외 활동**: 근초고왕은 우수한 군사력과 경제력을 바탕으로 중국의 랴오시(요서) 지방, 산둥(산동) 반도와 일본의 규슈 지방까지 진출하였다.

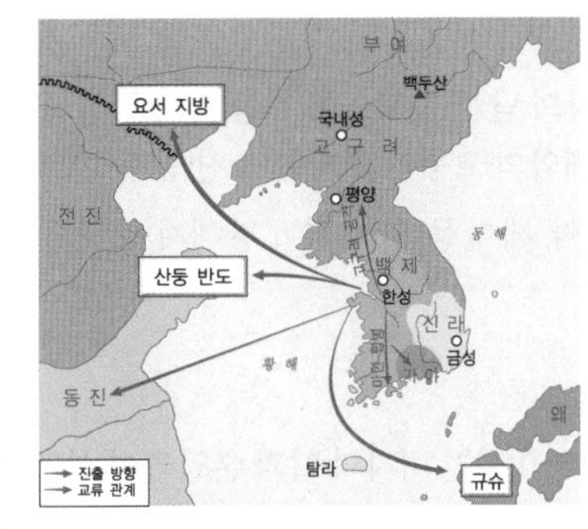

| 4세기 백제 전성기

③ **대외 관계**: 동진, 왜와 교류하면서 강력한 해상 국가로 부상하였다.

기출 사료 읽기

> **근초고왕의 평양성 공격**
>
> 왕 26년(371) 겨울, 왕(근초고왕)이 태자와 함께 정예군 3만 명을 거느리고 고구려에 침입하여 평양성을 공격하였다. 고구려 왕 사유(고국원왕)가 필사적으로 항전하다가 날아오는 화살에 맞아 죽었다.
>
> -『삼국사기』
>
> **사료 해설** | 백제 근초고왕은 황해도 지역을 두고 대립하던 고구려의 평양성을 공격하였다(371). 이 전투에서 고구려 고국원왕이 전사하였다.

④ **부자 상속제 마련**: 근초고왕 때 활발한 정복 사업과 대외 활동으로 왕권이 점차 전제화되어 부여씨의 왕위 세습제(부자 상속제)가 확립되었다.

⑤ **문화 발전**

㉠ **『서기』 편찬**: 강력한 왕권과 정비된 국력을 과시하고자 근초고왕은 박사 고흥에게 역사서인 『서기』를 편찬하도록 하였다.

㉡ **일본에 문화 전파**: 근초고왕 때 일본에 아직기와 왕인을 보내 선진 문물(한문, 유학, 『논어』, 『천자문』)을 전하였으며, 왜왕에게 칠지도를 하사한 것으로 추정된다.

(2) 제15대 침류왕(384~385): 침류왕은 중국 남조의 동진과 동맹을 유지하며 고구려를 견제하였고, 동진에서 온 인도 승려 마라난타를 통해 불교를 수용한 후 공인하였다(384).

칠지도

▶ 칠지도는 태화 4년(근초고왕 24, 369)에 **백제가 왜왕에게 하사한 것**으로 추정되며, 이를 통해 백제와 왜의 우호 관계를 짐작할 수 있다. 칠지도는 **현재 일본 나라현 덴리시의 이소노카미 신궁에서 소장**하고 있다.

2. 백제의 위기

(1) 제17대 아신왕(392~405): 고구려 광개토 대왕의 공격으로 한성이 포위되자 항복하였다(396).

(2) 제20대 비유왕(427~455): 고구려 장수왕의 남하 정책에 대항하여 비유왕은 신라의 눌지 마립간과 나·제 동맹을 체결하였다(433).

(3) 제21대 개로왕(455~475)

① **북위에 원병 요청**(472): 고구려 장수왕의 공격에 맞서기 위해 개로왕은 중국 북위에 원병을 요청하는 국서(國書)를 전송하였다.

② **한성 함락**(475): 장수왕의 공격으로 한성이 함락되고 개로왕이 전사하였다.

(4) 제22대 문주왕(475~477)

① **웅진 천도**(475): 백제가 장수왕의 남하 정책으로 한강 유역을 상실한 뒤, 개로왕의 뒤를 이어 즉위한 문주왕은 중국·왜와의 교통이 편리한 웅진(공주)으로 천도하였다.

② **왕권 약화**: 천도 후 왕비족(진씨, 해씨 등)의 세력이 강해져 왕권이 약화되고, 귀족 세력이 국정을 주도하였다.

(5) 제24대 동성왕(479~501)

① **나·제 동맹 강화**: 동성왕은 신라 이벌찬 비지의 딸과 혼인하여 신라와 결혼 동맹(493)을 체결함으로써 신라와의 동맹을 강화하였다.

② **대외 관계**: 동성왕은 탐라국을 복속하고(498), 중국의 남제와 수교하였다.

3. 백제의 중흥과 쇠퇴

(1) 제25대 무령왕(501~523)

① **22담로 설치**: 지방에 22담로를 설치한 뒤, 왕족을 파견하여 지방 통제를 강화하였다.

② **대외 관계**: 무령왕은 중국 남조의 양나라에 두 차례에 걸쳐 사신을 파견하여 중국과의 외교 관계를 강화하였다.

③ **5경 박사 파견**: 5경 박사 단양이와 고안무를 각기 일본에 보내 유교 문화를 전파하였다.

(2) 제26대 성왕(523~554)

① **사비 천도·국호 개칭**(538): 성왕은 대외 진출이 용이한 사비(부여)로 천도하고, 국호를 남부여로 변경하였다.

② **체제 정비**

㉠ **중앙 관청 확대·정비**: 성왕은 6좌평 이외에 왕실 사무를 맡는 내관(궁내부) 12부와 중앙 정무 기관인 외관(중앙 관청) 10부로 구성된 22부를 정비하였다.

㉡ **행정 구역 정비**: 성왕은 수도를 5부, 지방을 5방으로 정비하고 그 아래에 군을 설치하는 방군제를 실시하였다.

③ **불교 진흥**: 성왕은 승려 겸익을 등용하여 불교를 진흥하였고, 노리사치계를 일본에 파견하여 불교를 전파하였다.

개로왕 국서 교과서 사료

…… 사유(고국원왕)가 경솔하게 우호 관계를 깨뜨리고 직접 군사를 거느려 우리 국경을 침범하여 왔습니다. 우리 조상 수(근초고왕)가 군사를 정비하여 번개같이 달려가 기회를 타서 공격하니 잠시 싸우다가 사유의 머리를 베어 효시하였습니다. …… 만일 폐하(효 문제)의 인자한 생각이 먼 곳까지 빠짐없이 미친다면, 속히 장수를 보내어 우리나라를 구해 주소서. -『삼국사기』

▶ **백제 개로왕이 북위에 고구려 협공을 요청한 국서**이다. 당시 고구려 장수왕은 백제에 대한 공격을 감행하였고, 이로 인해 수도 한성이 함락되며 개로왕마저 피살되었다(475).

백제와 신라의 결혼 동맹 기출사료

소지 마립간 15년(493) 백제왕 모대(동성왕)가 사신을 보내 혼인을 청하매, 왕은 이벌찬(伊伐飡) 비지(比智)의 딸을 보냈다. -『삼국사기』

▶ 동성왕은 신라와의 결혼 동맹을 통해 나·제 동맹을 더욱 강화시켰다.

담로

백제의 지방 행정 구역으로, 읍성(邑城)을 의미한다.

양직공도의 백제 사신

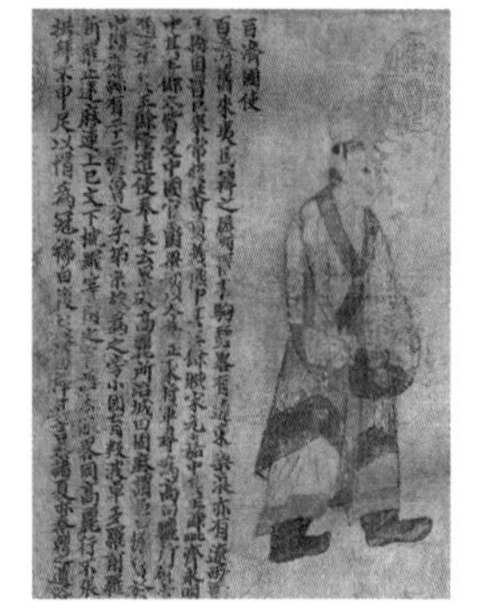

중국 남조의 양나라에 파견된 백제 사신의 모습이 그려져 있다.

④ **대외 관계**: 성왕은 중국의 남조 양나라와 활발하게 교류하였다.

⑤ **정복 활동**

㉠ **한강 하류 지역의 일시 회복**: 성왕은 고구려의 내정이 불안한 틈을 타 신라 진흥왕과 연합하여 일시적으로 한강 하류 지역을 수복(551)하였다. 그러나 신라 진흥왕의 배신으로 백제가 차지하였던 한강 하류 지역을 신라에게 빼앗겼다(553).

㉡ **나·제 동맹 결렬**(554): 백제는 일본에 원군을 청하고 대가야와 연합하여 신라의 관산성(옥천)을 공격하였으나 신라군에 크게 패하고 성왕은 전사하였다(관산성 전투, 554). 이후 나·제 동맹 관계는 완전히 결렬되었다.

교과서 사료 읽기

관산성 전투

진흥왕 15년(554) 백제왕 명농(성왕)이 가량(加良)과 함께 관산성(管山城)을 공격해 왔다. …… 신주군주(新州軍主) 김무력이 주병(州兵)을 이끌고 나아가 교전함에, 비장인 삼년산군(三年山郡)의 고간도도(高干都刀)가 백제왕을 급히 쳐서 죽였다. -『삼국사기』

사료 해설 | 성왕은 한강 유역을 탈취한 신라에 복수하기 위해 신라군의 주요 거점인 관산성을 공격하였으나 오히려 관산성 전투에서 전사하고 백제군은 신라군에 패배하였다.

(3) 제30대 무왕(600~641)

① **왕권 강화 정책**: 무왕은 귀족 간의 내분과 잦은 왕위 교체로 불안정하였던 중앙 정치를 정비하여 왕권을 강화하였고, 금마저(익산) 천도를 추진하기도 하였다.

② **문화 정책**: 무왕은 익산에 미륵사를 창건하였고, 일본에 승려 관륵을 파견하였다.

(4) 제31대 의자왕(641~660)

① **대내 정책**: 의자왕은 유교 사상을 강조하여 해동증자라 불리기도 하였다.

② **대외 정책**: 의자왕은 활발한 정복 활동을 전개하여 신라의 대야성(합천)(642)을 비롯한 40여 성을 탈취하였고, 신라가 당과 교류하던 요충지인 당항성까지 공격하였다.

③ **국력 약화**: 의자왕 집권 말년에 귀족 세력이 분열되어 국력이 약화되었다.

④ **멸망**(660): 계백이 황산벌 전투에서 패한 이후 나·당 연합군에 의해 사비성이 함락되면서 백제는 멸망하였다.

해동증자(海東曾子)

의자왕은 중국의 증자처럼 학문이 뛰어나고 효심과 우애가 깊어, 바다 건너에 있는 증자라는 의미로 '해동증자'라고 불렸다.

대야성 함락 기출사료

백제 장군 윤충이 군사를 거느리고 대야성을 쳐 함락시키니 도독 이찬 품석, 사지 죽죽, 용석 등이 죽었다. 겨울에 왕은 장차 백제를 공격하여 대야성 싸움에 보복하려 하였다. 이에 이찬 김춘추를 고구려에 파견하여 군사를 청하였다. 전에 대야성의 패전에서 도독 품석의 아내도 죽었는데 그녀는 춘추의 딸이었다. 춘추는 왕에게 나아가 '신이 사신으로 고구려에 가 병사를 청하여 백제에 대한 원한을 갚겠습니다.' 라고 말하니 왕이 허락하였다. -『삼국사기』

▶ **백제 의자왕은 윤충을 보내 신라의 대야성을 함락**시켰는데, 이 때 김춘추의 사위였던 도독 김품석이 사망하였다. **김춘추**는 사위와 딸의 죽음에 분노하여 **고구려에 가서 군사를 요청**하였다.

3 신라의 발전

1. 신라의 성장

(1) 제19대 눌지 마립간(417~458)

① **나·제 동맹 체결**(433): 고구려의 내정 간섭에서 벗어나고자 눌지 마립간은 백제 비유왕과 나·제 동맹을 체결하였다.

② **부자 상속제 확립**: 눌지 마립간 때부터 왕위의 부자 상속제가 확립되었다.

③ **불교 수용**: 눌지 마립간 때 고구려에서 온 승려 묵호자에 의해 신라에 불교가 전래되었다. 그러나 이때 수용된 불교는 민간을 중심으로 비밀리에 포교되었다.

(2) 제21대 소지 마립간(479~500)

① **수도 행정 개편**: 소지 마립간은 부족적인 6촌을 행정적인 6부로 개편하였다.

② **우역(郵驛) 설치**(487): 국가 공문서를 송달하기 위해 사방에 우역(역참)을 설치하였다.

③ **시사(市肆) 개설**(490): 물화의 유통을 위해 경주에 시사(시장)를 개설하였다.

④ **결혼 동맹 체결**(493): 고구려에 대항하기 위해 백제 동성왕이 혼인을 청하자 이벌찬 비지(比智)의 딸을 보내 결혼 동맹을 체결하였다.

(3) 제22대 지증왕(500~514)

① **한화(漢化) 정책**: 지증왕은 이전에 사라·사로·신라 등으로 사용되던 국호를 '신라'로 확정하였으며, 왕호를 마립간에서 '왕'으로 변경하였다.

기출 사료 읽기

신라(新羅)의 의미

지증 마립간 4년(503) 10월에 여러 신하들이 아뢰기를, "시조가 창업한 이래로 나라 이름이 일정하지 않아 어떤 이는 사라(斯羅)라 하고 어떤 이는 사로(斯盧)라 하고 어떤 이는 신라(新羅)라 하였으나 신들은 생각건대 '신(新)'은 덕업이 날로 새롭다는 뜻이요(德業日新), '라(羅)'는 사방을 망라한다는 뜻이니(網羅四方) 이것으로 국호를 삼는 것이 좋을 것 같습니다. …… 여러 신하들이 한 마음으로 삼가 신라 국왕이라는 칭호를 올립니다." 라고 하니, 왕이 이에 따랐다. -『삼국사기』

사료 해설 | 지증왕 때의 국호 변경과 왕 칭호 사용은 신라의 왕권이 이전보다 강해졌음을 보여 준다.

② **행정 구역 정비**: 주·군제를 실시하여 실직주를 설치하고, 이사부를 실직주 군주로 파견하였다. 그리고 아시촌에 소경을 설치하여 수도와 지방의 행정 구역을 정비하였다.

③ **산업 발전**: 지증왕 때 우경을 장려하고, 수리 사업을 전개하여 농업 생산력이 증대되었다. 또한, 지증왕은 시장 관리 감독 기관인 동시전을 설치하였다(509).

④ **우산국 정벌**(512): 지증왕은 이사부를 파견하여 우산국(울릉도)을 복속하였다.

⑤ **순장 금지**: 지증왕은 농업 노동력을 확보하기 위하여 순장을 금지하였다.

기출 사료 읽기

지증왕 대의 순장 금지·우경 보급

(지증마립간) 3년(502) 봄 2월에 명령하여 순장(殉葬)을 금하였다. 전에는 국왕이 죽으면 남녀 각 5명씩 순장하였는데, 이때 이르러 금한 것이다. …… 3월에 주주(州主)와 군주(郡主)에게 각각 명하여 농사를 권장케 하였고, 처음으로 소를 부려 논밭갈이를 하였다. -『삼국사기』

사료 해설 | 지증왕은 노동력을 확보하고자 순장을 금지하고, 농업 생산력을 높이기 위해 우경을 보급·장려하였다.

(4) 제23대 법흥왕(514~540)

① **통치 질서 확립**

㉠ **병부 설치**: 법흥왕은 군사권을 장악하기 위해 중앙 부서로서 병부를 설치하였다.

㉡ **율령 반포**: 법흥왕은 율령을 반포하여 중앙 집권적인 고대 국가 체제를 완성하였다.

㉢ **상대등 설치**: 법흥왕은 대등들이 모이는 귀족 회의인 화백 회의의 주관자이자 귀족들의 대표인 상대등을 설치하였다.

㉣ **기타**: 백관의 공복(자색·비색·청색·황색)을 제정하고 귀족을 관료로 등급화하여 17관등제를 마련하였으며, 골품제를 정비하였다.

우역 설치 기출사료

소지 마립간 9년(487) 3월에 비로소 사방에 우역을 두고 맡은 관청에 명하여 관도(官道)를 수리하게 하였다. -『삼국사기』

▶ 소지 마립간은 사방에 우역(국가의 육상·통신 기관으로 마필을 공급하는 관청)을 설치하였다.

신라 왕호의 변천 과정

구분	시기
거서간	제1대 박혁거세
차차웅	제2대 남해
이사금	제3대 유리 ~ 흘해
마립간	제17대 내물 ~ 소지
왕	제22대 지증 ~ 경순

소경

소경(小京)은 신라 시대에 새롭게 편입된 영토의 지방민을 위로하고 안정시키는 한편, 해당 지역에 대한 지배를 확고히 하기 위해 설치된 특수 행정 구역이다. 지증왕 때 처음 아시촌에 설치된 이후, 통일 신라 신문왕 때 5소경 체제로 정비되었다.

우산국 정벌 기출사료

우산국은 명주의 동쪽 바다에 있는 섬으로, 울릉도라고도 한다. 땅은 사방 백 리인데, 지세가 험한 것을 믿고 복종하지 않았다. 이찬 이사부가 하슬라주 군주가 되어, '우산국 사람은 어리석고도 사나워서 힘으로 다루기는 어렵고 계책으로 복종시킬 수 있다'고 생각하였다. 이에 나무 사자[木偶師子]를 많이 만들어 전선에 나누어 싣고 그 나라 해안에 다다랐다. …(중략)… 그 나라 사람들이 두려워 즉시 항복하였다. -『삼국사기』

▶ 지증왕은 이사부를 파견하여 현재의 울릉도인 우산국을 정벌하였다.

② **불교 공인**(527): 법흥왕은 이차돈의 순교를 통해 불교를 공인하였다. 또한 왕의 권위를 높이기 위해 불교식 왕명을 사용하였으며, 불교를 공인시킨 업적으로 '성법흥대왕'이라 불리기도 하였다.

③ **금관가야 정복**(532): 법흥왕은 금관가야를 정복하여 영토를 확장하였다.

④ **연호 사용**(536): 법흥왕은 건원(建元)이라는 신라 최초의 연호를 사용하였다.

2. 신라의 전성기

(1) 제24대 진흥왕(540~576)

① 정복 사업

㉠ **단양 지역 확보**: 진흥왕은 고구려의 영토였던 단양의 적성을 점령하고, 단양 적성비를 건립하였다(551년 추정).

㉡ **한강 유역 확보**: 진흥왕은 백제 성왕과 연합하여 고구려가 차지하고 있던 한강 상류 지역을 장악한 뒤 백제가 점령했던 한강 하류 지역마저 확보하였다. 이후 한강 유역에 신주(新州)를 설치(553)하고, 북한산비를 건립하였다.

㉢ **대가야 정복**(562): 진흥왕은 창녕의 비화가야를 정복하고 창녕비를 건립(561)하였으며, 이듬해에 **대가야를 정복**하여 낙동강 유역까지 확보하였다.

㉣ **함경도 지방 진출**: 진흥왕은 고구려의 영토였던 원산만까지 진출하여 **황초령비**와 **마운령비**를 건립하였다(568).

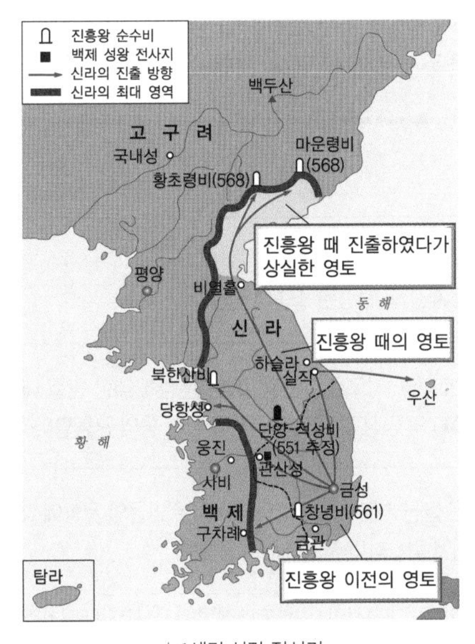

| 6세기 신라 전성기

② 순수비 건립

㉠ **건립 배경**: 직접 개척한 영토를 순행하고 이를 기념하기 위해 건립하였다.

㉡ **종류**

순수비	시기	의의
북한산비	진흥왕 (555년 또는 568년 추정)	· 한강 하류로의 진출 사실을 알려주는 순수비 · 1816년 추사 김정희가 발견하여 고증
창녕비	진흥왕 22년 (561)	· 가야 지방으로의 진출 사실(비화가야를 정복)을 알려주는 순수비 · 대등, 군주, 촌주 등 관리 명칭 기록, 통일 이전 신라의 지방 관제와 군사 제도를 보여줌
황초령비 **마운령비**	진흥왕 29년 (568)	· 함경도 지방으로의 진출 사실을 알려주는 순수비 · 황초령비는 김정희가 고증 · 마운령비는 최남선이 고증 · '대창(태창)'이라는 연호 사용

이차돈 순교비

신라 법흥왕 때 불교 공인을 위하여 **순교한 이차돈을 추모**하기 위하여 **신라 하대 헌덕왕 때 건립**한 비석으로, 이차돈 공양탑·이차돈공양당 또는 **백률사 석당**이라고도 한다.

한강 유역 확보 의의

1. 한반도의 중심을 차지함으로써 **삼국 간의 항쟁의 주도권을 장악**할 수 있었음.
2. 한강 유역은 토지가 비옥하고 평야 지대가 넓어 농업 생산량이 많기 때문에 **풍부한 경제력을 확보**할 수 있었음.
3. 당항성을 통해 **중국과의 직접적인 교류**를 할 수 있게 되었음.

진흥왕 순수비

| 북한산비

| 창녕비

| 황초령비

| 마운령비

③ **화랑도 공인**: 진흥왕은 인재 양성을 통한 국가 발전을 위해 청소년 집단이었던 화랑도를 국가적인 조직으로 개편하였다.

④ **연호 사용**(551): 진흥왕은 스스로 전륜성왕이라 자처하고 개국, 대창(태창), 홍제라는 연호를 사용하였다.

⑤ **관제 정비**: 진흥왕은 국가 재정을 관리하는 품주(稟主, 집사부의 전신)를 설치하였다.

⑥ **『국사』 편찬**(545): 진흥왕은 이사부의 건의에 따라, 거칠부로 하여금 역사서인 『국사(國史)』를 편찬하도록 하였다.

⑦ **불교 장려**

㉠ **사찰 건립**: 흥륜사가 완공(법흥왕 때부터 건립 시작)되었고, 황룡사를 건립하였다.

㉡ **불교 교단 정비**: 국통(승통)·주통·군통을 정비하여 사상적 통합을 도모하였고, 고구려에서 귀순한 승려 혜량을 국통으로 삼아 불교 교단을 정비하였다.

교과서 분석하기

신라의 금석문

구분	내용
포항 중성리 신라비 (501 추정, 지증왕)	· 현재 발견된 신라 비석 중 가장 오래된 것 · 재물(또는 토지 등 재산)과 관련된 소송의 평결 내용 기록
포항(영일) 냉수리 신라비 (503, 지증왕)	지증왕의 즉위 전 호칭인 '지도로 갈문왕', 재산 분쟁에 대한 판결 내용, 신라의 옛 국가명인 '사라(斯羅)'의 명칭과 지명, 아간지와 나마 등의 관등명이 기록됨
울진 봉평 신라비 (524, 법흥왕)	신라 영토로 편입된 울진 지역 거벌모라의 남미지 주민들의 저항에 대해 '6부 회의'를 열고 대인(大人)을 파견하여 처벌하는 내용 기록
울주 천전리 서석 (525·539, 법흥왕)	· 울산 태화강의 지류인 대곡천의 암벽 지대에 있는 선사 시대의 바위 그림과 삼국 시대 및 통일 신라 시대의 바위 그림 및 명문이 새겨진 각석 · 신라 6부 중 하나인 '사탁부'가 여러 번 언급됨 · 법흥왕이 '성법흥대왕'이라고 불렸던 사실 기록
영천 청제비 (536, 법흥왕)	· 청못(저수지) 축조를 위해 7,000명을 동원했다는 내용 기록 · 당시의 노동력 동원 체계 짐작 가능
단양 적성비 (551년 추정, 진흥왕)	· 단양의 적성을 점령하고 세운 비석(진흥왕 순수비는 아님) · 이사부, 거칠부, 김무력(김유신의 조부) 등 단양의 적성을 공략한 장수들을 도와 공을 세운 적성 출신 야이차와 그 가족을 포상하고, 신라에 충성하는 자는 이와 같이 포상하겠다는 내용 기록
남산 신성비 (591, 진평왕)	경주 남산의 신성을 쌓을 때 '3년 이내에 성이 무너지면 처벌한다.'는 서약과 부역 동원 내용 기록

| 울진 봉평 신라비

| 단양 적성비

| 남산 신성비

전륜성왕(轉輪聖王)

불법의 힘으로 세계를 통일·지배하는 불교의 이상적인 제왕을 말한다.

『국사』 편찬 배경

『국사』는 지증왕과 법흥왕 대에서부터 이루어진 **영토 확장과 국가 체제의 정비를 바탕으로, 진흥왕 때 왕의 정통성과 국가의 위신을 내외적으로 과시하려는 목적**에서 편찬된 것으로 보인다.

갈문왕

갈문왕은 **왕위 계승권이 없으나 거의 왕에 준하는 존재**에게 주어진 칭호로, 왕과의 일정한 관계를 기준으로 책봉되었으며, 그 관계가 시기에 따라 변화했다는 견해가 일반적이다. 다만 신라 중대 이후 갈문왕의 존재가 확인되는 것이 단 1건(신라 하대 희강왕 때)인 것을 통해, **신라 중대(성골의 소멸 및 진골인 무열왕 즉위)로 접어들면서 갈문왕 제도는 실질적으로 폐지**되었다고 볼 수 있다.

울진 봉평 신라비

비문에 단지 간지만을 칭하는 **6부인**들이 보이는데, 이들의 존재는 **524년까지 부의 대표들이 지위를 세습하여 자치적으로 부를 다스리고 있었음을 증명**해 주어 신라 6부에 대한 새로운 접근을 가능하게 해주었다.

(2) 제26대 진평왕(579~632)

① **관제의 정비**: 진평왕은 '건복'이라는 연호를 사용하였으며, 중앙 관서로서 위화부(581)·조부(584)·예부(586) 등을 설치하였다.

② **수·당과 교류**: 진평왕은 원광 법사를 통해 수나라에 고구려 원정을 청하는 걸사표(乞師表, 608)를 보내 수의 양제가 고구려를 정벌하도록 하였으며, 당과도 친선을 도모하였다.

(3) 제27대 선덕 여왕(632~647) - 신라 최초 여왕

① **정치**: '인평'이라는 연호를 사용하였으며, 김춘추·김유신계를 측근 세력으로 중용하였다.

② **숭불 정책**: 선덕 여왕은 자장의 건의에 따라 호국 불교의 상징으로 황룡사 9층 목탑을 건립하였다. 또한 선덕 여왕은 분황사와 분황사 모전 석탑, 영묘사 등을 건립하였다.

③ **문화 산업**: 선덕 여왕 때 첨성대(동양 최대의 천문대)를 축조하였다.

④ **백제의 공격**: 백제 의자왕의 공격을 받아 대야성 등 40여 성이 함락되었다(642). 이러한 백제의 공세에 선덕 여왕은 고구려에 김춘추를 보내 도움을 요청하였으나 거절당하였다. 또한 당에 사신을 보내 원병을 요청했으나 실현되지 않았다.

⑤ **비담과 염종의 반란**: 선덕 여왕 집권 말년에 비담과 염종이 왕위에 오르고자 반란을 일으켰다(647). 비담과 염종의 난은 진덕 여왕이 즉위한 직후 김춘추·김유신 등에 의해 진압되었다.

기출 사료 읽기

선덕 여왕의 지기삼사(知幾三事)

당나라 황제(당 태종)가 붉은색·자주색·흰색의 모란꽃 그림과 꽃씨를 보내 왔는데 왕(선덕 여왕)이 말하기를, "이 꽃은 매우 아름다우나 꽃에 벌과 나비가 없으니 반드시 향기가 없을 것이다." 하였는데 그 씨를 심으니 과연 향기가 없었다. - 『삼국유사』

사료 해설 | 선덕 여왕이 앞으로 일어날 일이나 현상의 이면에 숨은 뜻을 파악하였다는 설화이다.

(4) 제28대 진덕 여왕(647~654) - 마지막 성골 왕

① **관제의 정비**: 진덕 여왕 때 품주를 고쳐 집사부로 삼고, 창부, 좌이방부(651)를 설치하였다.

② **친당 외교**

㉠ **당과 친밀한 외교**: 진덕 여왕은 김춘추를 통해 나·당 동맹을 결성(648)하였고, 오언태평송을 지어 당 고종에게 바침(650)으로써 나·당 관계를 더욱 강화하였다.

㉡ **중국식 복제와 연호 사용**: 진덕 여왕 때 처음으로 중국식 의관을 착용했으며, 신라가 독자적으로 사용해 왔던 연호(태화)를 대신하여 당의 연호(영휘)를 사용하였다.

교과서 사료 읽기

나·당 동맹 결성

진덕 여왕 2년(648) 이찬 김춘추 등을 당에 파견하였다. …… 춘추가 무릎을 꿇고 당 태종에게 아뢰기를 "백제는 강하고 교활하여 여러 차례 함부로 침범해 왔습니다. 지난해에는 군사를 크게 일으켜서 쳐들어와 수십 개의 성을 쳐서 함락시켰습니다. …… 폐하께서 당의 군사를 빌려 주어 흉악한 것을 잘라 없애지 않는다면 우리나라 백성은 모두 포로가 될 것이며, 산 넘고 바다 건너 행하는 조회도 다시는 바랄 수 없을 것입니다."라고 하였다. 태종이 옳다고 여겨 군사의 출동을 허락하였다. - 『삼국사기』

사료 해설 | 진덕 여왕 때 김춘추는 당으로 건너가 나·당 동맹을 결성(648)하였다.

걸사표 기출사료

진평왕 30년, 왕은 고구려가 빈번하게 강역을 침범하는 것을 근심하다가 수나라에 병사를 청하여 고구려를 정벌하고자 하였다. 이에 원광에게 군사를 청하는 글을 짓도록 명하니, 원광이 "자기가 살려고 남을 죽이도록 하는 것은 승려로서 할 일이 아니나, 제가 대왕의 토지에 살고 대왕의 물과 풀을 먹으면서 어찌 감히 명령을 좇지 않겠습니까?"라고 하며, 곧 글을 지어 바쳤다. …… 33년에 왕이 수나라에 사신을 보내어 표문을 바치고 출병을 청하니 수나라 양제가 이를 받아들이고 군사를 일으켰다. - 『삼국사기』

▶ **진평왕**은 고구려가 신라 땅을 침범하자 **원광 법사**로 하여금 **수나라**에 고구려 원정을 청하는 **걸사표를 작성**하도록 하였다.

김유신(595~673)

금관가야 출신의 진골 귀족으로 647년 상대등 비담과 염종의 난을 진압하였고, 654년 진덕 여왕 사후 이찬 알천과 함께 이찬 **김춘추를 왕위에 추대**하였다. 660년 무열왕 때 **백제 멸망**을 주도하여 공을 세웠고 668년 **고구려를 멸망시키는 데 큰 공을 세웠다.**

집사부와 창부

진덕 여왕 때 종래의 **품주를 개편**하여 국왕 직속의 최고 관부로서 **집사부를 설치**하고 국가의 기밀 사무를 맡겼다. **품주의 재정 업무 관련 기능은 신설된 창부로 이관**하였다.

오언태평송

당나라 황제의 높은 뜻으로 신라가 번성한다는 내용의 당 고종을 칭송하는 오언 고시

4 삼국의 통치 체제

1. 삼국 초기의 부와 귀족 합의 기구

(1) 부(部, 중앙 지배 집단)

① **부의 존재**: 삼국 초기에는 부족적 성격의 5부(고구려, 백제)나 6부(신라)가 존재하였다.

② **부의 성격**: 각 부는 중앙 왕실에 예속되어 있었으나, 각 부의 귀족은 각자 관리를 거느리고 자신의 영역을 지배하는 등 독자성을 유지하였다.

(2) 삼국의 귀족 합의 기구

① **역할**: 각 부의 귀족들은 귀족 회의 기구를 통해 국가의 중대사를 합의·결정하였다.

② 귀족 합의 기구

㉠ **고구려**: 유력 귀족들이 왕위 계승 문제, 대외 전쟁이나 정복 활동 등의 중대사를 논의하는 제가 회의가 있었다.

㉡ **백제**: 정사암이란 바위에서 재상을 선정하거나 정치를 논의하는 정사암 회의가 있었다.

㉢ **신라**: 화백 회의에서 만장일치제로 국가 중대사를 논의하였다.

소노부의 독자성

고구려 5부 중의 하나인 소노부(연노부)는 왕을 배출하는 계루부와 마찬가지로 **3세기까지 독자적으로 종묘와 사직에 제사**를 지내 전(前) 왕족으로서의 권위를 유지하였다.

귀족 합의 기구 교과서 사료

- **제가 회의(고구려)**: 감옥이 없고, 범죄자가 있으면 제가들이 모여서 논의하여 사형에 처하고 재산은 몰수, 처자는 노비로 삼는다. - 『삼국지』「위서」 동이전
- **정사암 회의(백제)**: 호암사에는 정사암이란 바위가 있다. 나라에서 장차 재상을 뽑을 때에 후보 3~4명의 이름을 써서 상자에 넣고 봉해서 바위 위에 두었다가 얼마 후에 가지고 와서 열어 보고 그 이름 위에 도장이 찍혀 있는 사람을 재상으로 삼았다. - 『삼국유사』
- **화백 회의(신라)**: 큰일이 있을 때에는 반드시 중의를 따른다. 이를 화백이라 부른다. 한 사람이라도 반대하면 통과하지 못하였다(전원 합의). - 『신당서』

▶ 삼국은 모두 귀족들로 구성된 귀족 회의를 통해 국가 중대사를 합의·결정하였다.

2. 관등제의 형성

(1) **중앙 집권 체제의 형성**: 사회가 발전하고 왕권이 강화되면서 관등제가 정비되었으며, 이를 통해 각 부의 귀족과 그 아래에 예속되어 있던 관리들은 중앙 관료로 전환되었다. 또한 각 부의 부족적 성격이 행정적 성격으로 바뀌고, 지방 제도도 정비되면서 중앙 집권 체제가 형성되었다.

(2) **한계**: 신분에 따라 관등과 관직 진출에 제약이 있었다.

3. 삼국의 중앙 관제

구분	고구려	백제	신라
수상	대대로(대막리지)	상좌평(내신좌평)	상대등
관등	10여 관등(~형, ~사자)	16관등(~솔, ~덕)	17관등(~찬)
합의 기구	제가 회의	정사암 회의	화백 회의
중앙 관부	내평·외평·주부	6좌평(고이왕), 22부(성왕)	병부 등 10부

(1) 고구려

① 10여 관등

㉠ **정비**: 4세기경에 각 부의 관료 조직을 흡수하여 10여 관등으로 정비하였다.

㉡ **구분**: 고구려의 관등은 연장자·족장이라는 의미의 형(兄) 계열과 행정적 관료 출신의 사자(使者) 계열로 구분된다.

② **수상**: 수상 격인 대대로는 국정을 총괄하였으며, 3년마다 귀족 회의(제가 회의)에서 선거로 선출하였다.

③ **하위 조직**: 내무 업무를 담당하는 내평(內評), 외무 업무를 담당하는 외평(外評), 재정을 담당하는 주부(主簿) 등이 있었다.

(2) 백제

① 한성 시대

㉠ **16관등제**: 고이왕은 6좌평 이하 좌평 및 솔, 덕 계열로 구성된 16관등제 및 복색(자·비·청색)을 마련하였다.

<table>
<tr><th>등급</th><th>관등명</th><th>관복색</th><th>장식</th><th>등급</th><th>관등명</th><th>관복색</th><th>장식</th></tr>
<tr><td>1</td><td>좌평</td><td rowspan="6">자색</td><td rowspan="6">은제관식</td><td>9</td><td>고덕</td><td rowspan="3">비색</td><td>붉은띠</td></tr>
<tr><td>2</td><td>달솔</td><td>10</td><td>계덕</td><td>푸른띠</td></tr>
<tr><td>3</td><td>은솔</td><td>11</td><td>대덕</td><td rowspan="2">노란띠</td></tr>
<tr><td>4</td><td>덕솔</td><td>12</td><td>문독</td><td rowspan="5">청색</td></tr>
<tr><td>5</td><td>한솔</td><td>13</td><td>무독</td><td rowspan="4">흰띠</td></tr>
<tr><td>6</td><td>나솔</td><td>14</td><td>좌군</td></tr>
<tr><td>7</td><td>장덕</td><td rowspan="2">비색</td><td>자주빛띠</td><td>15</td><td>진무</td></tr>
<tr><td>8</td><td>시덕</td><td>검은띠</td><td>16</td><td>극우</td></tr>
</table>

㉡ **수상**: 수상격인 상좌평 또는 내신좌평은 정사암 회의에서 선출하였다.

② **사비 천도 이후**: 성왕 때 사비로 천도한 이후 6좌평 이외에 내관 12부와 외관 10부의 22부를 새로 설치하였으며, 각 관청의 장(長)은 3년마다 교대하는 것으로 임기가 정해져 있었다.

교과서 사료 읽기

백제의 관등제

고이왕 27년(260) 봄 정월, 내신좌평을 두어 왕명의 출납에 대한 일, 내두좌평을 두어 창고와 재정에 대한 일, 내법좌평을 두어 예법과 의례에 대한 일, 위사좌평을 두어 숙위 병사에 대한 일, 조정좌평을 두어 형벌과 감옥에 대한 일, 병관좌평을 두어 지방의 군사에 대한 일 등을 맡겼다. 또한 달솔 ···· 장덕 ···· 문독 ···· 을 두었다. ······ 2월에 6품 이상은 자줏빛 옷을 입고 은꽃으로 관(冠)을 장식하게 하고, 11품 이상은 붉은 옷을 입으며, 16품 이상은 푸른 옷을 입으라는 명령을 내렸다.

-『삼국사기』

사료 해설 | 솔 계열은 자색, 덕 계열은 비색, 그 외 관등은 청색으로 크게 구분되었다. 또 나솔 이상 관등의 높은 지위를 강조하는 데에는 은제 관식이 이용되었다.

교과서 분석하기

백제의 6좌평 제도

내신좌평	왕명 출납(수상)	위사좌평	숙위 담당(왕궁 수비)
내두좌평	재무 담당	조정좌평	법무 담당(형벌, 치안)
내법좌평	의례 담당(제사, 교육)	병관좌평	국방 담당

대대로 선출 방식

그 나라(고구려)의 관직으로 높은 자를 대대로(大對盧)라고 부르는데, 이는 (당나라의) 1품(品)에 비견된다. (대대로는) 국사(國事)를 총괄하며 3년에 한 번씩 바꾸는데, 만약 직을 잘 수행하면 연한에 구애받지 않는다. (대대로를) 교체하는 날, 만약 서로 승복하지 않으면 모두 군대를 이끌고 서로 공격하여 이기는 자가 그 자리를 차지한다. 그 나라의 국왕은 단지 궁문을 닫고 스스로 지킬 뿐 (서로 공격하는 것을) 제어할 수 없다. -『구당서』

▶ 대대로는 3년마다 귀족 회의에서 선출하였다.

(3) 신라

① 17관등제

㉠ **정비**: 법흥왕 때 1등급 이벌찬에서 17등급 조위까지 17관등제를 완비하였다.

㉡ **특징**: 신라의 관등제는 골품제와 결합되어 운영되었다. 개인이 승진할 수 있는 관등의 상한선이 골품에 따라 결정되었고, 일정 관등을 맡을 수 있는 관등의 범위를 한정시켰다.

신라의 관등제와 골품제

등급	관등명	진골	6두품	5두품	4두품	복색
1	이벌찬					
2	이찬					자
3	잡찬					
4	파진찬					색
5	대아찬					
6	아 찬					
7	일길찬					비
8	사 찬					색
9	급벌찬					
10	대나마					청
11	나 마					색
12	대 사					
13	사 지					황
14	길 사					
15	대 오					
16	소 오					색
17	조 위					

② 수상

수상: 수상 격인 상대등은 귀족 세력을 대표하며, 고관인 대등(大等)들이 합좌하여 국가의 중대한 일을 논의하여 만장일치제를 통해 결정하는 화백 회의를 주관하면서 왕권을 견제하였다.

상대등의 역할

- **기존 견해**: 왕권을 견제하는 귀족의 대표로 신라 17관등을 초월한 최고 관직
- **새로운 견해**: 왕의 가까운 혈족 중에 임명되어 왕의 통치권 일부를 부여 받아 대리 수행함으로써 왕권을 강화시켜 주는 존재

③ 중앙 관서 정비

중앙 관서 정비: 신라는 국가가 발전함에 따라 여러 관서를 차례로 설치해 나갔는데, 법흥왕 대에 병부를, 진평왕 대에 위화부·조부·예부를, 진덕 여왕 대에 집사부·창부 등을 두어 국가 권력을 강화하였다.

기출 사료 읽기

> **골품에 따른 승진 제한**
>
> 설계두가 말하기를 "신라는 사람을 등용하는 데 골품을 논한다. 그 족속이 아니면 큰 재주와 뛰어난 공이 있어도 능히 그 한계를 넘을 수 없다. 나는 서쪽 중국으로 가서 세상에서 보기 드문 지략을 펼치고 특별한 공을 세워 …… 천자의 옆에 출입하면 족하다."라고 하였다. -『삼국사기』
>
> **사료 해설** | 신라 사회는 골품제에 따라 승진이 제한되었기 때문에 신라를 떠나 중국으로 가서 관직에 나가고자 하는 사람들이 많았다.

4. 지방 행정 조직과 군사 조직

구분	고구려	백제	신라
수도	5부	5부	6부
지방(상위)	5부(욕살)	5방(방령)	5주(군주)
지방(하위)	성(처려근지, 도사)	군(군장) →성(성주, 도사)	군(당주) →성(도사)
특수 행정 구역	3경: 국내성, 평양성, 한성(황해도 재령)	22담로: 왕족 파견	2소경(사신 파견): 국원소경(충주), 북소경(강릉)
군사 편제	각 성주가 병력 보유 (대모달, 말객 등이 지휘)	군 단위로 700~1,200명 (방령, 군장이 지휘)	서당(중앙의 모병 부대), 6정(5주 단위로 배치 - 군주, 대감, 당주가 지휘)
	지방 행정과 군사 조직의 일원화(대부분 지방 장관이 군 지휘관 겸임)		

2소경

국원소경(충주, 진흥왕), 북소경(강릉, 선덕 여왕)의 **2소경**에 **아시촌소경**(함안 일대, 지증왕)**을 포함**하여 **3소경**으로 보기도 한다. 이후 통일 신라 신문왕 때 5소경으로 정비되었다.

(1) 지방 행정 조직

① 초기

㉠ **세력에 따른 조직**: 삼국의 중앙 지배층은 정복 지역을 세력의 크기에 따라 성이나 촌 단위로 개편하여 지방 통치의 중심으로 삼고, 지방민을 직접 지배하기 위해 지방관을 파견하고자 하였다.

ⓛ **한계**: 중앙 집권 체제가 미약하여 지방에 대한 중앙 정부의 지배력이 강력하게 미치지는 못하였고, 성이나 촌을 지배하던 기존의 지방 세력가가 해당 지역을 통치하였다.

② 후기

㉠ **지방관 파견**: 삼국은 최상급 지방 행정 단위로 부(고구려)와 방(백제) 또는 주(신라)를 두고 지방 장관을 파견하였으며, 그 아래의 성이나 군에도 지방관을 파견하였다.

ⓛ **촌주의 자치 허용**: 삼국은 말단 행정 단위인 촌에는 지방관을 파견하지 않고 토착 세력을 촌주로 삼아 관리하였다.

(2) 군사 조직

① **정비**: 군사 조직은 왕권 강화와 정복 사업에 필수적이었기 때문에 삼국은 일찍부터 군사 조직을 정비하였다. 또한, 왕이 군사 지휘권을 가지고 직접 군대를 통솔하였다.

② **지방 행정 조직과의 일원화**: 삼국의 지방 행정 조직은 군사 조직을 겸하였기 때문에 각 지방의 지방관은 곧 군대의 지휘관으로서 군사적 지배 형태로 주민을 통치하였다.

(3) 삼국의 지방 행정 조직 및 군사 조직

① 고구려

㉠ **수도**: 5부로 구성

ⓛ **지방**: 5부(별칭: 대성, 욕살 파견) 아래에 성(처려근지·도사 파견)과 말단의 촌으로 구성

ⓒ **특수 행정 구역**: 특수 행정 구역으로 평양성, 국내성, 한성에 3경을 설치하여 도시 기능을 확산시키고, 정치 세력을 편제하였다.

ⓔ **군사**: 각 성주가 병력을 보유하였고, 대모달·말객이 군대를 지휘하였다. 대모달 아래에는 말객이 있었는데, 말객은 대략 1,000명 정도를 지휘하였다.

② 백제

㉠ **수도**: 5부로 구성

ⓛ **지방**: 5방(방령)이 있고, 그 아래 군(군장)과 말단의 촌으로 구성

ⓒ **특수 행정 구역**: 무령왕 때 22담로를 설치하고, 왕족을 파견하였다.

ⓔ **군사**: 군 단위로 700~1,200명의 군대를 배치하였고, 방령·군장이 지휘하였다.

③ 신라

㉠ **수도**: 6부로 구성

ⓛ **지방**: 5주(군주)가 있고, 아래에 군(당주)과 말단의 촌으로 구성

ⓒ **특수 행정 구역**: 왕경을 모방한 지방의 특수 행정 구역인 2소경을 설치하고, 장관으로 사신을 파견하였다.

ⓔ **군사**: 중앙에는 모병의 성격을 띤 서당을 배치하고, 경주 부근과 5주에는 6정을 배치하였다. 군주, 대감, 당주가 이들을 지휘하였다.

신라 6부의 형성과 해체

고조선 멸망 이후 대규모 유이민이 경주 분지로 이주하였다. 이후 이주민과 토착민이 여러 집단을 형성하고, **3세기 후반 여섯 집단으로 정비**되었다[훼, 사훼, 잠훼, 본피, 사피(습비), 한기]. 각 집단은 자치적 통치권을 행사하고, 국가 중대사는 귀족 회의를 통해 협의하는 것으로 **'신라'를 구성하는 6부 중심 체제를 형성**하였다. 이후 530년 수도의 행정 구역이 재편되고 각 부의 자치권이 상실됨으로써 **국왕 중심의 중앙 집권적 체제**로 전환되었다.

5주

지증왕 때 **실직주(삼척)**를 설치하였고, 진흥왕 때까지 **사벌주(상주)**, **신주(한강 하류)**, **비사벌주(창녕)**, **비열홀주(안변)**까지 설치되어 5주가 성립하였다. 이후 통일 신라 신문왕 때 9주로 정비되었다.

OX 빈칸 핵심 개념 점검

* 학습한 개념을 OX/빈칸 문제를 통해 점검해보세요.

핵심 개념 1 | 고구려의 발전

01 고구려 동천왕 때 관구검이 이끄는 위나라 군대의 침략을 받았다. □ O □ X

02 고구려 소수림왕은 태학을 설립하고 율령을 반포하였다. □ O □ X

03 고구려 광개토 대왕은 독자적인 연호를 사용하였다. □ O □ X

04 고구려 미천왕은 ______을 축출하여 대동강 유역을 확보하였다.

05 고구려 광개토 대왕은 ______을 공격하여 요동으로 진출하고, 동북쪽으로는 ______을 복속시켰다.

06 고구려 장수왕은 수도를 ______으로 옮겨 왕권을 강화하고 ______ 정책을 추진하였다.

07 고구려 장수왕은 북방의 유목 국가인 유연과 흥안령 산맥 일대의 ______ 지역을 분할 점령하였다.

핵심 개념 2 | 백제의 발전

08 백제 근초고왕은 남으로 마한을 통합하였다. □ O □ X

09 백제 동성왕은 신라와 결혼 동맹을 체결하여 나·제 동맹을 강화하였다. □ O □ X

10 백제 무령왕은 북위에 사신을 보내 고구려를 공격해 줄 것을 요청하였다. □ O □ X

11 백제 무왕의 재위 기간에 박사 고흥이 『서기』를 편찬하였다. □ O □ X

12 백제 근초고왕은 ______까지 진군하여 ______을 전사시켰다.

13 백제 성왕은 ______로 천도하고 국호를 ______로 고쳤다.

14 백제 성왕은 중앙 관청을 ___개로 확대하고 수도는 ___부, 지방은 ___방으로 정비하였다.

핵심 개념 3 | 신라의 발전

15 소지 마립간은 사방에 우역(郵驛)을 설치하였다. □ O □ X

16 신라 지증왕은 왕호를 중국식으로 바꾸었다. □ O □ X

17 신라 법흥왕 때 이차돈의 순교를 계기로 불교가 공인되었다. □ O □ X

18 신라 진흥왕 때 인재를 양성하기 위하여 화랑도를 국가적 조직으로 개편하였다. □ O □ X

19 신라 선덕 여왕 대에 오언태평송(五言太平頌)을 지어 당에 보냈다. □ O □ X

20 신라 법흥왕은 ______을 반포하고, 처음으로 관리의 ______을 정하였다.

21 신라 ______ 때 황룡사 9층 목탑을 건립하였다.

핵심 개념 4 | 삼국의 통치 체제

22 백제는 16품의 관등제를 시행하고, 품계에 따라 옷의 색을 구별하여 입도록 하였다. □ O □ X

23 신라에서는 정사암 회의를 통해 재상을 선발하였다. □ O □ X

24 고구려의 지방 행정 구역인 대성(大城)에는 처려근지, 그 다음 규모의 성에는 욕살을 파견하였다. □ O □ X

25 고구려의 중앙 정치는 ______ 를 비롯하여 10여 등급의 관리들이 나누어 맡았다.

II 고대의 발전 해커스공무원 한국사 기본서

정답과 해설

01	O 고구려 동천왕 때 관구검이 이끄는 위나라 군대의 침략을 받아 환도성이 함락되었다.	14	22, 5, 5
02	O 고구려 소수림왕은 국립 대학인 태학을 설립(372)하였고, 율령을 반포(373)하여 중앙 집권 체제를 강화하였다.	15	O 신라의 소지 마립간은 국가 공문서를 송달하기 위해 사방에 우역을 설치하였다.
03	O 고구려의 광개토 대왕은 영락이라는 독자적인 연호를 사용하였다.	16	O 신라 지증왕은 왕호를 '마립간'에서 중국식 왕호인 '왕(王)'으로 바꾸었다.
04	낙랑군	17	O 신라에는 눌지 마립간 때 고구려 승려 묵호자에 의해 불교가 전래되었으나 민간에서만 전파되다가, 법흥왕 때 이차돈의 순교를 계기로 불교가 공인되었다.
05	후연, 숙신	18	O 신라 진흥왕 때 인재를 양성하기 위하여 씨족 사회의 청소년 교육 집단이었던 화랑도를 국가적 조직으로 개편하였다.
06	평양, 남진(남하)	19	✖ 오언태평송을 지어 당나라 고종에게 보낸 것은 진덕 여왕이다.
07	지두우	20	율령, 공복
08	O 백제 근초고왕은 활발한 정복 활동을 전개하여 남으로는 마한을 통합하였으며, 나아가 중국의 요서·산둥 지방과 일본의 규슈 지방으로 진출하였다.	21	선덕 여왕
09	O 백제 동성왕은 신라 소지왕 때 이벌찬 비지의 딸과 혼인하여 신라와 결혼 동맹(493)을 체결함으로써 신라와의 동맹을 강화하였다.	22	O 백제는 고이왕 시기에 6좌평·16관등제가 시행되었으며, 품계에 따라 옷의 색을 자·비·청색으로 구별하여 입도록 하는 공복제가 실시되었다.
10	✖ 중국 북위에 사신을 보내 고구려를 공격해줄 것을 요청한 것은 백제 개로왕이다.	23	✖ 정사암 회의에서 재상을 선발하였던 국가는 백제이다. 신라의 귀족 회의 기구는 화백 회의이다.
11	✖ 박사 고흥이 역사서인 『서기』를 편찬한 것은 백제 근초고왕 재위 기간의 사실이다.	24	✖ 고구려가 대성(大城, 5부)에 파견한 지방관은 욕살이고, 그 다음 규모의 성에 파견한 지방관이 처려근지이다.
12	평양성, 고국원왕	25	대대로
13	사비, 남부여		

3 대외 항쟁과 신라의 삼국 통일

학습 포인트
여·수 전쟁, 여·당 전쟁과 나·당 전쟁의 전개 과정을 파악한다. 백제와 고구려의 부흥 운동은 주도자와 근거지를 구분하여 학습한다.

빈출 핵심 포인트
살수 대첩, 천리장성, 연개소문, 안시성 전투, 나·당 연합군, 고구려·백제의 부흥 운동, 나·당 전쟁

1 고구려와 수·당의 전쟁

1. 동아시아 정세

6세기 말 고구려는 중국을 통일한 수를 견제하고 신라의 위협에 대응하기 위하여 북으로는 돌궐과 연결하고, 남으로는 백제·왜와 연결하는 연합 세력을 구축하였다.

2. 고구려와 수의 전쟁(여·수 전쟁)

(1) 원인: 수가 동북쪽으로의 세력 확대를 꾀하자 위협을 느낀 고구려 영양왕이 말갈군 1만 명을 동원하여 전략적 요충지였던 중국의 랴오시(요서) 지방을 선제 공격하였다(598).

(2) 경과

① **6세기 말**: 수의 문제가 30만의 병력을 이끌고 고구려를 공격하였으나 실패하였다.

② **7세기 초**: 수의 양제가 113만 대군을 이끌고 고구려의 요동성을 공격하였으나 실패하였다. 수 양제는 다시 우중문에게 30만 명의 별동대를 이끌고 평양성을 공격하게 하였으나, 을지문덕이 살수(청천강)에서 수의 군대를 크게 격파하였다(살수 대첩, 612).

| 고구려와 수의 전쟁

(3) 수 멸망(618): 수는 이후에도 두 차례(613, 614) 더 고구려를 침략하였으나 실패하였고, 거듭된 전쟁으로 인한 국력 소모와 내란으로 결국 멸망하고 말았다.

기출 사료 읽기

여수장우중문시

신묘한 계책은 천문을 꿰뚫었고, 기묘한 계획은 지리를 통달하였구나. 싸움마다 이겨 공이 이미 높았으니, 만족함을 알고 그만둠이 어떠리. -『삼국사기』

사료 해설 | 을지문덕이 수나라의 장군인 우중문에게 보낸 시로, 겉으로는 우중문을 칭송하는 것처럼 보이지만 실제로는 거짓 찬양을 함으로써 그를 우롱하는 시이다.

세기별 삼국의 대외 관계

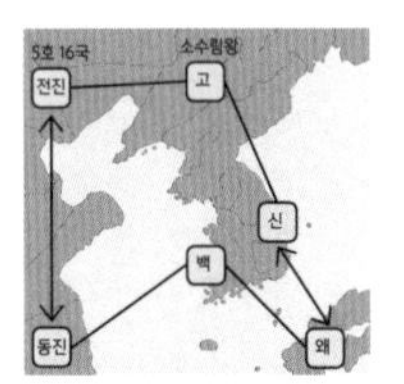

[4세기]: 백제 전성기
- 5호 16국 시대(중국)
- 북방 연합(전진, 고구려, 신라) VS 남방 연합(동진, 백제, 왜)

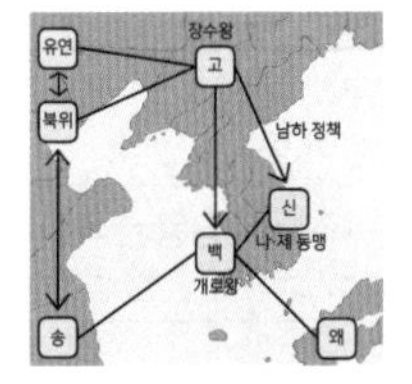

[5세기]: 고구려 전성기
- 남북조 시대(중국)
- 고구려, 북조(북위), 유연 연합 VS 신라, 백제, 남조(송), 왜 연합
- 고구려의 남하 정책 VS 나·제 동맹

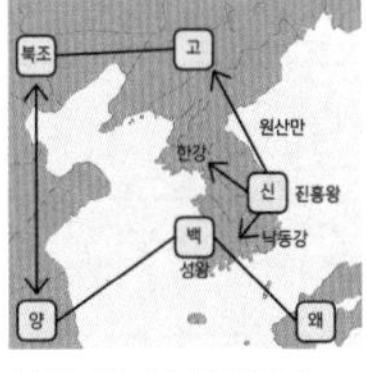

[6세기]: 신라 전성기
- 신라 팽창기
- 진흥왕의 영토 확장
  - 한강 유역·낙동강 유역·원산만 진출

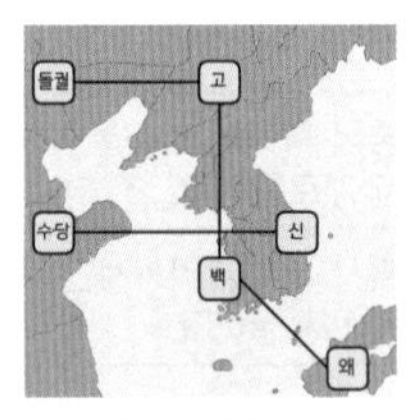

[7세기]: 삼국 통일기
- 십자형 외교
  - 남북 연합: 돌궐 - 고구려 - 백제 - 왜
  - 동서 연합: 수·당 - 신라

3. 고구려와 당의 전쟁(여·당 전쟁)

(1) 원인: 수의 뒤를 이은 당나라는 여·수 전쟁을 교훈 삼아 건국 초 고구려에 대해 유화 정책을 취하였다. 그러나 당 태종이 즉위하면서 동북아시아 방면으로 세력을 확장하며 고구려를 자극하였다.

(2) 천리장성 축조(631~647): 고구려는 당의 침입에 대비하기 위해 부여성부터 비사성에 이르는 천리장성을 축조하였다.

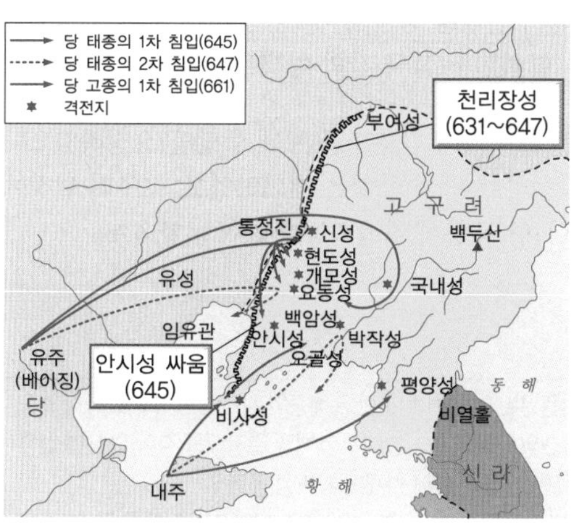

| 고구려와 당의 전쟁

(3) 연개소문의 대당 강경책: 천리장성 축조 감독관이었던 연개소문은 랴오둥(요동) 지방의 군사력을 바탕으로 쿠데타를 일으켜 정권을 장악하고 반대 세력을 숙청하였다(642). 이후 연개소문은 대막리지가 되어 독재 정치를 단행하였으며, 당에 대해서는 강경책을 추진하였다.

천리장성

천리장성은 비사성에서 안시성, 백암성, 건안성, 요동성 등을 거쳐 부여성까지 이어지는 **고구려의 대중국 방어선**이다.

연개소문

연개소문은 아버지가 죽은 뒤 동부대인(東部大人)의 직을 계승하였고, **천리장성 축조 때 감독관**이 되었다. 그의 세력이 커지면서 영류왕과 반대파 대신들이 그를 제거하려 하자, **정변을 일으켜 영류왕을 폐하고 보장왕을 세웠다**. 그리고 스스로 **대막리지가 되어 정권을 장악**한 뒤 반대파를 제거하였다.

(4) 경과

① **주요 고구려성 함락**: 당 태종은 연개소문의 정변을 구실로 직접 대군을 이끌고 고구려를 침략하여 국경의 요동성, 개모성, 비사성, 백암성 등 고구려의 주요성을 함락시켰다.

② **안시성 전투**: 당의 침입에 대항해 안시성에서 군·민이 협력하여 당군을 격파하였다(645).

(5) 결과: 고구려는 당의 빈번한 침략을 물리침으로써 당으로부터 백제와 신라까지 보호하는 역할을 하였으나, 고구려의 국력이 크게 소모되었다.

기출 사료 읽기

안시성 전투

- 보장왕 4년(645)에 (당의) 여러 장수가 안시성을 급히 공격하였다. …… 당은 성의 동남쪽 모서리에서 토산을 쌓고 성을 위협하였는데, 성 안에서도 또한 성벽을 높이 쌓고 그에 맞섰다. …… 토산이 무너지며 성을 눌러서 성이 무너졌다. 우리(고구려) 군사 수백인은 성이 무너진 곳으로 나아가 싸워 토산을 빼앗고 점거하였으며 해자(垓子)를 파서 이를 지켰다. …… 황제는 요동이 일찍 추워져서 풀이 마르고 물이 얼므로 군사와 군마가 오래 머물기 어렵고, 또한 군량이 떨어져갔으므로 명하여 철군하도록 하였다. - 『삼국사기』
- 양만춘이 중국 황제의 눈을 쏘아 맞히매, …… 양만춘에게 비단 백 필을 하사하고, 성을 굳게 지킴을 칭찬하였다. - 박지원, 『열하일기』

사료 해설 | 안시성의 군민을 이끈 성주의 이름이 『삼국사기』 등 정사에는 전하지 않지만, 조선 후기 박지원의 『열하일기』와 송준길의 『동춘당선생별집』에는 양만춘으로 전해진다.

4. 의의

고구려가 수와 당의 침략을 막아냄으로써 한반도에 대한 중국의 침략 활동을 저지하였다는 점에서 의의가 크다.

2 백제와 고구려의 멸망

1. 삼국의 세력 관계 변화

(1) **신라의 삼국 항쟁 주도**: 고구려가 수·당의 침략을 막아내는 동안 신라에서는 신흥 귀족인 김춘추가 김유신과 제휴하여 권력을 장악한 후 중앙 집권 체제를 강화하였다. 이어 신라는 고구려와 백제에 대항하면서 삼국 간의 항쟁을 주도하였다.

(2) **나·당 동맹 결성**: 처음에 신라는 고구려에 김춘추를 보내 동맹을 요청하였으나 거절당하였다(선덕 여왕, 642). 그 후 신라는 당에 동맹을 제의하였고, 고구려 원정에 실패하였던 당이 이를 수용하면서 **나·당 동맹**이 결성되었다(진덕 여왕, 648).

2. 백제의 멸망과 부흥 운동

백제 멸망	· 원인: 백제 의자왕 말년에 왕을 비롯한 지배층의 사치와 향락으로 국력 소모 · 전개: 신라 김유신의 군대가 황산벌에서 계백의 결사대를 격파(황산벌 전투) → 이후 소정방이 이끄는 당군과 함께 백제의 사비성 공격 · 결과: 나·당 연합군의 공격으로 사비성이 함락되었고 웅진에 있던 의자왕이 항복하면서 백제 멸망(660, 의자왕) → 당이 백제의 영토에 웅진 도독부를 설치(660)
백제 부흥 운동	· 백제 유민의 저항: 복신과 도침은 주류성을 중심으로, 흑치상지와 지수신은 임존성을 중심으로 부여풍을 왕으로 추대하고 부흥 운동 전개 · 백강 전투(663): 왜의 수군이 백제 부흥군을 돕기 위해 백강 근처까지 왔으나 나·당 연합군에 패배 → 이후 백제 부흥 운동 실패

백강 전투 교과서 사료

(나·당 연합군이) 백강으로 가서 육군과 모여서 동시에 주류성으로 가다가 백강 어귀에서 왜국 군사를 만나 네 번 싸워서 다 이기고 그들의 배 4백 척을 불태우니 연기와 불꽃이 하늘을 찌르고 바닷물이 붉어졌다.
－『삼국사기』

▶ 백제가 부흥 운동을 일으키자 백제의 오랜 동맹국이었던 왜는 백제 부흥군을 돕기 위해 군대를 파견하였다. **백제·왜 연합군**은 **백강 어귀**에서 **나·당 연합군과 격전**을 벌였으나, 백제·왜 연합군은 나·당 연합군에 크게 패하였다.

3. 고구려의 멸망과 부흥 운동

고구려 멸망	· 원인: 거듭된 전쟁으로 인한 국력 소모와 연개소문 사후 지배층 분열 · 전개: 나·당 연합군이 고구려를 공격하자 연개소문의 맏아들 연남생은 당에 투항하고, 연개소문의 동생 연정토는 신라로 망명 · 결과: 나·당 연합군의 공격으로 평양성이 함락되면서 고구려 멸망(668, 보장왕) → 당이 고구려의 영토에 안동 도호부를 설치(668)
고구려 부흥 운동	· 검모잠은 한성(황해도 재령)에서 보장왕의 서자 안승을 왕으로 추대하였으며 한때 평양성 탈환 · 고연무는 오골성에서 부흥 운동을 전개 → 그러나 고구려 부흥 운동은 결국 실패

3 신라의 삼국 통일

신라의 삼국 통일 과정

1. 나·당 전쟁(670~676)

(1) **당의 한반도 지배 야욕**: 당나라는 백제와 고구려를 멸망시킨 이후 신라를 포함한 한반도 전체를 지배하려는 야심을 드러냈다.

① **웅진 도독부 설치**(660): 당은 백제의 옛 땅을 지배하고자 공주(웅진)에 웅진 도독부를 설치하고, 의자왕의 아들인 **부여융**을 도독으로 삼아 신라를 견제하였다.

② **계림 도독부 설치**(663): 당은 신라 귀족들의 분열을 획책하여 한반도에 대한 지배권을 확보하고자 경주에 계림 도독부를 설치하고 문무왕을 계림주 대도독으로 임명하였다. 이어 취리산에서 웅진 도독 부여융을 내세워 문무왕에게 화친 서약을 강요하였다(취리산 회맹, 665).

③ **안동 도호부 설치**(668): 당은 고구려 옛 땅을 직접 지배하기 위해 평양에 안동 도호부를 설치하고, 설인귀를 도호부사로 임명하였다.

(2) 신라의 대응

① **고구려 부흥 운동 지원**: 문무왕은 고구려 유민들을 옛 백제 땅 금마저(익산)에 자리를 잡게 하고, 안승을 보덕국의 왕으로 책봉하였다. 이를 통해 문무왕은 고구려 유민을 포섭하여 당의 세력을 축출하는데 이용하였다.

② **소부리주 설치**(671): 신라는 사비성을 공략하여 소부리주를 설치하고 아찬 진왕을 도독으로 임명하였다. 이로써 당의 웅진 도독부는 사실상 붕괴되었고, 신라가 백제의 옛 영토에 대한 지배권을 완전히 장악하게 되었다.

(3) 전개

① **매소성 전투**(675): 신라는 당의 이근행이 이끄는 20만 대군을 매소성에서 격파하여 나·당 전쟁의 주도권을 장악하였다.

② **기벌포 전투**(676): 신라는 설인귀가 이끄는 당의 수군을 기벌포(금강 하구)에서 섬멸하였다.

(4) **결과**: 신라는 대동강에서 원산만을 경계로 삼국 통일을 달성하였다(676, 문무왕).

| 나·당 전쟁과 부흥 운동

2. 삼국 통일의 의의와 한계

(1) **의의**: 신라가 당의 세력을 무력으로 축출했다는 점에서 삼국 통일의 자주적 성격을 볼 수 있다.

(2) **한계**: 신라는 삼국 통일에 외세인 당을 이용하였고, 대동강에서 원산만까지를 경계로 한 땅을 차지하는 데 그쳐 광대한 고구려의 영토를 대부분 상실한 불완전한 통일이라는 한계를 지닌다.

교과서 사료 읽기

삼국 통일에 대한 부정적 평가

다른 종족들을 끌어들여 같은 종족을 멸망시키는 것은 도적을 불러들여 형제를 죽이는 것과 다를 바 없는 것이다. …… 반만큼이라도 혈기를 가진 자라면 이를 욕하고 꾸짖는 게 옳으며 배척하는 것이 옳거늘, 오늘날 그 본말을 따지지 않고, 다만 '우리나라 통일의 실마리를 연 임금이다.'라고 한다.

- 신채호, 「독사신론」

사료 해설 | 신채호는 외세를 끌어들여 동족을 공격한 신라의 삼국 통일을 부정적으로 평가하였다.

취리산 회맹

취리산에서 당나라의 유인원이 입회한 가운데 신라 측의 문무왕과 백제 측의 웅진 도독 부여융이 백마의 피를 입에 적시면서 국경에 대하여 맺은 화친의 동맹이다. 이는 신라가 백제의 존재를 인정하는 동맹을 체결함으로써 신라로 하여금 백제의 옛 땅을 차지하지 못하게 하려는 당의 의도가 반영된 것이었다.

도호부와 도독부

- **도호부**: 당이 변경 지역의 정벌과 방어를 위해 설치한 기관으로, 안서 도호부를 시작으로 안동, 안남, 안북 등 최대 6개까지 설치되었다.
- **도독부**: 군정을 맡은 지방 관청 또는 외지의 통치를 맡은 관청으로, 다른 민족이 투항하면 그 수령을 도독으로 임명하기도 하였다.

보덕국

이후 신문왕 때 안승을 경주로 이주시켜 김씨 성을 하사하고, 보덕국의 고구려 유민들을 다른 지역들로 나누어 이주시키면서 보덕국은 소멸되었다.

매소성 전투와 기벌포 전투 기출사료

- 당의 이근행이 군사 20만 명을 거느리고 매소성에 주둔하였다. 우리 군사가 이를 쳐서 쫓아 버리고 군마 3만여 필과 병장기를 노획하였다.
- 사찬 시득이 수군을 거느리고 소부리주 기벌포에서 당의 설인귀와 스물 두 번의 크고 작은 전투를 벌여 이기고, 4천여 명의 목을 베었다. - 『삼국사기』

▶ **신라**는 한반도 내 영토 확보를 위해 당나라와 전쟁하였고, **매소성·기벌포 전투에서 승리**하면서 당을 몰아내고 **삼국 통일을 달성**할 수 있었다.

OX 빈칸 핵심 개념 점검

* 학습한 개념을 OX/빈칸 문제를 통해 점검해보세요.

핵심 개념 1 | 여·수 전쟁

01 고구려는 수 양제의 침략에 대비하기 위해 천리장성을 축조하였다. □ O □ X

02 고구려 영양왕이 요서 지방을 선제 공격하였다. □ O □ X

03 612년에 고구려의 ______이 수나라의 군대를 ______에서 격퇴하였다.

핵심 개념 2 | 여·당 전쟁

04 고구려 연개소문은 천리장성의 축조를 맡아 수행하였다. □ O □ X

05 고구려 연개소문은 영류왕 때 정변을 일으켜 권력을 장악하였다. □ O □ X

06 고구려는 645년에 당 태종이 이끈 당군의 침략을 안시성에서 물리쳤다. □ O □ X

핵심 개념 3 | 백제의 멸망과 부흥 운동

07 나·당 연합군의 공격으로 사비성이 함락되자 웅진에 있던 의자왕이 항복하였다. □ O □ X

08 백제·왜 연합군이 나·당 연합군과 백강에서 전투를 벌였다. □ O □ X

09 신라 진덕 여왕 때 ______가 당에 가서 백제 정벌을 위한 군사 지원을 요청했다.

10 신라의 김유신은 ______에서 계백이 이끄는 백제군을 물리쳤다.

11 백제의 부흥 운동은 ______과 ______ 등을 근거지로 하여 전개되었다.

핵심 개념 4 | 고구려의 멸망과 부흥 운동

12 고구려 멸망 이후 당이 고구려 영토에 웅진 도독부를 설치하였다. □ O □ X

13 신라의 문무왕은 안승을 보덕국의 왕으로 세웠다. □ O □ X

14 기벌포 전투 이후 보장왕이 요동 지역에서 고구려 부흥을 꾀했다. □ O □ X

15 고구려 멸망 이후 ______이 보장왕의 서자 ______을 받들고 고구려 부흥을 도모하였다.

16 고구려 멸망 이후 ______는 오골성에서 고구려 부흥 운동을 전개하였다.

핵심 개념 5 | 나·당 전쟁

17 백제 멸망 이후 당나라가 신라를 계림 대도독부로 삼았다. □ O □ X

18 신라 무열왕은 당과 연합하여 고구려를 정벌하고, 나·당 전쟁에서 승리하여 삼국 통일을 달성하였다. □ O □ X

19 신라 문무왕은 사비성을 탈환하고 웅진 도독부를 대신하여 소부리주를 설치하였다. □ O □ X

20 675년에 신라가 ______에서 이근행이 이끄는 당군을 격파하였다.

21 신라는 ______에서 ______을 경계로 삼국 통일을 달성하였다.

정답과 해설

01	✖ 천리장성은 수 양제의 침입에 대비하기 위해서가 아닌 당 태종의 침입에 대비하고자 쌓은 것이다. 고구려는 당의 침입에 대비하기 위해 북쪽의 부여성부터 남쪽의 비사성에 이르는 천리장성을 축조하였다.	**12**	✖ 고구려 멸망 이후 당이 고구려 영토에 설치한 것은 안동 도호부이다. 한편, 웅진 도독부는 백제 멸망 이후 당이 백제 영토인 웅진(공주)에 설치한 기구이다.
02	O 고구려 영양왕은 요서 지역을 선제 공격하여 수나라의 세력 확대를 견제하였다.	**13**	O 신라 문무왕은 안승을 금마저(익산)의 보덕국 왕으로 책봉하였다.
03	을지문덕, 살수	**14**	O 나·당 전쟁의 기벌포 전투(676) 이후 당나라에 의해 '요동주 도독 조선군왕'으로 임명(677)된 보장왕은 요동 지역의 고구려 유민과 말갈족을 규합하여 고구려의 부흥을 꾀하였으나 당나라에게 발각되어 실패하였다.
04	O 연개소문은 영류왕 때 당의 침입에 대비하기 위해 쌓기 시작한 천리장성의 축조를 관리·감독하였다.	**15**	검모잠, 안승
05	O 연개소문은 정변을 일으켜 영류왕을 죽이고 보장왕을 왕으로 세운 후 스스로 대막리지의 자리에 올라 독재 정치를 단행하였다.	**16**	고연무
06	O 당 태종이 645년에 고구려를 침략하자 안시성에서 군·민이 협력하여 당군을 격파하였다(안시성 전투).	**17**	O 당나라는 경주에 계림 도독부를 설치하고, 신라 왕인 문무왕을 계림주 대도독으로 임명하였다.
07	O 나·당 연합군의 공격으로 백제의 사비성이 함락되면서 웅진에 있던 의자왕이 항복하였고, 결국 백제는 멸망하였다.	**18**	✖ 나·당 전쟁에서 승리하여 삼국 통일을 달성한 왕은 신라 문무왕이다.
08	O 백제 부흥군을 지원하기 위해 왜군 3만 명이 원군으로 참전하였으나 백강 전투에서 나·당 연합군에게 크게 패배하였다.	**19**	O 문무왕은 671년에 당으로부터 사비성을 탈환하고, 소부리주를 설치하여 웅진 도독부의 기능을 대신하였다.
09	김춘추	**20**	매소성
10	황산벌	**21**	대동강, 원산만
11	주류성, 임존성		

4 남북국의 발전과 변화

학습 포인트
통일 신라 전성기의 주요 왕과 발해의 대표적인 왕에 대해서는 반드시 숙지한다. 또한 신라 하대의 사회 동요 과정을 주요 인물 중심으로 파악한다. 삼국과 마찬가지로 남북국의 통치 구조도 중앙과 지방 행정, 군사 제도 등으로 구분하여 비교하며 학습한다.

빈출 핵심 포인트
신문왕, 성덕왕, 경덕왕, 원성왕, 진성 여왕, 6두품, 무왕, 문왕, 선왕, 9주 5소경

1 통일 신라의 발전

1. 통일 이후 상황

통일 이후 신라는 강화된 경제력과 군사력을 토대로 왕권을 전제화하였고, 이를 바탕으로 정치적 안정과 문화적 발전을 이루었다.

필수 개념 정리하기

신라의 시대 구분

구분	박혁거세 ~ 지증왕	법흥왕 ~ 진덕 여왕	무열왕 ~ 혜공왕	선덕왕 ~ 경순왕
	통일 이전		통일 이후	
『삼국사기』	상대		중대	하대
『삼국유사』	상고	중고	하고	

2. 왕권의 전제화

(1) 제29대 태종 무열왕(김춘추, 654~661)

① **최초의 진골 출신 왕**: 무열왕은 최초의 진골 출신 왕으로, 이후 혜공왕에 이르기까지 무열왕의 직계 자손이 왕위를 계승하였다.

② **중시(시중)의 기능 강화**: 무열왕은 왕명을 받들고 기밀 사무를 관장하는 집사부의 장관인 중시의 기능을 강화하는 한편, 귀족 세력의 이익을 대변하던 상대등을 억제하여 진골 귀족 세력을 약화시키고 왕권을 강화하였다.

③ **갈문왕 제도 폐지**: 무열왕은 왕의 동생이나 왕비의 아버지 등에게 특권적 지위를 부여하였던 명예직인 갈문왕 제도를 사실상 폐지하여 왕권 강화를 도모하였다.

④ **백제 멸망**: 무열왕은 당나라 군대와 함께 백제를 공격하여 멸망시켰다(660).

(2) 제30대 문무왕(661~681)

① **삼국 통일 달성**: 문무왕은 백제를 멸망시킬 당시 태자로서 전투에 참전하였다. 또한 당과 연합하여 고구려를 멸망시킨(668) 후, 나·당 전쟁에서 승리함으로써 삼국 통일을 달성하였다(676).

김춘추의 즉위 기출사료

진덕왕이 죽자, 여러 신하들이 이찬 알천에게 섭정하기를 청하였다. 알천이 한결같이 사양하며 말하기를, "신은 늙고 이렇다 할 만한 덕행도 없습니다. 지금 덕망이 높은 이는 춘추공만한 자가 없습니다. 실로 가히 빈곤하고 어려운 세상을 도울 영웅호걸입니다." 마침내 (김춘추를) 봉하여 왕으로 삼았다. 김춘추는 세 번 사양하다가 부득이하게 왕위에 올랐다.
- 『삼국사기』

▶ 진덕 여왕이 죽었을 때 여러 신하들이 처음에는 왕위 계승자로서 상대등 알천을 천거하였다. 그러나 알천은 자신의 늙음과 덕행의 부족함을 들어 사양하고 김춘추를 천거하였다. 이에 김춘추가 추대를 받아 즉위하였다.

삼국 통일 달성 교과서 사료

병기를 녹여 농기구를 만들어 백성으로 하여금 천수를 다하도록 하며, 납세와 부역을 줄여 집집이 넉넉하고 사람마다 풍족하게 해 백성은 자기의 집을 편하게 여기고 나라에는 근심이 사라지게 하라. - 『삼국사기』

▶ **삼국 통일을 이룬 문무왕이 남긴 유언**의 일부로, 평화와 안정의 시대를 바라는 모습을 확인할 수 있다.

② **관제 정비**: 문무왕은 형률 관련 업무를 담당하는 우이방부(667)와 선박 관련 업무를 담당하는 선부(678) 등 중앙 관청을 설치하였다.

③ **외사정 파견**: 지방관을 감찰하기 위해 주와 군에 외사정을 파견하였다.

(3) 제31대 신문왕(681~692)

① **귀족 세력 숙청**: 신문왕은 장인인 김흠돌의 모역 사건(681)을 계기로 귀족 세력을 숙청하고, 정치 세력을 재편성하였다. 그리고 국왕과 혈연 관계에 있거나 통일 전쟁 과정에서 공을 세운 공신들을 중심으로 정치 세력의 개편을 단행하였다.

기출 사료 읽기

> **신문왕 즉위 교서 - 김흠돌 모역 사건**
>
> 16일에 왕은 교서를 내렸다. "공이 있는 자에게 상을 주는 것은 옛 성인의 좋은 규정이요, 죄진 자에게 벌을 내리는 것은 선왕의 아름다운 법이다. 상중(喪中)에 서울에서 반란이 일어날 줄은 누가 생각이나 했겠는가? 반란 괴수 흠돌, 흥원, 진공 등은 능력도 없으면서 높은 지위에 올라 제 마음대로 위세를 부렸다. 흉악한 무리를 끌어 모으고 궁중 내시들과 결탁하여 반란을 일으키고자 하였다. …… " 28일에 이찬 군관을 죽이고 교서를 내렸다. "병부령 이찬 군관은 반역자 흠돌 등과 관계하여 역모 사실을 알고도 일찍 말하지 아니하였다. 군관과 맏아들은 스스로 목숨을 끊게 하고 온 나라에 포고하여 두루 알게 하라." - 『삼국사기』
>
> **사료 해설 |** 신문왕은 즉위 초의 김흠돌 모역 사건으로 귀족 세력을 숙청하고 이를 통해 왕권을 강화시켰다.

김흠돌

신라 중대의 귀족. 고구려 정벌에 큰 공을 세웠고, 그의 딸이 신문왕과 결혼하여 **왕의 장인**이 되었다. 그러나 신문왕 원년(681)에 파진찬 흥원, 대아찬 진공 등과 함께 **반란을 일으켰다가 진압**되었다.

② **중앙 관제 정비**: 신문왕은 공장부(682)와 예작부(686)를 설치하여 중국의 6전 조직과 비슷한 정무 분담 형식의 집사부 이하 14관부를 완성하였다.

③ **지방 제도 정비**: 신문왕은 9주 5소경의 지방 제도를 완비하였다.

④ **군사 조직의 강화**: 신문왕은 9서당(중앙군) 10정(지방군)을 편성하였다.

⑤ **국학 설치**: 신문왕은 유교 정치 이념을 확립시키기 위해 국학을 설치하였다(682).

⑥ **토지 제도 개편**: 신문왕은 관료전을 지급(687)하고, 녹읍을 폐지(689)하여 국가의 경제력을 강화하였다.

⑦ **왕실 강화**: 신문왕 때 강한 왕권을 바탕으로 한 정치적 안정과 통일 후의 발전상이 만파식적 설화에 반영되었다.

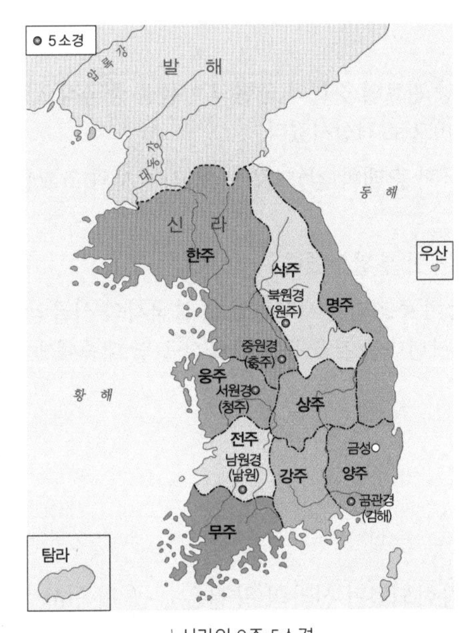

| 신라의 9주 5소경

⑧ **천도 계획**: 신문왕은 왕권 강화를 위해 귀족들의 근거지였던 금성(경주)을 벗어나 달구벌(대구)로의 천도를 시도하였다(689).

⑨ **금마저의 반란 진압**: 신문왕은 보덕왕 안승을 경주로 이주시켜 신라의 관등과 김씨 성 및 토지를 하사하였다. 안승이 신라의 귀족으로 편입된 것에 대해 불만을 품은 안승의 조카 대문이 금마저를 중심으로 반란을 일으키자 이를 진압하고, 고구려 유민들을 남쪽으로 옮겨 살게 하였다.

⑩ **감은사 완공**: 신문왕은 아버지 문무왕의 뜻을 이어 감은사를 건립하였다. 한편 감은사지 인근의 동해 바다에는 문무왕의 해중릉인 문무왕릉(대왕암)이 있다.

감은사

감은사는 **불교의 힘으로 동해의 왜구를 막기 위해 창건된 사찰**이다. 당시 신라인들은 동해 바닷가에서 감은사의 금당 밑까지 구멍을 뚫어 바닷물이 들어올 수 있게 하였는데 이는 용이 된 문무왕이 바닷물을 따라 금당까지 드나들 수 있을 것이라고 생각하였기 때문이었다.

문무왕릉(대왕암)

대왕이 죽고 난 뒤 동해 가운데 큰 바위 위에서 장사지냈다. 왕이 평소에 이르기를, "짐은 죽은 뒤에 호국대룡(護國大龍)이 되어 불법(佛法)을 받들고 나라를 수호하고자 한다."라고 하였다. - 『삼국유사』

▶ **문무왕**은 불교식으로 화장한 뒤 **동해에 묻으면 용이 되어 왜구를 막겠다는 유언**을 하였다. 이에 동해 입구 큰 바위 위에서 장사를 지냈는데, 이 바위를 **대왕암**으로 부르게 되었다.

기출 사료 읽기

만파식적 설화

왕은 놀라고 기뻐하여 오색 비단과 금과 옥으로 보답하고 사자를 시켜 대나무를 베어서 바다에서 나오자, 산과 용은 갑자기 사라져 나타나지 않았다. 왕이 행차에서 돌아와 그 대나무로 피리를 만들었는데, 이 피리를 불면, 적병이 물러가고 병이 나으며, 가뭄에는 비가 오고 장마는 개며, 바람이 잦아지고 물결이 평온해졌다. 이를 만파식적(萬波息笛)으로 부르고 나라의 보물이라 칭하였다.

- 『삼국유사』

사료 해설 | 만파식적은 신문왕이 용에게 얻은 대나무로 만든 피리로, 이 피리를 불면 적이 물러나고 병이 나으며 오던 비가 그치고 구름이 걷혔다고 한다.

(4) 제33대 성덕왕(702~737)

① **왕권 강화 노력**: 성덕왕은 관료들이 지켜야 할 덕목을 담은 『백관잠(百官箴)』을 지어 관료들에게 나누어 주었다.

② **국학 재정비**: 당에서 가져온 공자와 72제자의 초상화를 국학에 안치하였다.

③ **정전 지급**(722): 국가의 토지 지배력을 강화하기 위해 백성들에게 정전(丁田)을 지급하였다.

④ **문화**: 성덕왕 때 현존하는 우리나라 최고(最古)의 종인 상원사 동종을 주조하였다(725).

(5) 제35대 경덕왕(742~765)

① **한화 정책 추진**: 경덕왕 때 중앙 관료의 칭호와 군현의 이름을 중국식으로 변경하고, 집사부 중시의 명칭을 시중(侍中)으로 격상시켰다.

② **유학 교육의 강화**: 경덕왕은 국학을 태학(감)으로 고치고, 박사와 조교를 두어 유교 교육을 강화하였다.

③ **녹읍 부활**(757): 경덕왕 때 녹읍이 부활하였다.

④ **문화**: 경덕왕 때 성덕대왕 신종이 주조되기 시작하였고, 불국사와 석굴암이 축조되었다. 또한 당나라 대종이 불교를 숭상한다는 것을 듣고 만불산을 당 대종에게 선물하였다.

만불산 헌상 기출사료

왕(경덕왕)이 사신을 보내어 당나라에 만불산을 헌상하니 대종은 이것을 보고 "신라의 기교는 하늘의 조화이지 사람의 재주가 아니다."라고 경탄하였다. - 『삼국유사』

▶ 만불산은 신라 경덕왕이 당나라 황제 대종(代宗)에게 선물했던 불교 공예품으로, 이것을 받은 당의 황제는 신라의 기술에 감탄하였다고 한다.

2 신라 하대의 사회 동요

1. 배경

(1) 전제 왕권의 동요: 통일 이후 강화되었던 신라의 왕권은 진골 귀족 세력의 반발로 경덕왕 때부터 흔들리기 시작하였고, 8세기 후반부터 쇠퇴하였다.

(2) 제36대 혜공왕(765~780)

① **태후의 섭정**: 혜공왕이 8세의 나이로 즉위하자 경덕왕의 후비이며 혜공왕의 어머니인 만월 부인이 섭정을 하였으나, 정치가 제대로 운영되지 못하여 혼란이 발생하였다.

② **진골 귀족들의 반란**

㉠ **대공의 난**(768): 대공이 그의 동생인 대렴과 함께 반란을 일으키자 이를 계기로 전국이 혼란에 휩싸였고, 전국 각지에서 여러 귀족들이 난에 동참하였다(96각간의 난).

ⓛ **김양상의 정권 장악**: 내물왕의 10대손이자 사찬 효방의 아들인 김양상은 774년에 상대등에 올라 정권을 장악하였다.

ⓒ **김지정의 난**(780): 김양상 일파와 대립하던 이찬 김지정이 나라의 기강을 바로잡는다는 명분으로 반란을 일으켰으나 실패하였고, 이 과정에서 혜공왕이 피살되었다.

2. 신라 하대의 정치적 변화

(1) 특징

① **무열왕계의 몰락**: 제36대 혜공왕을 마지막으로 무열왕계의 왕위 세습이 끊기고, 제37대 선덕왕 때부터 내물왕 후손의 방계 귀족들이 득세하였다.

② **왕위 쟁탈전**

㉠ **내용**: 신라 하대에 진골 귀족들은 경제 기반을 확대하여 사병을 거느리고 권력 싸움을 벌이며 치열한 왕위 쟁탈전을 전개하였다.

ⓛ **결과**: 신라 하대 155년 간 20명의 왕이 교체되었다(재위 1년 미만인 왕이 4명).

③ **지방에 대한 통제력 약화**: 중앙에서 벌어진 왕위 다툼과 관련하여 지방에서도 반란이 일어나 지방에 대한 중앙 정부의 통제력이 더욱 약화되었다.

(2) 제37대 선덕왕(780~785)

① **왕권 약화**: 선덕왕 때에는 왕권이 약화되고 상대등 세력이 강화되었다.

② **패강진 개척**(782): 선덕왕 때 예성강 혹은 대동강 유역에 패강진을 설치하여 패강 이남의 땅을 군사 정부의 방식으로 통치하였다.

(3) 제38대 원성왕(785~798)

① **내물왕계의 왕위 계승**: 태종 무열왕의 후손인 김주원을 몰아내고, 내물왕계의 김경신(원성왕)이 왕위에 올랐다.

② **독서삼품과**(독서출신과) **실시**: 독서삼품과는 유학 교육에 토대를 둔 관리 등용 방법으로, 국학 학생들을 대상으로 유교 경전의 이해 정도를 평가하여 이를 관리 임용에 참고한 제도이다. 왕권 강화가 목적이었으나 진골 귀족의 반발과 골품제의 한계 때문에 큰 성과를 거두지는 못하였다.

(4) 제41대 헌덕왕(809~826)

① **김헌창의 난**(822): 아버지 김주원이 왕위를 계승하지 못한 데에 불만을 품은 웅천주 도독 김헌창이 국호를 장안(長安), 연호를 경운(慶雲)이라 하며 반란을 일으켰으나 실패하였다.

② **김범문의 난**(825): 김헌창의 아들 김범문도 고달산(여주)에서 반란을 일으켜 북한산주를 공격하였으나 실패하였고, 이후 무열계 진골은 왕위 계승 경쟁에서 배제되었다.

(5) 제42대 흥덕왕(826~836)

① **왕권의 일시적 안정**: 흥덕왕이 즉위하면서 잠시 왕권이 안정되었으나 흥덕왕 사후에 왕위 쟁탈전이 다시 격화되었다.

② **집사부 개칭**: 흥덕왕은 집사부를 집사성으로 개칭하였다.

③ **청해진 설치**(828): 장보고의 요청에 따라 흥덕왕 때 지금의 완도에 해군 기지이자 무역 기지인 청해진이 설치되었다.

신라의 권력 구조 변화

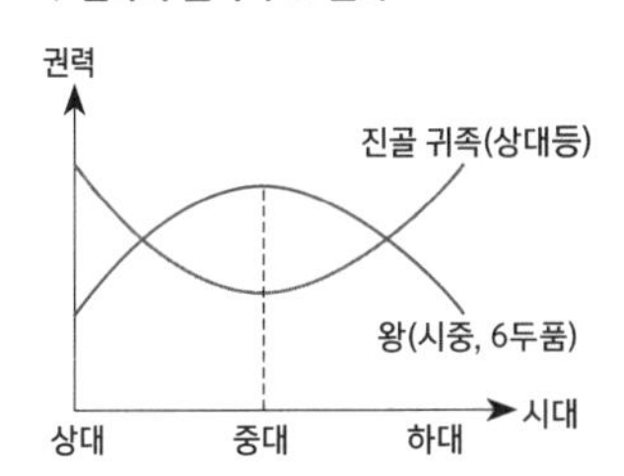

김헌창의 난(822) 교과서 사료

헌덕왕 14년 3월 웅천주 도독 김헌창은 그 아버지 주원이 왕이 되지 못한 이유를 내세워 반란을 일으켜 나라 이름을 장안이라 하고 연호를 경운이라 하였다. 무진주, 완산주, 청주, 사벌주의 4주 도독과 국원경, 서원경, 금관경의 사신과 여러 군현의 수령들을 위협하여 자기의 소속으로 삼았다.
-『삼국사기』

▶ 김헌창의 난은 전국의 여러 주군이 가담하고, 국호와 연호를 제정하는 등 전국적인 규모의 내란으로 커졌으나, 결국 중앙군에 의해 토벌되었다.

장보고의 정치 활동 교과서 사료

신무대왕이 잠저에 있을 때 협사 궁파(장보고)에게 말하기를, "내겐 이 세상에서 같이 살 수 없는 원수가 있소. 그대가 나를 위해 그를 없애 주고, 내가 왕위에 오르면 그대의 딸을 왕비로 삼겠소."라고 하였다. 궁파는 이를 허락하고 마음과 힘을 같이하여 군사를 일으켜 수도로 쳐들어가 일을 성공시켰다. -『삼국유사』

▶ **장보고**는 청해진을 근거로 세력을 키운 뒤, 중앙의 왕위 쟁탈전에 가담하여 **신무왕을 옹립**(839)하는 데 공을 세웠다. 그러나 장보고의 권세가 높아지자 **중앙 귀족들은 반란을 빌미로 장보고를 암살**(846)하고 **청해진을 해체**하였다(851).

교과서 사료 읽기

청해진 설치

장보고가 귀국하여 흥덕왕을 뵙고 아뢰기를, "중국의 어디를 가든지 우리나라 사람들을 노비로 삼고 있으니 청해에 진영을 설치하여 해적이 사람들을 잡아 서쪽으로 데려가지 못하게 해 주십시오."라고 하였다. 왕은 그 말에 따라 군사 만 명을 주어 해상을 방비하게 하였다. -『삼국사기』

사료 해설 | 장보고는 해상 군진 세력으로 청해진을 설치하고, 해적 소탕 및 해상 교역을 장악하며 군사적·경제적으로 성장하였다.

(6) 제51대 진성 여왕(887~897)

① **『삼대목』 편찬**: 각간 위홍과 승려 대구에게 명하여 역대 향가를 모아 『삼대목』이라는 향가집을 편찬하였다(888).

② **사회 혼란**: 상주(사벌주)에서 일어난 원종과 애노의 난(889)을 시작으로 전국적인 농민 반란이 발생하였다. 또한 각 지방에서 호족 세력이 성장하여 견훤이 무진주를 점령하고 왕을 칭하였으며(892), 양길이 부하를 보내 명주 관할 군현을 공격하기도 하였다.

3. 사회적·경제적 모순 격화

(1) 골품 제도의 모순: 중앙 진골 귀족들은 특권 유지를 위해 계속 골품 제도에 집착하여 사회 경직을 초래하였다. 또한 최치원 등의 6두품 세력이 능력 중심의 정치 운영과 유교 정치 이념을 바탕으로 한 개혁안을 제시하였으나 시행되지 않았다.

(2) 대토지 사유화로 인한 자영농의 몰락: 귀족들의 정권 다툼과 대토지 소유 확대로 백성들의 생활은 더욱 어려워졌고, 귀족들의 농장 확대로 많은 자영농이 몰락하였다.

(3) 수취 체제의 모순: 자연 재해가 잇따르고 왕실과 귀족들의 사치와 향락이 계속되자 국가는 바닥난 국가 재정을 보충하기 위해 백성들에게 강압적으로 세금을 거두었다.

(4) 농민 봉기 발생: 귀족과 관리들의 수탈로 토지를 잃은 농민들은 노비가 되거나 초적(草賊)으로 전락하였다. 진성 여왕 때 상주에서 원종과 애노의 난(889)이 일어났으며, 서남 지방을 중심으로 적고적(붉은 바지 도적)이 봉기(896)하는 등 민란이 전국적으로 발생하였다.

교과서 사료 읽기

진성 여왕 때의 농민 봉기

- **원종과 애노의 난(889)**: 진성(여)왕 3년, 국내 여러 주와 군에서 납세를 하지 않아 창고가 비고 국가 재정이 어려워지자, 왕이 사신을 파견하여 독촉하였다. 이로 인하여 도처에서 도적이 봉기하였다. 이때 원종, 애노 등이 사벌주에 웅거하여 반란을 일으키니 왕이 영기에게 잡도록 명령하였다. 그러나 영기는 적진을 쳐다보고는 두려워하여 나아가지 못하였다. -『삼국사기』
- **적고적의 난(896)**: 도적이 서남쪽에서 일어나 붉은 바지를 입고 특이하게 굴어 사람들이 붉은 바지 도적(赤袴賊)이라 불렀다. 그들이 주현을 무찌르고 서울 서부 모량리까지 와서 민가를 약탈하여 갔다. -『삼국사기』

사료 해설 | 신라 사회의 모순은 진성 여왕 대에 더욱 격화되었다. 정부의 농민에 대한 수탈이 강화되자, 원종과 애노의 난(889), 적고적의 난(896) 등을 비롯하여 전국적으로 농민 봉기가 확산되었다.

골품제의 모순 교과서 사료

최치원이 서쪽으로 당에 가서 벼슬을 하다가 고국에 돌아왔는데 전후에 난세를 만나서 처지가 곤란하였으며 걸핏하면 모함을 받아 죄에 걸리므로 스스로 때를 만나지 못한 것을 한탄하고 다시 벼슬할 뜻을 두지 않았다. -『삼국사기』

▶ 신라 말 대표적 6두품 출신인 최치원은 당에서 돌아와 진성 여왕에게 시무책을 올려 사회 개혁을 추진하려고 하였으나, 진골 귀족들의 반발에 부딪혀 좌절되자 결국 은둔 생활을 하였다.

4. 호족 세력의 성장

중앙 정치의 혼란으로 중앙 정부의 지방에 대한 통제력이 약화되면서 각 지방에서는 호족이라 불리는 새로운 세력이 성장하였다.

(1) 출신 성분

중앙 귀족 출신	권력 투쟁에서 밀려난 뒤 지방으로 내려가 그곳에서 세력을 키운 몰락한 중앙 귀족 세력(김주원, 김순식 등)
촌주 출신	자신의 출신 지역의 촌민을 규합하여 성장한 지방의 촌주(토착) 세력
해상 세력	해상을 통해 국제 무역에 종사하면서 재력과 무력을 축적한 세력(왕건 가문 등)
군진 세력	지방관으로 임명되었으나 무력과 재력을 통해 독자적으로 성장한 세력(장보고)
초적 세력	몰락 농민과 하층민을 중심으로 반정부 세력으로 성장한 세력(양길, 기훤, 궁예 등)

(2) 특징

① **독자적인 세력**: 호족은 중앙 정부의 통제에서 벗어나 독자적인 세력으로 성장하였다.

② **지방 장악**: 호족은 자신의 근거지에 성을 쌓고 군대를 보유하여 스스로 성주 혹은 장군이라고 칭하면서 그 지방의 행정권, 군사권 및 경제적 지배력을 행사하였다.

③ **관반제 실시**: 호족은 중앙의 행정 조직을 모방하여 자신의 지역에 관반제라는 독자적인 제도를 실시하였다.

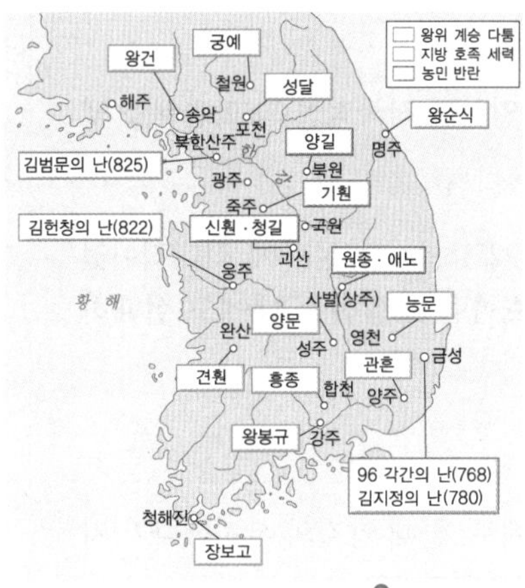

| 신라 하대의 사회 동요

5. 6두품의 동향

(1) 유교 정치 이념 제시: 호족은 각자의 참선 수행을 통해 깨달음을 얻는다는 실천적 경향이 강한 선종을 후원하였고, 이렇게 성장한 선종 승려들은 호족 및 6두품 세력들과 함께 새로운 사회 건설을 위한 사상적 기반을 마련하였다. 이때 6두품 출신의 유학자들은 신라 골품제 사회를 비판하면서 새로운 정치 이념으로 유교를 제시하였다.

(2) 사회 개혁 추구: 진골 귀족들로 인해 자신들의 뜻을 펼칠 수 없게 된 6두품 세력은 은거하거나 지방의 호족 세력과 연계하여 사회 개혁을 추구하였다.

(3) 대표적인 6두품 출신 학자: 최치원, 최승우, 최언위(최신지) 등

호족 세력의 성장

선필(善弼, 왕순식의 父)은 신라의 재암성 장군이었다. 이때에 도적의 무리가 다투어 일어나 이르는 곳마다 약탈하였다. …… 선필은 태조의 위엄과 덕행을 보고 드디어 귀순을 표시하여 신라와 우호를 맺을 수 있도록 힘을 썼고, 적을 막아 여러 번 공이 있었다. 후에 그 성을 들어 귀부하자 태조가 후하게 대우를 더하였으며, 나이가 많았으므로 상부(尙父)로 삼았다. -『고려사』

▶ 신라 하대에 **호족**들은 지방에서 독자적인 세력을 형성하고 **성주·장군** 등으로 불렸다. 이들은 또한 새로운 사회를 수립하고자 하였는데, 그 대표적 인물로 선필은 고려 건국에 적극적으로 참여하였다.

군진

변경 수비를 위해 요충지에 설치한 군사 특수 지역이다. 대표적인 군진으로는 흥덕왕 때 장보고가 설치한 청해진이 있다.

관반제(官班制)

호족들이 과거 지방 행정에 참여한 경험을 살려 신라의 중앙 제도를 모방하여 만든 제도이다.

신라 하대의 사회 동요 기출연표

신라 말 6두품 세력의 동향

골품제로 인해 신분 상승에 제한이 있었던 6두품 세력은 **신라에 머물기보다는 당으로 건너가 빈공과에 급제**하여 자신들의 정치·학문적 능력을 발휘하였다. 또한 신라 말에는 지방으로 낙향하여 **지방 호족들과 결탁**하는 등 반(反)신라적 경향을 보이기도 하였다.

(4) 한계: 6두품 세력은 대체로 신라 왕조 유지를 전제로, 제도 개선을 통한 개혁을 추구하였다. 따라서 이들의 주장이나 활동은 지방 호족 등에 비해 소극적인 면모를 보였다.

3 후삼국의 성립

1. 후삼국 시대의 성립

신라 하대의 혼란을 틈타 견훤과 궁예가 신라에 대항하는 새로운 국가를 수립하여 다시 삼국이 대립하는 후삼국 시대가 성립되었고, 신라의 지배권은 경주 일대로 축소되었다.

| 후삼국의 성립

2. 후백제(900~936)

(1) 건국: 견훤은 전라도 지방의 군사력과 호족 세력을 토대로 무진주(광주)에서 자립하였다. 이후 세력을 키운 뒤 완산주(전주)로 근거지를 옮기고 후백제를 건국하였다(900).

(2) 영토 확장: 견훤은 차령산맥 이남의 충청도와 전라도 지역을 차지하여 그 지역의 우세한 경제력을 바탕으로 군사적 우위를 확보하였다.

(3) 대외 관계: 견훤은 중국의 오월(吳越)·후당(後唐) 및 일본과 적극적인 외교 관계를 맺었다.

(4) 한계: 견훤은 신라 금성에 쳐들어가 경애왕을 살해(927)하는 등 신라에 적대적이었다. 또한 농민에게 조세를 지나치게 부과하였으며, 호족을 포섭하는 데에도 실패하여 결국 후백제는 멸망하였다(936).

3. 후고구려(901~918)

(1) 건국: 궁예는 권력 투쟁에서 밀려난 신라 왕족의 후예로, 한때 양길의 부하였다가 자립하여 송악(개성)을 도읍으로 삼고 후고구려를 건국하였다(901).

(2) 영토 확장: 궁예는 강원도, 경기도 일대의 중부 지방을 점령하였고, 황해도 지역까지 세력을 확장시켰으며, 한강 유역을 차지하며 영토를 확장하였다.

(3) 국호 변경: 궁예는 국가 기반을 다진 후 국호를 후고구려에서 마진으로 바꾸고(904), 도읍을 철원으로 천도(905)하였으며, 다시 국호를 마진에서 태봉으로 변경하였다(911).

(4) 관제 정비: 궁예는 국정 총괄 기관인 광평성을 비롯한 여러 관서를 설치하였고, 9관등제를 마련하였다.

(5) 한계: 지나친 조세 수취, 미륵 신앙을 이용한 전제 공포 정치 등의 거듭되는 실정으로 신망을 잃은 궁예가 신하들에 의해 축출되었다(918).

견훤 기출사료

견훤은 몰래 왕위를 넘겨다보는 마음을 갖고, 무리를 불러 모아 왕경의 서남쪽 주현을 돌아다니며 공격하였다. 이르는 곳마다 메아리처럼 호응하여 한 달 만에 무리가 5,000명에 달하니, 드디어 무진주를 습격하였다.
-『삼국사기』

▶ **견훤**은 진성 여왕 때에 무진주를 점령하고 왕이라 칭하기 시작하였다. 이후 견훤은 세력을 키운 뒤 **완산주에 도읍**을 정하고 **후백제**를 세웠다(900).

궁예 기출사료

궁예는 신라 사람으로, 성은 김씨이고, 아버지는 제47대 헌안왕 의정이며, 어머니는 헌안왕의 후궁이었다. …… 머리를 깎고 승려가 되어 스스로 선종(善宗)이라 이름하였다. …… 죽주의 도적 괴수 기훤에게 의탁하였다. 기훤이 얕보고 거만하게 대하자, 경복 원년 임자년에 북원의 도적 양길에게 의탁하니, 양길이 잘 대우하여 일을 맡기고 드디어 병사를 나누어 주어 동쪽으로 땅을 점령하도록 하였다. -『삼국사기』

▶ **궁예**는 **신라의 왕족 출신**이라고 전해진다. 궁예는 스스로 **선종**이라 칭하고, 신라 하대의 초적 세력인 **양길의 부하**로 있다가 세력이 커지자 양길을 몰아낸 후 송악에 도읍을 정하고 **후고구려**를 세웠다.

후고구려의 국호 변경·천도 기출연표

- **901** 궁예, 후고구려 건국
- **904** 국호를 후고구려에서 '마진'으로 변경(연호: 무태)
- **905** 송악에서 철원으로 천도(연호: 성책)
- **911** 국호를 마진에서 '태봉'으로 변경(연호: 수덕만세)

4 발해의 건국과 발전

1. 발해의 건국

(1) **건국**: 고구려 장군 출신인 대조영(고왕)이 고구려 유민과 말갈족들을 규합하여 천문령에서 당군을 격파한 뒤 동모산 기슭[지린성 둔화(길림성 돈화현) 일대]에서 진국(발해)을 건국하였다(698).

(2) **국호와 연호**: 국호를 진(震), 연호를 천통(天統)이라 하였다. 이후 당에 의해 발해 군왕으로 책봉된 대조영이 발해를 정식 국호로 채택하였다(713).

(3) **의의**: 발해가 옛 고구려 영토의 대부분을 차지함으로써 남쪽의 통일 신라와 북쪽의 발해가 공존하는 남북국을 형성하였다.

교과서 사료 읽기

대조영의 발해 건국

발해 말갈의 대조영은 본래 고구려의 별종이다. 고구려가 망하자 대조영은 그 무리를 이끌고 영주로 옮겨와 살았다. …… 대조영은 드디어 그 무리를 이끌고 동쪽 계루의 옛 땅으로 들어가 동모산을 거점으로 하여 성을 쌓고 거주하였다. 대조영은 용맹하고 병사 다루기를 잘하였으므로, 말갈의 무리와 고구려의 남은 무리가 점차 그에게 들어갔다. 성력(聖曆) 연간(698~699)에 스스로 진국왕(振國王)에 오르고 돌궐에 사신을 보내어 통교하였다. – 『구당서』, 「동이열전」

사료 해설 | 대조영은 고구려 출신으로, 동모산 근처에 발해를 건국하였다.

2. 발해의 성격

(1) **주민 구성**: 발해 주민은 고구려 유민(지배층)과 다수의 말갈족(피지배층)으로 구성되었다.

(2) **고구려 계승 의식**: 발해는 일본에 보낸 국서에 '고려' 또는 '고려 국왕'이라는 명칭을 사용하였으며, 고분 양식이나 불교 예술 등 문화적 요소도 고구려와 유사하였다.

(3) **독자적인 연호 사용**: 발해의 국왕들은 천통(대조영), 인안(무왕), 대흥·보력(문왕), 건흥(선왕)과 같은 독자적인 연호를 사용하여 중국과 대등함을 강조하였고, 강력한 왕권을 표현하였다.

3. 발해의 발전

(1) **제2대 무왕**(대무예, 719~737)

① **영토 확장**: 무왕은 동북방의 여러 세력을 복속시키고 북만주 일대를 장악하였다.

② **일본 및 돌궐과 외교**: 무왕은 일본에 사신을 보내어 통교하고 돌궐 등과 연결하였다. 이를 통해 당과 신라를 견제함으로써 동북아시아에서 세력 균형을 유지하였다.

③ **대당 강경책**: 무왕은 장문휴의 수군으로 하여금 당의 산둥(산동) 지방의 덩저우(등주)를 선제 공격(732)하는 한편, 랴오시(요서) 지역에서 당군과 격돌하였다.

남북국 시대
- **최치원**: 발해를 '북국'으로 칭함
- **유득공**: 『발해고』에서 최초로 '남북국 시대'라는 표현 사용

『구당서』와 『신당서』의 기록

발해에 관한 중국 사서의 기록으로는 **『구당서』 「발해 말갈전」**과 **『신당서』 「발해전」**이 있다. 『신당서』에서는 발해를 말갈족의 나라라고 서술하였지만 **『구당서』**에서는 발해의 건국자 **대조영을 고구려 출신으로 기록**하였다.

발해의 고구려 계승 증거
- 대조영: 고구려인
- 발해 지배층의 성씨: 고구려 성씨 多
- 일본에 보낸 국서: 무왕(고구려 계승 국가임을 표방), 문왕('고려 국왕' 칭호 사용)
- 정혜 공주 묘: 고구려식 굴식 돌방무덤의 모줄임 천장 구조
- 문화적 요소: 온돌 장치, 연꽃 무늬 장기와, 이불 병좌상, 석등

일본과의 국서에 나타난 발해의 고구려 계승 의식
- **무왕**: "무예(무왕)는 … 고구려 옛 땅을 회복하고 부여의 습속을 가지고 있다."
- **문왕**: "(일본) 천황이 삼가 고려 국왕에게 문안한다."

발해 무왕이 일본에 보낸 국서

기출사료

"무예(武藝)가 아룁니다. …… 무예는 황송스럽게도 대국(大國)을 맡아 외람되게 여러 번(蕃)을 함부로 총괄하며, 고려의 옛 땅을 회복하고 부여의 습속(習俗)을 가지고 있습니다." – 『속일본기』

▶ **발해 무왕 때** 일본에 보낸 국서로, 발해는 **스스로 고구려를 계승한 국가임을 강조**하고 있다.

기출 사료 읽기

발해 무왕의 대당 강경책

- 무왕이 신하들을 불러, "처음에 흑수말갈이 우리의 길을 빌려서 당나라와 통하였다. …… 그런데 지금 당나라와 공모하여 우리를 앞뒤에서 치려는 것이다."고 말하였다. 이리하여 동생 문예가 외삼촌 임아상으로 하여금 군사를 동원하여 흑수말갈을 치도록 하였다. - 유득공, 『발해고』
- 대무예가 장수 장문휴를 보내 해적을 이끌고 등주자사 위준을 공격하자, 당이 문예를 보내 병사를 징발하여 토벌하게 하였다. 이어 김사란을 신라로 보내 병사를 일으켜 발해 남쪽 국경을 공격하게 하였다. - 『신당서』

사료 해설 | 발해 무왕은 대당 강경책을 실시하기 위해 당과 연결을 시도하였던 흑수말갈을 공격하여 후방을 안정시켰으며, 뒤이어 당의 등주를 선제 공격하여 등주자사 위준을 전사시켰다. 이에 당은 당시 발해와 적대 관계이던 신라로 하여금 발해를 공격하도록 하였다.

(2) 제3대 문왕(대흠무, 737~793)

① **외교**: 당과 친선 관계를 유지하고 문물을 수용하여 체제를 정비하였다.

② **체제 정비**: 당의 제도를 받아들여 중앙 정치 제제를 3성 6부로 정비하고, 최고 교육 기관인 주자감을 설립하였다.

③ **천도**: 문왕 때 정치 체제 정비의 일환으로, 수도를 중경 현덕부에서 상경 용천부로 천도하였다가, 다시 상경 용천부에서 동경 용원부로 재천도하였다(785).

④ **왕권 강화**: '대흥'·'보력'이라는 독자적인 연호를 사용하여 중국과 대등한 위치임을 과시하였고, 대왕·황상으로 불렸다. 또한 전륜성왕을 자처하였다. 또한 일본에 보낸 국서에 천손 의식을 드러냈고, '고려 국왕'을 칭했다. 762년에는 당으로부터 발해 군왕에서 발해 국왕으로 승격·책봉되었다.

교과서 사료 읽기

일본이 발해 문왕에게 보낸 국서

발해 왕에게 칙서를 내려 말하기를, "천황이 삼가 고려 국왕에게 문안한다. 지금 보내온 글을 보니 …… 천손이라는 참람한 칭호를 써 놓았다. …… 바야흐로 이제 대씨(大氏)는 일찍이 아무 일 없이 편안한 연고로 함부로 외숙과 생질이라 칭하는데, (그것은) 예(禮)를 잃은 것이다." - 『속일본기』

사료 해설 | 발해가 문왕 때 일본에 보낸 국서에 '천손'이라는 칭호를 사용하고, 일본과의 관계를 형제로서 칭하지 않고 '외숙과 생질(조카)'이라고 칭한 것에 대해 일본이 국서를 보내 꾸짖는 내용이다.

(3) 제5대 성왕(793~794): '중흥'이라는 연호를 사용하였으며, 수도를 동경 용원부에서 상경 용천부로 옮겼다(794).

(4) 제10대 선왕(대인수, 818~830)

① **영토 확장**: 선왕은 대부분의 말갈족을 복속시키고 랴오둥(요동) 지역으로 진출하였으며, 남쪽으로 신라와 국경을 접할 정도로 넓은 영토를 차지하였다.

② **체제 정비**: '건흥'이라는 연호를 사용하였으며, 5경 15부 62주의 지방 체제를 완비하였다.

③ **해동성국**: 선왕 때에 전성기를 맞은 발해를 가리켜, 당에서는 해동성국(海東盛國)이라 칭하였다.

(5) 제15대 대인선(906~926): 거란 야율아보기(후의 요 태조)의 침략을 받아 상경 용천부(홀한성)가 포위되어 발해가 멸망하였다(926).

발해의 천도

문왕	· 중경 현덕부 → 상경 용천부(756년경) · 상경 용천부 → 동경 용원부(785년경)
성왕	동경 용원부 → 상경 용천부(794)

선왕 대 발해 왕통의 변화

대조영(고왕)의 아우인 **대야발의 4세손**으로, 대조영 직계가 단절된 뒤 **선왕 때부터 대야발 직계가 즉위**하였다.

4. 발해의 대외 관계

(1) 당과의 관계

① **8세기 초**: 당은 신라와 흑수부 말갈족을 이용하여 발해를 압박하였다. 이에 발해 무왕이 장문휴를 통해 산둥(산동)을 공격하는 등 당과 강한 대립 관계를 형성하였다.

② **8세기 후반**: 문왕 때 대당 친선책을 전개하여 당에 사신과 유학생을 파견하였고, 당의 문물을 수입하는 등 활발하게 교류하였다.

(2) 통일 신라와의 관계

① **대립 관계**: 무왕이 당나라를 공격하자 신라가 당의 요청에 따라 발해를 공격하는 등 당의 견제 정책으로 발해와 신라는 적대 관계를 유지하였다.

② **교류 지속**: 발해는 문왕 무렵에 신라도를 개설하여 신라와 사신을 교환하고 무역 활동을 전개하였으며, 발해가 거란의 공격을 두 차례 받았을 때 신라에게 도움을 요청하였다.

③ **경쟁 관계**: 당에 사신으로 파견된 발해 왕자 대봉예가 신라 사신보다 윗자리에 앉게 해 줄 것을 당에 요구했다가 거절당한 **쟁장 사건**(897)과, 당의 빈공과 급제자 명단에서 발해의 오광찬이 신라의 최언위보다 아래에 위치하자 오소도(오광찬의 아버지)가 순위를 바꾸어 줄 것을 당에 요청하였다가 거절당한 **등제 서열 사건**(906) 등의 사례가 있다.

기출 사료 읽기

쟁장 사건

발해 왕자 대봉예가 글을 올려, 발해가 신라 위에 있도록 허락해 주기를 청하였다. 이에 대해 (당 황제가) 대답하기를, "국명의 선후는 원래 강약에 따라 일컫는 것이 아닌데, 조정 제도의 등급과 위엄을 지금 어찌 나라의 성하고 쇠한 것으로 인해 바꿀 수 있겠는가? 마땅히 이전대로 할 것이다"라고 하였다.

사료 해설 | 발해 왕자 대봉예는 당에 파견되었을 때, 신라 사신보다 높은 자리에 앉기를 요청하였으나 당이 허락하지 않았다.

(3) 일본과의 관계: 당과 신라를 견제하기 위해 일본과 우호 관계를 유지하였다.

(4) 돌궐과의 관계: 당을 견제하기 위해 돌궐과 수교하였다.

5. 발해의 멸망

(1) 원인: 거란이 부족을 통일하고 동쪽으로 세력을 확대하던 상황에서 발해는 내부적으로 귀족들의 권력 투쟁이 격화되어 국력이 크게 쇠퇴하였다.

(2) 멸망(926): 대인선 때 거란의 야율아보기에 의해 홀한성이 포위되면서 발해가 멸망하였다.

(3) 멸망 이후: 대씨 왕족들을 포함한 5만여 명의 발해 귀족들이 고려로 대거 망명하여 고려 지배층의 일부로 편입되었다.

(4) 발해 부흥 운동: 발해가 멸망한 후 발해 유민들은 후발해, 정안국, 흥요국 등을 세워 부흥 운동을 일으켰다.

발해와 일본의 외교 관계

| 견고려사 목간

| 중대성첩

발해를 '고려'라 표현한 일본의 목간, 발해 중대성에서 일본에 보낸 외교 문서(중대성첩) 등을 통해 일본과 **발해가 긴밀한 관계를 맺고 있었음**을 알 수 있다.

정안국

발해 멸망 이후 발해 유민들이 중심이 되어 건국한 나라이다. 정안국은 970년경 송과 수교하고 거란을 견제하였다. 이러한 친송 정책에 위협을 느낀 **요(거란)의 공격으로 정안국은 986년 멸망**하였다.

교과서 사료 읽기

발해사에 대한 인식의 차이

고려가 발해사를 짓지 않았으니, 고려의 국력이 떨치지 못하였음을 알 수 있다. …… 부여씨가 망하고 고씨가 망하자 김씨가 그 남쪽을 영유하고, 대씨가 그 북쪽을 영유하여 발해라 하였다. 이것이 남북국이라 부르는 것으로 마땅히 남북국사가 있어야 했음에도 고려가 이를 편찬하지 않은 것은 잘못된 일이다. 무릇 대씨는 누구인가? 바로 고구려 사람이다. 그가 소유한 땅은 누구의 땅인가? 바로 고구려의 땅으로 동쪽과 서쪽과 북쪽을 개척하여 이보다 넓혔던 것이다. - 유득공,『발해고』

사료 해설 | 조선 후기의 실학자인 유득공은 발해를 우리나라로 인식하여 신라와 발해를 남북국으로 칭하였다.

5 남북국의 통치 체제

1. 통일 신라의 중앙 통치 제도

(1) 특징

① **통치 체제의 재정비**: 통일 신라는 중국식 정치 제도를 수용하여 강력한 중앙 집권 전제 국가로 통치 체제를 재정비하였다.

② **집사부의 기능 강화**: 통일 신라는 집사부를 중심으로 하여 관료 기구의 기능을 강화하고, 집사부 중시(시중)의 지위를 강화하였다.

(2) 중앙 관청 정비

구분	설치 시기	담당 업무	구분	설치 시기	담당 업무
집사부	진덕 여왕(651)	국가 기밀	**좌이방부**	진덕 여왕(651)	형법, 법률
병부	법흥왕(516)	군사, 국방	**우이방부**	문무왕(667)	
조부	진평왕(584)	공물, 부역	**공장부**	신문왕(682)	수공업
창부	진덕 여왕(651)	재정, 회계	**예작부**	신문왕(686)	토목
위화부	진평왕(581)	관리 선발	**사정부**	무열왕(659)	관리 감찰
예부	진평왕(586)	의례, 교육	**승부**	진평왕(584)	마필·거마 관리
영객부	진평왕(621)	사신 접대	**선부**	문무왕(678)	선박, 해상 교통

① **집사부**: 집사부는 왕명을 받들어 행정을 집행하고 국정을 총괄하였으며, 집사부 장관인 중시(시중)직에는 왕과 가까운 왕족을 주로 임명하였다.

② **13부**: 집사부 아래에 위화부를 비롯한 13부를 두고 행정 업무를 분담하였다. 또한, 각 부에는 여러 명의 장관을 두기도 하였다(복수 장관제).

(3) 국학: 국립 대학인 국학을 설치하여 귀족 자제를 대상으로 유학 교육을 실시하였다.

(4) 민족 융합 정책

① **고구려, 백제의 관리 흡수**: 고구려 왕족 안승을 보덕왕으로 임명하고, 고구려와 백제의 관리들 중 일부를 신라의 통치 체제로 흡수하였다.

② **9서당 편성**: 중앙군인 9서당 중에서 신라, 고구려, 백제, 보덕, 말갈인을 각각 독자적인 서당에 편성하였다.

중시(시중)
경덕왕 때 집사부 중시의 명칭을 시중으로 격상시켰다.

영객부
진평왕 때의 영객부(중국 사신 담당)와 영객전(일본 사신 접대)이 진덕 여왕 때 단일 관부로 설치되었다(651).

사정부
신라는 관리들의 비리와 부정을 감찰하는 사정부를 설치하여 왕권을 강화하였다.

③ **9주 5소경 설치**: 신라는 통일 이전의 5주를 9주로 개편하여 옛 고구려와 백제 지역, 기존 신라 지역에 9주 5소경을 설치하였다.

교과서 사료 읽기

> **통일 신라의 민족 융합 정책**
>
> · 문무왕 13년, 백제에서 온 사람으로써 내외관을 마련하였는데, 그 벼슬 차례는 본국의 관위에 따라 주었다.
> · 신문왕 6년, 고구려인으로써 경관을 마련하였는데 본국의 관품을 헤아려 이를 주었다.
>
> -『삼국사기』
>
> **사료 해설** | 통일 신라는 고구려·백제 민족들을 융합하기 위해 관리들 중 일부를 지배 체제 내에 흡수하였다.

2. 통일 신라의 지방 통치 제도

(1) 특징: 통일 이후 영토가 확장되고 인구가 늘자, 지방 행정 구역 정리의 필요성이 대두하였고, 이에 9주 5소경 체제로 지방 제도를 정비하였다.

(2) 9주

① **행정적 기능 강화**: 전국을 9주로 나누고, 주의 장관 명칭을 군주에서 총관(후에 도독)으로 바꾸었는데, 이는 지방관의 군사적 기능을 약화시키고 행정적 기능을 강화하려는 중앙 정부의 정치적 의도가 반영된 것이었다.

② **지방관 파견**: 주 아래에 군, 현을 두고, 군에는 태수, 현에는 현령을 파견하였다.

③ **촌**: 말단의 촌에는 토착 세력인 촌주가 지방관의 통제를 받으며 해당 지역을 통치하였다.

9주 장관의 명칭 변화

지증왕	문무왕	원성왕
군주(軍主)	총관(摠管)	도독(都督)

(3) 5소경

① **기능**: 5소경은 군사적·행정적 요충지에 설치한 특별 행정 구역으로, 이를 통해 신라는 수도 경주의 지역적 편중성을 보완하고 지방의 균형적인 발전을 도모하였다.

② **운영**: 정복한 국가의 귀족들을 강제로 이주시켜 살게 하였고, 이들을 통제하기 위해 중앙 귀족을 5소경의 장관인 사신(仕臣)으로 파견하였다.

(4) 향·부곡: 통일 신라에는 향, 부곡이라 불리는 특수 지역이 있었는데, 이는 반항 지역의 주민들에게 특수한 의무를 부담시키기 위하여 설치된 행정 구역이다.

(5) 지방 통제 정책

① **외사정 파견**: 지방관을 감찰하기 위하여 외사정(外司正)을 파견하였다.

② **상수리 제도**: 지방 귀족을 수도에 머물게 하는 상수리 제도를 실시하여 지방 세력을 견제하였다.

외사정

· 문무왕 때 처음 파견
· 역할: 지방 행정 통제와 지방관 감찰을 위해 설치한 외관직
· 파견: 주마다 2인의 외사정 파견

교과서 사료 읽기

> **상수리 제도**
>
> 나라에서는 매년 각 주의 향리 한 사람을 서울 안에 있는 여러 관청에 올려 보내어 지키게 하였다. 안길이 지킬 차례가 되어 서울에 왔다. …… "무진주에 사는 안길이 상공을 뵈러 왔습니다." 거득공이 그 말을 듣고 쫓아 나와 손을 붙잡고 궁으로 들어가 공의 부인을 함께 불러내어 잔치를 열었다.
>
> -『삼국유사』
>
> **사료 해설** | 통일 신라는 지방 유력 세력을 견제하기 위해 지방 향리를 일정 기간 수도에 머물게 하는 상수리 제도를 실시하였다. 이는 고려 시대에 실시된 일종의 인질 제도인 기인 제도에 영향을 주었다.

3. 통일 신라의 군사 제도

(1) **9서당**(중앙군, 기병): 민족 융합 정책의 일환으로 신라인뿐만 아니라 고구려, 백제, 말갈인까지 모두 포함하여 9서당을 편성하였다.

(2) **10정**(지방군, 기병): 한주(한산주)를 제외한 8주에 1정씩 배치하고, 국방상 요충지인 한주에만 2정을 배치하여 총 10정을 두었다.

4. 발해의 중앙 통치 제도

(1) **국왕 중심**: 왕을 높일 때는 황상(皇上)이라 칭하였으며, 국왕 중심의 중앙 집권적 지배 체제를 확립하였다.

(2) 3성 6부

| 3성 6부제의 구조

① **운영 방식의 독자성**: 당의 3성 6부 제도를 수용하였지만, **명칭과 운영 등에서는 발해만의 독자성을 유지**하였다.

㉠ **3성의 권한 차이**: 당의 정책 집행 기구인 상서성은 중서성과 문하성보다 권한이 작았던 반면, 발해의 **정책 집행 기구인 정당성은 선조성**(문하성의 역할)**과 중대성**(중서성의 역할)을 총괄하며 보다 막강한 권한을 행사하였다.

㉡ **이원적 통치 체제**: 정당성의 장관인 대내상 아래에 **좌사정과 우사정**을 두었으며, 좌사정은 충·인·의 3부를, 우사정은 지·예·신 3부를 각각 관장하였다.

㉢ **명칭의 독자성**: 6부의 명칭으로 이·호·예·병·형·공부라는 당의 명칭 대신, 충·인·의·지·예·신의 유교 덕목을 사용하였다.

② **수상**: 최고의 통치 기관인 정당성에 귀족들이 모여 국가의 중대사를 결정하였으며, 장관인 대내상이 수상의 역할을 담당하여 국정을 총괄하였다.

(3) 기타

① **중정대**: 관리들의 비리 감찰을 담당하였다.

② **문적원**: 경적 및 도서 관리, 외교 문서 작성 등을 담당하였다.

③ **주자감**: 최고 교육 기관으로 귀족 자제의 유학 교육을 담당하였다.

9서당

신라는 통일 이후 민족 융합 정책의 일환으로 고구려, 백제, 말갈인까지 포함하여 녹금서당, 자금서당, 비금서당(신라인), 황금서당(고구려인), 백금서당, 청금서당(백제인), 적금서당, 벽금서당(보덕국인), 흑금서당(말갈인)의 9서당을 편성하였다.

발해의 중앙 통치 제도

관제에는 선조성이 있는데, 좌상·좌평장사·시중·좌상시·간의를 두었다. 중대성에는 우상·우평장사·내사·조고사인을 두었다. 정당성에는 대내상 1명이 좌상·우상의 위에 두어졌다. 좌사정·우사정 각 1명이 좌평장사·우평장사의 아래에 두어졌는데, 복야와 비슷하며 좌윤·우윤은 [좌·우] 이승과 비슷하다. …… 대개 (발해의) 직제가 중국 제도를 본받았음은 이와 같다. -『신당서』

▶ 발해의 통치 제도는 **당의 것과 비슷**하였으나 **운영 체계나 명칭에서는 독자성을 유지**하였다.

필수 개념 정리하기

발해의 정치기구

기구		기능	장관
3성	정당성	최고 기구, 정책 집행	대내상
	선조성	정책 심의	좌상
	중대성	정책 수립	우상
6부	충부	문관 인사	경
	인부	조세·재정	
	의부	의례·교육	
	지부	군사·국방	
	예부	법률·형법	
	신부	건설·토목	
1대	중정대	관리 감찰	대중정
1원	문적원	도서 관리	감
1감	주자감	국립 대학	

5. 발해의 지방 통치 제도

(1) 5경: 전략적 요충지에 수도 상경을 포함하여 5경을 설치하였다.

(2) 15부

① **장관**: 15부 장관으로 도독을 두어 지방 행정을 총괄하였다.

② **지방관 파견**: 부 아래에 62주(자사)와 현(현승)을 설치하여 지방관을 파견하였는데, 지방관에는 고구려인을 주로 임명하였다.

③ **촌락**: 지방 행정의 말단 조직인 촌락의 주민들은 주로 말갈족으로 구성되었으며, 토착 세력인 촌장을 매개로 지배하였다.

| 발해의 지방 통치 제도

5경의 특징

- 상경 용천부, 중경 현덕부, 동경 용원부, 서경 압록부, 남경 남해부로 구성
- 15부 중 중요한 곳이 5경이 됨
- 현재 위치
  - 상경: 흑룡강성 영안현
  - 중경: 길림성 화룡현
  - 동경: 길림성 훈춘현
  - 서경: 길림성 통화현
  - 남경: 함경도 지역으로 추정

6. 발해의 군사 제도

(1) **중앙군(10위)**: 중앙군인 10위는 왕궁과 수도 경비를 담당하였으며, 각 위마다 대장군과 장군을 두어 통솔하였다.

(2) **지방군**: 농병 일치의 군대가 촌락 단위로 구성되었으며, 지방관이 지휘하였다.

(3) **특수군**: 국경의 요충지에는 따로 독립된 부대를 두고 방어하였다.

10위

『신당서』에 따르면 '좌우맹분위(左右猛賁衛)·좌우웅위(左右熊衛)·좌우비위(左右羆衛)·남좌우위(南左右衛)·북좌우위(北左右衛)가 있다.'고 기록되어 있는데 이 군대에서 각각 좌우, 남좌, 북좌 등을 따로따로 보아 총 10위가 있었던 것으로 파악할 수 있다.

OX 빈칸 핵심 개념 점검

* 학습한 개념을 OX/빈칸 문제를 통해 점검해보세요.

핵심 개념 1 | 통일 신라의 발전

01 신문왕은 김흠돌의 반란을 진압하고 왕권을 강화하였다. □ O □ X

02 성덕왕 때 처음으로 백성들에게 정전(丁田)을 지급하였다. □ O □ X

03 신문왕은 ____을 설립하여 유학을 교육하였다.

04 ____ 때 관직과 주현의 이름을 중국식 한자로 바꾸었다.

05 원성왕은 유교 경전에 대한 이해 수준에 따라 관리를 채용하는 ____를 실시하였다.

핵심 개념 2 | 신라 하대의 혼란

06 선덕왕 때 지금의 황해도 지역에 패강진이라는 군진을 개설하였다. □ O □ X

07 신라 헌덕왕 때 김헌창의 난이 발생하였다. □ O □ X

08 진성 여왕 때 장보고의 건의에 따라 청해진이 설치되었다. □ O □ X

09 진성 여왕 때 적고적의 난 이후에 원종과 애노가 난을 일으켰다. □ O □ X

10 신라 하대에는 중앙 정부의 지방에 대한 통제력이 약화되면서 ____이라 불리는 새로운 세력이 성장하였다.

핵심 개념 3 | 후백제와 후고구려

11 견훤은 후당(後唐), 오월(吳越)과도 통교하는 등 대중국 외교에 적극적이었다. □ O □ X

12 후고구려의 궁예는 국호를 마진으로 바꾸고, 도읍을 철원으로 옮겼다. □ O □ X

13 신라 말 견훤은 ____에 도읍을 정하고 후백제를 세웠고, 궁예는 ____에 도읍을 정하고 후고구려를 세웠다.

핵심 개념 4 | 발해의 건국과 발전

14 발해 무왕은 '대흥'이란 독자적인 연호를 사용하였다. □ O □ X

15 발해 문왕은 전륜성왕을 자처하고 황상이라는 칭호를 사용하였다. □ O □ X

16 발해 ____ 때 장문휴가 산둥 반도를 공격하였다.

17 발해 문왕은 수도를 중경 → 상경 → ____으로 옮겼다.

18 발해 선왕 대에는 전성기를 맞이하여 '____'이라고 불리웠다.

핵심 개념 5 | 통일 신라의 통치 제도

19 통일 신라는 신문왕 대에 9주 5소경 체제로 정비하였다. □ O □ X

20 통일 신라의 9서당은 주로 진골 귀족으로 구성되었다. □ O □ X

21 통일 신라의 주(州)에는 지방 감찰관으로 보이는 ______이 배치되었다.

핵심 개념 6 | 발해의 통치 제도

22 발해에서는 정당성의 대내상이 국정을 총괄하였다. □ O □ X

23 발해는 전국을 ___경 ___부 ___주로 정비하였다.

24 발해에서는 최고 교육 기관으로 ______을 두었다.

정답과 해설

번호	정답과 해설	번호	정답과 해설
01	O 신문왕은 자신의 장인인 김흠돌의 반란을 진압하고 왕권을 강화하였다.	13	완산주, 송악
02	O 성덕왕은 백성들에게 처음으로 정전을 지급하였다.	14	✖ '대흥'이라는 연호를 사용한 것은 발해 문왕이다. 무왕은 '인안'이라는 연호를 사용하였다.
03	국학	15	O 발해 문왕은 불교에서 이상적인 군주로 일컬어지는 전륜성왕을 자처하였으며, 황제를 의미하는 황상, 대왕 등의 칭호를 사용하였다.
04	경덕왕	16	무왕
05	독서삼품과	17	동경
06	O 선덕왕 때 황해도 지역에 패강진을 개설하고 패강 일대의 땅을 군사 정부의 방식으로 통치하였다.	18	해동성국
07	O 신라 헌덕왕 때인 822년에는 김헌창이 웅천주를 중심으로 반란을 일으켰다.	19	O 통일 신라의 지방 행정 제도인 9주 5소경 체제는 신문왕 때 완비되었다.
08	✖ 장보고의 건의에 따라 지금의 완도에 청해진이 설치(828)된 것은 흥덕왕 때이다.	20	✖ 9서당은 진골 귀족이 아닌 여러 민족의 유민들이 포함되어 구성된 통일 신라의 중앙군이다.
09	✖ 진성 여왕 때 원종과 애노가 사벌주(상주) 지역에서 난을 일으킨 것은 889년으로, 적고적의 난(896) 이전의 사실이다.	21	외사정
10	호족	22	O 발해의 최고 통치 기관은 정당성이며, 이곳의 수장인 대내상이 국정을 총괄하였다.
11	O 후백제의 견훤은 중국의 후당, 오월과 적극적으로 교류하였다.	23	5, 15, 62
12	O 궁예는 국호를 후고구려에서 마진으로 바꾸고(904) 도읍을 철원으로 옮겼고(905), 다시 국호를 마진에서 태봉으로 변경하였다(911).	24	주자감

02 고대의 경제·사회

1 고대의 경제

학습 포인트
삼국 및 남북국의 경제 활동을 서로 비교하며 파악하도록 한다. 특히 신라의 토지 제도 변천 과정과 신라 촌락 문서, 그리고 남북국 시대의 대외 무역 활동에 대해서도 반드시 학습하도록 한다.

빈출 핵심 포인트
녹읍, 식읍, 관료전, 정전, 신라 촌락 문서, 동시, 동시전, 울산항, 청해진

1 삼국의 경제 정책

1. 왕토 사상의 등장

삼국 시대에는 왕권을 중심으로 한 중앙 집권적인 귀족 정치가 성립됨에 따라 관념적으로 '모든 국토는 왕의 것'이라는 사상이 등장하였다. 국왕은 이를 명분으로 백성으로부터 조세를 거두거나 국가를 위해 일하는 관리에게 토지를 나누어 주었다.

2. 수취 체제의 정비

(1) 조세

① **배경**: 삼국은 중앙 집권 체제를 정비하면서 조세 제도를 마련하였다.

② **징세 기준**: 삼국은 대체로 인정(人丁) 및 재산의 많고 적음에 따라 호(戶)를 상·중·하로 나누어 곡물과 포를 징수하였다.

㉠ **고구려**: 농민들은 각 호마다 조(租)로 곡식을 바치고 인두세로 베나 곡식을 바쳤다. 이때 면적에 따라 조세를 수취하는 경무법이 적용되었다.

㉡ **백제**: 농민들은 조(租)로 쌀을 바치고, 세(稅)로 쌀, 명주, 베 등을 풍흉에 차등을 두어 바쳤다. 이때 파종량에 따라 조세를 수취하는 두락법이 적용되었다.

㉢ **신라**: 당나라의 조(租, 곡식)·용(庸, 노동력)·조(調, 특산물)를 모방하여 실시하였다. 이때 수확량에 따라 조세를 수취하는 결부법이 적용되었다.

(2) **공납**: 베·사(絲, 실)·명주와 같은 직물과 마(麻, 삼) 등의 특산물을 현물로 징수하였다.

(3) 역

① **요역**: 15세 이상의 남자를 왕궁, 성, 저수지 등의 축조와 삼밭을 경작하는 일, 뽕나무 등을 기르는 일 등에 동원하였다.

② **군역**: 지방 농민은 전쟁 물자를 조달하거나 잡역부로 동원되었으며, 점차 삼국 간의 대립이 치열해지고 전쟁이 대규모화되면서 농민들도 군사로 전쟁에 참여하였다.

왕토(王土) 사상
'모든 토지는 왕토 아닌 것이 없고, 모든 국민은 왕의 신하 아닌 사람이 없다.'는 사상이다. 이는 관념적인 것으로, 현실적으로는 백성들 사이에서 토지 매매·상속이 이루어졌다.

삼국의 수취 체제

조세 - 조(租)	역(役) - 용(庸)	공납 - 조(調)
토지세	인두세(人頭稅)	호구세(戶口稅)
재산의 정도에 따라 징수	노동력 동원	특산물 징수

기출 사료 읽기

삼국의 수취 제도

- **고구려**: 세(인두세)는 포목 5필에 곡식 5섬이다. 조(租)는 상호가 1섬이고, 그 다음이 7말이며, 하호는 5말을 낸다. -『수서』
- **백제**
  - 세는 포목, 명주실과 삼, 쌀을 내었는데, 풍흉에 따라 차등을 두어 받았다. -『주서』
  - 2월 한수 북부 사람 가운데 15세 이상된 자를 징발하여 위례성을 수리하였다. -『삼국사기』
- **신라**: 자비 마립간 11년(468) 가을 9월에 하슬라 사람 (가운데) 15세 이상인 자를 징발하여 이하(泥河)에 성을 쌓았다. -『삼국사기』

사료 해설 | 고구려는 호를 상·중·하로 나누어 인두세와 호구세(조)를 거두었다. 백제는 풍흉에 따라 조세를 거두었으며, 15세 이상의 남자에게 역을 부과하였다. 신라 역시 15세 이상의 남자를 대상으로 노동력을 징발하였다.

3. 식읍과 녹읍

(1) 식읍

① **지급 배경**: 삼국은 왕족이나 군공을 세운 자에게 토지와 농민을 식읍으로 주었다.

② **내용**: 식읍은 일정 지역 또는 가호(家戶) 단위로 수여한 토지로, 식읍의 주인은 해당 지역의 주민들로부터 조세 징수는 물론 노동력까지 징발할 수 있었다. 식읍은 삼국 시대부터 조선 초기까지 존속되다가 조선 세조 때 제도적으로 완전히 폐지되었다.

(2) 녹읍

① **지급 배경**: 국가에서 관료인 귀족에게 직무에 대한 봉급의 개념으로 지급한 토지이다. 중앙 집권 체제가 정비되어 가던 5~6세기 이후에는 식읍보다 녹읍을 주는 경향이 강하였으며, 소수 공신에게 주로 지급되었던 식읍에 비해 녹읍을 받는 관료가 더 많았다.

② **내용**: 녹읍을 받은 귀족들은 해당 지역에서 조세 징수와 노동력 징발을 하였다.

③ **변천**: 녹읍은 신문왕 때 폐지(689)되었다가 경덕왕 때 부활(757)하여 고려 태조 왕건이 후삼국 통일을 이루기 전까지 지급되었다.

4. 농민 경제의 안정책

(1) 목적: 삼국은 농민 경제생활의 안정을 통해 군사력과 국가 재정을 확보하고자 농업 생산력을 높일 수 있는 정책과 구휼 정책을 시행하였다.

(2) 내용

① 농업 생산력 증대 정책

철제 농기구 보급	지배 세력의 전유물이던 철제 농기구가 점차 일반 농민에게까지 보급됨
우경 장려	소의 힘을 빌려 쟁기갈이를 하면서 농업 생산력이 크게 향상됨
황무지 개간	경작지를 확대하기 위하여 황무지 개간을 권장
저수지 축조	가뭄에 대비하기 위해 저수지를 축조하거나 수리함

② **구휼 정책**: 고구려는 흉년이나 춘궁기에 곡식을 빌려주었다가 가을에 수확한 후 갚게 하는 진대법을 실시하였다(고국천왕).

진대법의 실시 기출사료

왕(고국천왕)이 사냥을 나갔다가 길거리에서 주저앉아 울고 있는 자를 보고 왜 우는지 물으니 이렇게 대답했다. "신이 가난하여 품팔이로 어미를 봉양해 왔는데, 흉년이 들어 한 줌의 양식도 얻지 못해서 웁니다." 이에 왕이 …… 해마다 봄 3월부터 가을 7월까지 관곡을 내어 백성의 가구의 다소(多少)에 따라 진대(賑貸)함에 차등을 두고, 겨울 10월에 이르러 도로 거둬들이게 법규를 만드니 모든 사람이 크게 기뻐했다. -『삼국사기』

▶ 진대법은 고국천왕 때 시행된 춘대추납의 구휼 제도이다.

5. 수공업

(1) 건국 초기: 삼국은 건국 초기에 기술이 뛰어난 노비에게 무기, 장신구 등을 생산하게 하였다.

(2) 국가 체제 정비 후: 국가 체제를 정비한 후 삼국은 무기, 비단 등 수공업 제품 생산을 담당하는 관청을 설치하고, 수공업자들을 배정하여 필요한 물품을 생산하였다.

6. 상업

(1) 시장의 형성: 삼국은 농업 생산력이 낮아 잉여 생산물이 적었으므로, 시장은 정부와 지배층의 필요에 따라 수도와 같은 도시에서만 형성되었다. 한편 지방 특산물을 매매하는 행상도 존재하였다.

(2) 신라

① **시장 개설**: 5세기 말 소지 마립간 때 경주에 시장이 처음으로 개설되었다(490). 6세기 초 지증왕 때에는 기존의 시장을 정리·개편하여 경주의 동쪽에 동시(東市)를 설치하였다(509).

② **동시전 설치**: 6세기 초 지증왕 때 시장을 감독하는 관청인 동시전(東市典)을 설치하였다(509).

시장의 설치

- (소지 마립간 때) 처음으로 서울에 시장을 열어 사방의 물화를 통하게 하였다. -『삼국사기』
- 시장에서 물건을 사고파는 것은 모두 부녀(婦女)들이 한다. -『신당서』

▶ **소지 마립간** 때 신라는 서울(경주)에 처음으로 시장을 개설하였다.

7. 대외 무역

(1) 배경: 삼국의 국제 무역은 중계 무역을 전개하던 낙랑군을 축출한 이후(4세기) 크게 발달하였는데, 대개 왕실과 귀족의 필요에 따라 공무역의 형태로 전개되었다.

(2) 삼국의 무역

① **고구려**: 주로 중국의 남북조 및 북방의 유목민들과 교류하였다.

② **백제**: 남중국 및 왜와 활발하게 교역하였다.

③ **신라**: 한강 유역을 확보하기 이전에는 고구려와 백제를 통하여 중국과 무역을 하였다. 이후 진흥왕 때 한강 유역을 확보하면서 당항성을 통해 중국과 직접 교역하게 되었다.

| 삼국의 무역

(3) 삼국의 무역품

수출품	마직물, 주옥, 인삼, 금·은 세공품, 모피류 등
수입품	비단, 장식품, 도자기, 약재, 서적 등

(4) 왜(일본)과의 무역: 중국 및 삼국의 선진 문물을 왜(일본)에 전달하였다.

삼국의 주요 산업

고구려	수렵, 어로, 농경, 직물업, 철산업
백제	벼농사, 비단, 삼베
신라	벼농사, 금속 공예

2 귀족과 농민의 경제생활

1. 귀족의 경제생활

(1) 경제적 기반

① **토지와 노비 소유**: 삼국 시대에 귀족은 본래부터 소유하였던 토지와 노비 외에도 정복 전쟁을 거치면서 국가로부터 녹읍과 식읍, 노비 등을 지급받았다.

② **유리한 생산 조건**: 귀족은 비옥한 토지를 보유하고 있었고, 철제 농기구와 소를 많이 소유하는 등 일반 농민보다 유리한 생산 조건을 갖추고 있었다.

(2) **과도한 농민 수탈**: 귀족들은 노비와 그들의 지배하에 있는 농민을 동원하여 자기 소유의 토지를 경작시키고, 수확물의 대부분을 수취하였다. 또한 고리대를 통해 농민의 토지를 빼앗거나 농민을 노비로 만들어 재산을 축적하였다.

(3) **풍족한 생활**: 귀족은 창고, 마구간, 우물, 주방 등을 갖추고 높은 담을 쌓은 기와집에 살면서 풍족하게 생활하였다. 이들은 중국으로부터 수입한 비단으로 옷을 만들어 입고 보석과 금, 은으로 치장하였다.

2. 농민의 경제생활

(1) **척박한 토지 소유**: 삼국 시대에 농민들은 자기 소유의 토지를 경작하거나 부유한 사람의 토지를 빌려 경작하였는데, 농민의 토지는 대부분 척박하였다.

(2) **휴한 농법의 일반화**: 시비법이 발달하지 않아 적게는 1년, 많게는 수년간 땅을 경작하지 않고 두었다가 지력이 회복되면 경작하는 휴한 농법을 사용하였다.

(3) 농민의 생활

① **수취 부담**: 전세는 생산량의 10분의 1 정도였지만 그 밖에 삼베, 명주실, 과실류 등 여러 가지 물품을 공물로 납부하였다. 또한 성이나 저수지 쌓는 일, 삼밭을 경작하고 뽕나무를 기르는 일 등 부역에 동원되었다.

② **전쟁 동원**: 삼국 초기에는 전쟁 물자를 조달하거나 잡역부로 동원되었다. 그러나 삼국 항쟁이 본격화되면서 전쟁 물자 조달에 대한 농민의 부담이 가중되었고, 농민이 군사로 동원되기도 하였다.

3 통일 신라의 경제 정책

1. 수취 제도의 변화

(1) **조세**: 생산량의 10분의 1 정도를 수취하여 통일 이전보다 조세 수취량을 완화하였다.

(2) **공물**: 촌락 단위로 그 지역의 특산물을 징수하였다.

(3) **역**: 군역과 요역으로 이루어졌으며, 16세에서 60세 미만까지의 남자를 대상으로 부과하였다.

삼국의 식읍 기출사료

- 명림답부가 1,000여 기병으로 추격하여 좌원(座原)에서 한군(漢軍)을 물리치니 한 마리의 말도 돌아가지 못했다. 왕(신대왕)이 크게 기뻐하여 명림답부에게 좌원과 질산(質山)을 식읍으로 삼게 했다.
- 이에 공을 세운 김유신을 태대서발한(太大舒發翰)에 제수하고, 식읍을 5백 호로 하였다. 또한 수레와 지팡이를 하사하고, …… 그를 보좌하는 이들에게도 각각 직위를 한 급씩 올려 주었다.

– 『삼국사기』

▶ 식읍은 국가에서 **왕족이나 군공을 세운 신하에게 지급**한 것이었다.

고구려 귀족 저택의 주방

고구려 귀족 저택의 주방을 표현한 안악 3호분의 벽화로, 귀족들은 기와집에 주방, 창고 등을 갖추어 놓고 풍족한 생활을 영위하였다.

2. 신라 촌락 문서(신라 장적, 민정 문서)

(1) 발견: 1933년 일본 도다이사(동대사, 東大寺) 쇼소인(정창원, 正倉院)에서 8~9세기경에 작성된 신라 서원경(청주) 주변 4개 촌의 장적이 발견되었다.

(2) 작성: 촌주가 촌 단위로 매년 변동 사항을 조사하되, 정기적으로 3년마다 문서를 작성하였다.

(3) 내용

① **조사 대상**: 각 촌락의 호 수, 인구 수, 우마 수, 토지 크기, 유실수[뽕나무·잣나무·호두나무(가래나무)]의 수 등을 기록하였다.

② **사람**: 남녀를 각기 연령별로 6등급으로 분류하여 기재하였으며, 소아의 수와 노비의 수까지 기재하였다. 호구를 자세히 기록한 것을 통해 국가가 노동력 수취를 중시하였음을 알 수 있다.

③ **호구(戶口)**: 사람의 많고 적음(재산의 많고 적음이 기준이었다는 견해도 존재함)에 따라 9등급(상상호~하하호)으로 나누어 파악하였으며, 3년 사이에 변동된 호구의 수치(호구의 증감)를 기재하기도 하였다.

④ **토지**: 논, 밭 및 촌주위답, 연수유전답, 내시령답, 관모전답, 마전의 총면적을 기재하였다. 한편, 호구와는 달리 전답 면적의 증감은 기록되어 있지 않았다.

촌주위답	직역(職役)에 대한 대가로 조세 납부를 면제받는 촌주 소유의 땅
연수유전답	일반 민호가 소유한 토지(신라 촌락 문서에 기재된 총 토지 면적의 97%)
내시령답	중앙 관료인 내시령(內視令)에게 지급된 토지
관모전답	국가 기관에 예속된 토지, 관청 운영 경비 충당 목적
마전	마을의 정남들이 공동으로 삼(麻)을 경작한 땅

(4) 작성 목적: 통일 신라는 신라 촌락 문서를 통해 노동력과 생산 자원을 편제·관리하여 조세와 공물, 부역을 징발하고자 하였다.

(5) 의의: 통일 신라 시대 촌락의 경제 상황과 국가의 세무 행정(노동력과 생산 자원의 관리)을 알 수 있는 자료이다.

교과서 사료 읽기

신라 촌락 문서의 내용

토지는 논, 밭, 촌주위답, 내시령답 등 토지의 종류와 면적을 기록하고, 사람들은 인구, 가호, 노비의 수와 3년 동안의 사망, 이동 등 변동 내용을 기록하였다. 그 밖에, 소와 말의 수, 뽕나무, 잣나무, 호두나무의 수까지 기록하였다. 특히, 사람은 남녀별로 구분하고, 16세에서 60세의 남자의 연령을 기준으로 나이에 따라 6등급으로 구분하여 기록하였다. 호(가구)는 사람의 많고 적음에 따라 상상호(上上戶)에서 하하호 (下下戶)까지 9등급으로 나누어 파악하였다. 기록된 4개 촌은 호구 43개에 총인구는 노비 25명을 포함하여 442명(남 194, 여 248)이며, 소 53마리, 말 61마리, 뽕나무 4,249그루 등의 재산을 소유하고 있었다. - 신라 촌락 문서

사료 해설 | 신라는 촌주가 촌락의 토지 크기, 인구 수, 소와 말의 수 등을 파악하여 기록하였고, 매년 변동 사항을 조사하여 3년마다 문서를 새로 작성하였다. 이를 토대로 정부는 백성들에게 조세, 공물, 부역 등을 거두었다.

신라 촌락 문서

신라 촌락 문서의 작성 시기에 대해서는 695년(효소왕 4), 755년(경덕왕 14), 815년(헌덕왕 7) 등 여러 주장이 있다.

신라의 촌주

신라 촌락 문서에 따르면 4개 촌 중에서 사해점촌에만 촌주가 있었다. 즉, 촌주는 몇 개의 **자연촌을 묶어서 관리하는 재지 세력가**였던 것이다. 촌주가 관리하는 자연촌의 묶음은 국가의 행정력이 미치는 기초 단위였다.

신라 촌락 문서에 기록된 내용

지역	서원경을 중심으로 하는 4개의 자연 촌락
호구	43개
총 인구 (노비 포함)	442명 (남 194명, 여 248명)
노비	25명
소	53마리
말	61마리
뽕나무	4,249그루

인구의 구성을 살펴보면 여자가 더 많았다는 점, 노비가 생산 활동의 중심이 아니었다는 점 등을 파악할 수 있다.

3. 토지 제도의 변화

(1) 배경: 귀족에 대한 국왕의 권한 강화와 농민 경제의 안정을 위해 통일 신라는 토지 제도를 여러 차례 개편하였다.

(2) 내용

① **관료전 지급**(687, 신문왕): 신문왕 때 관료에게 봉급 대신 관등에 따라 차등 있게 수조권만을 인정하는 관료전을 지급(노동력 징발 불가)하였다.

② **녹읍 폐지**(689, 신문왕): 신문왕 때 식읍을 제한하고 녹읍을 폐지하여 귀족 세력의 경제 기반을 약화시키고, 국가의 토지에 대한 지배권을 강화하였다.

③ **정전 지급**(722, 성덕왕): 성덕왕 때 왕토 사상에 근거하여 일반 백성들에게 정전을 지급하고 조(租)를 징수하였다. 이를 통해 국가의 농민과 토지에 대한 지배권을 강화하였다.

④ **녹읍 부활**(757, 경덕왕): 경덕왕 때 귀족들의 반발로 녹읍이 부활하였다.

기출 사료 읽기

통일 신라 토지 제도의 변화

- 신문왕 7년(687) 5월에 문무 관료전을 지급하되 차등을 두었다.
- 신문왕 9년(689) 1월에 내외관의 녹읍을 혁파하고 매년 조(租)를 내리되 차등이 있게 하여 이로써 영원한 법식을 삼았다.
- 성덕왕 21년(722) 8월에 처음으로 백성에게 정전을 지급하였다.
- 경덕왕 16년(757) 3월에 여러 내외관의 월봉을 없애고 다시 녹읍을 나누어 주었다.
- 소성왕 원년(799) 3월에 청주 거로현을 국학생의 녹읍으로 삼았다.

-『삼국사기』

사료 해설 | 통일 신라의 토지 제도는 시기에 따라 변화하였다. 신문왕 때에는 녹읍을 폐지하고 관료전을 지급하였으며, 경덕왕 때에는 녹읍이 부활하였다. 한편 소성왕은 학문 장려를 위해 청주(현재의 진주) 거로현을 국학생에게 녹읍으로 지급하기도 하였다.

정전과 연수유전답

학자에 따라서 정전과 연수유전답을 동일한 것으로 파악하기도 하는데 정전과 연수유전답은 고대에 **일반 평민의 토지가 광범위하게 존재**했다는 사실을 보여준다. 이때 지급된 정전은 백성들이 소유하고 있던 토지를 법제적으로 인정해준 것으로 추측된다.

4 통일 신라의 경제 활동

1. 경제력의 성장

(1) 수공업

① **수공업 담당 관청 정비**: 통일 신라는 지배층이 사용할 물품(금·은 세공품, 비단, 그릇 등)을 생산하기 위해 담당 관청을 정비하였고, 소속 장인과 노비에게 물품을 제작하도록 하였다.

② **기술 발달**: 통일 신라 시대에는 수공업 성장, 경제력 성장 등으로 견직물, 마직물 등의 방직 기술은 물론 금·은 세공, 나전 칠기 등의 공예품 제조 기술도 발달하였다.

(2) 상업

① **수도**: 농업 생산력의 향상으로 경주의 인구가 증가하고 상품 생산이 늘어나자, 동시만으로는 상품 수요를 감당할 수 없어 효소왕 때인 695년에 서시와 남시를 설치하고, 이를 감독하는 기관인 서시전과 남시전을 두었다.

② **지방**: 지방의 중심지(주, 소경)나 교통의 요충지에 시장이 형성되었다.

신라의 시장 설치

소지 마립간	처음 시장 설치
지증왕	동시와 동시전 설치
효소왕	서시·남시와 서시전·남시전 설치 → 인구 및 상품 수요 증가에 대응

2. 대외 무역

(1) 당과의 무역: 통일 후 당과의 관계가 긴밀해지면서 무역이 번성하였고, 공무역뿐만 아니라 사무역도 발달하였다.

① 무역품과 무역로

수출품	명주, 베, 해표피(바다표범 가죽), 인삼, 금·은 세공품 등
수입품	비단, 책, 귀족의 사치품 등
무역로	· 경기도 남양만(당항성) → 중국 산둥(산동) 반도 · 전남 영암 → 전남 흑산도 → 중국 상하이

② 신라인의 대당 진출: 신라인들이 교역 및 유학을 위해 자주 당에 드나들면서 산둥(산동) 반도와 양쯔 강(양자강) 하류 일대에 신라방·신라소·신라관·신라원 등이 설치되었다.

신라방	신라인 집단 거주지	신라관	신라 사신, 유학생, 승려 등을 위한 숙소
신라소	신라 거류민들의 자치적 행정 기관	신라원	신라방 내의 사찰

③ 국제 무역항: 국제 무역이 발달하면서 경주와 근접한 울산항이 국제 무역항으로 성장하여 당과 일본의 상인뿐 아니라 이슬람(아라비아) 상인까지 왕래하였다. 이슬람 상인들은 주로 모직물, 보석, 향료, 유리 그릇 등을 들여와 거래하였다.

(2) 일본과의 무역

① 초기: 처음에 일본은 신라를 견제하였고, 신라 역시 일본에 있는 고구려와 백제 유민을 경계하여 신라와 일본은 제한적인 경제 교류를 전개하였다.

② 후기: 8세기 이후에는 신라가 정치적으로 안정되면서 일본은 이전보다 활발하게 교류하였다.

(3) 장보고의 활동

① 당에서의 활동: 장보고는 당나라에 건너가 무령군 소장이 되었다.

② 청해진 설치: 장보고는 흥덕왕에게 건의하여 지금의 완도에 청해진을 설치(828)하고 해적을 소탕하였다. 이후 남해와 황해의 해상 교통권을 장악한 장보고는 당, 신라, 일본을 잇는 국제 무역을 주도하였다.

③ 무역 사절 파견: 장보고는 독자적으로 당에 견당매물사, 일본에 회역사라는 무역 사절단을 보냈다. 한편 견당매물사와 회역사의 칭호가 붙은 교역 사절을 통해 당시 장보고가 독자적인 세력 집단을 형성했음을 알 수 있다.

④ 법화원 건립: 장보고는 신라인의 왕래가 빈번하였던 중국 산둥(산동)성 적산촌에 법화원이라는 사찰을 건립하였다.

⑤ 중앙 정치에 개입: 장보고는 민애왕을 몰아내고 신무왕을 옹립하였다(839). 이후 즉위한 문성왕이 장보고의 딸을 왕비로 맞이하는 문제가 중앙 귀족들의 반대로 무산되자 중앙 정부와 장보고(청해진)의 대립이 격화되었다. 이러한 대립 과정에서 장보고는 중앙 귀족들이 보낸 염장에 의해 암살 당하였다(846).

신라와 당의 무역

당나라에 사신을 보내 과하마(果下馬) 한 필과 우황, 인삼, 머리 장식(美髢), 조하주(朝霞紬), 어아주(魚牙紬), 매를 아로새긴 방울(鏤鷹鈴), 바다표범 가죽(海豹皮), 금은 등을 바쳤다. …… 무훈이 돌아올 때 당현종(玄宗)이 글을 내렸다. …… 이제 경에게 비단 두루마기(錦袍)와 금띠 및 채색 비단과 흰 비단을 합하여 2천 필을 주어 정성스러운 예물에 답하노니, 물건이 이르거든 잘 받으시오."

- 『삼국사기』

▶ 통일 신라는 당에 우황, 인삼 등의 약재와 조하주·어아주와 같은 고급 비단을 생산하여 보냈으며, 당으로부터는 금띠와 비단 두루마기 같은 귀족 사치품 등을 답례품으로 받기도 하였다.

무령군

산둥 반도에서 당나라에 저항하던 이사도의 평로군 세력을 진압하고자 805년 서주에 설치한 군단이다.

기출 사료 읽기

장보고의 활동

- 6월 27일에 사람들이 말하기를, 장보고의 교역선 2척이 단산포(旦山浦)에 도착했다고 한다. …… 28일 당의 천자가 보내는 사신들이 이곳으로 와 만나보았다. …… 밤에 장보고의 견대당매물사(遣大唐賣物使)인 최훈(崔暈) 병마사(兵馬使)가 찾아와서 위문하였다. -『입당구법순례행기』
- 이 엔닌은 대사(장보고)의 어진 덕을 입었기에 삼가 우러러 뵙지 않을 수 없습니다. 저는 이미 뜻한 바를 이루기 위해 당나라에 머물러 있습니다. 부족한 이 사람은 다행히도 대사께서 발원하신 곳(법화원)에 머물 수 있었던 데 대해 감경한 마음을 달리 비교해 말씀드리기가 어렵습니다. - 엔닌,『입당구법순례행기』

사료 해설 | 장보고는 청해진을 중심으로 당과 신라, 일본을 잇는 동아시아 해상 무역권을 장악하였다.

5 통일 신라의 귀족과 농민의 경제생활

1. 귀족의 경제생활

(1) 왕실과 귀족의 경제 기반

① **왕실의 경제 기반**: 왕실은 삼국 항쟁 중에 새로 획득한 땅을 왕실의 소유로 만들고, 국가 수입 중 일부를 왕실 수입으로 전환하였다.

② **귀족의 경제 기반**: 식읍·녹읍 및 상속받은 토지, 노비 등

(2) 귀족의 향락 생활

① **사치품 사용**: 귀족들은 당과 아라비아 등지에서 수입한 비단, 양탄자, 귀금속 등을 사용하였다.

② **호화 생활**: 당시 귀족들은 당의 유행을 따라 옷을 입을 정도였고, 금성(경주) 근처에 호화 주택(금입택)과 별장(사절유택)을 짓고 살았다. 또한 소·말 등을 바다 가운데 섬에서 길러 필요할 때 화살로 쏘아 잡아먹는 호화로운 생활을 즐겼다.

2. 농민의 경제생활

(1) 농민들의 생활

① **특징**: 통일 이후 사회는 안정되었지만 농민들의 생활은 여전히 열악하였다.

② **농업 생산량 증가의 한계**

㉠ **휴경법의 일반화**: 시비법이 발달하지 못하여 적게는 1년, 많게는 수년간 땅을 경작하지 않고 두었다가 다시 경작하는 휴경법이 일반적이었다.

㉡ **척박한 토지 소유**: 비옥한 토지는 왕실, 귀족, 사원 등 세력가가 가졌고, 농민들은 대부분 척박한 토지를 보유하였다.

③ **농민의 부담 증가**

㉠ **과중한 수취 부담**: 농민들은 국가에 생산량의 1/10을 전세로 납부하였으며, 삼베·명주 등 여러 품목을 공납으로 바쳤다. 또한 빈번한 요역과 군역 동원으로 농사를 지을 노동력이 부족하여 생활에 어려움을 겪는 농민들이 많았다.

통일 신라 귀족들의 향락 생활 기출사료

- 35개나 되는 금을 입힌 거대한 저택(金入宅)이 있었다. …… 교외에 춘하추동 네 계절마다 놀던 별장을 가지고 있었으며 …… 49대 헌강왕 때에는 성 안에 초가집이 하나도 없고, 집의 처마와 담이 이웃집과 서로 이어져 있었다. 노랫소리와 피리 부는 소리가 길거리에 가득 차서 밤낮으로 끊이지 않았다. -『삼국유사』
- 재상가에는 녹(祿)이 끊이지 않았다. 노동(奴僮)이 3,000명이고 비슷한 수의 갑옷과 무기, 소, 말, 돼지가 있었다. 바다 가운데 섬에서 길러 필요할 때 활로 쏘아서 잡아먹었다. 곡식을 꾸어서 갚지 못하면 노비로 삼았다. -『신당서』

▶ 통일 신라의 귀족들은 금입택에서 거주하며 호화로운 생활을 즐겼다. 또한 국가로부터 녹읍을 지급받고, 수많은 노비를 소유하였다.

ⓛ **지대 납부**: 농민들은 생계를 유지하기 위해 타인의 토지를 경작하였고, 그 대가로 수확량의 반 이상을 토지 소유자에게 납부해야 했다.

④ **농민 몰락**: 토지 상실과 고리대 성행으로 농민의 생활이 더욱 어려워져 많은 농민들이 소작농이나 노비, 유랑민, 도적 등으로 몰락하였다.

(2) 향·부곡민과 노비의 생활

① **향·부곡민의 생활**: 농민과 대체로 비슷한 생활을 하였으나, 농민보다 더 많은 공물을 납부해야 했다.

② **노비의 생활**: 노비는 왕실, 관청, 귀족, 절 등에 속하여 주인을 위해 각종 필수품을 만들고 일용 잡무를 하였으며, 주인을 대신해 농장을 관리하거나 주인의 땅을 경작하였다.

6 발해의 경제생활

1. 수취 제도

조세	조, 보리, 콩 등의 곡물 징수
공물	베, 명주, 가죽 등의 특산물 징수
부역	궁궐이나 관청 등을 건축하는 데 농민 동원

2. 산업 발달

(1) **농업**: 발해는 밭농사를 주로 하였으나 일부 지역에서는 벼농사도 실시하였다.

(2) **수공업**: 발해에서는 금속 가공업과 직물업, 도자기업 등이 다양하게 발달하였다.

(3) **상업**: 상경 용천부 등 도시와 교통 요충지에서 상업이 발달하였다.

(4) **목축과 수렵**: 발해는 돼지, 소, 말, 양 등을 길렀고, 솔빈부의 말이 주요 수출품이었다. 수렵도 활발하여 모피, 녹용, 사향 등을 많이 생산하여 수출하였다.

3. 대외 무역

(1) **당과의 무역**: 발해 대외 무역의 주를 이루었다.

① **발해관 설치**: 해로와 육로를 통해 무역을 전개하였으며, 8세기 후반 이후 무역이 활발해지자 산둥(산동) 반도 덩저우(등주)에 발해관을 설치하였다.

② **수출품과 수입품**: 모피와 인삼 등의 토산물, 불상, 자기 등의 수공업품을 수출하고 귀족들의 수요품인 비단과 책 등을 수입하였다.

(2) **일본과의 무역**: 일본도를 통해 한 번에 수백 명이 오갈 정도로 활발한 무역 활동을 전개하였다.

(3) **신라와의 교류**: 동경에서 남경을 거쳐 동해안에 이르는 신라도를 이용하여 신라와 교류하였다.

발해의 특산물 교과서 사료

귀하게 여기는 것에는 태백산의 토끼, 남해부의 곤포(다시마), 책성부의 된장, 부여부의 사슴, 막힐부의 돼지, 솔빈부의 말, 현주의 포(베), 옥주의 면(누에솜), 용주의 주(명주), 위성의 철, 노성의 쌀, 미타호의 붕어 등이 있고, 과일에는 환도의 오얏, 낙유의 배가 있다. -『신당서』

▶ 발해의 특산물 중에서도 가장 으뜸인 것은 솔빈부의 말이었는데, 솔빈부의 말은 해로를 통해 당으로 수출되었다.

발해와 일본과의 대외 무역

20일 기축(己丑)에 내장료(內藏寮)와 발해객(渤海客)이 재화와 물건을 서로 교환하였다. 21일 경인(庚寅)에 도성 사람들과 발해객이 서로 왕래하는 것을 허락하였다. 22일 신묘(辛卯)에 여러 시전의 사람들과 (발해)객들이 사사로이 서로 물건을 거래하는 것을 허락하였다. 이날 나랏 돈 40만을 발해국 사신 등에게 주고, 이에 시전의 사람들을 불러 모아 (발해)객들과의 사이에서 토산물을 매매하도록 하였다. -『일본삼대실록』

▶ 발해는 일본도를 통해 일본과 활발한 무역 활동을 전개하였다.

OX 빈칸 핵심 개념 점검

* 학습한 개념을 OX/빈칸 문제를 통해 점검해보세요.

핵심 개념 1 | 삼국의 경제 정책과 활동

01 삼국 시대에는 '모든 국토는 왕의 것'이라는 왕토 사상이 등장하였다. □ O □ X

02 신라 지증왕은 시장을 감독하는 관청인 동시전을 신설하였다. □ O □ X

03 고대에는 왕족과 공신에게 조세 수취와 노동력 징발이 가능한 식읍이 지급되었다. □ O □ X

04 삼국 시대의 농민들은 전쟁 시에 군사로 동원되기도 하였다. □ O □ X

05 삼국 시대에는 15세 이상의 남자를 성이나 저수지 쌓는 일 등에 동원하였다. □ O □ X

06 신라는 한강 유역을 확보한 이후 벽란도를 통해 중국과 직접 교역하였다. □ O □ X

07 ______은 국가에서 관료인 귀족에게 직무에 대한 봉급의 개념으로 지급한 토지이다.

핵심 개념 2 | 통일 신라의 경제 정책과 활동

08 소성왕은 청주의 거로현을 국학생의 녹읍으로 삼았다. □ O □ X

09 통일 신라는 국가에 봉사하는 대가로 관료에게 토지를 나누어 주는 전시과 제도를 운영하였다. □ O □ X

10 신문왕 때 관료전이 지급되었다. □ O □ X

11 효소왕 때 수도에 서시와 남시를 설치하였다. □ O □ X

12 헌강왕 대에 녹읍이 부활되고, 경덕왕 대에 관료전이 폐지되었다. □ O □ X

13 통일 신라의 귀족들은 당이나 아라비아에서 비단, 양탄자, 유리 그릇 등 사치품을 수입해 사용하였다. □ O □ X

14 장보고는 해적을 소탕하기 위해 청해진을 세웠다. □ O □ X

15 신라인들이 교역 및 유학을 위해 자주 당에 드나들면서 산둥 반도와 양쯔강 하류 일대에 ______, ______, ______, ______이 설치되었다.

16 ______는 회역사, 견당매물사 등의 교역 사절을 파견하였다.

핵심 개념 3 | 신라 촌락 문서(민정 문서)

17 민정 문서를 작성하여 촌락의 토지 결수, 인구 수, 소와 말의 수 등을 파악하였다. □ O □ X

18 민정 문서는 토착 세력인 촌주가 변동 사항을 조사하여 3년마다 작성하였다. □ O □ X

19 일본 정창원에서 발견된 '신라 촌락 문서'는 ______ 부근의 4개 촌락을 대상으로 한 것이다.

20 민정 문서에서는 호(戶)를 사람의 많고 적음에 따라 ___등급으로 나누었다.

핵심 개념 4 | 발해의 경제 정책과 활동

21 발해는 기후가 좋지 않고 토지가 척박하여 농업은 콩, 보리, 조 등을 재배하는 밭농사 중심이었다. □ O □ X

22 발해는 동경에서 남경을 거쳐 동해안에 이르는 신라도라는 교통로를 이용해 신라와도 무역하였다. □ O □ X

23 발해는 모피, 녹용, 사향 등을 많이 생산하였으며 특히 솔빈부의 말이 주요 수출품이었다. □ O □ X

24 8세기 후반에 당과 발해 간의 무역이 활발해지자 당은 산둥(산동) 반도의 덩저우(등주)에 ______을 설치하였다.

정답과 해설

01	O 삼국 시대에는 왕권을 중심으로 한 중앙 집권적인 귀족 정치가 성립됨에 따라 관념적으로 '모든 국토는 왕의 것'이라는 사상이 등장하였다.	**13**	O 통일 신라의 귀족들은 당항성·울산항 등을 통해 당이나 아라비아에서 수입한 비단, 유리 그릇 등의 사치품을 사용하였다.
02	O 신라의 지증왕은 시장을 감독하는 관청인 동시전을 설치하여 운영하였다.	**14**	O 장보고는 해적을 소탕하기 위해 청해진을 설치하였다. 이후 남해와 황해의 해상 교통권을 장악한 장보고는 당·일본과의 해상 무역을 주도하였다.
03	O 고대에는 왕족 및 공신에게 식읍이 지급되었는데, 식읍은 조세의 수취와 노동력 징발이 가능하였다.	**15**	신라방, 신라소, 신라관, 신라원
04	O 삼국 시대에는 국가 간의 대립이 치열하게 전개되어 지방의 농민들도 전쟁 때 군사로 동원되었다.	**16**	장보고
05	O 삼국 시대에는 성이나 저수지 쌓는 데 15세 이상의 남자를 동원하였다.	**17**	O 통일 신라 시대에는 민정 문서(신라 촌락 문서)에 촌락의 가호 수, 토지 결 수, 인구 수, 소와 말의 수, 유실수(뽕나무, 잣나무 등)의 수량을 파악하여 기록하였다.
06	× 벽란도는 고려 시대의 국제 무역항이다. 신라는 한강 유역을 확보한 이후 당항성을 통해 중국과 직접 교역하였다.	**18**	O 민정 문서(신라 촌락 문서)는 촌주가 변동 사항을 매년 조사하여 3년마다 작성한 것이었다.
07	녹읍	**19**	서원경
08	O 통일 신라의 소성왕은 799년에 청주(현재의 진주)의 거로현을 국학생의 녹읍으로 삼았다.	**20**	9
09	× 전시과 제도는 고려 시대에 시행된 토지 제도이다.	**21**	O 발해는 기후가 좋지 않고 토지가 척박하여 농업은 콩, 보리, 조 등을 재배하는 밭농사가 중심이었으며, 일부 지역에서는 벼농사도 실시 하였다.
10	O 신문왕은 687년에 관리들에게 관료전을 지급하였고, 689년에 녹읍을 폐지하여 귀족 세력의 경제 기반을 약화시켰다.	**22**	O 발해는 동경에서 남경을 거쳐 동해안에 이르는 신라도를 이용하여 신라와 무역하였다.
11	O 효소왕 때 수도 경주에 서시(西市)와 남시(南市)를 추가로 설치하였다.	**23**	O 발해는 모피, 녹용, 사향 등의 토산물을 수출하였으며, 특히 솔빈부에서 사육한 말이 주요 수출품이었다.
12	× 녹읍이 부활한 것은 헌강왕이 아닌 경덕왕 때이다. 한편, 관료전은 신라 중대 이후 왕권이 약화되면서 폐지된 것으로 추정되나 정확한 폐지 시기는 알 수 없다.	**24**	발해관

2 고대의 사회

학습 포인트
각국 사회의 특징에 대해 파악한다. 특히 신라의 경우에는 골품 제도와 신라 하대의 사회 모순 및 농민 봉기에 대해 반드시 정리하도록 한다.

빈출 핵심 포인트
진대법, 화랑도, 골품제, 중위제, 원종과 애노의 난

1 고구려 사회의 모습

1. 사회 기풍

(1) 배경: 산간 지역에서 국가의 기틀을 마련한 고구려는 식량 생산이 충분하지 못하였기 때문에 일찍부터 활발한 대외 정복 활동을 전개하였고, 사회 기풍도 씩씩하였다.

(2) 상무적 기풍(씩씩한 기풍): 고구려인들의 평소 생활 태도(절하는 법, 걸음 등)에도 전투에 대비하기 위한 모습이 반영되어 있었다.

2. 사회 모습

(1) 지배층

① **구성**: 고구려는 고추가로 불린 왕족(계루부)과 왕비족(절노부)을 비롯한 5부 출신의 귀족들로 이루어졌는데, 이들은 사회적으로도 높은 지위를 누리며 정치를 주도하였다.

② **활동**: 고구려 지배층은 지위를 세습하면서 높은 관직을 맡아 국정 운영을 주도하였고, 전쟁 시에는 스스로 무장하여 전투에 참여하였다.

(2) 일반 백성: 일반 백성들은 대부분 자영 농민이었으며, 이들은 국가에 조세를 바치고 병역의 의무를 지며, 토목 공사에도 동원되었다.

(3) 천민과 노비: 천민과 노비는 피정복민이거나 몰락한 평민 등으로 구성되었는데, 특히 남의 소·말 등을 죽이거나 빚을 갚지 못한 평민들이 자신이 노비가 되거나 자식을 노비로 만들어 변상하는 경우가 다수 존재하였다.

3. 혼인 풍습

(1) 지배층

① **서옥제**: 서옥제는 모계 사회의 유습으로, 노동력을 중시하는 사회 모습이 반영된 혼인 제도였다.

② **형사취수제**: 형사취수제는 형이 죽은 뒤 동생이 형수와 결혼하는 풍습으로, 이는 집안의 재산이 축소되는 것을 방지하고 노동력을 확보하기 위한 제도였다.

(2) 평민: 남녀 간의 자유로운 교제를 통하여 결혼하였는데, 신랑 집에서 돼지고기와 술을 보낼 뿐 다른 예물은 없었다. 만약 신부 집에서 재물을 받은 경우 딸을 팔았다고 여겨 부끄럽게 생각하였다.

고구려인의 상무적 기풍

고구려 사람들은 무릎을 꿇고 절할 때(跪拜) 다리 하나를 펴는데 이는 부여와 다른 점이다. 행보(行步)할 때는 모두 뛰어다닌다(뛰듯이 빨리 다닌다). …… 남녀가 혼인한 직후부터 장례에 입을 옷(送終之衣)을 조금씩 마련해둔다. 사람들은 기력(氣力)이 있고, 전투에 익숙하여 옥저, 동예를 모두 복속시켰다.

－『삼국지』「위서」 동이전

▶ 고구려인들의 절하는 법이나 걸음에도 **상무적 기풍이 반영**되어 있었음을 알 수 있다.

고구려 지배층과 노비의 모습(무용총 접객도)

하인이 주인이나 손님보다 유난히 작게 그려져 있는 것으로 보아 인물의 신분에 따라 크기를 달리 그렸음을 알 수 있다. 이러한 고분 벽화는 신분에 따른 복식의 차이를 잘 보여주고 있어서, 당시의 복식 연구에도 중요한 자료가 된다.

형사취수제 기출사료

처음에 고국천왕이 돌아가셨을 때 왕후 우씨는 왕의 죽음을 비밀로 하여 밝히지 않고, 밤에 왕의 동생의 집에 가서 말하였다. "왕이 아들이 없으니 마땅히 그대가 뒤를 이어야 합니다." …… 왕후가 선왕의 명이라고 속이며 여러 신하들에게 명령하여 연우(산상왕)를 왕으로 삼았다.

－『삼국사기』

▶ 고국천왕 사후 왕비인 우씨와 왕의 동생인 산상왕과의 결합은 고구려의 혼인 풍습인 형사취수제의 대표적인 예이다.

4. 구휼 제도 - 진대법(194)

배경	흉년이 들거나 빚을 갚지 못하면 평민이 노비로 전락하는 일이 빈번하였음
내용	고국천왕 때 시행, 춘궁기에 곡식을 빌려 주고 추수기에 갚도록 한 제도
목적	가난한 농민을 구제하여 국가 재정과 국방력을 유지하고, 귀족 세력의 권력 강화 방지

2 백제 사회의 모습

1. 사회의 특징

(1) **고구려와 유사**: 백제의 언어·풍속·의복 등은 고구려와 비슷하였다.

(2) **상무적 기풍**: 백제인들은 말타기와 활쏘기를 좋아하였다.

2. 사회 모습

(1) **지배층**: 백제의 지배층은 왕족인 부여씨와 8성의 귀족으로 이루어졌다. 이들은 관직을 독점하였을 뿐만 아니라 정사암 회의를 주도하여 왕권을 견제하였다.

(2) **일반 백성**: 대부분 농민이었으며 천민과 노비도 다수 존재하였다.

왕족과 8성 귀족

왕족	부여씨
8성 귀족	진씨, 해씨, 연씨, 백씨, 사씨, 목씨, 협씨, 국씨

3 신라 사회의 모습

1. 화백 회의

(1) 특징

① **구성**: 화백 회의는 씨족 사회의 전통을 유지한 대표적인 제도로, 귀족(대등)과 의장(상대등)으로 구성되었다.

② **만장일치제**: 의장인 상대등은 귀족 세력을 대표하여 화백 회의를 주관하였으며, 부족 대표들이 모여 중요 사항을 만장일치제로 결정하였다.

(2) **기능**: 화백 회의를 통해 귀족들은 각 집단의 부정을 막고, 단결성을 강화하였다. 또한, 국왕을 폐위시키기도 하고 새 국왕을 추대하는 등 왕권을 견제하였다.

화백 회의의 영향력

신라 진지왕(576~579)은 "정치가 어지럽고 음란하다."는 이유로 화백 회의를 통해 폐위되었다. 또한 654년 진덕 여왕이 후사가 없이 죽자 신료들은 화백 회의 의장이었던 상대등 알천에게 섭정을 청하였는데, 이에 대해 알천은 "저는 늙고 이렇다 할 덕행이 없습니다. 지금 덕망이 높은 이는 춘추공이니, 세상을 다스릴 뛰어난 인물입니다."라 답하며 김유신과 논의하여 김춘추를 왕위에 오르게 하였다. 이처럼 화백 회의를 통해 국왕이 폐위되거나 추대될 만큼 그 권한이 막강하였다.

2. 화랑도(풍월도, 풍류도, 국선도)

(1) **성립**: 화랑도는 씨족 사회의 청소년 집단에서 기원한 것으로, 진흥왕 때 여성 중심의 원화(源花)를 남성 조직으로 확대하여 국가적인 조직으로 정비하였다.

(2) **구성**: 화랑은 지도자로, 진골 귀족 자제 중에서 선발하였고, 낭도는 귀족과 평민 등으로 구성되었다.

(3) **교육 내용**: 화랑도는 제천 의식을 거행하고 사냥과 전쟁에 관한 교육을 받음으로써, 협동과 단결 정신을 기르고 심신을 연마하였다.

대표적 화랑

설원랑	최초의 화랑
사다함	대가야 정벌에 활약
김유신, 죽지랑	삼국 통일에 공헌
관창	황산벌 전투에 참전

(4) 기능

① **계층 간 갈등 완화**: 화랑도는 귀족부터 평민까지 여러 계층을 망라한 조직으로 계층 간 대립과 갈등을 조절·완화하였다.

② **국가 인재 양성**: 신라를 이끌어 갈 국가적 인재를 양성하는 교육적 기능을 수행하였다.

(5) 화랑 정신

① **임신서기석**: 임신서기석은 두 화랑이 나라에 충성할 것을 다짐하면서 3년 내에 『시경』, 『서경』, 『예기』, 『춘추』 등을 공부할 것을 맹세한 내용을 새긴 비석으로, 당시 화랑들이 유교 경전을 학습하였던 것을 확인할 수 있다.

② **세속 5계**: 세속 5계는 진평왕 때 원광 법사가 만든 화랑도의 행동 규범이다.

③ **풍류도**: 화랑들은 유교·불교·도교의 정신을 포괄하는 사상인 풍류도를 실천하였다.

교과서 사료 읽기

원광과 세속 5계

원광 법사가 말하기를, "여기 세속 5계가 있으니, 하나는 충으로써 임금을 섬기고, 둘은 효로써 부모를 섬기며, 셋은 믿음으로써 친구를 사귀고, 넷은 전장에 나아가 물러서지 않으며, 다섯은 생명이 있는 것을 가려서 죽인다는 것이다. 너희는 실행에 옮기되 소홀히 하지 말라."고 하였다.

-『삼국사기』

사료 해설 | 원광 법사는 사군이충, 사친이효, 교우이신, 임전무퇴, 살생유택의 세속 5계를 화랑도의 행동 규범으로 제시하였다.

3. 골품 제도

(1) 성립: 신라는 중앙 집권 국가로 발전하는 과정에서 정복, 병합된 각 족장의 지배층을 왕경(王京)인 경주에 이주시키고 이들을 중앙의 지배 체제 안에 편입시켰다. 이때 이들 세력의 등급과 서열을 정하기 위한 목적으로 골품 제도가 성립되었다.

(2) 내용: 경주에 거주하는 왕경 귀족들을 대상으로 각 족장 세력은 그 세력의 크기에 따라 성골과 진골, 6두품, 5두품, 4두품의 신분으로 구분되었다.

(3) 신분 구성

① **성골**: 왕족 가운데서도 왕이 될 수 있는 자격을 가진 최고의 신분이었으나 진덕 여왕을 마지막으로 단절되었다.

② **진골**: 승진에 상한이 없어 모든 관직에 나갈 수 있었던 왕족으로, 대아찬인 5관등 이상의 요직을 차지하면서 중앙의 정치·군사권을 장악하였다. 성골이 소멸되자 무열왕 때부터 왕위에 올랐다. 한편, 중앙 관서의 장과 지방 행정 구역의 장관, 6정의 장군은 진골만이 오를 수 있었다.

③ **6두품**: 대족장 출신으로, '얻기 어려운 신분'이라는 의미의 득난(得難)이라고도 불렸다. 신라 중대에는 국왕을 보좌하였지만 제6관등인 아찬까지만 승진이 가능하였고, 중앙 관청의 우두머리나 지방의 장관 자리에는 오를 수 없었다.

④ **5·4두품**: 소족장 출신으로 5두품은 제10관등인 대나마까지, 4두품은 제12관등인 대사까지만 승진이 가능하였다.

⑤ **3·2·1두품**: 초기에는 관직 진출이 가능하였다가 통일 이후에는 평민화되었다.

세속 5계

사군이충(事君以忠)	충성으로써 임금을 섬긴다.
사친이효(事親以孝)	부모에게 효도한다.
교우이신(交友以信)	친구 간에 신의를 지킨다.
임전무퇴(臨戰無退)	전쟁터에서는 물러서지 않는다.
살생유택(殺生有擇)	생명이 있는 것을 가려서 죽인다.

풍류도 기출사료

최치원이 난랑비(鸞郎碑)의 서문에서 말하기를 '우리나라에는 현묘한 도가 있으니 풍류(風流)라 이른다. …… 그 내용은 3교(유·불·도교)를 포함해 인간을 교화하는 것이다.'

-『삼국사기』

▶ 최치원이 화랑 난랑을 기리며 세운 '난랑비'의 서문을 인용한 『삼국사기』의 내용으로, **3교의 특징이 융합**된 우리 고유의 정신인 풍류도에 대한 설명을 담고 있다. 풍류도는 신라의 화랑들이 받들어 수행한 사상·정신이었으며, 화랑도를 가리키는 명칭으로도 사용되었다.

득난(得難) 기출사료

법호는 무염이며…… 속성은 김씨로 태종 무열왕이 8대조이다. 할아버지인 주천의 골품은 진골이고 …… 아버지는 범청으로 골품이 진골에서 한 등급 떨어져 득난(得難)이 되었다.

-「성주사 낭혜화상 탑비」

▶ 최치원이 작성한 비문 중 하나로, 승려 무염(낭혜화상)의 행적을 기록한 탑비이다. 비문에서 무염의 가계를 설명하는 내용 중 '득난'이라는 표현을 두고 여러 견해가 있는데, 그 중 '기존에 진골이었던 골품이 한 단계 떨어져 득난이 되었다'는 표현을 통해 득난을 6두품으로 보는 견해가 일반적이다.

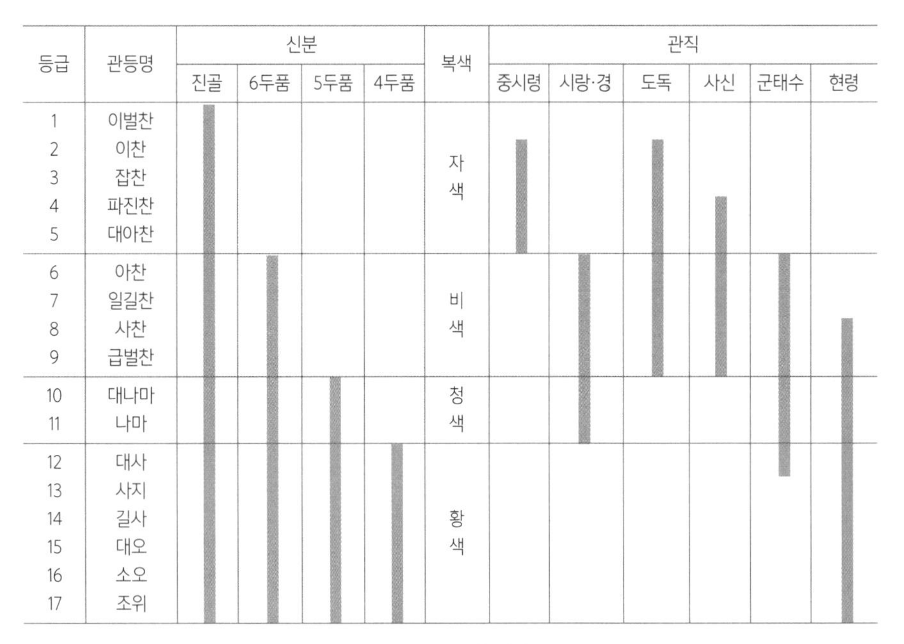

<table>
<tr><th rowspan="2">등급</th><th rowspan="2">관등명</th><th colspan="4">신분</th><th rowspan="2">복색</th><th colspan="6">관직</th></tr>
<tr><th>진골</th><th>6두품</th><th>5두품</th><th>4두품</th><th>중시령</th><th>시랑·경</th><th>도독</th><th>사신</th><th>군태수</th><th>현령</th></tr>
<tr><td>1
2
3
4
5</td><td>이벌찬
이찬
잡찬
파진찬
대아찬</td><td></td><td></td><td></td><td></td><td>자
색</td><td></td><td></td><td></td><td></td><td></td><td></td></tr>
<tr><td>6
7
8
9</td><td>아찬
일길찬
사찬
급벌찬</td><td></td><td></td><td></td><td></td><td>비
색</td><td></td><td></td><td></td><td></td><td></td><td></td></tr>
<tr><td>10
11</td><td>대나마
나마</td><td></td><td></td><td></td><td></td><td>청
색</td><td></td><td></td><td></td><td></td><td></td><td></td></tr>
<tr><td>12
13
14
15
16
17</td><td>대사
사지
길사
대오
소오
조위</td><td></td><td></td><td></td><td></td><td>황
색</td><td></td><td></td><td></td><td></td><td></td><td></td></tr>
</table>

| 골품 제도와 관등·관직표

(4) 성격

① **정치적 제한**: 신라의 관등 조직은 골품제와 결합하여 운영되었으므로 골품에 따라 관등 승진의 상한선이 존재하였다.

② **사회적 제한**: 가옥의 규모와 복색, 수레 등 일상생활까지 규제하였다.

(5) 중위제(重位制)

① **성립**: 비진골 출신 관료들의 불만을 무마하기 위하여 골품제를 유지한 채, 특정 관등을 더욱 세분화하는 일종의 특진 제도인 중위제를 도입하였다.

② **기준**: 제6관등 아찬은 4중아찬까지, 제10관등 대나마는 9중대나마까지, 제11관등 나마는 7중나마로 세분화하였다.

4 통일 신라인의 생활

1. 귀족들의 생활

(1) 수입원: 귀족들은 서민을 대상으로 한 고리대업과 지방에 있는 대토지·목장 등에서 나오는 수입으로 생활하였다.

(2) 주거 생활: 금입택(金入宅)이라 불린 호화 저택에서 많은 노비와 사병을 거느리고 살았으며, 계절에 따라 즐기는 사절유택(四節遊宅)을 소유하였다.

(3) 사치품 선호: 아라비아산 고급 향료, 동남아산 거북 등껍질로 만든 장식품과 고급 목재, 에메랄드 등 국제 무역을 통하여 수입된 진기한 사치품을 선호하였다. 이에 흥덕왕 때 사치를 금지하는 교서를 내리기도 하였다.

골품에 따른 생활 규제

4두품에서 백성에 이르기까지는 방의 길이와 너비가 15척을 넘지 못한다. 당기와를 덮지 못하고, …… 대문과 사방문을 만들지 못하고 마구간에는 말 2마리를 둘 수 있다.
- 『삼국사기』

▶ **골품제는 생활에도 적용**되어 신분에 따라 가옥의 규모, 지붕, 대문의 장식, 가축의 수까지 제한하였다.

귀족들의 생활

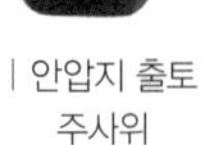
| 안압지 출토 주사위

| 당삼채 뼈단지

흥덕왕 사치 금지 교서 기출사료

사람은 상하가 있고 지위는 존비가 있어서, 그에 따라 호칭이 같지 않고 의복도 다른 것이다. 그런데 풍속이 점차 경박해지고 백성들이 사치와 호화를 다투게 되어, 오직 외래 물건의 진기함을 숭상하고 도리어 토산품의 비야함을 혐오하니, 신분에 따른 예의가 거의 무시되는 지경에 빠지고 풍속이 쇠퇴하여 없어지는 데까지 이르렀다. 이에 감히 옛 법에 따라 밝은 명령을 펴는 바이니, 혹시 고의로 범하는 자가 있으면 진실로 일정한 형벌이 있을 것이다. - 『삼국사기』

▶ 흥덕왕은 신라 사회의 사치 풍조로 인해 신분 구분이 문란해질 위험에 처하자 **사치 금지 교서를 반포**하였다.

2. 평민들의 생활

평민들은 대부분 자신의 토지를 경작하며 생활하였고, 가난한 농민들은 귀족의 토지를 빌려서 경작하며 생계를 이어 갔다. 한편, 귀족에게 빌린 빚을 갚지 못하여 노비가 되는 경우도 많았다.

5 통일 신라 말(신라 하대)의 사회 모순

왕권 약화	· 진골 귀족: 치열한 왕위 쟁탈전 전개, 대토지 소유 확대 → 중앙 정부의 통제력 약화, 농민 수탈이 강화됨 · 6두품: 왕권 약화로 정치적 영향력 약화, 승진의 제한 → 당나라로 떠나 빈공과에 응시하거나, 지방으로 낙향하여 지방 호족과 결탁함
지방 세력	중앙 정부의 통제력이 약화되면서 지방의 유력자를 중심으로 무장 조직이 결성됨, 대토지를 소유하고, 중앙 정부에 조세를 납부하지 않음 → 호족 세력으로 성장함
사회 모순 증폭	· 토지를 상실한 농민들이 유망하거나 노비로 전락함 · 지방의 조세 납부 거부로 인해 국가 재정이 고갈됨 · 정부의 강압적인 수취로 농민이 몰락하여 원종과 애노의 난(889), 적고적의 난(896) 등 농민 반란이 발생함(진성 여왕 때)

6 발해의 사회 구조

1. 사회 구조

(1) 지배층

① **구성**: 왕족인 대씨와 귀족인 고씨 등의 고구려계 사람들이 발해 지배층의 대다수를 차지하였다(대·고·장·양·두·오·이씨 등).

② **생활**: 귀족들은 중앙과 지방의 주요 관직을 차지하고 대토지를 소유하였다.

③ **문화**: 발해의 지식인들은 당에 유학하여 외국인을 대상으로 실시하는 과거 시험인 빈공과에 응시하였고, 상층 사회를 중심으로 당의 제도와 문화를 수용하였다.

(2) 피지배층

① **구성**: 발해의 피지배층은 고구려에 편입된 대다수의 말갈인으로 구성되었다.

② **생활**: 발해 건국 이후 말갈인 중 일부는 지배층으로 진출하거나 자신의 거주하는 촌락의 지도자인 촌장이 되어 국가 행정을 보조하였다.

③ **문화**: 하층 촌락민들 중심으로 고구려와 말갈 사회의 전통을 유지하였다.

2. 발해의 풍속

(1) **사회 기풍**: 발해는 고구려와 마찬가지로 사회 기풍이 씩씩(상무적 기풍)했으며 활쏘기, 말타기, 그리고 당나라의 타구와 격구 놀이가 유행하였다.

(2) **가족 제도**: 발해는 일부일처제가 기본이었는데, 부부 합장묘가 많은 것과 측실(첩)을 허용하지 않았다는 중국의 기록을 통해서 이를 알 수 있다.

발해의 당 문화 수용

· 중앙 관제(3성 6부제) → 독자적으로 운영
· 상경의 도시 구조(주작대로 방식)

발해의 주민 구성 기출사료

발해국은 고구려의 옛 땅이다 …… 그 넓이가 2천 리이고, 주·현의 숙소나 역은 없으나 곳곳에 마을이 있는데, 대다수가 말갈의 마을이다. 그 백성은 말갈인이 많고 원주민이 적다. 모두 원주민을 마을의 우두머리로 삼는데, 큰 마을은 도독이라 하고, 다음은 자사라 하고, (이들 마을의 우두머리를) 그 아래 백성들이 모두 수령이라 부른다. -『유취국사』

▶ 발해는 **소수의 지배층인 고구려계** 사람들이 **다수의 피지배층인 말갈인**들을 다스리는 사회였다.

OX 빈칸 핵심 개념 점검

* 학습한 개념을 OX/빈칸 문제를 통해 점검해보세요.

핵심 개념 1 | 고구려의 사회 모습

01 고구려 고국천왕은 봄에 곡식을 빌려주었다가 가을에 추수한 것으로 갚게 하는 진대법을 실시하였다. □ O □ X

02 고구려에서는 형사취수제의 혼인 풍습이 있었다. □ O □ X

03 고구려에서는 조혼의 풍습이 유행하였다. □ O □ X

04 고구려의 지배층은 ________로 불린 왕족과 왕비족을 비롯한 5부 출신의 귀족들로 이루어졌다.

05 고구려에서는 혼인을 정한 뒤 신부 집 뒤꼍에 조그만 집을 짓고 살다가 자식이 장성하면 신랑 집으로 돌아가는 ________의 혼인 풍습이 있었다.

핵심 개념 2 | 백제의 사회 모습

06 백제의 언어·풍속·의복 등은 고구려와 비슷하였다. □ O □ X

07 백제의 지배층은 정사암 회의를 주도하였다. □ O □ X

08 백제의 지배층은 왕족인 부여씨와 ____성의 귀족으로 이루어졌다.

핵심 개념 3 | 신라의 사회 모습

09 신라는 진흥왕 때 화랑도를 국가적 조직으로 운영하였다. □ O □ X

10 진골은 대족장 출신으로 득난이라고도 불렸다. □ O □ X

11 신라의 골품제는 개인의 사회·정치 활동뿐만 아니라 일상생활도 규제하였다. □ O □ X

12 진골은 중앙 관부와 지방 행정 조직의 장관직에 오를 수 있었다. □ O □ X

13 6두품은 자색(紫色)의 공복을 착용하였다. □ O □ X

14 6두품은 아찬까지, 5두품은 대사까지 승진의 한계가 정해져 있었다. □ O □ X

15 신라의 화백 회의는 ________로 운영되었다.

16 6두품은 관등 승진에서 ________를 적용받았다.

핵심 개념 4 | 통일 신라의 사회 모습

17 신라 하대에는 당에서 돌아온 6두품 계열의 유학생들이 제시한 개혁안이 정치에 반영되었다. □ O □ X

18 통일 신라 흥덕왕은 귀족층의 사치와 허례허식을 막기 위해 사치를 금지하는 왕명을 내렸다. □ O □ X

19 6두품은 신라 말 ____과 함께 사회 개혁을 추구하기도 하였다.

핵심 개념 5 | 발해의 사회 모습

20 발해는 당에 유학생을 보냈는데 빈공과에 급제한 사람이 여러 명 나왔다. □ O □ X

21 발해에는 당에서 들어온 ____와 ____ 놀이가 유행하였다.

22 발해의 주민은 고구려 유민과 ______으로 구성되었다.

정답과 해설

01	O 고구려 고국천왕은 봄에 곡식을 빌려주었다가 가을에 갚게 하는 진대법을 실시하였다.	12	O 신라의 진골 귀족은 중시, 령(令) 등의 중앙 관부의 장관직과 총관, 도독과 같은 지방 행정 조직의 장관직에 오를 수 있었다.
02	O 고구려에서는 형이 죽은 뒤 동생이 형수와 결혼하는 형사취수제의 혼인 풍습이 있었다. 이는 집안의 재산이 축소되는 것을 방지하고 노동력을 확보하기 위한 제도였다.	13	✖ 자색의 공복은 진골만 오를 수 있는 1~5등급의 관료만 착용할 수 있었다.
03	✖ 조혼의 풍습이 유행하였던 시기는 고려의 원 간섭기이다.	14	✖ 골품 제도에 따라 5두품은 10관등인 대나마까지 승진할 수 있었다.
04	고추가	15	만장일치제
05	서옥제	16	중위제
06	O 백제는 고구려 계통의 유이민 세력과 한강 유역의 토착 세력이 결합하여 건국되었기 때문에 언어·풍속·의복 등이 고구려와 비슷하였다.	17	✖ 신라 하대에 최치원 등 당에서 유학을 하고 돌아온 6두품 계열의 유학생들이 개혁안을 제시하였지만 정치에 반영되지는 않았다.
07	O 백제의 지배층은 관직을 독점하고 정사암 회의를 주도하여 국가 중대사를 결정하였다.	18	O 통일 신라 흥덕왕은 귀족층의 사치와 허례허식 등 풍속의 문란을 막기 위하여 사치금지령을 반포하였다.
08	8	19	호족
09	O 신라의 화랑도는 진흥왕 때 인재 양성을 위한 국가적인 제도로 정착되었다.	20	O 발해는 당의 외국인 대상 과거 시험인 빈공과에서 많은 급제자를 배출하였다.
10	✖ 대족장 출신으로 득난이라고도 불린 것은 6두품이다.	21	타구, 격구
11	O 신라의 골품제는 관등의 승진 등의 정치·사회적인 활동뿐만 아니라 가옥의 규모, 복색 등의 일상생활도 규제하였다.	22	말갈인

03 고대의 문화

1 학문의 발달

학습 포인트
삼국과 남북국의 교육 기관, 역사서를 파악한다. 특히 통일 신라 시대의 경우 주요 유학자들의 업적도 함께 정리해둔다.

빈출 핵심 포인트
태학, 국학, 독서삼품과, 주자감, 『신집』, 『서기』, 『국사』, 김대문, 설총, 최치원

1 한자의 보급과 교육

1. 한자의 보급

(1) 한자의 전래: 우리나라는 철기 시대부터 한자를 사용하였는데, 이는 창원 다호리 유적에서 출토된 붓 등을 통해 확인할 수 있다.

(2) 한자의 토착화

① **이두와 향찰의 사용**: 삼국은 처음에 한자를 그대로 사용하였으나 이후에는 이두와 향찰을 만들어 사용하였고, 그 결과 한문학이 널리 보급되었다.

② **교육 기관의 설립**: 삼국 시대에는 한문의 보급과 함께 각종 교육 기관이 설립되었다.

이두와 향찰
이두나 향찰은 한자의 음과 훈을 빌려 우리말을 적는 표기법이다.

2. 교육 기관의 설립과 한학의 발달

(1) 고구려

① 교육 기관

㉠ **태학**(太學, 수도-국립): 태학은 기록상 전하는 우리나라 최초의 교육 기관으로 소수림왕 때 중앙에 설립(372)되었고, 귀족의 자제에게 유교 경전과 역사서를 가르쳤다.

㉡ **경당**(扃堂, 지방-사립): 경당은 장수왕의 평양 천도 이후 지방에 설립된 사립 교육 기관으로, 지방 평민의 자제들에게 한학과 무술을 가르쳤다.

② **한학의 발달**: 고구려의 태학에서는 『사기』, 『한서』 등의 역사서와 문학서인 『문선』 등을 가르쳤다. 광개토 대왕비문과 충주(중원) 고구려비문, 을지문덕의 '오언시' 등을 통해 고구려인의 높은 한학 수준을 확인할 수 있다.

(2) 백제

① **교육 기관**: 백제에 교육 기관이 있었음을 보여 주는 직접적인 기록은 없으나, 5경 박사와 의박사, 역박사 등이 있었다는 기록을 통해 유교 경전과 기술학 등을 교육하였음을 알 수 있다.

5경 박사
백제에는 각종 전문가들에게 박사의 칭호를 주었는데, 그 중 『역경』·『시경』·『서경』·『예기』·『춘추』 등 다섯 경서(5경)에 능통한 사람을 5경 박사라 하였다.

② **한학의 발달**: 사택지적 비문에는 백제의 귀족인 사택지적이 불당을 세운 내역이 4·6 변려체와 구양순체로 세련되게 기록되어 있다.

(3) 신라

① **교육 기관**: 화랑도를 통해 경학과 무술 교육을 실시하였다.

② **한학의 발달**: 진흥왕 때 세운 단양 적성비와 진흥왕 순수비의 비문, 그리고 임신서기석 등을 통해 신라에서도 한학이 발달하였음을 알 수 있다. 임신서기석은 신라의 두 청년이 유교 경전에 대한 학습과 인격 도야를 맹세한 내용이 기록되어 있는 비석이다.

기출 사료 읽기

임신서기석

임신년 6월 16일에 두 사람이 함께 맹세하여 기록한다. 하늘에 맹세한다. 지금으로부터 3년 이후에 충도(忠道)를 지키고 허물이 없기를 맹세한다. 만일 이 서약을 어기면 하늘에 큰 죄를 짓는 것이라고 맹세한다. 만일 나라가 편안하지 않고 세상이 크게 어지러우면 '충도'를 행할 것을 맹세한다. 또한 따로 앞서 신미년 7월 22일에 크게 맹세하였다. 곧 『시경(詩經)』, 『상서(尙書)』, 『예기(禮記)』, 『춘추전(春秋傳)』을 차례로 3년 동안 습득하기로 맹세하였다.

사료 해설 | 임신서기석은 충성을 맹세하는 내용을 새긴 비석이며, 화랑으로 추정되는 두 젊은이들이 유학을 학습하였음을 알 수 있다. 임신서기석은 현재 국립 경주 박물관에서 소장하고 있다.

(4) 통일 신라

① **국학**

㉠ **설립 및 변천**: 국학은 신문왕 때 유학 교육 기관으로 설립되었다. 이후 경덕왕 때 국학을 태학(감)으로 명칭을 고친 후 박사와 조교를 두어 운영하였다. 태학감은 혜공왕 때 다시 국학으로 개칭되었다.

㉡ **설립 목적**: 충효 일치의 윤리를 강조하여 왕권을 강화하고자 설립하였다.

㉢ **교육 내용**: 교과를 3과로 나누고 박사와 조교를 두어 필수 과목인 『논어』와 『효경』을 비롯하여 『예기』, 『주역』 등 유교 경전을 교육하였다.

㉣ **입학 자격**: 12관등에 해당하는 대사 이하의 관등을 가진 자들과, 관등이 없더라도 장차 관등을 가질 수 있는 자 중에 15에서 30세 된 자들은 모두 입학할 수 있었다.

㉤ **의의**: 유교가 학문적으로 발전하고 지배적 정치 이념으로 정착하는 중요한 계기를 마련하였다.

교과서 사료 읽기

국학

국학은 예부에 속한다. 신문왕 2년에 설치하였는데, 경덕왕이 태학감으로 고쳤으나, 혜공왕이 다시 이전대로 하였다. …(중략)… 박사, 조교가 있고, 대사는 2인을 진덕왕 5년에 두었는데, 경덕왕이 주부로 고쳤고, 혜공왕이 다시 대사로 일컬었다. 관등은 사지에서 내마까지로 하였다. …(중략)… 무릇 학생은 관등이 대사 이하에서 관등이 없는 자에 이르기까지 15세에서 30세까지인 자를 입학시켰다. 재학 연한은 9년으로 하되, 만약 어리석고 둔하여 인재가 될 가능성이 없는 자는 그만두게 하였다. 만약 재주와 기량은 뛰어난데 아직 미숙한 자는 비록 9년이 넘더라도 국학에 남아있는 것을 허락하였다. - 『삼국사기』

사료 해설 | 국학은 신문왕 때 설치된 신라의 유학 교육 기관이었다.

사택지적 비문

"갑인년 정월 9일 내지성의 사택지적은 몸이 날로 늙어 가고 지난 세월을 돌이킬 수 없음을 한탄하고 슬퍼하여, 금을 뚫어 진귀한 당을 세우고 옥을 깎아 보배로운 탑을 세우니, 외외한 자비로운 모습은 신광(神光)을 토하여 구름을 보내는 듯하고 ……"

▶ 사택지적은 의자왕 때의 대신으로, 사택지적비에는 **지난날의 영광과 세월의 덧없음을 한탄**하는 내용이 4·6 변려체와 구양순체로 세련되게 기록되어 있다.

임신서기석

임신서기석은 '임신년에 맹세하여 기록한 돌'이라는 의미이다.

국학

『삼국사기』에 의하면 국학은 682년 신문왕 때 정식으로 설치되었다. 이후 국학은 경덕왕 때 태학감(太學監)으로 고쳐졌다가 776년(혜공왕 12)에 다시 국학으로 변경되었다.

② **독서삼품과**(독서출신과)

㉠ **실시 목적**: 독서삼품과는 원성왕 때 실시된 관리 등용 방법으로, 국학 학생들을 대상으로 유교 경전의 이해 수준을 시험하여 관리 채용에 참고하기 위해 마련되었다.

㉡ **의의**: 독서삼품과는 골품 위주의 관리 등용 방식을 지양하고, 유교 경전 숙달 수준에 따라 관리를 등용하려는 능력주의 제도로, 유학을 널리 보급하는 데 기여하였다.

㉢ **한계**: 진골 귀족들의 반발과 골품제의 한계로 인해 독서삼품과의 효과는 미약하였다.

교과서 사료 읽기

> 독서삼품과
>
> 여러 학생의 독서에는 3품의 등용법이 있는데, 『춘추좌씨전』이나 『예기』·『문선』을 읽어 그 뜻이 잘 통하고 『논어』와 『효경』에 밝은 자를 상(上)으로 하고, 『곡례』·『논어』·『효경』을 읽은 자를 중(中)으로 하고, 『곡례』·『효경』을 읽은 자를 하(下)로 하되, 만일 5경과 3사와 제자백가에 겸통한 자는 등급을 뛰어 등용한다. - 『삼국사기』
>
> **사료 해설** | 독서삼품과는 원성왕 때 학생의 유교 경전 이해 수준을 시험하여 관리로 채용하기 위해 마련된 제도였다.

(5) 발해

① **교육 기관**: 유학의 진흥을 목적으로 주자감을 설치하여 귀족 자제에게 유학 경전과 한문학을 가르쳤다.

② **한학의 발달**: 발해의 정혜·정효 공주 묘지의 비문과 양태사의 시, 함화 4년명 비상 등을 통해 발해의 한학 수준을 확인할 수 있다.

교과서 사료 읽기

> 정효 공주 묘지 비문
>
> 공주는 우리 대흥보력효감금륜성법대왕의 넷째 딸이다. …… 대흥 56년 여름 6월 9일에 임진시에 외제에서 사망하였는데, 당시 나이는 36세였다. 이에 시호를 정효 공주라고 하였다. 이 해에 겨울 11월 28일 기묘시에 염곡의 서쪽 언덕에 배장하였다. …… 황상은 조회마저 금하며 몹시 비통해 하시며, 침식을 잃고 노래와 춤 추는 것도 중지하였다. 상사와 장사에 관한 의식은 관부에 명령하여 빈틈없이 준비하였다.
>
> **사료 해설** | 정효 공주는 문왕의 넷째 딸로, 묘지 비문을 통해 발해의 한학 수준을 확인할 수 있다.

정혜 공주 묘지 비문 기출사료

공주는 우리 대흥보력효감금륜성법대왕의 둘째 딸이다. …… 아아, 공주는 보력(寶曆) 4년(777) 여름 4월 14일 을미일(乙未日)에 외제(外第)에서 사망하니, 나이는 40세였다. 이에 시호(諡號)를 정혜 공주라고 하였다.

▶ 정혜 공주는 문왕의 둘째 딸로, 묘지 비문을 통해 **문왕 대의 연호인 '보력'과 발해의 한학 수준**을 확인할 수 있다.

필수 개념 정리하기

고대의 교육 제도

고구려	· 태학(수도): 소수림왕 때 설립, 귀족 자제에게 유교 경전과 역사서를 교육함 · 경당(지방): 장수왕의 평양 천도 이후 설립된 지방 교육 기관
백제	박사 제도: 5경 박사, 의박사, 역박사 등을 통해 유교 경전과 기술학을 교육함
신라	화랑도를 통해 경학과 무술을 교육함
통일 신라	· 교육 기관: 국학을 설립하여 유학을 교육함 → 태학(감)으로 개칭(경덕왕) · 독서삼품과: 유교 경전의 이해도를 시험하여 유학 보급에 기여
발해	주자감을 설치하여 귀족 자제에게 유학 경전과 한문학을 교육함

2 역사 편찬과 유학의 보급

1. 역사서 편찬

(1) 삼국 시대

① **편찬 배경**: 학문이 발달하고 중앙 집권 체제가 정비되면서, 왕권 강화 차원에서 역사 편찬 사업이 전개되었다.

② **편찬 목적**: 국가의 정통성 확립과 왕실의 권위 과시 및 백성들의 충성심 결집을 위해 역사서를 편찬하였다.

③ **삼국의 역사서 편찬**

구분	역사서	편찬자	편찬 시기
고구려	『유기(留記)』 100권	미상	미상
	『신집(新集)』 5권	이문진	영양왕(7세기)
백제	『서기(書記)』	고흥	근초고왕(4세기)
신라	『국사(國史)』	거칠부	진흥왕(6세기)

④ **의의**: 삼국은 백제의 근초고왕, 신라의 진흥왕 때와 같이 국가 팽창기에 역사서를 편찬하였는데, 이는 국가 위신을 나라 안팎에 과시하기 위한 목적이라고 볼 수 있다. 그러나 삼국의 역사서는 모두 현존하지 않는다.

교과서 사료 읽기

삼국의 역사 편찬

- **고구려**: 태학 박사 이문진이 고사를 축약하여 『신집』 5권을 만들었다.
- **백제**: 고서에 이르기를 "백제는 개국 이래 아직 문자로 사실을 기록함이 없더니 이에 이르러 박사 고흥을 얻어 비로소 『서기』를 갖게 되었다."라고 하였다.
- **신라**: 왕이 대아찬 거칠부 등에게 명하여 선비들을 널리 모아 그들로 하여금 역사를 편찬하게 하였다.

- 『삼국사기』

사료 해설 | 삼국은 국력이 크게 번성하던 때에 역사서를 편찬하여 왕실과 국가의 권위를 과시하였다.

(2) **통일 신라**: 진골 귀족 출신인 김대문은 통일 신라의 대표적인 문장가이다. 김대문은 당 중심의 역사·문화 인식에 대항하여 신라의 전통과 문화를 주체적으로 인식하였다. 그의 대표적인 작품으로는 『화랑세기』, 『고승전』, 『한산기』, 『계림잡전』 등이 있다.

2. 유학의 보급

(1) 신라 중대

① **강수**(6두품): 「청방인문표」 등 외교 문서를 잘 지은 문장가로 유명하였으며, 불교를 세외교(世外敎, 세상 바깥의 가르침)라 비판하였다.

② **설총**(6두품)

㉠ **이두 정리**: 설총은 이두를 정리하여 한문 교육 보급에 공헌하였다.

㉡ **「화왕계」 작성**: 설총은 신문왕에게 「화왕계」라는 글을 바쳐 임금도 향락을 멀리하고, 도덕을 엄격하게 지킬 것을 강조하였다.

김대문의 대표적인 작품

작품	내용
『화랑세기』	화랑들의 전기
『고승전』	유명한 승려들의 전기
『한산기』	한산주 지방의 지리지
『계림잡전』	신라 설화집으로 추정

강수의 외교 문서

「청방인문표」는 신라와 당의 관계 악화로 당에 억류되어 있던 **무열왕의 둘째 아들인 김인문의 석방을 요구**하는 문서로, 당 고종은 이 문장에 감동을 받아 곧 김인문을 풀어 주었다.

(2) 신라 하대

① 도당 유학생 증가

㉠ **배경**: 삼국 통일 이후 당과의 관계가 안정되고 문화 교류가 활발해지면서 당으로 건너가 공부하는 유학생(숙위 학생)이 증가하였다.

㉡ **대표적 인물**: 김운경(빈공과에 최초 합격), 최치원 등이 있다.

㉢ **한계**: 대부분 6두품 출신이었던 도당 유학생들은 신라로 귀국한 후 신라 사회를 개혁하고자 하였으나, 골품제의 한계로 정치적 진출에 어려움을 겪었다.

② 최치원

㉠ **빈공과 급제**: 최치원은 당의 외국인 대상 시험인 빈공과에 급제하였으며, 당에서 반란을 일으킨 황소에게 항복을 권하는 「토황소격문」을 지어 문장가로서 이름을 떨쳤다.

㉡ **시무 10여 조 건의**: 신라로 귀국한 최치원은 신라 사회 개혁을 위해 진성 여왕에게 시무 10여 조를 건의하였으며, 이후 관직을 버리고 전국을 유랑하다가 가야산 해인사에 은거하며 저술에 몰두하였다.

㉢ **작품**

『계원필경』	현존하는 최고(最古)의 개인 문집
『제왕연대력』	신라의 역대 왕력을 연표 형식으로 정리
『중산복궤집』	당나라 관리로 있을 때 지은 시문집
『법장화상전』	당나라 승려 법장의 전기
4산 비문	쌍계사 진감선사 탑비, 성주사 낭혜화상 탑비, 숭복사비, 봉암사 지증대사 탑비의 비문
난랑비 서문	화랑인 난랑을 위해 지은 비문(3교 회통 사상 서술)

㉣ **특징**: 최치원은 유학자인 동시에 불교와 도교에도 조예가 깊은 사상가였다. 최치원은 후세에 3교(유·불·선)를 회통한 사상가로 추앙받았다.

③ 최승우

㉠ **빈공과 급제**: 당으로 건너가 공부하고 빈공과에 급제한 뒤 관직 생활을 하다가 신라로 귀국하였다.

㉡ **「대견훤기고려왕서」 작성**: 후백제 견훤의 책사로 활약하였으며, 견훤을 대신하여 고려 왕건에게 서로 화친할 것을 청하는 서신인 「대견훤기고려왕서」를 보냈다.

④ 최언위

㉠ **빈공과 급제**: 당의 빈공과에 발해의 오광찬보다 높은 성적으로 합격하였다.

㉡ **고려에서 활약**: 신라 경순왕과 함께 고려에 투항한 이후 왕건의 책사로 활약하였으며, 고려 왕조에서도 벼슬에 올랐다.

㉢ **낭원대사 오진탑비명 작성**: 고려 태조 왕건 때 건립된 낭원대사 오진탑비의 비문을 작성하였다.

(3) 발해

① **학문의 발달**: 당과의 교역을 통해 발해는 많은 서적을 수입하였고, 당에 많은 유학생을 파견함으로써 일찍부터 학문을 발달시켰다.

② **당의 빈공과 급제**: 유학생 중 빈공과에 급제하는 사람이 나왔다.

빈공과

중국 당나라 때 외국인들을 대상으로 치러졌던 과거 시험이다. 신라에는 골품제로 인한 신분적 제약이 많았으므로 특히 **6두품 출신**의 신라인들이 당에 건너가 빈공과에 응시하여 급제하는 경우가 많았다.

「토황소격문」

최치원이 중국 당나라에 유학하던 시기에, 산둥 지역에서 반란을 일으킨 황소에게 항복할 것을 권하기 위해 **지은 격문**이다. 중국에서 황소의 난(881)이 일어나자, 최치원은 토벌총사령관인 고변의 휘하에 종군하였는데, 황소가 이 격문을 보다가 저도 모르게 침상에서 내려앉았다는 일화가 전할 만큼 뛰어난 명문이었다 한다.

4산 비문

최치원이 지은 4개의 비문은 4·6 변려체 문장으로 지어졌으며 **불교와 유교, 노장 사상, 지리 도참 사상까지 포함**하고 있어 신라 하대 사상계의 경향을 보여 준다.

낭원대사 오진탑비

비문은 당대의 문장가인 **최언위**가 지었으며, 비문에는 **낭원 대사의 출생에서부터 경애왕이 대사의 덕을 기려 국사로 예우한 사실 및 입적하기까지 그의 행적**이 실려 있다.

OX 빈칸 핵심 개념 점검

* 학습한 개념을 OX/빈칸 문제를 통해 점검해보세요.

핵심 개념 1 | 교육 기관 설립과 학문의 발달

01 고구려의 경당은 지방에 설치되어 한학과 함께 무술을 가르쳤다. □ O □ X

02 백제에는 박사 제도가 있었으며, 일본에 유교 경전을 전해주었다. □ O □ X

03 임신서기석을 통해 신라에서도 한학이 발달하였음을 알 수 있다. □ O □ X

04 통일 신라 경덕왕은 국학을 태학(감)으로 고치고 학문을 장려하였다. □ O □ X

05 고구려 ______은 국립 대학인 ______을 설립하였다.

06 통일 신라 신문왕은 ______을 설치하여 유학을 교육하였다.

07 발해는 유학 교육을 목적으로 ______을 설치하고 ______ 자제들에게 유학을 가르쳤다.

핵심 개념 2 | 역사서 편찬

08 고구려 영양왕 때 이문진이 『유기』를 간추려 『신집』 5권을 편찬했다. □ O □ X

09 김대문은 『화랑세기』, 『고승전』, 『제왕연대력』을 편찬하였다. □ O □ X

10 백제에서는 박사 고흥으로 하여금 백제의 역사서인 『______』를 편찬하게 하였다.

11 신라에서는 진흥왕 때 거칠부가 『______』를 편찬하였다.

핵심 개념 3 | 유학의 보급

12 설총은 신문왕에게 「화왕계」를 통하여 조언하였다. □ O □ X

13 강수는 외교 문서를 잘 지은 문장가로 유명하며 불교를 세외교라고 비판하였다. □ O □ X

14 최승우는 신라뿐만 아니라 고려 왕조에서도 벼슬하였다. □ O □ X

15 6두품 출신의 최치원, 최승우, 최언위는 당나라에 유학하여 빈공과(賓貢科)에 급제하였다. □ O □ X

16 최치원은 빈공과에 합격한 뒤에 황소를 격퇴하는 글을 써서 당에서 명문장가로 유명해졌다. □ O □ X

17 최치원은 『계원필경』, 『제왕연대력』 등을 저술하였다. □ O □ X

18 통일 신라의 유학자 최치원은 ＿＿＿＿＿에서 유교와 불교, 도교 3교 회통의 사상을 보여주었다.

19 ＿＿＿＿ 때 최치원이 시무책 10여 조를 건의하였다.

20 6두품 출신의 ＿＿은 이두를 정리하여 한문 교육에 공헌하였다.

정답과 해설

01	**O** 경당은 고구려 장수왕의 평양 천도 이후 지방에 설립된 사립 교육 기관으로, 한학과 무술을 가르쳤다.	**11**	국사
02	**O** 백제에는 5경 박사 등의 박사 제도가 있었으며, 백제의 왕인이 『논어』 등의 유교 경전을 일본에 전해주었다.	**12**	**O** 설총은 신문왕에게 유교 도덕 정치를 강조하는 내용을 담은 「화왕계」를 지어 올렸다.
03	**O** 임신서기석은 신라의 두 청년이 유교 경전에 대한 학습과 인격 도야를 맹세한 내용이 기록되어 있는 비석으로, 당시 신라에서 한학이 발달하였음을 알 수 있다.	**13**	**O** 강수는 「답설인귀서」, 「청방인문표」 등과 같은 외교 문서를 잘 지은 문장가로 유명하며, 불교를 세외교(속세 바깥의 가르침)라고 비판하였다.
04	**O** 통일 신라의 경덕왕은 신문왕 때 설치된 유학 교육 기관인 국학의 명칭을 태학(감)으로 고치고 학문을 장려하였다.	**14**	**×** 최승우는 후백제의 견훤을 도왔으며, 고려 왕조에서 벼슬을 하지 않았다. 한편, 신라뿐만 아니라 고려 왕조에서도 벼슬을 한 대표적인 인물은 최언위이다.
05	소수림왕, 태학	**15**	**O** 6두품 출신의 최치원, 최승우, 최언위는 당나라에 유학하여 빈공과에 급제하였다.
06	국학	**16**	**O** 신라 6두품 출신인 최치원은 당나라의 빈공과에 합격한 뒤에 황소를 격퇴하는 글인 「토황소격문」을 써서 당에서 명문장가로 유명해졌다.
07	주자감, 귀족	**17**	**O** 최치원은 신라 하대의 도당 유학생을 대표하는 지식인으로, 『계원필경』, 『제왕연대력』 등을 저술하였다.
08	**O** 영양왕 때 이문진이 고구려 초기의 역사서인 『유기』 100권을 간추려 『신집』 5권을 편찬하였다.	**18**	난랑비 서문
09	**×** 김대문이 『화랑세기』, 『고승전』 등을 저술한 것은 맞지만, 『제왕연대력』은 신라 하대에 최치원이 편찬한 역사서이다.	**19**	진성 여왕
10	서기	**20**	설총

2 사상과 과학 기술의 발달

학습 포인트
삼국의 불교 수용 과정과 각국의 주요 승려에 대해 파악하며 교종과 선종을 서로 비교하며 학습한다. 불교 이외에 풍수지리설, 도교에 대해서도 정리한다.

빈출 핵심 포인트
이차돈, 원효, 의상, 선종, 풍수지리설, 도교

1 불교의 수용

1. 불교의 전래

(1) 전래 시기: 삼국이 율령 제정과 지방 제도 정비, 중앙 조직 개편을 통해 왕권을 강화하던 4~5세기에 불교가 전래되었다.

(2) 수용 배경

① **사상적 통일**: 삼국은 고대 국가로 발전하는 과정에서 왕을 중심으로 한 국가적 통합을 이루기 위해 부족적 전통이 남아 있는 토착 신앙보다 고등 종교인 불교를 통해 사상적 통일을 이루고자 하였다.

② **지배 질서 강화**: 기존 지배층의 질서를 정당화하기 위하여 삼국은 왕즉불 사상과 윤회설 등을 적극적으로 수용하였다.

왕즉불 사상과 윤회설

왕즉불(王卽佛) 사상은 '**왕이 곧 부처**'라는 사상이며, 윤회설(輪廻說)은 중생이 **죽은 뒤 업(業)에 따라 다시 태어난다는 불교 교리**이다.

(3) 삼국의 불교 수용·공인

① **고구려**: 소수림왕 때 중국 전진에서 온 승려 순도로부터 불교를 수용하였다(372).

② **백제**: 침류왕 때 중국 동진에서 온 인도 승려 마라난타로부터 불교를 수용하였다(384).

③ **신라**

㉠ **수용**: 눌지 마립간 때 고구려의 승려 묵호자를 통해 불교를 수용(457)하였으나, 국교로 인정받지 못하고 민간 신앙 차원에서 전파되었다.

㉡ **공인**: 법흥왕 때 이차돈의 순교를 통해 국가적으로 불교가 공인되었다(527).

기출 사료 읽기

삼국의 불교 수용·공인

- **고구려**: 소수림왕 2년(372) 여름 6월에 진왕(秦王) 부견이 사신과 승려 순도를 보내 불상과 경전을 전하였다. …… 5년(375) 봄 2월에 처음으로 초문사를 창건하고 순도를 두었으며, 또한 이불란사를 창건하고 아도를 두니, 이것이 해동 불법의 시작이었다. -『삼국사기』
- **백제**: 침류왕 1년(384) 9월에 호승(胡僧) 마라난타가 진(晉)나라에서 오자, 왕이 궁중으로 맞아들여 우대하고 공경하였다. 불교가 이때부터 시작되었다. -『삼국사기』
- **신라**: 이차돈이 죽으면서 말하기를 "내가 불법(佛法)을 위해 죽으니 내가 죽을 때 반드시 이상한 일이 있을 것이다."라고 하였다. 과연 그의 목을 베자 핏빛이 젖과 같이 희었다. 사람들이 이를 보고 괴이하게 여겨 다시는 불교를 반대하지 않았다. -『삼국유사』

사료 해설 | 삼국은 사상적 통일과 지배 질서 강화 등을 위해 불교를 수용하고 공인하였다.

2. 삼국 불교의 특징

(1) **왕실 불교**: 왕실이 주체가 되어 불교 수용을 추진하였다.

(2) **귀족 불교**: 귀족 세력과의 타협을 통해 불교가 공인되었기 때문에 귀족들에게 유리한 성격을 지닌 귀족 불교로 발전하였다.

(3) **호국 불교**: 삼국의 불교는 호국 불교로, 고대 국가의 정신적 통일에 공헌하였고, 국가와 왕실의 안녕과 평안을 기원하였다. 백제의 왕흥사·미륵사 창건, 신라의 백좌강회(국토의 수호와 왕실의 안위 기원하는 집회, 『인왕경』 강의) 및 팔관회 개최, 황룡사 9층 목탑 건립, 원광의 걸사표 작성 등을 통해 당시 호국 불교의 성격을 엿볼 수 있다.

호국 불교 기출사료

신인이 말하기를 "황룡사의 호법용(護法龍)은 나의 맏아들입니다. 범왕(梵王)의 명을 받고 가서 그 절을 보호하고 있습니다. 고국에 돌아가거든 절 안에 9층탑을 세우십시오. 그러면 이웃나라가 항복할 것이고 구한(九韓)이 와서 조공할 것이며 왕업의 길이 편안할 것입니다." …… 정관 17년 계묘 16일에 자장 율사는 당나라 황제가 준 불경과 불상, 승복과 폐백 등을 가지고 와 탑을 세울 일을 왕에게 아뢰었다. -『삼국유사』

▶ 신라는 선덕 여왕 때 자장의 건의에 따라 나라가 태평하기를 바라는 염원을 담아 황룡사 9층 목탑을 세웠다.

3. 불교의 역할

(1) **고대 문화 발전에 기여**: 불교의 전래와 함께 사상, 음악, 미술, 건축, 공예, 의학 등 선진 문화도 폭넓게 수용되었으며, 새로운 문화를 창조하는 데도 중요한 역할을 하였다.

(2) **중앙 집권화와 왕권 강화**: 불교는 중앙 집권 체제의 확립과 백성의 사상 통합 및 새로운 국가 정신의 확립에 기여하여 왕권을 이념적으로 뒷받침하였다.

2 불교 사상의 발달

1. 통일 신라의 불교

(1) **불교의 이해 기반 마련**: 7세기 후반에 삼국을 통일한 신라는 고구려·백제의 불교 문화를 종합하여 불교 사상을 정립하였다. 또한 통일 신라 시기에 중국과의 문화적 교류가 더욱 확대되면서 불교 사상에 대한 깊은 이해가 이루어졌다.

(2) **불교의 대중화**: 원효와 의상의 노력으로 대중 불교가 발전하여 기반이 더욱 확대되었다.

2. 통일 신라의 명승

(1) **원효**(617~686)

① **불교 이해의 기준 마련**: 6두품 출신이었던 원효는 불교 서적을 폭넓게 공부하고, 많은 경전을 해석하여 약 80여 종의 저술을 남겼으나 일부만 전해진다. 원효의 저술로는 중국의 『대승기신론』 관련 저술과 화엄 사상, 유식 사상, 정토 사상과 관련된 저술이 있다.

『대승기신론소』	대승 불교의 사상과 체계를 이해하기 쉽게 풀이
『금강삼매경론』	불교의 다양한 경전과 교리를 종합하여 체계적으로 정리
『십문화쟁론』	불교의 여러 주장들을 분류하여 정리
『화엄경소』	교파 간의 대립과 논쟁을 조화시키기 위한 화엄경의 주석서
『열반경종요』	경전의 핵심을 집약해 쓴 종요 형식의 저술
기타	『아미타경소』, 『해심밀경소』 등

② **일심 사상**: 모든 것이 한마음에서 나온다는 일심(一心) 사상을 바탕으로 여러 종파의 분파 의식을 극복하고자 하였다.

③ **화쟁 사상**: 원효가 추구한 화쟁은 불교 경전에 대한 폭넓은 이해를 바탕으로 특정한 이론과 논리에 대한 집착을 버리게 하는 것이었다. 또한 상반되는 이론에 대한 동의와 이의 제기도 없이, 긍정과 부정을 자유롭게 사용하여 깨달음의 경지로 이끌어 쟁론을 화해시키는 것이었다.

④ **무애 사상 강조**: 원효는 무애(無碍, 막히거나 가로막는 게 없음)를 강조하며, 『화엄경』의 내용을 쉽게 노래로 만든 무애가를 지어 부르면서 백성을 교화하였다.

⑤ **아미타 신앙**(정토 신앙) **강조**: 원효는 민중들에게 어려운 경전이나 교리보다는 신앙을 통해 불교를 접하도록 하기 위해 아미타 신앙을 보급하였다. 이는 불교 대중화 운동의 하나로 '나미아미타불'만 염불하면 극락왕생에 갈 수 있다는 내용이다. 염불 사상, 정토 신앙(정토종)이라고도 한다.

화쟁 사상

원효의 화쟁(和諍) 사상은 **모든 불교 종파의 이론들을 동등한 가치를 지닌 것**으로 보고 이를 일심(一心)의 견지에서 통합하고자 한 사상으로, 원효는 이를 통해 당시 불교계의 주요 화두였던 **중관파와 유식파의 대립 문제를 해결**하려 하였다. 이러한 원효의 불교 통합 사상은 고려 시대의 의천, 지눌 등에게 큰 영향을 주었다.

아미타 신앙

아미타불이 있는 극락정토에 가기 위해서 열심히 염불해야 한다는 **내세적 성격**의 신앙이다.

교과서 사료 읽기

원효

원효가 이미 계를 범한 이후 속인의 복장으로 갈아입고, 스스로 소성 거사라 불렀다. …… 화엄경의 "모든 것에 거침없는 사람은 한 가지 길로 나고 죽는다."는 대목을 가지고 무애라 이름짓고, 노래를 지어 세상에 유행시켰다. 일찍이 이것을 지니고 모든 마을, 모든 부락을 돌며 노래하고 춤추면서 다녔는데 … … 모두 부처님의 이름을 알고 나무아미타불을 외우게 되었으니, 원효의 교화가 크다.

- 『삼국유사』

사료 해설 | 원효는 무애가와 아미타 신앙을 통해 불교를 민간에 보급하여 불교 대중화에 기여하였다.

(2) 의상(625~702)

① **화엄 사상 정립**: 진골 출신인 의상은 당에 유학을 가 중국 화엄종 승려인 지엄에게서 수학하였다. 이후 의상은 화엄 사상의 요지를 축약한 『화엄일승법계도』를 저술하여 모든 존재가 상호 의존적인 관계에 있으면서 서로 조화를 이루고 있다는 화엄 사상을 정립하였다.

② **원융(圓融) 사상**: 일즉다 다즉일(一卽多 多卽一)의 원융 사상은 삼라만상이 원칙적인 하나로 돌아간다는 사상으로, 전제 왕권을 중심으로 하는 중앙 집권적 통치 체제를 뒷받침하였다.

③ **화엄종 개창**: 의상은 화엄 사상을 바탕으로 영주 부석사 등의 여러 사찰을 건립하고, 이곳을 기반으로 제자들을 양성하며 해동 화엄종을 개창하였다.

④ **관음 신앙 전파**: 의상은 질병이나 재해 등 인간의 현실적인 고뇌를 해결해 주는 관(세)음보살을 신봉하는 관음 신앙을 전파하였으며, 이를 토대로 양양 낙산사(관음굴)를 창건하였다.

관음 신앙

고통받는 중생들을 자비로 보살핀다는 관세음보살을 신봉하는 **현세적 성격**의 신앙이다.

기출 사료 읽기

문무왕과 의상

문무왕이 경주에 성곽을 쌓아 모습을 새롭게 하려 하였다. 의상이 "비록 초야 모옥에 있더라도 바른 길만 행하면 복된 일이 오랠 것이나, 만일 그렇지 못하면 훌륭한 성을 쌓을지라도 아무 이익이 없을 것입니다." 하자, 왕이 성 쌓는 일을 그만두었다.

- 『삼국사기』

사료 해설 | 문무왕이 말년에 도성 주위를 둘러싼 성벽을 지으려 하자 의상이 간언하여 그만 두었다.

(3) 원측(613~696)

① **유식 불교**: 원측은 당에서 유학하여 유식학을 배웠고, 당의 수도에 있는 서명사에서 서명학파의 시조가 되어 자신의 학설을 강의하였다. 이때, 현장의 사상을 계승한 규기의 자은학파와 논쟁하면서 교리 이해의 우월성을 보여주었다.

② **저서**: 『해심밀경소』, 『인왕경소』를 저술하였다.

(4) 혜초(704~787): 혜초는 인도와 중앙아시아를 순례한 뒤 여러 지역의 풍물을 기록한 『왕오천축국전』을 저술하였다.

(5) 김교각(696~794): 신라 성덕왕의 아들로 알려져 있으며, 당나라로 가서 지장보살의 화신으로 추앙 받았다.

(6) 진표: 경덕왕 때 활동한 승려로, 참회를 중심으로 하는 점찰 법회를 정착시켜 불교의 대중화에 기여하였고, 법상종을 개창하였다. 진표는 미륵 신앙의 확산에 기여하였다.

3. 발해의 불교

(1) 왕실·귀족 중심의 불교: 고구려 불교를 계승한 발해의 불교는 왕실과 귀족 중심으로 성행하였다. 특히 문왕은 '불교적 성왕'(금륜, 성법, 전륜성왕)이라 자칭하였다.

(2) 불교의 융성: 수도였던 상경, 중경, 동경 일대에서 10여 개의 절터와 불상이 발굴될 정도로 발해에서 불교가 융성하였음을 알 수 있다.

3 교종과 선종

1. 교종

(1) 특징: 경전에 의거하여 불교의 진리를 터득하는 경향의 불교 교파로서 학문적 불교의 특징을 보인다. 주로 귀족 계급이 주도하였으며, 대체로 보수적 경향을 띠었다.

(2) 교종의 변천 양상: 교종은 신라 중대에 왕실과 귀족의 후원을 받아 발달하였다. 교종 5교로는 보덕의 열반종, 자장의 계율종, 원효의 법성종, 의상의 화엄종, 진표의 법상종이 있다.

종파	창시자	중심 사찰	특징
열반종	보덕	전주 경복사	일체 중생이 모두 불성을 가지고 있다고 주장
계율종	자장	양산 통도사	계율을 연구하고 널리 펴는 것을 근본으로 삼음
법성종	원효	경주 분황사	일체 만유는 모두 같은 법성을 지녔으며 모든 중생은 성불할 수 있다고 주장
화엄종	의상	영주 부석사	· 화엄경을 근본 경전으로 하여 세운 종파 · 신라 중대 전제 왕권을 뒷받침해주는 이념적 도구로 작용
법상종	진표	김제 금산사	우주 만물의 본체보다 현상을 세밀하게 분석하는 입장을 보여 일체 만유는 식(識)이 변해서 이루어진 것으로 파악

유식 불교

유식 불교는 '세상의 모든 사물은 오직(唯) 인간의 인식(識)에 지나지 않는다.'는 내용을 핵심으로 하는 불교 사상이다.

자은학파

유식 불교의 또다른 학파인 자은학파는 서명학파에 대비되는 것으로, 현장의 사상을 계승한 규기와 그의 제자들이 형성한 학파이다.

『왕오천축국전』

한 달 뒤에 쿠시나가라에 도착했다. 부처님이 열반에 드신 곳이다. 성은 황폐하여 사람이라고는 살지 않는다. 부처님이 열반에 드신 곳에 탑을 세웠는데, 스님 한 분이 그곳을 깨끗이 청소하고 있다. 매년 8월 8일이 되면 스님과 여승, 도인과 속인이 모두 그리로 모여 대대적으로 불공을 드린다. - 혜초, 『왕오천축국전』

▶ 혜초는 **인도, 아프가니스탄, 중앙아시아 일대까지 답사**하고 신라에 돌아온 뒤 **『왕오천축국전』을 저술**하였다. 『왕오천축국전』은 중국 둔황 석굴에서 발견되어 현재 파리 국립 도서관에 보관되어 있다.

통도사

양산의 통도사는 신라 선덕 여왕 때 승려 자장이 창건한 사찰이다. 통도사에는 석가모니의 사리를 봉안한 금강 계단이 있다. 이러한 이유로 통도사는 합천의 해인사(재조대장경을 보관), 순천 송광사(지눌, 혜심 등 큰 스님을 많이 배출)와 함께 우리나라의 **삼보 사찰**(불교의 세 가지 보물을 간직한 사찰)로 불린다.

2. 선종

전래	삼국 통일 전후에 법랑(선덕 여왕 때 승려), 신행(혜공왕 때 승려) 등을 통해 전래
성격	· 실천적 성격: 구체적인 실천 수행 강조(불립문자) · 좌선·참선 중시: 마음 속에 내재된 깨달음을 얻는 것을 강조
발전	· 신라 하대 귀족 사회의 분열과 지방 세력의 성장으로 지방에 널리 확산 · 호족의 호응과 후원으로 선종 9산(9산 선문) 성립
영향	· 지방 문화의 활성화에 기여하며 고려 왕조 개창의 사상적 기반 마련 · 불교의 형식적 의식과 권위를 부정했기 때문에 조형 미술이 침체되고 승탑, 탑비 유행

4 도교와 풍수지리설

1. 도교

(1) 도교의 유입

① **전래**: 기록에 따르면 고구려 영류왕 때인 624년에 당 고조가 고구려에 도사를 파견하여 천존상을 보내고 『도덕경』을 강론하게 하였으며, 보장왕 때인 643년에 당 태종이 『도덕경』을 보내어 고구려에 도교가 정식으로 도입되었다고 전해진다. 그러나 그 이전부터 도교(오두미교)가 전래되었음을 보여 주는 문헌 및 유물들이 존재한다.

② **특징**: 주로 고구려와 백제의 귀족 사회에서 환영을 받았던 도교는 민간 신앙과 산천 숭배, 신선 사상과 결합되었으며, 불로장생과 현세의 이익을 추구하였다.

(2) 고구려

① **을지문덕의 오언시(여수장우중문시)**: 수의 2차 침입(612) 당시 을지문덕이 수의 장수 우중문에게 보낸 시에 도교 경전인 『도덕경』의 내용이 인용되어 있다.

② **연개소문의 도교 장려**: 연개소문은 불교와 결탁한 귀족 세력을 견제하기 위해 도교를 장려하였다. 이에 반발한 고구려의 승려 보덕은 백제로 건너가 열반종을 개창하였다.

③ **강서 고분(강서 대묘)의 사신도**: 사신도(四神圖)는 도교의 방위신(청룡-동, 백호-서, 주작-남, 현무-북)을 그린 것으로, 죽은 자의 사후 세계를 지켜 주리라는 믿음을 표현하였다.

(3) 백제

① **산수무늬 벽돌(산수문전)**: 산수무늬 벽돌은 자연과 더불어 살고자 하는 백제 사람들의 생각을 표현한 벽돌이다.

② **백제 금동 대향로**: 백제 금동 대향로는 용과 봉황, 연꽃, 그리고 신선이 산다고 하는 삼신산의 74개 봉우리를 통해 불교 및 도교의 이상 세계를 형상화하였다.

③ **사택지적 비문**: 사택지적 비문은 불교에 귀의한 사택지적이 불당을 세운 내력과 노장 사상 등을 표현한 것으로, 도가에 대한 이해가 깊었음을 보여 준다.

④ **무령왕릉 지석**: 무령왕과 왕비의 사후에 토지신에게 묘소로 쓸 땅을 매입(매지권)했다는 내용을 새긴 것으로, 이를 통해 백제에 도교가 유행하였음을 알 수 있다.

9산 선문

연개소문의 도교 장려 기출사료

(보장왕 2년(643)) 3월에 연개소문이 왕에게 아뢰어 말하기를, "지금 유교와 불교는 모두 흥하는데 도교는 아직 성하지 않으니, 이른바 천하의 도술(道術)을 갖추었다고 할 수 없습니다. 엎드려 청하오니 당나라에 사신을 보내 도교를 구하여 와서 나라 사람들을 가르치게 하소서."라고 하였다. 태종이 도사(道士) 숙달(叔達) 등 8명을 보내고, 이와 함께 노자(老子)의 『도덕경(道德經)』을 보내주었다. 왕이 기뻐하여 불교 사찰을 빼앗아 이들을 머물도록 하였다.

- 『삼국사기』

▶ 연개소문은 귀족 세력을 견제하기 위해 귀족과 연결된 불교 대신 도교를 장려하였다.

현무도(북쪽 방위신, 평남 강서 대묘)

산수무늬 벽돌

(4) 신라

① **통일 전**: 화랑도를 국선도, 풍류도, 풍월도, 원화도라고 지칭하였으며 화랑을 '국선', '선랑'이라고 하였다. 또한 명산대천을 찾아 제사를 지냈다는 내용을 통해 무위자연과 신선 사상 등이 담긴 도교가 전래되었음을 알 수 있다.

② **통일 후**: 신라 중대에는 귀족 문화의 발달로 지배층의 생활이 사치스러웠으며, 신라 말기에는 점차 향락적이고 퇴폐적인 풍조가 만연하여 이에 반발하는 은둔적인 사상의 경향이 나타나 도교와 노장 사상이 널리 퍼졌다. 최치원의 4산 비명과 난랑비 서문, 12지 신상에 나타나 있다.

(5) 발해: 당의 영향을 받은 정효 공주 묘지에 불로장생 사상이 나타나 있어 도교가 성행하였음을 알 수 있다.

2. 풍수지리설

전래	신라 말 승려 도선 등 선종 승려들에 의해 중국(당)에서 유입
내용	지형과 지세가 인간의 길흉화복에 도움을 준다는 것으로, 도읍·주택·묘지 선정에 이용
영향	경주 이외의 다른 지방의 중요성 자각, 신라 말 지방 호족들의 지지 → 고려 건국의 사상적 배경으로 작용

난랑비 서문 기출사료

우리나라에는 현묘한 도가 있으니 풍류(風流)라 이른다. …… 그 내용은 3교를 포함해 인간을 교화하는 것이다. 부모에게 효도하고 나라에 충성하는 것은 공자의 가르침이며, 인위적으로 일을 만들지 않고 자연의 말없는 가르침을 실천하는 것은 노자의 근본 사상이고, 악행을 하지 않고 선행을 실천하는 것은 석가모니의 교화와 같다.

▶ 난랑비 서문은 최치원이 신라 화랑인 난랑을 위해 지은 비문이다. 최치원은 이 비문에서 유교와 불교, 도교의 3교 회통적 성격을 지닌 풍류도에 대해 서술하였다.

5 천문학과 수학

1. 천문학

(1) 특징: 삼국에서는 일찍부터 천체 관측을 중심으로 천문학이 발달하였다.

(2) 목적: 천체·천문 현상과 농경의 밀접한 관계를 인식하여 천문학을 농경에 활용하였고, 왕의 권위를 하늘과 연결시켰다.

(3) 고구려: 별자리를 그린 석각 천문도가 평양성에서 만들어졌고 고분 벽화에도 별자리 그림(덕흥리 고분의 북두칠성)이 남아 있다.

(4) 신라: 7세기 선덕 여왕 때 첨성대를 건립하여 천체를 관측하였다. 첨성대는 동양에서 현존하는 가장 오래된 천문 관측 시설이다.

(5) 관측과 기록: 일식과 월식, 혜성의 출현, 기상 이변 등 기록이 『삼국사기』에 존재한다.

2. 수학

(1) 삼국 시대: 고구려 고분의 석실과 천장 구조, 백제 정림사지 5층 석탑, 신라 황룡사 9층 목탑 등을 통해 높은 수준의 수학이 발달하였음을 알 수 있다.

(2) 통일 신라: 석굴암의 석굴 구조나 불국사 3층 석탑(석가탑)과 다보탑 등에 정밀한 수학적 지식이 이용되었다.

고구려의 석각 천문도

고구려의 석각 천문도는 고구려 멸망(668) 시기에 유실된 것으로 추정되나, 700여 년 후 조선 태조 때 권근 등이 고구려 천문도의 탁본을 바탕으로 천상열차분야지도를 만들었다.

첨성대

6 목판 인쇄술과 제지술의 발달

1. 발달 배경

통일 신라 시대에는 불교문화의 발달에 따라 불경의 대량 인쇄를 위한 목판 인쇄술과 제지술이 발달하였는데, 이는 통일 신라의 기록 문화 발전에 크게 기여하였다.

2. 목판 인쇄술과 제지술

『무구정광대다라니경』	· 8세기 초에 제작된 두루마리 불경으로, 현존하는 세계 최고(最古)의 목판 인쇄물, 불국사 3층 석탑(석가탑)에서 발견됨(1966) · 닥나무로 만든 신라산 종이가 사용되었으며, 지금까지 보존될 만큼 품질이 뛰어남
『백지묵서다라니경』	구례 화엄사 서 5층 석탑에서 발견된 두루마리 불경으로, 닥나무 종이의 얇고 질기며 아름다운 백색을 그대로 유지하고 있음 → 신라의 종이 제조 기술이 뛰어났음을 알 수 있음

『무구정광대다라니경』

『무구정광대다라니경(無垢淨光大陀羅尼經)』은 죄나 허물을 소멸시켜, 맑고 깨끗하게 해 주는 진언(眞言)을 설(說)한 경전이란 뜻이다.

7 금속 기술의 발달

1. 고구려

고구려에서는 철 생산이 중요한 국가적 산업이었으며, 철광석 생산이 풍부하여 일찍부터 제철 기술이 발달하였다. 고구려 지역에서 출토된 철제 무기와 도구는 품질이 우수하며, 고분 벽화에는 철기를 제련하는 기술자의 모습이 사실적으로 묘사되어 있다.

2. 백제

(1) **칠지도**: 칠지도는 4세기 후반 백제가 일본 왕에게 보낸 하사품으로 강철 위에 금 상감 글씨가 새겨져 있는데, 이는 백제 제철 기술의 우수함을 입증한다.

(2) **백제 금동 대향로**: 금동 대향로는 부여 능산리 절터에서 발견된 것으로, 불교 및 도교의 이상 세계를 정교하게 묘사하여 백제의 뛰어난 금속 공예 기술을 보여 주는 유물이다.

백제 금동 대향로

3. 신라

신라의 금관총, 황남대총 등 돌무지덧널무덤에서 발견된 금관과 금 장신구들은 모두 정교하게 제작되었으며, 이를 통해 신라의 금 세공 기술이 발달하였음을 알 수 있다.

4. 통일 신라

통일 신라 시대에는 불교 관련 금속 제품이 많이 생산되었는데, 대표적으로 성덕 대왕 신종이 있다. 성덕 대왕 신종의 표면에 섬세하게 조각된 비천상과 단아하고 맑은 종소리를 통해 통일 신라의 뛰어난 금속 주조 기술을 확인할 수 있다.

성덕 대왕 신종

성덕 대왕 신종(봉덕사종, 에밀레종)은 국보 제29호로, **성덕왕을 기리기 위해 아들 경덕왕이 만들기 시작**하여 그 아들인 **혜공왕 때 완성**되었다. 소리의 울림을 도와주는 음통이 종의 맨 위에 위치하고 있는데, 이는 우리나라 동종만의 독특한 구조이다. 한편 몸통에 남아 있는 명문은 문장이 우수하고 새긴 수법도 뛰어나 현재까지 훼손되지 않고 전해지고 있다. 그 밖에 용머리 모양의 용뉴, 연꽃 모양의 유두, 비천상 등이 조각되어 있다.

OX 빈칸 핵심 개념 점검

* 학습한 개념을 OX/빈칸 문제를 통해 점검해보세요.

핵심 개념 1 | 불교의 수용

01 삼국 불교의 윤회설은 신분 질서를 정당화하는 관념을 제공하였다. □ O □ X

02 고구려는 소수림왕 때 불교를 수용하였다. □ O □ X

03 백제의 침류왕이 불교를 받아들였다. □ O □ X

04 자장은 대국통(大國統)에 임명되어 모든 승려의 규범과 계율을 주관하였다. □ O □ X

05 신라는 ______ 때 고구려의 승려 묵호자를 통해 불교를 수용하였으나 국가적으로 공인한 것은 ______ 때이다.

06 신라에서는 ______의 순교를 통해 국가적으로 불교가 공인되었다.

07 삼국 시대의 불교는 ______의 성격을 가지고 있어 국가와 왕실의 안녕과 평안을 기원하였다.

핵심 개념 2 | 불교 사상의 발달

08 원효는 여러 종파의 대립을 조화시키고 이를 융합하려는 화쟁 사상을 주장하였다. □ O □ X

09 원효는 모든 것이 한마음에서 나온다는 일심 사상의 이론적 체계를 마련하였다. □ O □ X

10 의상은 관음 신앙과 함께 아미타 신앙을 화엄 교단의 주요 신앙으로 삼았다. □ O □ X

11 의상은 당에 유학하여 유식론을 독자적으로 발전시켰다. □ O □ X

12 ______는 『십문화쟁론』을 지어 종파 간에 대립을 해소하고자 하였다.

13 혜초는 인도를 여행하여 『______』을 썼다.

핵심 개념 3 | 선종과 풍수지리설

14 선종은 지방에서 새로이 대두한 호족들의 사상으로 받아들여졌다. □ O □ X

15 풍수지리 사상은 신라 말기에 호족이 자기 지역의 중요성을 자부하는 근거로 이용되었다. □ O □ X

16 ______의 가지산파 개창 이후 9산 선문이 성립되었다.

17 신라 하대에는 선종의 영향을 받아 ______과 ______가 유행하였다.

18 풍수지리 사상은 신라 말 ______과 같은 선종 승려들에 의해 중국에서 유입되었다.

핵심 개념 4 | 도교의 전래

19 고구려의 사신도, 백제의 금동 대향로와 사택지적 비문 등에는 도교 사상이 반영되어 있다. □ O □ X

20 연개소문은 당에서 숙달 등 8명의 도사를 맞아들이고 도교를 육성하였다. □ O □ X

21 부여 능산리에서 발견된 ____________에는 신선이 산다는 봉래산이 조각되어 있어 백제인의 신선 사상을 엿볼 수 있다.

핵심 개념 5 | 고대의 과학 기술

22 불국사 다보탑에서 발견된 『무구정광대다라니경』은 현존하는 목판 인쇄물로 세계에서 가장 오래된 것이다. □ O □ X

23 백제에서 제작해 왜에 보낸 칠지도는 강철로 만들고 금으로 글씨를 상감해 새겨 넣었다. □ O □ X

24 신라 선덕 여왕 때 동양에서 현존하는 가장 오래된 천문 관측 시설인 ________가 건립되었다.

정답과 해설

01	O 삼국 시대에는 불교의 윤회설과 왕즉불 사상 등을 통해 신분 질서와 지배 체제를 정당화하였다.	13	왕오천축국전
02	O 고구려는 소수림왕 때 중국 전진에서 온 승려 순도로부터 불교를 수용하였다.	14	O 선종은 교리에 얽매이는 것보다는 개인의 깨달음을 강조하여 신라 하대에 지방 호족들의 이념적 바탕이 되었다.
03	O 백제 침류왕 때 동진에서 온 승려 마라난타를 통해 불교가 수용·공인되었다.	15	O 풍수지리 사상은 호족이 자기 지역의 중요성을 자부하는 근거로 이용되며 지방의 중요성을 자각하는 계기를 마련하였다.
04	O 자장은 신라의 선덕 여왕 때 대국통에 임명되어 모든 승려의 규범과 계율을 주관하였다.	16	도의
05	눌지 마립간, 법흥왕	17	승탑, 탑비
06	이차돈	18	도선
07	호국 불교	19	O 고구려의 사신도, 백제의 금동 대향로, 사택지적 비문, 산수무늬 벽돌 등에는 도교 사상이 반영되어 있다.
08	O 원효는 『십문화쟁론』을 저술하여 여러 종파의 대립을 조화시키고 이를 융합하려는 화쟁 사상을 주장하였다.	20	O 연개소문이 고구려에 도교를 육성하기 위해 당에 도교를 전래해줄 것을 요청하자, 당에서는 숙달 등 8명의 도사와 도교 경전인 『도덕경』을 보냈다.
09	O 원효는 모든 것이 한마음에서 나온다는 '일심(一心) 사상'의 이론적 체계를 마련하고 화쟁 사상을 주장하였다.	21	백제 (금동) 대향로
10	O 의상은 아미타 신앙과 더불어 현세의 고난으로부터 구원받고자 하는 현세적 성격의 관음 신앙을 이끌었다.	22	✖ 현존하는 세계 최고(最古)의 목판 인쇄물인 『무구정광대다라니경』은 불국사 석가탑(불국사 3층 석탑)에서 발견되었다.
11	✖ 당에 유학하여 유식론을 독자적으로 발전시킨 승려는 원측이다. 원측은 당나라에 건너가 현장의 제자가 되어 유식학을 전수 받아 독자적인 유식학파를 세웠다.	23	O 백제에서 제작해 왜에 보낸 칠지도는 강철로 만들고 금으로 글씨를 상감하여 새겨 넣었다. 이는 당시 백제 제철 기술의 우수함을 보여준다.
12	원효	24	첨성대

3 고분과 예술의 발달

학습 포인트
삼국과 남북국의 대표 고분과 고분 양식, 고분 벽화에 대해 반드시 암기하며, 삼국과 남북국의 주요 탑, 불상에 대해서도 파악해야 한다. 또한 일본으로 건너간 삼국의 주요 인물과 문화 전파 내용도 학습하도록 한다.

빈출 핵심 포인트
장군총, 사신도, 무령왕릉, 돌무지덧널무덤, 익산 미륵사지 석탑, 황룡사 9층 목탑, 노리사치계, 담징

1 고분과 고분 벽화

1. 고구려

(1) 고분

① **돌무지무덤**(적석총, 1~5세기)

㉠ **특징**: 돌무지무덤은 고구려 초기의 무덤 형태로, 이른 시기에는 단순한 돌무지였지만 점차 기단을 갖추고 돌을 정밀하게 쌓아 올리는 방식으로 발전하였다.

㉡ **분포**: 만주 지안(집안) 일대에 1만 2,000여 기의 무덤군이 있다.

㉢ **장군총**: 대표적인 돌무지무덤인 장군총은 다듬은 돌을 계단식으로 7층까지 쌓아 올린 것으로, 현재 장수왕릉으로 추정하고 있다.

② **굴식 돌방무덤**(횡혈식 석실분, 3~7세기)

㉠ **특징**: 굴식 돌방무덤은 돌로 널방을 만들고 그 위에 흙으로 덮어 봉분을 만든 고구려 후기의 무덤 형태로, 널방의 벽과 천장에 벽화를 그리기도 하였다. 굴식 돌방무덤의 형태는 도굴이 쉬운 구조이기 때문에 부장품은 남아 있지 않은 경우가 대부분이다.

㉡ **분포**: 만주 지안, 평안도 용강, 황해도 안악 등지에 분포되어 있다.

(2) 고분 벽화

① **의미**: 고분 벽화를 통해 당시 고구려 사람의 생활, 문화, 종교 등을 파악할 수 있다.

② **고분 벽화의 변화**

㉠ **초기**: 주로 무덤 주인의 생활을 표현한 그림이 많았다.

㉡ **후기**: 도교와 음양오행 사상의 영향으로 점차 사신도와 같은 그림으로 변화하였다.

③ **종류**

고분	벽화	고분	벽화
안악 3호분	대행렬도(지배층의 행차 모습), 귀족 저택의 부엌·고기 창고 그림 등	쌍영총	기사도, 사신도, 풍속도
덕흥리 고분	견우직녀도(밭 가는 남성과 베 짜는 여성의 모습 묘사)	수산리 고분	시녀도, 교예도(곡예를 펼치는 모습)
무용총	무용도, 수렵도, 접객도	강서 대묘	사신도
각저총	씨름도, 별자리 그림	진파리 1호분	사신도(청룡)

돌무지무덤
강변 모래 위에 냇돌을 깔고 시체를 놓은 뒤 냇돌을 덮은 것이 가장 초기의 형태이며, 널길이 딸린 돌방을 갖춘 형태가 마지막 단계이다.

장군총(돌무지무덤)

굴식 돌방무덤의 변화

시기	변화
5세기	널방과 앞방, 옆방 등 여러 방이 있는 무덤 구조로 모줄임 천장이 나타남
6세기	앞방에서 옆방이 없어지고 길이도 짧아짐
7세기	하나의 널방으로만 이루어진 외방 무덤 구조가 대부분임

2. 백제

(1) 한성 시기

① **계단식 돌무지무덤**: 백제는 한강 유역에 위치했던 시기에 계단식 돌무지무덤을 만들었는데, 석촌동 고분이 대표적이다.

② **의미**: 백제의 계단식 돌무지무덤 양식이 고구려의 돌무지무덤과 비슷하여, 백제 건국의 주도 세력이 고구려와 같은 계통이라는 건국 이야기가 사실임을 뒷받침한다.

(2) 웅진 시기

① **굴식 돌방무덤**(횡혈식 석실분): 고구려의 영향으로 만들어진 것으로 굴식 돌방무덤 중 공주 송산리 고분(1호~5호분)이 대표적이다.

② **벽돌무덤**(전축분): 중국 남조의 영향을 받은 것으로 송산리 고분군 중 6호분과 7호분(무령왕릉)이 대표적인 벽돌무덤이다.

㉠ **송산리 6호분**: 벽과 천장에 소박한 형태의 사신도와 연꽃무늬 같은 벽화가 그려져 있다.

㉡ **무령왕릉**(송산리 7호분): 묘실과 이에 이르는 통로를 아치형으로 조성한 벽돌무덤인 무령왕릉은 무령왕과 왕비의 무덤으로, 1971년 송산리 고분군의 배수로 공사 중 우연히 발견되었다. 도굴되지 않은 완벽한 형태로 발견된 무령왕릉에서는 지석이 발견되었는데, 이를 통해 무덤의 주인이 무령왕임이 밝혀졌다. 또한 무령왕릉에서는 금관을 비롯하여 금팔찌, 금귀고리 등의 세공품과 도자기, 철지, 진묘수 등의 유물이 출토되었으며 벽화는 없다. 한편 일본산 금송으로 만들어진 무령왕릉의 관(棺)을 통해 당시 백제와 일본의 밀접한 관계를 알 수 있다.

(3) 사비 시기

사비 시기: 규모는 작지만 세련된 굴식 돌방무덤을 제작하였는데, 대표적으로 부여 능산리 고분군이 있다. 1호분(동하총)에는 연꽃무늬, 구름무늬, 사신도 등의 벽화가 그려져 있다.

3. 신라

(1) 무덤 양식

무덤 양식: 통일 이전 신라의 무덤 양식으로는 돌무지덧널무덤, 독무덤, 돌방무덤 등이 있다. 초기에는 거대한 돌무지덧널무덤을 많이 축조하였으며, 삼국 통일 직전에는 고구려와 백제의 영향으로 굴식 돌방무덤이 출현하였다.

① **돌무지덧널무덤**(적석목곽분)

㉠ **구조**: 돌무지덧널무덤은 지상이나 지하에 시체가 들어갈 나무 널을 만든 후 그 나무 널보다 한참 큰 나무 덧널을 만들고, 그 위에 냇돌을 쌓은 다음에 흙으로 봉분을 만들었다.

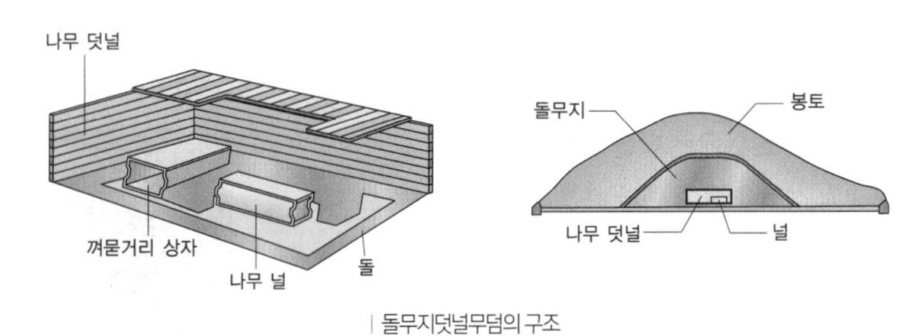

| 돌무지덧널무덤의 구조

석촌동 고분(계단식 돌무지무덤)

무령왕릉(벽돌무덤)

무령왕릉 지석 기출사료

병오년(526) 12월 백제국 왕대비가 천명(天命)대로 살다가 돌아가셨다. …… 정식 장례를 지내며 기록하기를 이와 같이 한다. 돈 1만매. 이상 1건. 을사년(525) 8월 12일 영동대장군 백제 사마왕은 상기의 금액으로 매주(賣主)인 토왕(土王), 토백(土伯), 토부모(土父母), 상하 2000석 이상의 여러 관리에게 문의하여 신지(申地)를 매입해서 능묘(陵墓)를 만들었기에 문서를 작성하여 명확한 증험으로 삼는다. - 무령왕릉 지석

▶ 무령왕릉 지석에는 토왕, 토백, 토부모 등의 **도교 사상**과 연결되는 토지신에게 값을 치르고 묘소로 쓸 땅을 매입하였다는 **매지권**의 내용이 기록되어 있다.

부여 능산리 고분군

㉡ **특징**: 돌무지덧널무덤은 구조상 널방이 없어 벽화를 그릴 수 없으며, 도굴이 어려워 나무 널의 머리맡에 둔 껴묻거리(부장품)가 그대로 남아 있다.

㉢ **대표적 고분**: 천마총(천마도), 호우총(호우명 그릇), 서봉총(금관), 황남대총(금관) 등

② **굴식 돌방무덤**(통일 직전~): 순흥 어숙묘에는 연꽃무늬 벽화가 그려져 있다.

(2) **출토품**: 신라의 돌무지덧널무덤에서는 금관, 금팔찌, 금귀고리, 보검, 유리 제품 등의 껴묻거리가 많이 발견되어, 신라에서는 일찍부터 금 세공과 유리 제조 기술이 발달했음을 보여준다.

4. 가야

널무덤(목관묘), 덧널무덤(목곽묘), 돌덧널무덤(석곽묘) 등이 주류를 이루었고, 후기에는 굴식 돌방무덤도 축조되었다.

5. 통일 신라

(1) **화장 유행**: 불교의 영향으로 화장(火葬)이 유행하였는데, 대표적으로 신라인의 호국 정신이 반영된 대왕암(문무왕 해중릉) 등이 있다.

(2) 무덤 양식의 변화

① **굴식 돌방무덤**: 통일 이후 신라 고분은 거대한 돌무지덧널무덤에서 점차 규모가 작은 굴식 돌방무덤으로 변화하였다.

② **특징**

㉠ **둘레돌·12지신**: 봉토 주위에 둘레돌을 두르고, 12지 신상을 조각하는 신라만의 독특한 양식이 등장하였다. 대표적으로 김유신 묘, 성덕왕릉, 괘릉(원성왕릉), 흥덕왕릉 등이 있다.

㉡ **후대에 계승**: 통일 신라 무덤의 특징은 고려, 조선의 왕릉 양식으로 계승되었다.

6. 발해

(1) 정혜 공주 묘

① **형태**: 정혜 공주(문왕의 둘째 딸) 묘는 동모산 인근 육정산 고분군에 있으며, 고구려의 양식을 계승한 모줄임 천장 구조의 굴식 돌방무덤이다.

② **특징**: 묘지의 명문은 뛰어난 한학 수준을 보여 주며, 무덤에서 매우 힘차고 생동감이 있는 돌사자상이 출토되었다.

(2) 정효 공주 묘

① **형태**: 정효 공주(문왕의 넷째 딸) 묘는 중경 인근 용두산 고분군에 있으며, 당나라 양식(벽돌무덤)과 고구려 양식이 결합된 형태이다. 벽돌로 벽을 쌓았고 평행 고임의 형태로 돌을 쌓아 천장을 조성하였다. 또한, 고분의 봉토 위에는 탑을 조성하였다.

② **특징**: 묘지 명문의 불로장생 사상이 도교적 성격을 보여 준다. 또한 무사, 시위, 내시, 악사 등 공주를 모시는 인물을 그린 벽화가 남아 있다.

천마도

천마도는 자작나무 껍질에 그려졌는데, 이 껍질은 **마구(馬具)의 일종인 장니로 추정**되고 있다. 장니는 말이 달릴 때 기수의 옷에 흙이 튀지 않도록 말의 안장 양쪽에 늘어뜨리는 장비로, 이를 통해 신라에서 기마 풍습이 있었음을 알 수 있다.

모줄임 천장 구조

평면이 4각인 방의 천장을 만들 때 한 벽의 중간점에서 인접벽의 중간점을 평평한 돌로 덮어서 모서리를 줄이고 이 과정을 2차, 3차 반복해 천장을 완성하는 건축법이다.

돌사자상

평행 고임 천장 구조

천장을 평행으로 쌓아 공간을 줄여 나가는 건축법으로, 고구려 고분에서 자주 발견되는 천장 구조이다.

정효 공주 묘(벽돌 무덤)

2 건축

1. 사찰

(1) 백제

① **능산리 절터**: 능산리 절터에서 발굴된 창왕명 석조 사리감을 통해 이 절이 위덕왕(창왕) 때 왕의 누이가 아버지 성왕을 위해 절을 창건했음을 알 수 있다.

② **익산 미륵사**: 7세기 무왕이 백제 중흥을 내세우며 미륵사를 건립하였다. 미륵사는 호국 불교 사찰로, 9층의 동·서 석탑과 가운데에 9층 목탑을 둔 형태를 따르고 있었다.

익산 미륵사지 출토 금제탑지문 기출사료

우리 왕후께서는 좌평 사택적덕의 따님으로 지극히 오랜 세월에 선인(善因)을 심어 이번 생에 뛰어난 과보를 받아 만민을 어루만져 기르시고 삼보(三寶)의 동량(棟梁)이 되셨기에 능히 가람(사찰)을 세우시고, 기해년 정월 29일에 사리를 받들어 맞이하셨다. 원하옵나니, 영원토록 공양하고 다함이 없이 이 선(善)의 근원을 배양하여, 대왕 폐하의 수명은 산악과 같이 견고하고 치세는 천지와 함께 영구하며, 위로는 정법을 넓히고 아래로는 창생을 교화하게 하소서.

▶ 익산 미륵사지에서 2009년에 좌평 사택적덕의 딸인 백제 왕비가 미륵사를 발원하였다는 내용이 담긴 사리함과 봉안 기록이 발견되었다. 이로 인해 미륵사를 무왕과 선화 공주가 창건하였다는 『삼국유사』 기록에 대한 의문이 제기되기도 하였다.

| 익산 미륵사지 석탑

(2) 신라
신라: 6세기 진흥왕 때 황룡사가 건립되었고, 7세기 선덕 여왕 때 분황사와 영묘사가 창건되었다.

(3) 통일 신라

① **불국사**: 불국사는 1995년 유네스코 세계 문화유산으로 등재되었다.

㉠ **건립**: 불국사는 751년(경덕왕 10)에 김대성의 발원으로 건립된 것으로 추정된다.

㉡ **특징**: 조화와 균형 감각을 토대로 불국토의 이상을 표현하였다. 정문 돌계단인 청운교와 백운교는 직선과 곡선의 조화를 이루고 있고, 복잡하고 단순한 좌우 누각의 비대칭은 간소하고 날씬한 불국사 3층 석탑, 복잡하고 화려한 다보탑과 어우러져 세련된 균형감을 표현하였다.

② **석굴암**: 석굴암은 1995년 불국사와 함께 유네스코 세계 문화유산으로 등재되었다.

㉠ **건립**: 석굴암은 751년(경덕왕 10)에 김대성의 발원으로 건립되었다.

㉡ **특징**: 석굴암은 인공으로 축조한 석굴 사원으로, 아름다운 비례와 균형의 조형미를 보여 준다(네모난 전실과 둥근 주실을 좁은 통로로 연결).

(4) 발해
발해: 수도 상경 등에서 발견된 절터는 높은 단 위에 금당을 짓고 좌우에 건물을 배치하였으며, 건물들을 회랑으로 연결하였다.

2. 탑과 승탑

(1) 탑

① **고구려**: 고구려에서는 주로 목탑 양식이 발전하였는데 현존하지는 않는다.

② **백제**

㉠ **익산 미륵사지 석탑**: 익산 미륵사지 석탑은 목탑에서 석탑으로 넘어가는 과도기 형태로, 목탑의 모습을 많이 지니고 있으며 우리나라에 현존하는 최고(最古)의 석탑이다.

㉡ **부여 정림사지 5층 석탑**: 부여 정림사지 5층 석탑은 백제의 대표적인 석탑으로, 안정적이면서도 경쾌한 모습을 보인다. 당나라 장수 소정방이 '백제를 정벌한 기념탑(평제탑)'이라는 뜻의 글귀를 이 탑에 남겨 놓기도 하였다.

부여 정림사지 5층 석탑

③ **신라**

㉠ **경주 분황사 모전 석탑**: 현존하는 신라 최고(最古)의 석탑인 분황사 모전 석탑은 돌을 벽돌 모양으로 다듬어 전탑 양식으로 만들어졌다. 탑의 아래층에는 인왕상·석사자 등이 새겨져 있으며, 원래는 9층이었다는 기록이 있으나 3층까지만 현존한다.

경주 분황사 모전 석탑

㉡ **황룡사 9층 목탑**: 황룡사 9층 목탑은 선덕 여왕 때 주변 아홉 나라가 조공을 바치게 한다(호국적 성격)는 자장의 건의로 백제 아비지의 지도를 받아 건립되었으나, 고려 시대에 몽골의 침략으로 소실되었다.

④ **통일 신라**

㉠ **신라 중대**: 이중 기단 위에 3층의 탑신을 두는 석탑 양식이 전형적이었다.

경주 감은사지 동서 3층 석탑	통일 신라 초기의 대표적 석탑
경주 불국사 3층 석탑(석가탑)	전형적인 통일 신라 시대의 석탑
경주 불국사 다보탑	일반적인 석탑과는 다른 특이한 형태로 높은 예술성과 빼어난 건축술이 반영된 석탑
구례 화엄사 4사자 3층 석탑	네 마리의 사자가 탑을 이고 있는 특이한 형태의 석탑

신라 중대의 탑

감은사지 동서 3층 석탑

불국사 석가탑

불국사 다보탑

㉡ **신라 하대**: 신라 하대에는 기단과 탑신에 부조로 불상을 새기는 양식이 유행하였으며, 양양 진전사지 3층 석탑이 대표적이다. 그 외에 우리나라의 중앙부에 위치한다고 하여 중앙탑이라고도 불리는 충주 탑평리 칠층 석탑 등이 있다.

진전사지 3층 석탑

⑤ **발해**: 발해의 탑으로는 벽돌을 쌓아 만든 전탑인 영광탑만 남아있다.

(2) 승탑(부도)

① **발달 배경**: 신라 하대에 선종이 널리 퍼지면서 승려의 사리를 봉안하는 승탑과 승려의 생애를 적은 탑비가 유행하였다.

② **양식**: 팔각원당형을 기본형으로 하는 승탑과 승려의 일대기를 비에 새겨 세운 탑비는 세련되고 균형성이 뛰어나 신라 하대의 조형 미술을 대표한다.

③ **대표적 승탑**: 흥법사지 염거화상탑, 쌍봉사 철감선사 승탑 등이 유명하다.

쌍봉사 철감선사 승탑

3 불상과 조각·공예

1. 고대의 불상

삼국 공통	금동 미륵보살 반가 사유상 (탑 모양의 관을 쓰고 있음)
고구려	금동 연가 7년명 여래 입상 (북조 양식의 영향을 받음)
백제	서산 용현리 마애 여래 삼존상 ('백제의 미소'라는 별칭을 가짐)
신라	경주 배동 석조 여래 삼존 입상 (신라 조각의 정수를 보여줌)
통일 신라	석굴암 본존불 보살상(불교의 이상 세계 실현, 균형미)
발해	이불 병좌상 (두 부처가 나란히 앉아 있는 모습, 고구려 양식 계승)

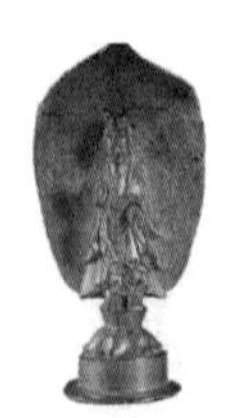

금동 연가 7년명 여래 입상 | 서산 용현리 마애 여래 삼존상 | 석굴암 본존불 | 이불 병좌상

2. 조각

(1) 통일 신라

① **무열왕릉비 받침돌**(귀부): 무열왕릉비의 받침돌은 거북이가 전진하는 모습을 생동감 있게 표현하였다.

② **법주사 쌍사자 석등과 불국사 석등**: 법주사 쌍사자 석등과 불국사 석등은 단아하면서도 균형잡힌 모습을 보이는 걸작이다.

(2) 발해

① **벽돌과 기와무늬**: 궁궐터나 절터에서 발굴되는 벽돌과 기와무늬는 고구려의 영향을 받아 소박하고 힘찬 모습이 표현되어 있다. 특히 연꽃무늬 기와는 고구려 와당의 영향을 받아 강건한 기품을 지니고 있다.

② **발해 석등**: 상경의 절터에 남아 있는 발해 석등은 완전한 모습으로 발견되어, 발해의 뛰어난 조각 예술을 보여 주는 대표적인 유물이다.

법주사 쌍사자 석등

발해 석등

3. 공예

(1) 통일 신라의 범종

① **상원사 동종**(평창 오대산): 현존하는 우리나라 최고(最古)의 범종으로 성덕왕(725) 때 제작되었다.

② **성덕 대왕 신종**(에밀레종): 성덕 대왕 신종은 신라 경덕왕이 아버지인 성덕왕의 공덕을 기리기 위해 제작하기 시작(742)하여 혜공왕 때 완성되었다(771). 아연이 함유된 청동으로 만들어 맑고 장중한 소리와, 아름다운 비천상 무늬로 유명하다.

(2) **발해의 자기**: 당시 중국에서 발해의 자기를 수입해 갔을 정도로 발해는 우수한 자기 제작 기술을 보유하고 있었다.

상원사 동종

성덕 대왕 신종

4 글씨·그림과 음악

1. 글씨

(1) **고구려**: 광개토 대왕릉비문은 선돌 형태의 거석에 웅건한 서체로 쓰여져 있다.

(2) 통일 신라

① **김인문**: 무열왕의 둘째 아들로 무열왕릉비의 비문과 화엄사의 화엄경 석경(石經) 등을 남겼다.

② **김생**: 성덕왕 때의 명필로 왕희지체에 능하였는데, 질박하면서도 굳센 자신만의 독자적인 서체를 확립하여 '해동 필가의 조종(祖宗)'으로 불렸다.

2. 그림

(1) **천마도**: 경주의 천마총에서 출토된 그림으로, 신라의 힘찬 화풍을 잘 표현하였다.

(2) **솔거의 노송도**: 화가인 솔거가 황룡사 벽에 그린 소나무 그림(노송도)에 날아가던 새들이 앉으려다가 부딪혀 떨어졌다는 이야기가 전해 온다.

(3) **화엄경 변상도**: 화엄경 변상도(불화)는 8세기 중엽에 화엄경의 가르침을 바탕으로 부처님의 가르침을 전하기 위해 '대방광불화엄경'의 교리 내용을 표현한 목판화이다.

변상도

불교 경전의 내용을 눈으로 볼 수 있도록 그린 불교 그림이다.

3. 음악과 무용

(1) 삼국 시대

① **특징**: 삼국 시대의 음악과 무용은 종교 및 노동과 밀접한 연관을 맺으며 발전하였다.

② **삼국의 음악가**

㉠ **왕산악**(고구려): 왕산악은 중국의 칠현금을 개량하여 거문고를 제작하였다.

㉡ **백결**(신라): 백결은 거문고 명인으로 방아 타령을 지어 가난한 아내를 위로하였다.

㉢ **우륵**(가야): 우륵은 가야금을 만들고 12악곡을 지었는데, 이것이 신라에 전해졌다.

(2) 통일 신라

① **당악 수용**: 신라 하대에 당악이 수용되어 귀족 계층에 정착하였다.

② **삼국 문화 수용**: 삼국을 통일하면서 신라에서는 고구려와 백제의 악기와 음악이 유입되었는데, 이것이 신라의 악기, 음악과 융합하여 고유한 향악으로 발전하였다.

(3) **발해**: 일본에 악공을 파견하였으며, 발해 악기는 송나라 악기 제작에 영향을 주었다.

백제의 문화 전파

| 고류사 미륵보살 반가 사유상 | 호류사 백제 관음상

백제의 불상은 일본 고류사 미륵보살 반가 사유상, 호류사 백제 관음상 제작에 영향을 주었다.

5 일본으로 건너간 우리 문화

1. 일본으로 건너간 삼국 문화

(1) 삼국 및 가야 문화의 전파

국가	인물	내용
백제	아직기	일본 태자의 스승
	왕인	『천자문』, 『논어』 등의 경서를 전달
	단양이, 고안무	무령왕 때 5경 박사, 유학 전파
	노리사치계	성왕 때 불경과 불상을 전달
	혜총	위덕왕 때 계율종 전파
	아좌 태자(위덕왕의 아들)	위덕왕 때 쇼토쿠 태자의 초상을 그림
	관륵	무왕 때 천문, 역법, 지리, 방술 등을 전달
고구려	혜자	일본 쇼토쿠 태자의 스승(영양왕)
	담징	· 종이·먹 제조법 전달 · 호류사 금당 벽화를 그렸다고 전해짐
	혜관	일본 삼론종 개조(불교 전파, 영류왕)
	도현	『일본세기』 저술(보장왕)
신라	-	조선술과 축제술(한인의 연못) 등을 전달
가야	-	토기 제작 기술이 일본의 스에키 토기 제작에 영향을 줌

고구려의 문화 전파

| 호류사 금당 벽화(복원도)

| 다카마쓰 고분 벽화

호류사 금당 벽화는 **고구려 담징이 그렸다고 전해지며,** 다카마쓰 고분 벽화는 고구려 **수산리 고분 벽화와 무용총 벽화의 영향을 받아 제작**되었다.

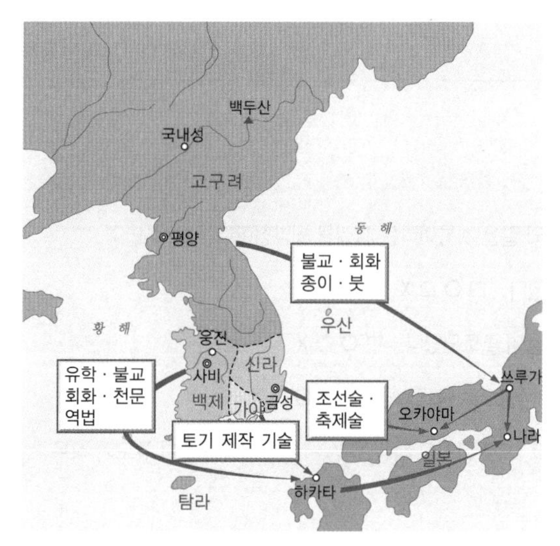

| 삼국 문화의 일본 전파

(2) **영향**: 일본에 전파된 삼국의 문화는 7세기 전반에 불교를 중심으로 한 일본 아스카 문화 성립(유교와 도교 등 다양한 문화적 특징 반영)에 기여하였다.

2. 일본으로 건너간 통일 신라의 문화

(1) **특징**: 통일 신라는 주로 일본에서 파견해 온 사신을 통해 문화를 전파하였다.

(2) **영향**: 원효, 강수, 설총이 발전시킨 불교와 유교 문화는 일본 하쿠호 문화 성립에 기여하였다(불상, 가람 배치, 탑, 율령과 정치 제도 등).

(3) **화엄 사상 전파**: 8세기에 활동한 승려 심상은 일본에 건너가 화엄 사상을 전파하였다. 심상에 의해 전해진 화엄 사상은 일본 화엄종 부흥에 영향을 주었다.

일본도 인정한 신라의 조선술

839년 일본 정부는 다자이후에 명령하여 신라선을 만들어서 능히 풍파를 견딜 수 있게 했다. …… 840년 다자이후에서 대마도의 관리가 말하기를, "먼 바다에 이는 바람과 파도가 위험하고 연중 바치는 공물과 네 번 올리는 공물은 자주 표류하거나 바다에 빠진다고 합니다. 전해 듣건대 신라선은 능히 파도를 헤치고 갈 수 있다고 하니, 바라건대 신라선 6척 중에서 1척을 나누어 주십시오."라고 말했다. 이에 허락했다.

-『속일본후기』

▶ 일본 내에서 신라의 선박을 나누어 줄 것을 요청하는 기록이다. 신라의 조선술은 일본에서 인정할 만큼 크게 발달하였다.

하쿠호 문화

아스카 시대를 잇는 7세기 후반부터 8세기 일본의 문화를 하쿠호 문화라고 한다. 신라와 당의 영향을 많이 받았으며, 불교적 색채가 강한 문화였다.

OX 빈칸 핵심 개념 점검

* 학습한 개념을 OX/빈칸 문제를 통해 점검해보세요.

핵심 개념 1 | 고대의 고분과 고분 벽화

01 백제의 계단식 돌무지무덤은 백제의 건국 세력이 고구려와 같은 계통이라는 사실을 뒷받침한다. □ O □ X

02 공주 송산리 고분군에는 전축분인 6호분과 무령왕릉이 있다. □ O □ X

03 신라의 돌무지덧널무덤은 도굴이 어려워 많은 양의 부장품이 출토되었다. □ O □ X

04 고구려의 고분 중에 사신도가 그려진 강서 대묘는 돌무지무덤으로 축조되었다. □ O □ X

05 통일 신라 시대에는 불교의 영향으로 ______이 유행하였고, 고분 양식도 ______에서 점차 규모가 작은 ______으로 바뀌었다.

06 발해 ______ 공주 무덤은 중국 문화의 영향을 받아 만들어진 벽돌무덤이다.

핵심 개념 2 | 고대의 건축(사찰·탑)

07 부여 정림사지 5층 석탑에서는 백제 무왕의 왕후가 넣은 사리기가 발견되었다. □ O □ X

08 쌍봉사 철감선사 승탑은 전형적인 팔각원당형의 모습을 하고 있다. □ O □ X

09 발해의 영광탑은 고구려의 영향을 받은 석탑이다. □ O □ X

10 ______은 선덕 여왕 때 자장의 건의로 백제 아비지의 지도를 받아 건립되었다.

11 ______은 선종이 보급되면서 승려의 사리를 봉안하기 위해 세웠다.

핵심 개념 3 | 고대의 예술(불상·공예·미술·음악)

12 발해의 이불 병좌상은 고구려 양식을 계승하여 만들어졌다. □ O □ X

13 상원사 동종은 현존하는 우리나라 최고(最古)의 범종이다. □ O □ X

14 대가야 출신의 ______이 가야금을 만들고 12악곡을 지었다.

핵심 개념 4 | 고대 문화의 일본 전파

15 백제의 왕인은 『천자문』과 『논어』를 일본에 전파하였다. □ O □ X

16 다카마쓰 무덤에서 발견된 벽화를 통해 백제 문화가 일본에 영향을 미쳤음을 알 수 있다. □ O □ X

17 고구려의 고안무가 일본에 유학을 전해 주었다. □ O □ X

18 통일 신라의 문화는 일본 아스카 문화의 형성에 영향을 미쳤다. □ O □ X

19 백제 ____ 때 ________가 일본에 불교를 전해 주었다.

20 ____인들은 배를 만드는 조선술과 제방을 만드는 축제술을 일본에 전해주었다.

정답과 해설

01	**O** 석촌동 고분 등 한성 백제 시기의 계단식 돌무지무덤은 백제의 건국 세력이 고구려 계통인 것을 뒷받침한다.	**11**	승탑
02	**O** 백제 웅진 시기에 만들어진 공주의 송산리 고분군에는 중국 남조의 영향을 받아 전축분(벽돌무덤)으로 조성된 6호분과 무령왕릉(7호분)이 있다.	**12**	**O** 발해의 이불 병좌상은 석가와 다보 두 부처를 표현한 불상으로, 광배와 연꽃의 표현 등의 고구려 양식을 계승하였다.
03	**O** 돌무지덧널무덤은 나무덧널을 돌로 쌓은 후 그 위에 다시 봉토를 쌓았기 때문에 구조상 도굴이 어려웠다. 이 때문에 많은 양의 부장품(껴묻거리)이 출토되었다.	**13**	**O** 상원사 동종은 현존하는 우리나라 최고(最古)의 범종으로 성덕왕 때 제작되었다.
04	**✖** 고구려 고분 중에서 사신도가 그려진 강서 대묘는 굴식 돌방무덤으로 축조되었다.	**14**	우륵
05	화장, 돌무지덧널무덤, 굴식 돌방무덤	**15**	**O** 백제의 왕인은 『천자문』과 『논어』 등을 일본에 전파하였다.
06	정효	**16**	**✖** 일본 나라현에 있는 다카마쓰 무덤에서 발견된 벽화의 인물 복장 등이 고구려 수산리 고분의 벽화와 흡사하여 백제가 아닌 고구려의 문화가 일본에 영향을 미쳤음을 알 수 있다.
07	**✖** 백제 무왕의 왕후가 넣은 사리기가 발견된 탑은 익산 미륵사지 석탑이다.	**17**	**✖** 일본에 유학을 전한 고안무는 백제의 5경 박사이다.
08	**O** 신라 하대에 선종의 유행으로 건립된 쌍봉사 철감선사 승탑은 대표적인 팔각원당형 승탑이다.	**18**	**✖** 통일 신라의 문화는 일본 하쿠호 문화의 형성에 영향을 미쳤다.
09	**✖** 발해의 영광탑은 당나라의 영향을 받은 전탑(벽돌 탑)이다.	**19**	성왕, 노리사치계
10	황룡사 9층 목탑	**20**	신라

핵심 키워드로 고대 마무리

구분	주요 왕의 업적	통치 체제	경제
고구려	• 고국천왕: 왕위 부자 상속, 을파소 등용, 진대법 실시 • 소수림왕: 불교 공인, 태학 설립, 율령 반포 • 광개토 대왕: 영토 확장, 신라 구원, '영락' 연호 사용 • 장수왕: 평양 천도, 남하 정책 추진, 광개토 대왕릉비 건립	• 수상: 대대로 • 관등: 10여 관등 • 귀족 회의: 제가 회의 • 중앙 행정: 5부 • 지방 제도: 5부(대성), 성	• 수취 제도: 조세, 공납, 역 • 토지 제도 – 귀족: 녹읍, 식읍 등 보유 – 농민: 소유지에서 경작하거나 소작지에서 경작 • 대외 무역 – 고구려: 중국 남북조 및 북방 유목민과 교류 – 백제: 남중국 및 왜와 교역 – 신라: 고구려·백제 통해 중국과 간접 교역 → 한강 유역 확보 이후 당항성을 통해 직접 교역
백제	• 근초고왕: 대외 진출, 영토 확장, 왕위 부자 상속, 『서기』 편찬 • 침류왕: 불교 공인 • 동성왕: 신라와 결혼 동맹 • 무령왕: 22담로 설치 • 성왕: 사비 천도, 중앙·지방 제도 정비, 국호를 남부여로 개칭, 한강 하류 지역 일시 회복	• 수상: 상좌평 • 관등: 16관등 • 귀족 회의: 정사암 회의 • 중앙 행정: 5부 • 지방 제도: 5방, 군	
신라	• 지증왕: 국호를 '신라'로 확정, 왕호를 '왕'으로 개칭, 주에 군주 파견, 우경 장려, 순장 금지 • 법흥왕: '건원' 연호 사용, 율령 반포, 불교 공인 • 진흥왕: 화랑도 개편, 한강 유역 확보, 순수비 건립, 『국사』 편찬 • 무열왕: 최초의 진골 출신왕, 중시 기능 강화	• 수상: 상대등 • 관등: 17관등 • 귀족 회의: 화백 회의 • 중앙 행정: 6부 • 지방 제도: 5주, 군 • 군사 제도: 서당, 6정	
통일 신라	• 문무왕: 삼국 통일 완성, 외사정 파견 • 신문왕: 왕권 전제화, 귀족 세력 숙청(김흠돌 모역 사건), 집사부 이하 14관부 완성, 9주 5소경 체제 완비, 9서당 10정 편성, 국학 설치, 달구벌 천도 시도 • 경덕왕: 중국식 명칭 사용, 중시를 시중으로 격상 • 혜공왕: 진골 귀족들의 반란(대공의 난, 96 각간의 난, 김지정의 난) • 원성왕: 독서삼품과 실시 • 헌덕왕: 김헌창의 난, 김범문의 난 • 흥덕왕: 청해진 설치, 사치 금지 교서 반포	• 중앙 제도: 집사부 이하 14관부 • 지방 제도: 9주 5소경, 향·부곡, 외사정 파견, 상수리 제도 • 군사 제도: 9서당 10정	• 수취 제도: 조세, 공물, 역 • 토지 제도 – 신문왕: 녹읍 폐지, 관료전 지급 – 성덕왕: 정전 지급 – 경덕왕: 녹읍 부활 • 신라 촌락 문서: 노동력, 생산 자원 관리 • 대외 무역: 울산항, 당항성, 청해진(장보고) 등
발해	• 무왕: 영토 확장, 대당 강경책(장문휴), 일본과 통교 • 문왕: 친당 외교, 신라와 관계 개선, 잦은 천도(중경→ 상경 → 동경) • 선왕: 영토 확장, 5경 15부 62주 체제 완비, '해동성국'이라 불림	• 중앙 제도: 3성 6부(정당성의 대내상이 국정 총괄, 이원적 통치 제도) • 지방 제도: 5경 15부 62주 • 군사 제도: 10위(중앙군), 농병 일치 군사(지방군)	• 수취 제도: 조세, 공물, 역 • 대외 무역: 발해관, 일본도, 신라도

사회	학문	사상	고분	예술
• 진대법: 빈민 구휼 제도 • 서옥제: 일종의 데릴사위제, 모계 사회의 유습 • 형사취수제: 집안 재산 축소 방지	• 교육 기관: 태학(중앙), 경당(지방) • 역사서: 『유기』, 『신집』(이문진)	• 불교: 소수림왕 때 공인 • 도교: 연개소문의 장려, 강서 고분의 사신도	• 돌무지무덤: 장군총 • 굴식 돌방무덤: 무용총, 각저총, 쌍영총, 강서 고분	• 불상: 금동 연가 7년명 여래 입상 • 일본에 문화 전파: 담징·혜관 등 파견, 다카마쓰 고분 벽화에 영향
말타기, 활쏘기, 투호 및 장기 등의 오락을 즐김, 한문을 능숙하게 구사	• 교육: 박사 제도 • 역사서: 『서기』(고흥)	• 불교: 침류왕 때 공인 • 도교: 백제 금동 대향로, 무령왕릉 지석, 사택지적 비문	• 고분 – 한성 시기: 계단식 돌무지무덤 – 웅진 시기: 굴식 돌방무덤, 벽돌무덤(무령왕릉) – 사비 시기: 굴식 돌방무덤(능산리 고분군)	• 탑: 미륵사지 석탑, 정림사지 5층 석탑 • 불상: 서산 용현리 마애 여래 삼존상 • 일본에 문화 전파: 아직기·왕인·관륵 등 파견
• 화랑도: 계층 간 갈등 완화, 국가 인재 양성 • 골품 제도: 성골, 진골, 1~6두품 • 중위제: 6두품 이하 계층에게 적용된 특진 제도	• 교육: 화랑도(국가 조직으로 정비) • 역사서: 『국사』(거칠부)	• 불교: 눌지왕 때 수용, 법흥왕 때 공인 • 도교: 화랑도를 국선도, 풍류도 등으로 지칭	고분: 돌무지덧널무덤(천마총, 호우총), 굴식 돌방무덤(순흥 어숙묘)	• 탑: 경주 분황사 모전석탑, 황룡사 9층 목탑 • 불상: 배동 석조 여래 삼존 입상 • 일본에 문화 전파: 조선술과 축제술
• 신라 중대: 6두품 강화 → 왕권과 결탁 • 신라 하대: 호족 세력 성장, 빈번한 농민 봉기(원종·애노의 난) • 골품 제도 변화: 성골 소멸, 진골 강화, 1~3두품 평민화	• 교육 기관: 국학 • 등용 제도: 독서삼품과 • 역사서: 『화랑세기』(김대문), 『제왕연대력』(최치원) • 유학 보급: 강수, 설총, 최치원	• 불교: 교종과 선종, 원효(일심 사상), 의상(화엄 사상), 혜초(『왕오천축국전』) → 신라 하대 선종 발달 • 풍수지리설: 도선 • 도교: 12지 신상(불교 + 도교)	• 굴식 돌방무덤(김유신묘: 둘레돌, 12지신) • 화장 유행(대왕암)	• 사찰: 불국사, 석굴암 • 탑: 경주 감은사지 동서 3층 석탑, 석가탑, 다보탑 • 승탑: 쌍봉사 철감선사 승탑 • 불상: 석굴암 본존불, 보살상 • 조각: 법주사 쌍사자 석등 • 범종: 상원사 동종, 성덕대왕 신종 • 일본에 문화 전파: 하쿠호 문화 성립에 기여
• 지배층: 고구려계 • 피지배층: 말갈인	교육 기관: 주자감	• 불교: 왕실, 귀족 중심으로 발달 • 도교: 정효 공주 묘지(불로장생 사상)	• 정혜 공주 묘: 고구려 양식 계승, 굴식 돌방무덤, 모줄임 천장 구조, 돌사자상 출토 • 정효 공주 묘: 당의 벽돌무덤과 고구려의 평행 고임 양식 적용, 벽화 有	• 불상: 이불 병좌상 • 조각: 발해 석등

공무원시험전문 **해커스공무원**

gosi.Hackers.com

고려 시대 출제 경향

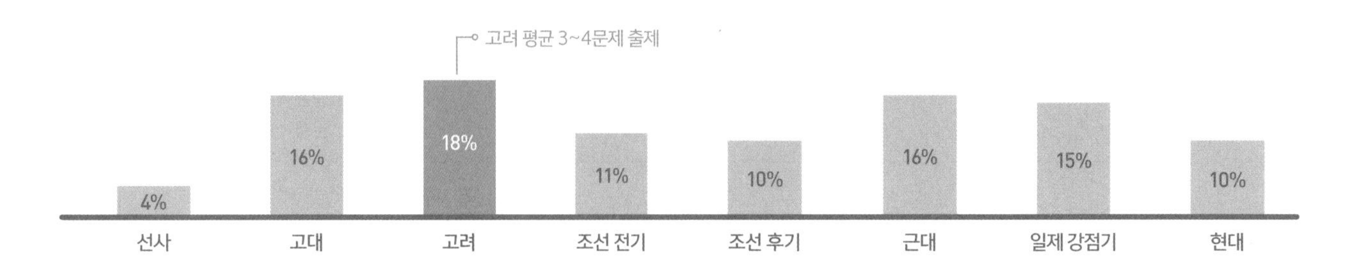

고려는 매해 평균 18% 수준으로, **매 시험마다 3~4 문제씩 꾸준하게 출제**되고 있습니다. 고려의 경우, 삼국이나 조선 시대와 함께 출제되는 경우가 많으므로, 삼국 시대와 조선 시대의 특징과 비교하여 개념을 파악해 두어야 합니다.

해커스공무원 한국사 기본서 **1권 전근대사**

Ⅲ 고려의 발전

01 고려의 정치
02 고려의 경제·사회
03 고려의 문화

고려는 **정치사와 문화사의 출제 비중이 높은 편**입니다. 정치사에서는 고려 초기 국왕들의 정책과 무신 집권기 및 원 간섭기 고려 왕의 개혁책에 대한 문제가 주로 출제됩니다. 경제·사회사에서는 전시과 제도와 경제 상황 및 향리에 대해 정리해두어야 하며, 문화사에서는 문화유산, 역사서, 의천과 지눌 등의 승려가 주로 출제됩니다.

한눈에 보는 고려 시대 연표

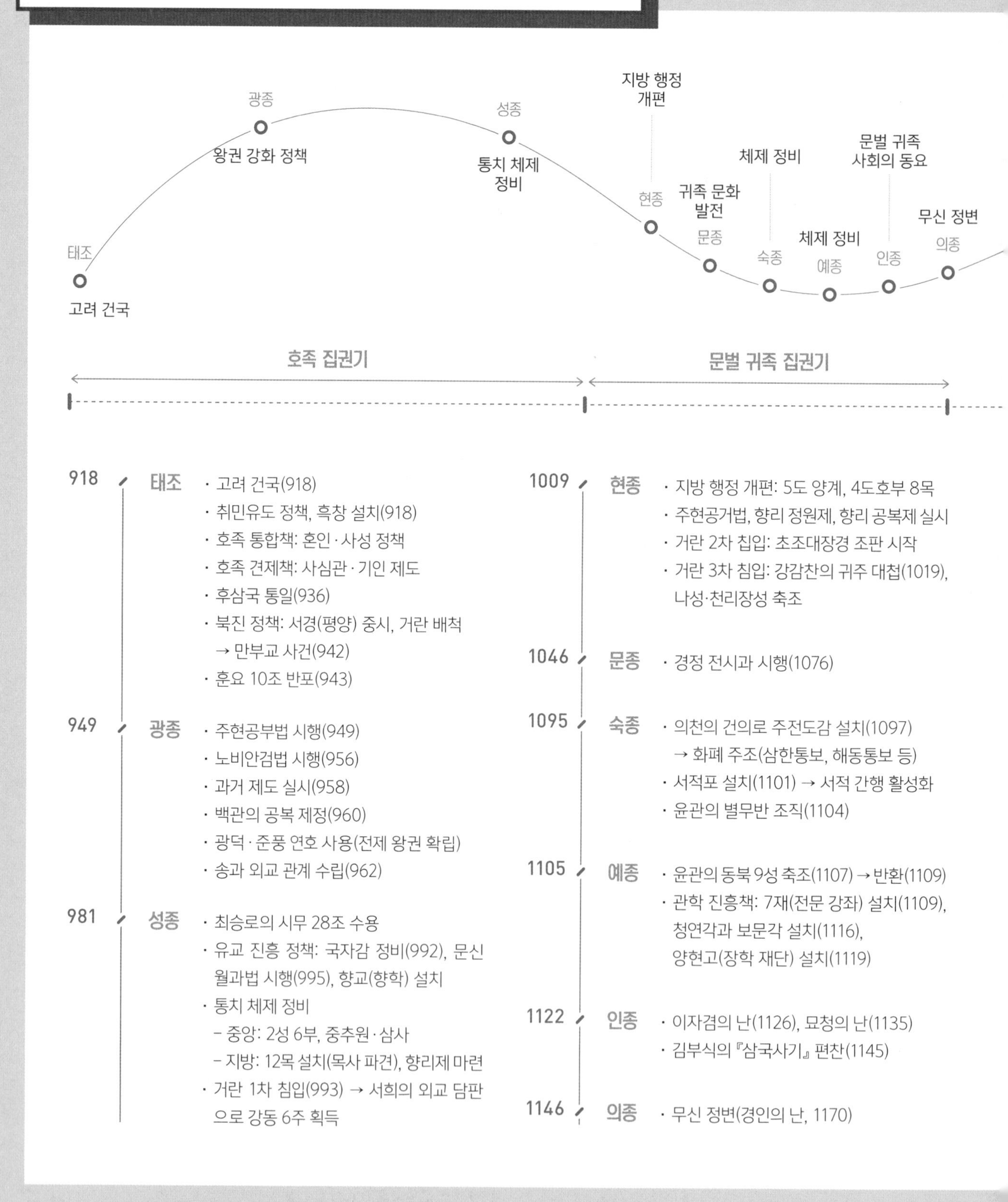

918 태조
- 고려 건국(918)
- 취민유도 정책, 흑창 설치(918)
- 호족 통합책: 혼인·사성 정책
- 호족 견제책: 사심관·기인 제도
- 후삼국 통일(936)
- 북진 정책: 서경(평양) 중시, 거란 배척 → 만부교 사건(942)
- 훈요 10조 반포(943)

949 광종
- 주현공부법 시행(949)
- 노비안검법 시행(956)
- 과거 제도 실시(958)
- 백관의 공복 제정(960)
- 광덕·준풍 연호 사용(전제 왕권 확립)
- 송과 외교 관계 수립(962)

981 성종
- 최승로의 시무 28조 수용
- 유교 진흥 정책: 국자감 정비(992), 문신월과법 시행(995), 향교(향학) 설치
- 통치 체제 정비
  - 중앙: 2성 6부, 중추원·삼사
  - 지방: 12목 설치(목사 파견), 향리제 마련
- 거란 1차 침입(993) → 서희의 외교 담판으로 강동 6주 획득

1009 현종
- 지방 행정 개편: 5도 양계, 4도호부 8목
- 주현공거법, 향리 정원제, 향리 공복제 실시
- 거란 2차 침입: 초조대장경 조판 시작
- 거란 3차 침입: 강감찬의 귀주 대첩(1019), 나성·천리장성 축조

1046 문종
- 경정 전시과 시행(1076)

1095 숙종
- 의천의 건의로 주전도감 설치(1097) → 화폐 주조(삼한통보, 해동통보 등)
- 서적포 설치(1101) → 서적 간행 활성화
- 윤관의 별무반 조직(1104)

1105 예종
- 윤관의 동북 9성 축조(1107) → 반환(1109)
- 관학 진흥책: 7재(전문 강좌) 설치(1109), 청연각과 보문각 설치(1116), 양현고(장학 재단) 설치(1119)

1122 인종
- 이자겸의 난(1126), 묘청의 난(1135)
- 김부식의 『삼국사기』 편찬(1145)

1146 의종
- 무신 정변(경인의 난, 1170)

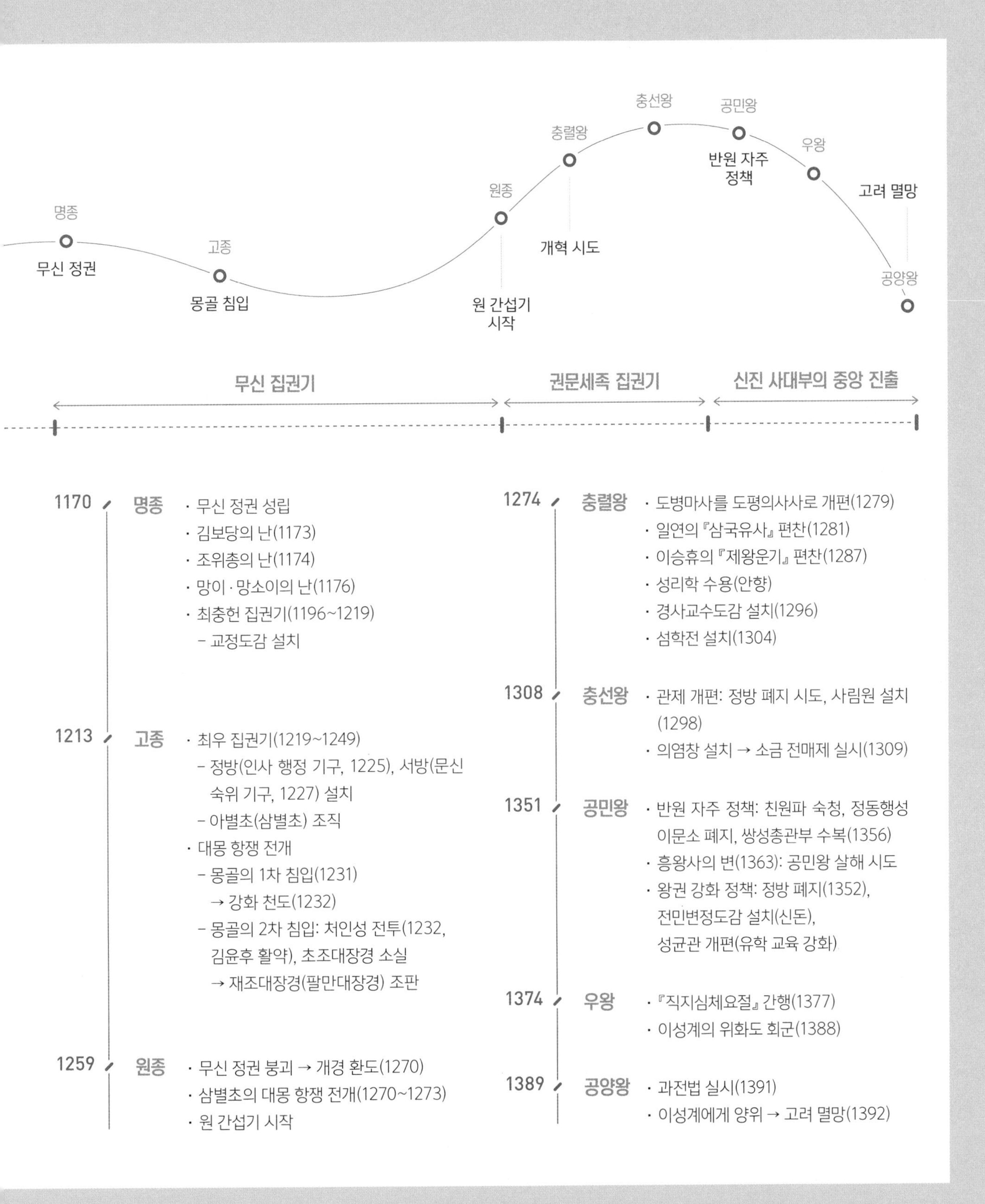

1170 명종
- 무신 정권 성립
- 김보당의 난(1173)
- 조위총의 난(1174)
- 망이·망소이의 난(1176)
- 최충헌 집권기(1196~1219)
  - 교정도감 설치

1213 고종
- 최우 집권기(1219~1249)
  - 정방(인사 행정 기구, 1225), 서방(문신 숙위 기구, 1227) 설치
  - 아별초(삼별초) 조직
- 대몽 항쟁 전개
  - 몽골의 1차 침입(1231) → 강화 천도(1232)
  - 몽골의 2차 침입: 처인성 전투(1232, 김윤후 활약), 초조대장경 소실 → 재조대장경(팔만대장경) 조판

1259 원종
- 무신 정권 붕괴 → 개경 환도(1270)
- 삼별초의 대몽 항쟁 전개(1270~1273)
- 원 간섭기 시작

1274 충렬왕
- 도병마사를 도평의사사로 개편(1279)
- 일연의 『삼국유사』 편찬(1281)
- 이승휴의 『제왕운기』 편찬(1287)
- 성리학 수용(안향)
- 경사교수도감 설치(1296)
- 섬학전 설치(1304)

1308 충선왕
- 관제 개편: 정방 폐지 시도, 사림원 설치(1298)
- 의염창 설치 → 소금 전매제 실시(1309)

1351 공민왕
- 반원 자주 정책: 친원파 숙청, 정동행성 이문소 폐지, 쌍성총관부 수복(1356)
- 흥왕사의 변(1363): 공민왕 살해 시도
- 왕권 강화 정책: 정방 폐지(1352), 전민변정도감 설치(신돈), 성균관 개편(유학 교육 강화)

1374 우왕
- 『직지심체요절』 간행(1377)
- 이성계의 위화도 회군(1388)

1389 공양왕
- 과전법 실시(1391)
- 이성계에게 양위 → 고려 멸망(1392)

01 고려의 정치

1 고려의 성립과 성장

학습 포인트
태조 왕건, 광종, 성종 등 고려 전기 주요 왕의 업적을 반드시 파악하고, 고려의 통치 체제를 중앙, 지방, 군사 등으로 구분하여 정리한다.

빈출 핵심 포인트
태조 왕건, 사심관·기인 제도, 광종, 노비 안검법, 성종, 최승로, 시무 28조, 2성 6부제, 5도 양계, 2군 6위

1 고려의 건국과 민족의 재통일

1. 왕건의 등장

(1) **호족 출신:** 송악(개성)의 호족 출신인 왕건은 예성강 하구를 중심으로 해상 무역을 통해 성장한 후 호족들과 연합하여 세력을 강화하였다.

(2) **궁예 세력에 편입:** 왕건은 궁예의 부하가 되어 한강 유역을 점령하였고, 수군을 이용하여 금성(나주)을 점령(903)하는 등의 공을 세워 광평성 시중에 올랐다.

2. 고려의 건국

(1) 건국

① **즉위:** 왕건은 폭정을 자행한 궁예를 축출한 뒤 신하들의 추대를 받아 즉위하였다(918).

② **국가 기반 형성:** 왕위에 오른 태조 왕건은 고구려 계승 의식을 표방하며 국호를 '고려(高麗)'라 하고, 연호는 '천수(天授)'로 정하였으며, 철원에서 자신의 근거지인 송악(개경)으로 천도하였다.

③ **중세 사회로 발전:** 고려의 건국으로 우리나라는 고대 사회에서 중세 사회로 발전하게 되었다.

(2) 통일 역량 강화

① **대내 정책:** 태조 왕건은 수취 체제를 개편하여 민심을 수습하였고, 지방 호족 세력을 흡수·통합하였으며, 후백제의 공격을 받은 신라를 구원하는 등 지속적인 대신라 우호 정책을 실시하였다. 반면 후백제에 대한 강경책으로 공산 전투, 고창 전투 등 수차례 전투가 벌어졌다.

② **대외 정책:** 왕건은 북중국의 여러 국가들과 외교 관계를 맺어 대외 관계의 안정을 추구하였고, 고구려 계통의 발해를 멸망시킨 거란을 적대시하여 고구려 계승의 정통성을 확보하였다.

중세 사회의 성립
고려의 건국은 고대 사회에서 중세 사회로 변화를 의미한다.

구분	고대	중세
정치	진골 중심	호족 중심
사회	신분 중심, 폐쇄적 (골품제)	능력 중심, 개방적 (과거제)
문화	귀족 문화	귀족 문화와 지방 문화 공존
사상	불교	불교, 유교

3. 민족의 재통일

(1) 발해 유민 포용

① **배경:** 발해의 멸망(926)을 전후하여 많은 발해 유민들이 고려로 망명하였다.

② **내용:** 태조는 발해 태자 대광현이 수만 명을 이끌고 망명하자, '왕계'라는 이름을 하사하고 왕족으로 대우하였으며, 발해 선조에 대한 제사를 허락하는 등 발해 유민들에 대한 동족 의식을 표출하였다.

(2) 신라 병합(935): 태조 왕건은 신라 경순왕의 항복(935)을 받아 평화적으로 신라를 통합함으로써 신라의 전통과 권위를 계승하였다.

(3) 후백제 멸망(936)

① **공산 전투**(927, 대구) : 후백제의 견훤이 신라를 침공하여 경애왕을 살해한 뒤 철수하는 과정에서 신라의 구원 요청을 받은 고려가 후백제를 공격하였으나 대패하였다.

② **고창 전투**(930, 경북 안동): 고려가 후백제에게 승리함으로써 후삼국의 주도권을 장악하였다.

③ **일리천 전투**(936, 경북 구미 선산)

㉠ **배경:** 왕위 쟁탈로 후백제에서 내분이 일어났고, 이때 아들 신검에게 밀려 금산사에 유폐되었던 견훤이 고려에 투항(935)하였다.

㉡ **전개:** 고려가 일리천에서 신검의 후백제군을 격퇴하였다.

㉢ **결과:** 후백제가 멸망하고 왕건이 후삼국을 통일하였다(936).

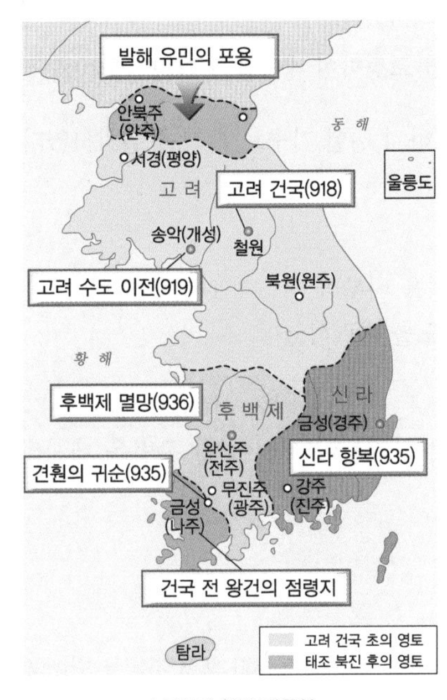

| 고려의 민족 재통일

필수 개념 정리하기

고려의 건국과 후삼국 통일 과정

918	왕건 즉위(고려 건국)
919	고려, 송악(개경)으로 천도
927	· 후백제의 견훤, 신라 경주 공격(경애왕 살해, 경순왕 옹립) · 공산 전투(후백제 승리)
930	고창 전투(고려 승리, 후삼국의 주도권 장악)
935	· 3월 – 견훤 금산사 유폐, 후백제의 신검 즉위 · 6월 – 후백제의 견훤, 고려에 투항 · 11월 – 신라의 경순왕, 고려에 항복(신라 멸망)
936	일리천 전투(고려 승리, 후백제 멸망), 고려의 후삼국 통일

견훤의 투항 교과서 사료

견훤이 막내아들 능예, 딸 애복, 애첩 고비 등을 데리고 나주로 달려와서 고려에 들어가기를 청하였다. (태조가) 장군 유금필 …… 등을 시켜 전함 40여 척을 가지고 바닷길로 가서 견훤을 맞이하게 하였다. 견훤이 들어오자 (태조는) 다시 그를 상부(尙父: 아버지처럼 높인다는 뜻)라고 불렀으며, 남쪽 궁궐을 주고 지위는 모든 관리의 위에 있게 하고 양주를 식읍으로 주었다. 또한, 금과 은을 주고 노비 40명과 10필의 말을 주었다.
-『고려사』

▶ 왕건이 귀순한 견훤을 크게 우대하여 후백제에서는 견훤을 따르는 세력과 신검의 세력 간에 대립이 심해졌다. 이 틈을 이용하여 왕건은 신검이 이끄는 후백제군과의 전투에서 승리할 수 있었다.

일리천 전투 기출사료

일리천을 사이에 두고 진을 친 후 왕(태조 왕건)이 견훤과 함께 군대를 사열했다. …… 아군(고려군)의 군세가 크게 성한 것을 보자 후백제의 장수들이 갑옷을 벗고 창을 던져 견훤이 탄 말 앞으로 와서 항복하니 이에 적병이 기세를 잃어 감히 움직이지 못하였다. …… 신검이 두 동생 및 문무 관료와 함께 항복하였다. -『고려사』

▶ 일리천 전투에서 후백제의 신검이 고려군에 투항하면서 태조 왕건이 후삼국을 통일하였다.

2 태조의 정책(918~943)

1. 민생 안정책

태조 왕건은 후삼국을 통일한 뒤 백성의 생활을 안정시키기 위해 노력하였다.

(1) 조세율 경감

① 취민유도

㉠ **의미**: '백성에게 조세를 수취할 때에는 일정한 법도가 있어야 한다.'

㉡ **적용**: 태조는 통일 신라 말에 과도한 조세 수취로 사회 혼란이 야기되었음을 비판하며 호족들의 과도한 수취를 금지하였다.

② **세율 경감**: 태조는 조세 제도를 조정하여 세율을 수확량의 1/10로 경감하였다.

(2) **흑창 설치**: 태조는 빈민을 구제하기 위한 기구로 흑창을 설치하였다.

2. 왕권 강화 정책

(1) **관료 조직 정비**: 태조는 광평성을 비롯한 태봉의 관제를 바탕으로 신라와 중국의 제도를 참고하여 새로운 정치 제도를 마련하였다.

(2) **『정계』, 『계백료서』 저술**: 태조는 임금에 대한 신하들의 도리를 강조하기 위해 『정계』와 『계백료서』를 저술하여 관리들이 지켜야 할 규범을 제시하였으나 현전하지 않는다.

(3) 호족 세력의 통합과 견제

① 통합책

㉠ **정략 결혼 정책** : 태조는 지방의 유력한 호족과 혼인 관계를 맺어 유대를 강화하였다.

교과서 사료 읽기

> **호족과의 결혼 정책**
>
> 신혜 왕후 유씨는 …… 유천궁(개경 부근 정주 출신 호족)의 딸이다. 태조가 …… 늙은 버드나무 밑에서 말을 쉬고 있는데 왕후(유씨)가 길 옆 시냇가에 서 있었다. 태조가 그녀의 얼굴이 덕성스러움을 보고 …… 그 집에 가서 숙박하였다. -『고려사』
>
> **사료 해설** | 태조 왕건은 호족 세력을 포섭하기 위한 결혼 정책으로 29명의 부인을 맞이하였고, 많은 왕자를 낳았다. 이러한 결혼 정책은 태조 사후 고려 초기 왕위 계승 쟁탈전이 벌어지는 원인이 되었다.

㉡ **사성 정책**: 태조는 국가에 큰 공이 있는 호족에게 왕씨 성을 하사하는 사성(賜姓) 정책을 실시하여 친족으로 포섭하였다.

㉢ **중앙 관직 수여**: 태조는 개국 공신과 지방 호족을 중앙의 관리로 등용하고, 경제적 기반을 마련할 수 있도록 논공행상적 성격의 역분전을 지급하였다.

② 견제책

㉠ **사심관 제도**: 태조는 중앙 고관을 자기 출신지의 사심관으로 삼아 부호장 이하의 향리 임명권, 풍속 교정, 공무 조달의 의무를 부여하였다. 또한 사심관에게 관할 지역의 치안 및 행정에 대한 연대 책임을 지게 하여 지방을 통제하였다.

태조의 정책 순서 기출연표

흑창 설치 기출사료

교를 내리기를, "내가 들으니 덕은 오직 좋은 정치에 있고, 정(政)은 백성을 양육함에 있다. 국가는 사람으로 근본을 삼고, 사람은 먹는 것으로 하늘을 삼는다." 이에 우리 태조께서는 흑창을 설치하여 가난한 백성을 진대(賑貸)하는 것을 항상적인 법칙으로 삼으셨다. -『고려사』

▶ 흑창은 가난한 백성에게 곡식을 빌려주었다가 추수기에 갚도록 하는 진휼 기관으로, 고구려의 **진대법과 유사**한 제도였다.

사심관 제도 기출사료

태조 18년 신라왕 김부(경순왕)가 항복해 오니 신라국을 없애고 경주라 하였다. 김부로 하여금 경주의 사심관이 되어 부호장 이하의 임명을 맡게 하였다. 이에 여러 공신이 이를 본받아 각기 자기 출신 지역의 사심이 되었다. 사심관은 여기에서 비롯되었다. -『고려사』

▶ 태조는 중앙 호족(→ 문벌 귀족)을 출신 지역의 사심관에 임명하고, 관할 지역에 문제가 생겼을 경우에 연대 책임을 지도록 하여 지방 세력을 견제하였다.

㉡ **기인 제도:** 통일 신라의 상수리 제도를 계승한 일종의 인질 정책으로 지방 향리의 자제를 수도에 데려와 기인으로 삼고 출신 지방의 행정과 관련된 역(출신지의 과거 응시자 신원 조사, 사심관 선발 자문, 왕실 시위)을 담당하게 하여 지방 세력을 견제한 제도이다.

(4) **훈요 10조 반포:** 태조는 훈요 10조를 반포해 후대 왕들이 왕으로서 지켜야 할 정책 방안을 제시하였다.

기출 사료 읽기

훈요 10조

2조 모든 사원은 도선이 산수의 순역을 계산하여 개창한 것이다. 도선이 말하기를, "내가 지정한 곳 외에 함부로 더 창건하면 지덕을 상하게 하여 왕업이 길지 못할 것이다"라고 하였다. 신라 말에 절을 다투어 짓더니 지덕을 손상하여 망하기에 이르렀으니 어찌 경계하지 않겠는가?

4조 우리 동방은 예부터 중국의 풍속을 본받아 문물과 예악을 따랐으나, 지역과 인성이 각기 다르므로 꼭 같게 할 필요는 없다. 거란은 짐승과 같은 나라로 풍속이 같지 않고 말도 다르니 의관 제도 등을 삼가 본받지 말라.

5조 짐은 삼한의 산천 신령의 도움에 힘입어 대업을 성취하였다. 서경은 수덕이 순조로워 우리나라 지맥의 근본이 되며 대업을 만대에 전할 땅인 까닭에 마땅히 사중월에는 행차하여 100일 이상 머물며 안녕을 이루도록 하라.

6조 짐이 지극히 원하는 바는 연등과 팔관에 있으니 연등은 부처를 섬기는 것이며 팔관은 천령 및 오악, 명산, 대천과 용신을 섬기는 것이다. 후세에 간사한 신하가 더하고 줄일 것을 권하는 자가 있거든 필히 그것을 금지하라.

사료 해설 | 태조 왕건은 훈요 10조를 통해 후대 왕들에게 풍수지리 사상에 근거한 사찰 창건, 거란의 제도 배제, 서경의 중요성 강조, 연등회와 팔관회 장려 등에 대한 내용을 남겼다.

3. 북진 정책

(1) **고구려 계승 의식:** 태조는 고구려의 계승자라는 뜻에서 국호를 '고려'로 정하였고, 국가의 자주성을 강조하기 위해 '천수'라는 독자적 연호를 사용하였다.

(2) **서경 중시:** 태조는 평양을 서경으로 삼아 북진 정책의 전진 기지로 삼고, 분사(分司) 제도를 실시하였다. 분사 제도는 서경에 수도인 개경에 있는 주요 관서와 비슷한 별도의 행정 조직을 설치한 제도이다.

(3) **영토 확장:** 태조 말 북쪽으로는 청천강, 동북쪽으로는 원산만에서 영흥까지 국경선이 확대되었다.

(4) **거란에 대한 강경책:** 태조는 거란에서 수교를 위해 선물로 보낸 낙타 50마리를 굶어 죽게 하고, 사신 30명을 섬으로 귀양보내는 등(942, 만부교 사건) 발해를 멸망시킨 거란에 대해 강경책을 실시하였다.

4. 숭불 정책

(1) **목적:** 불교와 재래 관습을 중시함으로써 민심을 수습하여 왕실의 안전을 도모하였다.

(2) **내용:** 훈요 10조에서 불교를 권장하고 연등회와 팔관회를 강조하였다.

기인 제도 기출사료

국초에 향리의 자제를 뽑아 서울에서 인질로 삼고 또 그 향사(鄕事)의 고문에 대비하니 이를 기인이라 하였다. - 『고려사』

▶ 기인 제도는 **신라의 상수리 제도를 계승**한 것으로, 지방 호족의 자제를 수도에 머물게 하며 출신지의 일을 자문하게 한 제도였으나, 실제로는 지방 호족의 자제를 인질로 삼아 **호족 세력을 견제**하기 위한 것이었다.

만부교 사건 교과서 사료

(태조) 25년 10월 거란이 사신을 보내 낙타 50필을 선사하였다. 왕은 "거란이 일찍이 발해와 화친을 이어 오다가 돌연히 발해를 의심하고는 두 마음을 품어 맹약(盟約)을 어기고 멸망시켰다. 이는 매우 도리에 어긋난 일이니 화친하여 국교를 맺을 바가 되지 못한다."고 하고는 드디어 외교 관계를 끊었다. 그리고 사신 30명을 섬으로 유배 보내고 낙타를 만부교(萬夫橋) 아래에 매어 놓아 모두 굶어 죽게 하였다. - 『고려사』

▶ 고려는 동족 의식을 가지고 있던 **발해를 멸망시킨 거란에 대해 강경하게 대응**하였다. 이를 보여 주는 대표적인 사건이 **만부교 사건**이다.

팔관회

구분	내용
성격	도교와 토착 신앙 행사에 불교가 결합
개최 장소	개경과 서경
개최 시기	· 개경: 11월 15일 · 서경: 10월 15일
특징	· 국가와 왕실의 태평을 기원 · 외국 상인에게 무역의 장이 되기도 함

3 혜종과 정종의 정책

1. 혜종(943~945)

(1) **왕위 쟁탈전:** 태조의 정략 결혼으로 인해 태어난 많은 왕자들과 다수의 외척들로 태조 사후에 왕권이 약화되었다. 정치적 기반이 약한 혜종이 즉위하자, 왕위 쟁탈전이 시작되었다.

(2) **왕규의 난**(945): 광주의 호족 왕규가 자신의 외손자인 광주원군을 왕위에 올리기 위해 난을 일으켰으나 왕식렴에 의하여 제거되었다.

2. 정종(945~949)

(1) **왕규의 난**(945) **진압:** 혜종 대에 왕규가 난을 일으키자, 정종이 왕식렴(서경 세력)과 연합하여 왕규의 난을 진압하고 즉위하였다.

(2) **광학보 설치**(946): 여러 사원에 불법(佛法)을 배우는 사람들을 위한 장학 기관으로 광학보를 설치하여 불교를 장려하였다.

(3) **광군 편성**(947): 정종은 최광윤의 보고에 따라 서경의 입지를 강화하고 거란의 침입에 대비하기 위해 광군(光軍) 30만을 편성하고, 지휘부로는 광군사를 설치하였다.

교과서 분석하기

광군과 광군사

광군	· 설치 목적: 거란 침입에 대비하기 위해 호족의 군대를 동원하여 조직한 일종의 예비군 · 의의: 실제 운영은 호족이 담당하였으나, 중앙에 지휘부를 갖춘 전국적 군사 조직을 설치하여 지방 호족들을 통제하는 계기가 됨 → 현종 때 주현군으로 개편
광군사	30만 광군을 통솔하는 지휘부로, 개경에 설치됨

광군 교과서 사료

최언위(崔彦撝)의 아들 광윤(光胤)이 공사(貢士)로 진(晉)나라에 들어갔다가 거란에 사로잡히게 되었는데, 재주가 있어서 등용되었다. 거란이 우리나라를 침범하려는 것을 알고 글로 알려 왔다. 이에 유사(有司)에게 군사 30만을 뽑게 하여 광군(光軍)이라 부르고 관사(官司)를 설치하여 거느리게 하였다. -『고려사』

▶ 광군이 설치될 당시 고려 정부의 지방 통제는 불완전한 상황이었으므로, 광군은 지방 호족의 징병에 의해 조직된 것으로 보인다. 그러므로 **광군은 호족 연합군의 성격**을 지니고 있었으며 각 지방의 **호족들이 부대의 지휘권을 장악**하였다.

4 광종의 정책(949~975)

1. 왕권 강화책

(1) **주현공부법**(949): 각 주현 단위로 해마다 조세·공물의 액수를 책정하여 징수하는 제도로, 지방 호족들의 자의적인 수탈을 막고 국가 재정을 확보하기 위해 실시되었다.

(2) **노비안검법**(956)

① **내용:** 광종은 노비안검법을 제정하여 후삼국 시대의 혼란기에 억울하게 노비가 된 자들을 양인으로 해방시켰다.

② **결과:** 공신과 호족들의 경제적·군사적 기반은 약화된 반면, 노비들이 조세와 부역의 의무를 지는 양인이 되어 국가 재정이 안정적으로 확보되었고, 국가 수입 기반이 확대되어 왕권이 강화되었다.

최승로의 노비안검법에 대한 평가 기출사료

우리 태조가 창업한 초기에 여러 신하 중 본래 노비를 소유하고 있던 자를 제외하고는 본래 없는 자들이 혹은 종군하다가 포로를 잡아 노비로 삼기도 하고, 혹은 재물로 노비를 사기도 하였습니다. …… 광종 때에 이르러 비로소 노비를 심사하여 그 시비를 분간케 하였습니다. 그리하여 천한 노예들이 뜻을 얻어 존귀한 사람을 능욕하고, 다투어 허위 사실을 날조하여 본주인을 모함한 자가 헤아릴 수 없습니다. -『고려사절요』

▶ 최승로는 시무 28조에서 광종이 시행한 **노비안검법으로 신분 질서가 무너졌다고 비판**하며, 성종에게 이를 바로잡을 것을 건의하였다.

교과서 사료 읽기

노비안검법 시행

광종 7년(956), (억울하게) 노비가 된 자를 조사해서 옳고 그름을 분명히 밝히도록 명령하였다. 이 때문에 주인을 배반하는 노비들을 도저히 억누를 수 없었으므로, 주인을 업신여기는 풍속이 크게 유행하였다. 사람들이 다 수치스럽게 여기고 원망하였다. 왕비도 간절히 말렸지만 받아들이지 않았다.

-『고려사절요』

사료 해설 | 광종은 노비안검법을 시행하여 후삼국 시대의 혼란기에 불법적으로 노비가 된 자를 조사하여 양인으로 해방시켜 주었다.

(3) **과거 제도**(958)

① **내용:** 광종은 후주에서 귀화한 쌍기의 건의를 수용하여 문예와 유교 경전 시험을 통해 문반 관리를 선발하는 과거 제도를 실시하였다.

② **목적:** 유학을 공부한 신진 인사를 등용하여 공신들의 세력을 약화시키고 왕권을 강화하고자 하였다.

(4) **백관의 공복 제정**(960): 광종은 백관의 공복을 제정하여 관리의 복색을 관등에 따라 자색, 단색, 비색, 녹색으로 구분하여 위계 질서를 확립하였다.

(5) **훈신 숙청:** 대상(大相) 준홍(俊弘)과 좌승(佐丞) 왕동(王同)을 모역죄로 숙청하였다.

2. 대외 정책

(1) **외왕내제 체제 구축:** 광종은 대내적으로 황제라 칭하여 국왕의 권위를 높이고, 개경을 황도(皇都)로, 서경을 서도(西道)로 칭하였다. 또한 광덕(光德), 준풍(峻豊) 등의 독자적인 연호를 사용(칭제 건원)하며 자주 국가로서의 면모를 과시하였다.

(2) **송(宋)과 통교**(962): 광종 때 정식으로 중국의 송과 외교 관계를 맺어 문화적·경제적 이익을 도모하였다.

3. 기타 정책

(1) **제위보 설치**(963): 민생 안정책으로 빈민의 구제 기구인 제위보를 설치하였다.

(2) **불교 정비**

① **승과 실시:** 승과는 승려를 대상으로 한 과거 제도로, 교종선·선종선으로 구분하여 실시하였다.

② **국사·왕사 제도 시행:** 혜거를 국사, 탄문을 왕사로 삼으면서 국사·왕사 제도를 마련하였다.

③ **사찰 건립:** 광종은 자신의 개혁 정책을 뒷받침해 줄 지지 세력을 얻고자 균여를 초대 주지로 한 귀법사를 창건하였다.

④ **교·선 통합 모색:** 광종은 혜거 등을 통해 중국의 법안종을 수용하여 선종을 정리하고, 균여의 화엄종을 중심으로 교종을 정리한 후, 천태학을 통해 교·선의 통합을 모색하였다.

과거 제도 실시 교과서 사료

삼국 시대 이전에는 과거법이 없었고, 고려 태조가 먼저 학교를 세웠으나 과거로 인재를 뽑는 데까지는 이르지 못하였다. 광종이 쌍기의 의견을 받아들여 과거로 인재를 뽑자, 이때부터 학문을 숭상하는 풍습이 일어나기 시작하였다. -『고려사』

▶ 광종 때 과거 제도가 실시되어 능력 위주의 관리 선발 기준이 마련되었고, 왕권이 강화되었다.

공복 제정

고려 태조가 나라를 세울 때는 모든 것이 새로 시작하는 것이 많아서 관복 제도는 우선 신라에서 물려받은 것을 그대로 두었다. 광종 때에 와서 비로소 백관의 공복을 제정하였다. 이때부터 귀천과 상하의 구별이 명확해졌다. -『고려사』

▶ 광종은 **지배층의 위계 질서**와 **관리의 기강을 확립**하기 위하여 백관의 공복을 제정하였다.

고려 시대의 연호

고려 시대에 **태조(천수)**, **광종(광덕·준풍)**, **경종(태평)** 등 총 세 명의 국왕이 연호를 사용하였다. 이외에도 묘청은 대위국을 세우고 천개(天開)라는 연호를 제정하였다.

5 경종의 정책(975~981)

1. 반동 정치의 시행

(1) **호족 세력의 재강화:** 경종은 광종 대에 왕권 강화 과정에서 숙청당했던 호족들에게 사면령을 내리고 이들의 죄를 없애 기존 호족들의 세력이 다시 강화되었다.

(2) **개혁 세력의 숙청:** 경종이 즉위하자 호족들은 광종의 개혁을 추진했던 개혁 세력들을 대거 제거하였다.

2. 시정 전시과(976)

(1) **목적:** 새로운 중앙 관료들의 경제적 안정을 통한 중앙 집권 체제의 확립을 위해 실시되었다.

(2) **전시과 제도의 시작:** 전·현직 관리에게 관등의 높고 낮음에 따라 전지(논밭)와 시지(땔깜을 얻는 땅)에 대한 수조권(조세를 거둘 수 있는 권리)을 차등적으로 지급한 제도로, 경종 때 처음 시행되었다(시정 전시과).

(3) **토지 지급 기준:** 역분전이 공로와 인품에만 의존해 수조권을 지급한 것과 달리 전·현직 관리들을 대상으로 관품(자·단·비·녹색의 4색 공복과 문·무·잡업 계층으로 구분)과 인품을 함께 고려하여 지급하였다.

6 성종의 정책(981~997)

1. 유교 정치 이념 확립

(1) **유학자의 정치 주도:** 성종 때에는 신라 6두품 출신 유학자들을 중심으로 유교 정치 이념에 입각한 국정 운영이 이루어졌다.

(2) **최승로의 5조 정적평과 시무 28조 수용**

① **배경:** 성종은 즉위 후 국가의 폐단을 없애고 국정을 쇄신한다는 목적으로 중앙의 5품 이상의 관리들로 하여금 그동안의 정치에 대한 비판과 정책을 건의하는 글을 올리게 하였다.

② **5조 정적평:** 최승로는 태조부터 경종에 이르는 5대 왕의 치적에 대한 잘잘못을 평가하여 교훈으로 삼도록 하였다.

③ **시무 28조**

㉠ **유교 이념 강조:** 최승로는 5조 정적평과 함께 28조에 달하는 시무책을 올려 유교 이념을 바탕으로 국가를 운영할 것을 주장하였다.

㉡ **내용:** 시무 28조에는 지방관의 파견을 통한 호족 세력 견제, 유교 이념의 실현, 불교 행사와 토속 신앙 규제, 중앙 관제 정비, 궁궐 내 군인과 노비 감축, 삼한 공신 자손에 대한 처우 개선, 노비 관련 재판 개선 등의 내용이 담겨 있다.

④ **채택:** 성종은 최승로의 건의를 수용하여 국가 재정을 낭비하는 불교 행사를 억제하고, 유교 사상을 정치의 근본 이념으로 삼아 통치 체제를 정비하였다.

전시과 교과서 사료

고려의 토지 제도는 대개 당의 그것과 비슷하였다. 개간된 토지의 수효를 총괄하고 기름지거나 메마른 토지를 구분하여 문무백관으로부터 부병(군인), 한인(閑人)에게까지 일정한 과(科)에 따라 모두 토지를 주고, 또 등급에 따라 땔나무를 베어낼 땅을 주었다. 이를 전시과라고 한다.
-『고려사』

▶ 전시과는 관리들에게 국가에 봉사하는 대가로 토지를 지급하는 제도로, 고려 **경종 때 처음 시행**되었다.

최승로

최승로는 신라 6두품 출신(최은함의 아들)의 유학자로, **유교 사상에 입각한 28조의 시무책을 성종에게 건의**하였다. 최승로가 건의한 시무책 중 현재 22조만이 『고려사』에 전해진다.

5조 정적평에서의 광종에 대한 평가 기출사료

경신년부터 을해년까지 16년간은 간사하고 흉악한 자가 다투어 나아가고 참소가 크게 일어나 군자는 용납되지 못하고 소인은 뜻을 얻었습니다. 마침내 아들이 부모를 거역하고, 노비가 주인을 고발하고, 상하가 마음이 다르고, 군신이 서로 갈렸습니다. 옛 신하와 장수들은 잇달아 죽음을 당하였고, 가까운 친척이 다 멸망을 하였습니다.
-『고려사』

▶ 최승로는 성종 앞의 5조(태조, 혜종, 정종, 광종, 경종)의 치적을 평가하였으며, 광종을 크게 비판하였다.

기출 사료 읽기

최승로의 시무 28조

제7조 태조께서 나라를 통일한 후에 군현에 수령을 두고자 하였으나 대개 초창기에 일이 번다하여 미처 이 일을 시행할 겨를이 없었습니다. 이에 제가 보건대 향리 토호들이 늘 공무를 빙자하여 백성들을 침해하고 학대하므로 백성들이 명령을 감당하지 못하니 청컨대 외관(外官, 지방관)을 두소서.

제11조 중국의 제도를 따르지 않을 수는 없지만 사방의 풍습이 각기 토성(土性)에 따르게 되니 다 고치기는 어려울 것 같습니다. 그 예악(禮樂)·시서(詩書)의 가르침과 군신·부자의 도리는 마땅히 중국을 본받아 비루한 것은 고치도록 하고, 그 밖의 거마(車馬)·의복의 제도는 우리의 풍속을 따르게 하여 사치함과 검소함을 알맞게 할 것이며 구태여 중국과 같이 할 필요가 없습니다.

제13조 우리나라에서는 봄에는 연등을 설치하고, 겨울에는 팔관을 베풀어 사람을 많이 동원하고 노역이 심히 번다하오니 원컨대 이를 감하여 백성이 힘을 펴게 하소서.

제20조 석교(釋敎, 불교)를 행하는 것은 수신(修身)의 근본이며, 유교를 행하는 것은 치국(治國)의 근원이니, 수신은 내생(來生)을 위한 것이며, 치국은 곧 오늘의 일입니다. -『고려사』

사료 해설 | 최승로는 호족 세력의 억제와 외관 파견 등을 통해 중앙 집권적 정치 체제를 확립하면서 귀족 관료 중심으로 고려의 정치와 사회를 재편성하고자 하였다.

2. 통치 체제 정비

(1) 정치 체제 정비

① 중앙 행정 기구 정비

㉠ **2성 6부:** 당의 3성 6부 관제를 받아들여, 고려의 실정에 맞게 고쳐 2성 6부를 설치하였다.

㉡ **중추원과 삼사:** 송의 관제를 모방하여 중추원(국왕 비서 기관)과 삼사(곡식의 출납과 회계 담당)를 설치하였다.

㉢ **도병마사와 식목도감 :** 고려만의 독자적인 기구로 도병마사와 식목도감을 설치하였다.

② 지방 행정 조직 정비

㉠ **12목 설치:** 성종은 지방 주요 지역에 12목을 설치하고, 지방관으로 목사를 파견하였다.

㉡ **향리 제도 마련:** 성종은 지방 중소 호족을 향리(호장, 부호장)로 편입시키고, 중앙에서 직접 통제함으로써 지방 세력을 견제하였다.

③ 문산계·무산계 부여: 성종은 중앙 문·무 관료에게 문산계를, 지방의 향리와 노병 등에게 무산계를 부여하는 등 중앙 관료와 지방 세력들의 서열화를 확실하게 정비하였다.

㉠ **문산계:** 중앙의 문·무관에게 문산계를 부여하여 관리들의 지위와 신분을 나타낼 수 있도록 하였다.

㉡ **무산계:** 향리, 귀화한 여진 추장, 노병(老兵), 악인(樂人), 공장(工匠), 탐라 왕족 등에게는 무산계를 부여하였다.

(2) 유학 장려와 교육 시설 확충

① 교육 제도 정비

㉠ **국자감 설치**(992)**:** 성종은 개경에 국립 대학인 국자감을 설치하였다.

고려 시대의 지방관 파견

고려 성종 때 중앙 정부는 주요 지역에 상주하는 지방관인 목사를 12목에 파견하였다. 한편 고려 초기에도 **금유, 조장** 등 중앙 정부가 파견한 관리가 있었지만 상주하는 지방관은 아니었고, 권한도 조세 징수 등 행정에만 치우쳐 있어 재판 등은 토착 호족들이 처리하였다.

㉡ **향교 설치 및 박사 파견**(987): 성종은 지방의 주·군에 향교를 세웠으며, 12목에 경학 박사와 의학 박사를 파견하여 유학과 의학 교육을 담당하게 하였다.

㉢ **도서관 설치:** 성종은 개경에 비서성, 서경에 수서원이라는 도서관을 설치하였다.

② **문신 월과법:** 문신 월과법은 한림원에서 중앙의 문신들에게 문제를 출제하여 매월 시 3수와 부 1편을, 지방관들에게는 스스로 매년 시 30편과 부 1편씩을 지어 연말에 바치게 한 제도이다.

③ **불교 행사 폐지:** 성종 때 과도한 재정 지출을 막기 위해 연등회, 팔관회 등의 불교 행사를 폐지하였다.

(3) 사회·경제 정책

① **노비환천법 실시**(987): 광종 대에 노비안검법으로 해방된 노비 중 일부를 노비로 되돌림으로써 신분 질서를 확립하고자 하였다.

② **의창 설치:** 성종은 태조 때 설치된 빈민 구제 기관인 흑창을 확대하여 의창을 설치하였다.

③ **상평창 설치:** 개경, 서경, 12목에 물가 조절 기구인 상평창을 설치하였다.

④ **건원중보 주조:** 성종은 우리나라 최초의 화폐인 건원중보를 주조하였다.

⑤ **자모상모법 시행**: 성종은 이자가 원금을 넘지 못하도록 제한하였다.

(4) 대외 정책: 성종 때 서희의 외교 담판으로 거란으로부터 강동 6주를 획득하였다.

7 목종의 정책(997~1009)

(1) 개정 전시과 시행: 전·현직 관리를 대상으로 인품을 배제하고 관직만을 기준으로 수조권을 지급하는 개정 전시과를 시행하였다.

(2) 강조의 정변(1009): 목종의 모후(母后)인 천추태후와 김치양이 불륜 관계를 맺고 왕위를 엿보자, 서북면 도순검사 강조가 정변을 일으켜 김치양 일파를 제거하고 목종을 폐위시킨 뒤 현종을 즉위시켰다.

8 현종의 정책(1009~1031)

1. 제도 개편

(1) 지방 행정 개편: 현종은 성종 때 설치된 12목을 군사적 요충지로서의 4도호부와 일반 행정 구역으로서의 8목 체제로 개편하고, 전국을 다시 5도와 양계로 이원화하여 편제하였다.

(2) 향리 제도 정비

① **향리 정원제 및 향리 공복제**: 군현의 정(丁) 수를 고려하여 향리의 정원을 제한한 향리 정원제와 향리의 공복을 규격화한 향리 공복제를 마련하였다.

② **주현 공거법**: 주와 현을 단위로 향리의 자제들에게 과거 시험 응시 자격을 부여하였다.

노비환천법

천예(賤隸)들이 때나 만난 듯이 윗사람을 능욕하고 저마다 거짓말을 꾸며 본주인을 모함하는 자가 헤아릴 수 없었습니다. …… 바라건대, 전하께서는 옛일을 심각한 교훈으로 삼아 천인이 윗사람을 능멸하지 못하게 하고, 종과 주인 사이의 명분을 공정하게 처리하십시오. …… 전대에 판결한 것을 캐고 따져서 분쟁이 열리지 않도록 해야 하겠습니다.

- 『고려사절요』

▶ 최승로는 광종 때의 노비안검법으로 **고유 신분 제도인 양천의 법이 붕괴**되어 신분 질서가 위기에 처했다고 지적하였다. 그리하여 양인이 된 노비 중 옛 주인을 경멸하는 자를 **다시 노비로 환천**시키도록 건의하였다.

자모상모법

이자가 빌린 곡식과 같은 액수가 되면 그 이상의 이자를 받지 못하도록 한 법이다.

강조의 정변 기출사료

강조의 군사들이 궁문으로 마구 들어오자, 목종이 모면할 수 없음을 깨닫고 태후와 함께 목 놓아 울며 법왕사로 옮겼다. 잠시 후 황보유의 등이 대량원군을 받들어 왕위에 올렸다. 강조가 목종을 폐위시켜 양국공으로 삼고, 군사를 보내 김치양 부자와 유행간 등 7인을 죽였다.

▶ 1009년(목종 12)에 서북면 도순검사 강조가 김치양의 반역을 들어 **목종을 폐위시키고 대량원군(현종)을 세워 왕위에 올린 사건**이다. 이 사건은 거란에게 강조의 죄를 묻는다는 구실로 **고려를 침략할 명분을 제공**하였다.

2. 거란과의 항쟁(2·3차 침입)

(1) **강감찬의 귀주 대첩**(1019): 강감찬이 귀주에서 거란 소배압의 침입을 격파하였다.

(2) **초조대장경 조판**: 불력(佛力)으로 거란의 침입에 대항하고자 초조대장경을 조판하였다.

(3) **나성 축조**(1009~1029): 현종은 개경의 외성인 나성을 축조하여 도성 수비를 강화하였다.

초조대장경 기출사료

현종 2년(1011)에 거란주(契丹主)가 크게 군사를 일으켜 와서 정벌하자 현종은 남쪽으로 피난하고, 거란 군사는 송악성에 주둔하고 물러가지 않았습니다. 현종은 이에 여러 신하들과 함께 더할 수 없는 큰 서원을 발하여 대장경 판본을 판각하자 거란 군사가 스스로 물러갔습니다.

▶ 현종 때 불력으로 거란의 침입을 물리치고자 초조대장경을 조판하였다.

3. 문화 정책

(1) **불교 진흥**: 현종은 개경 현화사와 현화사 7층 석탑을 건립하였고, 연등회·팔관회를 부활시켰다.

(2) **『7대실록』 편찬 시작**: 현종은 황주량 등에게 7대 왕(태조~목종)의 실록을 편찬하게 하여 덕종 때 완성하였으나 현존하지는 않는다.

9 문종의 정책(1046~1083)

1. 체제 정비

(1) **공음전 완비**(1049): 문종은 5품 이상의 고위 관료에게 지급한 세습 가능한 토지인 공음전 제도를 법제화하였다.

(2) **경정 전시과 시행**(1076): 문종은 경정 전시과를 시행해 현직 관리에게만 수조권을 지급하였고, 무반에 대한 차별 대우를 없앴으며, 분급 대상에 향직도 포함시켰다.

(3) **녹봉 제도 확립**: 문종은 현직 관리에게 녹봉을 지급하는 제도를 정비하였다.

2. 기타

문종 대에는 유학이 발전함에 따라 최충이 세운 문헌공도와 함께 사학 12도가 융성하였다. 또한 불교를 장려하여 화엄종의 본찰로서 흥왕사를 건립하였다.

10 통치 체제 정비

1. 정치 조직의 정비

(1) 특징

① **중국적 요소와 독자적 요소의 결합**: 고려의 통치 체제는 당·송의 중국적인 요소와 신라 관제의 요소, 그리고 고려의 독자적인 요소가 결합하여 형성되었다.

② **고려 실정에 맞게 운영**: 고려의 중앙 정치 조직은 당의 3성 6부제를 토대로 마련되었으나 고려의 실정에 맞게 조정하여 운영하였다.

통치 체제 정비 과정

- 중서문하성과 상서성의 정비 과정
  - **중서문하성**: 내사문하성(성종) → 중서문하성(문종)
  - **상서성**: 광평성(국초, 국정 최고 기구) → 어사도성(성종) → 상서성(성종)
- 군사 행정 기구
  - 순군부: 국왕 직속 군사 기구
  - 병부: 군사 행정 기구

(2) **정비 과정:** 성종 때 성립된 2성 6부제를 토대로 점차 통치 체제가 정비되어 문종 때에 이르러 완성되었다.

2. 중앙 관제(2성 6부)

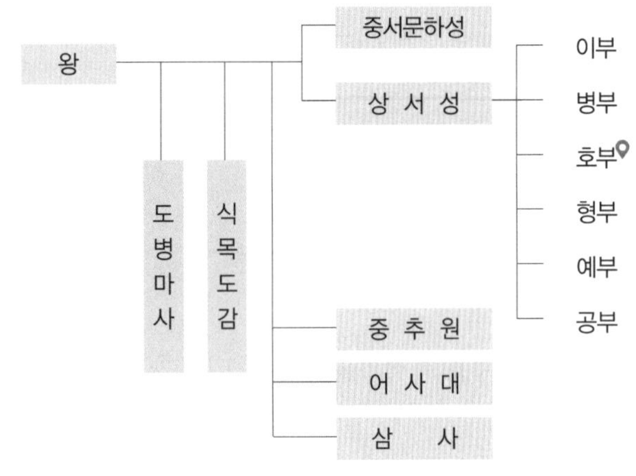

| 고려의 중앙 정치 기구

(1) **중서문하성(재부):** 중서문하성은 고려의 최고 관서로서 장관인 문하시중이 수상이 되어 국정을 총괄하였으며, 재신과 낭사로 구성되었다.

① **재신:** 재신은 2품 이상의 고관으로 백관 통솔, 국가의 중요 정책 심의·결정 등을 담당하였고, 6부의 판사(判事)를 겸임하였다.

② **낭사(간관):** 낭사는 3품 이하의 관리로 간쟁·봉박·서경의 기능 등 언관의 역할을 담당하였다.

(2) **상서성:** 상서성은 상서도성과 6부를 두고 정책 집행을 담당하였다.

(3) **6부:** 상서성의 하위 조직으로 정책의 실질적인 행정 업무를 담당하였다.

① **운영:** 정3품의 상서가 책임자로 실무를 담당하였고, 중서문하성의 재신이 판사를 겸임하였다.

② **특징:** 각 부의 장관인 정3품 상서는 정책을 결정하는 중서문하성이나 도병마사에 참여할 자격이 없었으므로 행정과 정책 사이에 괴리가 생길 수 있었다. 이에 상서 위의 관직인 판사를 두어 중서문하성의 재신이 겸직함으로써 이러한 문제점을 보완하려 하였다.

(4) **도병마사와 식목도감**

① **특징:** 도병마사와 식목도감은 합좌 제도의 전통을 이은 고려의 독자적인 기구였다.

② **운영:** 중서문하성의 재신과 중추원의 추밀이 모여 국가의 중대사를 논의하였는데, 이는 고려 정치가 재추 중심의 귀족적 성격의 관료 제도로 운영되었음을 보여준다.

③ **도병마사(재추 합좌 기구):** 초기에는 국방 · 군사 문제를 담당하는 임시 회의 기구였으나, 고려 후기 충렬왕 때 도평의사사(도당)로 개편되면서 구성원에 재신과 추밀뿐 아니라 삼사의 관원도 포함될 만큼 확대되었고, 국정 전반의 중요 사항을 담당하며 시행하는 최고 정무 기구로 발전하였다.

④ **식목도감:** 대내적인 법제와 각종 시행 규정을 담당하는 일종의 입법 기관이었다.

중앙 관제 정비

- **당의 관제 반영:** 2성 6부
- **송의 관제 모방:** 중추원, 삼사
- **고려의 독자적 기구:** 도병마사, 식목도감

호부

호부는 삼사(三司)와 함께 고려 시대의 재정 기능을 담당한 중앙 기구이다. 호부에서는 **호적과 양안을 작성**하여 **인구와 토지를 파악하고 관리**하였으며, **부세를 부과**하였다. 반면 삼사는 수취한 부세의 출납 회계 업무를 관장하였다.

재신

고려의 재상은 **중서문하성의 재신**, **중추원의 추밀**을 의미하며 이들은 국정 전반에 대해 협의하고 결정하였다.

도병마사(도평의사사) 기출사료

국초에 도병마사를 설치하여 시중·평장사·참지정사·정당문학·지문하성사로 판사(判事)를 삼고, 판추밀 이하로 사(使)를 삼아 일이 있을 때 모였으므로 합좌(合坐)라는 이름이 붙게 되었다. 그런데 한 해에 한 번 모이기도 하고 여러 해동안 모이지 않기도 하였다. - 이제현, 『역옹패설』

▶ 도병마사는 **고려의 독자적인 합좌 기구**로, 후기에 **도평의사사로 개편**되면서 최고 정무 기구로 발전하였다. 도평의사사는 조선 건국 초에 폐지되었다.

(5) 중추원(추부)

① **추밀**: 중추원은 2품 이상의 추밀들로 구성되어 군사 기밀을 관장하였으며, 추밀들은 중서문하성의 재신들과 함께 국정을 총괄하였다.

② **승선**: 승선은 3품의 관리로 승선방을 구성하였고, 왕명 출납을 담당하였다.

(6) 어사대
어사대는 대관 또는 감찰사라고도 불리며, 관리에 대한 비리를 규찰하고 감찰하는 역할과 풍속 교정 업무를 수행하였다.

기출 사료 읽기

> 어사대
>
> 어사대에서 대부경 왕희걸, 우사낭중 유백인, 예부낭중 최복규, 원외랑 이응년 등이 서경 분사(分司)에서 토지를 겸병하여 재물을 모으고 있음을 탄핵하고 그들을 관직에서 파면할 것을 요청하니 왕이 이 제의를 좇았다. -『고려사』
>
> **사료 해설** | 어사대는 시정을 논하고 풍속을 교정하였으며, 백관을 규찰·탄핵하는 일을 담당하였다.

(7) 삼사

① **기능**: 삼사는 화폐와 곡식의 출납에 대한 회계를 담당하였다.

② **특징**: 삼사는 송의 제도를 수용한 것이었으나 송과는 달리 단순 회계 기구의 역할만 담당하였다. 조세의 수취와 집행은 각 관청에서 담당하였다.

(8) 대간(臺諫, 대성)
어사대의 관원(대관)과 중서문하성의 낭사(간관)로 구성되어 간쟁·봉박의 업무를 담당하였고 서경권을 행사하였다. 대간은 왕권을 견제하고 모든 관리들을 감사 및 탄핵하여 정치 운영에서의 견제와 균형을 도모하였다.

구분	내용
간쟁	국왕의 비행에 대해 간언
봉박	잘못된 조칙에 대해 시행을 거부하고 돌려보내는 것
서경	관리 임명, 법령 개폐 등에 대한 동의 및 거부

(9) 기타

① **한림원**: 왕의 교서와 외교 문서 작성을 담당하였다.

② **춘추관**: 실록과 국사 편찬을 담당하였다.

③ **보문각**: 서적 관리와 경연을 담당하였다.

④ **사천대**: 천문 및 기상을 관측하였으며, 역법을 담당하였다.

3. 지방 행정 조직

(1) 지방 행정 조직의 정비

① **성종**: 성종 때 전국에 12목을 설치하고, 지방관을 파견하였다.

② **현종**: 현종 때 5도 양계와 4도호부 8목의 지방 제도를 완비하였다.

③ **예종**: 예종 때 5도에 안찰사를 파견하고, 지방관이 없는 속군·속현에도 감무(監務)를 파견하기 시작하였다.

추밀

추밀은 판중추원사·중추원사·지중추원사·동지중추원사(종2품), 중추원부사·첨서원사·직학사(정3품) 등으로 구성되었고, 이들을 추칠(樞七, 추밀 7직)이라 불렀다.

한림원 기출사료

왕명을 받아 글을 짓는 기관이다. 태조 때 태봉의 제도에 따라 원봉성을 두었고, 뒤에 학사원으로 고쳤다. 문종 때 학사 승지 1인을 두고 정3품으로 삼았고, 학사는 2인을 두고 정4품으로 삼았다. 충렬왕 원년에 다시 문한서로 고쳤다. -『고려사』

▶ 한림원은 임금의 명령을 받아 문서를 꾸미는 일을 맡아보던 관청으로 여러 차례 명칭이 바뀌었다가 다시 공민왕 때인 1356년에 한림원으로 되었다.

감무(監務)

고려 **예종** 때인 1106년 중앙에서 정식으로 관리를 설치하지 못했던 속군현과 향(鄕)·소(所)·부곡(部曲)·장(莊)·처(處) 등의 말단 지방 행정 단위에 파견한 지방관이다. 이들은 **속군현의 유망민을 안정시켜 조세와 역을 효과적으로 수취**하면서 중앙 집권책을 실시하기 위해 설치되었다.

(2) 5도

① **성격:** 5도는 상설 행정 기관이 없는 일반 행정 구역으로, 서해도·교주도·양광도·전라도·경상도로 나누었다.

② **운영:** 5도에는 임기 6개월의 안찰사를 파견하여 도내의 지방을 순찰하게 하였다.

③ **조직**

㉠ **주·군·현:** 도 아래 주, 군, 현을 설치하고, 주·군에는 자사, 현에는 현령을 파견하였다.

㉡ **주현·속현:** 지방관이 파견된 주현과 지방관이 파견되어 있지 않은 속현이 존재하였는데, 고려 시대에는 주현보다 속현이 더 많았다. 주현의 지방관이 속현까지 관할하는 것이 원칙이었으나, 현실적으로 불가능하였기 때문에 향리가 조세, 공물 징수, 노역 징발 등의 실무 행정을 담당하였다.

(3) 양계(군사 행정 구역)

① **성격:** 양계(북계, 동계)는 북방의 외침을 막기 위해 설치한 특수 군사 지역이었다.

② **조직**

㉠ **병마사 파견:** 국경 지대에 북계와 동계를 설치하고, 병마사를 파견하여 주진군의 지휘권을 부여하였다.

㉡ **진(鎭) 설치:** 군사 요충지에 진을 설치하고, 진장(鎭將)을 파견하였다.

(4) 4도호부 8목: 군사적 중심지 역할의 4도호부와 일반 행정 중심지 역할의 8목을 설치하였다.

(5) 3경: 3경은 풍수지리 사상과 관계된 것으로 처음에는 개경, 서경(평양), 동경(경주)을 3경이라 하였으나, 문종 대에 한양을 남경으로 승격시키고 동경 대신 남경(서울)이 3경에 편제되었다. 이는 남경이 국가 발전의 명당이라는 풍수지리 사상의 영향을 받은 것이었다.

| 고려의 지방 행정 조직

(6) 말단 조직

① **촌:** 촌은 몇 개의 마을을 인위적으로 묶은 행정촌으로, 토착 세력인 촌장이 통치하였다.

② **향·부곡·소:** 하층 양민들이 거주하는 특수 행정 구역이었다.

㉠ **특징:** 향·부곡·소는 주현을 통하여 간접적으로 지방관의 통제를 받았으나 실제적인 행정 사무는 향리가 담당하였다.

㉡ **기능:** 향과 부곡의 주민은 농업에 종사(국공유지를 경작)하였고, 소의 주민은 수공업과 광업 등에 종사(특정 공납품을 생산)하였다.

안찰사

안찰사는 도내 주현을 순방하며, 수령을 감찰하고 민생을 살폈다. 그러나 **전임관으로서의 외직(外職)이 아니라 경직(京職)을 가진 채 임시로 파견**되었고, 임기가 6개월에 불과하였으며, **사무 기구도 갖고 있지 않았다.**

병마사

병마사는 지방에 상주하였고, 안찰사와 마찬가지로 임기는 6개월이었으나, 안찰사보다 지위가 높았다.

향리제의 정비

성종	· 유력 호족들을 호장, 부호장으로 개칭 · 호장·부호장 아래의 향직 개편
현종	지방 향리의 정원과 공복 제정
문종	향리들의 9단계 승진 규정 마련(향리에 대한 중앙 통제 강화)

㉢ **한계:** 향·부곡·소 주민들의 신분은 양인이었으나 일반 농민에 비하여 신분적인 차별을 받아 국자감 입학과 과거 응시가 불가하였고, 거주 이전의 자유도 없었다. 그러나 후기로 가면서 차별이 점차 완화되었다.

4. 군역 제도와 군사 조직

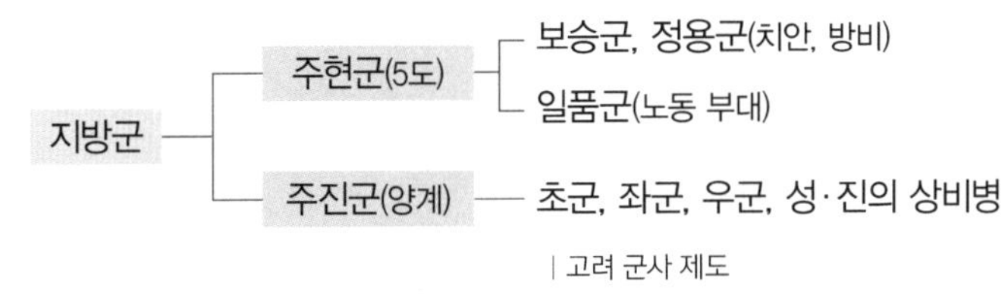

| 고려 군사 제도

(1) 중앙군(2군 6위)

① **2군 6위:** 2군 6위는 상장군, 대장군 등의 무관이 지휘하였다.

㉠ **2군:** 국왕의 친위 부대(응양군, 용호군)

㉡ **6위:** 수도 방위와 국경 방어 담당(좌우위, 신호위, 흥위위, 금오위, 천우위, 감문위)

② **성격**

㉠ **직업 군인:** 전문적인 직업 군인(중간 계층)을 중심으로 편성되었다.

㉡ **군인전 지급:** 군적에 올라 군인전을 지급받았고, 그 역은 자손에게 세습(군반 씨족)되었다.

③ **중방:** 중방은 2군 6위의 상장군과 대장군들로 구성된 무신 합좌 기구로 군사 문제를 의논하였으며, 가장 지위가 높은 응양군의 상장군이 의장 역할을 수행하였다.

중앙군 편성에 대한 견해

① **군반 씨족설(軍班氏族說):** 중앙군의 군역은 세습적인 직역으로, 이를 담당한 군반 씨족층은 잡직(雜織)·서리(胥吏)·향리(鄕吏) 등과 함께 중간 계층에 속하여 귀족 등 지배층과 일반 농민 등 피지배층 사이에 위치하였다는 주장

② **부병제설(府兵制說):** 중앙군의 일부만이 특수 신분 집단인 군반 씨족층을 구성하고, 나머지 대부분은 농민 출신의 부병으로 구성되었다는 주장

(2) 지방군

① 주현군

㉠ **구성:** 주현군은 5도에 편성된 일종의 예비군이며, 보승군(보병), 정용군(기병), 일품군(노역)으로 구성되었다.

㉡ **특징:** 치안 유지 및 외적 방어를 담당한 정용군은 수령, 각종 노역을 담당한 일품군은 향리의 지휘를 받아 맡은 역할을 수행하였다.

② 주진군

㉠ **구성:** 주진군은 양계에 배치된 국방 상비군이었다(초군, 좌군, 우군).

㉡ **특징:** 평상시에는 농사를 짓는 둔전병으로 양계에 배치되어 국경 수비를 담당하였다.

③ **편성:** 지방군은 군적에 오르지 못한 일반 농민 중 16세 이상 60세 미만의 장정들로 조직되었으며, 토지는 지급되지 않았다.

5. 관리 등용 제도

(1) 과거 제도

① **정비:** 과거 제도는 광종(958) 때부터 왕권 강화 목적으로 시행되어 식년시(3년마다 시행)를 원칙으로 하였으나 제대로 지켜지지 않아, 매년 혹은 격년시(2년마다 시행)로 시행되었다.

② **종류**

구분	내용
문과	· 제술과: 논술 시험으로 문학적 재능과 정책 등을 시험(명경과보다 중시됨) · 명경과: 유교 경전에 대한 이해 정도를 평가하는 시험
잡과	법률, 회계, 지리 등의 기술학 시험
승과	· 교종선과 선종선으로 나누어 시행 · 합격한 승려에게는 대덕이라는 법계 지급
무과	예종 때 잠깐 실시하였으나 문관의 반대로 폐지

③ **응시 자격:** 법적으로 양인 이상이면 응시가 가능하였으나 실제로 문과(제술과·명경과)는 귀족과 향리 자제들이 응시하였고, 백정 농민은 주로 잡과에 응시하였다.

④ **특징:** 시험관인 지공거(좌주)와 합격자(문생) 간에 사제 관계가 형성되었다.

⑤ **응시 절차**

1단계: 계수관시(향시)	→	2단계: 국자감시	→	3단계: 예부시(동당시)
· 예비 시험 · 상공(개경), 향공(지방), 빈공(외국인)으로 구분 선발	→	· 대상: 계수관시 합격자, 국자감생 등 · 별칭: 사마시, 진사시	→	· 대상: 국자감시 합격자, 현직 관리 · 최종 합격자 선발: 홍패 수여

(2) 음서 제도: 음서는 왕족 후예, 공신 후손, 5품 이상 고위 관리의 자손을 대상으로 하였다. 음서 제도는 과거를 거치지 않고 조상의 공덕에 따라 그 자손을 관리로 등용하는 제도로, 공음전과 더불어 고려 문벌 귀족 사회의 특징이 반영된 것이었다. 또한 음서를 통해 등용된 사람들도 승진에 차별을 받지 않아 고위 관직에 오를 수 있었다.

(3) 기타 관리 등용 제도: 학식과 재능이 있는 인물을 추천(천거제)하기도 하였다.

잡과

의업과 복업(천문)을 시작으로 958년(광종 9) 첫 번째 과거부터 시행되었다. 뒤에 명법업(법률), 명산업(산술), 명서업(글씨), 주금업(의업의 한 종류), 지리업(풍수지리) 등이 증설되었다. 합격자에게는 토지가 지급되고 향역도 면제되었기 때문에 고려 말 향리의 피역 수단으로 많이 활용되었다.

고려 시대의 음서 제도

고려 시대의 음서 제도는 공신의 자손, 조종 묘예, 문무 5품 이상 관인의 자손 등이 대상으로, 사위나 외손자에게도 적용되었으며 10세 미만이 음직을 받은 사례도 있었다.

OX 빈칸 핵심 개념 점검

* 학습한 개념을 OX/빈칸 문제를 통해 점검해보세요.

핵심 개념 1 | 태조 왕건의 업적

01 왕건은 일리천 전투에서 후백제에 승리하였다. □ O □ X

02 태조 왕건은 혼인 정책과 사성 정책을 통해 호족을 포섭하였다. □ O □ X

03 태조 왕건은 광군 30만을 조직하여 거란의 침략에 대비하였다. □ O □ X

04 고려 태조가 서경을 (　　　)의 전진 기지로 삼았다.

05 태조 왕건은『(　　)』와『(　　　)』를 지어 관리의 규범을 제시하였다.

핵심 개념 2 | 광종의 업적

06 광종은 중국에서 귀화한 쌍기의 건의를 받아들여 과거제를 시행하였다. □ O □ X

07 광종은 자색, 단색, 비색, 녹색으로 백관의 공복을 제정하였다. □ O □ X

08 광종은 (　　　)을 실시하여 호족의 경제력을 약화시켰다.

09 광종은 (　　), (　　) 등의 독자적인 연호를 사용하였다.

핵심 개념 3 | 성종의 업적

10 성종 때는 중앙 관제를 2성 6부로 정비하였다. □ O □ X

11 성종은 호장, 부호장과 같은 향리 직제를 마련하였다. □ O □ X

12 성종은 유교 이념과는 별도로 연등회, 팔관회 행사를 장려하였다. □ O □ X

13 성종은 전국의 주요 지역에 (　　)을 설치하고 지방관을 파견하였다.

14 성종은 개경에 국립 대학인 (　　　)을 설치하였다.

핵심 개념 4 | 중앙 통치 체제의 정비

15 어사대와 중추원의 관원들은 간쟁, 봉박, 서경권을 가지고 있어 정치 운영에서 견제와 균형을 도모하였다. □ O □ X

16 식목도감은 법제의 세칙을 만드는 고려의 독자적인 기구이다. □ O □ X

17 고려의 (　　)는 화폐와 곡식의 출납에 대한 회계를 담당하였다.

18 도병마사가 (　　　) 때 개편된 (　　　)는 도당으로 불렸으며, 조선 건국 초에 폐지되었다.

핵심 개념 5 | 지방 통치 체제의 정비

19 고려 현종은 5도 양계의 지방 제도를 확립하였다. □ O □ X

20 고려 시대에는 수령이 파견된 주현보다 수령이 파견되지 않은 속현의 수가 많았다. □ O □ X

21 고려 시대 ___, ___, ___의 주민은 군현민과 같은 양인이지만 사회·경제적 차별을 받았다.

핵심 개념 6 | 고려의 군사 제도와 과거 제도

22 고려 시대에는 직업 군인인 경군에게 군인전을 지급하고 그 역을 자손에게 세습시켰다. □ O □ X

23 고려 시대의 중앙군은 응양군, 용호군, 신호위 등의 ___과 ___로 편성되었다.

24 고려 시대의 관리 등용 제도로는 ___와 ___ 등이 있었으며 무과는 거의 실시되지 않았다.

정답과 해설

01	O 왕건은 일리천 전투에서 후백제에 승리하며 후삼국을 통일하였다.	13	12목
02	O 태조 왕건은 지방 호족을 포섭하기 위해 유력한 호족과 혼인을 맺는 혼인 정책과 국가에 큰 공이 있는 호족들에게 왕씨 성을 하사하는 사성 정책을 펼쳤다.	14	국자감
03	× 거란의 침략에 대비하여 광군 30만을 조직한 것은 고려 정종이다.	15	× 중추원의 관원이 아닌, 중서문하성의 낭사가 어사대의 관원과 함께 대간으로서 간쟁, 봉박, 서경권을 가지고 있었다.
04	북진 정책	16	O 식목도감은 재신과 추밀이 모여 법제의 세칙 등을 다루던 고려의 독자적인 기구이다.
05	정계, 계백료서	17	삼사
06	O 광종은 중국 후주에서 귀화한 쌍기의 건의를 받아들여 과거제를 시행하였다.	18	충렬왕, 도평의사사
07	O 광종은 관리의 복색을 관등에 따라 자색, 단색, 비색, 녹색으로 제정하였다.	19	O 현종은 5도 양계의 지방 제도를 확립하였다.
08	노비안검법	20	O 고려 시대에는 수령(지방관)이 파견된 주현보다 수령(지방관)이 파견되지 않은 속현의 수가 더 많았다.
09	광덕, 준풍	21	향, 부곡, 소
10	O 고려 성종 때는 당의 제도를 참고하여 2성 6부의 중앙 관제를 정비하였다.	22	O 고려 시대의 직업 군인인 경군(중앙군)은 군적에 올라 군인전을 지급받았고, 그 역은 자손에게 세습되었다.
11	O 성종은 호장, 부호장과 같은 향리 직제를 마련하였다.	23	2군, 6위
12	× 성종은 연등회와 팔관회를 폐지하였다.	24	과거, 음서

2 문벌 귀족 사회의 성립과 동요

학습 포인트
이자겸의 난, 묘청의 서경 천도 운동, 무신 정변의 원인·전개 과정·결과 등을 정리한다. 또한 최씨 무신 정권의 정치 기구와 무신 집권기 하층민의 봉기 내용을 파악한다.

빈출 핵심 포인트
문벌 귀족, 이자겸의 난, 묘청의 서경 천도 운동, 무신 정변, 최충헌, 교정도감, 도방, 최우, 정방, 삼별초, 만적의 난

1 문벌 귀족 사회의 성립

1. 문벌 귀족의 성장

· 지방 호족
· 개국 공신
· 6두품 출신
→ 공(功), 과거 → 중앙 관료 → 고위 관직, 음서, 공음전 → 문벌 귀족

| 문벌 귀족의 형성

(1) **형성**: 여러 대에 걸쳐 고위 관료를 배출한 가문들이 왕실과의 혼인 및 상호 간의 혼인을 통해 폐쇄적·보수적인 문벌 귀족을 형성하였다.

(2) **특징**: 문벌 귀족들은 과거와 음서를 통해 관직을 독점하고, 공음전으로 부를 축적하였다.

(3) **대표적 가문**: 경원 이씨(이자연, 이자겸), 해주 최씨(최충), 안산 김씨(김은부), 경주 김씨(김부식), 파평 윤씨(윤관), 강릉 김씨(김인존) 등

2. 문벌 귀족 내부의 분열

(1) 배경

① **사회적 모순 발생**: 문벌 귀족의 성장에 따라 문벌 귀족 사회 내부에서 정치 권력과 경제적 특권 확대를 둘러싸고 분열이 심화되었다.

② **국왕 측근 세력의 성장**: 과거를 통해 중앙으로 진출한 지방 출신 관료들 중 일부는 왕권을 강화·보좌하는 측근 세력(신진 관료 세력)으로 성장하여 문벌 귀족과 대립하였다.

(2) **대표적 사건**: 문벌 귀족 사회의 모순과 갈등이 나타난 대표적 사건이 이자겸의 난과 묘청의 서경 천도 운동이다.

2 이자겸의 난과 묘청의 난

1. 이자겸의 난(1126)

(1) **원인**: 이자겸을 비롯한 한 경원 이씨 세력이 권력을 독점하자 예종 측근 세력들과의 정치적 갈등이 고조되었다.

왕실과의 중첩된 혼인 교과서 사료

딸이 셋 있는데 모두 임금에게 시집갔다. 맏딸은 연덕 궁주(인예 태후)로 왕비이며, 태자(순종)와 국원후(선종)가 그 아들이다. 둘째는 수령 궁주(인경 현비)이니 조선후가 그 아들이고, 셋째는 숭경 궁주(인절 현비)이다. - 이자연 묘지명

▶ 경원 이씨는 왕실과 중첩된 혼인 관계를 맺었는데 이자겸의 조부였던 **이자연은 자신의 세 딸을 문종에게 시집보냈다.** 이자겸도 예종과 인종의 외척이 되어 권력을 독점하였다.

예종의 측근 세력

예종 때 지방 향리 출신으로 정계에 진출하여 왕의 측근 세력으로 성장한 대표적인 인물로는 **한안인, 문공인** 등이 있다. 한안인, 문공인, 이영 등은 예종 사후 인종이 즉위하자 권력을 독점하려던 **이자겸에 의해 숙청**되었다.

(2) 전개

① **이자겸의 권력 독점**: 이자겸은 예종 사후 한안인 등 반대파를 제거하고 막강한 권력을 행사하였다. 최고 권력자가 된 이자겸은 '십팔자위왕설(十八子爲王說)'을 믿어 인종을 폐위시키고 왕위를 찬탈하고자 하였다.

기출 사료 읽기

> **이자겸의 권력 독점**
>
> 이자겸의 권세와 총애는 나날이 성하였으며 …… 그는 스스로 국공에 올라 왕태자와 동등한 예우를 받았으며 자신의 생일을 인수절이라 칭하였다.
>
> **사료 해설** | 이자겸은 자신의 거처를 의친궁이라 불렀으며, 왕·태자·태후의 생일에 붙일 수 있던 '절(節)'을 자신의 생일에 붙여 인수절이라 칭할 정도로 권력이 막강하였다.

② **왕위 찬탈 시도**: 인종의 측근 세력은 이자겸의 권력 독점에 반발하였고, 인종도 지나치게 권력이 커진 이자겸을 제거하고자 하였다. 이자겸을 제거하고자 한 인종의 계획이 사전에 발각되자, 이자겸은 척준경과 함께 난을 일으켜 정권을 장악하였다(1126).

③ **인종의 반격**: 인종에게 회유된 척준경에 의해 이자겸이 축출되었고, 이후 척준경도 정지상 등의 탄핵을 받아 축출되었다. 인종은 이자겸의 난을 진압한 후 15개조의 유신령을 반포(1127)하여 실추된 왕권을 회복하려 하였다.

(3) 결과: 왕궁이 소실되고 왕권이 위축되자 서경 천도설이 대두하였다. 서경 천도를 주장하는 서경파와 반대하는 개경파의 충돌로 인한 지배층 사이의 분열은 문벌 귀족 사회의 붕괴를 촉진하는 계기가 되었다.

2. 묘청의 서경 천도 운동

(1) 원인: 인종은 이자겸의 난 이후 왕권 회복, 민생 안정, 국방력 강화를 위한 개혁을 추진하였는데, 이 과정에서 묘청, 정지상을 중심으로 한 신진 세력(서경파)과 김부식을 중심으로 한 보수적 문벌 귀족(개경파)의 대립이 격화되었다.

구분	서경파	개경파
대표 인물	묘청, 정지상, 백수한 등	김부식 등
성격	개혁 세력	보수 세력
주장	금 정벌, 서경 천도, 칭제건원	금과의 사대 관계 유지
역사의식	고구려 계승 의식	신라 계승 의식
사상	풍수지리 사상, 자주적 전통 사상	사대적 유교 사상

(2) 전개

① **서경 천도 시도**: 묘청 등을 비롯한 서경 세력은 서경 길지설을 내세워 서경(평양)으로 도읍을 옮겨, 칭제건원(왕을 황제라 칭하고 연호를 사용하는 것)과 금을 정벌할 것을 주장하였다. 인종은 이 주장을 받아들여 서경에 대화궁을 짓고, 그 안에 토착 신을 섬기는 팔성당을 설치하였다.

② **개경파의 반발**: 김부식을 중심으로 한 개경 귀족 세력은 서경 천도 추진에 반대하고, 유교 이념의 확립을 통해 사회 질서를 바로 잡고자 하였다.

십팔자위왕설(十八子爲王說)

십팔자(十八子)는 이(李)의 파자(破字)로, **이씨 성을 가진 자가 왕이 된다**는 도참설이다.

인종의 15개 유신령 반포

작년(1126년) 2월 난신 적자들이 틈을 타서 일어나 음모가 발각됐으므로 짐은 부득이 다 법으로 다스렸다. 이로부터 잘못을 반성하고 몸을 책하니 덕에 부끄럼이 많다. 이제 일관의 논의로 서도(西都)에 행차하여 지난날 허물을 깊이 반성하고 새롭게 할 수 있는 가르침이 있기를 바라므로 중외에 포고한다. 농사일을 힘쓰게 하여 백성의 식량을 풍족하게 할 것. …… 국고의 식량 저축에 힘써서 백성을 구제할 일에 대비할 것.

▶ 이자겸의 난을 진압한 이후 인종은 **15개조의 유신령을 반포**하여 실추된 왕권을 회복하려 하였다.

인종 대의 사건 기출연표

- **1125** 금의 군신 관계 요구
- **1126. 2.** 이자겸의 난 발발
- **1126. 3.** 이자겸의 사대 수용
- **1127** 인종의 15개조 유신령 반포
- **1128** 대화궁 건립
- **1135** 묘청의 난
- **1145** 『삼국사기』 편찬

팔성당

팔성당은 고려 인종 때 묘청이 평양에 대화궁을 짓고 그 안에 여덟 신, 즉 팔성을 모시기 위해 세운 사당이다.

교과서 사료 읽기

서경 세력의 서경 천도 운동

왕(인종)에게 건의하기를, "저희가 보니 서경 임원역의 땅은 음양가(풍수가)들이 말하는 대화세(大華勢)입니다. 만약 이곳에 궁궐을 세우고 수도를 옮기면 …… 금이 공물을 바치고 스스로 항복할 것이며, 36개 나라가 모두 신하가 될 것입니다."라고 하였다. -『고려사』

사료 해설 | 묘청을 비롯한 서경 세력은 고려가 어려움을 겪게 된 것은 개경의 지덕이 쇠약하기 때문이라는 지덕쇠왕설을 내세워 서경 천도를 주장하였다.

③ **묘청의 난**(1135): 묘청은 서경 천도를 통한 정권 장악이 어렵게 되자 서경에서 국호는 대위국, 연호는 천개, 군대는 천견충의군이라 하여 난을 일으켰다. 그러나 김부식이 이끈 관군의 공격으로 약 1년 만에 진압되었다.

기출 사료 읽기

묘청의 난

(묘청이 말하길) "상경(개경)은 이미 기운이 쇠하여 궁궐이 불타고 남은 것이 없습니다. 서경은 왕기(王氣)가 있으니 주상께서 옮기시어 상경으로 삼는 것이 옳을 것입니다."…… 인종 13년에 묘청이 분사시랑 조광, 병부상서 유참 등과 함께 서경을 근거지로 난을 일으켰다. …… 나라 이름을 대위라 하고, 연호를 천개라 하였으며, 군대를 천견충의군이라 하였다. -『고려사』

사료 해설 | 서경 천도 주장이 제대로 받아들여지지 않자 묘청은 난을 일으켜 국호를 '대위', 연호를 '천개'라 고 하였다.

신채호의 서경 천도 운동에 대한 평가 기출사료

나는 한마디 말로 회답하여 말하기를 고려 인종 13년(1135) 서경 천도 운동, 즉 묘청이 김부식에게 패함이 그 원인으로 생각한다. …… 그 실상은 낭가(郎家)와 불교 양가 대 유교의 싸움이며, 국풍파(國風派) 대 한학파(漢學派)의 싸움이며, 독립당 대 사대당의 싸움이며, 진취 사상 대 보수 사상의 싸움이니, 묘청은 곧 전자의 대표요, 김부식은 후자의 대표이다. …… 만약 김부식이 패하고 묘청 등이 이겼더라면 조선사가 독립적, 진취적으로 진전하였을 것이니 이것이 어찌 일천년래 제일대 사건이라 하지 아니하랴. - 신채호, 『조선사연구초』

▶ 신채호는 묘청의 서경 천도 운동이 실패하여 자주적인 정신이 상실되었다고 평가하였다.

(3) 결과

① **서경의 지위 격하**: 서경파의 몰락으로 서경의 지위가 격하되었다.

② **보수 세력 득세**: 보수적인 문신 세력이 득세하고, '문'을 숭상하고 '무'를 천시하는 숭문천무(崇文賤武) 풍조가 심화되어 훗날 무신 정변의 원인을 제공하였다.

3 무신 정권의 성립

1. 배경

(1) 문벌 귀족 체제의 모순 심화: 묘청의 서경 천도 운동 이후 문벌 귀족 체제의 모순이 더욱 심화되었다.

(2) 의종의 실정: 의종은 문신을 우대하고 무신을 차별하여 문신 측근 세력을 키우면서 이들에게 의존하였고, 향락에 도취되어 실정을 거듭함과 동시에 과도한 수취를 행해 민생들을 피폐하게 만들었다.

(3) 숭문천무 정책 - 문신 위주의 체제

① **문신 위주의 정치 운영**: 과거 제도에는 무과가 없었으며(예종 때 잠깐 실시), 문신 위주의 정치가 전개되었다.

② **차별적 토지 분배**: 전시과의 토지 분배에 있어서 무신이 문신보다 적은 양의 토지를 받았으며, 하급 군인들은 군인전을 제대로 지급받지 못해 불만이 고조된 상황이었다.

③ **문신들의 병권 장악**: 전쟁 총사령관을 서희·강감찬·윤관 등의 문신이 역임하였다. 또한 국방 문제를 결정할 때에도 재신과 추밀 등 문신 중심으로 구성된 도병마사가 무신들의 합좌 기구인 중방보다 우위에 있었다.

2. 성립

(1) 무신 정변(경인의 난, 1170): 정중부, 이의방, 이고 등의 무신들이 정변을 일으켜 보현원에 행차한 문신들과 개경의 많은 문신들을 죽이고, 의종을 폐하여 거제도로 유배 보냈다. 이후 명종을 옹립하여 정권을 장악하였다.

(2) 중방 정치: 무신들은 고위 무신들의 회의 기구인 중방을 중심으로 국정을 운영하였다. 이때 중방이 군사, 인사, 형옥 등 초법적 권력을 행사하였다.

(3) 무신 집권: 무신들은 고위 관직을 독차지하고 토지와 노비를 늘려 나갔으며, 저마다 사병을 길러 권력 쟁탈전을 전개하였다.

3. 무신 집권자의 변천

정중부 (1170~1179)	· 이의방을 제거하고 권력 장악(1174) · 중방을 중심으로 권력 행사
경대승 (1179~1183)	· 정중부를 제거하고 권력 장악 · 사병 집단인 도방을 설치하였으나 집권 5년 만에 병사
이의민 (1183~1196)	· 천민 출신으로 김보당의 난 때 의종을 시해하여 정계에 진출 · 경대승 사후에 정권을 잡았으나 최충헌·최충수 형제에게 피살됨
최충헌 (1196~1219)	이의민을 제거하고, 강력한 독재 정치로 무신 정권 초기의 혼란을 수습함으로써 4대 60여 년에 걸친 최씨 무신 정권의 기반 마련

4 최씨 무신 정권

1. 최씨 무신 정권의 성립

최충헌은 강력한 독재 정치로 정권을 안정시키고 최충헌, 최우, 최항, 최의까지 4대 60여 년간 이어지는 최씨 무신 정권의 통치 기반을 확립하였다.

2. 최충헌의 집권(1196~1219)

(1) 무단 정치 강화

① **도방 부활**: 경대승 때 설치된 사병 집단인 도방을 부활시켜 최고 권력자의 신변 보호, 비밀 탐지, 반대 세력 탄압 등의 임무를 수행하게 하였다. 도방은 이후 설치된 삼별초와 함께 최씨 정권을 유지하는 군사적 기반이 되었다.

② **흥녕부 설치**: 최충헌은 희종 옹립에 공을 세워 진강후에 책봉된 후 진주 지방을 식읍으로 받게 되었고, 진주 지방을 관리하기 위해 흥녕부를 설치하였다.

무신 정변 교과서 사료

어느 날 왕이 보현원으로 가 술을 마시고 있다가 대장군 이소응으로 하여금 수박희를 시켰다. 이소응이 이기지 못하고 달아나려 하자 이때 한뢰가 갑자기 나서 이소응의 뺨을 때려 섬돌 아래로 떨어지게 하였다. …… 정중부가 날카로운 소리로 한뢰를 꾸짖었다. "이소응이 비록 무관이나 벼슬이 3품인데 어찌 이렇게 심한 모욕을 주는가." -『고려사』

▶ 무신 정변은 보현원에서 열린 연회에서 무신인 대장군 이소응이 젊은 문신 한뢰에게 모욕을 당한 것이 직접적인 원인으로 작용하였다.

중방 정치

요즈음 중방에서 일을 결정하면 장군방에서는 이를 막아 버리고, 장군방에서 의견을 내면 낭장방에서 이를 막아 버린다. 서로 모순되기 때문에 정령이 발표되어도 백성들은 따르지 아니하나 하물며 형벌은 인군(人君)의 권한이거늘 신하들이 이를 마음대로 한다. -『고려사』

▶ **무신 정권 초기**에는 집권 무신들의 정치·경제·군사적인 기반이 확고하지 못하였기 때문에 **중방을 중심으로 국정을 운영**하였다.

이의민 교과서 사료

이의민은 경주 사람으로 그의 부친 이선은 소금과 체를 파는 일을 하였고 모친은 영일현 옥령사의 여종이었다. …… 정중부의 난 때에는 이의민이 많은 사람을 죽였으므로 중랑장이 되었다가 곧이어 장군으로 승진하였다. -『고려사』

▶ 이의민은 천민 출신으로 경대승 사후에 정권을 장악하였다.

③ **교정도감 설치**(1209): 교정도감은 본래 최씨 정권의 반대 세력을 제거하고 숙청할 목적에서 설치된 임시 기구였으나, 점차 관리에 대한 감찰, 인사 행정 및 재정권까지 담당하게 되면서 최씨 무신 정권의 최고 권력 기구로 발전하였다. 교정도감의 장관인 교정별감의 자리는 최씨 일가가 대대로 세습하였다. 한편, 교정도감이 최고 권력 기구로 발전하면서 중방의 권한은 약화되었다.

④ **왕위 계승 간여**: 최씨 무신 정권은 4명의 왕(신종, 희종, 강종, 고종)을 옹립하고 2명의 왕(명종, 희종)을 폐위시키는 등 왕위 계승에 간여하였다.

(2) 봉사 10조 제시

① **목적**: 최충헌은 무신 정권 초기의 혼란을 극복하고 국가 기반을 확립할 목적에서 사회 개혁안인 봉사 10조(시무 10조)를 제시하였다.

② **내용**: 봉사 10조에서는 귀족들의 불법적인 토지 겸병 금지, 승려들의 고리대업 금지, 조세 제도 개혁 등을 제시하였다.

기출 사료 읽기

최충헌의 봉사 10조(시무 10조)

최충헌이 동생 최충수와 함께 봉사를 올리기를 "적신 이의민은 성품이 맹수처럼 잔인하여 임금님을 업신여기고, 아랫사람들을 능멸하였습니다. 임금의 자리마저 흔들려고 했기에 화가 불꽃처럼 일어나고 백성들은 살길이 아득해졌습니다. 신들은 폐하의 신령스러운 위엄을 빌려 단번에 그들을 소탕하였습니다. 원하건대 폐하께서는 올바른 법을 따르시어 중흥의 길을 환히 여시길 바랍니다." 이에 삼가 10가지 사항을 아뢰옵니다.

사료 해설 | 최충헌은 이의민을 제거하고 정권을 장악한 후 국왕에게 일종의 시무책으로 봉사 10조를 올려 정변의 정당화 및 향후 정책의 방향을 밝혔다.

(3) 조계종 후원: 최충헌은 왕실 및 귀족과 연결되어 무신 정권을 위협하던 교종을 억압하였고, 새로운 불교의 필요성에 따라 선종 중심의 조계종을 후원하였다. 최씨 무신 정권 시기에 조계종은 막대한 지원을 받으며 성장하였다.

(4) 문신 등용: 최충헌은 이규보, 진화 등 문신들을 등용하기도 하였다. 이처럼 최충헌은 문신을 우대하여 다른 무신들을 견제하였다.

3. 최우(최이)의 집권(1219~1249)

(1) 정방 설치(1225): 최우는 독자적인 인사 기구인 정방을 설치하여 모든 관직의 인사권을 장악하였다. 또한 최우는 정방의 관직인 정색승선(政色承宣) 등에 문신들을 등용하였다.

(2) 서방 설치(1227): 서방은 최우가 설치한 문신들의 숙위 기구로, 문학적 소양과 함께 행정 실무 능력을 갖춘 문신들이 등용되어 최씨 정권의 고문(자문) 역할을 담당하였다(최자, 이규보, 이인로 등).

(3) 진양부 설치: 최우가 '진양후'로 책봉되면서 그의 집이 권력 기구 중 하나인 진양부가 되었다.

중방의 권한 약화

최충헌은 중방을 약화시키기 위해 형식적으로 재추 회의를 활성화하여 국가의 중대사를 논의하였다.

최충헌의 왕위 계승 간여 기출사료

사신(史臣)이 말하기를, "신종은 이 사람이 세웠다. 사람을 살리고 죽이고 왕을 폐하고 세우는 것이 다 그의 손에서 나왔다. (신종은) 한갓 실권이 없는 왕으로서 신민(臣民)의 위에 군림하였지만, 허수아비와 같았으니, 애석한 일이다."라고 하였다. -『고려사』

▶ 최충헌은 1197년에 명종을 폐위하고 신종을 왕으로 추대하였다.

무신 집권기 고려의 왕

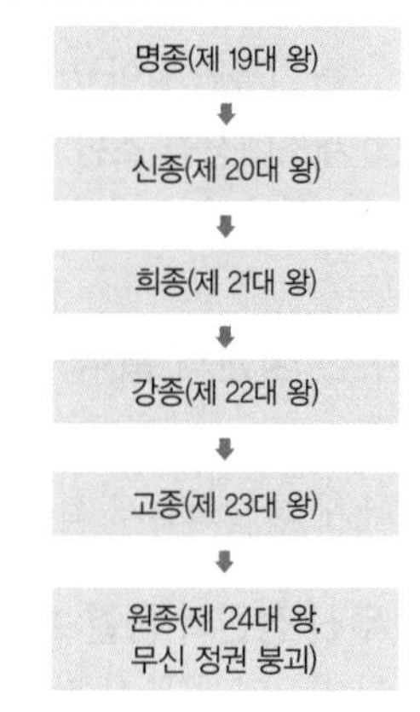

정방 설치 교과서 사료

백관이 최우의 집에 가서 인사 관련 장부를 올리니, 최우가 마루에 앉아서 이를 받았다. 이때부터 최우는 정방을 자기 집에 설치하고 정방에서 백관의 인사를 결정하였다. -『고려사』

▶ 정방은 **최우가 자신의 집에 설치한 인사 기관**이다.

정색승선

정방의 임원으로, 궁으로 들어가 왕에게 인사 행정에 대해 아뢰는 역할을 하였다.

(4) 야별초(삼별초) 조직

① **성립**: 야별초는 최우가 도성 안의 치안 유지를 위하여 조직한 군대 조직이다.

② **확대**: 야별초는 최씨 정권의 지원을 받아 조직이 확대되면서 좌별초와 우별초로 분리되었다. 또한 대몽 전쟁에서 포로가 되었다가 돌아온 사람들을 중심으로 조직된 신의군이 포함되며 삼별초로 정비되었다.

③ **삼별초의 역할**: 삼별초는 공적인 임무를 띠었으나 거의 최씨 가문의 사병으로 활동하였고, 최씨 무신 정권의 무력 기반을 형성하였다. 이후 몽골과의 강화와 개경 환도에 반대하며 대몽 항쟁을 전개하였다.

(5) 대몽 항쟁 및 문화 사업

① **강화도 천도**(1232): 몽골과의 장기 항쟁을 위해 최우는 강화도로 천도하였고, 강화도 주변에 성을 쌓으며 전쟁에 대비하였다.

② **『상정고금예문』 인쇄**: 강화도 천도 당시 의례서인 『상정고금예문』(인종 때 편찬)을 가져오지 못하자, 강화도에서 최우의 소장본을 바탕으로 『상정고금예문』을 금속 활자로 인쇄하였다. 이 책은 현재 전해지지 않으며, 『동국이상국집』에 금속 활자로 인쇄하였다는 기록만 남아 있다.

③ **재조대장경 조판**: 최우는 몽골의 침입을 불력(佛力)으로 격퇴하고자 재조대장경(팔만대장경)을 조판하였다.

4. 무신 정권의 몰락

(1) 무오정변(1258): 최우에 이어 최항, 최의가 집권하였으나 최의가 부하인 김준(김인준)에게 피살되면서 최씨 무신 정권이 종결되었다.

(2) 무신 정권의 종결: 김준 이후 임연, 임유무 부자가 권력을 잡았으나 원종 때 임유무가 제거되면서 무신 정권이 붕괴되고, 몽골과 강화를 맺어 개경으로 환도하였다(1270).

5 무신 정권기 사회의 동요

1. 반(反) 무신의 난

(1) 김보당의 난(1173): 무신 정변 이후 무신들이 정권을 독점하자 문신이었던 동북면 병마사 김보당이 무신 정권 타도와 의종 복위를 주장하며 난을 일으켰으나, 이의민에 의해 진압당하여 의종이 사망하고 관련 인물들이 모두 죽임을 당하면서 난이 평정되었다. 계사(癸巳)의 난이라고도 한다.

(2) 조위총의 난(1174): 서경 유수 조위총은 지방군과 농민을 이끌고 중앙의 무신들에게 3년간 항거하였으나 실패하였다. 처음에는 권력 쟁탈의 성격을 띠었으나, 지배층의 가혹한 수탈을 견디지 못한 농민과 천민들도 합류하게 되었다.

(3) 교종 승려들의 난: 문신 귀족들과 연결되어 있던 귀법사, 중광사 등 교종 계통 승려들이 무신 정권에 반발하여 난을 일으켰으나 실패하였다.

무신 정권 시기의 봉기 기출연표

- 1173 김보당의 난
- 1174 조위총의 난
- 1176 망이 · 망소이의 난
- 1182 전주 관노의 난
- 1193 김사미 · 효심의 봉기
- 1198 만적의 난
- 1202 이비·패좌의 난
- 1217 최광수의 봉기
- 1237 이연년 형제의 봉기

계사의 난

김보당의 난은 계사년(1173)에 일어나 **계사의 난이라고도 하는데,** 경인년(1170)에 정중부, 이의방 등이 일으킨 무신 정변(경인의 난)과 함께 **경계(庚癸)의 난**이라고 불리기도 한다.

기출 사료 읽기

반(反) 무신 난

1. 김보당의 난

명종 3년 8월 동북면 병마사 김보당이 동계에서 군사를 일으켜 정중부, 이의방 등을 토벌하고 의종을 복위시키려 하니 … (중략) … 9월에 한언국은 잡혀 죽고 조금 뒤에 안북도호부에서 김보당을 잡아 보내니 이의방이 김보당을 저자에서 죽이고 무릇 문신은 모두 살해하였다. -『고려사』

사료 해설 | 김보당의 난은 무신 정권을 몰아내고 전왕인 의종을 복위시키며 예전의 문벌 귀족 정치로 환원하려는 복고적인 성격의 반란이었다.

2. 조위총의 난

명종 4년, 조위총이 병사를 일으켜 중부 등을 토벌하기를 모의하여 드디어 동북 양계 여러 성의 군대에 격문을 보내어 호소하기를, "듣건대 상경의 중방이 의논하기를, 북계의 여러 성에는 대개 사납고 교만한 자가 많으므로 토벌하려고 하여 이미 대병력을 출동시켰다고 한다. 어찌 가만히 앉아서 스스로 죽음에 나아가리오. 마땅히 각자의 병마를 규합하여 빨리 서경에 집결하도록 하라."라고 하였다. -『고려사』

사료 해설 | 조위총의 난은 서경 유수 조위총이 정중부, 이의방을 타도하기 위해 일으킨 난이다.

2. 하층민의 봉기

(1) 배경

① **신분제의 동요**: 무신 정변으로 하극상의 풍조가 만연해지면서 고려 전기의 신분 제도가 동요하였다.

② **백성들에 대한 수탈 강화**: 무신들 간의 대립과 지배 체제의 붕괴로 백성들에 대한 통제력이 약화되었으며, 무신들의 농장 확대로 인해 자영농이 몰락하였고, 백성들에 대한 수탈이 강화되었다.

(2) 양인들의 난

① **망이·망소이의 난**(1176): 공주 명학소에서 망이, 망소이가 신분 차별에 반대하며 봉기하였다. 망이·망소이의 난 이후 명학소가 충순현으로 승격되면서 향·부곡·소가 해방되는 계기가 마련되었다.

② **김사미·효심의 난**(1193): 이의민 집권기에 지나친 수탈에 저항하며, 김사미는 운문(청도)에서, 효심은 초전(울산)에서 신라 부흥을 표방하며 유민들을 규합하고 난을 일으켰다. 이들은 서로 연합 전선을 형성하여 경상도 전역을 장악하고 토벌군에 대항하였으나, 1년여 만에 진압되었다. 김사미·효심의 난은 산발적이던 민란이 연대하는 계기가 되었으며, 무신 집권기 농민 봉기 중 최대 규모를 이루었다.

(3) 천민·노비들의 난

① **전주 관노의 난**(죽동의 난, 1182): 경대승 집권기에 지방관의 횡포에 반발하여 주현군(군인)·관노·농민들이 연합하여 봉기한 난으로, 40일간 전주를 점령하였다.

② **만적의 난**(1198): 최충헌의 노비였던 만적이 주도한 반란으로, 신분 해방을 넘어 정권 탈취까지 목표로 한 고려 최초의 노비 반란이었으나 사전에 발각되어 실패하였다.

③ **광명·계발의 난**(1200): 최충헌 집권기에 부곡민으로 추정되는 광명과 계발이 합주(합천)를 근거로 일으킨 봉기이다.

망이·망소이의 난 기출사료

망이 등이 홍경원을 불태우고 그 곳에 있던 승려 10여 명을 죽인 다음, 주지승을 협박하여 편지를 가지고 서울로 가게 하니, 그 내용은 대략 다음과 같다. "우리 고을을 승격하여 현으로 만들고 또 수령을 두어 무마시키더니, 다시 군사를 동원하여 와서 치고 우리 어머니와 처를 붙잡아 가두니 그 뜻이 어디에 있는가? 차라리 창칼 아래 죽을지언정 끝내 항복하여 포로가 되지는 않을 것이며, 반드시 서울에 이른 연후에 그만둘 것이다." -『고려사』

▶ 고려 정부는 명학소에서 신분 차별에 반대하며 난이 일어나자 이를 무마하기 위한 방안으로 **명학소를 충순현으로 승격**시켰다.

김사미·효심의 난 교과서 사료

(명종 23년 7월) 이때에 남적(南賊)이 봉기했는데 그 중 심한 것이 운문에 웅거한 김사미(金沙彌)와 초전에 웅거한 효심(孝心)으로, 이들은 망명한 무리를 불러 모아 주현을 노략질하였다. 왕이 이 소식을 듣고 걱정하였다. 병자일에 대장군 전존걸(全存傑)에게 장군 이지순(李至純)·이공정(李公靖)·김척후(金陟侯)·김경부(金慶夫)·노식(盧植) 등을 이끌고 가서 남적을 토벌토록 하였다. -『고려사』

▶ **운문(청도)과 초전(울산)**에서 일어난 김사미와 효심의 난이 진압된 이후에도 경상도 지역에서는 민란이 계속되었다.

교과서 사료 읽기

만적의 난

경계 이후 공경대부는 천예 속에서 많이 나왔다. 장상의 종자가 어찌 따로 있겠는가? 때가 오면 누구나 할 수 있는 것이다. 우리가 어찌 상전의 채찍 밑에서 힘겨운 일에 시달리기만 하겠는가. …… 모두 자신의 주인을 죽이고 천예들의 호적을 불살라서 삼한에 천인이 없게 하면 공경과 장상은 우리 모두 할 수 있다. -『고려사』

사료 해설 | 만적은 노비의 신분 해방을 주장하며 봉기를 계획하였지만 사전에 발각되어 실패하였다.

(4) 삼국 부흥 운동

① **김사미·효심의 난**(1193): 운문(청도)과 초전(울산)에서 신라 부흥을 목표로 봉기하였다(이의민 집권기).

② **이비·패좌의 난**(1202): 경주에서 신라 부흥을 목표로 봉기하였다(최충헌 집권기).

③ **최광수의 난**(1217): 서경(평양)에서 고구려 부흥을 목표로 봉기하였다(최충헌 집권기).

④ **이연년 형제의 난**(1237): 담양에서 백제 부흥을 목표로 봉기하였다(최우 집권기).

이연년 형제의 난 기출사료

고종 24년 전라도 지휘사 김경손이 초적(草賊) 이연년을 토벌하여 평정하였다. 당시 이연년 형제가 원율·담양 등 여러 고을의 무뢰배를 불러 모아 해양(海陽) 등의 주현(州縣)을 공격하여 함락시켰다. 적들은 김경손이 나주로 들어왔다는 말을 듣고 나주성을 포위하였는데 적의 무리가 수풀처럼 빽빽하였다. -『고려사절요』

▶ 고종 때 원율·담양 지역에서 이연년이 스스로 백적도원수(百賊都元帥, 백제도원수의 오기)라 칭하며 반란을 일으켰다.

3. 하층민 봉기의 결과

(1) **정부의 회유 정책**: 고려 정부는 민생 안정을 위해 지배층이 농민들로부터 빼앗은 토지를 돌려주고, 조세를 감면해 주었다. 또한 고려 정부는 하층민을 회유하기 위해 차별의 대상이던 향·부곡·소를 일반 군현으로 승격시키기도 하였다.

(2) **의의**: 하층민의 불만이 확산되자, 지배층은 민란을 진압하기 위해 그 불만을 어느 정도 수용하였다. 또한 하층민 봉기는 귀족 중심의 엄격한 신분 사회에서 탈피하는 계기가 되었으며 만적의 난과 같은 봉기에는 신분 해방 운동의 성격도 내포되어 있었다.

6 무신 정변의 영향

1. 정치

(1) **왕권 약화**: 무신들의 권력 독점으로 왕권이 약화되었으며 무신들이 왕위 계승까지 개입하는 등 통치 질서가 문란해졌다.

(2) **관료 체제 사회로의 전환**: 문벌 귀족 사회가 붕괴되면서 귀족 사회에서 개인의 능력을 중시하는 관료 체제로 전환되었다.

2. 사회

(1) **지방 통제력 약화**: 중앙 정부의 지방 통제력이 약화되었으며 농민과 천민의 대규모 봉기가 빈발하였다.

(2) **하극상 풍조**: 무신 정변 이후 신분이 상승하여 노비 출신이 최고 권력자에 오르기도 하는 등 하극상의 풍조가 만연해지면서 신분 질서가 동요하였다.

노비 출신의 권력자

- **이의민**: 이의민은 노비 출신으로, 경대승 사후에는 최고 권력자의 자리까지 올라갔다.
- **김준**: 김준 역시 노비 출신으로, 최의를 살해하여 최씨 무신 정권을 타도하고 최고 권력자가 되었다.

OX 빈칸 핵심 개념 점검

* 학습한 개념을 OX/빈칸 문제를 통해 점검해보세요.

핵심 개념 1 | 문벌 귀족의 성립

01 고려 시대에 여러 대에 걸쳐 고위 관료를 배출한 가문들은 왕실 및 상호 간의 혼인을 통해 보수적인 문벌 귀족으로 성장하였다. □ O □ X

02 고려 시대의 문벌 귀족들은 과거와 음서를 통해 관직을 독점하였다. □ O □ X

03 고려 시대에는 5품 이상 고위 관리의 자손에게 ____의 특혜가 주어졌다.

핵심 개념 2 | 문벌 귀족 사회의 동요

04 이자겸은 척준경 등과 함께 난을 일으켜 궁궐을 불태우고 인종을 감금하였다. □ O □ X

05 고려 인종은 이자겸의 난을 진압한 후 왕권을 회복하기 위해 15개조의 유신령을 발표하였다. □ O □ X

06 고려 인종 때 묘청 세력은 서경에 ____을 짓게 하고 ____을 주장하였다.

07 묘청은 국호를 ____, 연호를 ____로 정하고 반란을 일으켰다.

08 김부식 등의 개경파는 ____ 계승 의식을, 묘청 등 서경파는 ____ 계승 의식을 지니고 있었다.

핵심 개념 3 | 무신 정권의 성립

09 천민 출신인 이의민은 무신 정권의 최고 권력자가 되었다. □ O □ X

10 무신 집권기 초기에는 ____을 중심으로 권력을 행사하였다.

11 경대승은 자신의 경호를 위한 사병 집단인 ____을 설치하였다.

핵심 개념 4 | 최씨 무신 정권

12 최씨 무신 정권은 이규보 등 문신을 등용하여 그들의 행정 능력을 활용하였다. □ O □ X

13 최충헌은 정방을 설치하여 인사권을 장악하였다. □ O □ X

14 최씨 정권은 왕실, 귀족과 연결되어 있던 선종을 억압하였다. □ O □ X

15 최충헌은 국정을 총괄하는 정치 기구인 ____을 설치하였다.

16 최충헌은 ____를 올려 사회 개혁안을 제시하였다.

17 ____는 최우가 도적을 막기 위해 만든 조직에서 비롯되었다.

핵심 개념 5 | 무신 집권기 사회의 동요

18 최충헌 집권기에 운문과 초전에서 김사미와 효심이 봉기하였다. □ O □ X

19 만적은 개경에서 노비들을 모아서 노비 해방을 주장하였다. □ O □ X

20 무신 집권기에 조위총은 백제 부흥을 위해 봉기하였다. □ O □ X

21 정중부 집권기에 ______·______는 공주 명학소에서 신분 차별에 반발하여 봉기를 일으켰다.

22 무신 집권기에 최광수는 ______ 부흥을, 이연년은 ______ 부흥을 주장하며 봉기하였다.

정답과 해설

01	O 경원 이씨 등의 가문들은 왕실과의 혼인 및 상호 간의 혼인을 통해 폐쇄적·보수적인 문벌 귀족을 형성하였다.	12	O 최씨 무신 정권은 이규보, 진화 등의 문신들을 등용하여 그들의 행정 능력을 활용하였다.
02	O 고려 시대의 문벌 귀족들은 과거와 음서를 통해 관직을 독점하고, 공음전으로 부를 축적하였다.	13	✖ 정방을 설치하여 모든 관리에 대한 인사권을 장악한 인물은 최우이다.
03	음서	14	✖ 최씨 무신 정권은 왕실·귀족과 연결되어 있던 교종을 억압하고 선종을 후원하였다.
04	O 고려 인종 때 이자겸은 척준경과 함께 반란을 일으켜 궁궐을 불태우고 왕의 측근 세력을 제거한 후 왕을 감금하여 권력을 장악하였다.	15	교정도감
05	O 인종은 이자겸의 난을 진압한 후 실추된 왕권을 회복하고 민생을 안정시키기 위해 15개조 유신령을 발표하였다.	16	봉사 10조
06	대화궁, 칭제건원	17	삼별초
07	대위, 천개	18	✖ 김사미·효심의 봉기는 이의민 집권기에 발생한 농민 봉기이다.
08	신라, 고구려	19	O 최충헌의 노비였던 만적은 개경에서 공·사노비를 모아 노비 해방을 주장하며 반란을 시도하였다.
09	O 이의민은 천민 출신으로, 경대승 사후 무신 정권의 최고 권력자가 되었다.	20	✖ 조위총의 난은 백제 부흥 운동이 아닌 정중부 등 무신 정권에 대항해서 일어난 사건이다.
10	중방	21	망이, 망소이
11	도방	22	고구려, 백제

3 대외 관계의 전개

학습 포인트

거란의 침입은 1, 2, 3차로 구분하여 정리하고, 여진의 침입은 별무반의 설치와 이자겸의 사대 요구 수용을 중점적으로 살펴본다. 몽골과의 전쟁은 배경과 과정, 결과 그리고 삼별초의 항쟁 내용을 정리해 두어야 한다.

빈출 핵심 포인트

서희, 강감찬, 귀주 대첩, 윤관, 별무반, 동북 9성, 김윤후, 삼별초

1 거란의 침입과 격퇴

1. 배경

거란은 송을 공격하기에 앞서 송과 연결되었던 정안국 및 고려와의 관계 개선을 추진하였다. 그러나 고려의 북진 정책이 계속되자 거란은 정안국을 정복한 뒤 고려를 침공하였다.

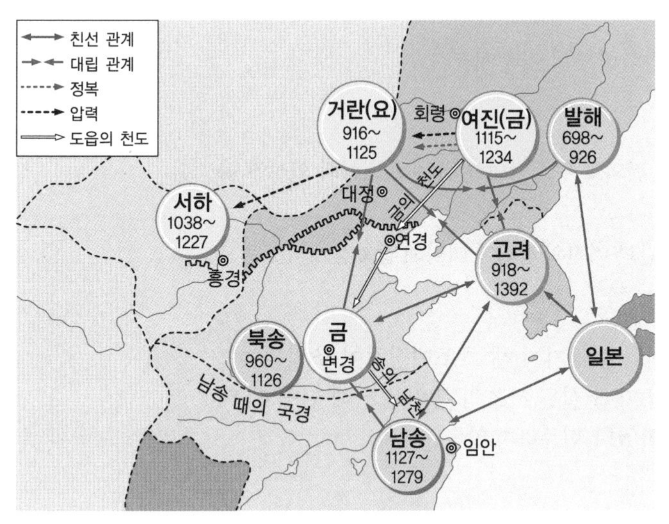

| 10~12세기 고려의 대외 관계

2. 거란의 침입

구분	원인	결과
1차 침입 (성종, 993)	고려의 친송 정책과 대거란 강경책에 대해 반발하며 거란의 소손녕이 침입	· 서희의 외교 담판 → 강동 6주 획득(송과 외교 관계 단절 약속) · 고려의 국경을 압록강까지 확장
2차 침입 (현종, 1010)	강조의 정변(1009)을 빌미로 강동 6주 반환 등을 요구하며 침략	· 개경 함락(현종 나주 피난), 흥화진에서 양규의 선전으로 위기 모면 · 현종의 입조를 조건으로 강화 체결
3차 침입 (현종, 1018)	고려 현종의 입조 약속 불이행, 강동 6주 반환 거부 등을 이유로 침략	· 강감찬의 귀주 대첩(1019) · 개경에 나성(1029) 축조, 천리장성(압록강 어귀~도련포) 축조(1033~1044)

정안국(定安國)

981년 정안국의 왕 오현명이 여진의 사신을 통해 표문을 올렸는데, "신은 본래 고구려의 옛 땅에 자리 잡았던 발해의 유민으로서 한쪽 귀퉁이에 웅거하여 …… 본성대로 살고 있습니다."라고 하였다. -『송서』

▶ 정안국은 발해가 멸망한 뒤 **발해의 일부 유민들이 압록강 중·상류로 피난하여 세운 국가**로, 986년경에 요(거란)의 공격을 받아 멸망하였다.

거란의 2차 침입과 강조의 대응 기출사료

강조는 군대를 이끌고 통주성 남쪽으로 나가 진을 쳤다. 거란군이 여러 차례 물러나니, 자만하게 된 그는 결국 패해 거란군의 포로가 되었다. 거란의 임금이 그의 결박을 풀어 주며 "내 신하가 되겠느냐?"라고 물으니, 강조는 "나는 고려 사람인데 어찌 너의 신하가 되겠느냐?"라고 대답하였다. …… 거란은 마침내 그를 처형하였다. -『고려사』

▶ 거란의 2차 침입 당시 성종이 40만 대군을 이끌고 침입해오자 강조는 통주성에서 항전하다 사로잡혔다. 강조는 성종으로부터 거란의 신하가 되라는 회유를 받았으나 끝내 거절하였다.

귀주 대첩

거란의 군사가 귀주를 지나니 강감찬 등이 동쪽 들에서 맞아 싸웠는데 …… 죽은 적의 시체가 들판을 덮고 사로잡은 군사와 말, 낙타, 갑옷, 투구, 병기는 이루 다 헤아릴 수 없었다. -『고려사절요』

▶ **귀주 대첩**에서 **강감찬**이 지휘하는 고려군은 거란군을 크게 격파하였는데, 이때 거란 군사 중에 살아 돌아간 자가 수천에 불과할 정도였다.

교과서 사료 읽기

서희의 외교 담판

- 소손녕: 그대 나라는 신라 땅에서 났소. 고구려 땅은 우리의 소유인데, 그대 나라가 침식하였고 또 우리와 국경을 맞닿았는데도 바다를 건너 송(宋)을 섬기고 있소. 그 때문에 오늘의 출병이 있게 된 것이니 만일 땅을 떼어서 바치고 조빙을 닦으면 무사할 수 있을 것이오.
- 서희: 그렇지 않다. 우리나라는 바로 고구려의 후계자이다. 그래서 나라 이름을 고려라고 부르고 평양을 국도로 정하였다. 그리고 경계를 가지고 말하면 귀국의 동경도 우리 국토 안에 들어와야 하는데 당신이 어떻게 침범했다는 말을 할 수 있겠는가? 또 압록강 안팎 역시 우리 경내인데 이제 여진이 그 중간을 강점하고 있으면서 …… 만일 여진을 내쫓고 우리 옛 땅을 돌려보내어 도로를 통하게 하면 우리가 어찌 사신을 보내지 않겠는가? -『고려사』

사료 해설 | 거란은 '신라를 계승한 고려가 자신들의 땅인 고구려 땅을 침범하였고, 자신들과 인접하면서도 바다 건너 송을 섬기고 있다는 점' 등을 들며 고려로 침입하였다. 이에 대해 서희는 고려가 고구려를 계승하였고, 거란과 통교하지 못하는 것은 여진 때문이라고 반박하였다.

3. 영향

(1) 국제 관계의 변화: 거란·송·고려 사이의 세력 균형이 이루어졌다.

(2) 고려의 국방 강화

① **나성 축조**(1009~1029): 현종 때 강감찬의 건의로 왕가도의 감독하에 개경의 외성인 나성을 축조하여 도성 수비를 강화하였다.

② **천리장성 축조**(1033, 덕종~1044, 정종): 거란과 여진의 침입에 대비해 압록강에서 도련포에 이르는 천리장성을 축조하였다.

(3) 문화 사업 추진: 불력(佛力)으로 거란의 침입을 막기 위해 초조대장경이 조판되었고(몽골의 2차 침입 때 소실), 거란의 2차 침입 때 소실된 사초의 복원을 위해 현종 때 태조에서 목종에 이르는 『7대실록』을 편찬하였다(현존하지 않음).

2 여진 정벌과 동북 9성 개척

1. 여진족의 성장

(1) 고려 건국 초기: 건국 초기 고려는 두만강 유역의 여진족을 경제적으로 도와주면서 회유·동화 정책을 전개하여 포섭하였다.

(2) 12세기 초: 하얼빈 지방 완옌부(完顔部)의 추장 영가가 여진족을 통합하고 두만강 지역의 국경을 침범하면서 고려군과 자주 충돌하였다.

2. 여진 정벌과 9성 축조

(1) 별무반 조직

① **조직**: 고려는 기병이 주축이 된 여진과의 1차 접촉에서 패한 뒤 숙종 때 윤관의 건의에 따라 신기군(기병)·신보군(보병)·항마군(승병)으로 구성된 별무반을 조직하였다(1104).

② **구성**: 문무 양반에서 노비에 이르기까지 광범위한 계층으로 구성되었다.

고려 시대의 여진족

여진은 고려의 동북방에서 한때 말갈이라 불렸는데, 고구려·발해 등에 복속되어 있다가 발해가 멸망한 뒤 반독립적 상태로 세력을 유지하고 있었다.

별무반 기출사료

윤관이 아뢰기를 "신이 싸움에서 진 것은 적은 기병인데 우리는 보병이라 대적할 수가 없었기 때문입니다."라 하였다. 이에 그가 건의하여 처음으로 별무반을 만들었다.

▶ 별무반은 윤관의 건의에 따라 조직되었으며, 신기군(기병)·신보군(보병)·항마군(승병)으로 구성되었다.

(2) 동북 9성 축조

① **설치**: 예종 때 윤관과 오연총이 17만 명의 별무반을 이끌고 여진족을 토벌한 후, 동북 지방 일대에 9성을 축조하였다(1107).

② **반환**: 여진족의 계속된 반환 요구와 방어의 어려움으로 9성을 돌려주었다(1109).

교과서 사료 읽기

> **동북 9성의 반환**
>
> 여진에서 사자(使者)를 파견하여, "만일 9성을 돌려주고, 생업을 편안토록 해 주시면 우리들은 하늘에 맹세하여 자손대대에 이르기까지 공물을 정성껏 바칠 것이며 감히 고려의 영토 위로 돌 조각 하나도 던지지 않겠습니다."라고 애원하였다. …… 성이 험하고 견고해 좀처럼 함락되지는 않았지만 수비하는 전투에서 아군이 많이 희생되었다. …… 이에 왕은 신하들을 모아 의논한 후 9성을 여진에게 돌려주었다.
>
> -『고려사』
>
> **사료 해설** | 동북 9성 반환 문제를 둘러싸고 조정에서는 여러 의견이 나왔으나, 그 지역이 중앙으로부터 멀고, 변방 문제로 백성을 죽이는 것은 불가하다고 판단하여 결국 고려군은 동북 9성에서 철수하였다.

동북 9성의 위치

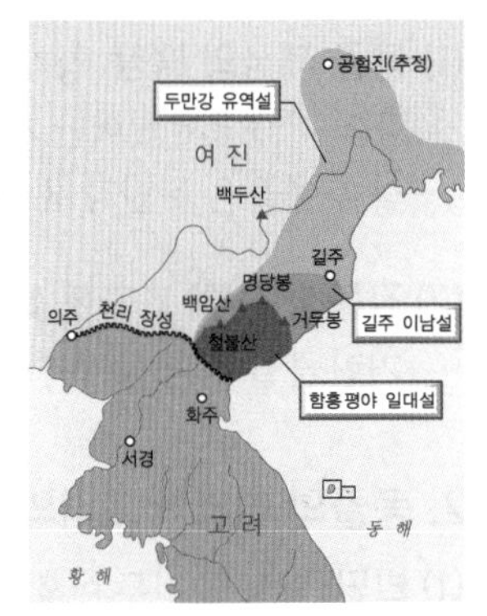

윤관이 개척한 동북 9성의 위치는 아직 분명하게 밝혀지지 않아 함흥평야 일대설, 길주 이남설, 두만강 유역설 등 여러 주장이 제기되고 있다.

3. 금의 건국과 북진 정책의 좌절

(1) 여진족의 금 건국(1115): 아구타가 만주 일대를 통일하여 금(金)을 건국하였다.

(2) 금의 압력(1125): 금은 요(거란)를 멸망시킨 뒤 고려에 군신 관계를 요구하였다.

(3) 사대 요구 수용(1126): 고려에서는 금의 사대 요구를 둘러싸고 정치적 분쟁이 발생하였는데, 집권층이었던 이자겸과 김부식 등은 정권 유지와 민생 안정을 이유로 금의 사대 요구를 수용하였다.

(4) 북진 정책의 좌절: 고려의 북진 정책이 사실상 좌절되었으며, 고려 귀족 사회의 분열이 가속화되어 묘청의 서경 천도 운동이 전개되었다.

기출 사료 읽기

> **금의 사대 요구를 둘러싼 갈등**
>
> 1. 금의 사대 요구 거부
>
> "임금이 환란을 당하면 신하는 욕을 보게 되는 것이니, 신하는 감히 죽음을 아끼지 않습니다. 여진은 본래 우리나라 사람의 자손으로서 신하가 되어 차례로 우리 임금께 조공을 바쳐왔고, 국경 근처에 사는 사람도 모두 오래 전부터 우리나라의 호적에 올라 있습니다. 우리나라가 어찌 거꾸로 그들의 신하가 될 수 있겠습니까?"
>
> - 윤언이 묘지명
>
> 2. 금의 사대 요구 수용
>
> 대부분의 신하들은 금나라에 대한 사대에 반대하였다. 그러나 중서령(이자겸)이 아뢰기를 "옛날의 금은 거란과 우리를 섬기는 소국이었습니다. 하지만 지금 갑자기 강성해져서 거란을 멸망시켰습니다. 또 우리와 영토가 맞닿아 있으므로 정세가 사대하지 않을 수 없게 되었습니다. 작은 나라가 큰 나라를 섬기는 것은 선왕의 법도이니, 먼저 사신을 보내어 예를 갖추는 것이 옳습니다."라고 하자, 왕이 이에 따랐다.
>
> -『고려사절요』
>
> **사료 해설** | 거부파는 여진이 본래 우리나라의 신하와 마찬가지였다고 말하며 자주적인 입장에서 금의 사대 요구를 거부하였고, 수용파는 작은 나라가 큰 나라에게 사대하는 것은 예전부터 있었으므로 사대 요구를 수용하였다.

3 몽골과의 전쟁

1. 13세기 초 동아시아 정세

(1) **몽골 제국의 팽창**: 칭기즈칸이 몽골 제국을 건설하자, 금의 세력은 약화되었다. 이에 금의 지배에서 벗어난 거란이 대요수국(大遼收國)을 건국하여 몽골에 대항하였고, 금의 후예들은 두만강 유역에 동진국(東眞國)을 건설하였다.

(2) **강동성 전투**: 몽골에 쫓긴 거란이 고려에 침입하였을 때 고려와 몽골, 동진 연합군이 거란군을 강동성에서 격파(1218~1219)하였으니 이것이 몽골과 고려의 첫 접촉이었다.

강동성 전투
몽골에 쫓긴 거란족은 고려를 침입하였으나, 고려군의 반격으로 평양 동쪽의 강동성에서 포위당하였다(1218). 이때 거란을 추격해 온 몽골과 두만강 유역의 동진국(여진)의 군대가 연합하여 거란족을 몰아내었다(1219). 이를 계기로 **몽골은 자신들이 거란족을 물리쳐준 은인이라고 자처**하며 **고려**에 많은 **공물을 요구**하였다(여·몽 협약).

2. 몽골의 침입과 고려의 항쟁

(1) **발단**: 강동성 전투 이후 공물을 받아가던 몽골 사신 저고여가 고려 국경 지대에서 피살당한 사건(1225)을 계기로 양국의 국교는 단절되었고, 이는 몽골 침입의 원인이 되었다.

(2) 경과

① **1차 침입**(1231): 귀주성에서 박서의 저항이 완강하자 몽골군은 일부 병력을 우회시켜 개경을 포위하였다. 결국 고려는 몽골과 강화를 맺고 다루가치 설치 요구를 수용하게 되었고, 몽골도 큰 소득 없이 물러갔다.

기출 사료 읽기

박서의 항전

몽골이 정예 기병 300명을 뽑아 북문을 공격하므로 박서가 이를 물리쳤다. …… 몽골이 기름으로 섶을 적셔 두텁게 쌓아놓고 불을 질러 성을 공격하므로 박서가 물을 뿌리니 불이 더 치열해졌다. 이에 진흙을 가져오라 하여 물을 섞어 던져 불을 껐다. …… 몽골이 성을 포위하기를 30일, 백계(百計)로 이를 쳤으나 박서가 임기응변하여 굳게 지켰으므로 몽골이 이기지 못하고 물러났다. -『고려사』

사료 해설 | 귀주성 전투는 4개월에 걸쳐 치러진 전투로, 단기간에 점령하고자 한 몽골군의 작전이 차질을 빚게 되었다.

② **2차 침입**(1232)

㉠ **강화도 천도**: 최우가 몽골의 무리한 조공 요구에 반발하며 강화도로 천도(1232)하였고, 각 도에 사신을 보내 주민들을 산성과 해도로 입보시켰다. 이에 몽골군은 고려 정부의 개경 환도를 요구하며 재침입하였다.

㉡ **처인성 전투**: 처인성(처인부곡)에서 승려 김윤후가 몽골 장수 살리타를 사살하였다.

산성·해도 입보 정책
몽골 침입 시기에 고려 정부는 **내륙에 사는 주민은 가까운 산성으로 피하고, 해안가 주민들은 섬으로 피하게 하는 산성·해도 입보 정책**을 전개하였다.

기출 사료 읽기

처인성 전투

김윤후는 승려가 되어 백현원에 살았는데, 몽골병이 오자 처인성으로 난을 피하였다. 몽골의 원수(元帥) 살리타가 쳐들어와 처인성을 공격하자 김윤후가 그를 사살하였다. 왕은 그 공을 가상히 여겨 상장군의 벼슬을 주었으나 사양하고 받지 않았다. -『고려사』

사료 해설 | 김윤후는 몽골의 2차 침입 당시 처인성 전투에서 적장 살리타를 사살한 공으로 상장군에 임명되었으나 사양하였다.

③ **3차 침입**(1235): 경주 황룡사 9층 목탑이 소실되었고, 불력으로 몽골을 물리치고자 하는 호국 불교의 염원을 담은 재조대장경(팔만대장경)의 조판이 시작되었다.

④ **5차 침입**(1253): 충주성 방호별감인 김윤후가 충주 전투에서 몽골을 격퇴하였다.

⑤ **6차 침입**(1254): 충주 다인철소 주민들이 항쟁하여 몽골군을 격퇴하였고, 그 공훈으로 익안현으로 승격되었다.

(3) 개경 환도(1270)

① **무신 정권 붕괴**: 반몽 정책을 펼치던 무신 정권 최고 권력자인 김준을 임유무가 살해하고, 임유무를 다시 원종이 제거함으로써 무신 정권이 무너지고 전쟁이 종결되었다.

② **몽골과 강화**: 고려는 몽골과 강화하고, 개경으로 환도하였다.

(4) 의의: 고려는 몽골의 간섭을 받게 되었지만 끈질긴 저항을 인정받아 고려의 주권과 고유한 풍속은 유지할 수 있었다(세조 구제).

세조 구제 교과서 사료

- 옷과 머리에 쓰는 관은 고려의 풍속을 유지하고 바꿀 필요가 없다.
- 사신은 오직 원 조정이 보내는 것 이외에 모두 금지한다.
- 압록강 둔전과 군대는 가을에 철수한다.
- 전에 보낸 다루가치는 모두 철수한다.
- 몽고에 자원해 머문 사람들은 조사하여 모두 돌려보낸다.

▶ 고려 태자였던 원종은 원 세조(쿠빌라이 칸)를 만나 강화를 체결하고 개경으로 환도하였다. 원 세조는 고구려의 후손이 찾아와 항복을 한 것은 하늘의 뜻이라며, **고려의 주권과 고유한 풍속을 인정**하는 '세조 구제'를 약속하고 고려를 직속령으로 완전히 정복하려던 계획을 포기하였다. 이에 고려는 원의 간섭을 받기는 하였으나, 어느 정도 자주성을 유지할 수 있었다.

3. 삼별초의 항쟁(1270~1273)

(1) 배경: 삼별초 지도자 배중손 등은 고려 조정이 몽골과 강화를 맺고 개경으로 환도하자, 이를 거부하고 강화도에서 왕족인 승화후 온(溫)을 왕으로 추대하여 항몽 정권을 수립하였다.

(2) 경과

① **진도로 이동**: 삼별초는 장기 항전을 계획하여 진도로 이동하여 용장성을 쌓고, 서남해 지역을 장악하였다. 또한 일본에 국서를 보내 대몽 연합 전선을 제의하였다.

② **제주도로 이동**: 삼별초는 고려, 몽골 연합군과의 대립 과정에서 배중손이 전사한 후 다시 김통정의 지휘 아래 제주도(탐라)의 항파두리성으로 이동하여 항쟁을 전개하였다.

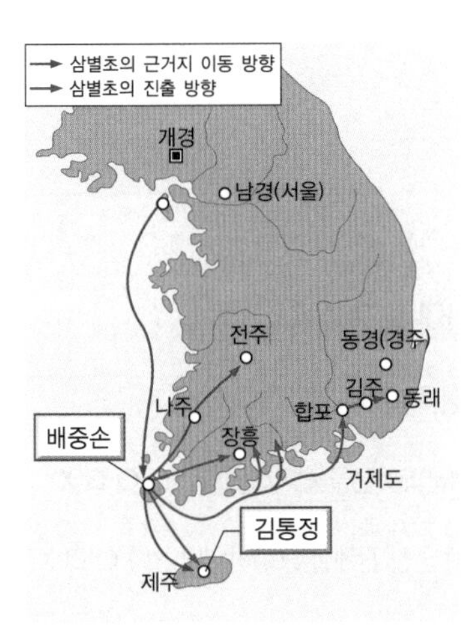

| 삼별초의 항쟁

(3) 종결: 삼별초는 김방경이 이끄는 여·몽 연합군에 의해 진압되었다. 이후 제주도(탐라)에는 몽골에 의해 탐라총관부가 설치되었다(1273).

(4) 의의: 삼별초의 항쟁은 고려 무신들의 항몽 의지와 자주 정신을 잘 나타내 주고 있다.

삼별초 국서에 대한 일본의 반응 기출사료

- 전의 서장에서는 "몽골의 덕에 귀부하여 군신의 예를 이루었다." 하였는데, 이번에는 강화로 천도한 지 40여 년이나 되고 오랑캐를 따르는 것은 성현이 꺼린 것이라 하고 또 진도로 천도한 일.
- 김해부의 둔병 20여 명을 먼저 일본국으로 보낸다고 한 일.
- 수만의 말 탄 군사를 청한 일.

-『한국상대고문서자료집성』

▶ 제시된 사료는 삼별초가 일본에 보낸 국서에 대해 일본의 막부가 이해되지 않는 부분을 정리한 내용으로, 이를 통해 당시 삼별초의 활동에 대해 유추할 수 있다. 사료의 내용에 의하면 삼별초는 몽골에 대한 반발심을 나타내었고, **일본에게 군사를 요청**하여 **대몽 연합 전선을 결성할 것을 제의**하였음을 알 수 있다.

기출 사료 읽기

삼별초의 항쟁

삼별초는 진도(珍島)로 들어가서 근거지로 삼고, 인근 고을들을 노략질하였으므로 왕이 김방경(金方慶)에게 명령하여 토벌케 하였는데 이듬해 김방경은 몽골 원수 흔도(忻都) 등과 함께 3군을 통솔하고 적을 격파하였다. 적은 모두 처자를 버리고 멀리 도망쳤으며, 적장 김통정(金通精)은 패잔병을 거느리고 탐라(耽羅)로 들어갔다.

-『고려사』

사료 해설 | 삼별초는 개경 환도에 반대하며 강화도에서 봉기하였고, 이후 진도와 제주도로 근거지를 옮기며 몽골에 항쟁하였다.

OX 빈칸 핵심 개념 점검

* 학습한 개념을 OX/빈칸 문제를 통해 점검해보세요.

핵심 개념 1 | 거란의 침입과 격퇴

01 거란의 소손녕이 수십만 대군을 이끌고 고려를 침입하여, 서희가 외교 담판으로 거란군의 철수를 이끌어냈다. □ O □ X

02 거란의 3차 침입 때 강감찬이 귀주에서 거란군을 크게 격파하였다. □ O □ X

03 귀주 대첩 이후 고려는 압록강에서 도련포에 이르는 천리장성을 축조하였다. □ O □ X

04 거란은 고려에 동북 9성을 돌려달라고 요구하였다. □ O □ X

05 거란은 ______ 을 구실로 고려에 2차 침략하였다.

핵심 개념 2 | 여진 정벌과 금의 사대 요구 수용

06 예종 때 여진을 몰아내고 동북 9성을 설치하였다. □ O □ X

07 윤관은 여진의 확대에 대비하여 4군과 6진을 개척하였다. □ O □ X

08 여진은 거란을 멸망시킨 후 고려에 군신 관계를 요구하였다. □ O □ X

09 ______ 대에 여진 정벌을 위해 윤관이 건의한 별무반을 설치하였다.

10 별무반은 기병 부대인 ______, 보병 부대인 ______, 승병 부대인 ______으로 구성되었다.

핵심 개념 3 | 몽골의 침입과 항쟁

11 몽골의 1차 침입 때 박서는 귀주성에서 활약하였다. □ O □ X

12 몽골에 항쟁하기 위하여 고려 정부는 산성, 해도 입보 정책을 펼쳤다. □ O □ X

13 최우는 몽골에 대항하여 강화도로 천도하여 항전하였다. □ O □ X

14 몽골의 침입으로 경주 황룡사 9층 목탑이 소실되었다. □ O □ X

15 고려는 몽골이 침입하자 적의 침략을 물리치기 위한 염원에서 초조대장경을 만들었다. □ O □ X

16 몽골의 침입 때 충주성에서 천민들이 몽골군에 맞서 싸웠다. □ O □ X

17 삼별초는 일본에 국서를 보내 대몽 연합 전선 구축을 제의하였다. □ O □ X

18 고려 정부가 개경으로 환도하자, 삼별초는 진도와 제주도로 근거지를 옮기면서 대몽 항쟁을 계속하였다. □ O □ X

19 처인성에서 ______가 몽골 장수 살리타를 사살하였다.

20 개경 환도 이후 ______는 배중손의 지휘로 몽골과의 항쟁을 계속하였다.

정답과 해설

번호	정답과 해설
01	O 성종 때 거란의 소손녕이 수십만 대군을 이끌고 고려에 침입하였으나, 서희의 외교 담판을 통해 거란군이 철수하고 고려는 강동 6주를 획득하였다.
02	O 거란의 3차 침입 때 강감찬이 이끄는 고려군이 귀주에서 거란군을 격파하여 크게 승리하였다.
03	O 귀주 대첩(거란의 3차 침입) 이후 고려는 거란과 여진의 침입에 대비하여 압록강에서 도련포에 이르는 천리장성을 축조하였다.
04	× 동북 9성은 예종 때 여진을 정벌하고 축조한 것이다. 고려는 여진족의 계속되는 반환 요구와 방어의 어려움으로 9성을 여진에 돌려주었다.
05	강조의 강변
06	O 예종 때 윤관이 별무반을 이끌고 여진을 정벌한 후 동북 지방에 9성을 설치하였다.
07	× 4군과 6진은 조선 세종 때 개척되었다.
08	O 여진(금)은 거란(요)을 멸망시킨 후 고려에 군신 관계를 요구하였고, 당시 집권층이었던 이자겸은 금의 사대 요구를 수용하였다.
09	숙종
10	신기군, 신보군, 항마군
11	O 몽골의 1차 침입 때 박서는 귀주성에서 몽골군의 공격을 격퇴하였다.
12	O 몽골에 항쟁하기 위하여 고려 정부는 내륙에 사는 주민을 가까운 산성으로 피난시키고, 해안가 주민을 섬으로 피난시키는 산성, 해도 입보 정책을 펼쳤다.
13	O 최우는 몽골에 대항하여 개경에서 강화도로 천도하여 항전하였다.
14	O 몽골의 침입으로 신라 선덕 여왕 때 건립된 경주 황룡사 9층 목탑이 소실되었다.
15	× 초조대장경은 거란의 침략을 물리치기 위한 염원에서 제작되었다. 고려는 몽골의 침략을 물리치기 위한 염원에서 팔만대장경을 제작하였다.
16	O 몽골의 5차 침입 때 충주성에서 천민들이 몽골군에 맞서 싸웠다.
17	O 삼별초는 몽골에 대항하기 위해 일본에 국서를 보내 연합을 제의하였다.
18	O 삼별초는 고려 정부가 개경으로 환도한 이후에도 강화도에서 진도, 다시 제주도로 이동하며 대몽 항쟁을 계속하였다.
19	김윤후
20	삼별초

4 고려 후기의 정치 변동과 개혁

학습 포인트
원의 내정 간섭 내용과 이 시기 각 국왕들의 개혁 정책을 살펴본다. 공민왕의 경우 개혁 내용을 반원 자주, 왕권 강화로 구분하여 정리하도록 한다.

빈출 핵심 포인트
쌍성총관부, 정동행성, 이문소, 충렬왕, 전민변정도감, 충선왕, 사림원, 공민왕, 신돈

1 원의 내정 간섭

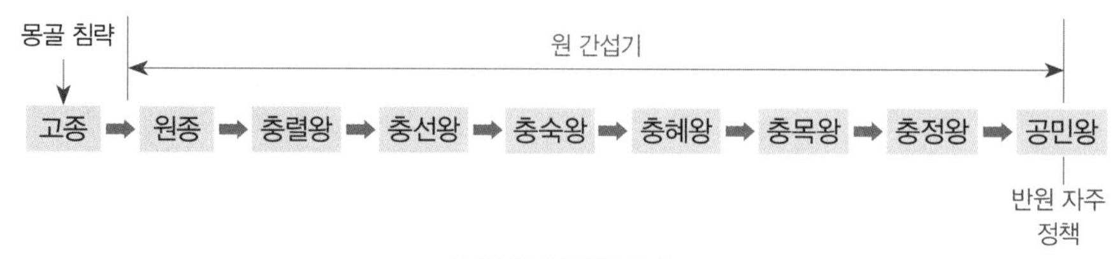

| 몽골 침략 이후의 고려

1. 일본 원정

(1) **배경**: 몽골과 강화한 고려는 전쟁의 피해가 복구되지 않은 상태에서 두 차례 실시된 몽골의 일본 원정에 강제로 동원되어 원에게 군대와 물자를 제공하였다.

(2) **1차 원정**(1274): 몽골은 국호를 원(元)으로 바꾼 후 일본에 조공을 요구하며 원정을 단행하였으나 일본 막부의 저항과 태풍으로 실패하였다.

(3) **2차 원정**(1281): 원은 개경에 정동행성을 설치(1280)하고 2차 원정을 추진하였으나 역시 태풍으로 인해 실패하였다.

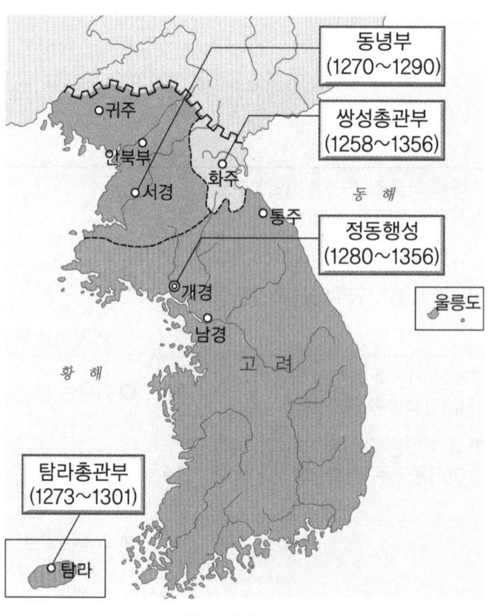

| 원 간섭기의 고려

2. 영토 상실

(1) **쌍성총관부**(1258~1356): 쌍성총관부는 원이 철령 이북 지역을 직접 지배하기 위해 화주(영흥)에 설치한 것으로, 공민왕 때 무력으로 탈환하였다(1356).

(2) **동녕부**(1270~1290): 동녕부는 원이 자비령 이북 지역을 통치하기 위해 서경(평양)에 설치한 것으로 충렬왕 때 고려에 반환되었다(1290).

(3) **탐라총관부**(1273~1301): 탐라총관부는 원이 삼별초를 진압한 후 목마장을 운영하기 위해 제주에 설치한 것으로, 충렬왕 때 반환되었다(1301).

일본 원정

- 몽·한군(蒙漢軍) 2만 5,000명과 아군 8,000명, 초공, 인해, 수수(水手) 6,700명과 전함 900여 척으로 일본을 정벌하러 출발하였다. …… 그런데 때마침 밤중에 폭풍우가 일어나서 전함들이 바위와 언덕에 부딪치어 많이 파손·침몰되었고 김선은 물에 빠져 죽었다.
- 기해일에 일본을 정벌하러 갔던 군대가 합포에 돌아왔다. 동지추밀원사(同知樞密院事, 고려 시대 왕명의 출납, 궁궐의 경호 및 군사 기밀 등을 맡은 종2품 벼슬) 장일(張鎰)을 파견하여 그들을 위로하였는데 이번 전쟁에서 돌아오지 못한 자의 수가 무려 1만 3,500여 명이나 되었다. -『고려사』

▶ 고려는 충렬왕 때 원이 일본을 침략하는 과정에서 많은 시달림을 당하였다. **두 차례의 일본 원정**(1274, 1281)에서 고려의 김방경은 원의 군대와 함께 일본 규슈 침략에 나섰으나 **가마쿠라 막부의 저항과 태풍으로 실패**하였다. 이때 고려는 함선과 군대, 군량미를 부담하는 어려움을 겪었다.

3. 관제의 개편

(1) 부마국: 개경 환도 후 고려의 국왕은 원의 공주와 결혼하여 원 황제의 부마(사위)가 되었다. 이와 함께 충렬왕 때에 왕실의 호칭과 격이 부마국에 맞는 지위로 격하되었다.

(2) 관제 격하

① **중앙 관제 격하**: 원의 압력으로 고려는 관제의 격을 낮추어 중서문하성과 상서성을 합쳐 첨의부로, 중추원은 밀직사, 6부는 4사로 개편하였다.

② **왕실 용어 격하**: 원에 충성한다는 의미로 묘호 앞에 '충(忠)자'를 붙이고, '조·종'을 '왕'으로 격하하였다.

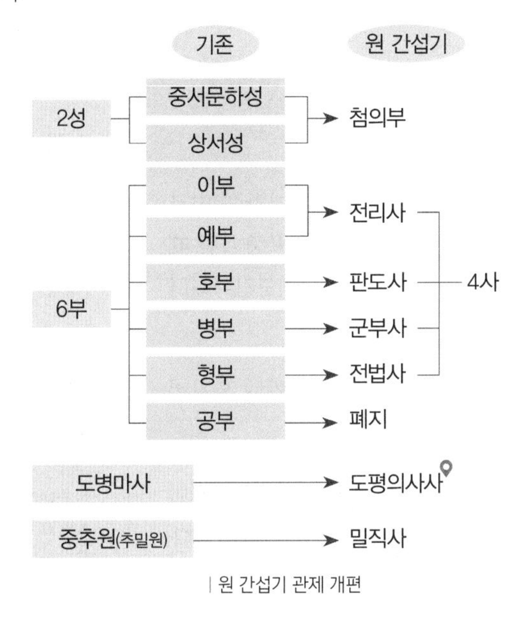

| 원 간섭기 관제 개편

4. 내정 간섭

(1) 내정 간섭 기구

① **정동행성**: 정동행성은 일본 원정을 위해 설치된 기구였으나 원정 실패 이후에도 내정 간섭 기구로 존속하였다.

② **이문소**: 이문소는 정동행성의 부속 관서로 본래 범죄를 단속하는 사법 기관이었으나 반원 세력 억압과 부원 세력을 대변하는 기구로 변질되었다.

③ **순마소**: 반원 인사의 색출, 개경의 치안을 담당하는 감찰 기관이었다.

④ **다루가치**: 다루가치는 내정 간섭 및 공물 징수를 감독하는 감찰관이었다.

(2) 입성책동(入省策動): 유청신 등 친원파가 고려 왕조를 폐지하고 원의 지방 행정 단위인 성(省)을 고려에 설치할 것을 4차례에 걸쳐 주장하였으나 군신들의 반대로 좌절되었다.

(3) 원(몽골)의 수탈

① **인적 수탈**: 원은 결혼도감을 설치하고 고려의 처녀들을 공녀로 징발하였다.

② **응방 설치**: 원은 매(해동청)의 사냥과 사육을 위해 응방을 설치하여 매를 징발하였다.

③ **특산물 수탈**: 원은 금·은·베를 비롯하여 인삼·약재·매 등의 특산물을 징발하였다.

원 간섭기의 왕실 용어 격하

- 폐하 → 전하
- 태자 → 세자
- 짐(朕) → 고(孤)
- 선지 → 왕지

도평의사사

도병마사가 도평의사사로 개칭된 것은 원 간섭기의 관제 격하에 해당하는 것이 아니다. 도병마사는 고려의 독자적인 기구였으므로, **도평의사사로의 개칭**은 도병마사의 기능이 국방 군사 관계에 한정되지 않고 **국사 전반에 걸쳐 의논하는 것으로 확장**되면서 구성과 기능이 커졌기 때문이다.

정동행성

1280년(충렬왕 6)에 원이 일본 원정을 위해 설치한 기구로, 장관인 좌승상은 고려왕이 맡았으며, 그 밑에 여러 관직을 두었으나 실제적 권한은 없었다. 이 기구의 중심은 부속 기구인 이문소였다.

다루가치(達魯花赤)

원이 **고려의 내정을 간섭하기 위해 설치**한 것으로, 1231년(고종 18) 서경 등에 72명의 다루가치가 파견되었다. 다루가치는 충렬왕(1278)이 원나라에 입조(入朝)하여 폐지를 약속받은 후 철수되었다.

친원파들의 입성책동 주장

친원파들은 1309년경 충선왕 때, 1323년 충숙왕 때, 그리고 1330년과 1343년 충혜왕 때 총 4차례에 걸쳐 입성책동을 주장하였다.

공녀 징발 기출사료

옹주는 지극히 예뻐하던 딸이 공녀로 가게 되자 근심하고 번민하다가 병이 생겼다. 결국 지난 9월에 세상을 떠나니 나이가 55세였다. 우리나라의 자녀들이 서쪽 원나라로 끌려가기를 거른 해가 없다. 비록 왕실의 친족과 같이 귀한 집안이라도 숨기지 못하였으며 어미와 자식이 한번 이별하면 만날 기약이 없다.

- 수령옹주 묘지명

▶ 원 간섭기에 원나라가 공녀를 요구하자, 조정에서는 결혼도감을 설치해 민간의 독녀(獨女), 역적의 처, 파계승의 딸을 찾아 원이 공녀로 요구한 수를 채워 보냈다.

(4) 영향

① **자주성 손상**: 원의 간섭으로 고려의 국가적 자주성에 심각한 손상이 발생하였다.

② **통치 질서 붕괴**: 원의 압력과 친원파의 책동으로 인해 고려의 통치 질서가 붕괴되었다.

③ **인적·물적 교류**: 원으로 상인, 유학생, 학자, 승려 등 다양한 사람이 건너갔으며, 아시아와 유럽에 걸친 원의 성립으로 동·서 교류가 활발해지면서 고려에는 이슬람 계통의 사람들이 귀화하기도 하였다.

④ **문화 전파**: 고려의 상류 사회에 몽골어·몽골식 복장·변발 등의 몽골풍이 유행하였고, 원에도 고려의 의복·그릇·음식 등의 풍속(고려양)이 전해졌다.

2 고려 말 개혁 정치

1. 충렬왕(1274~1308)의 개혁

(1) 전민변정도감 설치: 전민변정도감은 권세가에게 점탈된 토지나 농민을 되찾아 바로 잡기 위해 설치된 임시 개혁 기관으로, 원종 때(1269) 최초로 설치되었다가 충렬왕 때 다시 설치되었다(1288·1301). 이후 전민변정도감은 공민왕과 우왕 때 각각 설치되었다가 소기의 목적을 달성하였거나 유명무실화되어 폐지되었다.

(2) 홍자번의 편민 18사 건의: 충렬왕은 민생 문제와 국가 재정난의 해결을 위해 홍자번이 올린 상소를 수용하여 폐단을 개선하고자 하였으나 실패하였다.

(3) 문화 발전: 충렬왕은 안향을 통해 성리학을 수용하였고, 관학 진흥을 위해 섬학전과 경사교수도감을 설치하였다. 또한 『고금록』, 『천추금경록』 등의 역사서를 편찬하였다.

(4) 기타: 충렬왕은 원으로부터 동녕부와 탐라총관부 지역을 반환받았다.

2. 충선왕(1차 재위: 1298, 2차 재위: 1308~1313)의 개혁 정치

(1) 정방 폐지와 사림원 설치: 충선왕은 정방의 폐지를 시도하는 한편, 사림원을 설치하여 왕명 출납을 담당하게 하였다. 그러나 조비 무고 사건으로 충선왕이 원에 압송되면서 이러한 개혁 정책은 실패하였고, 왕위는 다시 충렬왕에게 돌아갔다.

(2) 심양왕 즉위: 원에 머물던 충선왕은 원 무종(武宗)의 옹립(1307)에 기여하여 심양왕에 봉해졌다.

(3) 개혁 정치 재시도: 충렬왕이 사망하자 충선왕은 다시 즉위(1308)하여 기강 확립, 왕실의 근친혼 금지, 귀족의 횡포 엄단 등을 주요 내용으로 하는 복위 교서를 발표하였고, 경제 개혁을 실시하여 국가 재정을 확보하였다.

① **소금 전매제 실시**: 국가 수입 증대를 위해 의염창을 설치하고 소금 전매제(각염법)를 실시하여 염전을 국유화하고 소금의 사적인 생산과 매매를 금지하였다.

② **전농사 설치**: 권세가의 농장 확대로 인한 문란을 시정하기 위해 전농사를 설치하여 농장과 노비를 조사하였다.

편민 18사

홍자번은 편민 18사의 건의를 통해 공부·염세와 관련된 폐단의 시정, 관원이나 권세가의 비리 근절, 향리제의 정상적 운영, 우마(牛馬)의 교역과 징발 금지, 의창의 설치 등을 통한 민생 안정을 주장하였다.

충선왕 기출사료

휘(諱)는 장(璋)이고, 몽고의 휘는 익지례보화(益智禮普化-이지르부카)이다. 선왕의 맏아들이며 어머니는 제국대장공주(齊國大長公主)이다. 을해년 9월 정유일에 출생하였다. 성품이 총명하고 굳세며 결단력이 있었다. 이로운 것을 일으키고 폐단을 제거하여 시정에 그런대로 볼 만한 것이 있었으나 부자(父子) 사이는 실로 부끄러운 일이 많았다. 오랫동안 상국(上國)에 있었는데, 스스로 귀양가는 욕을 당하였다. 왕위에 있은 지 5년이며, 수(壽)는 51세였다.

- 『고려사절요』

▶ 충렬왕과 제국대장공주의 맏아들인 충선왕은 부왕(충렬왕)과의 갈등으로 왕위를 빼앗겼다가 복위하였다.

조비 무고 사건

충선왕이 즉위(1298)한 뒤 원 출신 왕비인 계국대장공주가 충선왕의 다른 왕비인 조비(조인규의 딸)를 시기하여, '조비가 자기를 저주하였다'고 원에 무고(거짓을 고함)하였다. 그런데 실제로 조비의 어머니가 계국대장공주를 저주하였다는 내용의 글이 발견되면서 원에서는 조인규 일가를 원에 압송하고 그들의 재산을 몰수하였다. 이 사건으로 **원은 충선왕을 퇴위**시키고 **충선왕 즉위 후 개정된 관제를 모두 복구**하도록 하였으며, 왕위는 다시 **충렬왕에게 되돌아갔다.**

기출 사료 읽기

충선왕의 복위 교서

이제부터 만약 종친으로서 같은 성에 장가드는 자는 황제의 명령을 위배한 자로서 처리할 것이니, 마땅히 여러 대를 내려오면서 재상을 지낸 집안의 딸을 부인을 삼을 것이며, 재상의 아들은 왕족의 딸과 혼인함을 허락할 것이다. -『고려사』

사료 해설 | 1308년 충선왕은 복위 교서에서 왕실의 족내혼(근친혼)을 금지하고, 왕실 종친과 혼인 관계를 맺을 수 있는 15개의 귀족 가문을 재상지종으로 지정하였다.

(4) 만권당 설치: 충선왕은 왕위를 충숙왕에게 물려주고(1313), 그 다음 해에 원의 연경(베이징)에 학문 연구소인 만권당(1314)을 설치하여 조맹부 등 원의 학자와 고려의 이제현 등을 불러 경서를 연구하게 하였다.

3. 충숙왕(1313~1330, 1332~1339)의 개혁

충숙왕은 권문세족이 점령한 전민(田民)을 찾아 원래대로 되돌리기 위해 제폐사목소를 설치했다가 곧 찰리변위도감으로 변경하여 개혁을 시도하였으나 실패하였다.

4. 충혜왕(1330~1332, 1339~1344)의 개혁

충혜왕은 권세가들이 탈점한 토지와 노비를 조사하기 위해 편민조례추변도감을 설치하여 개혁을 시도하였으나, 기철 등 친원 세력의 반발로 실패하였다.

5. 충목왕(1344~1348)의 개혁

충목왕은 정치도감을 설치하여 각 도에 관리를 보내 양전 사업을 실시하고, 권세가들이 빼앗은 토지와 노비를 본 주인에게 환원하였다.

3 공민왕의 개혁(1351~1374)

1. 반원 자주 정책

(1) 친원파 숙청 및 반원 친명 정책: 기철 등 친원 세력을 제거하고 친명 정책을 실시하였으며, 원의 연호와 풍습을 폐지하였다.

(2) 정동행성 이문소 폐지: 고려의 내정을 간섭하던 정동행성 이문소를 폐지하였다.

(3) 관제 복구: 2성 6부제로 관제를 복구하였다.

(4) 영토 회복: 유인우가 쌍성총관부를 공격하여 철령 이북 영토를 수복하였다.

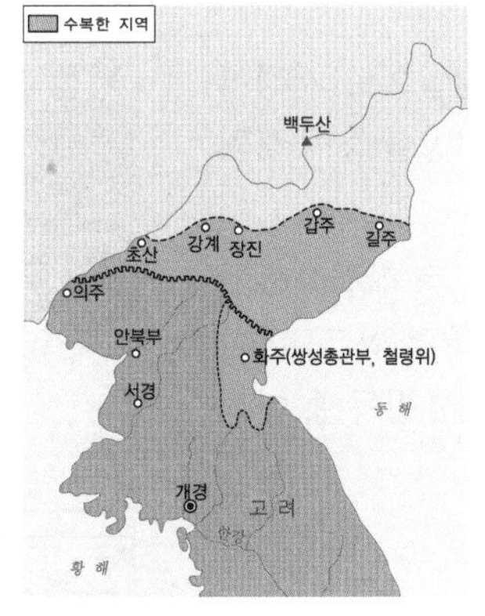

| 공민왕이 수복한 지역

공민왕의 반원 자주 정책 기출사료

공민왕이 원나라의 제도를 따라 변발(辮髮)을 하고 호복(胡服)을 입고 전상(殿上)에 앉아 있었다. …… 왕이 사람을 시켜 물었다. …… 답하기를 "변발과 호복은 선왕의 제도가 아니오니, 원컨대 전하께서는 본받지 마소서."라고 하니, 왕이 기뻐하면서 즉시 변발을 풀어 버리고 그에게 옷과 요를 하사하였다. -『고려사』

▶ 공민왕은 기철 등으로 대표되는 부원 세력을 처단하는 등 반원 자주 정책을 실시하였으며, 변발과 호복 등 몽골풍을 폐지하였다.

2. 왕권 강화 정책

(1) **정방 폐지**: 공민왕은 신진 사대부의 등장을 억제하고 있던 정방을 폐지하여 인사권을 회수하였다.

(2) **교육 · 과거 제도 정비**: 공민왕은 성균관을 통하여 유학 교육을 강화하고 경학 중심의 과거 제도를 정비하여 신진 사대부의 정계 진출을 촉진시켰다.

(3) **전민변정도감 설치**: 공민왕은 전민변정도감을 설치하고, 승려 신돈을 등용하여 억울하게 노비된 자들을 해방시키고 불법 취득한 토지는 원래 주인에게 돌려주었다.

기출 사료 읽기

공민왕의 전민변정도감 설치

신돈이 전민변정도감 두기를 청하였다. …… "종묘 · 학교 · 창고 · 사사 · 녹전 · 군수의 땅은 백성이 대대로 지어온 땅이나 권세가들이 거의 다 빼었다. 돌려주라고 판결한 것도 그대로 가지며 양인을 노예로 삼고 있다. …… 기한이 지났는데도 고치지 않고 있다가 발각되면 조사하여 엄히 다스릴 것이다." 이 명령이 나오자 권세가가 뺏은 땅을 주인에게 돌려주므로 안팎이 기뻐하였다. -『고려사』

사료 해설 | 공민왕은 전민변정도감을 설치하여 불법적인 토지 약탈을 막고, 억울하게 노비가 된 양민들을 해방시켰다.

3. 결과

(1) **개혁 실패**: 원의 압력과 권문세족의 반발로 신돈이 제거되고 공민왕이 자제위 홍륜, 환관 최만생 등에 의해 시해되는 등 개혁 주체 세력의 분열과 약화로 결국 공민왕의 개혁은 실패하였다.

(2) **신진 사대부의 성장**: 성리학에 바탕을 둔 신진 사대부가 개혁 주도 세력으로 성장하여 조선 왕조 건국에 기여하였다.

성균관의 정비 교과서 사료

공민왕 16년(1367)에 성균관을 다시 정비하고 이색을 판개성부사 겸 성균관 대사성으로 삼았다. …… 학자들이 모여들기 시작하였고 서로 함께 눈으로 보고 느끼게 되니, 정주 성리학이 비로소 크게 일어나게 되었다. -『고려사』

▶ 공민왕은 성균관을 정비하여 유학 교육을 강화하였다.

자제위

공민왕은 **국왕의 신변을 호위**하고 고려를 이끌 **지도자를 양성**한다는 명목으로 공신 및 고위 관직자의 자제를 선발하여 **자제위를 구성**하였고, 자신을 보필하게 하였다.

4 홍건적·왜구의 침입과 격퇴

1. 홍건적의 침입

(1) **제1차 침입**(1359): 모거경의 침입으로 서경이 함락되었으나 고려의 이승경, 이방실 등이 격퇴하였다.

(2) **제2차 침입**(1361): 사유, 관선생 등이 침략하여 개경이 함락되면서 공민왕이 복주(안동)로 피신하였으나 정세운, 이방실, 안우, 김득배, 이성계 등이 격퇴하였다.

2. 왜구의 침입

(1) **왜구의 창궐**: 고려 말에는 원의 간섭으로 국방력이 약화되어 왜구의 침입이 더욱 극심하였다.

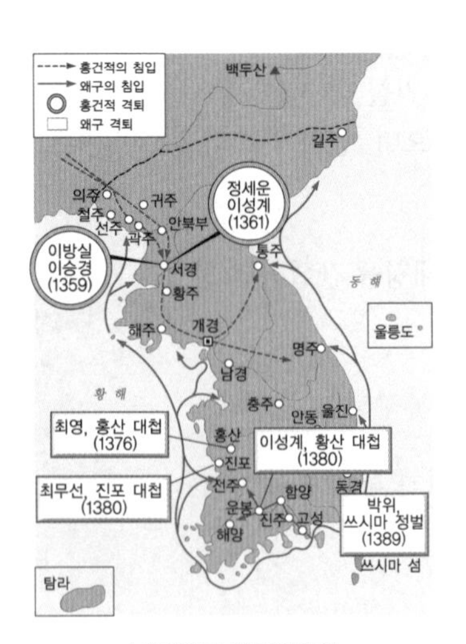

| 홍건적과 왜구의 침입

홍건적의 침입 기출사료

왕이 복주에 이르렀다. 정세운은 성품이 충성스럽고 청렴하였는데, 왕의 파천(播遷) 이래 밤낮으로 근심하고 분하게 여겨서 홍건적을 물리치고 개경을 회복하는 것을 자신의 임무로 여겼다. …(중략)… 마침내 정세운을 총병관으로 임명하였다. -『고려사절요』

▶ 1361년 공민왕의 개혁 정치가 진행되던 시기에 홍건적이 압록강을 건너 개경을 점령하여 **공민왕은 복주(경북 안동)로 피난**을 떠나야 했다. 이 때 정세운과 이성계 등이 홍건적을 물리쳐 **무장 세력이 크게 성장**하는 가운데 김용 등이 흥왕사의 행궁에 머물고 있던 공민왕을 시해하려고 한 사건(**흥왕사의 변**)이 일어나는 등 어수선한 분위기가 이어져, 공민왕이 추진했던 개혁 정치를 계속 진행하기 어렵게 되었다.

(2) 왜구 격퇴

① **화통도감 설치**: 최무선의 건의에 따라 화약 및 화기의 제조를 담당하는 화통도감을 설치하였다(우왕, 1377).

② **왜구 토벌**: 홍산 대첩(최영), 진포 대첩(최무선), 황산 대첩(이성계) 등을 통해 왜구의 침입을 격퇴하였다.

필수 개념 정리하기

왜구 토벌

구분	시기	인물	내용
홍산 대첩	1376년(우왕)	최영	침입하는 왜구를 홍산에서 격퇴
진포 대첩	1380년 (우왕)	최무선	왜선 500여 척을 화통도감에서 제조한 화포로 격침
황산 대첩		이성계	진포 대첩 때 상륙한 왜구를 황산(남원시 운봉)에서 섬멸
관음포 대첩	1383년(우왕)	정지	관음포 앞바다에서 왜선 120여 척 격침
대마도 정벌	1389년(창왕)	박위	왜구의 소굴이었던 대마도(쓰시마 섬) 정벌

5 고려의 멸망

1. 배경

공민왕의 개혁 실패 후, 권문세족이 정권을 독점하고 대토지 소유를 확대하면서 민생이 파탄에 이르렀다. 또한 홍건적과 왜구의 침입으로 사회 혼란이 가중되었고, 이 과정에서 최영, 이성계 등 신흥 무인 세력이 성장하였다.

2. 위화도 회군

(1) 명의 철령위 설치 통고: 명이 철령 이북의 땅은 원래 원에 속했던 땅이므로 자기 나라에 귀속시켜 철령위를 설치하고 병참 군영으로 만들 것이라는 사실을 통고하였다.

(2) 갈등 발생: 명의 철령위 설치에 반발하여 최영의 요동 정벌론이 대두하였고, 이에 이성계는 4불가론을 주장하며 대립하였다.

(3) 요동 정벌 단행: 최영의 주장에 따라 이성계 등을 파견하여 요동 정벌을 단행하였다.

(4) 위화도 회군(1388): 이성계가 압록강 위화도에서 회군하여 최영과 권문세족을 제거하고 군사적 실권을 장악하였다.

3. 조선 건국(1392)

이성계를 중심으로 모인 급진 개혁파(혁명파) 사대부 세력은 우왕과 창왕을 잇따라 폐위한 뒤 공양왕을 세웠다. 이후 전제 개혁을 단행하여 과전법을 마련하였으며, 정몽주 등 온건파 사대부를 제거한 뒤 이성계를 국왕으로 추대하여 조선을 건국하였다.

진포 대첩 기출사료

우왕 6년(1380) 8월 왜구는 500여 척의 함선을 이끌고 진포로 쳐들어와 충청·전라·경상도 연해의 주군(州郡)을 돌며 약탈과 살육을 일삼았다. 고려 조정에서는 나세, 최무선, 심덕부 등이 나서서 최무선이 만든 화포로 왜선을 모두 불태워 버렸다.
-『고려사』

▶ **진포 대첩**에서는 **최무선이 만든 화포를 이용**하여 왜선을 공격하였다.

권문세족의 토지 소유 확대

당시에 이인임·임견미·염흥방이 그 못된 종들을 풀어놓아 사람들이 좋은 땅을 가지고 있으면 모두 물푸레나무(水靑木)로 때리고 장을 쳐서 빼앗았다. 그 주인은 비록 공가(公家)의 문권(文券)을 가지고 있어도 감히 항변하지 못하였다.

▶ 권문세족은 **약탈·강점·고리대·개간 등을 통해 토지를 늘렸다.** 당시 이인임 일파였던 임견미는 물푸레 나무채찍을 휘두르며 남의 땅을 마구 빼앗아 당시 사람들이 이를 가리켜 '수정목 공문'이라고 하였다.

4불가론 기출사료

이성계가 아뢰기를 "지금 출정하는 일은 네 가지의 옳지 못한 점이 있습니다. 작은 나라가 큰 나라를 거스르는 일이 첫 번째 불가함이고, 여름철에 군사를 동원하는 것이 두 번째 불가함이며, 요동 공격을 틈타 남쪽에서 왜구가 침범할 염려가 있는 것이 세 번째 불가함이고, 무덥고 비가 많이 와 활의 아교가 녹아 무기로 쓸 수 없고 병사들도 전염병에 걸릴 염려가 있는 것이 네 번째 불가함입니다."라고 하였다. -『태조실록』

▶ 이성계는 4불가론을 들어 요동 정벌을 반대하였다.

우왕의 출신에 대한 기록 기출사료

신우(우왕)의 어릴 때 이름은 모니노로, 신돈의 여종 반야의 소생이었다. 어떤 사람은 "반야가 낳은 아이가 죽어서 다른 아이를 훔쳐서 길렀는데, 공민왕이 자신의 아들이라고 칭하였다." 하였다. 왕은 공민왕이 죽은 뒤 이인임의 추대로 왕위에 올랐다.
-『고려사』

▶ 급진파 사대부 세력은 **우왕이 공민왕이 아닌 신돈의 자식이라고 주장**하며 **우왕의 아들인 창왕을 폐위시키고 공양왕을 옹립**하였다(**폐가입진**).

OX 빈칸 핵심 개념 점검

* 학습한 개념을 OX/빈칸 문제를 통해 점검해보세요.

핵심 개념 1 | 고려 말 원의 내정 간섭

01 몽골이 서경에 동녕부를 두었다. □ O □ X

02 원 간섭기에 고려 전체가 몽골의 직할지로 편입되었다. □ O □ X

03 원 간섭기에는 정동행성의 부속 기구인 ______가 불법적으로 사법권을 행사하였다.

04 원은 화주(和州) 지역에 ______를 설치하고 감찰관인 ______를 파견하였다.

05 원 간섭기에 관제 격하의 일환으로 중서문하성과 상서성은 ______로 통합되었다.

핵심 개념 2 | 고려 말 국왕들의 개혁 정치

06 충렬왕은 찰리변위도감을 설치하여 사회의 여러 폐단을 개선하고자 하였다. □ O □ X

07 충렬왕 때 동녕부와 탐라총관부의 관할 지역이 고려에 반환되었다. □ O □ X

08 전민변정도감은 충렬왕 때 최초로 설치되었다. □ O □ X

09 충렬왕은 도병마사를 ______로 개편하여 국정을 총괄하게 하였다.

10 충선왕은 왕권을 강화하고 개혁을 주도하기 위한 기구로 ______을 두었다.

11 충목왕은 ______을 설치하여 부원세력을 척결하고 권세가들이 불법으로 차지한 토지와 노비를 본 주인에게 돌려주었다.

핵심 개념 3 | 공민왕의 개혁 정치

12 공민왕은 만권당을 설치하였다. □ O □ X

13 공민왕은 정동행성 이문소를 폐지하였다. □ O □ X

14 공민왕은 기철 일파를 제거하고 쌍성총관부의 관할 지역을 수복하였다. □ O □ X

15 공민왕은 신돈을 등용하고 전민변정도감을 설치하여 권신들을 억압했다. □ O □ X

16 공민왕은 2성 6부제로 관제를 복구하였다. □ O □ X

17 공민왕은 즉위 직후 ______의 의복과 ______을 금지하고, 원의 연호를 폐지하였다.

18 공민왕은 ______을 순수 유교 교육 기관으로 개편하였다.

핵심 개념 4 | 신흥 무인 세력과 신진 사대부의 성장

19 최영은 왜구를 홍산에서 격퇴하였다. □ O □ X

20 최무선은 진포에서 왜선을 격퇴하였다. □ O □ X

21 위화도 회군 이후 이성계와 급진 개혁파는 과전법을 실시하였다. □ O □ X

22 창왕 때 ______는 왜구의 소굴이었던 대마도를 정벌하였다.

23 홍건적과 왜구를 격퇴하는 과정에서 최영과 이성계 등 ______이 성장하였다.

24 명이 ______ 설치를 통고하자 최영은 이성계를 파견하여 요동 정벌을 단행하려 하였다.

정답과 해설

01	O 몽골(원)은 자비령 이북 지역을 통치하기 위해 서경(평양)에 동녕부를 두었다. 한편 동녕부는 충렬왕 때 고려에 반환되었다.	**13**	O 공민왕은 고려의 내정을 간섭하던 정동행성 이문소를 폐지하였다.
02	✖ 원 간섭기에 고려 전체가 몽골의 직할지로 편입된 것이 아니라 철령 이북의 쌍성총관부, 자비령 북쪽의 동녕부, 제주도의 탐라총관부 지역이 편입되었다.	**14**	O 공민왕은 반원 자주 정책을 실시하여 친원 세력인 기철 일파를 제거하고, 쌍성총관부의 관할 지역을 무력으로 수복하였다.
03	이문소	**15**	O 공민왕은 승려인 신돈을 등용하고 전민변정도감을 설치하여 권문세족들의 세력을 약화시키고자 하였다.
04	쌍성총관부, 다루가치	**16**	O 공민왕은 원에 의해 격하된 관제를 2성 6부제로 복구하였다.
05	첨의부	**17**	몽골풍, 변발
06	✖ 찰위변위도감은 충숙왕이 설치하였다.	**18**	성균관
07	O 원에게 빼앗긴 동녕부와 탐라총관부의 관할 지역은 충렬왕 때 고려에 반환되었다.	**19**	O 우왕 때인 1376년에 최영은 왜구를 홍산에서 격퇴하였다.
08	✖ 전민변정도감은 원종 때 최초로 설치되었다.	**20**	O 우왕 때인 1380년에 최무선은 진포에서 왜선을 격퇴하였다.
09	도평의사사	**21**	O 위화도 회군으로 권력을 장악한 이성계와 정도전, 조준 등의 급진 개혁파는 전제 개혁을 단행하여 과전법을 실시하였다.
10	사림원	**22**	박위
11	정치도감	**23**	신흥 무인 세력
12	✖ 만권당은 충선왕이 설치하였다.	**24**	철령위

고려의 경제·사회

1 고려의 경제

학습 포인트
전시과 제도의 정비 과정을 반드시 정리하고, 고려 시대에 주조된 화폐와 대외 무역 내용도 살펴본다.

빈출 핵심 포인트
시정 전시과, 개정 전시과, 경정 전시과, 한외과, 공음전, 녹과전, 건원중보, 해동통보, 은병, 벽란도

1 국가 재정의 운영과 수취 제도

1. 국가 제도의 운영

재정 운영 관청	· 호부: 양안과 호적을 작성하여 이를 토대로 인구와 토지를 파악·관리, 조세·공물·부역 등을 부과 · 삼사: 화폐와 곡식 출납에 대한 재정과 회계를 담당, 실제 조세 수취와 집행은 각 관청의 향리가 담당
재정 지출	관리의 녹봉, 국방비, 왕실 경비 등에 세금을 사용

2. 수취 제도

조세	· 토지 비옥도에 따라 3등급으로 나누어 부과(차등 징수), 생산량의 1/10 징수(민전) · 거둔 조세는 조창까지 옮긴 다음 조운을 통해 개경의 좌·우창으로 운반
공물	· 집집마다 특산물 징수(인정의 많고 적음에 따라 9등호로 나누어 징수) · 조세보다 더 큰 부담, 상공(정기 납부)과 별공(수시 납부)이 있음
역	· 16~60세 정남 대상(인정의 많고 적음에 따라 9등호로 나누어 징발) · 군역(병역)과 요역(일반 노동력 제공)의 형태로 노동력을 무상으로 동원

2 전시과 제도와 토지 소유

1. 전시과 제도의 성립과 변천

(1) 전시과 제도의 특징

① **지급 기준**: 전시과 제도는 관직을 기준으로 18과(등급)로 나누어 전지(田地, 농지)와 시지(柴地, 땔감을 얻을 수 있는 임야)를 차등적으로 지급한 것이다.

고려의 삼사

삼사는 **송나라의 영향**을 받아 설치된 것인데, 송에서는 삼사가 국가 재정을 총괄하였지만 고려에서는 단순히 **화폐와 곡식의 출납 등 회계 업무만 담당**하였다.

고려의 수취 제도

· 무릇 토지의 등급은 묵히지 않는 토지를 상(上)으로 하고, 한 해 묵히는 토지를 중(中)으로 하고, 두 해 묵히는 토지를 하(下)로 한다.
· 편성된 호는 인구와 장정이 많고 적음에 따라 9등급으로 나누어 부역을 시킨다. -『고려사』

▶ 고려는 합리적인 조세 징수를 위해 **비옥도에 따라 토지의 등급을 3등급으로 나누어 수취**하였다. 또한 요역에 있어서는 **호(戶)를 9등급으로 나누어 동원**하였다.

토지 소유권에 따른 조세율

구분	소유 주체	조세율
민전	귀족이나 농민의 개인 소유지	수확량의 1/10
공전	국가의 소유지	수확량의 1/4

② **세습 불가**: 전시과의 토지는 관직 복무와 직역에 대한 대가로 지급되었기 때문에 퇴직이나 사망 시 국가에 반납하는 것이 원칙이었다. 그러나 실제로는 직역과 함께 토지를 세습하는 경우가 많았다.

③ **수조권만 지급**: 전시과에서는 토지의 소유권이 아닌 수조권(조세를 거둘 수 있는 권리)을 지급하였다.

(2) 전시과의 정비 과정

① **역분전**(태조, 940): 태조 왕건이 후삼국 통일 과정에서 공을 세운 공신 및 군인 등에게 공로와 인품에 따라 나누어 준 토지로 논공행상의 성격이 강하였다. 역분전은 전시과 제도의 모체가 되었다.

② **전시과 제도의 정비**

㉠ **시정 전시과**(경종, 976)

지급 기준	· 전국의 토지를 대상으로 전·현직 관리에게 관품과 인품을 기준으로 전지와 시지를 지급 · 광종 때 마련된 4색 공복(자·단·비·녹색)에 따라 등급을 나누고, 다시 문반·무반·잡업 등으로 나누어 지급
내용	인품을 반영하여 토지를 지급한 것은 역분전의 성격에서 벗어나지 못하였음을 보여줌

㉡ **개정 전시과**(목종, 998)

지급 기준	전·현직 관리에게 인품을 배제하고 관직(18등급)만을 고려하여 전지와 시지를 지급
내용	· 직관(현직 관리)은 산관(실직이 없는 관리)보다 더 많은 토지를 지급받음 · 문반이 무반보다 우대되어 더 많은 토지를 지급받음 · 전지를 시지보다 많이 지급 · 한외과를 제도화하여 18품에 들지 못하는 자에게 전지 17결이 주어졌고, 군인전을 전시과에 포함하였음 · 토지 지급량이 이전보다 감소하여 16과 이하는 시지가 지급되지 않음

㉢ **경정 전시과**(문종, 1076)

지급 기준	· 산관이 분급 대상에서 제외되어 현직 관리에게만 토지 지급 · 5품 이상의 관리에게 공음전 지급, 하급 관리의 자제로 관직에 오르지 못한 자에게 한인전 지급, 하급 관료와 군인의 유가족에게 구분전 지급, 승려에게 별사전 지급
내용	· 이전에 비해 무반에 대한 차별 대우를 시정하여 무반에게도 관직에 맞는 토지 지급 · 토지 지급량이 더욱 축소되어 15과 이하로는 시지를 지급하지 않음 · 한외과 소멸 · 별정(別定) 전시과를 마련하여 무산계 전시(향리·탐라의 왕족·여진의 추장·노병·공장·악공 등 특수한 계층에 지급) 및 별사 전시(지리업 종사자와 대덕 등 일정한 법계를 지닌 승려에게 토지 지급) 설정

토지 수조권 구분

구분	수조권 보유주
공전	국가가 수조권을 가진 토지
사전	개인·사원이 수조권을 가진 토지

시정 전시과 기출사료

경종 원년 11월에 비로소 직관(職官)·산관(散官)의 각 품(品)의 전시과를 제정하였는데 관품(官品)의 높고 낮은 것은 논하지 않고 다만 인품(人品)만 가지고 전시과의 등급을 결정하였다. …… 자삼(紫衫) 이상은 18품으로 나눈다. …… 문반 단삼(丹衫) 이상은 10품으로 나눈다. …… 비삼(緋衫) 이상은 8품으로 나눈다. …… 녹삼(綠衫) 이상은 10품으로 나눈다. …… 이하 잡직 관리들에게도 각각 인품에 따라서 차이를 두고 나누어 주었다. -『고려사』

▶ 시정 전시과에서는 **관등의 고하와 인품을 함께 반영**하여 토지를 지급하였다.

한외과(限外科)

개정 전시과에서는 18과(등급)에 들지 못한 계층을 한외과로 분류하여 전지만 17결을 지급하였다. 시정 전시과에서도 등급에 들지 못한 이들에게 전지 15결을 지급하였으나, 개정 전시과에서 한외과가 정규 제도로 정비되었다는 견해가 일반적이다. 한편 경정 전시과에서는 모든 관리를 18과 내에 포함 시키면서 한외과가 소멸되었다.

(3) 전시과의 토지 지급 액수(기준: 결)

시기		등급	1	2	3	4	5	6	7	8	9	10	11	12	13	14	15	16	17	18
경종 (976)	시정 전시과	전지	110	105	100	95	90	85	80	75	70	65	60	55	50	45	42	39	36	33
		시지	110	105	100	95	90	85	80	75	70	65	60	55	50	45	40	35	30	25
목종 (998)	개정 전시과	전지	100	95	90	85	80	75	70	65	60	55	50	45	40	35	30	27	23	20
		시지	70	65	60	55	50	45	40	35	33	30	25	22	20	15	10			
문종 (1076)	경정 전시과	전지	100	90	85	80	75	70	65	60	55	50	45	40	35	30	25	22	20	17
		시지	50	45	40	35	30	27	24	21	18	15	12	10	8	5				

(4) 전시과 토지의 종류

구분	종류	특징
공전 (公田)	둔전(屯田)	군대에 지급, 군량을 충당
	공해전(公廨田)	중앙과 지방의 각 관청에 지급하여 경비를 충당
	내장전(內莊田)	왕실의 경비를 충당
	학전(學田)	국자감과 향교의 경비를 충당
	궁원전(宮院田)	궁원(왕족과 왕의 비빈들이 거주하던 궁실)의 경비를 충당
사전 (私田)	과전(科田)	문무 관리에게 지급
	구분전(口分田)	하급 관리나 군인의 유가족에게 지급
	별사전(別賜田)	지리업 종사자와 일정한 법계를 지닌 승려에게 지급
	한인전(閑人田)	6품 이하 관리의 자제로 관직에 오르지 못한 자에게 지급
	공음전(功蔭田)	5품 이상의 관리에게 지급(세습 가능)
	공신전(功臣田)	공을 세운 관리에게 지급(세습 가능)
	군인전(軍人田)	2군 6위의 중앙군에게 지급(세습 가능)
	외역전(外役田)	지방 향리에게 지급(세습 가능)
	사원전(寺院田)	사원에 지급

2. 전시과 제도의 붕괴와 토지 제도의 변화

(1) 전시과 제도의 붕괴: 무신 집권기를 거치면서 귀족들이 토지를 독점·세습하는 경향이 커지자, 분배 가능한 토지와 조세 수취 대상이 되는 토지가 감소하여 전시과 제도가 완전히 붕괴되었고, 국가 재정이 파탄에 이르렀다.

(2) 녹과전(원종, 1271)

① **배경**: 무신 집권기를 거치면서 전시과 체제가 붕괴되어 관리들에게 토지와 녹봉을 제대로 지급할 수 없게 되자 관리들의 생계 유지를 위해 녹과전을 지급하였다.

② **내용**: 녹과전은 현직 관리 위주로 경기 8현에 한정하여 지급하였다.

토지 제도 변천 과정 기출연표

- **940** 태조, 역분전 시행
- **976** 경종, 시정 전시과 시행
- **998** 목종, 개정 전시과 시행
- **1076** 문종, 경정 전시과 시행
- **1271** 원종, 녹과전 본격 시행
- **1391** 과전법 시행

기출 사료 읽기

녹과전의 지급

원종 12년 2월에 도병마사가 아뢰기를, "근래 병란이 일어남으로 인해 창고가 비어서 백관의 녹봉을 지급하지 못하여 사인(士人)을 권면할 수 없었습니다. 청건대 경기 8현을 품등에 따라 녹과전으로 지급하소서."라고 하였다. -『고려사』

사료 해설 | 녹과전은 무신 집권기를 거치면서 농장 확대가 심화되고 전시과 제도가 붕괴되어 토지와 녹봉을 지급할 수 없게 되자, 일시적으로 관리의 생계를 위해 고종 때(1257) 분급을 시작하였고 개경으로 환도한 뒤 원종이 확대하여 지급한 토지이다.

(3) 과전법(공양왕, 1391)

① **신진 사대부의 경제적 기반 마련**: 권문세족의 토지를 몰수하여 신진 사대부의 경제적 기반을 마련하였다.

② **조선 토지 제도의 골격 형성**: 경기에 한정하여 전·현직 관리에게 전지(토지)만 지급하였고, 일반 농민의 경작권을 보장하는 등 조선 토지 제도의 골격을 형성하였다.

3 귀족의 경제 활동

1. 귀족의 수입

(1) 조(租)와 지대: 귀족은 개인 사유지에서 지대(소작료)로 수확량의 1/2을 수취하였으며, 과전(수조권을 지급 받은 토지)에서는 수확량의 1/10을 조세로 징수하였다.

(2) 녹봉(문종): 관료들을 47등급으로 나누어 녹패를 지급하면, 관료들은 1월과 7월에 좌창(광흥창)에서 녹패를 쌀·보리·베·비단 등의 현물과 교환하였다.

(3) 신공(身貢): 귀족들은 외거 노비로부터 매년 노동력과 물품(베, 곡식)을 신공으로 수취하였다.

(4) 토지 확대: 귀족들은 사전(賜田, 하사받은 토지), 사패(賜牌, 개간 허가서), 겸병 등으로 토지 소유를 확대하였다. 또한 귀족들은 농장에 대리인을 보내 소작인을 관리하고 지대를 수취하였다.

2. 귀족의 생활

(1) 비단·고운 모시 착용: 귀족들은 중국에서 수입한 비단이나 고운 모시로 만든 옷을 착용하였다.

(2) 말(馬)·차(茶) 이용: 귀족들은 외출 시 시종을 거느리고 말을 타고 다녔으며, 중국에서 수입한 차를 즐겨 마셨다.

(3) 누각·별장 소유: 귀족들은 큰 누각을 짓고 지방에 별장을 소유하는 등 화려하고 사치스러운 생활을 하였다.

과전법 기출사료

도평의사사에서 상서하여 과전(科田)을 지급하는 법을 정할 것을 청하니, 왕이 그 의견을 따랐다. …… 경기는 사방의 근본이므로 마땅히 과전을 두어 사대부를 우대한다. 개경에 거주하면서 왕실을 시위하는 관리는 현직과 산직 모두가 다음과 같이 토지를 받는다.

▶ 공양왕 때 조준 등의 건의로 실시된 과전법은 조선 토지 제도의 근간이 되었다.

소작농의 지대(소작료) 납부

구분	내용
국유지 (둔전)	국유지 소작농은 수확량의 1/4을 국가에 납부
사유지	수확량의 1/2을 토지 소유주에게 납부

교과서 사료 읽기

고려 귀족의 생활

김돈중 등이 절의 북쪽 산은 민둥하여 초목이 없으므로 그 인근의 백성을 모아 소나무, 잣나무, 삼나무, 전나무와 기이한 꽃과 이채로운 풀 등을 심고 단을 쌓아 임금의 방을 꾸몄는데, 아름다운 색채로 장식하고 대의 섬돌은 괴석(怪石)을 사용하였다. 하루는 왕이 이곳에 행차하니, 김돈중 등이 절의 서쪽 대에서 잔치를 베풀었다. 휘장, 장막과 그릇 등이 몹시 사치스럽고 음식이 진기하여 왕이 재상, 근신들과 더불어 매우 흡족하게 즐겼다. - 『고려사』

사료 해설 | 김돈중은 김부식의 아들로, 대표적인 문벌 귀족이었는데, 고려의 문벌 귀족들은 사치스럽고 화려한 생활을 하였다.

4 농민의 경제 활동

1. 농민의 생계

(1) **자영농**: 자영농은 조상으로부터 물려받은 토지인 민전을 경작하였다.

(2) **소작농**: 소작농은 국·공유지 또는 다른 사람의 소유지를 경작하였다.

(3) **기타**: 일용직을 하거나 부녀자들이 삼베, 모시, 비단 등을 짜면서 생계를 유지하였다.

2. 농민의 경제 활동

(1) **개간 사업**: 농민이 진전이나 황무지를 개간하면 국가에서 일정 기간 소작료나 조세를 감면해 주었다. 그리하여 12세기 이후에는 개간 사업이 더욱 확대되었다.

(2) **농업 기술의 발달**

① **농법·기술 개량**: 수리 시설 및 농기구와 종자 개량 등으로 생산력이 증가하였다.

② **심경법(깊이갈이)의 일반화**: 소를 이용한 깊이갈이가 일반화되어 생산력이 증가하였다.

③ **시비법 발달**: 녹비법과 퇴비법의 발달로 해마다 농사 지을 토지가 늘어나고 휴경지가 감소하여 생산력이 증가하였다.

④ **윤작법 실시**: 밭농사에서 2년 동안 보리, 콩, 조 등을 돌려 짓는 2년 3작 윤작법이 보급되었다.

⑤ **이앙법 실시**: 논에서는 주로 직파법을 시행하였으나 고려 말 남부 지방 일부에는 이앙법이 보급되기도 하였다.

⑥ **농서 도입**: 충정왕 때 이암이 중국(원) 농서인 『농상집요』를 소개 및 보급하였다.

⑦ **목화 재배**: 공민왕 때 문익점이 원나라에서 목화씨를 가지고 들어와 재배에 성공하였다.

3. 농민의 몰락

(1) **배경**: 권문세족의 토지 약탈과 농장 확대, 과중한 세금 수취로 농민이 몰락하였다.

(2) **결과**: 몰락한 농민들은 권문세족의 토지를 경작하거나 노비로 전락하였다.

민전

사유지	· 상속·매매·기증·임대 등이 가능한 사유지로, 귀족이나 일반 농민들의 상속·매매·개간을 통하여 형성 · 사유지이지만 수조권에 따라서는 공전과 사전으로 구분
조세 부담	민전의 소유자는 국가에 수확량의 1/10의 세금 부담
소유자	민전의 소유자는 주로 농민층이었으나 귀족·향리들도 조상에게서 물려받은 민전을 가지고 있었음

녹비법과 퇴비법

녹비법은 콩·작물을 심은 뒤 갈아엎어 비료로 사용하는 것이고, 퇴비법은 가축의 똥·오줌을 비료로 이용하는 것을 말한다.

5 수공업자의 경제 활동

전기	관청 수공업	중앙과 지방의 관청 중심	· 기술자를 공장안에 등록하여 물품 생산 · 농민을 부역으로 동원하여 보조
		국가 수요품 생산	무기류, 가구류, 금·은 세공품 등 국가와 왕실의 필요 물품 생산
	소(所) 수공업	광산물(금·은·철)이나 옷감, 종이 등을 생산하여 국가에 공물로 납부	
후기	사원 수공업	승려가 베, 모시, 술, 소금, 기와 등 생산	
	민간 수공업	농촌 가내 수공업 중심	· 국가에서 삼베, 비단 생산 장려 · 직접 사용하거나 공물 납부를 위해 생산
		수공업품의 다양화	유통 경제 발전으로 수요가 증가하고 상품이 다양화됨

공장안
중앙과 지방 관청에서 작성·보관하였던 기술자 명단 장부

6 상업 활동

시전 설치	개경, 서경에 시전을 설치하여 관수품을 조달함(관청·귀족이 주로 이용)
관영 상점 설치	개경, 서경, 동경(경주) 등의 대도시에 서적점, 주점(술), 다점(차) 등 관영 상점(국영 점포)을 설치함
경시서 설치	매점매석과 같은 시전의 상행위를 감독하고 물가를 조절하는 기관으로 개경에 설치됨

7 화폐의 주조와 고리대의 성행

1. 화폐의 주조: 고려 정부는 상업 활동이 활발해지자 화폐처럼 유통되는 곡물이나 삼베를 대신하여 쇠, 구리, 은 등을 금속 화폐로 만들어 유통하기도 하였다.

(1) **화폐 발행**: 건원중보, 삼한통보, 해동통보, 해동중보, 은병, 저화 등

화폐	발행	특징
건원중보	996년(성종 15)	· 최초의 화폐로, 철전과 동전의 두 종류가 있음 · 유통 확대 실패로 1002년(목종 5) 유통 중단
은병(활구)	1101년(숙종 6)	· 고액 화폐(은 1근 = 포 100여 필) · 지배층 위주로 널리 유통
삼한통보	1102년(숙종 7)	의천의 건의로 세워진 주전도감에서 발행
해동통보, 해동중보	1102년(숙종 7)	
쇄은	1287년(충렬왕 13)	저품질의 은병으로 인한 폐단을 바로 잡기 위해 국가 인증 화폐로 유통
소은병	1331년(충혜왕 원년)	은병의 품질 개선을 위해 소액 가치의 인증 화폐로 유통
지폐 (저화)	1391년(공양왕 3)	· 최초의 지폐 · 정치적 혼란과 경제적, 사회적 제약으로 유통 실패

고려의 화폐

| 건원중보

| 삼한통보

| 해동통보

| 소은병

숙종 대 화폐 주조 기출사료
숙종 6년 주전도감에서, 나라 사람들이 비로소 전폐(錢幣) 사용의 편리함을 알게 되었으니 이 사실을 종묘에 고하자고 건의했다. 이 해에 은병을 만들어 화폐로 썼는데, 은 한 근으로 만들되 우리나라 지형을 본떴다. 민간에서는 활구(闊口)라 불렀다.

▶ 숙종 때에는 금속 화폐를 통용시키기 위한 정책이 적극적으로 행해졌는데, 여기에는 의천의 영향이 컸다.

(2) 화폐 유통의 한계

① **자급자족적 경제 활동**: 자급자족적 경제 활동을 하던 농민들은 화폐의 필요성을 느끼지 못하였다.

② **귀족들의 반발**: 국가의 화폐 발행 독점과 강제 사용에 귀족들이 불만을 가지고 반발하였다.

(3) 결과: 동전은 주로 다점(찻집), 주점(술집) 등의 관영 상점에서만 사용되었으며, 일반적인 거래에는 여전히 화폐가 아닌 곡식이나 삼베가 사용되었다.

화폐의 제한적 사용

왕(목종)이 교서를 내리기를 "선왕께서 규범에 따라 조서를 반포하여 화폐를 주조하게 하니 철전이 끊이지 않고 통용되었다. …… 근본에 힘쓰는 마음을 되살려 철전의 사용을 중단시키고자 한다. 차와 술, 음식 등을 파는 점포에서 물건을 사고 팔 때는 예전처럼 철전을 사용하게 하고, 그 밖에 백성들이 사사로이 사고 팔 때는 토산물을 임의로 사용하게 할 것이다."라고 하였다. -『고려사』

▶ 목종은 교서를 내려 화폐는 차와 술, 음식 등을 파는 점포에서 사용하도록 하고, 백성들이 사사로이 사고 팔 때는 토산물을 사용하도록 명하였다.

2. 보(寶)의 성행

(1) 보의 성행: 고려 시대에는 일정한 기금을 모아 그 이자를 공적 사업의 경비로 충당하는 보가 성행하였다.

(2) 보의 종류

종류	설치 시기	내용
학보	태조	서경에 설립한 학교의 장학 재단
광학보	정종	승려의 장학을 위해 만든 재단
제위보	광종	빈민 구제를 위해 만든 재단
팔관보	문종	팔관회의 경비 충당을 위해 만든 재단

(3) 보의 변질: 시간이 지날수록 보가 고리대로 변질되어 농민들의 생활에 폐해를 끼쳤다.

8 무역 활동

1. 대외 무역 발달

(1) 고려 대외 무역의 특징

① **국가의 통제**: 통일 신라 이후 서해안 호족들을 중심으로 사무역이 발달하였으나 고려 건국 이후에는 국가에서 사무역을 통제하였다.

② **공무역 발달**: 중앙 집권화 진행 과정에서 사무역은 쇠퇴하고, 공무역이 발달하였다.

(2) 대외 무역의 활성화: 국내 상업의 안정화로 외국과의 무역도 활성화되어 예성강 하구의 벽란도가 국제 무역항으로 번성하였다. 벽란도에서는 송나라, 요(거란), 금(여진), 일본은 물론 아라비아 상인과의 교류도 활발하게 이루어졌다.

| 고려 전기의 대외 무역

(3) 무역 활동

송	· 고려의 대외 무역 중 가장 큰 비중을 차지함 · 송에 종이, 인삼, 나전칠기 등을 수출하였고, 송으로부터 주로 왕실과 귀족의 수요품인 비단, 약재 등을 수입함
거란·여진	주로 모피, 말, 은 등을 수입하고, 농기구와 식량 등을 수출
일본	11세기 후반부터 교류하였으며, 일본은 수은·황 등을 가지고 와서 식량, 인삼, 서적 등과 교환
아라비아	수은, 향료, 산호 등을 수입하였으며, 이들을 통하여 고려(Corea)라는 이름이 서방 세계에 전해짐

송나라 상인의 무역 활동

송나라 상인의 최초 내왕 기록은 1012년(현종 3) 육세영이 토산물을 가지고 온 것이다. 그 후로 현종 때부터 충렬왕 때까지 총 126회에 이르며, 매회 온 인원은 50명 내외였다.

교과서 사료 읽기

벽란도와 고려의 무역

1. 벽란도

조류를 따라 예성항에 이르자, 정사와 부사는 신주(중국 사신이 탄 큰 배)로 옮겨 탔다. 낮 12시쯤 정사와 부사가 …… (송 황제의) 조서를 봉안하였다. 1만 명이 되는 고려인들이 병기, 갑옷 입은 말, 깃발, 의장물을 가지고 해안가에 늘어서 있고 구경꾼이 담장같이 둘러섰다. …… 벽란정(碧瀾亭: 벽란도에 있는 정자)으로 들어가 조서를 봉안하고 그 일이 끝나자 지위에 따라 나뉘어 잠시 휴식을 취하였다. 다음날 육로를 따라 왕성(개경)으로 들어갔다. -『선화봉사고려도경』

사료 해설 | 제시된 사료는 1123년 송의 사신으로 고려에 온 서긍의 글로, 이 글을 통해 벽란도의 모습을 알 수 있다. 고려의 대외 무역은 벽란도 예성항에서 주로 이루어졌다.

2. 아라비아(대식국)와의 교류

11월 병인(丙寅)에 대식국(大食國) 상인 보나합(保那盍) 등이 와서 수은(水銀)·용치(龍齒)·점성향(占城香)·몰약(沒藥)·대소목(大蘇木) 등의 물품을 바쳤다. 담당자에게 명하여 객관(客館)에서 후하게 대우하고 돌아갈 때에 금과 비단을 후하게 내려 주도록 하였다. -『고려사』

사료 해설 | 고려 시대에는 아라비아(대식국) 등 서역 국가와도 교류할 정도로 대외 무역이 크게 발달하였다.

2. 원 간섭기의 무역

공무역뿐만 아니라 사무역도 발달하여 상인들이 독자적으로 원과 교역하였는데 이때 금과 은, 소, 말 등이 지나치게 유출되어 사회적 혼란이 야기되었다.

OX 빈칸 핵심 개념 점검

* 학습한 개념을 OX/빈칸 문제를 통해 점검해보세요.

핵심 개념 1 | 고려의 수취 체제

01 고려 시대에는 재정을 운영하는 관청으로 삼사를 두었다. □ O □ X

02 고려 시대의 민전을 경작하는 농민은 수확량의 10분의 1을 조세로 냈다. □ O □ X

03 고려 시대의 공물의 종류에는 매년 정기적으로 납부하는 ____과, 수시로 거두는 ____이 있었다.

핵심 개념 2 | 전시과 제도와 토지 소유의 변화

04 전시과 제도에서 관료들의 수조지는 경기도에 한정되었다. □ O □ X

05 고려 문종은 전지(田地)와 시지(柴地)를 지급하는 경정 전시과를 실시하였다. □ O □ X

06 고려 시대에 국가는 왕실 경비를 마련하기 위해서 공해전을 지급하였다. □ O □ X

07 공음전은 5품 이상의 관리에게 지급하여 세습을 허용하였다. □ O □ X

08 후삼국을 통일한 태조 왕건은 공신, 군인 등을 대상으로 그들의 공로에 따라 차등을 두어 ____을 지급하였다.

09 ________는 현직 관리만을 대상으로 지급하였다.

10 고려 시대에는 ____을 하급 관료와 군인의 유가족에게 지급하였다.

11 국가 재정 부족으로 관리들에게 녹봉을 지급할 수 없게 되자, 경기 8현에 한정하여 ____을 지급하였다.

핵심 개념 3 | 고려 시대의 농업

12 고려 시대에는 이앙법이 전국적으로 보급되었다. □ O □ X

13 고려 후기에는 원의 『______』가 소개되었다.

핵심 개념 4 | 고려 시대의 수공업

14 고려 시대 소(所)의 거주민은 금, 은, 철 등 광업품이나 수공업 제품을 생산하여 바치기도 하였다. □ O □ X

15 고려 후기에는 관청 수공업이 쇠퇴하면서 민간 수공업이 발달하였다. □ O □ X

16 고려 시대 중앙과 지방의 관청에서는 그곳에서 일할 기술자들을 ____에 등록해 두었다.

핵심 개념 5 | 고려 시대의 상업·무역 활동

17 고려 시대에는 서적점, 다점 등의 관영 상점이 운영되었다. □ O □ X

18 고려의 대외 무역에서 가장 큰 비중을 차지한 것은 송과의 무역이었다. □ O □ X

19 고려 시대에는 예성강 하구의 ______가 국제항으로 번성하였다.

핵심 개념 6 | 고려 시대의 화폐의 주조

20 고려 시대에는 해동통보와 은병(銀甁) 같은 화폐를 만들어 사용하였다. □ O □ X

21 원 간섭기에 원의 지폐인 보초가 들어와 유통되기도 하였다. □ O □ X

22 성종은 ______를 만들어 전국적으로 사용하게 하려 했으나 성공하지 못하였다.

정답과 해설

01	O 고려 시대에는 화폐와 곡식 출납에 대한 재정과 회계를 담당하는 삼사를 두었다.	12	× 이앙법(모내기법)이 전국적으로 보급된 시기는 조선 후기이다. 이앙법은 고려 후기에 도입되어 일부 지역에서만 실시되었다.
02	O 고려 시대의 농민들은 민전을 경작하여 수확량의 10분의 1을 국가에 조세로 냈다.	13	농상집요
03	상공, 별공	14	O 고려 시대 특수 행정 구역인 소(所)의 거주민은 금, 은, 철 등 광업품이나 종이 등의 수공업 제품을 생산하여 국가에 공물로 바쳤다.
04	× 관료들의 수조지를 경기도에 한정하여 지급한 토지 제도는 고려 공양왕 때 실시된 과전법이다. 전시과는 전국의 토지를 대상으로 지급되었다.	15	O 고려 후기에는 관청 수공업이 쇠퇴하고, 농민들을 중심으로 한 가내 수공업 형태의 민간 수공업과 사원 수공업이 발달하였다.
05	O 전지(농지)와 시지(땔나무를 베어낼 토지)를 과(등급)에 따라 나누어 주는 것은 고려 시대의 전시과 제도로 문종 때에는 경정 전시과가 실시되었다.	16	공장안
06	× 왕실 경비를 마련하기 위해 지급된 토지는 내장전이다. 공해전은 중앙과 지방 관청의 경비 마련을 위해 지급되었다.	17	O 고려 시대에는 개경과 서경, 동경 등 대도시에 서적점, 다점, 주점 등의 관영 상점이 운영되었다.
07	O 공음전은 5품 이상의 관리에게 지급한 토지로, 세습을 허용하였다.	18	O 고려 시대의 대외 무역에서 송과의 무역이 가장 큰 비중을 차지하였다.
08	역분전	19	벽란도
09	경정 전시과	20	O 고려 시대에는 건원중보, 해동통보, 은병(활구), 삼한통보 등의 화폐를 만들어 사용하였다.
10	구분전	21	O 고려 후기 원 간섭기에 원나라와의 무역이 활발하게 전개됨에 따라 원의 지폐인 보초가 유입되어 유통되기도 하였다.
11	녹과전	22	건원중보

2 고려의 사회

학습 포인트
신분 구성 중 특히 고려 지배층의 변천 과정을 파악하고, 고려 사회의 특징을 잘 보여 주는 가족 제도 및 혼인 제도에 대해서 학습하도록 한다.

빈출 핵심 포인트
문벌 귀족, 권문세족, 향리, 향·소·부곡, 상평창, 여성의 지위

1 고려 사회의 신분 구성

1. 신분 구성

시기별로 약간의 차이가 존재하지만 고려의 신분은 크게 양인과 천인으로 구분되었으며, 양인은 다시 귀족, 중간 계층, 양민으로 구성되었다.

양인

고려 시대 양인은 **직역의 부담 여부에 따라 정호와 백정 등으로도 구분**할 수 있다. **정호**는 관료, 군인, 향리 등 국가로부터 **일정한 직역을 부여 받는 계층**이고, **백정**은 **직역을 부여 받지 않은 백성**으로, 대다수가 **농민**이었다.

2. 귀족

(1) 구성: 귀족은 왕족을 비롯한 5품 이상의 고위 관료들로 구성되었다.

(2) 특권: 귀족은 음서(정치적 특권), 공음전(경제적 특권) 등의 특권을 보유하였다.

(3) 특징

① **혼인**: 귀족과 왕실은 상호 간의 배타적이고 폐쇄적인 혼인 관계를 형성하였다.

② **형벌**: 귀족들은 수도인 개경에 거주하였는데, 범죄를 저지르면 자신의 본관지로 되돌아가게 하는 형벌(귀향형)이 내려지기도 하였다.

(4) 고려 정치 세력의 변천

① **호족(10~11세기, 나말여초)**: 호족은 고려의 개국 공신 출신으로, 중앙에 관리로 진출하거나 출신지의 호장과 부호장에 임명되었다.

② **문벌 귀족**(12세기)

㉠ **성립**: 성종 이후 지방 호족 출신 중앙 관료들과 6두품 계통 유학자들 중에서 여러 세대를 거쳐 고위 관직자를 배출한 가문들이 문벌 귀족이라는 새로운 지배층으로 대두하였다.

㉡ **정치적 특징**: 문벌 귀족은 과거와 음서를 통하여 관직을 독점하였고, 중서문하성과 중추원의 재상이 되어 정국을 주도하였다.

㉢ **경제적 특징**: 관직에 따라 과전을 받고, 자손에게 세습이 허용되는 공음전의 혜택을 받았다.

㉣ **사회적 특징**: 문벌 귀족은 왕실과의 혼인으로 외척이 되거나 권력을 가진 가문 간의 혼인을 통해 지위나 관직을 세습하면서 고려 사회를 주도하였다.

③ **무신(12세기 후반~13세기 후반)**: 정변을 통해 정권을 장악한 무신들은 대농장을 소유하는 등 사회 혼란을 야기하였다.

대표적인 문벌 귀족

가문	인물
안산 김씨	김은부
인주(경원) 이씨	이자연, 이자겸
해주 최씨	최충
경주 김씨	김부식
파평 윤씨	윤관
강릉 김씨	김인존

경원 이씨의 경우 왕실과 3대에 걸쳐 외척 관계를 형성(문종, 예종, 인종)하였고, 10여 대에 걸쳐 5명의 수상과 20명에 가까운 재상을 배출하였다. 사서(史書)에서는 이 집안을 일컬어 해동갑족(海東甲族) 또는 벌열(閥閱)이라 표현하였다.

④ **권문세족**(13세기 말)

㉠ **성립**: 원 간섭기에 부원 세력으로 성장한 고려 후기의 대표적인 지배 세력이었다. 이들 중 일부는 충선왕 때 왕실과 혼인할 수 있는 재상지종(宰相之宗)으로 정해졌다.

㉡ **유형**: 문벌 귀족 가문이 그대로 유지된 경우와 무신 정권 당시 무신으로 새로이 득세한 경우, 그리고 원과의 관계를 통해 성장한 경우가 있었다.

㉢ **정치적 특권**: 도평의사사, 첨의부, 밀직사 등의 고위 관직을 장악하고 음서를 통해 관직에 진출하여 신분을 세습하였다.

㉣ **경제적 특권**: 산천을 경계로 하는 대농장을 소유하고, 세금을 납부하지 않았으며, 노비나 몰락한 농민을 부리며 부를 축적하였다.

⑤ **신진 사대부**(14세기 말)

㉠ **출신**: 신진 사대부는 지방 향리 출신으로 무신 집권기부터 과거 등을 통해 중앙으로 진출하기 시작하였고, 공민왕 때 신진 사대부가 개혁 주도 세력으로 성장하였다.

㉡ **특징**: 신진 사대부는 성리학을 수용하고, 권문세족과 대립하였다.

재상지종(宰相之宗)

왕실과 혼인할 수 있는 15개 가문

문벌 가문	경주 김씨
	안산 김씨
	파평 윤씨
	정안 임씨
	경원 이씨
	청주 이씨
	철원 최씨
	해주 최씨
	공암 허씨
무신 세력	언양 김씨(김취려)
	평강 채씨(채송년)
능문능리의 신관인층	황려 민씨
	횡천 조씨
	당성 홍씨
친원 세력	평양 조씨 (역관 출신 조인규)

3. 중간 계층

(1) 성립: 중간 계층은 후삼국 시기와 고려 초기 체제 정비기에 통치 체제의 하부 구조를 맡아 중간층으로 자리를 잡아간 계층이다.

(2) 특징: 직역을 세습했으며, 역에 상응하는 토지(외역전 등)를 국가로부터 지급 받았다.

(3) 유형: 중간 계층으로는 서리, 남반, 향리, 역관, 군반 씨족 등이 있었다.

하급 관리	서리(중앙 관청), 역리(역 관리), 잡류(말단 서리) 등
실무 관리	남반(궁중 실무), 향리(지방 행정 실무)
기술 관리	역관, 의관 등의 잡과 출신
직업 군인	군반 씨족(하급 장교의 경우 군공을 세우면 무반으로 신분 상승 가능)

남반

궁궐의 당직이나 **국왕의 호종**(扈從, 임금이 탄 수레를 호위하여 따름), **간단한 왕명 전달** 등을 맡아보는 **궁중의 내료직**이었다.

(4) 향리: 고려 초기 지방 호족들은 세력에 따라 향리로 편제되었다.

① **상층 향리**: 지방의 실질적 지배층(호장, 부호장)으로, 과거를 통해 중앙 관직에 진출할 수 있었다.

② **하층 향리**: 말단 행정직으로, 직역을 세습하고 역에 상응하는 토지(외역전)를 지급받았다.

4. 양민

(1) 유형: 양민은 일반 주·부·군·현에 거주하며 농업과 상공업 등에 종사하는 농민이 주류를 이루었다.

(2) 백정(일반 농민)

① **생활**: 양민의 대다수는 백정이라고도 불린 일반 농민으로, 개인 소유지인 민전을 경작하거나, 타인의 토지를 소작하며 생활하였다.

② **권한**: 백정은 법제적으로 과거 응시에 제한은 없었으나, 실제로 제술과나 명경과는 귀족과 향리의 자제가 응시하였고, 백정은 주로 잡과에 응시하였다.

③ **의무**: 양민은 조세·공납·역의 의무를 수행하였다.

(3) 특수 집단민

① **분류**

구분	내용
향·부곡	농업에 종사하며 국유지를 경작
소	도자기, 종이, 먹 등을 생산하는 수공업이나, 금, 은, 동, 철 등을 캐는 광업에 종사
진(津)·역(驛)	수로 교통(진)과 육로 교통(역) 및 통신에 관한 국역 부담
장·처	왕실·사원의 토지를 경작

② **특징**: 향·부곡·소의 주민들의 신분은 양민이었으나 일반 양민에 비해 규제가 심하였다. 향·부곡·소의 주민들은 일반 백성들에 비해 과중한 세금을 부담하였고, 거주지 이전의 자유가 없었다. 또한 과거 응시가 금지되었고, 국학 입학이나 승려가 될 수도 없었다.

③ **신분 변동**: 특수 집단민이 공을 세운 경우에는 신분이 상승되기도 하였으며, 해당 지역이 현 등으로 승격되었다. 한편, 일반 군현민이 반란을 일으킨 경우에는 집단적으로 처벌하여 해당 군현이 부곡 등으로 강등되기도 하였다.

기출 사료 읽기

고려의 특수 행정 구역

- 향·부곡·악공·잡류의 자손은 과거에 응시하는 것을 허락하지 않는다. -『고려사』
- 지난 왕조 때 5도와 양계에 있던 역과 진에서 역을 부담한 사람과 부곡의 사람은 모두 고려 태조 때의 명령을 거역한 사람이므로, 고려는 이들에게 천하고 힘든 일을 맡게 했다. -『태조실록』

사료 해설 | 고려의 특수 행정 구역인 향, 부곡, 소의 주민들은 과거 응시가 금지되었으며, 일반 백성에 비해 차별 대우를 받았다.

향·부곡·소

향·부곡은 고려 이전부터 존재하였으나 **소는 고려에 와서 새로 형성**되었다.

부곡민 유청신의 신분 변동

교과서 사료

유청신은 장흥부 고이부곡 사람이다. 법도에 부곡리는 공이 있어도 5품을 넘을 수 없었다. …… 몽골어를 익혀 원에 사신으로 가서 잘 응대하였다. …… 충렬왕의 총애를 받아 낭장에 임명되었다. …… 고이부곡을 고흥현으로 승격하였다. …… 이후 유청신은 차츰 승진해서 장군이 되었다.

-『고려사』

▶ 고려 시대에는 특수 집단민이 공을 세운 경우 신분이 상승되기도 하였다. 특히, 원 간섭기에 부곡민 출신 유청신은 몽골어를 잘해서 여러 번 사신을 따라 원에 가서 응대를 잘한 공을 인정 받았고, 차츰 승진하여 장군이 되기도 하였다.

5. 천민

(1) **유형**: 천민의 대다수인 노비는 공공 기관에 속하는 공노비와 개인이나 사원에 예속된 사노비로 구분되었다.

구분		특징
공노비	입역 노비	· 궁중·관청에 소속되어 잡역에 종사 · 급료를 받아 생활
	외거 노비	· 지방에 거주하며 주로 국유지에서 농업에 종사 · 수입 중 일정량의 신공을 관청에 납부
사노비	솔거 노비	· 주인 집에 거주하며 잡일 담당 · 신분적·경제적으로 주인에게 예속되어 있었음
	외거 노비	· 주인과 떨어져 따로 거주하며 주인에게 일정한 신공 납부 · 신분적으로는 주인에게 예속되어 있었음 · 토지 소유와 재산 증식 가능 → 경제적으로 양민 백정과 비슷하게 독립된 경제생활을 영위

(2) 특징

① 대우

㉠ **성(姓) 소유 불가**: 노비는 성을 가질 수 없었다.

㉡ **의무·권리의 부재**: 노비는 매매·증여·상속의 대상으로 국역의 의무와 권리가 없었다.

② **소유 권한**: 1039년(정종 5)에 제정된 천자수모법(賤子隨母法)에 의해 노비를 부모로 둔 자식은 어머니 쪽의 소유주에게 귀속되었다.

③ **신분 결정**: 일천즉천의 원칙에 의해 부모 중 한쪽이 노비이면 그 자식도 노비였다.

(3) **기타**: 사냥이나 도살업 등에 종사하는 양수척(화척)이나 나룻배를 모는 진척, 광대 놀음하던 재인 등도 존재하였는데, 이들은 호적에도 등록되지 않고 국역 부담도 지지 않았다. 이들의 신분은 양인이었으나 천역을 맡았다 하여 이른바 신량역천(身良役賤)의 계층으로 간주되었다.

신량역천의 계층
양수척, 진척, 재인의 신분을 두고 양인으로 보는 견해와 천인으로 보는 견해가 있다.

2 농민의 공동 조직 – 향도

1. 향도의 의의

삼국 시대부터 결성된 불교 신앙 조직이었던 향도는 고려 시대 향촌의 대표적인 농민 공동체 조직이었다.

2. 매향 활동

불교 신앙 조직인 향도가 행했던 매향 활동은 위기가 닥쳤을 때를 대비하여 향나무를 바닷가에 묻는 행위로 미래에 미륵을 만나 구원받고자 하는 염원을 표출한 것이었다.

사천 매향비

1387년에 향나무를 묻고 세운 것으로, 내세의 행운과 국태민안을 기원하는 내용을 담고 있다.

3. 향도의 변화

(1) **고려 초기**: 매향 활동뿐만 아니라 불상, 석탑 조성 및 대규모 인원이 필요한 사원 건축 시에 향도가 주도적인 역할을 하였다.

(2) **고려 후기**: 점차 신앙 결사체에서 공동체 조직으로 변모하여 마을의 노역·혼례·상장례·제사 등의 공동 의식을 주도하는 농민 조직으로 발전하였다.

3 사회 시책과 사회 제도

1. 농민 안정책

(1) **농번기 잡역 동원 금지**: 고려는 농번기에 농사에 지장을 주지 않도록 농민의 잡역 동원을 금지하였다.

(2) **재면법**: 자연재해로 피해를 입은 농민들에게는 피해의 정도에 따라 조세와 부역을 감면해주었다.

(3) 토지 겸병 금지: 농민이 토지로부터 이탈하거나 노비로 전락하는 것을 막기 위해 고려에서는 귀족들의 토지 겸병을 금지하였다.

(4) 자모상모법: 성종 때 자모상모법(子母相侔法)을 실시하여 빌린 곡식과 이자가 같은 액수가 되면 그 이상의 이자를 받지 못하도록 정하고 고리대를 규제하였다.

2. 사회 제도

(1) 의창

① **설치**: 태조 때 설치하였던 흑창을 성종 때 의창으로 확대·개편하였다(986).

② **기능**: 의창에서는 평상시 곡물 등을 저장하였다가 흉년에 빈민 구휼에 사용하였다.

(2) 상평창

① **설치**: 성종 때 개경, 서경 및 12목에 상평창을 설치하였다(993).

② **기능**: 상평창에서는 풍년이면 곡물을 사들여 값을 올리고, 흉년이면 팔아서 값을 내리며 물가를 조절하였다.

(3) 제위보: 제위보는 광종 때 설치한 것으로, 일정 기금을 만들어 그 이자로 빈민을 구제하는 것이었다.

(4) 의료 기관

① **동·서 대비원**: 동·서 대비원은 환자 진료 및 빈민 구휼을 위해 개경의 동쪽과 서쪽에 설치되었다(서경에는 분사 대비원 설치).

② **혜민국**: 혜민국은 예종 때 백성의 질병을 고치기 위해 설치된 관서였다.

③ **구제도감**: 구제도감은 예종 때 병자의 치료와 병사자 처리, 빈민 구제를 위해 임시로 설치한 구호 시설이었다.

④ **구급도감**: 구급도감은 고종 때 재난 입은 백성을 구제하기 위해 임시로 설치한 구호 시설이었다.

필수 개념 정리하기

고려 시대 사회 제도

역할	기관(설립 시기)	활동 내용
빈민 구제	흑창(태조)	평시에 곡물을 비축하였다가 흉년에 빈민 구제
	의창(성종)	· 흑창 확대·개편 · 평시에 곡물을 비축하였다가 흉년에 빈민 구제
의료 구호	동·서 대비원(고려 전기)	빈민 구휼 기관
	혜민국(예종)	무료 약 처방
	구제도감(예종)	빈민 구호 시설
	구급도감(고종)	
물가 조절	상평창(성종)	평상시에 쌀을 비축하고 흉년에 팔아 물가 조절

상평창

성종 12년 2월에 왕이 개경과 서경 및 12목에 상평창을 두고 명령을 내리기를, "해마다 풍흉에 따라 조적을 행하되, 백성에게 여유가 있을 때 조금씩 거두고, 백성에게 부족함이 있을 때 많이 푼다고 하니, 법에 따라 행하라."라고 하였다. -『고려사』

▶ **상평창**은 물가가 비쌀 때 저장해두었던 곡식과 포를 방출하여 **물가를 안정시키는 기관**이었다.

구제도감 기출사료

예종 4년 5월에 조서를 내리기를 "개경 내의 사람들이 역질에 걸렸으니 마땅히 구제도감을 설치하여 이들을 치료하고, 또한 시신과 유골은 거두어 묻어서 비바람에 드러나지 않게 할 것이며, 신하를 보내어 동북도와 서남도의 굶주린 백성을 진휼하라."라고 하였다. -『고려사』

▶ 개경에 전염병이 돌자 예종은 환자 치료와 병사자의 시신 수습 등을 위해 임시 관청인 구제도감을 설치하였다.

4 법률과 풍속

1. 법률

(1) **관습법 중시**: 고려는 중국의 당률을 참조한 71개 조의 법률을 시행하였으나 대부분은 관습법을 따랐다.

(2) **지방관의 사법권 행사**: 중요 사건 외에는 대개 지방관의 재량으로 사법권을 행사하였다.

(3) 형벌

① **종류**: 고려에는 태(笞), 장(杖), 도(徒), 유(流), 사(死)의 5종 형벌이 있었다.

② **중죄**: 고려에서 반역죄 및 불효죄 등은 중죄로 다스렸다.

③ **귀향형**: 중앙 관리(귀족)가 죄를 저지르면 자신의 본관지로 내려보내 중앙 관리로서의 신분적 특권을 박탈하는 귀향형이 있었다.

④ **속동제(수속법)**: 고려 시대에는 재산을 바쳐 형벌을 대신하거나 감면 받을 수 있었다.

2. 풍속

(1) **상장제례(喪葬祭禮)**: 고려 정부는 유교적 규범에 따라 치를 것을 장려하였으나, 실제로는 대부분 토착 신앙과 융합된 불교의 전통 의식과 도교 신앙 풍속을 따랐다.

(2) **불교 및 도교 행사**: 불교 행사인 연등회와, 토착 신앙과 도교 및 불교가 융합된 팔관회는 국가의 제전으로 중시되었다.

구분	연등회	팔관회
유사점	연등회와 팔관회는 성종 때 중지되었다가 현종 때 부활, 국가와 왕실의 태평 기원	
차이점	· 1월 15일(정월 보름)에 전국에서 개최 → 이후에는 2월 15일에 개최 · 부처에 대한 공양의 덕을 쌓는 행사	· 개경(11월)과 서경(10월)에서 개최 · 송, 여진, 아라비아, 탐라 등 외국 사신·상인의 방문으로 국제 무역이 행해짐

5 혼인과 여성의 지위

1. 혼인

(1) **일부일처제**: 고려는 일부일처제를 실시해 일반적으로 첩을 두지 않았다.

(2) **조혼**: 원 간섭기에 조혼의 풍습이 출현하였다.

2. 여성의 지위

재산 상속	자녀에게 골고루 상속, 남편이 먼저 죽으면 아내가 재산 분배권 행사
제사	아들이 없으면 딸이 제사를 담당
호주·호적	태어난 순서대로 남녀 구분 없이 호적에 기록, 여성 호주도 가능
여성의 재가	여성의 이혼과 재가가 비교적 자유로웠고, 재가녀의 자식도 사회 진출 가능

오형(五刑)

태(笞)	태로 볼기를 치는 형벌
장(杖)	장으로 볼기를 치는 형벌
도(徒)	징역형
유(流)	멀리 유배 보내는 형
사(死)	사형(교수형, 참수형)

속동제

속동제는 모든 사람에게 적용되는 것이 아니라 음덕(蔭德)이 있거나 관품(官品)을 가지고 있는 경우, 사람을 과실로 살상한 경우 등에 한정되었다.

태조의 팔관회 개최 당부

연등은 부처를 섬기는 것이고, 팔관은 하늘의 신령과 5악, 명산, 대천, 용신을 섬기는 것이다. 후세에 간신이 가감을 건의하는 자가 있으면, 마땅히 이를 금지시키도록 하라.

- 훈요 10조

▶ 태조는 훈요 10조에서 연등회와 팔관회를 성대하게 개최할 것을 당부하였다.

여성의 지위 기출사료

박유가 왕(충렬왕)에게 글을 올려 말하기를 "…… 우리나라는 남자가 적고 여자가 많은데 지금 신분의 높고 낮음을 막론하고 처를 하나 두는 데 그치고 있으며 아들이 없는 자들까지도 감히 첩을 두려고 생각하지 않고 있습니다. …… 그러므로 청컨대 여러 신하, 관료들로 하여금 여러 처를 두게 하되 품위에 따라 그 수를 점차 줄이도록 하여 보통 사람에 이르러서는 1인 1첩을 둘 수 있도록 하며 여러 처에서 낳은 아들들도 역시 본처가 낳은 아들처럼 벼슬을 할 수 있게 하기를 원합니다. ……"라고 하였다. …… 당시 재상들 가운데 그 부인을 무서워하는 자들이 있었기 때문에 그 건의를 정지하고 결국 실행되지 못하였다.

- 『고려사』

▶ 고려 여성들은 첩을 두자는 재상의 건의를 비판하고, 아예 시행하지 못하도록 할 수 있을 정도로 지위가 높았다.

OX 빈칸 핵심 개념 점검

* 학습한 개념을 OX/빈칸 문제를 통해 점검해보세요.

핵심 개념 1 | 고려의 신분 구성

01 고려 시대의 문벌 귀족은 주로 음서를 통하여 관직에 진출하였다. □ O □ X

02 고려 시대의 상층 향리는 과거로 중앙 관직에 진출할 수 있었다. □ O □ X

03 권문세족은 도평의사사, 첨의부 등의 고위 관직을 장악하였다. □ O □ X

04 고려 시대 향·부곡·소 주민들의 신분은 양민으로 사회적 차별을 받지 않았다. □ O □ X

05 고려 시대의 외거 노비는 재산을 늘려, 그 처지가 양인과 유사해질 수 있었다. □ O □ X

06 ______에는 종래의 문벌 귀족 가문, 무신 정권기에 등장한 가문, 원과의 관계에서 성장한 가문 등이 포함되었다.

07 ______는 성리학을 수용하고, 권문세족과 대립하였다.

08 고려 시대의 ______은 궁중 실무를 담당하였다.

09 고려 시대의 속현의 행정 실무는 ______가 담당하였다.

10 고려 시대에는 ______에 의해 노비의 자식은 어머니 쪽 소유주에 귀속되었다.

핵심 개념 2 | 고려의 사회 모습과 사회 안정책

11 향도는 고려 후기에 이르러 자신들의 이익을 위하여 조직되는 향도에서 점차 신앙적인 향도로 변모되었다. □ O □ X

12 고려 시대의 대비원은 환자를 진료하고 갈 곳이 없는 어려운 사람들을 돌보아 주었다. □ O □ X

13 구제도감은 예종 때 병자의 치료와 빈민 구제를 위해 설치되었다. □ O □ X

14 빈민 구제 기관이었던 흑창은 ______ 때 ______으로 확대·개편되었다.

15 고려 시대에는 기금을 마련한 뒤 이자로 빈민을 구제하는 ______가 설치되었다.

16 고려 성종은 양경과 12목에 ______을 설치하였다.

핵심 개념 3 | 고려의 법률과 풍습

17 고려 시대의 팔관회는 정월 보름에 개최되었다. □ O □ X

18 고려 시대의 관리는 죄를 지으면 형벌로 ______을 시키는 처벌을 받았다.

핵심 개념 4 | 고려의 시대 여성의 지위

19 고려 시대에 부모의 제사는 형제자매가 돌아가면서 지냈다. □ O □ X

20 고려 시대의 여성은 호주가 될 수 있었다. □ O □ X

21 고려 시대의 여성은 재가가 비교적 자유로웠고, 재가녀의 자손도 사회 진출이 가능하였다. □ O □ X

22 고려 원 간섭기에는 ____의 풍습이 유행하였다.

정답과 해설

01	O 고려 시대의 문벌 귀족 세력은 음서를 통하여 관직을 독차지하고, 공음전 등의 경제적 특권을 누렸다.	**12**	O 고려 시대 개경에 설치된 동·서 대비원은 환자의 진료와 빈민의 구휼을 담당하는 역할을 하였다.
02	O 호족 출신의 상층 향리는 과거 응시 자격을 가지고 있어, 과거를 통해 중앙 관직에 진출할 수 있었다.	**13**	O 구제도감은 예종 때 병자의 치료와 빈민 구제를 위해 임시로 설치된 기관이다.
03	O 권문세족은 도평의사사, 첨의부, 밀직사 등의 고위 관직을 장악하였다.	**14**	성종, 의창
04	✖ 고려 시대에 향·부곡·소의 주민들은 신분은 양민이나, 일반 군현민에 비해 거주 이전의 자유가 없고, 세금을 더 과중하게 납부하는 등 사회적 차별을 받았다.	**15**	제위보
05	O 고려 시대의 외거 노비는 재산의 소유와 증식이 가능하여, 경제적으로 양인과 유사해질 수 있었다.	**16**	상평창
06	권문세족	**17**	✖ 정월 보름에 개최된 것은 연등회이다. 팔관회는 11월 15일(개경)과 10월 15일(서경)에 개최되었다.
07	신진 사대부	**18**	귀향
08	남반	**19**	O 고려 시대에는 제사를 형제자매가 돌아가면서 지냈으며, 아들이 없는 경우 양자를 들이지 않고 딸이 제사를 지냈다.
09	향리	**20**	O 고려 시대의 여성은 호주가 될 수 있었으며, 호적에서도 남녀 간의 차별을 두지 않고 연령순으로 기록하였다.
10	천자수모법	**21**	O 고려 시대의 여성은 재가가 비교적 자유로웠고, 재가녀의 자손도 사회적 진출에 차별을 받지 않았다.
11	✖ 향도는 고려 초기에 불상이나 탑을 조성하거나, 매향 활동을 하는 신앙적인 조직이었으나, 고려 후기에 이르러 점차 자신들의 이익을 위한 조직으로 변모되어 마을 노역, 제사 등 공동체 생활을 주도하는 농민 조직으로 발전하였다.	**22**	조혼

고려의 문화

1 유학의 발달과 역사서의 편찬

학습 포인트
교육 제도를 관학과 사학으로 구분하여 파악하고, 시기에 따라 편찬된 고려 역사서의 특징을 정리한다.

빈출 핵심 포인트
국자감, 문헌공도, 성리학, 『삼국사기』, 『동명왕편』, 『삼국유사』, 『제왕운기』

1 유학의 발달

1. 고려 초기의 유학

(1) **특징**: 자주적·주체적 성격의 유교가 정치 이념으로 확고하게 정립되었다.

(2) **대표 학자**

① **최승로**: 최승로는 성종에게 시무 28조의 개혁안을 올리고, 유교 사상을 치국의 근본으로 삼아 사회 개혁과 새로운 문화 창조를 추구하였다.

② **김심언**: 김심언은 성종에게 유교 정치 실현을 추구하는 봉사 2조를 올렸다.

2. 고려 중기의 유학

(1) **특징**: 고려 중기에 문벌 귀족 사회의 발달과 함께 유교 사상도 점차 보수화되었다.

(2) **대표 학자**

① **최충**(984~1068)

㉠ **유학 증진**: 최충은 유학 발전에 크게 기여하여 '해동공자(海東孔子)'라고 불렸다.

㉡ **9재 학당 설립**: 최충은 퇴직 후에 사학인 9재 학당(문헌공도)을 설립(1055)하여 고려에서 유학 교육이 진흥될 수 있는 기반을 마련하였다.

② **김부식**(1075~1151): 김부식은 고려 중기의 보수적·현실적 성격의 유학을 대표하는 인물로, 인종 때 묘청의 난(1135)을 진압하기도 하였다. 이후 김부식은 현존하는 우리나라 최고(最古)의 역사서인 『삼국사기』를 편찬하였다(1145).

3. 무신 정변 이후의 유학

무신 정변이 이후 유학이 한동안 위축되었다. 최씨 무신 집권기에는 행정 실무를 담당할 능문능리의 관료를 등용하고 과거를 시행하여 유학 관료층이 형성되기도 하였다.

최충
- 목종 8년 과거에 장원으로 급제
- 현종 4년 국사수찬관으로 『7대실록』 편찬
- 정종 1년 **지공거**가 되어 과거를 주관
- 문종 1년 **문하시중**이 되어 율령서산(律令書算)을 정함
- 문종 4년 도병마사를 겸하게 되자 동여진에 대한 대비책을 건의함
- 문종 9년 퇴직 후 학당을 설립, **9개의 전문 강좌를 개설**

2 교육 기관과 관학 진흥책

| 고려의 교육 기관

1. 고려 초기의 교육 기관 정비

(1) 교육 진흥: 고려는 관리 양성과 유학 교육을 위하여 교육 기관을 설립하였다.

(2) 태조

① **학자 등용**: 태조는 신라 6두품 계통의 학자들(최언위·최응·최지몽)을 등용하였다.

② **학보 설치**: 태조는 학교 운영 자금을 확보하기 위하여 교육 장학 재단인 학보를 설치하였다.

(3) 성종

① **교육 기관 정비**

㉠ **국자감(중앙)**: 성종은 국립 대학인 국자감(국학)을 정비하였다(993).

㉡ **향교**(지방): 향교(향학)는 지방에 설치되어 지방 관리와 서민 자제의 교육을 담당하였다. 성종 때 경학 박사와 의학 박사를 12목에 파견한 것이 기원이며, 인종 때 지방에까지 설립되었다.

② **도서관 설치**: 성종은 개경에 도서관인 비서성을 두었고, 서경에 수서원(비서성의 분사로 역사 서적을 필사하여 보관)을 설치하였다.

③ **문신 월과법 시행**: 성종은 유학 진흥과 관리의 질적 향상을 도모하기 위해 중앙 관리들에게 매달 시 3수·부 1편씩을 제출하게 하고, 지방 관리들에게는 해마다 시 30수와 부 1편을 지어 연말에 바치게 하였다.

2. 고려 중기 사학의 발달

(1) 사립 교육 기관 발달: 고려 중기에는 최충의 문헌공도(9재 학당)를 포함하여 12개의 도(徒)가 설립(사학 12도)되는 등 사학이 융성하였다.

(2) 사학의 발달 배경: 사학의 설립자들은 대개 과거 시험의 시험관인 지공거 출신이었다. 지공거(좌주)는 과거 합격생(문생)과 사제 관계처럼 엮여서 세력을 형성하는 경우가 많았기 때문에 퇴임 후에도 큰 영향력을 행사하였다.

국자감

국자감의 **유학부**는 **신분에 따라 교과 내용에 차이**가 있었다. 국자감은 조선의 성균관과 다르게 **기술학부**가 존재하였는데 기술학부에는 **양민의 입학이 가능**하였다. 국자감의 학생들은 유학부에서 3년을 수학한 후 과거 응시가 가능하였으며, 9년 안에 과거에 합격하지 못하면 그만두어야 했다.

문신 월과법

내(성종)가 우려하는 바는, 문학을 본분으로 하는 선비들이 겨우 과거 시험만 통과하면 제각기 공무에 바쁜 나머지 본분을 팽개치는 것이다. 이제부터 나이가 50세 이하로서 아직 지제고(知制誥, 책문·교서 등의 문서를 일정한 서식에 따라 작성하던 관리)를 지내지 못한 관리들은 한림원(翰林院)에서 출제한 제목에 따라 매달 시 3편과 부 1편씩을 올리도록 하고 …… -『고려사』

▶ 성종은 유학 진흥책의 일환으로 중앙 관리들에게 **매월 시와 부를 바치게 하는 문신 월과법을 시행**하였다.

(3) 9재 학당(문헌공도): 9재 학당에서는 9경(유교 경전)과 3사(역사서) 등을 가르쳤다.

(4) 영향

① **관학 위축**: 사학 출신들의 과거 합격률이 높아지자 귀족 자제들이 사학에 입학하면서 국자감을 중심으로 하는 관학 교육이 위축되었고, 이에 정부는 **관학 진흥책**을 실시하였다.

② **문벌 귀족 사회 확립**: 고려 중기에는 학벌이 형성되고 문벌 귀족 사회가 발달하면서 신진 세력의 지배층 진입이 어려워져 사회의 보수화가 초래되었다.

교과서 사료 읽기

최충의 문헌공도

최충은 후진들을 가르치는 일에 정력을 바쳤으므로 학도들이 많이 모여들었다. 마침내 9재(九齋)로 나누어 그 명칭을 낙성(樂聖)·대중(大中)·성명(誠明)·경업(敬業)·조도(造道)·솔성(率性)·진덕(進德)·대화(大和)·대빙(待聘)이라 했는데, 이를 일컬어 시중최공도(侍中崔公徒)라고 불렀다. 과거에 응시하는 양반 자제들은 반드시 먼저 공도에 들어가 공부해야 했다. …… 학습 내용은 9경(九經)과 3사(三史)였다. …… 그 후부터는 과거에 응시하는 사람들이면 모두 9재(九齋)의 명부에 이름을 올리게 되었으니, 이들을 최문헌 공도라고 불렀다. 또 유신(儒臣)으로서 공도(公徒)를 세운 자가 11명 있었는데, …… 이들을 문헌공도를 함께 세상에서 12도라 불렀는데, 그 중 문헌공도가 가장 흥성하였다. -『고려사』

사료 해설 | 최충의 문헌공도가 많은 합격자를 배출하고 크게 번성하자 이후 여러 사학이 세워졌다. 최충은 9개의 전문 학과로 나눈 문헌공도(9재 학당)에서 9경과 3사를 가르쳤다.

3. 관학과 유교 진흥책

(1) 숙종

① **서적포 설치**: 숙종은 서적 간행의 활성화를 위해 국자감에 서적포를 설치하였다.

② **기자 사당 건립**: 평양에 기자 사당을 건립하고, 기자에 대한 숭배를 강화하였다.

(2) 예종

① **7재 설치**

㉠ **설치**: 예종은 최충의 9재 학당을 모방하여 국자감(국학) 내에 전문 강좌인 7재를 설치하였다.

㉡ **전문 강좌**: 유학 관련 강좌 6개에 무인 관료 양성을 위한 강예재(무학재)도 7재에 포함되었으나 문치주의의 영향으로 강예재는 무과와 함께 폐지되었다(1133, 인종).

② **양현고 설치**: 예종은 관학의 경제 기반을 강화하기 위하여 일종의 장학 재단인 양현고를 설치하였다.

③ **기타 유학 진흥책**: 예종은 청연각, 보문각 등 왕실 도서관 겸 학문 연구소를 설치하였다.

(3) 인종: 인종은 국학의 교육 과정을 경사 6학으로 정비하고, 7재 중 무학을 배우던 강예재를 폐지하였다. 또한 지방에 향교(향학)를 증설하여 지방 교육을 강화하였다.

(4) 충렬왕

① **문묘 신축**: 국자감을 국학으로 개칭하고, 공자의 사당인 문묘(文廟)를 새로이 건립하여 유학 교육을 진흥시키고자 하였다.

7재

과거를 준비하기 위한 전문 강좌를 뜻한다. 여택재(주역), 대빙재(상서), 경덕재(모시), 구인재(주례), 복응재(대례), 양정재(춘추), 강예재(무학)가 있었다.

경사 6학

국자학·태학·사문학의 유학부와 율학(법률)·서학(서예)·산학(산술)의 기술학부를 말한다. **고려 초 성종 때 유학 교육 위주로 국자감이 정비**되었고, 점차 시간이 흐르면서 국자감 내에 기술학부의 율학, 서학이 만들어졌다. 이후 **고려 인종 때** 이전까지 형부가 담당했던 **율학이 국자감(국학) 내로 옮겨지면서 경사 6학이 완비**되었다.

고려 국자감의 명칭 변화

국자감(성종, 992)
↓
국학(충렬왕, 1275)
↓
성균감
(충렬왕의 뒤를 이어 즉위한 충선왕이 개칭, 1298)
↓
성균관
(재즉위한 충선왕이 개칭, 1308)
↓
국자감(공민왕, 1356)
↓
성균관(공민왕, 1362)

▶『고려사』에 '국학을 성균감으로(1298), 성균감을 성균관으로(1308) 개칭'한 주체가 '충선왕'이라고 기록되어 있다. 그러나 그 시기는 각각 '충렬왕 24년(1298, 충렬왕 퇴위)'과 '충렬왕 34년(1308, 재즉위하였던 충렬왕 사망)'으로 표기되어 있다.

② **섬학전 설치**: 충렬왕은 양현고의 부실을 보강하기 위해 안향의 건의로 교육 기금인 섬학전을 설치하였다.

③ **경사교수도감 설치**: 충렬왕은 7품 이하 관리들에게 경(經)과 사(史)를 가르치는 관청인 경사교수도감을 설치하였다.

(5) 공민왕: 공민왕은 성균관에서 기술학부를 분리하여 성균관을 순수한 유교 교육 기관으로 개편하였다.

기출 사료 읽기

관학 진흥책

- 숙종 6년(1101) 비서성에 문적의 판본이 쌓이고 쌓여 훼손되므로 국자감에 서적포를 두어 문적을 옮겨 보관하게 하고 널리 간행하게 하였다.
- 예종 4년 국자감에 7재를 두어, 주역(周易)을 공부하는 곳을 여택, 상서(尙書)를 공부하는 곳을 대빙, … 춘추(春秋)를 공부하는 곳을 양정, 무학(武學)을 공부하는 곳을 강예라 하였다. 대학에서 최민용 등 70인과 무학에서 한자순 등 8인을 시험 쳐 뽑아, 나누어 여기서 공부하도록 하였다.
- 안향이 학교가 날로 쇠퇴함을 근심하여 양부(첨의부와 밀직사의 대신들)와 의논하기를 "재상의 직임은 인재 교육이 제일 긴급한 일인데 지금 양현고가 완전히 탕진되어 선비들을 양성할 비용이 없으니 6품 이상 인원들은 각각 은 1근씩, 7품 이하 인원들은 베를 차등 있게 내게 하여 양현고에 돌려주어 그 본전을 남겨 두고 이식만을 가져다 쓰도록 하되 이름을 섬학전이라고 하기를 바란다."라고 하니 양부가 이에 동의하고 왕에게 그대로 보고하였다.

-『고려사』

사료 해설 | 고려 중기에는 국립 대학인 국자감보다 사학이 융성하였다. 이러한 사학이 점차 학벌을 형성하며 문벌 귀족들의 세력 강화에 힘을 실어주자, 국왕들은 왕권이 약화되는 것을 방어하기 위한 방편 중 하나로 관학을 진흥시키는 여러 정책들을 추진하였다.

성균관 대성전(개성)

3 성리학의 전래

1. 성리학의 전래 과정

(1) 전래: 충렬왕 때 안향(회헌)이 원에서 『주자전서(朱子全書)』와 공자·주자의 초상화를 손수 베껴 고려에 돌아와 성리학을 소개하였다. 이후 안향은 김문정 등을 원에 보내 공자와 그 제자 70명의 화상, 문묘의 제기와 악기, 6경, 제자의 서적 등 유교 관련 서적을 구해 오도록 하였다.

(2) 전수: 백이정이 직접 원으로 건너가 성리학을 배워 와서 이제현과 박충좌 등에게 전수하였다.

(3) 전파: 이제현이 원의 수도에 설립된 만권당에서 원의 학자들과 교류하면서 성리학에 대한 이해를 심화하였으며, 귀국 후 이색 등에게 영향을 주어 고려 내에 성리학이 전파될 수 있는 토대를 마련하였다.

(4) 확산: 공민왕 때 이색이 정몽주, 권근, 정도전 등을 가르쳐 성리학을 더욱 확산시켰으며, 정몽주는 '동방이학(東方理學)의 조(祖)'라는 칭호로 불렸다.

안향의 불교 비판 기출사료

성인의 도는 바로 현실 생활에서 윤리를 실천하는 것이다. 자식 된 자는 효도하고, 신하 된 자는 충성하고, 예의로 집안을 다스리고 …… 그런데 불교는 어떠한가. 부모를 버리고 집을 나서서 윤리를 파괴하니 이는 오랑캐 무리이다. -『회헌실기』

▶ 유교 윤리의 핵심은 '인륜(부부, 부자, 군신의 관계)'인데, 불교는 세속을 떠나는 데 목표를 두고 있었기 때문에, **안향과 같은 성리학자들은 불교가 국가의 윤리 기강을 무너뜨리는 것이라 하여 비판**하였다.

만권당

충선왕은 자신의 왕위를 아들(충숙왕)에게 물려 주고, 1314년 원의 수도인 연경(베이징)에 **학문 연구소**로 만권당을 설치하였다. 충선왕은 **이제현**을 이곳으로 불러들여 당대의 명유(名儒)인 **요수, 염복, 조맹부 등과 교류**하도록 하였다.

2. 신진 사대부의 성리학 수용

(1) **개혁 사상으로 수용**: 성리학은 신진 사대부들에 의해 현실 사회의 모순을 시정하기 위한 개혁 사상으로 수용되었다.

(2) **실천적 기능 강조**: 개혁 사상으로 수용된 성리학은 성리학의 가장 큰 특징인 형이상학적 측면보다는 일상생활과 관계되는 실천적 측면이 강조되었다.

(3) **불교 및 권문세족 비판**: 사대부들은 성리학을 통해 불교의 폐단을 지적하였는데, 특히 조선 건국에 앞장선 정도전은 『불씨잡변』을 통해 불교를 현실과 유리된 것으로 보고 불교 자체를 공박하고, 권문세족을 비판하였다.

(4) **국가 지도 이념으로 등장**: 고려의 정신적 지주였던 불교가 쇠퇴하고, 성리학이 새로운 국가와 사회의 지도 이념으로 등장하였다.

4 역사서의 편찬

1. 고려 초기의 역사서

(1) **특징**: 고려 초기에는 역사서를 통해 고구려 계승 의식을 표방하였다.

(2) **대표 역사서**

① **『7대실록』**: 거란의 침입으로 소실된 태조~목종(7대)까지의 기록을 현종 때에 황주량·최충 등이 다시 편찬하기 시작하여 덕종 때 완성하였다.

② **『고려왕조실록』**: 『7대실록』부터 『공양왕실록』으로 구성되었으나, 임진왜란 때 소실되어 현전하지 않는다.

③ **『속편년통재』**: 예종 때 홍관이 편찬한 편년체의 역사서이나, 현존하지 않는다.

2. 고려 중기의 역사서

(1) **특징**: 고려는 건국 초부터 고구려 계승 의식을 뚜렷하게 표출하였으나 고려 중기에 이르러 신라 계승 의식이 강화되었다.

(2) **대표 역사서**

① **『삼국사기』**(1145, 인종 23)

㉠ **편찬**: 인종의 명에 의해 김부식 등 11명이 편찬하였다.

㉡ **특징**: 현존하는 우리나라 최고(最古)의 역사서로, 고려 초에 쓰여진 『구삼국사』를 기본으로 하였으며, 유교적 합리주의 사관에 기초한 기전체로 서술되었다. 이에 불교 관련 내용이나 민간 설화·신이한 내용·단군 신화에 대한 서술을 배제하였다. 한편 고구려는 호전적인 국가로, 백제는 속임수가 많았던 국가로 비판하는 등 신라 계승 의식이 상대적으로 많이 반영되었다.

㉢ **구성**: 『삼국사기』는 본기 28권(신라 12, 고구려 10, 백제 6), 연표 3권, 지 9권, 그리고 열전 10권으로 이루어져 있다.

『삼국사기』

『고려사』가 왕의 업적을 '세가'에 넣어 기록한 반면, 『삼국사기』는 '본기'에 기록하였다. 이는 우리 역사를 중국과 대등한 입장에서 서술한 것으로 평가된다. 기전체로 편찬된 중국 역사서가 '열전'을 중심으로 서술된 반면, 『삼국사기』는 '본기' 위주로 서술되어 있다. 즉, **중국과 달리 왕의 치적을 역사 서술의 기본 내용으로 삼았던 것**이다.

『구(舊)삼국사』

고려 초기에 편찬된 것으로 추측되며 고구려 계승 의식, 발해 유민 포섭 등 당시의 분위기를 반영한 **자주적이고 진취적인 성격**의 역사서로 추정되나, 현존하지 않는다.

『삼국사기』의 신라 계승 의식

『삼국사기』의 본기는 삼국의 역사를 비교적 균형있게 서술하여 중립적 입장에 서 있고자 하였으나, **연표·지·열전 등이 신라사에 치중**되었으므로 전체적으로 신라 계승 의식을 반영하고 있다고 볼 수 있다.

㉣ **한계**: 고대 설화에 비판적이었고, 전통 문화를 축소시켜 기록하였다. 또한 고조선·삼한·발해에 대해서는 소홀하게 서술하였고, 신라에 대해서는 상세하고 유리하게 서술하였다.

교과서 사료 읽기

『삼국사기』

- 신 부식은 아뢰옵니다. 옛날에는 여러 나라들도 각각 사관을 두어 일을 기록하였습니다. …… 해동의 삼국도 역사가 길고 오래되어 마땅히 그 사실이 책으로 기록되어야 하므로 폐하께서 이 늙은 신하에게 명하여 편집하도록 하신 것인데, 스스로 돌아보건대 부족함이 많아 어찌할 바를 모르겠습니다.
- 왕께서는 "우리나라 사람들은 유교 경전과 중국 역사에 대해서는 자세히 말하는 사람이 있으나 우리나라의 사실에 이르러서는 잘 알지 못하니 매우 유감이다. 중국 역사서에 우리 삼국의 열전이 있지만 상세하게 실리지 않았다. 또한, 삼국의 고기(古記)는 문체가 거칠고 졸렬하며 빠진 부분이 많으므로, 이런 까닭에 임금의 선과 악, 신하의 충과 사악, 국가의 안위 등에 관한 것을 다 드러내어 그로써 후세에 권계(勸戒)를 보이지 못했다. 마땅히 일관된 역사를 완성하고 만대에 물려주어 해와 별처럼 빛나도록 해야 하겠다."라고 하셨습니다.

- 『진삼국사기표』

사료 해설 | 김부식은 인종의 명으로 『삼국사기』를 편찬하여 우리의 역사를 제대로 알리고 정치적 교훈으로 삼고자 하였다.

② **『편년통록』**(의종): 김관의가 편찬한 고려의 역사서로, 태조 왕건의 6대조부터 행적을 적은 설화가 상세히 서술되어 있으나, 현존하지 않는다.

3. 고려 후기의 역사서

(1) **특징**: 무신 정변 이후 사회적 혼란과 몽골의 침입 등을 극복하기 위해 민족적 자주 의식을 바탕으로 전통 문화를 바르게 이해하려는 경향이 대두하였다.

(2) 대표 역사서

① **『동명왕편』**(1193, 명종 23)

㉠ **편찬**: 고려 무신 집권기에 이규보가 편찬하였으며, 『동국이상국집』에 수록되었다.

㉡ **내용**: 고구려 동명왕(주몽)에 대한 건국 설화를 5언시체로 재구성한 영웅 서사시로, 고구려 계승 의식을 반영하여 고구려의 전통을 노래하였다.

기출 사료 읽기

『동명왕편』 서문

『구삼국사』를 얻어서 동명왕 본기를 보니, 그 신이한 사적이 세상에서 이야기되고 있던 것보다 더 자세하였다. 그러나 역시 처음에는 그를 믿지 못하였으니 …… 여러 번 음미하면서 탐독하여 근원을 찾아가니, 환(幻)이 아니라 성(聖)이며, 귀(鬼)가 아니고 신(神)이었다. …… 동명왕의 사적은 변화, 신이하여 사람의 눈을 현혹시키는 것이 아니라, 실로 나라를 창시하신 신의 자취인 것이다. 이런 까닭에 시를 지어 기록하여 천하 사람들로 하여금 우리나라의 근본이 성인의 나라임을 알게 하려 할 뿐이다.

- 『동국이상국집』

사료 해설 | 『동명왕편』은 고구려를 건국한 동명왕의 업적을 칭송한 영웅 서사시로, 『동국이상국집』 제3권에 수록되어 있다.

이규보

이규보는 중화 중심의 역사 의식을 극복하고 우리의 민족적 우월성 및 고려가 고구려를 계승하고 있다는 자부심을 알리기 위해 『동명왕편』을 저술하였다. 이규보의 『동명왕편』에는 **국가에 대한 자부심, 고려의 문화적 우월성** 등이 잘 드러나 있다.

② **『해동고승전』**(1215, 고종 2)

㉠ **편찬**: 교종 승려 각훈이 왕명에 따라 편찬하였다.

㉡ **특징**: 화엄종 중심으로 불교사를 정리하였고, 삼국 시대부터 고려 고종 때까지의 승려에 대해 수록하였을 것으로 추정되는데, 현재는 삼국 시대까지의 고승 30여 명에 관한 기록만 남아 있다. 또한, 우리나라 불교사를 중국과 대등한 입장에서 서술한 것으로 민족 문화에 대한 자주성을 표출하였다.

③ **『삼국유사』**(1281, 충렬왕 7)

㉠ **편찬**: 선종 승려 일연이 편찬하였다.

㉡ **특징**: 불교사를 중심으로 고대의 민간 설화나 전래 기록을 수록하여 우리의 고유 문화와 전통을 중시하였으며, 단군을 우리 민족의 시조로 여겨 단군 신화를 수록하였다. 뿐만 아니라 14수의 신라 향가(鄕歌)도 수록하여 전하고 있다.

㉢ **구성**: 총 5권으로 구성되었는데, 왕력·기이·흥법·탑상·의해·신주·감통·피은·효선 등 총 9개의 편목으로 구성되어 있다.

㉣ **서술 방식**: 특정한 형식을 갖추지 않은 자유로운 방식으로 서술되었다.

㉤ **한계**: 체제의 통일성이 떨어지고 신빙성이 부족한 설화 등이 다수 수록되어 있다는 한계를 지닌다.

기출 사료 읽기

『삼국유사』 집필 동기

대체로 성인은 예악으로써 나라를 일으키고, 인의로써 가르침을 베푸는데 괴이하고 신비한 것은 말하지 않는 것이었다. 그러나 제왕이 장차 일어날 때에는 천명과 비기록을 받게 되므로 반드시 남보다 다른 일이 있었다. 그래야만 능히 큰 변화를 타서 대기를 잡고 큰일을 이룰 수 있는 것이다. …… 그렇다면 삼국의 시조가 모두 신비스러운 데서 탄생하였다는 것이 무엇이 괴이하랴.

- 『삼국유사』

사료 해설 | 『삼국유사』에는 『삼국사기』에서 괴력난신(怪力亂神, 합리적인 이성으로 설명이 불가능한 존재나 현상)으로 규정되어 누락된 고대의 설화와 야사를 많이 기록하였다.

필수 개념 정리하기

『삼국사기』와 『삼국유사』 비교

구분	『삼국사기』	『삼국유사』
저자	김부식	일연
편찬 시기	고려 중기, 인종(1145)	원 간섭기, 충렬왕(1281)
내용	삼국의 역사부터 다룬 왕조 중심의 정사	단군의 건국 이야기부터 다룬 설화 중심의 야사
서술 방식	기전체	자유로운 서술 체계
사관	보수적, 유교적 합리주의 사관	불교적, 자주적 민족주의 사관
계승 의식	신라	고조선
의의	현존하는 우리나라 최고(最古)의 사서	단군 신화를 수록

『삼국사기』와 『삼국유사』 비교

『삼국사기』가 합리적 유교 사관을 토대로 저술된 **기전체 정사**라면, **『삼국유사』**는 불교사를 중심으로 **고대의 설화와 야사를 풍부하게 수록**하였고 우리 고유의 문화와 전통을 다룬 역사서이다.

④ **『제왕운기』**(1287, 충렬왕 13)

㉠ **편찬**: 고려 후기의 문신 이승휴가 편찬하였다.

㉡ **특징**: 우리나라 역사의 시작을 단군으로 설정하여 서술하였고, 예맥·옥저 등을 모두 단군의 후손으로 서술하여 우리 역사를 중국사와 대등하게 파악하려는 자주성을 드러내었다. 또한 발해를 고구려의 계승자로 파악하여 우리 역사에 포함시켰다.

기출 사료 읽기

『제왕운기』

· 신(臣, 이승휴)이 『제왕운기』를 삼가 편수하여 두 권으로 나누고, 바로 고쳐 바치는 것은 …… 중국은 반고부터 금국에 이르기까지, 동국(東國)은 단군으로부터 본조(本朝)에 이르기까지 처음 일어나게 된 근원을 간책에서 다 찾아보아 같고 다른 것을 비교하여 요점을 취하고 읊조림에 따라 장(章)을 이루었습니다. - 『제왕운기』를 바치는 표문

· 요동에 또 하나의 천하가 있으니 중국의 왕조와 뚜렷이 구분된다. 큰 파도가 출렁이며 3면을 둘러쌌고, 북으로는 대륙으로 면면히 이어졌다. 가운데 사방 천 리 땅 여기가 조선이니, 강산의 형성은 천하에 이름났도다. - 『제왕운기』 하권

사료 해설 | 이승휴는 『제왕운기』 상권에서는 중국의 역사를 7언시로, 하권에서는 우리나라 역사를 5언시로 운율감 있게 서술하였다.

4. 고려 말 성리학적 유교 사관의 역사서

(1) **특징**: 성리학을 수용한 신진 사대부는 정통 의식과 대의명분을 강조한 역사서를 편찬하였다.

(2) **대표 역사서**

① **『본조편년강목』**(1317, 충숙왕 4): 민지에 의해 편찬된 강목체 사서로, 성리학적 역사 서술 방식이 반영되었다. 문덕 대왕(태조 왕건의 증조부)부터 고종까지의 고려 왕조의 역사를 기록하였다.

② **『사략』**(1357, 공민왕 6)

㉠ **편찬**: 이제현은 백문보, 이달충과 함께 당대 고려의 통사를 편찬하고자 하였는데, 이를 위해 이제현이 태조에서 숙종 때까지의 역대 임금의 치적을 정리한 것이 『사략』이다. 현재는 『사략』에 실려있던 사론(사찬)만 남아있다.

㉡ **특징**: 역대 왕들의 치적을 평가함으로써 유교적 왕도 정치 이념을 강하게 드러냈다.

필수 개념 정리하기

역사의 서술 방법

구분	서술 방법	대표적 사서
기전체	본기, 세가, 연표, 지, 열전으로 나누어 서술	『삼국사기』, 『고려사』, 『해동역사』 등
편년체	사실을 연·월·일 순으로 정리하여 서술	『고려왕조실록』, 『조선왕조실록』, 『동국통감』, 『고려사절요』 등
기사본말체	사건마다의 발생과 결과 등을 서술	『연려실기술』 등
강목체	강(綱)과 목(目)으로 나누어 서술	『동사강목』 등

OX 빈칸 핵심 개념 점검

* 학습한 개념을 OX/빈칸 문제를 통해 점검해보세요.

핵심 개념 1 | 고려의 유학 진흥과 교육 기관 정비

01 국자감은 유학부와 기술학부로 구성되었다. □ O □ X

02 성종은 유학을 진흥하기 위하여 문신월과법을 시행하였다. □ O □ X

03 최충은 9경과 3사를 중심으로 교육하였다. □ O □ X

04 성종 대에 최승로는 ______를 건의하는 등 유교 정치 이념의 토대를 닦았다.

05 고려 중기에는 최충의 ______을 비롯한 사학 12도가 융성하였다.

핵심 개념 2 | 고려의 관학 진흥책

06 예종은 국자감에 7재를 두어 관학을 부흥하고자 하였다. □ O □ X

07 고려 인종은 경사 6학을 정비하여 관학 교육을 강화하였다. □ O □ X

08 숙종은 서적 간행을 활성화하기 위하여 국자감에 ______를 설치하였다.

09 고려 예종은 국학(국자감)에 장학 재단인 ______를 설치하였다.

10 충렬왕은 안향의 건의로 교육 기금인 ______을 설치하였다.

11 공민왕은 ______을 순수한 유학 교육 기관으로 개편하였다.

핵심 개념 3 | 성리학의 전래

12 신진 사대부는 성리학을 통해 불교의 폐단을 비판하였다. □ O □ X

13 이색은 정몽주, 정도전 등을 가르쳐 성리학을 더욱 확산시켰다. □ O □ X

14 ______은 원 간섭기에 성리학을 국내로 소개하였다.

15 이제현은 ______에서 원의 학자들과 교류하였다.

핵심 개념 4 | 고려 시대의 역사서

16 인종 때 김부식 등이 왕명을 받아 『삼국사기』를 편찬하였다. □ O □ X

17 『삼국사기』는 현존하는 가장 오래된 역사서로 편년체로 기술되어 있다. □ O □ X

18 각훈은 삼국 시대 이래 승려들의 전기를 정리하여 『해동고승전』을 지었다. □ O □ X

19 일연이 지은 『삼국유사』는 불교를 중심으로 신화와 설화를 정리하였다. □ O □ X

20 이규보는 우리 역사를 단군부터 서술하면서 우리 역사를 중국사와 대등하게 파악하였다. □ O □ X

21 이제현은 역사서인 『사략』을 저술하였다. □ O □ X

22 이규보는 『　　　　』을 지어 고려가 천손의 후예인 고구려의 전통을 계승하고 있다는 자부심을 표현했다.

23 『　　　　』는 「왕력」, 「기이」, 「흥법」, 「탑상」, 「의해」 등으로 구성되어 있다.

24 민지가 편찬한 강목체 사서인 『　　　　』은 성리학적 역사 서술 방식을 사용하였다.

정답과 해설

01	O 국자감은 국자학·태학·사문학을 가르치는 유학부와 율학·서학·산학을 가르치는 기술학부로 구성되었다.	**13**	O 이색은 정몽주, 정도전, 권근 등을 가르쳐 성리학을 더욱 확산시켰다.
02	O 성종은 유학을 진흥하기 위하여 문신들에게 시와 부를 지어 바치게 하는 제도인 문신월과법을 시행하였다.	**14**	안향
03	O 최충은 유교 경전인 9경과 역사서인 3사를 중심으로 교육하였다.	**15**	만권당
04	시무 28조	**16**	O 『삼국사기』는 고려 인종 때 김부식 등이 왕명을 받아 편찬한 역사서이다.
05	9재 학당(문헌공도)	**17**	✖ 현존하는 가장 오래된 역사서인 김부식의 『삼국사기』는 기전체로 기술되어 있다.
06	O 예종은 관학 부흥을 위해 국자감(국학) 내에 전문 강좌인 7재를 설치하였다.	**18**	O 각훈은 삼국 시대 이래 고승들의 전기를 정리한 『해동고승전』을 저술하였다.
07	O 인종은 국학의 교육 과정을 국자학, 태학, 사문학, 율학, 서학, 산학의 경사 6학으로 정비하여 관학 교육을 강화하였다.	**19**	O 일연이 지은 『삼국유사』는 불교를 중심으로 단군 신화 및 민간 설화 등을 정리하여 기록한 역사서이다.
08	서적포	**20**	✖ 우리 역사를 단군부터 서술하였으며, 우리 역사를 중국사와 대등하게 파악한 인물은 『제왕운기』를 저술한 이승휴이다.
09	양현고	**21**	O 이제현은 정통 의식과 대의명분을 강조한 역사서인 『사략』을 저술하였다.
10	섬학전	**22**	동명왕편
11	성균관	**23**	삼국유사
12	O 신진 사대부는 성리학을 통해 당시 타락한 불교의 폐단을 비판하였다.	**24**	본조편년강목

2 불교 사상과 신앙의 발전

학습 포인트
고려 초기에는 각 국왕들이 실시한 불교 정책을 살펴보고, 중기 이후부터는 주요 승려를 중심으로 그들의 활동과 주장을 정리한다. 또한, 고려 시대에 도교와 풍수지리설이 어떻게 수용·유행하였는지 파악한다.

빈출 핵심 포인트
균여, 의천, 천태종, 교관겸수, 지눌, 수선사 결사 운동, 혜심, 요세, 백련 결사

1 고려 초기 불교 정책

1. 태조

(1) **불교 장려**: 태조는 불교를 지원하는 한편, 승려와 교단을 관리하는 승록사를 설치하였다.

(2) **국가의 지침**: 태조 왕건은 훈요 10조를 통해 불교를 숭상하고, 연등회와 팔관회 등 국가 행사를 성대하게 개최할 것을 당부하였다.

2. 광종

(1) 승과 제도 실시

① **내용**: 승과에 합격한 자에게는 승계(僧階)를 수여하였으며, 승려의 지위를 보장하였다.

② **종류**: 교종선(교종 승려 대상)과 선종선(선종 승려 대상)의 두 과로 분리된 승과에 합격하면 대덕의 승계를 부여하고, 이후 각각 승통(교종)과 대선사(선종)로 승진하였다.

(2) **국사·왕사 제도 실시**: 국사·왕사 제도는 불교의 권위가 상징적으로 왕권 위에 존재하고 있다는 사실과, 불교의 국교화를 보여 주는 증거이다.

교과서 분석하기

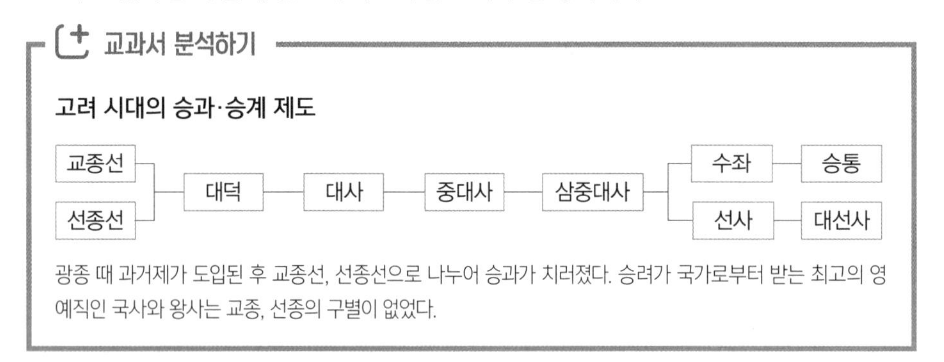

광종 때 과거제가 도입된 후 교종선, 선종선으로 나누어 승과가 치러졌다. 승려가 국가로부터 받는 최고의 영예직인 국사와 왕사는 교종, 선종의 구별이 없었다.

(3) **경제적 혜택 부여**: 사원에 토지를 지급하고, 승려들에게 면역의 혜택을 부여하였다.

(4) 교·선 통합 시도

① **교종과 선종의 병립**: 당시에는 화엄 사상을 정비하고 보살의 실천행(實踐行)을 중시하였던 균여의 북악 화엄종이 성행하였고, 선종에 대한 관심도 고조되면서 교·선이 함께 유행하자 교·선을 통합하려는 노력이 대두하였다.

훈요 10조 속 불교 정책 기출사료

우리나라의 대업은 반드시 제불의 호위하는 힘을 입은 것이다. 그러므로 선종과 교종의 사원을 창건하고 주지를 파견하여 지키도록 하고 각각 종단을 다스리도록 하라. 후세에 간신이 정권을 잡아 승려의 청에 따르게 되면 각 종단의 절들이 서로 다투어 바꾸고 빼앗고 할 것이니 반드시 이를 금하라. -『고려사』

▶ 고려는 건국 초부터 **불교를 숭상하여 국가적으로 지원**하였다.

연등회와 팔관회

연등회는 음력 정월 보름에 등불을 켜고 부처에게 복을 비는 국가적 행사였고, **팔관회**는 토속신에 대한 제사 의식을 치르던 행사였다.

국사·왕사 제도와 불교 숭상

광종이 중 혜거(惠居)를 국사(國師)로 삼고, 탄문(坦文)을 왕사(王師)로 삼았다. …… 왕이 불법(佛法)을 혹신하여 여러 중을 사사(師事)하고 사찰을 창립하였는데, 목전(目前)의 무사(無事)함이 모두 부처의 힘이 돕는 것이라 생각하였다. 이후부터 역대의 왕이 이를 본받아 대를 잇는 임금이 반드시 이름난 중을 국사·왕사로 추대하여 이들을 높이고 받들었다.
- 안정복,『동사강목』

▶ **국사와 왕사**는 승려에게 주었던 최고의 승직으로 나라의 스승이 될 만한 승려에게 내려 준 칭호였다.

② 교종 정리

㉠ **귀법사 건립**: 광종은 개경에 귀법사를 건립하고, 균여를 주지로 임명하여 화엄종을 재정립하였다.

㉡ **화엄종 중심의 정리**: 화엄종을 중심으로 교종을 정리하였다.

③ **선종 통합**: 광종은 중국의 법안종을 수입하고, 혜거를 중국에서 귀국시켜 선종 교단을 지도하도록 하였다.

④ **교·선 통합**: 광종은 천태학을 통해 교·선 통합을 시도하였다. 이를 위해 제관과 의통을 중국 오월에 파견하였으며, 제관과 의통은 중국 천태종에도 큰 영향을 주었다.

⑤ **교·선 통합 실패**: 광종은 왕권의 강화 등 다소 정치적인 목적으로 교·선 통합을 시도하였기 때문에 광종 사후 교종과 선종은 다시 분열하였다.

3. 성종

성종은 최승로의 시무 28조를 수용하여 유교 정치 이념을 채택하였고 이에 따라 연등회와 팔관회를 일시적으로 금지하였다.

4. 현종과 문종

현종과 문종 대 개경에 흥왕사나 현화사와 같은 왕실과 귀족의 지원을 받는 큰 사원이 세워져 불교가 번창하였고, 교종 중 화엄종과 법상종이 융성하였다.

현종	연등회와 팔관회 부활, 부모의 명복을 빌고자 현화사(법상종, 귀족과 밀접) 건립
문종	승려에게 별사전 지급, 흥왕사(화엄종, 왕실과 밀접) 건립

필수 개념 정리하기

광종 대의 대표적인 승려

승려	활동	내용
균여	923~973	· 북악파와 남악파로 분열되어 있던 화엄 교단을 북악파 중심으로 통합 · 화엄 사상을 정비하고 보살의 실천행 강조 · 화엄 사상을 바탕으로 법상종을 통합하려는 성상융회 사상 주창 · 보현십원가(향가 형식의 불교 찬가)를 지어 불교와 세속 간의 경계를 없애 불교의 대중화를 꾀함
제관	?~970	광종 때 중국으로 유학, 『천태사교의』 저술(천태학의 요지를 밝힘)
의통	927~988	남중국 오월에 건너가 중국 천태종의 16대 교조가 됨

화엄종과 법상종

화엄종은 **'화엄 사상'을 바탕**으로 하는 불교의 종파이고, **법상종은 '유식 사상'을 바탕**으로 하는 불교의 종파이다. 두 종파 **모두 교종의 일파**이며, 선종과 함께 고려 불교의 축을 이루었다.

성상융회(性相融會)

공(空)을 뜻하는 성(性)과 색(色)을 뜻하는 상(相)을 원만하게 융합시키는 이론으로서, 균여가 화엄 사상 속에 법상종의 사상을 융합하여 **교종 내의 대립을 해소시키기 위해 주창**하였다.

2 고려 중기 불교 통합 운동과 천태종

1. 교종 발달

(1) **화엄종**: 화엄종은 불교 혁신 운동을 전개하던 의천과 흥왕사를 중심으로 성행하였다.

(2) **법상종**: 법상종은 귀족들의 애호를 받으며 융성하였다.

2. 대각 국사 의천의 교단 통합 운동

(1) 배경: 11세기에 이미 불교 내에서 교종인 화엄종과 법상종, 선종 등 종파적 분열 현상이 대두하였다.

(2) 사상적 토대: 의천은 원효의 화쟁 사상을 사상적 토대로 교단을 통합하고자 하였다.

(3) 교종 통합: 의천은 균여의 화엄학에 실천성이 결여되어 있음을 비판하며 화엄종을 정비하였고, 성상겸학을 주장하며 흥왕사를 근거지로 삼아 화엄종을 중심으로 법상종을 비롯한 각지의 교종을 통합하려 하였다.

(4) 교·선 통합: 의천은 교종을 중심으로 선종 통합을 위해 국청사를 중심으로 천태종을 창시하였다. 또한 의천은 이론의 연마와 실천을 아울러 강조하는 교관겸수(敎觀兼修)와, 내적인 공부와 외적인 공부를 모두 갖추어 조화를 이루어야 한다는 내외겸전(內外兼全)을 제창하며 교종과 선종의 사상적 통합을 추구하였다.

(5) 결과: 천태종에 많은 승려가 모이는 등 새로운 교단 분위기를 만들어 일정한 성과를 거두었다. 그러나 교·선의 교리적 통합이 아닌 절충에 그쳤고, 법상종 교단을 의식한 정치적 통합의 성격이 짙었으며, 사회·경제적으로 문제가 되고 있던 불교의 폐단을 적극적으로 시정하려는 대책이 뒤따르지 않았다. 결국 의천이 죽은 후 교단이 다시 분열되고 귀족 중심의 불교가 지속되었다.

기출 사료 읽기

의천의 교관겸수

- 정원 법사에게서 교관(敎觀)을 배웠다. (법사는) 훈시하되 "관(觀)을 배우지 않고 경(經)만 배우면 비록 오주(五周)의 인과(因果)를 들었더라도 삼중(三重)의 성덕(性德)에는 통하지 못하며, 경을 배우지 않고 관만 배우면 비록 삼중의 성덕을 깨쳤으나 오주의 인과를 구별하지 못한다. 그런즉 관도 배우지 않을 수 없고, 경도 배우지 않을 수 없다."라고 하였다. 내가 교관에 마음을 다 쓰는 까닭은 이 말에 깊이 감복하였기 때문이다.
- 교종을 공부하는 사람은 내적인 것을 버리고 외적인 것만을 구하려는 경향이 강하고, 선종을 공부하는 사람은 외부의 대상을 잊고 내적으로만 깨달으려는 경향이 강하다. 이는 모두 양 극단에 치우친 것이므로, 양자를 골고루 갖추어(내외겸전) 안팎으로 모두 조화를 이루어야 한다.

- 『대각국사문집』

사료 해설 | 의천은 불교의 이론적인 교리 체계인 '교'와 실천적인 수행 방법인 '관'을 함께 수행해야 한다는 '교관겸수'를 내세워 교종과 선종을 통합하고자 하였다.

3 고려 후기 결사 운동과 조계종

1. 특징

무신 집권기에 무신들은 문벌 귀족층의 후원을 받던 교종을 탄압하고 정책적으로 선종을 후원하였다. 이와 동시에 무신 집권기라는 사회 변동기를 지나며 불교계에서도 본연의 자세 확립을 주창하는 새로운 종교 운동인 결사 운동이 대두하였다.

대각 국사 의천(1055~1101)

문종의 넷째 아들로, **불교에 귀의**한 의천은 『신집원종문류』·『석원사림』·『천태사교의주』·『신편제종교장총록』 등을 저술하며 **불교 사상의 정리와 조화를 위하여 노력**하였다.

성상겸학(性相兼學)

이론적인 교리 체계인 교(敎)와 실천 수행법인 지관(止觀)을 함께 닦아야 한다는 사상으로, **이론의 연마와 실천의 수행을 강조한 것**이다.

대각국사비

영통사 대각국사비는 대각국사 **의천의 사적을 기록한 비석**으로, **개성**에 있다. 1125년(인종 3)에 세워졌으며, **비문은 당대의 명문장가인 김부식(金富軾)이 지었다.**

결사 운동

무신 집권기 불교계에서는 선종이 중흥하였으나 한편으로는 **불교계의 모순에 대한 반성과 자각이 나타나면서 수행 결사를 맺어 실천하고자 하는 흐름**이 활발해졌다. 대표적으로 조계종 계통에서는 지눌이 결성한 **정혜 결사**(후에 수선사)가 중심이 되었고, 천태종 계통에서는 요세가 이끈 **백련 결사**가 중심이 되어 운동을 전개하였다.

2. 보조 국사 지눌(1158~1210)

(1) 수선사 결사(정혜결사) 운동

① **배경**: 조계종 계통의 승려인 지눌은 명리에 집착하는 당시 불교계의 타락상을 비판하였다.

② **내용**: 지눌은 승려 본연의 자세로 돌아가 독경과 선 수행, 노동에 힘쓰자는 개혁 운동을 전개하였다.

③ **전개**: 순천 송광산(조계산)의 길상사(수선사 → 송광사)를 중심으로 개혁적 승려들과 지방민들의 적극적인 호응을 받으며 수선사 결사 운동을 전개하였다.

(2) 선·교 통합과 조계종의 융성: 지눌이 수선사를 열면서부터 조계종이 매우 흥성하였고, 고려 후기에 이르러서는 불교계의 중심적인 종파가 되어 많은 승려를 배출하였다.

① **정혜쌍수(定慧雙修)**: 선과 교학이 근본적으로 둘이 아니라는 정혜쌍수를 사상적 바탕으로 하여 철저한 수행을 선도하였다.

② **돈오점수(頓悟漸修)**: 내가 곧 부처라는 깨달음을 얻기 위한 노력과 함께 꾸준한 수행으로 깨달음을 확인할 것을 강조하는 돈오점수를 주장하였다.

③ **성과**: 선종을 중심으로 교종을 포용하여 선·교 일치 사상을 완성하였다.

④ **의의**: 조계종은 왕실 및 귀족들과 결탁한 세속적인 불교를 배척하면서 산중 불교로서의 독자적인 세력을 형성하였다. 또한 선·교의 일치를 통한 사상적 통합을 달성하였다.

교과서 사료 읽기

지눌의 정혜 결사문

지금의 불교계를 보면 아침저녁으로 행하는 일들이 비록 부처의 법에 의지하였다고 하나 자신을 내세우고 이익을 구하는 데 열중하며 세속의 일에 골몰한다. 도덕을 닦지 않고 옷과 밥만 허비하니 비록 출가하였다고 하나 무슨 덕이 있겠는가. 하루는 같이 공부하는 사람 10여 인과 약속하였다. 마땅히 명예와 이익을 버리고 산림에 은둔하여 같은 모임을 맺자. 항상 선을 익히고 지혜를 고르는 데 힘쓰고, 예불하고 경전을 읽으며 힘들여 일하는 것에 이르기까지 각자 맡은 바 임무에 따라 경영한다. 인연에 따라 성품을 수양하고 평생을 호방하게 고귀한 이들의 드높은 행동을 좇아 따른다면 어찌 통쾌하지 않겠는가. - 『권수정혜결사문』

사료 해설 | 정혜 결사는 지눌이 만든 신앙 결사 단체이다. 결사란, 뜻을 같이 하는 도반(道伴)들이 자신들의 신앙 수행을 위하여 맺은 단체라는 의미로, 이러한 모임의 사원을 '사(寺)'라고 불렀다.

3. 진각 국사 혜심(1178~1234)

(1) 유·불 일치설: 혜심은 수선사 결사의 2대 교주이자 지눌의 제자로, 유교와 불교의 사상이 서로 다르지 않다는 유·불 일치설을 주장하며 두 사상 간의 타협을 시도하였다.

(2) 성리학 수용의 토대 마련: 혜심은 심성의 도야를 강조하여 이후 성리학이 수용될 수 있는 사상적 토대를 마련하였다.

4. 원묘 국사 요세(1163~1245)

(1) 백련 결사 제창

① **배경**: 요세는 불교의 폐단과 백성들의 신앙적 욕구를 고려하여 불교의 혁신과 민중 교화를 위해 노력하였다.

지눌의 『목우자수심결』

고려 시대의 **보조 국사 지눌**이 선(禪) 수행의 핵심인 **'마음 닦는 비결(수심결, 修心訣)'을 제시한 이론서**로, 주요 내용으로 정혜쌍수·돈오점수를 담고 있다. 『목우자수심결』의 '목우자'는 지눌의 자호이다.

수선사(송광사)

고려 시대에 지눌이 폐허화된 순천의 길상사를 중창하여 이름을 수선사로 바꾸고, 결사 운동의 근거지로 삼았다. 이후 산의 이름은 송광산에서 조계산으로, 사찰의 이름은 수선사에서 송광사로 개칭되었다. 한편 순천 송광사는 명승들을 많이 배출하여 양산의 통도사(석가모니의 사리 봉안), 합천의 해인사(재조대장경 보관)와 함께 삼보 사찰(불교의 세 가지 보물을 간직한 사찰)로 불린다.

정혜쌍수와 돈오점수

정혜쌍수는 **선과 교학을 나란히 수행하되 선을 중심으로 교학을 포용하자는 이론**이다. 또한 **돈오점수**는 **어느 순간 깨우친 바를 점진적으로 수행하자는 주장**을 일컫는다.

혜심의 유·불 일치설 기출사료

(참정 최홍윤에게 답함) 나는 옛날 공(公)의 문하에 있었고 공은 지금 우리 수선사에 들어왔으니, 공은 불교의 유생이요, 나는 유교의 불자입니다. 서로 손과 주인이 되고 스승과 제자가 됨은 옛날부터 그러하였고 지금에야 비롯된 것은 아닙니다. …… 부처님 말씀에 '나는 두 성인을 보내 교화를 펴리라.'고 하였는데, 하나는 가섭보살(노자)이고, 또 하나는 유동보살(공자)로서 유교와 도교, 불교는 그 방편은 다르지만 진실은 같은 것입니다. - 진각 국사 혜심 어록

▶ 지눌의 제자인 혜심은 **유교나 불교 모두 도를 추구하는 점에서 서로 일치한다는 유·불 일치설을 주장**하였는데, 이는 고려 후기에 성리학을 받아들일 수 있는 토대가 되었다.

② **내용**: 요세는 강진 만덕사(백련사)에서 천태교학의 법화 신앙(자신의 행동에 대한 진정한 참회 강조)을 이론적 기반으로 백련 결사를 제창하였다.

(2) 결과: 백련 결사는 지방 토호와 일반 민중 등의 적극적인 호응을 얻었으며 수선사와 양립하며 고려 후기 불교계를 선도하였다.

기출 사료 읽기

요세의 활동

그(요세)는 『묘종초』를 설법하기 좋아하여 언변과 지혜가 막힘이 없었고, 대중에게 참회를 닦기를 권하였다. …… 대중의 청을 받아 교화시키고 인연을 맺은 지 30년이며, 결사에 들어온 자들이 3백여 명이 되었다. - 『동문선』

사료 해설 | 천태종의 요세는 참회 수행과 염불을 통한 극락왕생을 주장하며 백련 결사를 결성하였다. 참선이나 독경을 할 수 없었던 하층민은 백련 결사의 수행 방법에 적극 호응하였다.

법화 신앙(法華信仰)

『법화경』을 근본으로 삼아 발전시킨 불교 사상이다.

4 고려 말 불교계의 타락

1. 불교계의 타락

(1) 불교의 세속화: 권문세족이 불교 교단을 장악하면서, 사원이 막대한 토지를 소유하고 상업에도 관여하는 등 부패가 심하였다.

(2) 결사 운동 쇠퇴: 원 간섭기에 천태종의 백련사가 왕실의 원찰인 묘련사와 밀착하면서 변질되었고, 최씨 무신 정권의 지지를 받던 수선사가 원의 탄압으로 쇠퇴하였다.

2. 불교 정비를 위한 노력

(1) 원증 국사 보우(1301~1382)

① **교단 정비 노력**: 보우는 불교계의 타락을 시정하기 위해 공민왕의 왕사가 되어 정치 정화와 9산 선문의 통합, 한양 천도를 주장하고 교단 정비에 노력하였으나 실패하였다.

② **임제종 도입**: 보우는 원나라로부터 임제종을 들여와 전파시켰는데 이후 임제종은 조선 선종 불교의 주류로 발전하였다.

(2) 지공: 지공은 인도 출신의 승려로, 인도의 선종을 도입하였다.

(3) 혜근: 혜근은 지공의 영향을 받아 조계종 발달에 기여하였으며, 공민왕의 왕사로 활약하였다.

3. 신진 사대부의 불교 비판

성리학을 수용한 신진 사대부들은 권문세족과 결탁된 **불교계의 사회적·경제적 폐단**을 크게 비판하였다. 이들은 성리학적 입장에서 불교 이론의 모순점을 지적하는 등 불교 자체에 대해 공격하기도 하였다.

신진 사대부의 불교 비판

- 아직도 저들 이단을 물리치지 못하였으니 끝내 분함을 스스로 참지 못하여 …… 그러나 이것을 보면 유교와 불교를 분명하게 분별할 수 있을 것이니, 비록 당장에는 행할 수 없다 하지만 그래도 후세에 전할 수 있으니 내 죽어도 편안하오. - 정도전, 『불씨잡변』
- 유자(儒者)의 도는 음식이나 남녀 관계와 같이 모두 일상생활에 대한 일로서 누구나 동일합니다. …… 불교는 이와 같지 않습니다. 속세를 떠나 친척을 버리고 남녀 사이를 끊고 석굴 안에 홀로 앉아 초의목식(草衣木食)합니다. 공허한 것을 보고 신조로 삼으니 어찌 평상의 도리라고 말할 수 있겠습니까? - 정몽주

▶ 고려 전기 최승로 등도 불교를 비판하였지만 이때에는 불교에서 파생되는 폐단을 지적한 것이었다. 이에 비해 고려 후기의 **정도전, 정몽주 등은 불교 자체에 대해 비판**하였다.

5 대장경 간행

1. 대장경의 의미와 의의

(1) **의미**: 대장경이란 경(經, 경전), 율(律, 계율), 논(論, 해석)의 삼장으로 구성된 불교 경전에 대한 총칭이다.

(2) **의의**: 대장경은 교리 체계에 대한 정리가 선행되어야만 간행될 수 있기 때문에 문화적 의의가 높은 문화유산이다.

경(經)·율(律)·논(論)
'경'은 부처가 설한 **근본 교리**이고, '율'은 교단에서 지켜야 할 **윤리 조항과 생활 규범**이며, '논'은 경과 율에 대한 승려나 학자의 **논의와 해석**을 집대성한 것이다.

2. 대장경의 간행 배경

(1) **불교 사상 체계화**: 고려 시대에는 불교 사상에 대한 이해가 심화되면서 대장경 편찬이 추진되었다.

(2) **호국 불교**: 고려 시대에는 외세의 침입을 부처의 힘으로 물리치려는 호국 불교적 성격을 바탕으로 대장경이 간행되었다.

3. 초조대장경

초조대장경 인쇄본

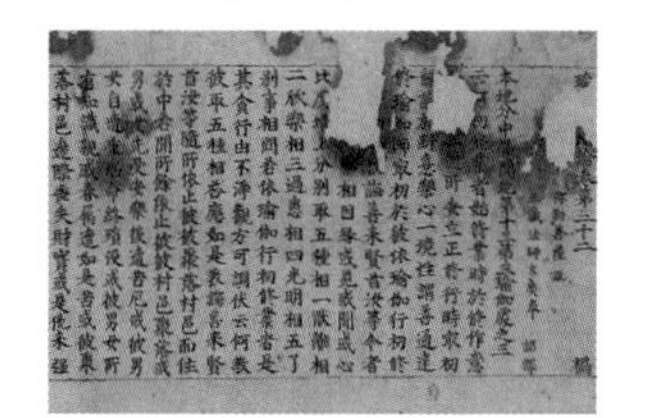

(1) **목적**: 현종 때 거란의 침입을 받았던 고려는 부처의 힘을 빌려 거란을 물리치고자 70여 년의 오랜 기간에 걸쳐 초조대장경을 간행하였다.

(2) **보관과 소실**: 초조대장경은 개경에 보관하였다가 대구 부인사로 옮겨 보관하던 중, 몽골의 2차 침입(1232)으로 소실되었다. 현재 인쇄본 중 일부를 일본 난젠사에서 보관하고 있다.

4. 교장(속장경)

(1) **목적**: 교장은 초조대장경을 보완하기 위해, 의천의 주도로 흥왕사에서 조판하였다.

(2) **불서 목록 작성**: 의천은 고려·송·요(거란)·일본의 불교 자료를 수집하여 엮은 목록인 『신편제종교장총록』을 만들어 불교 학설을 정리하였다.

(3) **교장도감 설치**: 의천은 흥왕사에 교장도감을 설치하여 『신편제종교장총록』에 따라 신라인의 저술을 포함한 4,700여 권의 전적(교장)을 간행하였다.

(4) **보관과 소실**: 교장은 몽골의 침입으로 인하여 소실되었고, 현재 활자본의 일부와 목록을 송광사와 일본의 도다이사에서 보관하고 있다.

5. 재조대장경(팔만대장경)

(1) **목적**: 몽골 침략으로 소실된 초조대장경을 대신해 부처의 힘으로 몽골 침입을 극복하고자 고종 때 대장경을 다시 간행하였다.

(2) **조판**: 최우 무신 집권기에 강화도에 대장도감을 설치하고, 진주에 대장도감 분사를 설치하여 16년 만에 완성하였다.

(3) 보관: 재조대장경은 강화도 선원사에 있다가 합천 해인사로 이관되어 현재까지 8만 장이 넘는 목판이 모두 보관되어 있어 팔만대장경이라고도 불린다. 또한 재조대장경은 우수한 정밀성과 글씨의 아름다움 등으로 유네스코 세계 기록유산에 등재(2007)되었다.

교과서 분석하기

해인사 장경판전

재조대장경(팔만대장경) 목판을 보관하기 위해 지어진 조선 전기의 건축물로, 1995년에 유네스코 세계 문화유산에 등재되었다. 대장경판을 보관하는 건물의 기능을 충분히 발휘할 수 있도록 장식 요소는 두지 않았으며, 통풍을 위하여 창의 크기를 남쪽과 북쪽을 서로 다르게 하고 각 칸마다 창을 내었다. 또한 안쪽 흙바닥 속에 숯과 횟가루, 소금을 모래와 함께 차례로 넣음으로써 습도를 조절하도록 하였다.

6 도교와 풍수지리설

1. 도교

(1) 특징: 도교는 불로장생과 현세 구복을 추구하여 여러 신에게 재앙을 물리쳐 줄 것과 복을 줄 것을 빌며, 국가의 안녕과 왕실의 번영을 기원하였다.

(2) 내용

① **초제 성행**: 국가에서 도교 행사를 자주 베풀었으며, 궁중에서는 하늘에 제사 지내는 초제가 성행하였다.

② **도관 건립**: 예종 때에는 개경에 도교 사원(도관)인 복원궁을 처음 건립하였고, 여러 곳에서 하늘과 별들에 제사를 지내는 도교 행사를 개최하였다.

③ **팔관회 행사**: 팔관회는 도교와 불교 및 민간 신앙이 서로 융합된 국가적인 행사로, 명산대천에서 제사를 지냈다.

기출 사료 읽기

예종의 복원궁 건립

대관(大觀) 경인년에 천자께서 저 먼 변방에서 신묘한 도(道)를 듣고자 함을 돌보시어 신사(信使)를 보내시고 우류(羽流) 2인을 딸려 보내어 교법에 통달한 자를 골라 훈도하게 하였다. 왕(예종)은 신앙이 돈독하여 정화(政和) 연간에 비로소 복원관(福源觀)을 세워 도가 높은 참된 도사 10여 인을 받들었다. …… 간혹 듣기로는, 왕이 나라를 다스렸을 때는 늘 도가의 도록을 보급하는 데 뜻을 두어 기어코 도교로 호교(胡敎)를 바꿔 버릴 생각을 하고 있었으나 그 뜻을 이루지 못해 무엇인가를 기다리는 것이 있는 듯하였다고 한다. -『고려도경』

사료 해설 | 고려 예종은 도관(도교 사원)인 복원궁을 세우고, 하늘에 제사를 지내는 초제를 거행하였다.

(3) 한계: 도교는 불교적 요소와 도참 사상도 수용하여 일관된 교리 체계를 보이지 못했으며, 교단도 성립하지 못하여 민간 신앙으로 전개되었다.

고려에서 행한 국가 제사

- 성종 때 **원구단(환구단)**을 설치하여 풍년을 기원하는 제사를 지냄
- 성종 때 **사직단**을 세워 땅의 신과 오곡 신에게 제사를 지냄
- 숙종 때 평양에 **기자 사당**을 세우고 국가에서 제사를 지냄
- 예종 때 도관(도교 사원)인 **복원궁**을 세우고, 초제를 거행

2. 풍수지리설

(1) 특징: 신라 말에 도선과 같은 선종 승려들이 들여온 풍수지리설은 미래의 길흉화복을 예언하는 도참 사상과 융합되어 고려 시대에 크게 유행하였다. 고려에서는 풍수지리설에 미래의 길흉화복을 예언하는 도참 사상이 융합되어 크게 유행하였다.

(2) 영향

① 초기

㉠ **개경·서경 명당설**: 도읍이나 사원의 위치를 중시하는 풍수지리설에 입각하여 비보사찰이 건립되었고, 개경과 서경이 명당이라는 설이 유포되어 서경 천도와 북진 정책의 사상적 근거로 작용하였다.

㉡ **서경 길지설**: 특히 서경 길지설은 개경 세력과 서경 세력의 정치적 투쟁에 이용되어 묘청의 서경 천도 운동의 이론적 근거가 되었다.

② 중기

㉠ **한양 명당설의 대두**: 문종을 전후한 시기에는 북진 정책의 퇴조와 함께 새로이 한양 명당설(남경 길지설)이 대두하여 한양을 남경으로 승격시켰다. 숙종 때는 김위제의 건의로 남경개창도감을 설치하여 남경에 궁궐을 짓는 등 도시 건설을 추진하고 왕이 몇 달씩 머물기도 하였다.

㉡ **서적**: 『도선비기』 등 풍수지리설에 관한 서적들이 유포되었으며, 예종 때에는 풍수지리설을 집대성한 『해동비록』이 편찬되었으나, 현전하지 않는다.

③ **후기**: 공민왕과 우왕 때 한양 천도 주장의 근거가 되었다.

기출 사료 읽기

김위제의 남경 천도 주장

김위제가 도선의 술법을 공부한 후, 남경 천도를 청하며 다음과 같은 글을 올렸다. "『도선기』에는 '고려 땅에 세 곳의 수도가 있으니, 송악(松嶽)이 중경(中京), 목멱양(木覓壤)이 남경(南京), 평양이 서경이다. 11·12·1·2월은 중경에서, 3~6월은 남경에서, 7~10월은 서경에서 지내면 36개국이 와서 조공할 것이다'라고 했습니다."

사료 해설 | 김위제는 풍수지리설을 근거로 남경으로의 천도를 주장하였다. 숙종은 김위제의 건의를 수용하여 남경의 창건을 관장하는 관청인 남경개창도감을 설치하고 남경 건설을 추진하였다.

풍수지리설

영암군 사람들이 전하기를 "고려 때 최씨의 뜰 가운데 오이 하나가 열렸는데, 길이가 한 자나 넘어 온 집안 사람들이 자못 이상하게 여겼다. 최씨 딸이 몰래 이것을 따 먹었더니, 저절로 태기가 있어 달이 차서 아들을 낳았다. …… 이름을 도선이라 하였다."

-『세종실록지리지』

▶ 신라 하대 풍수지리 사상을 정립한 도선 대사의 탄생 설화이다. 도선은 중국으로부터 풍수지리설을 들여왔으며, 풍수지리 사상은 산세와 수세를 살펴 도읍, 주택, 묘지 등의 선정에 영향을 미쳤다.

비보사찰

태조 왕건 이후부터 **사원 비보설이 성행**하였다. 이 설은 **풍수지리설에 의거**하여 개경의 불순(不順)과 수덕(水德)을 진압하고 그 전체의 지덕(地德)을 돕기 위해서는 **불순한 곳에 사탑을 세워 신비한 불력에 의지해야 한다는 것**이다.

남경 궁궐 건설

숙종 때 남경의 창건을 관장하던 임시 관서인 **남경개창도감을 설치하**고 **남경 건설을 완료**하였다. 이때 남경의 영역을 확정하고, 궁궐과 부속 건물을 지어 인구를 모았다. 궁궐의 위치에 대해서는 지금의 청와대설 혹은 창경궁설 등이 있다.

OX 빈칸 핵심 개념 점검

* 학습한 개념을 OX/빈칸 문제를 통해 점검해보세요.

핵심 개념 1 | 고려 초기의 불교 정책

01 광종은 균여를 귀법사의 주지로 삼아 불교를 정비하였다. □ O □ X

02 고려 현종은 부모의 명복을 빌고자 ______를 창건하였다.

핵심 개념 2 | 균여

03 균여는 향가 형식의 불교 찬가인 보현십원가를 지었다. □ O □ X

04 광종 대 균여는 국청사를 중심으로 해동 천태종을 창시하고, 교종과 선종의 대립을 완화하기 위해 노력하였다. □ O □ X

05 균여는 화엄사상을 바탕으로 법상종을 통합하려는 ______ 사상을 주창하였다.

핵심 개념 3 | 의천

06 의천은 흥왕사를 근거지로 하여 화엄종을 중심으로 교종을 통합하고자 하였다. □ O □ X

07 의천은 원효의 화쟁 사상을 사상적 토대로 교단을 통합하고자 하였다. □ O □ X

08 의천은 교종의 입장에서 선종을 통합하였다. □ O □ X

09 의천은 이론의 연마와 실천을 아울러 강조하는 ______를 제창하였다.

핵심 개념 4 | 지눌

10 지눌은 수행과 노동을 중시하는 수선사 결사를 제창하였다. □ O □ X

11 지눌은 북악파 중심으로 남악파를 통합하여 화엄 교단을 정리하였다. □ O □ X

12 지눌은 『천태사교의』를 저술하였다. □ O □ X

13 지눌은 깨달음과 더불어 실천을 강조하는 ______를 주장했다.

핵심 개념 5 | 요세, 혜심, 보우

14 요세는 천태종의 신앙 결사체인 백련사를 조직하였다. □ O □ X

15 요세는 불교계 폐단을 개혁하기 위해 9산 선문의 통합을 주장하였다. □ O □ X

16 혜심은 ______을 주장하여 고려 후기에 ______을 받아들일 수 있는 토대를 마련하였다.

17 보우는 선종의 일파인 ______을 들여와 전파하였다.

핵심 개념 6 | 대장경 간행

18 대장경은 경(經)·율(律)·논(論) 삼장으로 구성된 불교 경전을 말한다. □ O □ X

19 재조대장경은 부처의 힘으로 거란을 물리치기 위해 제작되었다. □ O □ X

20 의천은 고려와 송, 요의 대장경에 대한 주석서들을 모은 목록인 『 』을 완성한 후 목록에 따라 을 간행하였다.

핵심 개념 7 | 도교와 풍수지리설

21 고려 예종 때 도관(道觀)인 복원궁을 세워 초제를 올렸다. □ O □ X

22 풍수지리설은 고려 문종 때 설치의 배경이 되었다.

정답과 해설

01	O 광종은 귀법사를 창건하고, 균여를 주지로 삼아 불교를 정비하였다.	12	× 천태종의 기본 교리를 정리한 『천태사교의』를 저술한 인물은 제관이다.
02	현화사	13	돈오점수
03	O 균여는 향가 형식의 불교 찬가인 보현십원가를 지어 불교와 세속 간의 경계를 없애고 불교의 대중화를 꾀하였다.	14	O 천태종 승려 요세는 강진 만덕사에서 법화 신앙에 바탕을 둔 백련 결사를 조직하여 지방 민중의 호응을 얻었다.
04	× 국청사를 창건하고 해동 천태종을 창시하여 교종과 선종의 대립을 완화하기 위해 노력한 승려는 의천이다.	15	× 불교계 폐단을 개혁하기 위해 9산 선문의 통합을 주장한 인물은 보우이다.
05	성상융회	16	유·불 일치설, 성리학
06	O 의천은 흥왕사를 근거지로 삼고 화엄종 중심의 교종 통합을 시도하였다.	17	임제종
07	O 의천은 원효의 화쟁 사상을 사상적 토대로 불교 교단을 통합하고자 하였다.	18	O 대장경은 경(經, 경전)·율(律, 계율)·논(論, 해석) 삼장으로 구성되었으며, 불교 경전을 집대성한 것이다.
08	O 의천은 교종을 중심으로 선종을 통합하기 위해 해동 천태종을 창시하였다.	19	× 재조대장경은 부처의 힘으로 몽골을 물리치기 위해 제작되었다.
09	교관겸수	20	신편제종교장총록, 속장경(교장)
10	O 지눌은 승려 본연의 자세인 독경과 선 수행, 노동에 힘쓰자는 수선사 결사 운동을 전개하였다.	21	O 예종 때 도관(도교 사원)인 복원궁을 건립하였고, 도교식 제사인 초제를 올렸다.
11	× 북악파 중심으로 남악파를 통합하여 화엄 교단을 정리한 인물은 균여이다.	22	남경

3 과학 기술과 문학의 발달

학습 포인트
고려의 과학 기술에서는 인쇄술과 화약 무기 제조를 중점적으로 살펴보고, 문학에서는 시기별로 특징을 파악한다.

빈출 핵심 포인트
『상정고금예문』, 『직지심체요절』, 최무선, 화통도감, 경기체가, 고려 가요, 패관 문학, 가전체 문학

1 천문학과 의학의 발달

1. 천문학과 역법의 발달

(1) 담당 관청: 천문과 역법을 담당하는 관청으로 **사천대**(원 간섭기 이후 서운관)가 설치되었고, 담당 관리는 개성 만월대 서쪽에 있는 첨성대에서 관측 업무를 수행하였다.

(2) 관측 기록: 일식, 혜성, 태양의 흑점 등에 관한 관측 내용을 매우 풍부하게 기록하였다.

(3) 역법 연구

① **고려 초기**: 고려 초기에는 신라 시대부터 쓰던 당의 선명력을 그대로 사용하였다.

② **고려 후기**: 충선왕 때에는 당시의 이슬람 역법까지 수용한 원의 역법인 수시력을 채택하고 공민왕 때에는 명의 대통력을 사용하였다.

고려의 첨성대

수시력
이슬람 역법까지 수용한 원의 수시력은 1년을 365.2425일로 계산하였는데, 이는 300년 후인 16세기 말 서양에서 개정한 그레고리우스력과 같은 것이다.

2. 의학의 발달

(1) 담당 관청: 의료 업무를 맡은 태의감에서 의학 교육을 실시하였고, 의원을 뽑는 의과를 실시하여 고려 의학이 발전할 수 있는 토대가 마련되었다.

(2) 고려 중기: 고려 의학이 당·송 의학의 수준에서 우리나라 실정에 맞는 자주적인 의학으로 발달함으로써 향약방이라는 독자적 처방을 시행하였다.

(3) 고려 후기: 13세기 고려 고종 때 편찬된 **『향약구급방』**은 현존하는 우리나라 최고(最古)의 의학서로, 각종 질병에 대한 처방법과 국산 약재 180여 종을 소개하고 있다.

2 인쇄술의 발달

1. 목판 인쇄술의 발달

(1) 배경: 각종 책의 수요가 증가함에 따라 서적포를 설치하고 운영하면서 서적을 인쇄·보급하였다.

(2) 목판 인쇄술의 장단점: 목판 인쇄술은 한 종류의 책을 다량으로 인쇄하는 데는 적합하지만, 여러 종류의 책을 소량으로 인쇄하는 데는 부적합하였다. 또한 나무로 만들어져 화재, 병충해 등에 취약하였다.

2. 금속 활자 인쇄술의 발달

(1) 배경: 고려 시대에 세계 최초로 금속 활자 인쇄술이 발명된 것은 목판 인쇄술의 발달, 청동 주조 기술의 발달, 인쇄에 적합한 먹과 종이의 제조 등이 어우러진 결과였다.

(2) 금속 활자의 장점: 금속 활자는 한 번 만들어 놓으면 이를 조합하여 여러 종류의 책을 쉽게 찍을 수 있었다.

(3) 대표적 금속 활자본

① **『상정고금예문』**(1234, 고종): 의례서로서 몽골과 전쟁 중이던 강화도 피난 시에 금속 활자로 인쇄하였다. 이는 서양의 금속 활자보다 200여 년 앞선 금속 활자본이지만 현전하지 않는다.

② **『직지심체요절』**(1377, 우왕): 청주 흥덕사에서 간행한 것으로 현존하는 세계 최고(最古)의 금속 활자본으로 공인받았다. 현재 프랑스 국립 도서관에 보관되어 있다.

3 화약 무기의 제조

1. 화약 무기 제조

(1) 배경: 고려 말 최무선은 왜구의 침입을 격퇴하기 위해서는 화약 무기의 사용이 필요하다고 생각하여 화약 제조 기술을 습득하기 위해 노력하였다.

(2) 제조법 개발: 당시 중국에서는 화약 제조 기술을 비밀에 부쳤으나 최무선은 끈질긴 노력 끝에 결국 원나라 사람 이원으로부터 화약 제조법을 터득하였다.

2. 화통도감 설치(1377, 우왕)

최무선의 건의로 화통도감을 설치하여 화약과 화포를 제작하였다.

4 문학의 발달

1. 고려 전기

(1) 특징: 삼국 시대부터 내려오던 향가와 한문학이 주류를 이루며 발전하였다.

(2) 향가

① **초기**: 대표적으로 광종 때 균여가 불교 교리를 담아 지은 보현십원가 11수 등이 있다.

② **중기**: 예종이 두 장수의 죽음을 추모한 '도이장가'나 정서의 '정과정'은 향가의 잔영이라고 할 수 있다. 그러나 향가는 점차 한시(漢詩)에 밀려 퇴조하였다.

(3) 한문학

① **발달 배경**: 성종 이후 문치주의가 성행하면서 한문학이 관리들의 필수 교양으로 정착하였다.

② **초기**: 중국을 모방하는 단계에서 벗어나 독자적인 모습으로 발전하였다.

『상정고금예문』 기출사료

평장사(平章事) 최윤의(崔允儀) 등 17명의 신하에게 명하여 옛날과 지금의 서로 다른 예문을 모아 참작하고 절충하여 50권의 책으로 만들고, 이것을 『상정예문』이라고 명명하였다. …… 나의 선공(先公)이 이를 보충하여 두 본(本)을 만들어 한 본은 예관(禮官)에게 보내고 한 본은 집에 간수하였다. …… 28본을 인출한 후 여러 관청에 나누어 보내 간수하게 했다. - 이규보, 『동국이상국집』

▶ 12세기 인종 때 **최윤의 등이 편찬한 의례서**로, 강화도 천도 당시 가져오지 못하자 최우의 소장본을 바탕으로 **강화도에서 금속 활자로 28부를 인쇄**하였다. 현재는 전해지지 않으며, **『동국이상국집』에 인쇄하였다**는 기록만 존재한다.

『직지심체요절』

청주 흥덕사에서 1377년에 금속 활자로 간행한 『백운화상초록불조직지심체요절』로, 줄여서 『직지심체요절』, 『직지』 등으로 부른다. **상하 두 권으로 구성**되어 있었으나 **현재는 하권만 남아 있다.** 『직지심체요절』(하권)은 2001년에 유네스코 세계 기록유산으로 등재되었다.

최무선

최무선은 영주 사람으로 광흥창사 최동순의 아들이다. 일찍이 말하기를, "왜구를 제어함에는 화약만한 것이 없다."라고 하였으나, 국내에는 아는 사람이 없었다. 최무선은 항상 중국 강남(江南)에서 오는 상인이 있으면 곧바로 만나보고 화약 만드는 법을 물었다. 어떤 상인 하나가 대강은 안다고 대답하자, 자기 집에 데려다가 의복과 음식을 주고 수십 일 동안 물어 대강의 요령을 터득했다. - 『태조실록』

▶ 최무선은 우리나라에서 **화약과 화포를 이용한 무기를 처음으로 제작**하여 사용하였다.

화통도감

화통도감은 **고려 시대에 화약 및 화기의 제조를 맡아 보던 임시 관청**으로, 최무선의 건의를 받아 1377년(우왕 3년)에 설치되었다.

③ **중기**: 고려 사회가 귀족화되면서 점차 사치와 향락적인 풍조가 심화되었고, 당의 시와 송의 산문을 숭상하는 풍조가 유행하였다. 이러한 경향은 당시 귀족 문화의 사대성과 보수성이 강화되는 결과를 초래하였다.

2. 무신 집권기

(1) 초기의 수필 형식 저술: 무신의 집권으로 좌절감에 빠진 문신들에 의해 낭만적이고 현실 도피적 경향을 띤 수필과 가전체 문학이 유행하였다. 그 대표적인 인물에는 죽림고회의 회원인 이인로, 임춘 등이 있다.

① **이인로**: 역대 문인들의 명시에 얽힌 이야기를 담은 『파한집』에서 평양, 개경 등 역사 유적지의 풍속 등을 묘사했으며, 과거의 명문에 근거한 표현 방식을 강조하였다.

② **임춘**: 『국순전』에서 술을 의인화하여 현실을 풍자하였다.

(2) 최씨 무신 집권기: 새롭게 정계에 진출한 문신들에 의해 형식보다는 현실을 제대로 표현하려는 내용에 치중한 새로운 문학 경향이 대두하였다. 대표적인 문인으로 이규보, 진화, 최자 등이 있다.

3. 고려 후기

(1) 특징: 신진 사대부와 민중을 중심으로 문학 활동이 활발하게 전개되었다.

(2) 국문학

① **경기체가**: 신진 사대부들이 향가 형식을 계승하여 새로운 시가인 경기체가를 창작하였는데, 주로 유교 정신과 자연의 아름다움을 표현하였다. 대표작으로 한림별곡, 관동별곡·죽계별곡(안축) 등이 있다.

② **시가 문학**: 전원 생활의 한가로움을 표현한 어부가가 대표적이다.

③ **고려 가요(장가, 속요)**: 관료 문학과는 구별되는 일반 백성들 사이에서 유행한 작자 미상의 민요풍 가요로, 서민의 생활 감정을 대담하고 자유분방한 형식으로 드러냈다. 대표작으로 청산별곡, 가시리, 쌍화점, 만전춘 등이 있다.

(3) 한문학

① **설화 문학**: 형식에 구애받지 않는 설화 형식을 통해 현실을 비판하였다.

② **패관 문학**: 민간 구전을 한문으로 기록한 것으로, 『파한집』(이인로), 『보한집』(최자), 『백운소설』(이규보)과 『역옹패설』(이제현)이 대표작이다.

③ **가전체 문학**: 사물을 의인화하여 일대기를 구성한 것으로, 『국선생전』(이규보)과 『죽부인전』(이곡) 등이 있다.

④ **한시**: 주로 사대부 계층에 의해 전개되었다.

이규보	『동명왕편』에서 한문학의 형식에 구애받지 않고 자유로운 문체를 구사하여 새로운 문학 세계를 추구
진화	금에 사신으로 가면서 쓴 시가 유명함(시에서 송을 문명이 쇠퇴한 국가, 금을 문명이 미개한 국가로, 그리고 고려를 떠오르는 문명 국가로 표현함)
이곡	당시 사회의 부패상을 표현한 것으로 유명

죽림고회

죽림고회는 **무신 정권 시절 문신들의 문학 모임**이다. 이인로, 임춘, 오세재, 조통, 황보항, 이담지, 함순 등의 7인은 중국 진나라 죽림 7현을 모방하여 모여서 음주와 청담을 논했다.

『국순전』

순(醇, 술)의 기국(器局)과 도량은 크고 깊었다. 출렁대고 넘실거림이 만경창파와 같아 맑게 해도 맑지 않고, 뒤흔들어도 흐리지 않으며, 자못 기운을 사람에게 더해 주었다. …… 드디어 유명하게 되었으며, 호를 국처사라 하였다. 공경, 대부, 신선, 방사들로부터 머슴, 목동, 오랑캐, 외국 사람에 이르기까지 …… 성대한 모임이 있을 때마다 순이 오지 아니하면 모두 다 슬프게 여겨 말하기를, "국처사가 없으면 즐겁지가 않다." 하였다.

▶ 『국순전』은 술을 의인화하여 소인배들의 득세와 뛰어난 인물들이 오히려 소외되는 현실을 풍자한 작품이다.

『보한집』(최자)

이인로의 『파한집』을 보충한 시화집으로, 흥미 있는 사실·불교·부녀자들의 이야기를 수록하였다.

진화의 시 기출사료

서쪽 송나라는 이미 기울고 북쪽 오랑캐는 아직 잠자고 있네.
앉아서 문명의 아침을 기다려라, 하늘의 동쪽에서 태양이 떠오르네.

▶ 진화의 시에는 **문명 국가로서의 자부심**이 드러나 있다. **진화**는 이규보와 함께 **최충헌 집권기에 등용된 대표적인 문신**으로, 한림별곡에는 "이규보와 진화는 운문이 서로 짝을 이루어 달리듯 시를 지어 썼다네."라는 내용이 담겨있다.

OX 빈칸 핵심 개념 점검

* 학습한 개념을 OX/빈칸 문제를 통해 점검해보세요.

핵심 개념 1 | 천문학과 의학의 발달

01 고려 시대에 천문과 역법을 맡은 관리들은 첨성대에서 관측 업무를 수행하였다. □ O □ X

02 고려 시대에는 태의감에 의학 박사를 두어 의학을 가르치고, 의원을 뽑는 의과를 시행하였다. □ O □ X

03 고려 시대에는 현존하는 최고(最古) 의학 서적인 『향약구급방』이 편찬되었다. □ O □ X

04 고려 시대에는 천문과 역법을 담당하는 관청으로 ______가 설치되었다.

05 충선왕 때 원의 역법인 ______을 채택하였다.

핵심 개념 2 | 인쇄술과 제지술의 발달

06 고려는 세계 최초로 금속 활자를 발명하였다. □ O □ X

07 금속 활자는 한 번 만들면 여러 종류의 책을 쉽게 찍을 수 있었다. □ O □ X

08 『직지심체요절』은 현존하는 세계 최고(最古)의 금속 활자본이다. □ O □ X

09 『직지심체요절』은 현재 프랑스 국립 도서관에 보관되어 있다. □ O □ X

10 『직지심체요절』은 유네스코 세계 기록유산으로 등재되었다. □ O □ X

11 최씨 무신 정권 시기에 『______』이 금속 활자로 인쇄되었다.

12 고려 우왕 때 흥덕사에서 『______』을 간행하였다.

핵심 개념 3 | 화약 무기 제조와 조선 기술

13 최무선은 중국인 이원에게서 염초 만드는 기술을 배워 화약 제조법을 터득하였다. □ O □ X

14 최무선은 ______에서 각종 화기를 제조하여 왜구 격퇴에 사용하였다.

핵심 개념 4 | 문학의 발달

15 임춘은 술을 의인화한 『국순전』을 저술하여 현실을 풍자했다. □ O □ X

16 이규보는 흥미 있는 사실, 불교, 부녀자들의 이야기를 수록한 『보한집』을 저술하였다. □ O □ X

17 고려 후기에 일반 백성들 사이에서 유행한 대표적인 고려 가요에는 가시리, 쌍화점 등이 있다. □ O □ X

18 이제현은 삼국 시대부터 고려 시대까지의 유명한 시화를 모은 『백운소설』을 저술하였다. □ O □ X

19 이인로는 『   』에서 개경, 평양, 경주 등 역사적 유적지의 풍속과 풍경 등을 묘사하였다.

20 고려 후기에는 민간 구전을 한문으로 기록한   이 유행하였다.

정답과 해설

01	O 고려 시대에 천문과 역법을 맡은 사천대의 관리는 개성의 첨성대에서 관측 업무를 수행하였다.	11	상정고금예문
02	O 고려 시대에는 담당 기관인 태의감에서 의학을 가르쳤고, 의원을 뽑는 의과를 시행하였다.	12	직지심체요절
03	O 『향약구급방』은 고려 고종 때 편찬된 현존하는 우리나라 최고(最古)의 의서이다.	13	O 고려 말 최무선은 원나라 사람 이원으로부터 화약의 원료인 염초 제조 비법을 전수받아 화약 제조법을 터득하였다.
04	사천대(서운관)	14	화통도감
05	수시력	15	O 고려 시대 임춘은 술을 의인화한 가전체 문학인 『국순전』을 저술하여 뛰어난 인물들이 소외되는 현실을 풍자했다.
06	O 고려는 세계 최초로 금속 활자를 발명하여 『상정고금예문』과 『직지심체요절』 등의 금속 활자 인쇄본을 편찬하였다.	16	× 『보한집』은 이규보가 아닌 최자가 저술한 시화집이다.
07	O 금속 활자는 한 번 만들어 두면 여러 종류의 책을 쉽게 찍을 수 있는 장점이 있다.	17	O 고려 후기에 백성 사이에서 유행한 대표적인 고려 가요(속요)에는 청산별곡, 가시리, 쌍화점 등이 있다.
08	O 1377년에 간행된 『직지심체요절』은 현존하는 최고(最古)의 금속 활자본이다.	18	× 유명한 시화와 민간 구전을 모은 『백운소설』을 저술한 인물은 이규보이다. 이제현은 『역옹패설』을 저술하였다.
09	O 『직지심체요절』은 현재 프랑스 국립 도서관에 보관되어 있다.	19	파한집
10	O 『직지심체요절』은 2001년에 유네스코 세계 기록유산으로 등재되었다.	20	패관 문학

4 귀족 문화의 발달

학습 포인트
사원, 탑, 불상, 청자, 그림의 이름과 특징 등을 사진과 함께 살펴본다.

빈출 핵심 포인트
봉정사 극락전, 부석사 무량수전, 성불사 응진전, 월정사 8각 9층 석탑, 경천사지 10층 석탑, 부석사 소조 아미타여래 좌상, 상감 청자

1 건축과 조각

1. 건축

(1) 전기 건축: 궁궐과 사원 중심이었으나 현재는 일부 건물만 남아 있다.

① **궁궐 건축**: 개성 만월대의 궁궐터를 통해 당시 궁궐 건축을 짐작할 수 있다.

② **사원 건축**: 현화사와 흥왕사가 유명하였다. 특히 흥왕사는 12년에 걸쳐 막대한 인원과 경비를 들여 지은 장엄한 사원이었다.

> **개성 만월대의 궁궐터**
> 경사진 면에 축대를 높이 쌓고, **계단식으로 건물을 배치**하였기 때문에 겉에서 보면 건물이 층층으로 나타나 **아주 웅장하게 보였을 것으로 추측**된다.

(2) 후기 건축: 이전부터 유행하던 주심포 양식에 원의 다포 양식이 새롭게 도입되었다.

① **주심포식 건물**

㉠ **특징**: 주심포식은 지붕의 무게를 기둥에 전달하는 구조물인 공포가 기둥 위에만 짜여져 있는 건축 양식으로, 단아하면서 세련된 특징을 잘 보여 주고 있다. 13세기 이후에 지은 일부 건물이 현재까지 남아있다.

㉡ **안동 봉정사 극락전**: 공민왕 때 중수(1363)하였다는 상량문이 발견되어 현존하는 최고(最古)의 목조 건물임이 확인되었다.

㉢ **영주 부석사 무량수전**: 주심포 양식과 함께 배흘림 기둥, 팔작 지붕 등으로 구성되어 있다.

㉣ **예산 수덕사 대웅전**: 주심포 양식과 함께 배흘림 기둥, 맞배 지붕 등으로 구성되어 있으며, 균형 잡힌 외관과 잘 짜여진 각 부분이 치밀하게 배치되어 있다.

㉤ **강릉 객사문**: 우리나라에서 가장 오래된 대문 건축물이다.

> **상량문**
> 새로 짓거나 고친 집의 내력과 그 까닭, 공역 일시 등을 적어둔 글을 가리킨다.

> **부석사와 무량수전**
> 봉황산 중턱에 위치한 **부석사**는 676년(문무왕 16) **의상 대사가 왕명을 받들어 창건**하고 **화엄의 가르침을 펼치던 곳**이라고 한다. 특히 아미타여래불이 모셔져 있는 **본전인 무량수전은 고려 시대에 지어진 주심포식 팔작 지붕의 건물**이다.

② **다포식 건물**

㉠ **특징**: 다포식은 원의 영향을 받은 건축 양식으로, 기둥 위뿐만 아니라 기둥 사이에도 공포를 배치하였다. 이 양식은 웅장한 지붕을 얹거나 건물을 화려하게 꾸밀 때 사용되었으며, 이후 조선 시대 건축에도 영향을 미쳤다.

㉡ **건축물**: 황해도 사리원의 성불사 응진전, 함경도 안변의 석왕사 응진전이 대표적이다.

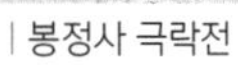
| 봉정사 극락전

| 부석사 무량수전

| 수덕사 대웅전

| 성불사 응진전

> **맞배 지붕과 팔작 지붕**
> · **맞배 지붕**: 책을 엎어 놓은 모양으로, 건물 양 옆에는 지붕이 없이 앞뒤로만 마주 보고 있는 형태이다.
> 예 봉정사 극락전, 수덕사 대웅전
> · **팔작 지붕**: 건물 정면에서 볼 때 팔(八)자로 보이는 지붕으로, 중심 건물에 주로 사용되는 형태이다.
> 예 부석사 무량수전

필수 개념 정리하기

주심포 양식과 다포 양식

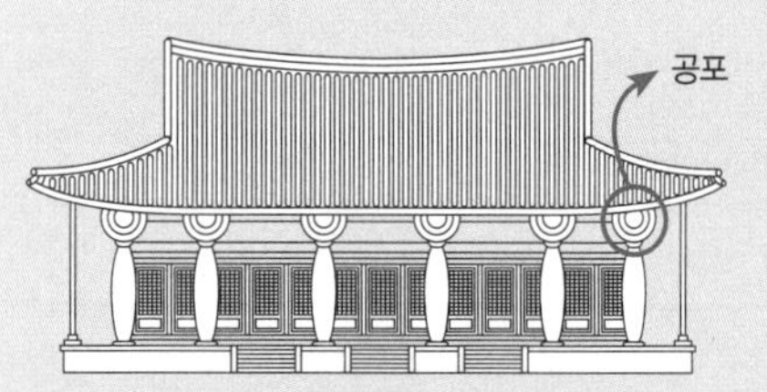

| 주심포 양식

주심포(柱心包) 양식은 지붕의 무게를 받치기 위한 공포가 기둥 위에만 있는 건축 양식으로, 송의 영향을 받은 것이다. 지붕의 하중이 기둥에만 전달되므로 주로 배흘림 양식의 기둥을 사용했다.

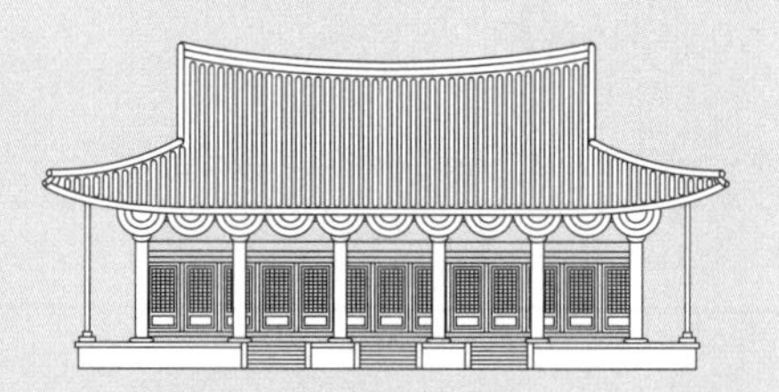

| 다포 양식

다포(多包) 양식은 기둥 위는 물론이고 기둥과 기둥 사이에도 공포가 있는 건축 양식으로, 원의 영향을 받은 것이다. 하중이 기둥과 벽에 분산되기 때문에 중후하고 장엄한 모습의 건축 구조를 이룬다.

2. 석탑

(1) 특징

① **다양한 형태**: 신라 양식을 일부 계승하면서 독자적인 조형 감각을 가미하여 다양한 형태의 석탑이 제작되었다.

② **다각 다층탑 유행**: 안정감은 부족하나 자연스러운 모습의 다각 다층탑이 유행하였다.

③ **기단의 보편화**: 석탑의 몸체를 받치는 받침인 기단이 보편적으로 사용되었다.

④ **삼국의 전통 계승**: 지역에 따라서 삼국의 전통을 계승한 석탑들이 조성되었다.

(2) 전기

① **개성 불일사 5층 석탑**: 고구려 양식의 영향을 받은 석탑이다.

② **개성 현화사 7층 석탑**: 신라 양식의 영향을 받았으나 신라의 직선미보다 둥근 맛을 보여주는 고려 특유의 양식이 표현되어 있다.

③ **평창 월정사 8각 9층 석탑**: 송의 영향을 받아 건립된 것으로, 다각 다층탑을 대표한다.

④ **부여 무량사 5층 석탑, 익산 왕궁리 5층탑**: 백제 양식의 영향을 받은 석탑이다.

(3) 후기: 원의 석탑을 본뜬 개성 경천사지 10층 석탑이 유명하다. 경천사 10층 석탑 양식은 조선 세조 때 만들어진 원각사지 10층 석탑에 영향을 주었다.

| 불일사 5층 석탑

| 현화사 7층 석탑

| 월정사 8각 9층 석탑

| 경천사지 10층 석탑

개성 불일사 5층 석탑에서 출토된 금동 9층탑

북한의 개성 불일사 5층 석탑에서 출토된 금동 9층탑은 **고려 시대의 작품으로 추정**된다. **일종의 모형탑**인 이 금동탑은 **전형적인 목탑 양식이라는 점에서 몽골 침략 때 불타버린 경주 황룡사 9층 목탑의 원형을 추정케 하는 단서**가 될 수 있기 때문에 주목을 받고 있다.

3. 승탑

(1) **특징**: 승탑(부도)은 승려의 사리를 보관한 묘탑으로, 조형 예술의 중요한 부분을 차지하였다. 고려 시대에는 선종의 유행과 관련하여 장엄하고 수려한 승탑들이 많이 제작되었다.

(2) **팔각 원당형 승탑**: 신라 하대 승탑의 전형인 팔각 원당형을 계승한 것이 많았는데, 여주 고달사지 승탑이 대표적이다.

팔각 원당형
전체 평면이 팔각을 이루는 것으로, 한국의 승탑 중 가장 흔한 형태이다.

(3) **특이한 형태의 승탑**: 충주 정토사지 홍법 국사 실상탑, 원주 법천사지 지광 국사 현묘탑 등과 같이 전형적인 팔각 원당형을 벗어나 특이한 형태를 띠면서도 조형미가 뛰어난 승탑이 제작되었다.

(4) **석종형 승탑**: 여주 신륵사 보제존자 석종은 인도 불탑의 영향을 받은 소박한 석종형의 승탑으로, 조선 시대의 승탑으로 계승되었다.

| 고달사지 승탑

| 정토사지 홍법 국사 실상탑

| 법천사지 지광 국사 현묘탑

| 신륵사 보제존자 석종

4. 불상

(1) **특징**: 고려 불상은 시기와 지역에 따라 독특한 모습을 보여 주며, 대체로 신라의 양식을 계승하였으나 균형미와 조형미가 다소 부족하였다.

(2) **대형 철불**: 고려 초기에 광주 춘궁리 철불(하남 하사창동 철조 석가여래 좌상)과 같은 대형 철불을 활발하게 제작하였다.

(3) **대형 석불**: 논산 관촉사 석조 미륵보살 입상(은진미륵), 개태사지 석불 입상, 안동의 이천동 마애여래 입상은 사람들이 많이 지나가는 길목에 지역 특색을 반영해 거대하게 제작하였다.

(4) **소조 불상**: 영주의 부석사 소조 아미타여래 좌상은 신라의 전통 양식을 계승한 대표적인 불상이다.

| 광주 춘궁리 철불

| 논산 관촉사 석조 미륵보살 입상

| 부석사 소조 아미타여래 좌상

2 청자와 공예

1. 공예의 발전

(1) 배경: 고려 귀족들의 사치 생활을 충족하기 위하여 다양한 예술 작품이 제작되었다.

(2) 특징: 공예품은 귀족들의 생활 도구와 불교 의식용 도구를 중심으로 발전하였다.

2. 자기 공예(청자)

(1) 특징: 신라와 발해의 전통과 기술을 바탕으로 송의 자기 기술을 수용하여 발전하였다.

(2) 발달 과정

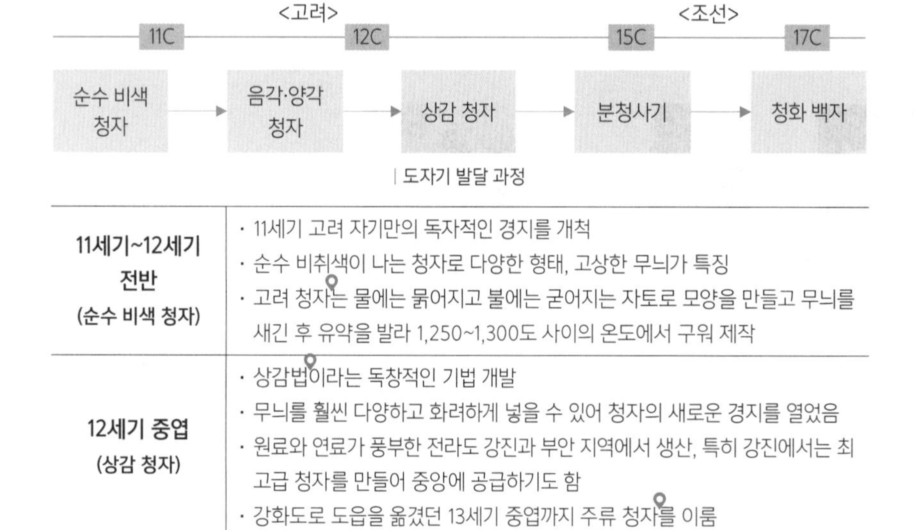

| 도자기 발달 과정

11세기~12세기 전반 (순수 비색 청자)	· 11세기 고려 자기만의 독자적인 경지를 개척 · 순수 비취색이 나는 청자로 다양한 형태, 고상한 무늬가 특징 · 고려 청자는 물에는 묽어지고 불에는 굳어지는 자토로 모양을 만들고 무늬를 새긴 후 유약을 발라 1,250~1,300도 사이의 온도에서 구워 제작
12세기 중엽 (상감 청자)	· 상감법이라는 독창적인 기법 개발 · 무늬를 훨씬 다양하고 화려하게 넣을 수 있어 청자의 새로운 경지를 열었음 · 원료와 연료가 풍부한 전라도 강진과 부안 지역에서 생산, 특히 강진에서는 최고급 청자를 만들어 중앙에 공급하기도 함 · 강화도로 도읍을 옮겼던 13세기 중엽까지 주류 청자를 이룸
원 간섭기	원으로부터 북방 가마 기술이 도입되고 청자의 빛깔이 퇴조하면서 이후 점차 소박한 분청사기로 변화

3. 금속 공예

(1) 특징: 불교 도구 중심으로 크게 발전하였으며, 청동기 표면을 파내서 실처럼 만든 은을 채워 넣어 무늬를 만드는 청동 은입사 기술이 발달하였다.

(2) 대표 작품: 은입사로 무늬를 새긴 청동 향로와 버드나무 및 동물 무늬를 새긴 청동 정병(청동 은입사 포류수금문 정병) 등이 대표작이다.

4. 나전 칠기 공예

(1) 특징: 옻칠한 바탕에 자개를 붙여 무늬를 나타내는 나전 칠기 공예가 발달하였다.

(2) 작품: 경함(불경 보관함), 문방구, 화장품 갑 등에 자연의 모습을 새겨 넣은 작품들이 남아 있다. 이러한 나전 칠기 공예는 조선 시대를 거쳐 현재까지 전하고 있다.

송나라인이 본 고려 청자 기출사료

도자기의 빛깔이 푸른 것을 고려 사람들은 비색(翡色)이라 부른다. 근년에 와서 만드는 솜씨가 교묘하고 빛깔도 더욱 예뻐졌다. 술그릇의 모양은 오이 같은데, 위에 작은 뚜껑이 있어서 연꽃에 엎드린 오리 모양을 하고 있다. …… 여러 그릇들 가운데 이 물건이 가장 정밀하고 뛰어나다.

- 서긍, 『고려도경』

▶ 송나라의 사신 서긍은 고려를 방문한 뒤 저술한 『고려도경』에서 고려 청자의 아름다움을 묘사하였다.

상감법

자기 표면을 파내고 그 자리를 백토나 흑토 등으로 메워 무늬를 내는 방법이다.

음각 청자

청자 상감 운학문 매병

청동 은입사 포류수금문 정병

나전 국당초 염주 합

3 글씨·그림과 음악

1. 글씨

(1) 전기

① **특징**: 고려 전기에는 왕희지체와 구양순체가 유행하였는데, 특히 구양순체가 주류를 이루었다.

② **대표 서예가**: 유신, 탄연, 최우를 명필로 들 수 있는데, 이들을 통일 신라 시대의 인물인 김생과 더불어 신품 4현(神品四賢)이라 불렀다. 특히 승려 탄연의 글씨가 유명하였다.

(2) 후기: 고려 후기에는 조맹부의 송설체(조맹부체)가 유행하였는데, 이암, 이제현이 명필로 유명하였다. 송설체는 이후 조선 시대까지 계승되었다.

2. 그림

그림은 도화원(화국)에서 그려진 그림과 문인화로 구분되었다.

(1) 전기: 인종 때 이령이 그린 예성강도는 송나라 휘종이 감탄하였다고 전하며, 그의 아들 이광필도 화가로서 이름이 나 있었다.

(2) 후기: 문인이나 승려의 문인화·불화 등이 주로 그려졌다.

① **문인화**: 사군자 중심의 문인화가 유행하였으나 현전하지는 않는다.

㉠ **공민왕의 천산대렵도**: 원대 북화의 영향을 받아 필치가 뚜렷하고 세밀하게 표현하였다.

㉡ **시화 일치론**: 신진 사대부들에 의해 시와 그림의 창작 원리와 경지가 같다고 하는 시화 일치론(詩畵一致論)이 유행하여 회화의 문학화가 이루어졌는데, 대표적인 인물로 이제현, 이규보 등이 있다.

② **불화**

㉠ **특징**: 후기에는 왕실과 권문세족의 구복적 요구에 따라 불화가 많이 그려졌는데 극락왕생을 기원하는 아미타불도, 지장보살도, 관음보살도가 대부분이다.

㉡ **대표 작품**: 혜허의 양류관음도(관음보살도)가 대표적이다.

3. 음악

(1) 아악(궁중 음악): 예종 때 송에서 전래된 대성악이 궁중 음악으로 발전하였다.

(2) 향악(속악): 우리의 고유 음악이 당악의 영향을 받아 발전한 것으로, 당시 민중의 속요와 어울려 동동, 한림별곡, 대동강, 오관산, 정과정 등이 유행하였다.

구양순체와 송설체

구양순체는 당나라 때 구양순의 굳세고 힘찬 글씨체이며, 송설체는 원나라 때 조맹부의 유려한 글씨체이다.

탄연의 글씨
(진락공중수청평산문수원기)

천산대렵도

수월관음보살도

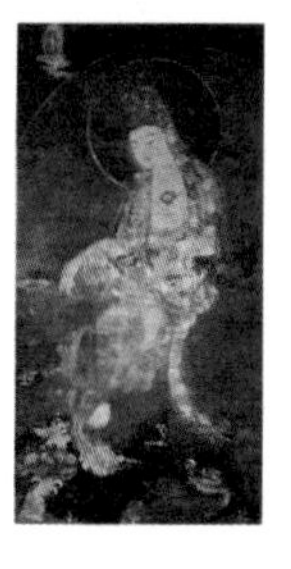

혜허의 양류관음도

일본 센소사(淺草寺)에 소장되어 있는 비단에 채색된 불화. '해동치납혜허필(海東癡衲慧虛筆)'이라는 기록이 있어 고려의 승려 혜허의 작품임을 알 수 있으나 혜허의 자세한 행적은 알려진 것이 없다.

OX 빈칸 핵심 개념 점검

* 학습한 개념을 OX/빈칸 문제를 통해 점검해보세요.

핵심 개념 1 | 고려 시대의 건축

01 개성의 만월대 궁궐터는 경사진 면에 축대를 높이 쌓고 계단식으로 건물을 배치하고 있어 웅장하게 보였을 것으로 추정된다. □ O □ X

02 안동 봉정사 극락전은 팔작 지붕을 사용하여 화려하고 장엄하다. □ O □ X

03 영주 부석사 무량수전과 예산 수덕사 대웅전은 주심포, 안동 봉정사 극락전은 다포 양식이다. □ O □ X

04 황해도 사리원의 성불사 응진전은 대표적인 고려 시대 다포 양식의 건물이다. □ O □ X

05 영주 부석사 무량수전은 ______ 양식으로, ______ 기둥, ____ 지붕 등으로 구성되어 있다.

06 ____________은 현존하는 가장 오래된 목조 건축물이다.

핵심 개념 2 | 고려 시대의 석탑과 승탑

07 고려 시대에는 지역에 따라서 고대 삼국의 전통을 계승한 석탑이 조성되기도 하였다. □ O □ X

08 월정사 8각 9층 석탑은 강원도 평창에 위치해 있으며 송나라의 영향을 받았다. □ O □ X

09 경천사 10층 석탑은 대리석이 아닌 화강암으로 만들었다. □ O □ X

10 개성 불일사 5층 석탑은 고구려 양식의 영향을 받은 석탑이다. □ O □ X

11 고려 시대 석탑 양식은 __________이 유행하였으며 기단이 보편적으로 사용되었다.

12 여주 고달사지 승탑은 신라 하대 승탑의 전형적인 형태인 __________을 계승하였다.

핵심 개념 3 | 고려 시대의 불상

13 고려 시대에는 논산 관촉사 석조 미륵보살 입상, 안동 이천동 석불과 같은 거대 석불도 조성되었다. □ O □ X

14 고려 초기에는 광주 춘궁리 철불 같은 대형 철불이 많이 조성되었다. □ O □ X

15 부석사 소조 아미타 여래 좌상은 ____의 전통 양식을 계승한 대표적인 불상이다.

핵심 개념 4 | 고려 시대의 공예

16 상감 청자는 강화도에 도읍한 13세기 중엽까지 주류를 이루었으나, 원 간섭기 이후에는 제작 기법이 퇴조하였다. □ O □ X

17 고려의 귀족 문화를 대표하는 백자는 상감 기법을 이용한 것이다. □ O □ X

핵심 개념 5 | 고려 시대의 글씨·그림·음악

18 공민왕의 천산대렵도는 원대 북화의 영향을 받았다. □ O □ X

19 고려 후기 왕실과 권문세족의 구복적 요구에 따라 극락왕생을 기원하는 아미타불도 등의 같은 불화가 많이 그려졌다. □ O □ X

20 고려 시대에는 원에서 전래된 대성악이 궁중 음악으로 발전하였다. □ O □ X

21 고려의 유신, 탄연, ____는 통일 신라의 김생과 더불어 신품 4현이라 불렸다.

22 서예는 고려 전기 ________가 주류를 이루었고, 후기에는 ______가 유행했다.

정답과 해설

01	O 개성의 만월대 궁궐터는 경사진 면에 축대를 높이 쌓고 건물을 계단식으로 배치하였기 때문에 건물이 층층으로 나타나 웅장해 보였을 것으로 추정된다.	12	팔각 원당형
02	✖ 안동 봉정사 극락전은 팔작 지붕이 아닌 맞배 지붕의 형태이다.	13	O 고려 시대에는 균형감 있는 통일 신라 양식이 계승된 불상이 조성되기도 하였지만, 논산 관촉사 석조 미륵보살 입상, 안동 이천동 석불, 파주 용미리 석불 입상과 같은 거대 석불이 함께 조성되었다.
03	✖ 고려 시대의 영주 부석사 무량수전, 예산 수덕사 대웅전, 안동 봉정사 극락전은 모두 주심포 양식의 건축물이다.	14	O 고려 초기에는 광주 춘궁리 철불 같은 대형 철불이 많이 조성되었다.
04	O 다포 양식은 공포가 기둥과 기둥 사이에도 배치된 양식으로, 건물을 웅장하고 화려하게 꾸밀 때 사용되었으며, 고려 시대의 대표적인 다포 양식 건물로는 황해도 사리원의 성불사 응진전이 있다.	15	신라
05	주심포, 배흘림, 팔작	16	O 상감 청자는 13세기 중엽까지 주류를 이루었으나, 원 간섭기 이후 원으로부터 북방 가마의 기술이 도입되면서 청자의 빛깔이 퇴조하였고, 점차 소박한 분청사기로 바뀌어 갔다.
06	(안동) 봉정사 극락전	17	✖ 고려의 귀족 문화를 대표하며 상감 기법을 이용하여 제작된 자기는 백자가 아닌 상감 청자이다.
07	O 고려의 석탑은 신라 양식을 계승하며 다양한 형태로 제작되었는데, 지역에 따라서는 고대 삼국의 전통을 계승한 석탑이 조성되었다.	18	O 공민왕의 천산대렵도는 원대 북화의 영향을 받아 필치가 뚜렷하고 세밀하게 표현하였다.
08	O 평창 월정사 8각 9층 석탑은 송의 영향을 받은 석탑으로 강원도 평창에 위치해 있다.	19	O 고려 후기에는 왕실과 권문세족의 구복적 요구에 따라 극락왕생을 기원하는 아미타불도와 지장보상도 같은 불화가 많이 그려졌으며, 대표적인 작품으로는 혜허의 양류관음도가 있다.
09	✖ 개성 경천사지 10층 석탑은 원의 석탑을 본뜬 석탑으로 대리석으로 제작되었으며, 라마교의 영향을 받아 화려한 조각이 새겨져 있는 것이 특징이다.	20	✖ 고려 시대에 전래된 대성악은 송에서 전래되었다.
10	O 개성 불일사 5층 석탑은 고구려 양식의 영향을 받은 석탑이다.	21	최우
11	다각 다층탑	22	구양순체, 송설체

핵심 키워드로 고려 시대 마무리

10C

11C

12C

14C

구분	집권 세력	정치
태조	호족	• 호족 통합: 혼인 정책, 사성 정책 • 호족 견제: 사심관 제도, 기인 제도 • 북진 정책: 고구려 계승 의식 표출, 서경 개척, 영토 확장(~청천강), 거란 배척(만부교 사건) • 왕권 강화 정책: 훈요 10조 반포
광종		• 왕권 강화 정책: 주현공부법, 노비안검법, 과거 제도, 호족 숙청, 백관의 공복 제정 • 대외 정책: 외왕내제 체제(광덕, 준풍 연호 사용)
경종		반동 정치 실시(호족 세력 재강화, 개혁 세력 숙청)
성종	문벌 귀족	• 최승로의 시무 28조 수용 → 유교 정치 이념 확립 • 정치 체제 정비: 2성 6부, 중추원·삼사 설치, 12목 설치(지방관 파견), 향리 제도 마련 • 대외 정책: 제1차 거란 침입 → 서희의 외교 담판 → 강동 6주 획득
목종		–
현종		• 지방 행정 개편: 5도 양계, 4도호부 8목 설치 • 대외 정책 – 제2차 거란 침입: 강조의 정변을 구실로 침입 → 강화 체결 – 제3차 거란 침입: 강감찬의 귀주 대첩 → 거란 격퇴 → 나성, 천리장성 축조
문종		–
숙종		별무반 조직(윤관, 신기군·신보군·항마군)
예종		동북 9성 축조
인종		• 이자겸의 난 → 진압 • 묘청의 난 → 진압(김부식)
의종 ~ 원종	무신	• 무신 정변: 정중부·이의방 등의 무신들이 정변 단행 → 중방을 중심으로 국정 수행 • 최씨 무신 정권 – 최충헌: 교정도감·도방을 통해 독재 정치 강화 – 최우: 정방·서방·야별초(삼별초) 설치, 강화도 천도, 대몽 항쟁 전개 • 몽골의 침입 → 김윤후 등 활약 → 몽골과의 강화 이후 무신 정권 몰락 → 삼별초 항쟁 지속
충렬왕	권문세족	• 도병마사 → 도평의사사로 개편 • 왕권 강화 정책: 전민변정도감 설치 → 귀족들의 반대로 폐지
충선왕		관제 개혁: 정방 폐지 시도, 사림원 설치, 신진 관료 등용
공민왕	신진 사대부	• 반원 자주 정책: 친원파 숙청, 정동행성 이문소 폐지, 관제 복구, 쌍성총관부 수복 • 왕권 강화 정책: 정방 폐지, 전민변정도감 설치, 과거 제도 정비(신진 사대부 등용)
공양왕		이성계에게 양위

경제·사회	문화
• 토지 제도: 역분전 지급 • 취민유도 정책: 세율 1/10로 경감 • 흑창(구휼 기관) 설치	• 『정계』, 『계백료서』 저술 • 불교 장려: 연등회, 팔관회 강조
• 제위보(빈민 구제) 설치 • 송과 무역 시작	• 승과, 국사·왕사 제도 실시 • 귀법사 창건(초대 주지: 균여) → 교·선 통합 시도
시정 전시과(전·현직, 인품·관품)	–
• 건원중보 발행 • 의창 설치(흑창 확대·개편) • 상평창(물가 조절) 설치 • 노비환천법 실시	• 유학 장려: 국자감, 향교 설치, 과거제 정비, 문신 월과법 실시 • 연등회, 팔관회 축소·폐지
개정 전시과(전·현직, 관직, 인품x)	–
–	• 『7대 실록』(태조~목종) 편찬(현존x) • 불교 부흥: 연등회, 팔관회 부활 • 초조대장경 조판 • 현화사(법상종) 건립
경정 전시과(현직, 관직), 녹봉 제도, 공음전 완비	사학 12도 융성, 흥왕사(화엄종) 건립, 의천(승려) 출가
주전도감 설치, 삼한통보, 해동통보, 은병(활구) 주조	서적포 설치, 『신편제종교장총록』 편찬, 속장경 간행
혜민국, 구제도감 설치	관학 7재 설치, 청연각·보문각·양현고 설치
–	• 경사 6학 정비, 7재 중 강예재 폐지 • 『삼국사기』(김부식) 편찬
• 전시과 체제 붕괴 → 녹과전 지급(고종·원종) • 무신 정권에 대한 반발: 김보당의 난, 조위총의 난 • 하층민의 봉기: 망이·망소이의 난, 만적의 난 등 • 삼국 부흥 운동: 김사미·효심의 난(신라), 최광수의 봉기(고구려), 이연년의 봉기(백제)	• 재조대장경(팔만대장경) 조판 • 『상정고금예문』(고종) 인쇄 • 조계종 흥성 • 신앙 결사 운동(수선사, 백련사) • 상감 청자 유행
• 쇄은 발행	• 『삼국유사』(일연) 편찬 • 『제왕운기』(이승휴) 편찬 • 섬학전 설치
• 소금 전매제 실시 • 재상지종 발표	만권당 설치(연경)
몽골 풍습 폐지	• 성균관 개편(순수 유학 교육 기관) • 『사략』(이제현) 편찬 • 천산대렵도 • 보우 등용
• 과전법 실시 → 조선 초기까지 이어짐 • 지폐(저화) 발행	–

공무원시험전문 **해커스공무원**

gosi.Hackers.com

조선 전기 출제 경향

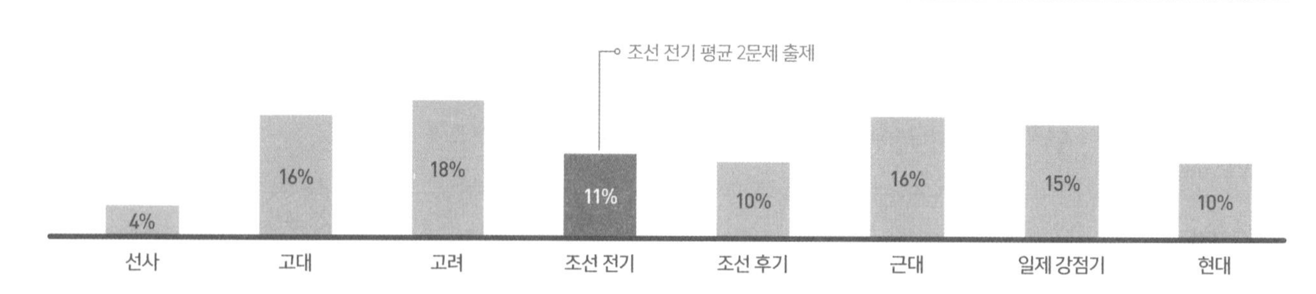

조선 전기에서는 **매 시험마다 평균 2문제씩 출제**됩니다. 조선 전기는 정치·경제·사회·문화사 구분 없이 조선 후기와 비교하여 조선 전기의 특징을 묻는 문제들이 자주 출제되므로, 반드시 전체 내용을 조선 후기의 특징과 비교하며 학습해 두어야 합니다.

Ⅳ 조선의 발전

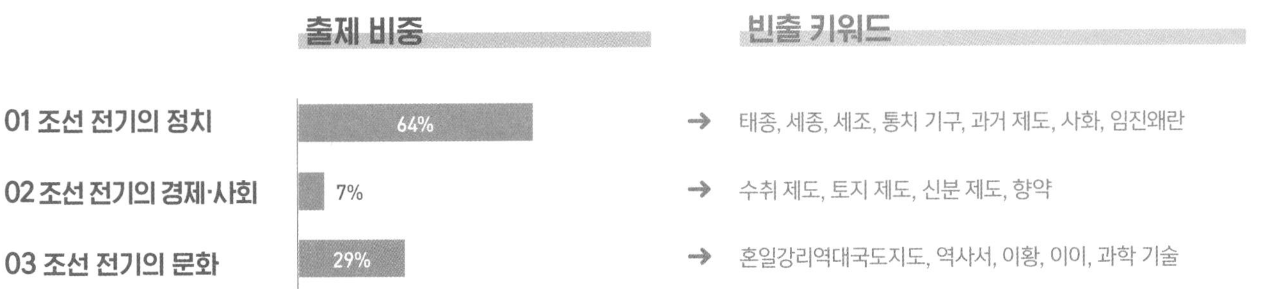

조선 전기는 **정치사와 문화사의 출제 비중이 높은 편**입니다. 정치사에서는 성리학에 대한 이해를 바탕으로 주요 국왕들의 정책, 통치 기구, 사화, 사림의 성장 등이 주로 출제되며 대외 관계에 관한 문제도 출제되고 있습니다. 경제·사회사에서는 수취 제도, 과전법, 향촌 사회 등이 자주 출제되며, 문화사에서는 이황과 이이의 활동과 조선 전기에 편찬된 서적 등이 주로 출제됩니다.

한눈에 보는 조선 전기 연표

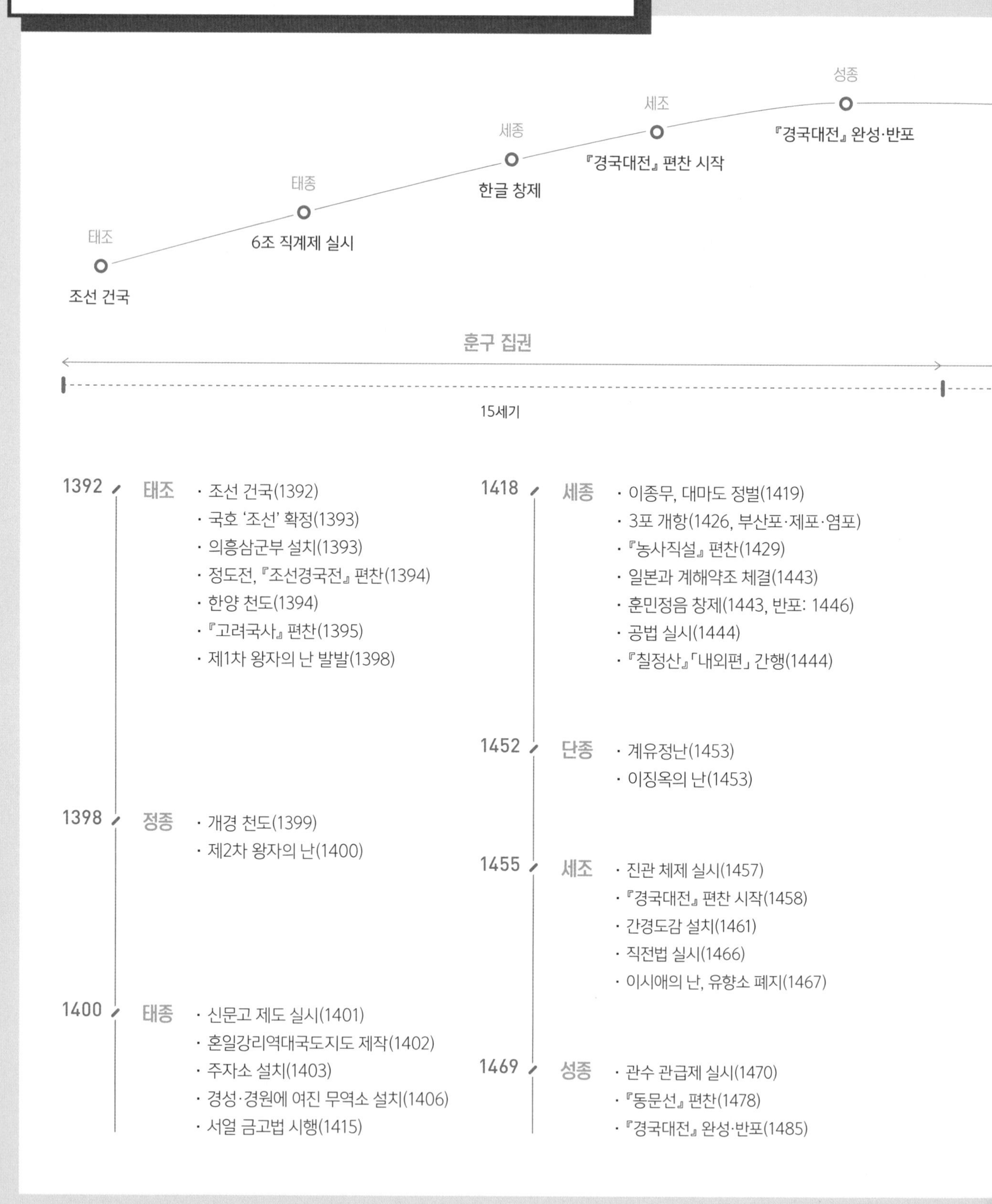

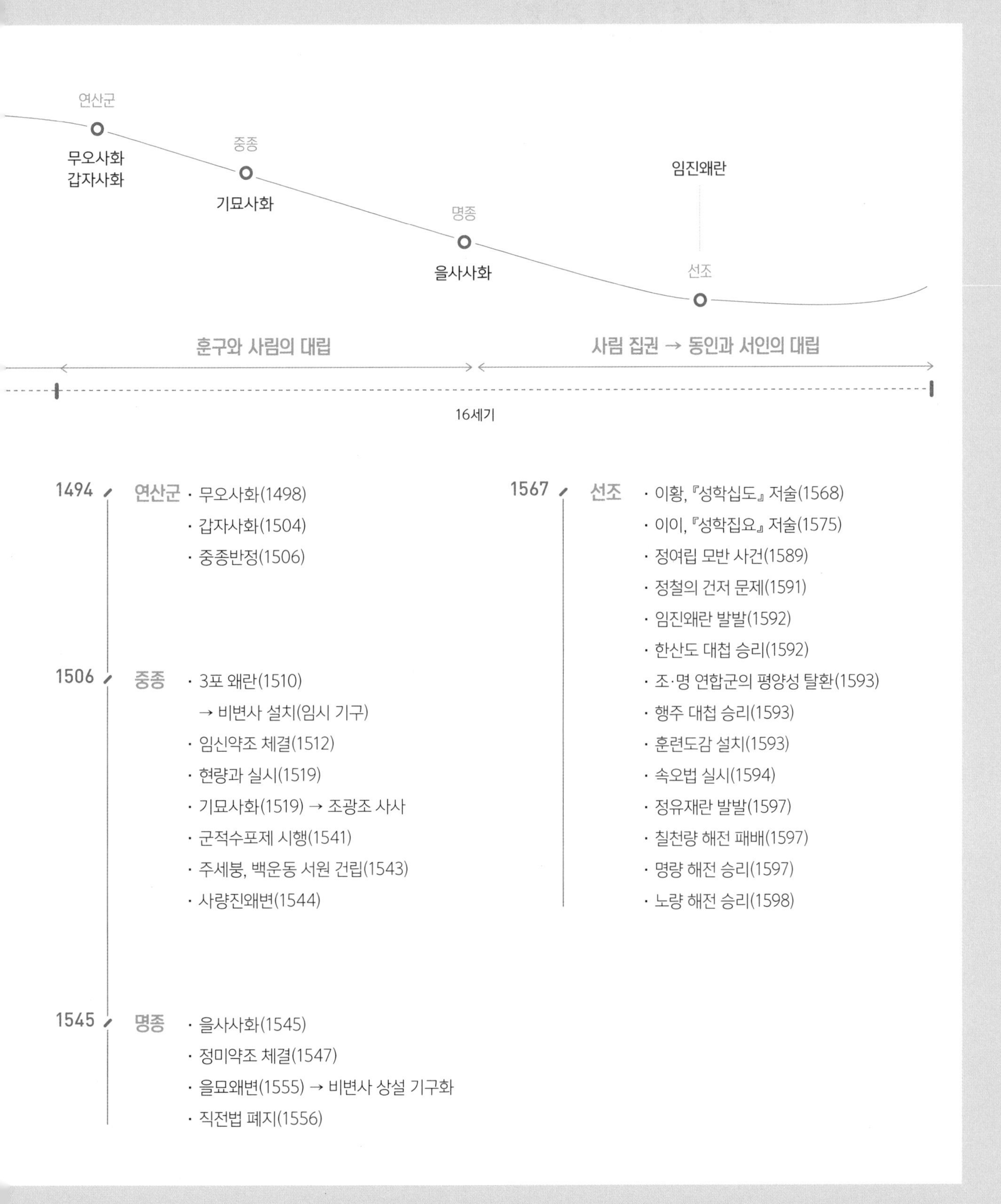
연산군
무오사화
갑자사화
중종
기묘사화
명종
을사사화
임진왜란
선조
훈구와 사림의 대립
사림 집권 → 동인과 서인의 대립
16세기
1494 연산군 · 무오사화(1498)
· 갑자사화(1504)
· 중종반정(1506)
1506 중종 · 3포 왜란(1510)
→ 비변사 설치(임시 기구)
· 임신약조 체결(1512)
· 현량과 실시(1519)
· 기묘사화(1519) → 조광조 사사
· 군적수포제 시행(1541)
· 주세붕, 백운동 서원 건립(1543)
· 사량진왜변(1544)
1545 명종 · 을사사화(1545)
· 정미약조 체결(1547)
· 을묘왜변(1555) → 비변사 상설 기구화
· 직전법 폐지(1556)
1567 선조 · 이황, 『성학십도』 저술(1568)
· 이이, 『성학집요』 저술(1575)
· 정여립 모반 사건(1589)
· 정철의 건저 문제(1591)
· 임진왜란 발발(1592)
· 한산도 대첩 승리(1592)
· 조·명 연합군의 평양성 탈환(1593)
· 행주 대첩 승리(1593)
· 훈련도감 설치(1593)
· 속오법 실시(1594)
· 정유재란 발발(1597)
· 칠천량 해전 패배(1597)
· 명량 해전 승리(1597)
· 노량 해전 승리(1598)

01 조선 전기의 정치

1 조선의 건국과 발전

학습 포인트
조선의 건국 과정과 태종, 세종, 세조, 성종 등 조선 전기 주요 왕의 업적을 정리한다.

빈출 핵심 포인트
이성계, 위화도 회군, 과전법, 정도전, 태종, 6조 직계제, 사병 혁파, 세종, 집현전, 의정부 서사제, 공법, 훈민정음, 세조, 성종, 『경국대전』

1 조선의 건국

1. 고려 말의 정치 상황

(1) 권문세족의 횡포: 권문세족이 정치 권력을 독점하고 대토지 소유를 확대하여 백성들의 생활은 파탄에 이르렀고, 왕권과 중앙 집권적 지배 체제가 약화되었다.

(2) 신진 사대부의 분화: 신진 사대부는 무신 집권 시기 이래 과거를 통해 중앙에 진출한 지방 향리 자제 출신으로, 공민왕 시기에 성장하여 불교의 폐단과 권문세족의 비리를 비판하였다. 공민왕의 개혁이 실패한 후, 개혁 방향을 둘러싸고 정도전·조준 등의 급진파(혁명파) 사대부와, 정몽주·길재·이색 등의 온건파 사대부로 분화하였다.

구분	급진파 사대부(혁명파)	온건파 사대부(온건 개혁파)
인물	정도전, 조준, 윤소종 등	이색, 정몽주 등
주장	역성 혁명	고려 왕조 유지
방법	급진적 개혁	점진적 개혁
토지 개혁	· 전면적 토지 개혁 주장 · 과전법 마련	· 전면적 토지 개혁 반대 · 대토지 사유화 정리
계승	훈구(15세기)	사림(16세기)

조선의 건국 과정

고려 말 – 사회 혼란 가중
왕권 약화, 농민 몰락

신진 사대부의 성장
향리 출신, 학자적 관료, 성리학 수용

신진 사대부의 분열
급진파(정도전) vs 온건파(정몽주)

위화도 회군 – 정치 장악
· 명의 철령위 설치 통고
· 요동 정벌론(최영) vs 4불가론(이성계)
· 신흥 무인 세력 + 급진파 사대부

과전법 실시 – 경제 장악
신진 사대부의 경제적 기반 마련

조선 건국(1392)
· 급진파가 온건파와 권문세족 제거
· 이성계를 국왕으로 추대

2. 요동 정벌과 위화도 회군

(1) 명의 철령위 설치 통고: 명이 원의 쌍성총관부 관할 지역에 철령위 설치를 통고하자, 고려에서는 명을 공격하자는 요동 정벌론이 대두하였다.

(2) 갈등 발생: 요동 정벌을 둘러싸고 최영은 즉각적인 출병을 주장한 반면, 이성계는 4불가론을 주장하며 출병을 반대하였다. 그러나 당시 집권자였던 최영은 요동 정벌을 위해 이성계를 파견하였다.

이성계의 4불가론
· 작은 나라가 큰 나라를 거스르는 일은 옳지 않음
· 여름철에 군사를 동원하는 것은 부적절함
· 군사적 공백을 틈타 왜구가 창궐할 것
· 날씨로 인해 활의 아교가 녹고, 전염병 창궐이 우려됨

(3) **위화도 회군(1388)**: 출병했던 이성계는 압록강 위화도에서 회군하여 최영과 권문세족을 제거하고 권력을 장악하였다.

(4) **공양왕 옹립(1389)**: 이성계를 중심으로 한 급진파 사대부 세력은 우왕과 창왕을 신돈의 자식이라 하여 잇따라 폐하고 공양왕을 추대하였다(폐가입진).

3. 전제 개혁 단행 – 과전법 실시(1391)

(1) **목적**: 고려 말의 문란한 토지 제도를 바로잡고 신진 사대부의 경제 기반을 다지기 위해 조준, 정도전 등이 급전도감을 통해 과전법을 마련하였다.

(2) **과전법 실시**: 전·현직 관리에게 경기 지방의 토지를 과전으로 분급하였다. 과전은 원칙적으로 세습이 금지되었으나, 수신전과 휼양전 등의 명목으로 세습되었다.

4. 조선의 개창(1392)

이성계의 아들인 이방원의 주도로 정몽주 등 온건파 사대부 세력이 제거되었다. 이후 급진파 사대부의 추대를 받은 이성계가 공양왕으로부터 선위 받아 조선을 개창하였다.

2 국왕 중심의 통치 체제

1. 태조(1392~1398)

(1) **국호 제정(1393)**: 태조는 왕실의 권위를 높이기 위해 국호를 고조선의 계승자임을 의미하는 '조선'으로 정하였다.

(2) **의흥삼군부 설치(1393)**: 태조는 도평의사사를 그대로 계승하고, 의흥삼군부를 설치(1393)하여 군령과 군정을 총괄하게 하였다.

(3) **한양 천도(1394)**: 고려 시대에 남경이었던 한양으로 천도하였다. 그 과정에서 정도전의 주도로 한양 도성 및 경복궁을 비롯한 궁궐과 관아·4대문·종묘와 사직 등을 건설하고, 한성부라 칭하였다.

(4) **정도전의 문물 정비**: 정도전은 초창기 문물 제도 정비에 크게 공헌하였다. 또한 정도전은 민본적 통치 규범을 마련하였고, 왕도 정치를 바탕으로 재상 중심의 정치 체제를 주장하였으며, 성리학을 조선의 통치 이념으로 확립하였다.

민본적 통치 규범 마련, 재상 중심의 정치 주장	『조선경국전』, 『경제문감』 등 저술 → 왕도 정치를 바탕으로 재상 중심의 국정 운영 강조
성리학적 통치 이념 확립	『불씨잡변』 등을 통해 불교를 비판, 성리학을 국가 통치 이념으로 확립
대명 정책	요동 정벌을 추진하기 위하여 『진도』(진법서) 편찬

(5) **제1차 왕자의 난(1398)**: 태조가 방석을 세자로 책봉하자 방원이 사병을 동원하여 이복동생 방석과 방번을 살해하고, 개국 공신인 정도전과 남은 등을 제거하였다. 이후 정치적 실권을 장악한 방원은 친형인 방과(정종)를 왕위에 오르게 하였다.

폐가입진 기출사료

우(禑)와 창(昌)은 본디 왕씨(王氏)가 아니므로 …… 마땅히 거짓 임금을 폐하고 참임금을 새로 세워야 될 것이다. 정창군 요(瑤, 공양왕)는 신왕(신종)의 7대 손자로서 …… 마땅히 세워야 될 것이다. - 『태조실록』

▶ 급진파 사대부 세력은 **우왕과 창왕이 왕씨가 아닌 신돈의 자식**이므로, 가짜 왕을 폐하고 진짜 왕을 세운다는 **폐가입진의 논리 아래 공양왕을 왕위에** 앉혔다.

의흥삼군부

고려 말 **공양왕 때**(1391) 종래의 5군 체제를 3군 체제로 바꾸며 설치한 **삼군도총제부**(三軍都摠制府)를 조선 **태조 때**(1393) **개편**한 것이다. 군사 기능을 의흥삼군부가 관장하면서 도평의사사는 정무만을 관장하게 되었다.

정도전의 불교 비판

선유(先儒)가 불씨(佛氏)의 지옥설을 변박하여 말하기를 …… "불법이 중국에 들어오기 전에도 사람이 죽었다가 다시 살아난 사람들이 있었는데, 어째서 한 사람도 지옥에 잘못 들어가 소위 시왕(十王)이란 것을 본 자가 없단 말인가? 그 지옥이란 없기도 하거니와 믿을 수 없음이 명백하다."라고 하였다.

- 정도전, 『불씨잡변』

▶ 정도전과 당시의 사대부들은 성리학 입장에서 불교를 비판하였다.

기출 사료 읽기

정도전이 주장한 재상 중심의 정치

임금의 직책은 한 사람의 재상을 논정하는 데 있다 하였으니, 바로 총재를 두고 한 말이다. 총재는 위로는 임금을 받들고 밑으로는 백관을 통솔하여 만민을 다스리는 것이니 직책이 매우 크다. 또 임금의 자질에는 어리석은 자질도 있고 현명한 자질도 있으며, 강력한 자질도 있고 유약한 자질도 있어서 한결같지 않으니, 임금의 아름다운 점은 순종하고 나쁜 점은 바로 잡으며, 옳은 일은 받들고 옳지 않은 것은 막아서, 임금으로 하여금 가장 올바른 경지에 들게 해야 한다.

- 정도전, 『조선경국전』

사료 해설 | 조선 初, 문물 제도 정비에 크게 공헌한 정도전은 민본적 통치 규범을 마련하고 재상 중심의 국정 운영을 강조하였다.

2. 정종(1398~1400)

(1) 개경 천도(1399): 제1차 왕자의 난으로 태조의 양위를 받아 왕위에 오른 정종(방과)은 민심이 사나워지자 개경으로 천도하였다.

(2) 의정부 설치: 정종은 이방원(태종)의 주도 하에 도평의사사를 의정부로 고쳤으며, 중추원을 폐지하고 그 직무를 승정원과 삼군부(三軍府)에 소속시켜 정무와 군무를 완전히 분리하였다.

(3) 제2차 왕자의 난(1400): 방원이 실권을 장악하자 친형 방간이 세력을 모아 군사를 일으켰다. 결국 방원이 방간을 제거하고 세자로 책봉되었다가, 정종으로부터 왕위를 물려받았다.

3. 태종(1400~1418)

(1) 왕권 강화 정책

① **사병 혁파**: 정종 때 세자로 책봉된 이방원(태종)은 사병 혁파를 주도하여 국왕이 군사권을 장악할 수 있도록 하였다.

② **6조 직계제 실시**: 태종은 6조에서 의정부를 거치지 않고 직접 왕에게 업무를 보고하여 왕의 재가를 받아 시행하게 하는 6조 직계제를 시행하였다.

③ **사간원 독립**: 태종은 문하부의 낭사를 사간원으로 독립시켜 대신들을 견제하고, 왕실 외척과 종친의 정치적 영향력을 약화시켰다.

④ **한양 환도**: 태종은 정종 때 개경으로 옮겼던 수도를 다시 한양으로 옮기고, 창덕궁·경회루·청계천 등을 건설하였다.

(2) 경제 기반 확보

① **양전 사업 실시**: 태종은 조세 징수 대상을 파악하여 국가 재정을 확보하고자 양전 사업을 실시하고, 이를 토대로 양안(토지 대장)을 작성하였다.

② **호적 작성**: 태종은 호구를 조사하여 3년마다 호적을 작성하였다.

③ **호패법 실시**: 태종은 양인의 수를 확보하기 위해 16세 이상의 남자에게 현재 주민등록증과 유사한 역할을 하는 호패를 착용하도록 하였다.

6조 직계제 기출사료

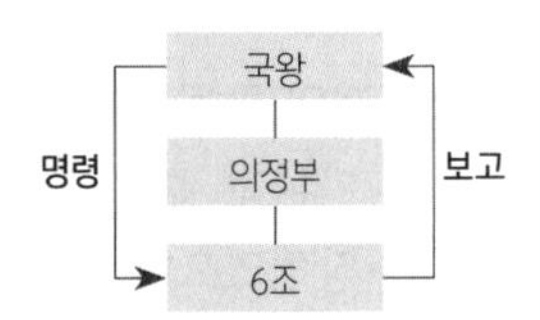

의정부의 사무를 나누어 6조에 귀속시켰다. …… 왕은 의정부의 권한이 너무 큰 것을 염려하여 이를 단행하였다. 이로써 의정부는 사대 문서와 중죄수의 심의만을 관장하게 되었다.

- 『태종실록』

▶ 6조 직계제는 **6조가 의정부를 거치지 않고 사대 문서 관리, 중죄수 심의를 제외한 모든 업무를 국왕에게 직접 보고**하도록 한 제도로, 태종 때 왕권 강화의 목적으로 시행되었다.

④ **사섬서 설치**(1401): 태종은 사섬서를 설치해 저화(지폐)의 발행과 노비가 국가에 바치는 면포 등을 관장하도록 하였다.

(3) **신문고 설치(1401)**: 태종은 백성들이 절차를 거쳐도 해결하지 못한 자신의 억울한 일을 왕에게 직접 호소할 수 있도록 대궐 밖에 신문고라는 북을 설치하였다.

(4) **주자소 설치(1403)**: 태종은 주자소를 설치하여 활자의 주조와 인쇄를 담당하도록 하였고, 계미자를 주조하였다.

(5) **서얼 차별**: 태종은 서얼 금고법을 제정하여 서얼의 문과 응시를 금지하고, 무과나 잡과를 통해 관직에 진출한 자에게는 한품서용제를 적용하여 승진에 한계를 두었다.

3 문물 제도의 정비

1. 세종(1418~1450)

(1) **집현전 개편**: 세종은 조선 초에 설치되었다가 유명무실화된 집현전을 궁궐 안에 다시 설치하고 정책·학술 연구 기관으로 개편하였다. 집현전의 학사들은 학문 연구와 아울러 경연에도 참여하여 국왕의 통치에 대해 자문하였다.

(2) **의정부 서사제 실시**: 세종은 기존의 6조 직계제 대신 의정부 서사제를 실시하여 6조에서 올라오는 일들을 의정부에서 심의한 후 왕에게 보고하도록 하였다.

(3) **왕권과 신권의 조화**: 세종은 의정부 서사제로 정치 체제를 바꾸어 재상의 권한은 확대하면서도, 인사와 군사 업무는 국왕이 직접 처리하여 왕권과 신권의 조화를 추구하였다.

(4) **사가 독서 제도 실시**: 세종은 유능한 젊은 문신들에게 휴가를 주어 독서에 전념할 수 있도록 한 사가 독서 제도를 실시하였다.

(5) 대외 정책

① **4군 6진 설치**: 최윤덕을 압록강 지역에 파견하여 4군을 설치하고, 김종서를 두만강 지역에 파견하여 6진을 설치함으로써 압록강에서 두만강을 경계로 하는 오늘날의 국경선을 확보하였다.

② **대(對)일본 정책**: 이종무를 보내 왜구의 근거지인 대마도(쓰시마 섬)를 정벌하게 하였다(1419). 이후 3포(제포·염포·부산포)를 개항(1426)하여 제한된 범위에서 교역을 허용하였고, 계해약조를 체결(1443)하였다.

(6) **공법 실시**: 세종은 합리적인 조세 수취를 위해 전분 6등법(토지 비옥도 기준), 연분 9등법(풍흉 기준)의 공법을 실시하였다.

(7) **조선통보 발행**: 세종은 저화(지폐)의 보조 화폐로 조선통보(동전)를 발행하였다.

(8) **형벌 제도 개선**: 세종은 삼복법을 제정하여 사형수에 대해 3심을 거치도록 하였고, 노비에 대한 주인의 사적인 사형을 금지하였다.

신문고

태종 대에 설치된 신문고 제도는 시간이 지나면서 본래 취지와 달리 상민이나 노비는 신문고를 거의 이용하지 못하게 되었고, **연산군 대에 이르러 완전히 폐지**되었다. 이후 **영조 대**에 **신문고가 부활**되었다.

의정부 서사제 기출사료

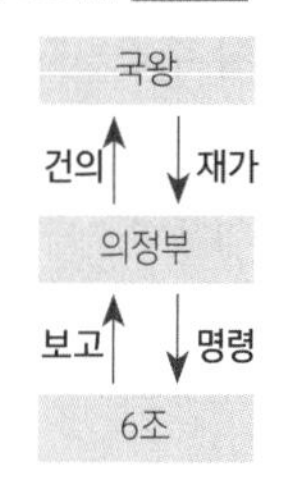

6조 직계제를 시행한 이후 일의 크고 작음이나 가볍고 무거움이 없이 모두 6조에 붙여져 의정부의 관여 사항은 오직 사형수를 논결하는 일뿐이므로 옛날부터 재상을 임명한 뜻에 어긋난다. 6조는 각기 모든 직무를 먼저 의정부에 품의하고, 의정부는 가부를 헤아린 후에 왕에게 아뢰어 전지를 받아 6조에 내려 보내어 시행한다. - 『세종실록』

▶ 의정부 서사제는 의정부가 6조로부터 국정에 관한 여러 업무를 보고 받아 논의한 후, 국왕에게 아뢰게 한 제도이다.

사가 독서 제도의 폐지와 부활

세종 때 실시된 사가 독서 제도는 이후 세조 때 폐지되었다가, 성종 때 부활하였다.

계해약조

세종 때 대마도주의 요청으로 3포를 개항하였으나, 교역량이 지나치게 증가하였다. 이에 조선 정부는 일본과 계해약조를 체결하여 무역 규모를 세견선 50척, 세사미두 200석으로 제한하였다.

공법 실시

세종 때 공법을 제정하기에 앞서 조정의 신하와 지방의 촌민에 이르기까지 의견을 묻는 등 전국적인 여론 조사를 실시하였다. 이후 1436년에 공법상정소를 설치하고, 1444년에 공법을 실시하기 위한 최종안을 채택하였다.

(9) 민족 문화의 발달

① **한글 창제**: 세종은 훈민정음을 창제하고(1443), 한글 서적을 간행하였다(「용비어천가」, 「월인천강지곡」, 『석보상절』).

② **과학 기구 제작**: 세종 때 측우기, 앙부일구(해시계), 자격루(물시계), 간의, 혼천의 등의 과학 기구가 제작되었다.

③ **역법 개정**: 세종 때 우리나라 역사상 최초로 한양을 기준으로 천체 운동을 계산한 독자적 역법서인 『칠정산』「내외편」을 편찬하였다.

④ **편찬 사업**: 세종 때 『고려사』(문종 때 완성)의 편찬을 명하고, 『농사직설』, 『육전등록』, 『의방유취』, 『총통등록』, 『치평요람』, 『향약집성방』, 『효행록』, 『삼강행실도』, 『동국정운』 등을 간행하였다.

⑤ **활자 주조**: 세종 때 경자자(1420), 갑인자(1434), 병진자(1436) 등 금속 활자를 주조하였다.

⑥ **인쇄술 발달**: 밀랍 대신 식자판을 조립하는 방법을 창안하여 이전보다 인쇄 능률을 향상시켰다.

⑦ **음악 진흥**: 세종은 박연으로 하여금 아악을 체계화하게 하고, 여민락 등 악곡을 지었으며, 소리의 장단과 높낮이를 표현할 수 있는 정간보를 창안하였다.

2. 문종(1450~1452)과 단종(1452~1455)

(1) 왕권의 약화: 문종이 일찍 죽고 어린 단종이 즉위하면서 왕권이 크게 약화되었다.

(2) 재상 중심의 정치: 김종서, 황보인 등 재상들이 중심이 되어 국정을 운영하였다.

(3) 계유정난(1453): 단종이 즉위하면서 왕권이 약화되자 수양 대군(세조)이 계유정난을 일으켜 김종서, 안평 대군 등을 제거하고 정권을 장악하였다.

(4) 이징옥의 난(1453): 계유정난 직후 함길도 도절제사 이징옥이 스스로를 '대금 황제'라 칭하며 반란을 일으켰으나 진압되었다. 이후 1455년에 수양 대군(세조)은 단종으로부터 강제로 양위받아 왕위에 올랐다.

3. 세조(1455~1468)

(1) 단종 복위 운동: 집현전 일부 학사 출신들이 단종 복위를 도모하다가 발각되어 사육신을 비롯한 관련자들이 처벌당하였다.

(2) 왕권 강화

① **6조 직계제의 부활**: 세조는 강력한 왕권 행사를 위하여 의정부 서사제에서 다시 6조 직계제를 시행하였다.

② **집현전 폐지**: 세조는 집현전을 없애고, 임금에게 유학의 경서를 강론하는 경연과 사가독서 제도를 폐지하였다.

③ **『경국대전』 편찬 시작**: 세조는 국가 통치 체제의 확립을 위한 법전을 편찬하기 위해 육전상정소를 설치하고, 『경국대전』 편찬에 착수하여 「호전」과 「형전」을 완성하였다.

④ **군사 제도 정비**: 세조는 양인을 정군(정병)과 보인으로 묶는 보법을 제정하여 군역 대상자를 확대하였으며, 중앙군인 5위를 정비하고, 진관 체제를 실시하였다.

단종 복위 운동 기출사료

임금이 말하기를 "그대는 나의 녹(祿)을 먹지 않았던가? 녹을 먹으면서 배반하는 것은 이랬다 저랬다 하는 사람이다. 명분으로는 상왕을 복위한다고 하지만 실상은 자신을 위하려는 것이다."라고 하니 성삼문이 말하기를 "상왕이 계시거늘 나리께서 어찌 저를 신하로 삼을 수 있겠습니까? 또 나리의 녹을 먹지 않았으니, 만약 믿지 못하겠거든 저의 가산을 몰수하여 헤아려 보십시오."라고 하였다. - 남효온, 『추강집』

▶ 성삼문·박팽년·하위지 등은 세조의 왕위 찬탈에 반대하여 단종을 복위시키고자 하였으나, 실패하여 처형당하였다.

6조 직계제 기출사료

상왕(단종)이 어려서 무릇 조치하는 바는 모두 의정부 대신에게 맡겨 논의하고 시행하게 하였다. 지금 내(세조)가 명을 받아 왕통을 계승하여 군국 서무를 아울러 모두 처리하며 우리나라의 옛 제도를 복구하고자 한다. 지금부터 형조의 사형수를 제외한 모든 서무는 6조가 각각 그 직무를 담당하여 직계한다. - 『세조실록』

▶ 세조는 태종이 실시하였던 6조 직계제를 부활시켜 국왕 중심의 통치 체제를 강화하였다.

(3) 유향소 폐지: 세조가 중앙 집권을 강화하기 위해 호패법을 강화하고 각지에 수령을 파견하자, 이시애가 이러한 중앙 집권와 정책과 지역 차별 등에 반발하며 반란(이시애의 난, 1467)을 일으켰다. 이 과정에서 유향소가 반란을 후원하였다는 이유로 폐지되었다.

(4) 직전법 실시: 세조는 과전의 세습으로 새로운 관리에게 지급할 수조지가 부족해지자 현직 관리에게만 수조권을 지급하고, 수신전과 휼양전을 폐지하였다.

(5) 과학 기술 발전: 토지 측량 기구인 인지의와 규형을 만들어 양전 등에 활용하였다.

(6) 불교 진흥책: 세조는 간경도감을 설치하여 불교 경전을 번역·간행하였고, 원각사와 원각사지 10층 석탑을 건립하는 등 불교 진흥책을 전개하였다.

4. 성종(1469~1494)

(1) 홍문관 강화: 성종은 모든 홍문관의 관원이 경연관을 겸하게 하는 등 홍문관의 학술·언론 기능을 강화하였다. 이를 통해 옛 집현전의 기능을 계승한 학술·언론 기관으로서의 홍문관이 성립되었다.

(2) 『경국대전』 반포: 성종은 세조 때부터 편찬하기 시작한 『경국대전』을 완성·반포(1485)하여 조선 사회의 기본 통치 방향과 이념을 제시하였다.

(3) 유교 정치 체제 정비

① **사림파 등용**: 성종은 김종직 등의 사림파를 등용하여 훈구파를 견제하였다.

② **유향소 부활**: 성종 때 사림의 정치적인 영향력 강화로 유향소가 부활하여 성리학적 향촌 질서가 확립되었다.

③ **억불 정책**: 성종은 유교적 이상 정치를 추구하기 위해 도첩제를 폐지하여 승려의 출가를 금지하였으며, 간경도감을 폐지하였다.

④ **존경각 설치**: 관학 진흥을 위해 성균관 안에 존경각(도서관)을 설치하여 여러 서적을 소장하게 하였다.

(4) 관수 관급제 실시: 성종은 관수 관급제를 실시하여 토지에 대한 국가의 지배력을 강화하였다.

(5) 편찬 사업: 성종은 『동국여지승람』, 『동국통감』, 『동문선』, 『악학궤범』, 『국조오례의』, 『삼국사절요』 등을 편찬하였다.

유향소의 변천

시기	변천
조선 초기	유향소 설립
태종	유향소 혁파
세종	유향소 복립
세조	유향소 재혁파
성종	유향소 재복립
선조	향청으로 변화

서울 원각사지 10층 석탑

고려 원 간섭기에 건립된 경천사지 10층 석탑의 영향을 받아 대리석으로 세워진 탑으로, 현재 종로 탑골 공원에 있다.

도첩제

도첩은 **일종의 승려 허가증**으로, 승려가 되려는 자들에게 일정한 대가를 받고 허가증을 내준 것이다. 이는 **승려의 수가 증가하는 것을 방지하기 위해 태조 때 실시**된 것인데, **성종 때에는 강력한 억불 정책으로 도첩제가 아예 폐지**되었다.

OX 빈칸 핵심 개념 점검

* 학습한 개념을 OX/빈칸 문제를 통해 점검해보세요.

핵심 개념 1 | 조선의 건국 과정

01 정도전 등 급진파 사대부는 역성 혁명을 주장하였다. □ O □ X

02 조선 건국 이후 조준, 정도전은 전제 개혁을 추진하여 과전법을 시행하였다. □ O □ X

03 정도전은 『불씨잡변』을 통해 불교를 비판하였다. □ O □ X

04 고려 말 이성계 일파는 ______을 명목으로 우왕과 창왕을 연이어 폐위시켰다.

05 태조 때 정도전은 『______』을 편찬하여 왕조의 통치 규범을 마련하였다.

핵심 개념 2 | 태종의 업적

06 태종은 한양으로 다시 천도하면서 이궁인 창덕궁을 창건하였다. □ O □ X

07 태종 대에 사섬서를 두어 지폐인 저화를 발행하였다. □ O □ X

08 태종은 구리로 만든 계미자를 주조하였다. □ O □ X

09 태종은 6조 직계제를 채택하고 ______을 독립시켜 대신을 견제하였다.

10 태종은 호구와 인구 파악을 위해 ______을 실시하였다.

핵심 개념 3 | 세종의 업적

11 세종은 6조 직계제를 실시하여 왕권과 신권의 조화를 이루었다. □ O □ X

12 세종 때 왜구의 근거지인 대마도를 토벌하였다. □ O □ X

13 세종 때 경자자, 갑인자 등이 차례로 주조되었다. □ O □ X

14 세종 때 문화와 제도를 유교식으로 갖추기 위해 ______을 창설하였다.

15 세종 때 여진을 정벌하고 ______을 설치하였다.

핵심 개념 4 | 세조의 업적

16 세조에 의하여 경연 제도가 크게 활성화되었다. □ O □ X

17 세조 때 『경국대전』의 편찬을 마무리하고 반포하였다. □ O □ X

18 세조는 ______를 실시하여 국왕 중심의 정치 체제를 구축하였다.

19 세조 때 토지 측량 기구인 ______와 규형을 제작하여 토지 측량과 지도 제작에 활용하였다.

핵심 개념 5 | 성종의 업적

20 성종은 성균관에 존경각을 짓고 서적을 소장하게 하였다. □ O □ X

21 성종은 도첩제를 폐지하여 승려의 출가를 금지하였다. □ O □ X

22 성종은 ______을 두어 주요 관리들을 경연에 참여하게 하였다.

23 성종은 『______』의 편찬을 마무리하여 반포하였다.

24 성종은 훈구 세력을 견제하기 위해 ____을 적극 중용하였다.

정답과 해설

01	O 고려 말 정도전을 비롯한 조준, 남은 등의 급진파 사대부는 민심을 잃은 통치자를 다른 덕이 있는 자로 교체할 수 있다는 맹자의 역성 혁명론을 조선 건국에 적용하였다.	**13**	O 세종 때 주자소에서 경자자, 갑인자 등의 금속 활자가 차례로 주조되었다.
02	✖ 과전법은 조선 건국 이전인 고려 말 공양왕 때부터 실시(1391)되었다.	**14**	집현전
03	O 정도전은 『불씨잡변』을 통해 유학의 입장에서 불교를 비판하였다.	**15**	4군 6진
04	폐가입진	**16**	✖ 세조 때 경연 제도가 폐지되었다. 경연 제도가 활성화된 것은 성종 때이다.
05	조선경국전	**17**	✖ 세조 때 『경국대전』의 편찬이 시작되었고, 성종 때 완성·반포되었다.
06	O 태종은 개경에서 한양으로 다시 천도하고, 이궁인 창덕궁을 건설하였다.	**18**	6조 직계제
07	O 태종 대에 사섬서를 설치(1401)하여 지폐인 저화를 발행하였고, 노비가 국가에 바치는 면포를 관장하도록 하였다.	**19**	인지의
08	O 태종은 활자 주조를 담당하는 관청인 주자소를 설치하고, 구리로 계미자를 주조하였다.	**20**	O 성종은 관학 진흥을 위해 성균관에 존경각을 짓고 서적을 소장하게 하였다.
09	사간원	**21**	O 성종은 도첩제를 폐지하여 승려의 출가를 원천적으로 금지하였다.
10	호패법	**22**	홍문관
11	✖ 세종은 의정부 서사제를 실시하였다.	**23**	경국대전
12	O 세종은 왜구의 약탈이 계속되자, 이종무로 하여금 왜구의 소굴인 대마도를 토벌하게 하였다.	**24**	사림

2 통치 체제의 정비

학습 포인트
조선의 통치 체제를 중앙 정치 기구, 지방 행정 조직, 군역 제도, 관리 등용 제도 등으로 구분하여 학습한다.

빈출 핵심 포인트
의정부, 6조, 3사, 관찰사, 유향소, 경재소, 5위, 진관 체제, 식년시, 소과, 대과, 상피제

1 중앙 정치 체제

1. 정치 체제의 확립

(1) 정치 체제의 법제화: 조선의 중앙 정치 체제는 『경국대전』으로 법제화되었다.

(2) 중앙 관리의 구분

① **30등급**(18품 30계): 문반(동반)과 무반(서반)으로 구성되었고, 9품 이상은 정(正)과 종(從)으로 18품으로 나누었으며, 6품 이상은 다시 상·하로 구분하였다. 즉, 1~6품까지 24등급, 7~9품까지 6등급으로 총 30등급이 된다.

② **당상관**: 당상관은 정3품 상계 이상을 통칭하며, 이들은 왕과 함께 정책을 논의하는 자리에 참여하거나 주요 관서의 책임자가 될 수 있었다.

③ **당하관**: 당하관의 경우 정3품 하계 이하 종6품 하계 이상은 참상관, 정7품 이하는 참하관으로 구분하였는데, 이때 참상관은 조회에 참여하고 실무를 담당하였다.

④ **관계 구분**: 경관직(중앙 관직)과 외관직(지방 관직)으로 구분하였다.

2. 중앙 정치 제도 운영의 특징

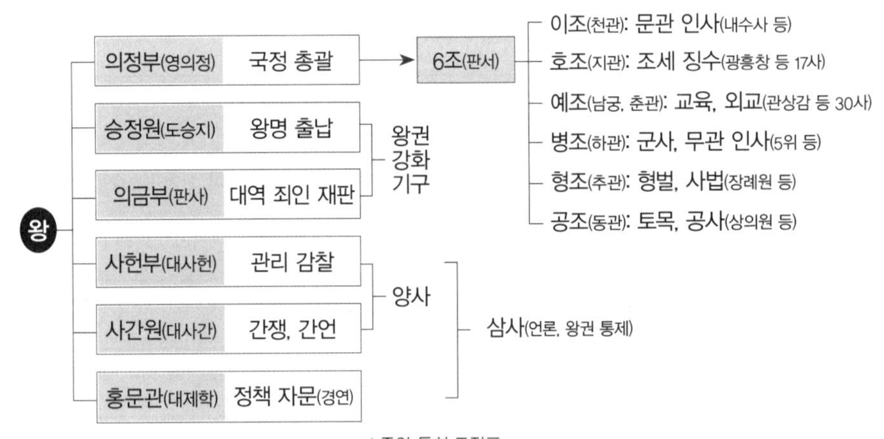

| 중앙 통치 조직표

(1) 의정부와 6조

① **의정부**: 의정부는 백관의 서무를 총괄한 조선의 최고 권력 기관으로, 영의정 및 좌·우의정 등의 재상들이 모여 국정을 논의하는 재상 합의 기관이었다.

② **6조**: 6조는 정책을 집행하는 행정 기관으로, 6조 아래에 100여 개의 관청이 소속되어 업무를 분담함으로써 행정의 전문성과 효율성을 추구하였다.

의정부
고려의 독자적인 정무 기구였던 **도평의사사(도당)가 조선 정종 때 개칭된 것**으로, 중국에는 없었던 **조선의 독자적인 관청**이었다.

6조
6조에는 각 조마다 속사와 속아문을 두어 직능별로 행정을 분담시켰다.

③ **특징**: 의정부와 6조의 고관들은 중요 정책 회의와 경연을 통해 각 관서 사이의 업무를 조정하고 통일된 정책을 추진하였다.

(2) 승정원과 의금부

① **승정원**: 승정원은 국왕의 비서 기구로 왕명의 출납을 담당하였으며, 도승지 이하 6명의 승지가 6조를 각각 분담하였다.

② **의금부**: 의금부는 국왕 직속의 상설 사법 기관으로, 대역·모반죄 등 왕실과 관계된 중죄 등을 처결하였다.

③ **특징**: 승정원과 의금부는 국왕 직속 기관으로, 왕권 강화와 유지를 위한 기구였다.

(3) 삼사: 사헌부(종2품 대사헌 중심, 관리의 비리 감찰), 사간원(정3품 대사간 중심, 왕에게 간쟁과 논박을 하며 정사 비판), 홍문관(정2품 대제학 중심, 경적·문한 관리와 정책 자문)을 합쳐 삼사라고 불렀다.

① **언론 활동**: 삼사의 언론 활동은 고관들은 물론이고 왕이라도 함부로 막을 수 없었고, 이를 위한 여러 규정(풍문거핵, 불문언근 등)이 존재하였다.

② **권력의 독점·부정 방지**: 삼사는 권력의 독점과 부정을 방지하기 위한 기관으로, 조선 시대 정치의 특징이다.

③ **서경권 보유(대간)**: 서경권은 5품 이하 관리 임명에 대한 동의권으로, 대간(사간원과 사헌부, '양사'로도 불림)이 보유하였다(홍문관은 제외).

기출 사료 읽기

> **조선의 삼사**
>
> · **사헌부**: 시정(時政)을 논하여 바르게 이끌고 모든 관원을 규찰하며, 풍속을 바로 잡고, 원통하고 억울한 일을 풀어 주고 외람되고 거짓된 행위를 금하는 등의 일을 맡는다.
> · **사간원**: 간쟁(諫諍)하고 정사(政事)의 잘못을 논박(論駁)하는 직무를 관장한다.
> · **홍문관**: 궁궐 내의 경적(經籍)을 관리하고 문한(文翰)을 관리하며, 왕의 고문(顧問)에 대비한다. 모두 문관을 임용하며 제학(提學) 이상은 타 관부의 관원이 겸임한다. 모두 경연을 겸임한다.
>
> -『경국대전』
>
> **사료 해설** | 사헌부, 사간원, 홍문관으로 구성된 삼사는 권력의 독점을 견제하는 언론 기능을 담당하였다.

(4) 4관: 4관은 교육·문예를 맡은 기관들로, 정책 결정과 행정을 학문적으로 뒷받침하였다.

예문관	· 임금의 교지 작성을 담당 · 하급 관원은 사관의 임무를 맡아 사초(실록의 기본 자료)를 작성
승문원	· 외교 문서 작성을 담당 · 외교 문서에 쓰이는 문체인 이문의 교육을 실시
성균관	조선의 최고 교육 기관으로 유학 교육을 담당
교서관	경적의 간행과 제사 때에 쓰이는 향·축문·인신 등을 관장

(5) 기타

춘추관	역사서 편찬과 보관을 담당
한성부	· 서울의 행정과 치안 및 이와 관련된 재판의 업무를 담당 · 장관을 한성부 판윤이라 함

승정원

승정원(承政院)은 임금의 후설(喉舌, 목구멍과 혀)이 되는 곳으로서 그 임무가 매우 중요하고 임금과 가깝기 때문에, 나라에서 이를 중시하여 당상관으로 이조(吏曹)나 대사간을 거쳐야 겨우 이를 맡을 수 있었다. …… 승정원은 왕명(王命)을 출납(出納)하므로 그 책임이 가장 막중하여, 승지에 임명되는 자는 마치 신선(神仙)과 같아서 세속 사람들이 '은대 학사'라고 부른다. - 이유원, 『임하필기』

▶ 승정원은 **국왕의 비서 기구**로 **정원, 후원, 은대, 대언사**라고 불렸다.

삼사의 별칭

사헌부	백부(柏府)·상대(霜臺)·오대(烏臺)
사간원	간원(諫院)·미원(薇院)
홍문관	옥당(玉堂)·옥서(玉署)·영각(瀛閣)

삼사의 활동을 위한 규정

· **풍문거핵**: 풍문(소문)만으로도 관리를 탄핵할 수 있는 규정
· **불문언근**: 어떤 발언을 하더라도 출처를 묻지 않음으로써 대간을 보호하는 규정

IV 조선의 발전 해커스공무원 한국사 기본서

2 지방 행정 조직

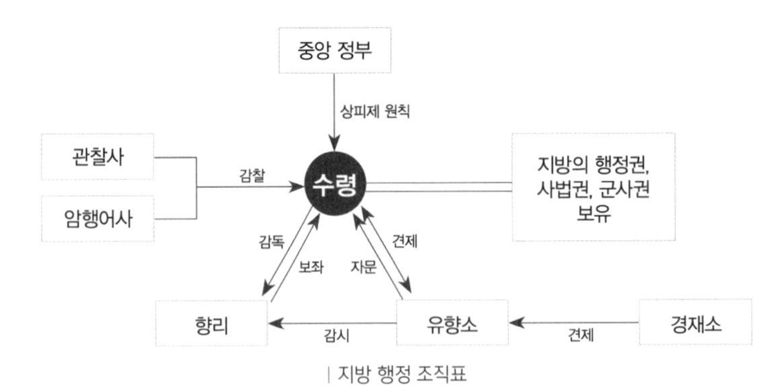

| 지방 행정 조직표

1. 특징

(1) 행정 구역 정비

① **정비**: 전국을 8도로 나누고 고을의 크기에 따라 지방관의 등급을 조정하였으며, 작은 군현을 통합하여 전국에 약 330여 개의 군현을 두었다.

㉠ **8도**: 지방의 최고 행정 조직으로, 관찰사가 파견되었다.

㉡ **부·목·군·현**: 인구와 토지를 기준으로 구분되었으며, 5부 20목 82군 175현 등으로 구성되었다.

㉢ **유수부**: 군사적 요충지인 개성, 강화, 광주, 수원에 유수부를 설치하여 특수 행정 구역으로 따로 분류하였다. 이 지역에는 국왕에게 직속된 경관(4도 유수)이 파견되었는데, 이들은 관찰사의 지휘와 통제를 받지 않았다.

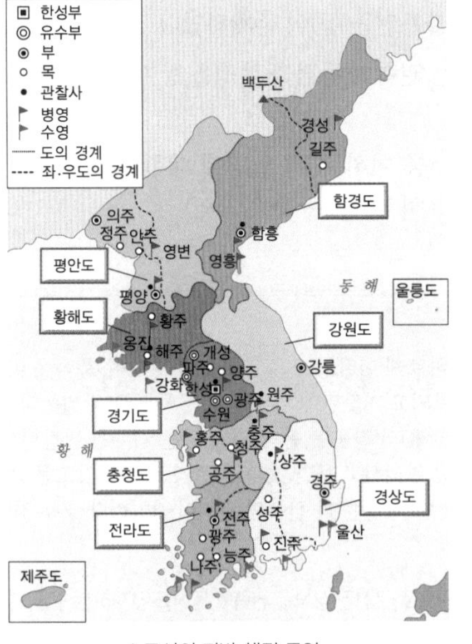

| 조선의 지방 행정 구역

② **속현의 소멸**: 조선 시대에는 모든 군·현에 지방관(수령)을 파견함으로써 속현이 소멸되었다.

③ **향·소·부곡 소멸**: 고려 시대까지 특수 행정 구역이었던 향·소·부곡을 일반 군현으로 승격시키거나 포함시켰다.

(2) 중앙 집권 강화

① **상피제와 임기제**

㉠ **상피제**: 친인척을 같은 행정 조직에 근무하지 못하도록 하거나, 지방관·관찰사 파견 시 출신지로는 임명을 금지하는 상피제를 실시하였다.

㉡ **임기제**: 관찰사는 1년, 수령은 5년으로 임기를 제한하였다.

② **관찰사**

㉠ **파견 목적**: 수령을 지휘·감독하고 백성의 생활을 살피기 위하여 전국 8도에 관찰사를 파견하였다.

부·목·군·현

부·목·군·현에는 **수령이 파견**되었는데, 5부에 부윤(종2품), 5대도호부에 부사(정3품), 20목에 목사(정3품), 82군에 군수(종4품), 175개 현에는 현령(종5품)이나 현감(종6품)이 파견되었다.

㉡ **역할**: 관찰사는 감찰권, 행정권, 사법권은 물론 병마절도사·수군절도사까지 겸하였기 때문에, 군사권까지 행사하는 중요한 직책이었다.

③ 수령

㉠ **실제 행정 담당**: 수령은 부·목·군·현에 파견된 지방관으로, 가장 중요한 직무는 조세·공납의 징수였다.

㉡ **권한**: 수령은 왕의 대리인으로 지방의 행정·사법·군사권을 가지고 있었으며, 수령 7사(守令七事)라 하여 농업 발전, 학교 진흥, 부세 수취, 치안 확보 등 일곱 가지의 업무를 수행하였다.

④ 향리

㉠ **역할**: 향리는 중앙의 6조에 상응하는 6방의 조직을 갖추었고, 수령의 행정 실무를 보좌하였다.

㉡ **지위 격하**: 한편, 고려 시대에는 향리가 지방의 실질적인 지배층의 역할을 하였던 반면, 조선 시대에는 향리의 지위가 세습적인 아전으로 격하되었다. 또한 세종 때 외역전이 폐지됨으로써 기존에 향리에게 주어지던 보수가 사라졌고, 과거 응시에 있어서도 문과 응시에 제한을 받는 등 신분 상승에도 제약이 있었다.

(3) 농민 통제

① **면리제**: 조선은 군·현 아래 면·리·통을 설치하고 책임자로 면장(권농), 이정, 통주를 두었다. 이들은 수령을 보좌하고, 인구 파악과 부역 징발 등의 일을 담당하였다.

② **5가작통법**: 중앙과 지방의 5가(家)를 1통으로 하여 통주를 두는 5가작통법을 실시하고, 지방의 5통을 1리로 하여 수 개의 리를 묶어 면으로 설정하였다. 5가작통법은 이웃의 상부상조와 연대 책임을 목적으로 하였으며, 조세 징수, 부역 동원, 범죄자 색출에도 이용되었다.

2. 양반 중심의 향촌 사회

(1) 유향소(향청)

① **특징**: 유향소는 지방 사족들을 중심으로 구성된 향촌 자치적 성격의 기구였다.

② **구성**: 유향소는 각 읍별로 설치되었고, 유향품관(향안에 등재된 지방 양반층)들로 구성되었으며, 장(長)인 좌수(향정)와 2명의 별감을 임원으로 선출하였다.

③ **기능**: 유향소는 수령 감시 및 보좌, 향리 규찰, 풍속 교정 등의 기능을 수행하였다.

④ **변천**: 세종 때 복립(태종 때 폐지)되었던 유향소는 세조 때 일시적으로 폐지되었다가, 성종 때 사림들의 요청으로 부활하였다. 이후 선조 때 경재소가 폐지(1603)되면서 유향소의 명칭을 향청(향소)으로 변경하였다.

(2) 경재소

① **특징**: 경재소는 유향소를 통제하기 위해 수도에 설치한 것으로, 그 지방 출신의 중앙 고관을 책임자로 임명하였다.

② **기능**: 출신 지역의 유향소와 중앙 정부 사이의 연락 기능을 담당하도록 함으로써 유향소를 중앙에서 직접 통제할 수 있게 하였다.

③ **변천**: 경재소는 임진왜란 이후 수령권의 강화로 유향소의 지위가 격하되자, 선조 때 폐지되었다(1603).

수령 7사 기출사료

변징원에게 임금이 "그대는 이미 흡곡현령을 지냈으니 백성을 다스리는 데 무엇을 먼저 하겠는가?"라고 물었다. 그는 "마땅히 칠사(七事)를 먼저 할 것입니다."라고 하였다. 임금께서 말하기를, "칠사라는 것은 무엇인가?" 하니, 변징원이 대답하기를, "농상(농사와 양잠)을 성하게 하는 일, 학교를 일으키는 일, 소송을 간략하게 하는 일, 간활(간사하고 교활함)을 없애는 일, 군정(軍政)을 닦는 일, 호구를 늘리는 일, 부역을 고르게 하는 일이 바로 칠사입니다."라고 하였다. - 『성종실록』

▶ 수령 7사는 조선 시대에 지방관인 **수령이 지방 통치에 힘써야 할 일곱 가지 업무를 제시**한 것으로, 일곱 가지 업무로는 ① 농업과 양잠 장려(농상성), ② 교육의 진흥(학교흥), ③ 소송을 간명하게 함(사송간), ④ 간교한 풍속을 없앰(간활식), ⑤ 군사 훈련 실시(군정수), ⑥ 호구를 늘림(호구증), ⑦ 부역의 균등(부역균)이 있다.

면·리·통

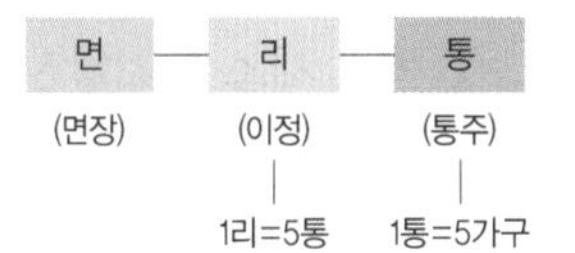

유향소

고을에서 부모에게 불효하는 자, 형제에게 불경하는 자, 친족 간에 불목하는 자, 인척 간에 불화하는 자, 남에게 신의가 없거나 남을 구휼해 주지 않는 자가 있으면, 유향소에서 그에 대한 징계를 의논할 수 있으며, 아전으로 백성의 재물을 침탈하는 자가 있으면 이곳에서 징계를 의논할 수 있다. - 『경국대전』

▶ 조선의 정부는 **향촌 자치를 위해 지방 사족들로 구성된 기구**인 유향소 설치를 허용하였다.

필수 개념 정리하기

지방 행정 제도 비교(고려 vs 조선)

구분	고려	조선
조직	일반 행정 구역(5도 - 안찰사)과 군사 행정 구역(양계 - 병마사) 분리	일원적 조직(8도 - 관찰사)
특징	· 주현과 속현의 구분 · 향·소·부곡의 존재	· 모든 군현에 지방관 파견(속현 소멸) · 향·소·부곡의 소멸, 면·리·통 정비
향리	· 향리(호장, 부호장)가 행정 담당, 과거 응시 · 조세 징수, 외역전 수급	· 권한 격하(무보수), 과거 응시 제한 · 조세 징수권이 수령에게 귀속
기타	사심관 제도, 기인 제도	경재소가 유향소 통제

3 군역 제도와 군사 조직 및 연락 조직

1. 군역 제도

(1) 대상

① **원칙**: 군역은 양인 개병제의 원칙에 따라 16세 이상 60세 이하의 양인 장정(정남)을 대상으로 하였다.

② **편성**: 세조 때 시행된 보법에 따라 모든 양인 정남은 정군과 보인으로 편성되었다.

정군(정병)	· 현역병으로 서울에서 중앙군에 근무하거나 지방군으로 국경 요충지에 배속되었음 · 일정 기간 교대로 복무하였고, 복무 기간에 따라 품계를 받기도 하였음
보인(봉족)	정군의 군역 수행에 필요한 식량, 의복 등 경비를 부담

(2) 예외 대상: 종친·외척·공신이나 고급 관리의 자제는 특수군에 편입되어 군역을 대신하였으며, 그 대가로 품계와 녹봉을 받기도 하였다.

(3) 면제 대상: 현직 관료, 향리, 성균관과 향교의 학생·장인·상인·어민은 군역을 면제 받았다. 한편, 노비는 원칙적으로 군역의 의무가 없었으나, 필요에 따라 특수군(잡색군, 속오군)에 편제되기도 하였다.

2. 군사 조직

(1) 중앙군과 지방군

중앙군(5위)	· 의흥위, 용양위, 호분위, 충좌위, 충무위로 궁궐과 수도 방어 담당 · 갑사(직업 군인), 정군(정병), 특수군(왕족·공신·고관의 자제)으로 편성
지방군	육군과 수군으로 편성, 초기에는 영이나 진에 소속되어 복무(영진군)

(2) 잡색군: 잡색군은 서리, 잡학인, 신량역천인, 노비 등으로 편성된 일종의 예비군으로, 생업에 종사하다가 일정 기간 군사 훈련을 받으며 유사시를 대비하였다.

갑사

갑사는 **중앙**에서는 **왕궁과 서울의 수비**를 맡았고, **지방**에서는 **하급 지휘관**이 되었다.

잡색군의 편성

양인 개병의 원칙에 따라 **군역의 의무가 없는 노비도 잡색군에 포함**되었으나, **농민은 정규군**으로 편성되어 **잡색군 편성에서 제외**되었다.

(3) 방어 체제의 변화

① **영진군·익군 체제**: 조선 초기에는 해안과 국경 등 군사 요지에 영과 진을 설치하여 이를 수비하는 영진군을 두었고, 평안도와 함경도에 속한 몇 개 군을 군익도로 나누고 각 도를 중익·좌익·우익의 3익으로 나누어 편성한 익군 체제를 운영하였다.

② **진관 체제**(세조 이후): 세조 때부터 전국을 여러 개의 진관으로 편성하였다. 각 도에 1~2개의 병영을 두고, 병영 아래에 중요한 지역을 거진(巨鎭)으로 하여 나머지 주변의 여러 진을 그에 속하도록 하면서, 거진의 수령이 그 지역 군대를 통제하도록 하였다.

③ **제승방략 체제**(16세기 후반, 임진왜란 직전)

㉠ **시행 배경**: 16세기 이후 대립, 방군수포 등의 군역의 기피로 진관 체제를 유지하기 어렵게 되자 방어 체계를 제승방략 체제로 전환하였다. 제승방략 체제는 유사시에 각 고을의 수령들이 소속된 군사를 이끌고 지정된 지역으로 가서 방어하는 체제였다.

㉡ **문제점**: 제승방략 체제는 중앙에서 파견된 지휘관을 기다려야 하며, 군대가 한 곳에 모이기 때문에 후방 지역에 군사가 없어 전방의 군대가 무너지면 이후의 방어가 불가하였다. 이는 임진왜란 초기에 조선이 패전하게 되는 원인이 되었다.

㉢ **진관 체제 복구**: 임진왜란 중에 유성룡의 건의로 진관 체제가 복구되었다.

진관 체제
- **지역 단위**의 방어 체제
- 수령이 지휘
- 소규모 전투에 유리 (대규모 침입에 취약)

제승방략 체제
- **지역 연합** 방어 체제 (유사시 지정 지역으로 이동)
- 중앙에서 파견된 고위 관리가 지휘 (지휘 통제가 비효율적)
- 대규모 전투에 효과적이지만, 후방 방어에 취약함

4 관리 등용 제도

1. 과거 제도

(1) 과거의 종류: 문관을 뽑는 문과와 무관을 뽑는 무과, 기술관을 뽑는 잡과가 있었다.

(2) 응시 자격: 천인을 제외하고는 법제상 양인 이상이면 누구나 응시가 가능하였으나 문과의 경우 탐관오리의 아들, 재가녀의 자손, 서얼 등은 응시가 제한되었다.

(3) 시험 종류

정기 시험	식년시	3년마다 정기적으로 시행된 과거 시험
부정기 시험 (별시)	증광시	· 국가의 큰 경사(왕자 탄생 등)가 있을 때 실시된 과거 시험(문·무·잡과 모두 시행) · 식년시와 마찬가지로 문·무·잡과 모두 시행
	알성시	· 국왕의 성균관 문묘 제례 시 실시되는 비정기 시험(문과와 무과만 실시) · 성균관 유생을 대상으로 실시하였으나 이후 지방 유생까지 응시 자격 확대

과거 제도

(4) 문과

① **소과**(생원과·진사과, 사마시)

㉠ **과목 및 절차**: 소과는 유교 경전(4서 5경)에 뛰어난 인재를 선발하는 생원과와, 한문학에 뛰어난 인재를 선발하는 문예 시험(시·부·책)인 진사과로 구분된다. 두 시험은 모두 초시와 복시의 2단계로 진행되었다.

㉡ **인원**: 초시(1차)에서는 각 도의 인구 비율에 따라 약 700명씩 선발하였다. 이후 복시(2차)에서는 성적에 따라 과목별로 100명씩 선발하였다(각 도의 인구는 고려하지 않음).

㉢ **합격자**: 소과 합격자들은 백패라는 합격증을 받았고, 생원과 진사가 되었으며 성균관에 입학하거나 대과(문과) 응시 자격을 취득하였다.

② **대과**(문과)

㉠ **절차**: 대과는 초시 - 복시 - 전시의 3단계로 진행되었다.

㉡ **인원**: 초시(1차)에서 각 도의 인구 비율에 따라 240명을 선발하였다. 이후 복시(2차)를 통해 성적 순으로 33명을 선발하였다(각 도의 인구는 고려하지 않음). 마지막으로 왕이 주관하는 전시(3차)에서 성적에 따라 복시 합격자의 등급(순위)을 결정하였는데, 갑과 3명, 을과 7명, 병과 23명으로 순위를 매겼다.

㉢ **합격자**: 대과 합격자에게는 합격증인 홍패를 수여하였다.

㉣ **주관**: 『경국대전』에 따르면 문과 시험 업무는 예조에서 주관하였다.

(5) 무과

① **절차**: 무과는 소과의 절차 없이, 대과(문과)와 같은 초시 - 복시 - 전시의 절차를 거쳐 무관을 선발하였다.

② **인원**: 무과의 최종 선발 인원은 28명이었다.

③ **특징**: 주로 서얼과 중간 계층이 응시하였다. 무과에서는 무예뿐만 아니라 경서와 병서 등도 시험하였다.

④ **합격자**: 무과 합격자에게는 합격증인 홍패를 지급하였다.

(6) 잡과

① **종류**: 잡과는 역과(외국어)·율과(법률)·의과(의학)·음양과(천문·지리)의 네 부분으로 나누어 사역원·형조·전의감·관상감 등 여러 관서의 특수 기술관을 선발하였다.

② **절차**: 잡과는 3년마다 치러졌고, 초시와 복시만으로 합격자를 선발하였는데 분야별로 정원이 있었다. 한편 초시는 해당 관청에서, 복시는 예조에서 주관하였다.

③ **합격자**: 잡과 합격자에게는 백패를 수여하였다.

(7) 승과: 승과는 조선 초기에 실시되다가 중종 때 폐지되었다. 이후 명종 즉위 초에 일시적으로 부활하였다가 다시 폐지되었다.

2. 기타 관리 임용법

음서	· 대상: 공신 및 2품 이상 관리의 자손·사위, 실직 3품 관리의 자손 등(고려 시대에 비해 대상 축소) · 문과 불합격 시 고관 승진이 어려움
취재	간단한 시험을 거쳐 서리 또는 하급 관리로 선발, 산학(호조 주관)·화학(도화서 주관)·악학(장악원 주관)
천거	3품 이상 고관의 추천을 받아 간단한 시험을 치른 후 관직에 등용, 대개 기존 관리를 대상으로 실시(현량과)

3. 인사 관리 제도

상피제	친인척과 같은 관청에서 근무할 수 없고, 연고지의 지방관으로 임명하지 않음
서경 제도	5품 이하 관리 임명 시 사헌부와 사간원의 대간이 그 사람을 조사한 뒤 그 가부를 승인
포폄제	고관이 하급 관리의 근무 성적을 평가하는 제도, 승진·좌천의 자료로 사용

잡과

잡과는 3년마다 **역과 19명, 의과 9명, 음양과(천문·지리·명경) 9명, 율과 9명으로 도합 46명을 선발**하였다. 이 중 음양과는 천문학을 전공하는 생도들만이 응시할 수 있었으나 다른 과는 향교생들도 응시할 수 있었다. **잡과 합격자는 최고 정3품까지 승진**할 수 있었으며, 국초에는 다시 문과에 합격하여 고급 관원이 된 예가 적지 않았으나 성종 이후 점차 양반으로의 진출이 막히게 되었다.

음서제

고려는 **5품 이상 관리의 자제**에게 음서가 적용되었는데, **조선**에서는 **2품 이상 관리의 자제**와 실직 3품 관리의 자손으로 **음서 대상이 축소**되었다.

OX 빈칸 핵심 개념 점검

* 학습한 개념을 OX/빈칸 문제를 통해 점검해보세요.

핵심 개념 1 | 조선의 중앙 정치 제도

01 사간원은 왕명을 출납하면서 왕의 비서 기관의 업무를 하였다. □ O □ X

02 사헌부와 사간원, 홍문관은 서경권을 가지고 있었다. □ O □ X

03 춘추관은 외교 문서를 작성하였다. □ O □ X

04 교서관은 국왕의 교서를 작성하는 역할을 하였다. □ O □ X

05 ______는 관리의 감찰 및 풍속 교정 등을 담당하였다.

06 ______은 국왕에 대한 간쟁과 논박을 담당한 언론 기관이다.

07 ______은 학술 연구, 정책 자문 등의 역할을 하였으며 장(長)은 정2품의 대제학이었다.

핵심 개념 2 | 조선의 지방 행정 제도

08 조선 시대에는 모든 군현에 수령이 파견되었다. □ O □ X

09 조선 시대에는 지방에 유향소를 설치하여 수령을 보좌하였다. □ O □ X

10 경재소는 중앙 정부가 현직 관료로 하여금 연고지의 ______를 통제하게 하는 제도로서, 중앙과 지방의 연락 업무를 맡았다.

핵심 개념 3 | 조선의 군역 제도와 군사 제도

11 조선 전기에는 중앙군인 5위를 두어 궁궐과 수도를 방어하였다. □ O □ X

12 조선 전기에 지방군을 육군과 수군으로 나누어 군사 요지인 영과 진에 배치하였다. □ O □ X

13 ______은 서리, 잡학인, 신량역천인, 노비 등으로 편성된 일종의 예비군으로, 생업에 종사하다가 일정 기간 군사 훈련을 받았다.

14 조선 전기 세조 때 국방력 강화를 위해 ______ 체제를 실시하였다.

핵심 개념 4 | 조선의 관리 등용 제도

15 『경국대전』에 따르면 조선 시대 문과 시험 업무는 예조에서 주관하였다. □ O □ X

16 조선 시대의 무과에는 서얼도 응시가 가능하였다. □ O □ X

17 조선에는 음서가 있어 2품 이상의 고관 자제는 시험을 치르지 않고 관직에 등용되고, 고위 관직으로의 승진도 빨랐다. □ O □ X

18 조선 시대에는 고관의 추천을 받아 간단한 시험을 치른 후 관직에 등용하는 제도인 천거도 시행되었다. □ O □ X

19 문과에서 소과 합격 증서를 ____, 대과 합격 증서를 ____라 하였다.

20 조선 시대에는 인사의 공정성을 확보하기 위해 5품 이하 관리의 등용에는 ____을 거치도록 하였다.

정답과 해설

01	✖ 왕명 출납을 담당하면서 왕의 비서 기관의 업무를 한 것은 승정원이다. 사간원은 왕의 정책을 간쟁하는 역할을 하였다.	11	O 조선 전기에는 중앙군인 5위(의흥위, 용양위, 호분위, 충좌위, 충무위)를 두어 궁궐과 수도를 방어하였다.
02	✖ 5품 이하 관리 임명에 대한 동의권인 서경권을 가지고 있었던 정치 기구는 대간이라 불리던 사헌부와 사간원이며, 홍문관에는 서경권이 부여되지 않았다.	12	O 조선의 지방군은 육군과 수군으로 구분되었고, 국방상 요지에 설치된 영이나 진에 배치되어 영진군이라고도 불렸다.
03	✖ 춘추관은 역사서의 편찬과 보관을 담당하였다. 외교 문서를 작성한 관청은 승문원이다.	13	잡색군
04	✖ 교서관은 궁중의 서적을 간행하고, 제사 때 사용하는 향과 축문 등을 관장한 서적 관리 관청이었다. 국왕의 교서를 작성한 조선의 관청은 예문관이다.	14	진관
05	사헌부	15	O 『경국대전』에 따르면 조선 시대 문과 시험 업무는 예조에서 주관하였다.
06	사간원	16	O 조선 시대에는 무관을 선발하는 무과에 서얼도 응시가 가능하였다.
07	홍문관	17	✖ 조선 시대에는 2품 이상의 고관의 자제가 음서로 관직에 등용되어도 문과에 합격하지 않으면 고위 관직으로의 승진이 불가하였다.
08	O 조선 시대에는 모든 군현에 지방관인 수령을 파견하였다.	18	O 조선 시대에는 고관의 추천을 받아 간단한 시험에 통과하면 관직에 등용되는 천거제가 시행되었다.
09	O 조선 시대에는 지방 사족들을 중심으로 구성된 향촌 자치 기구인 유향소가 설치되어 수령을 보좌하고, 향리를 규찰하며 향촌의 풍속을 교정하는 역할을 하였다.	19	백패, 홍패
10	유향소	20	서경

3 사림의 대두와 붕당 정치의 전개

학습 포인트
조선 전기의 정치 세력인 훈구와 사림의 특징을 서로 비교하며 정리하고, 두 세력의 충돌로 일어난 사화의 원인, 전개 과정, 결과 등을 학습하도록 한다. 또한 동인과 서인의 형성 과정에 대해서도 정리하도록 한다.

빈출 핵심 포인트
훈구, 사림, 무오사화, 갑자사화, 조광조, 기묘사화, 을사사화, 동인, 서인

1 훈구와 사림

구분	훈구	사림
기원	급진파 사대부(정도전, 조준, 권근 등)	온건파 사대부(정몽주, 이색, 길재 등)
집권	15세기 정치 주도(한명회, 신숙주, 서거정)	16세기 이후 사회 주도(조광조, 이황, 이이)
배경	공신(중앙), 대지주	영남·기호 지방, 중소 지주
학풍	관학파	사학파
사상	· 중앙 집권, 부국강병, 과학 기술 중시 · 타 사상 포용, 『주례』 중시 · 현실적·실천적 성리학	· 향촌 자치, 왕도 정치, 과학 기술 경시 · 타 사상 배척, 성리학적 명분론 중시 · 유교 윤리가 담긴 『소학』, 『주자가례』 중시
성격	자주적 민족 의식	존화주의적(중국 중심의 세계관)
학문	사장 중시	경학 중시
역할	15세기 문물 제도 정비에 기여	16세기 성리학 발전에 기여

사장(詞章)
'사'는 **시와 노래**, '장'은 **문장**을 의미하는 말로, **문학 중심의 학문**을 말한다.

경학(經學)
유교 경전을 공부하는 학문으로, **유교 경전에 대한 철학적 연구**를 말한다.

2 사림의 정치적 성장

1. 사림의 중앙 정계 진출

(1) 계기: 성종은 훈구 세력(세조의 공신)을 견제하기 위해 사림을 적극적으로 등용하였다.

(2) 사림의 진출·활동: 사림인 김종직(세조 때 관직 진출)과 그의 문인들이 과거를 통해 중앙에 진출하면서 정치적으로 성장하기 시작하였다. 이들은 주로 전랑과 3사의 언관직에 진출하여 훈구 세력의 부정과 비리를 비판하였다.

김종직
김종직은 고려 말 **정몽주, 길재의 학풍**을 이어받았고, 세조 대에 과거에 급제하였으며, 성종 대에는 주요 관직에 등용되었다. **김굉필, 조광조 등이 김종직의 도학을 계승**하였으며, 그의 제자들이 과거를 통해 주로 삼사 언관직에 진출하였다. 한편 김종직이 **세조의 즉위를 비판하여 지은 「조의제문」**이 **무오사화**를 불러 일으켜 김종직은 부관참시 당하였다.

기출 사료 읽기

김종직 - 사림의 중앙 진출

"김종직은 경상도 사람이다. 학문이 뛰어나고, 문장을 잘 지으며, 가르치기를 즐겼다. 그에게 배워 과거에 급제한 사람이 많았다. 경상도 선비로 조정에 벼슬하는 사람들은 그를 우두머리로 모셨다. 스승은 제자를 칭찬하고 제자는 제 스승을 칭찬하는 것이 정도에 지나쳤다. 조정에 새로 진출한 무리는 그른 것을 깨닫지 못하고 함께 어울리는 자가 많았다. 그 때 사람들이 이를 비판하여 '경상도 선배 무리'라고 하였다."
- 『성종실록』

사료 해설 | 김종직은 영남 사림파의 영수로, 세조 때 과거에 급제하였으며 성종 때는 주요 관직에서 활동하였다. 김종직은 제자인 정여창, 김굉필, 김일손 등에 영향을 끼쳤고, 이들이 과거를 통하여 중앙에 진출하면서 정치적으로 사림이 성장하게 되었다.

2. 사림의 계보

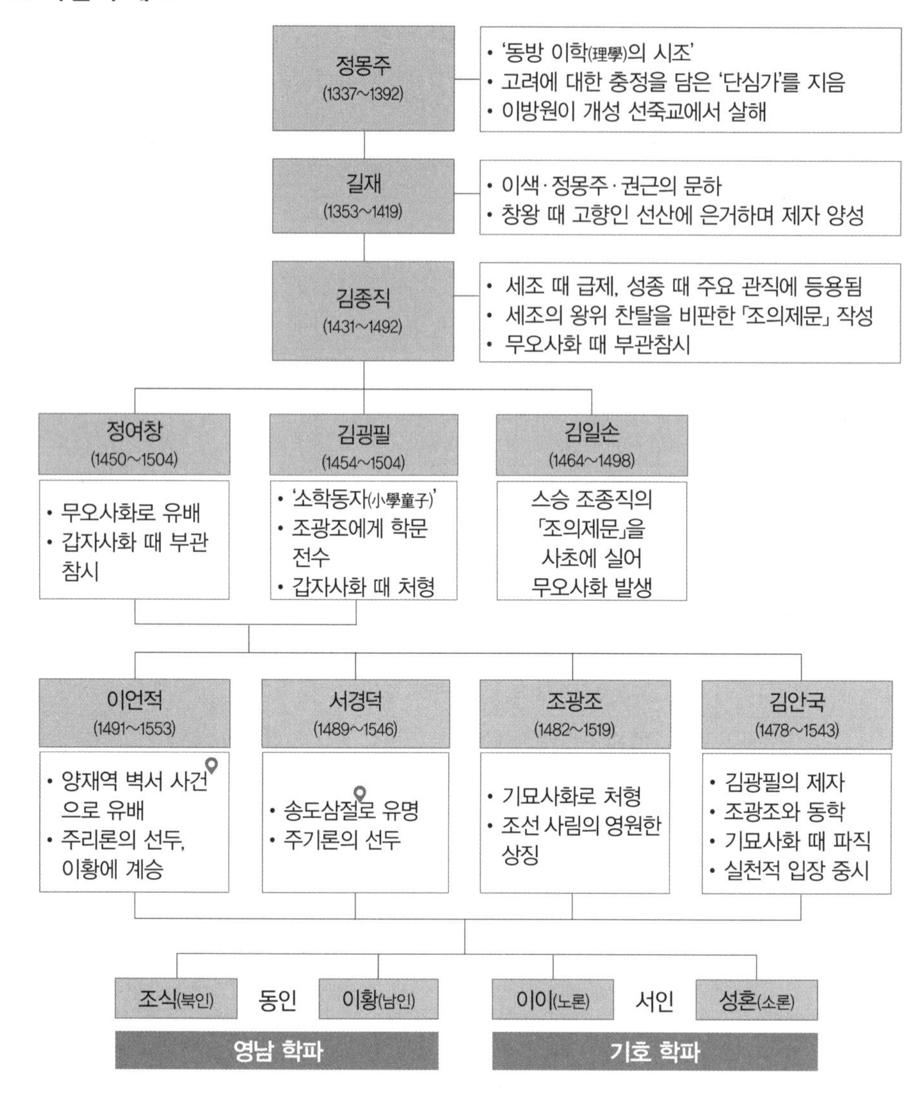

3 사화의 발생

1. 무오사화(1498, 연산군 4)

(1) 원인: 사림파 학자인 김일손이 스승 김종직의 「조의제문」(단종의 왕위를 빼앗은 세조를 비난한 글)을 실록의 초안인 「사초」에 기록하였다.

(2) 전개: 유자광, 이극돈 등 훈구파가 연산군에게 「조의제문」이 세조의 왕위 찬탈을 비난한 것이라고 고발하였다.

(3) 결과: 연산군은 죽은 김종직을 부관참시했으며 김일손, 권오복 등을 처형하고 정희량, 김굉필, 이계명 등을 유배보냈다.

양재역 벽서 사건(1547)

명종 때 일어난 정치 사건. 1547년 경기도 과천의 양재역에 '위로는 여주(女主), 아래로는 간신 이기(李芑)가 있어 권력을 휘두르니 나라가 곧 망할 것이다'라는 **익명의 벽서**가 붙여졌다. 이는 당시 외척으로서 권력을 장악하였던 **윤원형 일파와 이를 비호하던 문정 왕후**에 대한 비판이었다. 이 사건을 빌미로 **윤원형 세력은 반대파 인물들을 숙청**하였는데, 이를 **정미사화**(1547)라고 한다.

송도삼절

개성(송도)의 서경덕, 황진이, 박연폭포를 지칭하는 말이다.

기출 사료 읽기

「조의제문」

"어느 날 꿈에 신인(神人)이 말하기를 '나는 초나라 회왕(의제)의 손자인 심(心)이다. 서초(西楚)의 패왕(覇王, 항우)에게 피살되어 빈강에 빠져 있느라.' 하고는 갑자기 사라져 버렸다. 나는 꿈에서 깨어 놀라며 생각하기를 '회왕(의제)은 중국 초나라 사람이요, 나는 동이 사람으로 서로 떨어진 거리가 만여 리가 될 뿐 아니라 세대가 천 년이 넘는데, 꿈에 나타난 징조는 무엇일까? …… 마침내 글을 지어 회왕(의제)을 조문하였다."

-『연산군일기』

사료 해설 | 「조의제문」은 김종직이 세조의 왕위 찬탈을 풍자하며 지은 글로, 김종직은 단종을 죽인 세조를 의제를 죽인 중국 초나라의 항우에 비유하였다. 이후 김종직의 제자 김일손이 「조의제문」을 「사초」에 기록한 것이 드러나 무오사화가 일어나는 직접적인 원인이 되었다.

2. 갑자사화(1504, 연산군 10)

(1) 원인: 임사홍 등의 연산군의 측근 세력이 사림파와 훈구파를 몰아내고 권력을 독차지하기 위해 폐비 윤씨 사사 사건에 일부 훈구 세력이 관련되어 있음을 연산군에게 보고하였다.

(2) 전개: 연산군은 폐비 윤씨 사사 사건에 가담했던 한명회 등의 훈구 세력뿐 아니라, 이에 연루된 김굉필·정여창 등의 사림들도 처벌하였다.

(3) 결과

① **연산군의 폭정**: 두 차례의 사화 이후 연산군은 신하들에게 신언패('입은 화를 불러들이는 문이요, 세치 혀는 몸을 자르는 칼이다'라고 쓰인 패)를 차게 하는 등 언론을 탄압하고 재정을 낭비하는 등 폭압적인 정치를 자행하였다.

② **중종반정**(1506).: 연산군의 폭정에 견디다 못한 훈구 대신들은 군대를 동원하여 연산군을 폐위시키고 중종을 추대하였다.

3. 기묘사화(1519, 중종 14)

(1) 원인

① **사림과 훈구의 갈등**: 왕위에 오른 중종이 공신 세력(훈구파)을 견제하기 위해 조광조 등 신진 사림들을 등용하면서 사림과 훈구 세력 간의 갈등이 심화되었다.

② **조광조의 개혁 추진**: 조광조는 성리학의 이념을 바탕으로 하는 통치 사상인 도학 정치(왕도 정치)를 강조하였다.

구분	내용
현량과 실시	학문과 덕행이 뛰어난 인재를 추천하여 관리로 등용하는 현량과를 실시하여 신진 사림 등용 → 주로 삼사의 언관직을 차지함, 이후 자신들의 의견을 공론이라 표방하고 급진적 개혁을 추진
소격서 폐지	도교 행사를 주관하던 소격서를 폐지하고 유교식 의례를 장려
향약 실시	향촌 자치를 실현하고자 향약 실시(주자의 여씨향약 도입)
위훈 삭제	반정 공신들의 비리 척결 목적, 훈구파 대신 견제
장리 폐지	왕실 재정을 관리하는 내수사의 장리(長利) 폐지
경연 강화	언론 활동의 활성화 주장

폐비 윤씨 사사 사건

폐비 윤씨는 **연산군의 생모**로 평소에 **질투심이 많아 폐위되었다**고 한다. 당시 조정에서는 윤씨가 폐서인이 된 뒤에 자신의 행동을 뉘우치고 있고, 세자의 생모라는 점을 들어 살려두고자 하였으나 **성종의 모후인 인수 대비와 성종 후궁들의 사주로 인해 폐비 윤씨는 결국 사약을 받았다.**

현량과 기출사료

지방에서는 관찰사와 수령이, 서울에서는 홍문관과 6경, 대간이 등용할 만한 사람을 천거하여 대궐에 모아 놓고 친히 대책으로 시험한다면 인물을 많이 얻을 수 있을 것입니다. 이는 이전에 우리나라에서 하지 않았던 일이요, 한나라의 현량과와 방정과의 뜻을 이은 것입니다. 덕행은 여러 사람이 천거하는 바이므로 반드시 헛되거나 그릇되는 일이 없을 것입니다.

-『중종실록』

▶ 현량과는 조광조가 주장하여 실시한 관리 등용 제도로, 중앙(홍문관·대간)과 지방(관찰사·수령)의 관리들이 후보자를 추천하고, 이들을 모아 왕이 보는 가운데 시험을 보게 해서 관리로 선발하는 제도이다.

장리(長利)

장리란 연 **5할의 고리(高利)를 의미**한다. 조선 전기부터 내수사 장리 제도를 실시하여 내수사가 농민에게 장리를 놓아 왕실의 비용에 충당하였다.

(2) **전개**: 조광조를 중심으로 한 사림들의 급진적 개혁으로 공신(훈구파)과의 대립·갈등이 고조되다가 반정 공신들의 위훈 삭제 문제로 사림과 훈구가 정면 충돌하였다.

(3) **결과**: 남곤, 심정 등 훈구 공신들은 주초위왕 사건을 꾸며 조광조와 대부분의 사림을 제거하였다.

4. 을사사화(1545, 명종 즉위년)

(1) **원인**: 중종의 뒤를 이어 즉위한 인종이 일찍 죽고, 이복 동생이었던 명종이 즉위하면서 인종·명종의 외척 간에 권력 다툼이 발생하였다(윤임을 영수로 하는 대윤과 윤원형을 영수로 하는 소윤의 대립).

(2) **전개**: 명종의 외삼촌인 윤원형(소윤)이 전왕(前王) 인종의 외삼촌인 윤임 일파(대윤)를 역적으로 몰아 대거 숙청하였고, 이에 연루된 사림 세력도 피해를 입었다.

(3) **결과**: 윤원형을 비롯한 명종의 외척들이 정국을 주도(척신 정치)하면서 매관매직과 백성에 대한 수탈이 성행하였다. 이러한 정치적 혼란과 민생의 불안으로, 명종 때 임꺽정의 난이 발생하기도 하였다.

기출 사료 읽기

을사사화

이덕응이 자백하기를 "평소 대윤·소윤에 휘말리지 않으려고 조심하였는데, 그들과 함께 모반을 꾸민다는 것은 말도 안 됩니다."라고 하였다. 계속 추궁하자 그는 "윤임이 제게 이르되 경원 대군이 왕위에 올라 윤원로가 권력을 잡게 되면 자신의 집안은 멸족될 것이니 봉성군을 옹립하자고 하였습니다."라고 실토하였다. -『명종실록』

사료 해설 | 명종이 즉위한 후 명종의 외척인 소윤 일파(윤원형 등)가 전왕(前王)인 인종의 외척인 대윤 일파(윤임 등)를 역적으로 몰아 대거 숙청하면서 을사사화가 일어났다. 비록 을사사화는 외척 간의 세력 다툼이었으나 이와 연계된 사림들이 막대한 피해를 입었다. 이후 대부분의 사림들은 낙향하여 지방의 서원과 향약을 통하여 향촌 사회에서 세력을 확대해 나갔다.

4 붕당의 출현

1. 배경

사림은 여러 차례의 사화로 많은 피해를 입었음에도, 서원과 향약을 통해 향촌 사회에서 세력을 키워 나갔다. 이후 선조가 즉위하면서 사림 세력이 대거 중앙 정계로 진출하여 정국을 주도하게 되었다.

2. 사림의 분화

(1) **원인**: '척신 정치의 잔재를 어떻게 청산할 것인가'의 문제를 둘러싸고 사림 내부의 갈등이 야기되었다.

주초위왕 사건 - 기묘사화 기출사료

남곤은 나뭇잎에 묻은 감즙을 갉아먹는 벌레를 잡아 나뭇잎에다 '주초위왕(走肖爲王)' 네 글자를 써서 갉아먹게 하였다. …… 그는 왕에게 이 글자가 새겨진 나뭇잎을 바치게 하여 문사(文士)들을 제거하려는 화(禍)를 꾸몄다. -『선조실록』

▶ 조광조를 비롯한 신진 사림이 위훈 삭제 등의 개혁 정책을 주장하자 위협을 느낀 훈구파가 조광조 일파를 제거하기 위해 사건을 꾸몄고, 기묘사화가 일어나게 되었다. 이로 인해 중앙 조정에 진출한 대부분의 사림들이 제거되었고, 조광조는 전라도 능주(전라남도 화순)로 유배되어 곧 사약을 받고 죽었다.

임꺽정의 난 기출사료

임꺽정을 비록 잡더라도 종기가 안에서 곪아 혼란이 생길 것인데, 더구나 임꺽정을 꼭 잡는다고 단정할 수도 없지 않은가. …… 저들 도적이 생겨나는 것은 도적질하기를 좋아해서가 아니다. 굶주림과 추위에 몹시 시달리다가 부득이 하루라도 더 먹고 살기 위해 도적이 되는 자가 많기 때문이다. 그렇다면 백성을 도적으로 만든 자가 과연 누구인가? 권세가의 집은 공공연히 벼슬을 사려는 자들로 시장을 이루고 무뢰배들이 백성을 약탈한다. 백성이 어찌 도적이 되지 않겠는가? -『명종실록』

▶ 명종 때 외척에 의한 척신 정치로 정치·경제적 문란 현상이 발생하였다. 이로 인해 백정 출신의 임꺽정이 농민 등을 규합하여 경기도·황해도 지역을 중심으로 도적 활동을 하였다.

척신 정치

- **내용**: 명종 때 외척에 의해 주도된 정치 형태
- **배경**: 중종의 뒤를 이은 인종이 1년 만에 사망하자, 문정 왕후의 아들인 경원 대군이 12세의 어린 나이로 즉위하여 명종이 되었다. 이에 **문정 왕후**가 **수렴청정**을 하게 되었고, **외척 세력들이 정치의 전면에 나서면서 정권을 장악**하게 되었는데, 이를 척신 정치라 하였다.

(2) 분화

① **기성 사림**(심의겸 중심): 기성 사림은 명종 때부터 계속해서 정권에 참여해 온 사림으로, 척신 정치의 청산 문제에 대해 소극적이었다.

② **신진 사림**(김효원 중심): 신진 사림은 명종 때에는 정권에 참여하지 않았다가 이후 새롭게 정계에 등장한 사림으로, 철저한 원칙주의 아래 훈구 세력의 비리와 기성 사림을 비판하면서 척신 정치의 청산을 적극적으로 주장하였다.

3. 붕당의 시작

(1) 배경: 선조 대에 당시 명망이 높고 신진 사림의 신망을 받던 김효원과, 왕실의 외척이면서 기성 사림의 신망을 받던 심의겸이 이조 전랑직을 두고 대립하였는데, 이 과정에서 동인과 서인으로 붕당이 형성되었다.

기출 사료 읽기

> **동인과 서인의 분당**
>
> 김효원이 알성 과거에 장원으로 합격하여 이조 전랑의 물망에 올랐으나 그가 윤원형의 문객이었다고 하여 심의겸이 반대하였다. 그 후에 심충겸이 장원 급제하여 전랑으로 천거되었으나 외척이라 하여 효원이 반대하였다. 이때, 양편 친지들이 각기 다른 주장을 내세우면서 서로 배척하여 동인, 서인의 말이 여기서 비롯하였다. 효원의 집이 동쪽 건천동에 있고 의겸의 집이 서쪽 정동에 있기 때문이었다. 동인의 생각은 결코 외척을 등용할 수 없다는 것이었고, 서인의 생각은 의겸이 공로가 많을뿐더러 선비인데 어찌 앞길을 막느냐는 것이었다.
>
> \- 이긍익, 『연려실기술』
>
> **사료 해설 |** 김효원을 중심으로 한 신진 사림이 동인을 형성하고, 심의겸을 중심으로 한 기성 사림이 서인을 형성하였다.

(2) 붕당의 형성

① **동인과 서인**

구분	동인	서인
출신 배경	신진 사림(김효원 중심)	기성 사림(심의겸 중심)
정치 개혁	척신 정치 개혁에 적극적	척신 정치 개혁에 소극적
학문 계승	이황, 조식, 서경덕	이이, 성혼
학파	영남 학파	기호 학파

② **동인의 분당**: 정여립 모반 사건(1589, 기축옥사)으로 동인의 원한을 사게 된 정철이 이후 건저(建儲) 문제(세자 책봉 문제)로 선조의 미움을 받아 탄핵되었다. 이때 정철(서인)에 대한 처벌 문제를 둘러싸고 동인이 강경파인 북인과 온건파인 남인으로 분열되었다.

(3) 붕당의 성격

① **정파적 성격**: 붕당은 특정 정치 사안에 따라 의견을 같이 하는 정치적인 집단으로 정파적 성격을 띠었다.

② **학파적 성격**: 붕당은 같은 스승에게서 공부한 제자들을 중심으로 이루어짐으로써 학파적 성격을 띠었다.

이조 전랑

전랑은 청요직으로 일컫는 **이조 정랑**(이조의 인사권 담당)과 **병조 정랑**(병조의 인사권 담당), **좌랑을 통칭**하는 말이다. 이들의 주요 권한은 3사의 관리 선발권인 **통청권**, 자신의 후임을 추천할 수 있는 **자대권(자천권)**, 재야 사림을 추천할 수 있는 **낭천권** 등으로 막강하였다.

학파적 성격의 붕당

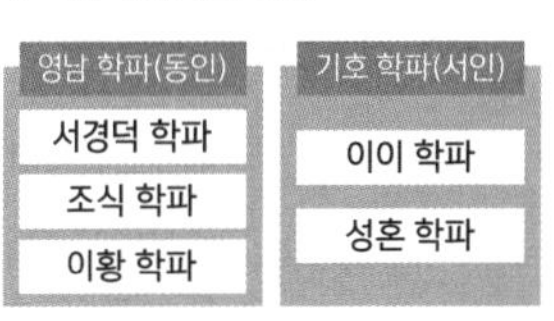

동인은 이황과 조식, 서경덕의 학문을 계승한 사람들을 중심으로 다수의 신진 세력이 참여하였다. 반면 **서인은 이이와 성혼의 문인이 가담**하였다.

정여립 모반 사건

선조 때에 **정여립**이 **급진적인 일부 동인과 연결**하여 **대동계**라는 비밀 결사를 조직하고 **역성 혁명**을 준비하였다는 혐의로 처형되고, 이에 연루된 동인들이 대거 제거되었다(정여립 모반 사건, 1589). 이때 국청을 주도한 서인 **정철**은, 정여립 모반 사건을 의도적으로 확대함으로써 동인들을 연루시켜 동인들의 미움을 사게 되었다.

OX 빈칸 핵심 개념 점검

* 학습한 개념을 OX/빈칸 문제를 통해 점검해보세요.

핵심 개념 1 | 훈구와 사림

01 훈구파는 성리학 이외의 불교·도교·풍수지리·민간 신앙을 포용하였다. □ O □ X

02 사림은 『소학』과 『주자가례』를 중시하였다. □ O □ X

03 훈구는 막대한 토지를 소유한 대지주층이었다. □ O □ X

04 ______ 세력은 서원과 향약을 기반으로 세력을 확대하였다.

05 사림은 향촌 자치를 내세우며, 도덕과 의리를 바탕으로 한 ______를 강조하였다.

핵심 개념 2 | 사림의 정치적 성장

06 성종은 훈구 세력을 견제하기 위하여 사림을 적극적으로 등용하였다. □ O □ X

07 사림은 주로 전랑과 3사의 언관직에 진출하여 활동하였다. □ O □ X

08 ______은 정몽주와 길재의 학풍을 이어받은 인물로, 단종의 왕위를 찬탈한 세조를 비판한 글인 「조의제문」을 지었다.

핵심 개념 3 | 사화의 발생

09 갑자사화 때 폐비 윤씨 사건에 관련된 자들과 사림 세력이 제거되었다. □ O □ X

10 조광조는 기묘사화로 탄압받았다. □ O □ X

11 을사사화 때 명종을 해치려 했다는 이유로 윤임 일파가 몰락하였다. □ O □ X

12 사림은 사화를 겪은 이후 서원과 향약을 통해 향촌 사회에서 꾸준히 세력을 확대하였다. □ O □ X

13 세조의 즉위를 비판하여 지은 「조의제문」이 ______를 불러 일으켰다.

14 중종 때 ______로 위훈 삭제를 감행한 사림 세력이 제거되었다.

15 명종 재위 시기에는 외척 간의 세력 다툼으로 ______가 발생하였다.

핵심 개념 4 | 붕당의 출현

16 서인은 척신 정치의 개혁에 소극적인 태도를 가진 기성 사림을 중심으로 형성되었다. □ O □ X

17 정철에 대한 처벌 문제를 둘러싸고 동인은 남인과 북인으로 나뉘었다. □ O □ X

18 붕당은 학문의 경향과 상관없이 정치적 이념에 따라 결집하였다. □ O □ X

19 동인과 서인의 분당은 ______ 자리를 둘러싼 기성 사림과 신진 사림 간의 경쟁에서 시작되었다.

20 붕당(朋黨)은 학파의 대립과도 밀접한 관계가 있는데, ______에는 대체로 이이와 성혼 계통이 많다.

정답과 해설

01	O 훈구파는 성리학 이외의 학문과 사상을 포용하는 개방적인 태도를 보였다.	11	O 명종이 즉위한 후 명종의 외척인 소윤 일파(윤원형 등)가 전왕 인종의 외척인 대윤 일파(윤임 등)를 역적으로 몰아 대거 숙청하면서 을사사화가 일어났다.
02	O 사림은 유교 윤리와 의례가 담긴 『소학』과 『주자가례』를 중시하였다.	12	O 사림파는 사화로 위기를 겪었으나 서원과 향약을 통해 지방의 향촌 사회에서 꾸준히 세력을 확대하였다.
03	O 훈구는 막대한 토지를 소유한 대지주층이었다.	13	무오사화
04	사림	14	기묘사화
05	왕도 정치	15	을사사화
06	O 성종은 훈구 세력을 견제하기 위하여 김종직 등의 사림을 적극적으로 등용하였다.	16	O 서인은 척신 정치의 과감한 개혁에 대해 소극적인 기성 사림을 중심으로 형성되었다.
07	O 사림은 주로 전랑과 3사의 언관직에 진출하여 활동하였다.	17	O 동인은 건저 문제로 탄핵된 서인 정철에 대한 처벌 문제를 둘러싸고 남인(온건파)과 북인(강경파)으로 분열되었다.
08	김종직	18	× 붕당은 정파적 성격과 학문적 성격을 동시에 지녔다.
09	O 갑자사화는 연산군이 생모인 폐비 윤씨 사사 사건에 관련된 훈구파와 함께 이와 연관된 사림파들을 제거한 사건이다.	19	이조 전랑
10	O 위훈 삭제 등 급진적인 개혁 정책을 추진하였던 조광조는 기묘사화로 인해 제거되었다.	20	서인

4 대외 관계의 전개와 양난의 극복

학습 포인트
조선 초기의 대외 관계인 사대·교린 정책을 중심으로 각 국가와의 외교 관계를 살펴본다. 또한 왜란과 호란을 원인, 전개, 결과로 구분하여 정리하고, 왜란과 호란 사이에 있었던 광해군의 정책을 대내·대외로 구분하여 알아둔다.

빈출 핵심 포인트
사대·교린 정책, 임진왜란, 비변사, 이순신, 의병, 정유재란, 중립 외교, 인조반정, 정묘호란, 병자호란, 북벌론

1 명과의 관계 - 사대 정책

1. 건국 직후(태조 때)

조선 건국 초에 조선과 명은 불편한 관계를 유지하였다.

구분	내용
고명·금인 문제	정도전의 대명 강경책과 외교 문제를 구실로 명이 왕위를 승인하는 고명과 금인을 보내주지 않았다가 정도전이 피살된 이후인 태종 때 이를 보내줌
표전문 사건	정도전이 명에 보낸 일종의 외교 문서인 표전의 문구를 트집잡아 명이 정도전의 압송을 요구
요동 정벌 추진	정도전이 『진도』를 작성하고 성보를 수리하는 등 요동 정벌을 준비
종계변무 문제	명의 역사서에 조선 태조 이성계가 이인임의 아들로 잘못 기록된 것을 수정해 달라고 요청하였으나, 선조 때에 가서야 해결됨
여진과의 외교 문제	조선이 명의 여진인 송환 요구를 거절하자, 명은 조선이 요동을 침략하기 위해 여진을 회유하고 있다고 의심 → 조선과 명의 불편한 관계 지속

2. 명과의 관계 변화

(1) 명과의 관계 개선

① **요동 정벌 중단**(1398): 이방원(태종)이 제1차 왕자의 난을 일으켜 정도전을 제거하면서 요동 정벌이 중단되었다.

② **명의 조선 국왕 승인**: 조선 태종 때 명은 이성계와 태종을 조선의 국왕으로 책봉하였다. 태종이 즉위한 이후 조선과 명은 활발한 문화 교류를 전개하였다.

(2) 대명 사대 정책: 조선은 명을 상국(上國)으로 섬기는 사대 정책를 취하여 조공·책봉 관계를 형성하였다. 조공·책봉 관계는 당시에 일반적인 외교 형식으로 국제적 지위 확보와 교역을 위한 실리적 관계였다.

조공 - 책봉 관계
조선과 명은 기본적으로 '조공 - 책봉' 관계였는데, 이는 **'지배 - 예속' 관계와는 다른 것**이었다. '조공 - 책봉' 관계는 **두 나라 모두 실리 추구를 위해 맺은 능동적인 외교 관계**였다.

(3) 사절의 파견: 조선과 명은 정기적·비정기적으로 사절을 교환하며 문화적·경제적 교류를 전개하였다.

정기 사절	비정기 사절
· 하정사: 정월 초에 파견 · 성절사: 황제 생일에 파견 · 천추사: 태자 생일에 파견 · 동지사: 동지에 파견	· 주청사: 주청(특별한 요청)을 위한 사절 · 사은사: 황제에게 감사할 때 파견 · 진하사: 황제 등극, 황태자 책봉 때 파견 · 진위사: 황제, 황후 상사 때 파견

2 여진과의 관계 - 교린 정책(강경책 + 회유책)

1. 기본 정책

조선은 영토의 확보와 국경 지방의 안정을 위해 여진에 대해 교린 정책에 입각하여 강경책과 회유책의 양면 정책을 취하였다.

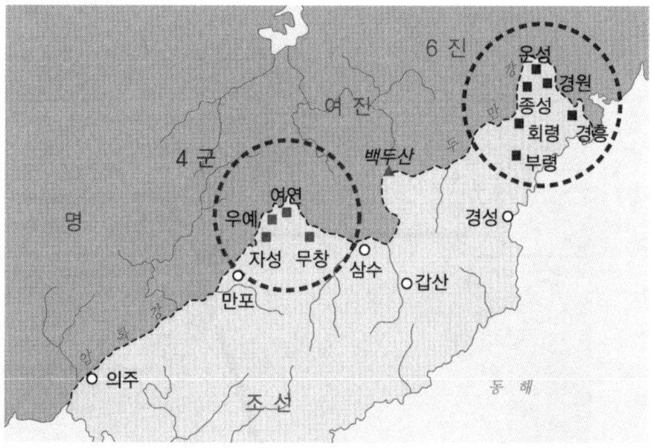

| 4군 6진

2. 조선의 대(對) 여진 정책

(1) 강경책: 조선은 국경 지방에 많은 진(鎭)과 보(堡)를 설치하고, 때로는 여진족 본거지를 토벌하였다.

① **태조**: 일찍부터 두만강 지역을 개척하여 여진족을 정벌하였다.

② **세종**: 최윤덕으로 하여금 4군을, 김종서로 하여금 6진을 개척하여 압록강과 두만강을 경계로 한 오늘날의 국경선을 확보하였다.

(2) 회유책

① **북평관 설치**: 여진족의 사절이 머무를 수 있도록 한성에 북평관(유숙소)을 설치하고, 사절의 왕래를 통한 조공 무역을 일부 허용하기도 하였다.

② **국경 무역 허용**: 태종 때 국경 지역인 경성과 경원에 무역소를 두고 국경 무역을 허용하였다.

3. 사민 정책과 토관 제도

(1) 사민 정책: 삼남 지방(충청·전라·경상)의 일부 주민들을 북방 지역으로 이주시켜 압록강과 두만강 이남 지역을 개발하였다.

(2) 토관 제도: 조선 정부는 국경 일부 군현에 수령을 파견하지 않고 토착민을 관리(토관)로 임명하여, 지역 주민들을 회유하였다.

4군 6진의 개척

평안도 도절제사 이천이 군사 7천여 명을 이끌고 출정하였다. 출정군은 강계를 떠나 여진의 소굴을 소탕하였다. …… 여진을 쫓아낸 뒤 먼저 여연군을 설치했다가 그 지역을 나누어 자성군을 설치하는 등 압록강 쪽의 방비를 위해 4군을 설치하였고, 두만강 쪽에는 6진을 설치하였다.

- 『동문선』

▶ **4군은 압록강 상류 지역**으로 **최윤덕**이 확보한 곳이고, **6진**은 **두만강 유역**으로 **김종서**가 개척한 곳이다.

사민 정책

세종 16년에 옛 지경을 회복하기로 의논하고서, 소다로의 땅이 넓고 기름지며, 적이 오가는 길의 요해처가 된다 하여, 고기의 북편인 회질가의 땅에다 벽성을 설치하고, 남도의 민호(民戶)를 이주시켜 채우고서 부를 옮기고 판관과 토관을 두었다.

- 『세종실록지리지』

▶ 조선은 **남부 지방의 일부 주민을 대거 북방으로 이주**시켜 압록강과 두만강 이남 지역을 개발하는 사민 정책을 실시하였고, **그 지방의 유력자를 토관으로 임명하여 민심을 수습**하려 하였다.

토관 제도

이번에 설치하는 경원부와 영북진은 우선 성벽을 쌓고 토관의 제도를 마련한 뒤에 그 도의 주민 중에서 1천 1백호를 영북진에 이주시키고 …… 그곳의 토관직을 주어 포상하고, 노비라면 영구히 풀어주어 양민이 되게 해 주어야 합니다.

- 『세종실록』

▶ **토관 제도는 그 지방 사람을 관리로 임명하는 것**이었다. 원래 **조선의 관리 임명에는** 그 지방 사람을 관리로 임명하지 않은 **상피제의 원칙이 있었으나, 토관에는 적용되지 않았다.**

3 일본, 동남아시아와의 관계 - 교린 정책(강경책 + 회유책)

1. 일본과의 관계

(1) 강경책

① **대마도 정벌**: 왜구의 약탈이 계속되자 태조 때에는 김사형이, 세종 때에는 이종무가 왜구의 소굴인 대마도(쓰시마 섬)를 토벌하였다.

② **결과**: 조선 정부의 강경 대응에 대마도주가 평화적인 무역 관계를 요구해왔고, 이에 조선은 제한된 범위 내에서 교역을 허락하였다.

(2) 회유책

① **3포 개항**(1426, 세종 8): 세종 때 남해안의 부산포(동래), 제포(진해), 염포(울산)의 3포가 개항되었고, 세견선이 왕래하였다.

② **계해약조**(1443, 세종 25): 3포 개항 이후 교역량이 지나치게 증가하자 세종 때 최대 세견선 50척, 세사미두 200석으로 일본과의 무역 규모를 제한하였다.

③ **교역품**: 조선에서 수출한 품목은 쌀, 인삼, 면포, 삼베, 도자기, 대장경, 공예품, 서적 등이었고, 일본에서 수입된 품목은 구리, 황, 향료(후추), 소목, 약재 등이었다.

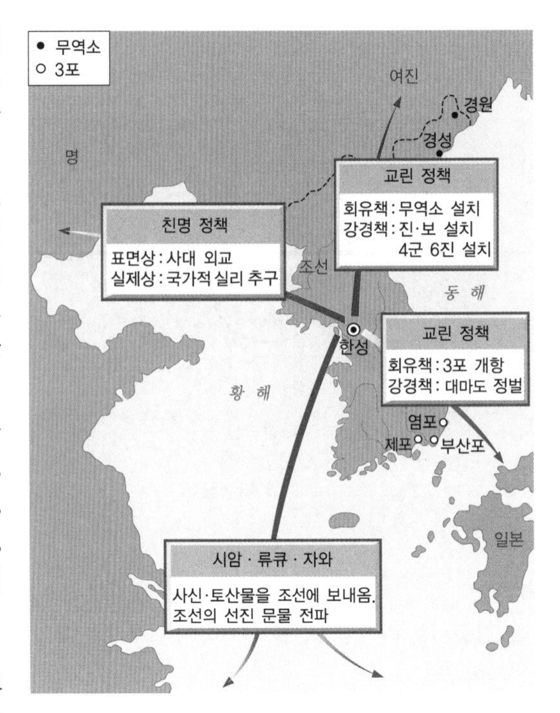

| 조선 초기 대외 관계

(3) 대일 관계의 변화: 회유책에도 불구하고 3포 왜란(1510, 중종) 등 왜인들의 폭동이 있자, 조선 정부는 3포를 일시적으로 폐쇄하였다. 이후 임신약조(1512)를 통해 제포만을 다시 개방하여 무역을 허용하였다.

임신약조(1512)

중종 7년(1512) 임신에 약조를 추가하여 정하였다. 도주에게 내려 준 세사미두 200섬 중에 100섬을 감하였다. 도주의 세견선 50척을 감하여 25척으로 한다. -『증정교린지』

▶ 3포 왜란 이후 **중종은 임신약조를 통해 무역 규모를 계해약조 때의 절반으로 줄였다.**

(4) 조선의 대일 외교 관계의 의의: 조선의 우위에서 이루어진 교역으로 조선의 선진 문물이 일본에 전해져 일본의 발전에 기여하였다.

기출 사료 읽기

계해약조(1443)

세종 25년(1443) 계해에 세사미두(歲賜米豆)와 세견선(歲遣船)에 대한 약조를 정하였다. (대마) 도주(島主)에게는 해마다 쌀과 콩을 합하여 200섬을 주기로 하였다. 세견선은 50척으로 하고 만일 부득이하게 보고할 일이 있으면 이 숫자 이 외에 특송선을 보내도록 하였다. -『증정교린지』

사료 해설 | 대마도 도주와 체결한 조약으로, 이 조약 이후 한동안 조선과 일본은 평화적인 관계를 유지하였다.

필수 개념 정리하기

왜란 이전 일본과의 대립

구분	내용
배경	일본과의 무역량에 대한 조선 정부의 통제가 강화됨
중종	· 삼포왜란 발생(1510) → 조선 정부는 비변사를 설치(임시 기구) · 사량진왜변 발생(1544): 일본과의 교역 중단
명종	을묘왜변(1555): 국교 일시 단절, 비변사 상설 기구화

2. 류큐 및 동남아시아와의 관계

(1) 교류: 조선은 건국 초부터 류큐, 시암, 자와 등 동남아시아의 여러 나라와 교류하였다.

(2) 교역품: 조공 또는 진상의 형식으로 기호품을 중심으로 한 각종 토산품(물소뿔, 침향 등)을 가져와 옷, 옷감, 문방구 등을 회사품으로 가져갔다. 특히, 류큐와의 교역이 활발했는데, 불경, 유교 경전, 범종, 부채 등을 전해주어 류큐의 문화 발전에 기여하였다.

류큐, 시암, 자와

류큐는 현재의 일본 오키나와, 시암은 태국, 자와는 인도네시아의 섬이다.

4 왜군의 침략

1. 배경

(1) 잦은 왜변의 발생: 16세기에 이르러 조선과 일본과의 대립이 격화되었다. 일본의 무역 요구가 더욱 늘어난 데에 비해 조선 정부의 통제는 점차 강화되자, 중종 때 3포 왜란(1510)과 사량진왜변(1544), 명종 때 을묘왜변(1555)과 같은 소란이 빈번하게 일어났다.

(2) 국방력 약화: 16세기 후반에 양인 개병제가 붕괴되는 한편, 군적수포제 등의 시행으로 군역 제도가 해이해지면서 조선의 국방력이 크게 약화되었다.

(3) 조선의 대응

① **비변사 설치**: 조선은 국방 문제를 전담하는 기구인 비변사를 설치하여 국방 대책을 강구하였다. 비변사는 3포 왜란(중종) 때 임시 기구로 설치되었으며, 이후 을묘왜변(명종)을 계기로 상설 기구화 되었다.

② **사신 파견**: 조선은 정세를 살펴보기 위해 일본에 사신을 파견하였다. 그러나 일본에 다녀온 사신들의 의견 차이로 국론이 분열되어 적극적인 대응책이 마련되지 않았다.

군적수포제

군적수포제는 군역 부담자가 **국가에 군포(1년 2필)를 납부하고 군역을 면제 받는 제도**였다. 이로 인해 군역을 면제받는 자가 늘고 **실제 군인의 수는 적어지게 되어 국방력이 약화되었다.**

국론 분열

통신사 황윤길 등이 일본에서 돌아왔다. 왜국의 사신 등과 함께 오면서 황윤길이 "필시 병화가 있을 것이다."라고 하였다. 그러나 김성일이 아뢰기를 "그러한 상황을 발견하지 못했는데, 황윤길이 장황하게 아뢰어 인심이 동요하게 되니 매우 어긋납니다." 왕이 하문했다. "도요토미 히데요시가 어떻게 생겼는가?" 황윤길이 아뢰길, 눈빛이 반짝반짝하여 담과 지략이 있는 사람 같았습니다."라고 하였고, 김성일은 "그의 눈은 쥐와 같았는데 두려워할 위인이 못됩니다."라고 하였다. -『국조보감』

▶ 황윤길과 김성일은 정세를 살펴보기 위해 일본에 다녀왔다. **서인이었던 황윤길**은 일본의 정세가 심상치않으니 이에 **대비해야 한다고 하였고, 동인이었던 김성일**은 일본에 대해서는 **걱정하지 않아도 된다고 보고**하였다.

2. 임진왜란(1592~1598)

(1) 왜란의 발발: 일본은 전국 시대의 혼란을 수습한 이후 철저한 전쟁 준비 끝에 1592년 4월, 약 20만 대군으로 부산을 침략해 왔다. 이때 일본은 조선에 '명을 정벌하러 가는데 길을 빌려 달라(征明假道, 정명가도)'고 요청하였고 조선이 일본의 요청을 거절하자, 이를 침략의 명분으로 내세웠다.

(2) 초기 전황

① **부산진·동래성 함락**: 부산진에서는 부산 첨사 정발, 동래성에서는 동래 부사 송상현이 이끄는 육군이 분전하였으나 참패하였고 왜군은 세 길로 나누어 한양으로 북상하였다. 조정에서는 이일과 신립으로 하여금 왜적을 막게 하였으나, 이일은 상주에서 분패하였고, 신립은 충주 탄금대에서 배수의 진을 치고 결사적으로 싸웠으나 왜군에 패하고 전사하였다.

② **선조의 피난**: 선조는 한양을 떠나 피난길에 올랐고, 결국 한양은 20여 일 만에 왜군에게 점령되었다. 왜군의 북상이 계속되자 선조는 개성·평양을 거쳐 의주로 피난하고, 명에 원군을 요청하였다. 한편 분조(分朝, 조정을 나눔, 임시 조정)를 이끌던 세자 광해군은 강원도·황해도·함경도 등을 돌며 의병들을 독려하고 군량을 모았다.

부산진·동래성 전투 기출사료

적선이 바다를 덮어오니 부산 첨사 정발은 마침 절영도에서 사냥을 하다가, 조공하러 오는 왜라 여기고 대비하지 않았는데 미처 진(鎭)에 돌아오기도 전에 적이 이미 성에 올랐다. 이튿날 동래부가 함락되고 부사 송상현이 죽었다. -『선조실록』

▶ 조선은 전쟁 초기 국방력의 열세로 왜군을 막아 내지 못하였다. 왜군의 침입에 맞서 부산 첨사 정발, 동래 부사 송상현 등이 항전하였으나 패배하였다.

5 수군과 의병의 승리

1. 조선 수군의 승리

(1) **군사력 정비**: 왜란이 발발하기 1년 전에 전라좌수사로 임명된 **이순신**은 왜군의 침입에 대비하여 미리 군사를 훈련시키고 전함과 무기를 정비하였다.

(2) **수군의 승리**: 이순신 장군이 이끄는 조선 수군은 옥포 해전, 사천 해전(거북선 최초 사용), 당포·당항포 해전, **한산도 대첩** 등에서 승리하였다. 특히 한산도에서 이순신이 이끄는 조선 수군은 학이 날개를 펼친 모습으로 왜군을 포위하는 **학익진 전법**을 펼쳐 크게 승리하였다.

기출 사료 읽기

> **한산도 대첩**
>
> 아군이 진격하기도 하고 퇴각하기도 하면서 유인하니, 왜군들이 총출동하여 추격하기에 한산 앞바다로 끌어냈다. 아군이 학익진을 치고는 일시에 나란히 진격하여 …… 왜군들을 무찌르고 적선을 불살라버리니, 잔여 왜군들은 배를 버리고 육지로 올라가 달아났다. -『선조실록』
>
> **사료 해설** | 한산도에서 이순신이 이끄는 조선 수군은 학이 날개를 펼친 모습으로 왜군을 포위하는 학익진 전법을 펼쳐 크게 승리하였다.

(3) **의의**: 수군의 승리로 조선은 **남해의 제해권을 장악**해 곡창 지대인 전라도 지방을 지켰고, 이를 통해 왜군이 계획한 **수륙 병진 작전**(바다와 육지로 동시에 진격)을 **좌절**시켰다.

2. 의병들의 항쟁

(1) **의병의 조직**: 외적의 침입으로 나라가 위기에 처하자, 전국 각지에서 **의병**이 자발적으로 조직되었다.

(2) 의병 부대의 활약

① **의병의 구성**: 의병장은 주로 전직 관리와 사림 양반 등의 유생, 승려로 구성되었고, 의병은 대부분 일반 농민이었다.

② **전술**: 전국 각지의 의병들은 향토 지리에 밝은 이점을 활용하여 지역에 알맞은 전술과 무기로 왜군에 큰 타격을 주며 활약하였다. 특히 **진주 대첩**(1차 진주성 전투, 1592. 10.)에서는 진주 목사 **김시민**이 이끄는 관민과 의병 부대의 연계 작전으로 승리를 거두었다.

③ **관군에 편입**: 임진왜란이 장기화되면서 조선 정부는 의병 부대를 정리하여 관군에 편입시킴으로써 관군의 전투 능력을 향상시켰다.

| 관군과 의병의 활동

승병의 활약

비변사(備邊司)가 아뢰기를, "유정(惟政)이 승군(僧軍)을 거느리고 오랫동안 군열(軍列)에 있었고 지금 적진(賊陣)을 두 번씩이나 드나들었습니다. 그가 나라를 위하여 몸을 돌보지 않고 범굴에 들어간 공로를 갚지 않을 수 없으니, 첨지(僉知)의 실직(實職)을 제수하여 후인들을 권장하소서." 하니, 왕(선조)이 따랐다. -『선조실록』

▶ 임진왜란 때는 승려들도 의병으로 활동하였다. 대표적으로 **사명 대사(유정)**는 승병을 이끌고 왜군을 무찔러서 첨지의 관직을 제수받았다.

필수 개념 정리하기

임진왜란 당시 활약한 의병장

곽재우	· 경상도 의령에서 의병을 일으킴 · 붉은 옷을 입고 전투에 참여하여 홍의장군이라 불림 · 제1차 진주성 전투에 참여
김천일	· 전라도 나주에서 의병을 일으킴 · 제2차 진주성 전투에 참여
고경명	전라도 담양에서 의병을 일으킴
정인홍	경상도 합천에서 의병을 일으킴
조헌	충청도 옥천에서 의병을 일으킴

6 조선의 반격

1. 전세의 전환

(1) **명의 원군 파병:** 조선의 원군 요청으로 명은 조선에 원군을 파병하였다.

(2) **평양성 탈환(1593. 1.):** 조·명 연합군은 휴정(서산 대사)과 유정(사명 대사)의 승군과 합세하여 평양성을 탈환하였다.

(3) **명의 패배:** 벽제관 전투(1593. 1.)에서 명군은 왜군에 패하고, 평양으로 후퇴하였다.

(4) **행주 대첩(1593. 2.):** 벽제관 전투로 명군이 후퇴하자 명군과 합세하여 서울을 탈환하려던 권율의 군대는 행주산성에서 왜군에 포위되었다. 이러한 열세 속에서 권율이 이끄는 관군과 의병, 주민들이 합심하여 행주산성에서 왜군을 물리쳤다.

기출 사료 읽기

행주 대첩

권율 자신은 정예병 4,000명을 뽑아 양천에서 강을 건너 행주산 위에 진을 치고는 책(柵)을 설치하여 방비를 하였다. …… 적은 올려다보고 공격하는 처지가 되어 탄환도 맞히지 못하는데 반해 호남의 씩씩한 군사들은 모두 활을 잘 쏘아 쏘는 대로 적중시켰다. …… 적이 결국 패해 후퇴하였다.

- 『선조수정실록』

사료 해설 | 권율의 행주 대첩은 김시민의 진주 대첩, 이순신의 한산도 대첩과 함께 임진왜란 3대 대첩으로 모두 조선이 승리한 전투였다.

2. 휴전 협상과 조선의 전열 정비

명은 조선의 반대를 무릅쓰고 왜군과 휴전 협상을 진행하였다. 휴전 협상으로 전쟁이 일시적으로 소강 상태에 접어들자, 조선은 유성룡의 건의에 따라 훈련도감을 설치하여 포수·사수·살수의 삼수병을 양성하였으며, 속오법을 실시하여 지방군 편제를 속오군으로 개편·정비하였다.

임진왜란 때 활약한 의병 기출사료

여러 도에서 의병이 일어났다. …… 도내의 거족(巨族)으로 명망 있는 사람과 유생 등이 조정의 명을 받들어 의(義)를 부르짖고 일어나니 소문을 들은 자들은 격동하여 원근에서 이에 응모하였다. …… 호남의 고경명·김천일, 영남의 곽재우·정인홍, 호서의 조헌이 가장 먼저 일어났다.

- 『선조수정실록』

▶ 임진왜란 당시 전국 각지에서 의병들이 자발적으로 조직되었으며, 이들은 향토 지리에 밝은 이점을 활용하여 왜군에게 큰 피해를 주었다.

곽재우

곽재우는 임진왜란 때 경상도 의령을 거점으로 봉기하였으며, 여러 전투에서 붉은 옷을 입고 의병을 지휘하며 스스로 홍의장군이라 칭하였다.

왜란의 전개 과정 기출연표

- **1592. 4.** 충주 탄금대 전투
- **1592. 5.** 옥포 해전, 사천(사천포) 해전
- **1592. 6.** 당포 해전, 당항포 해전
- **1592. 7.** 한산도 대첩
- **1592. 10.** 진주 대첩
- **1593. 1.** 평양성 탈환, 벽제관 전투
- **1593. 2.** 행주 대첩
- **1593. 4.** 한양 수복
- **1597. 1.** 정유재란
- **1597. 7.** 칠천량 해전
- **1597. 9.** 직산 전투
- **1597. 9.** 명량 대첩
- **1598. 11.** 노량 대첩

3. 정유재란(1597)

(1) 왜군의 재침입: 3년에 걸친 휴전 협상이 결렬되면서 왜군이 다시 조선을 침입하였다.

(2) 조선 수군의 위기: 원균이 지휘하는 조선 수군이 칠천량에서 왜군에 대패하였고(칠천량 해전, 1597. 7.), 원균이 전사하였다. 이후 이순신이 다시 삼도 수군통제사로 임명되었다.

이순신 장군의 장계 교과서 사료

지금 신(臣)에게는 아직 열두 척의 전선이 있습니다. …… 전선의 수가 비록 적으나 신이 죽지 않는 한 왜적은 감히 우리를 업신여기지 못할 것입니다.
- 『이충무공전서』

▶ 이순신이 왜군과 목숨을 건 전투(명량 대첩)를 앞두고 선조에게 올린 장계(보고 문서)의 내용으로, 이순신의 결연한 의지가 드러나 있다.

(3) 조·명 연합군의 승리: 조·명 연합군은 조선을 재침입한 왜군을 직산에서 격퇴하였다(직산 전투, 1597. 9.).

(4) 수군의 승리: 이순신이 진도의 명량(울돌목)에서 왜의 수군을 대파(명량 대첩, 1597. 9.)하면서, 왜군의 서해 진출이 좌절되었다. 이러한 상황에서 도요토미 히데요시가 죽자 결국 왜군은 본국으로의 철수를 결정하였다. 이에 이순신은 철수하는 왜군을 추격하여 노량 대첩(1598. 11.)에서 대승을 거두었으나, 이 전투에서 전사하였다.

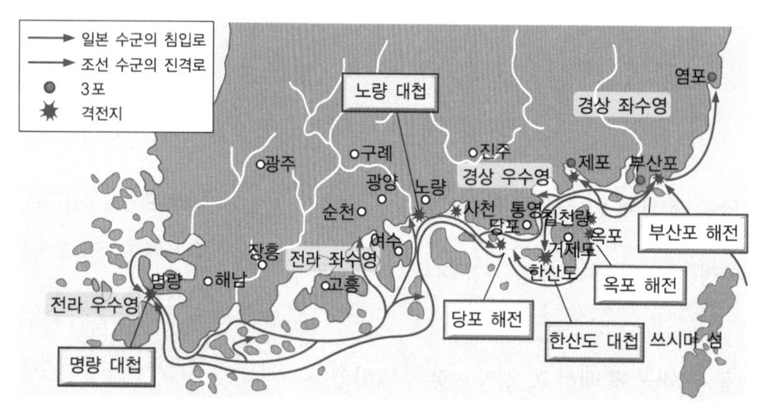

| 왜란 때의 해전

기출 사료 읽기

명량 대첩

벽파정 뒤에 명량이 있는데 숫자가 적은 수군으로서는 명량을 등지고 진을 칠 수 없었다. 이에 여러 장수들을 불러 모아 말하기를, "반드시 죽고자 하면 살고 살려고 하면 죽는다."고 하였다. 이것은 바로 오늘의 우리를 두고 이른 말이다. 너희들 모든 장병들은 조금이라도 영(令)을 어기는 일이 있으면 군법으로 다스려 작은 일일지라도 용서치 아니할 것이다. - 『난중일기』

사료 해설 | 명량 대첩은 이순신이 조선 수군의 10배 이상이었던 왜군을 상대로 지리적 조건을 이용하여 크게 승리한 전투였다.

7 임진왜란의 영향

1. 국내

농토가 황폐화되고 토지 대장과 호적의 대부분이 소실되어 국가 재정이 궁핍해졌다. 이와 더불어 식량 부족 현상이 발생하였다. 또한 전쟁으로 수많은 인명이 살상되었을 뿐만 아니라 수만 명이 일본에 포로로 잡혀 갔으며, 기근과 질병으로 조선의 인구가 크게 감소하였다.

2. 국외

임진왜란 동안 중국에서는 명이 쇠퇴하고 북방의 여진족이 성장하여 강력한 국력을 바탕으로 후금을 건국하였다. 일본에서는 도요토미 히데요시의 정권이 몰락하고, 뒤를 이어 도쿠가와 이에야스가 권력을 잡으며 에도 막부가 성립하였다.

조선	· **정치·군사**: 비변사의 최고 기구화, 훈련도감·속오군 편성 · **사회·경제**: 농토의 황폐화, 인구 감소, 양안·호적 소실로 국가 재정이 감소함, 납속책·공명첩의 남발로 신분제가 동요, 이몽학의 난 등 민란이 발생함 · **문화**: 문화재 소실(불국사, 경복궁, 서적, 사고 등)
일본	· 도자기, 활자, 성리학 등의 문화가 발전함 · **도쿠가와의 에도 막부 성립**: 조선에 적극적 친교 요청 → 조선은 사명 대사를 파견(포로 송환) → 조선과 국교 재개 · 일본에 조선 통신사가 파견되고, 기유약조(1609)가 체결됨
중국	명의 국력이 약화되었고, 여진족이 급성장하여 후금(청)이 건국됨

이몽학의 난

적의 무리가 어둠을 타고 도망치니 성을 함락시킬 수 없음을 안 이몽학은 이튿날 군대를 이끌고 덕산 길로 향하면서 김덕령, 홍계남과 합류하여 군대를 이끌고 곧장 서울로 들어가겠다고 떠벌였는데, 따르던 무리들이 불신하기 시작하고 도중에서 도망치는 자가 속출하였다. …… 호남 군사가 석성에 이르렀을 때 적도들은 몽학의 머리에 현상금이 걸려 있다는 말을 듣고 있던 터라 밤에 그의 머리를 베어 가지고 투항하였다. -『선조실록』

▶ 이몽학의 난은 1596년(선조 29) 임진왜란 중에 왕실 서얼 출신인 이몽학이 민심의 불만을 선동하여 충청도에서 일으킨 난이다.

8 광해군의 전란 수습책

1. 배경

(1) 국력 약화: 임진왜란으로 인해 명과 조선의 국력이 약화되었다.

(2) 여진족의 후금 건국: 누르하치는 명과 조선의 국력이 약해진 틈을 타 여진 부족을 통일하고 후금을 건국하였다(1616).

2. 광해군의 대내 정책

(1) 즉위: 왜란 때 북인은 영남 지방을 중심으로 의병 활동을 활발히 전개하였으며, 광해군은 분조 활동의 공로를 인정받았다. 이에 북인의 지지를 얻은 광해군이 선조의 뒤를 이어 왕위에 올라 전후 복구에 힘을 쏟았다.

(2) 부국책: 광해군은 농지 개간을 장려하고 토지 대장과 호적을 재정비하였으며, 전쟁으로 피폐해진 산업을 일으켜 국가 재정을 확충하였다.

(3) 강병책: 광해군은 성곽과 무기를 수리하고, 군사 훈련을 실시하는 등 국방력을 강화하였다.

(4) 문화 시책

① **『동의보감』 간행**: 광해군은 전란 중에 질병이 널리 퍼져 인명의 손상이 많았던 경험을 되살려, 허준이 완성한 『동의보감』을 간행하여 널리 반포 하였다.

② **5대 사고 재정비**: 광해군은 소실된 사고를 5대 사고로 재정비하였다.

③ **궁궐 수리**: 전란 중 훼손된 창덕궁·창경궁 등을 수리하고 경희궁(경덕궁)을 창건하였다.

(5) 민심 수습책: 임진왜란 이후의 효자·충신·열녀를 조사하여 추앙하였고, 이들의 행적을 모아 『동국신속삼강행실도』에 수록·반포하여 민심을 수습하고자 하였다.

분조(分朝) 활동

'분조(分朝)'는 '**조정의 분소(임시 조정)**'란 뜻으로 임진왜란 당시 의주와 평양 등지에 상주하였던 선조의 조정과 별개로 **전쟁 극복을 위해 광해군이 주도하였던 조정**을 의미한다. 선조는 랴오둥(요동)으로의 망명을 염두에 두고 의주로 피난가는 도중, 본국에 남아 있을 **조정을 분조로 설정하고 광해군에게 그 책임을 맡겼다**. 이에 광해군은 임진왜란 중 평안도, 강원도 등을 돌며 **민심을 수습**하였으며 경상도, 전라도로 내려가 **군량을 모았다**. 또한 **의병을 모집**하고 의병장을 독려하였다. 이러한 **광해군의 분조 활동은 임진왜란 극복에 크게 기여한 것으로 평가**받고 있다.

3. 광해군의 대외 정책

(1) 배경: 임진왜란 때 명의 도움을 받은 조선은 후금의 공격을 받은 명의 원군 요청을 거절할 수 없었고, 새롭게 성장하는 후금과 적대 관계를 맺을 수도 없는 상황이었다.

(2) 중립 외교

① **의미**: 광해군은 명과 후금 사이에서 신중한 중립 외교 정책을 전개하였다.

② **전개**: 명의 원군 요청을 받은 광해군은 강홍립을 도원수로 삼아 명을 지원하도록 하였으나 적극적으로 나서지 말고 상황에 따라 대처하도록 명령하였다.

③ **결과**

㉠ **강홍립의 항복**: 조·명 연합군은 결국 후금에 패하였고, 강홍립은 광해군의 명을 따라 후금에 항복하였다.

㉡ **중립 외교**: 이후에도 명의 원군 요청은 계속되었지만 광해군은 이를 적절하게 거절하면서 후금과의 대립을 피하였다. 그러나 중립 외교 정책으로 조선 조정에서는 대의명분을 중시하는 서인의 불만이 쌓여갔다.

광해군의 중립 외교 정책 기출사료

강홍립이 통역사 황연해를 시켜 여진인에게 말하기를 "우리나라가 너희들과 본래 원수진 일이 없는데, 무엇 때문에 서로 싸우겠느냐. 지금 여기 들어온 것은 부득이한 것임을 너희 나라에서는 모르느냐."하니 드디어 적과 화해하는 말이 오갔다.

- 이긍익, 『연려실기술』

▶ 광해군은 명과 후금 사이에서 중립 외교 정책을 전개하여 강홍립에게 후금과 적극적으로 싸우지 말라고 명하였다.

9 호란의 발발과 전개

1. 인조반정(1623)

(1) 원인

① **중립 외교 정책에 대한 서인의 반발**: 대의명분을 중시하는 서인은 광해군의 중립 외교 정책을 명에 대한 의리를 저버리는 것이라고 비판하였다.

② **폐모살제**: 광해군이 당쟁에 휩쓸려 영창 대군을 죽이고 인목 대비를 폐위(폐모살제)하는 등 유교 윤리에 어긋나는 약점을 드러내었다.

③ **사림의 지지 상실**: 광해군 대 정권을 잡은 북인은 자신들의 학문적 정통성을 위해 조식을 높이고 이언적·이황을 폄하하여(晦退辨斥, 회퇴변척), 사림들의 지지를 상실하였다.

회퇴변척

북인 정인홍은 자신의 스승인 조식이 문묘에 종사되지 않은 것이 이황 때문이라고 여겼다. 이에 정인홍이 조식을 높인다는 구실로 **이언적(회재)과 이황(퇴계)을 폄하**하는 회퇴변척을 일으켰다. 그러나 이러한 주장은 유생들로부터 배척되어 정인홍이 사림의 지지를 상실하는 계기가 되었다.

(2) 전개: 영창 대군 사사와 인목 대비 폐위를 명분으로 서인인 이귀, 김자점, 김류, 이괄 등이 반정을 단행하였다(1623).

(3) 결과: 인조반정으로 광해군과 북인 정권이 몰락하였다. 인조가 즉위한 이후에는 서인이 우세한 가운데 남인 일부가 참여하는 양상으로 정국이 전개되었다.

기출 사료 읽기

인목 대비 교서

내가 비록 부덕하더라도 일국의 국모 노릇을 한 지 여러 해가 되었다. 광해는 선왕의 아들로 나를 어미로 여기지 않을 수 없는 것이다. 그럼에도 광해는 간신의 말을 믿고 시기하여 나의 부모를 죽이고 품안의 어린 자식을 빼앗아 죽였으며 나를 유폐하여 곤욕을 치르게 했다. -「계축일기」

사료 해설 | 서자 출신인 광해군이 세자에 책봉된 이후, 선조의 계비인 인목 왕후(인목 대비)가 영창 대군을 낳으면서, 조정 내에서 세자 교체에 대한 요구와 이로 인한 당쟁이 발생하였다. 결국 광해군은 즉위 이후 영창 대군을 강화도로 유배 보내 제거하고, 인목 대비를 서궁(경운궁)에 유폐시켰는데, 이는 후에 서인이 인조반정을 일으키는 주요 명분이 되었다.

인조반정 기출사료

적신 이이첨과 정인홍(鄭仁弘) 등이 또 그의 악행을 종용하여 임해군(臨海君)과 영창 대군을 해도(海島)에 안치하여 죽이고 …… (인목) 대비를 서궁(西宮)에 유폐하였다. …… 또 토목 공사를 크게 일으켜 해마다 쉴 새가 없었고, 간신배가 조정에 가득 차고 …… 난을 제거하고 반정(反正)할 뜻을 두었다. -『인조실록』

▶ **서인**은 광해군의 중립 외교 정책과 폐모살제 등을 명분으로 **인조반정을 단행**하였다.

2. 정묘호란(1627)

(1) 배경

① **친명 배금 정책**: 인조반정으로 정권을 잡은 서인은 기존의 중립 외교 정책 대신, 명과 친하고 후금을 멀리하는 친명 배금 정책을 추진하여 후금을 자극하였다.

기출 사료 읽기

> **서인의 친명 배금 정책**
>
> 우리나라가 중국을 섬겨 온 것이 2백여 년이다. 의리로는 군신이며, 은혜로는 부자와 같다. 임진년에 입은 은혜는 만세토록 잊을 수 없다. …… 광해군은 배은망덕하여 천명을 두려워하지 않고, 속으로 다른 뜻을 품고 오랑캐에게 성의를 베풀었다.
>
> **사료 해설 |** 대의명분을 중시한 서인은 광해군의 중립 외교 정책을 명에 대한 의리를 저버리는 것이라 비판하였다. 이후 인조반정으로 집권하게 된 서인은 친명 배금 정책을 전개하였다.

② **가도 사건**: 후금과의 전쟁에서 패한 명나라 장수 모문룡이 평안도 철산 앞바다의 가도로 쫓겨왔다. 모문룡은 가도에 주둔(1623)하며 재기를 꾀하였고, 이는 후금이 조선을 적대시하는 원인이 되었다.

③ **이괄의 난**(1624): 이괄은 인조반정의 공신이었으나, 자신의 공에 비해 적절한 대우를 받지 못한 것에 불만을 품고 난을 일으켰다. 이괄의 난이 진압된 이후 그 잔당들은 후금으로 도망가 인조의 즉위가 부당함을 고하며 조선을 침략할 것을 종용하였다.

> **이괄의 난**
>
> 이괄은 **인조반정을 성공**시키는데 큰 공을 세웠지만 **2등 공신에 머물러 불만이 높았다.** 게다가 북인 출신이었기 때문에 서인들로부터 오히려 **역모죄로 모함을 당하였다.** 결국 이러한 상황을 바탕으로 **이괄은 난을 일으켰다.** 이괄의 반란군은 한때 한양을 점령(**인조는 공주로 피난**)할 만큼 기세가 높았으나, 한 달여 만에 관군에 의해 진압되었다.

(2) 경과

① **후금의 침입**: 후금의 태종은 광해군을 위하여 보복한다는 명분을 내세워 3만여 명의 군사를 이끌고 조선으로 쳐들어와 황해도 평산까지 침입하였다(정묘호란).

② **대응**: 인조는 전세가 불리해지자 강화도로 피난하고 항전 태세를 갖추었다. 한편 용골산성에서 정봉수가, 의주에서 이립 등이 의병을 일으켜 후금군에 대항하였다.

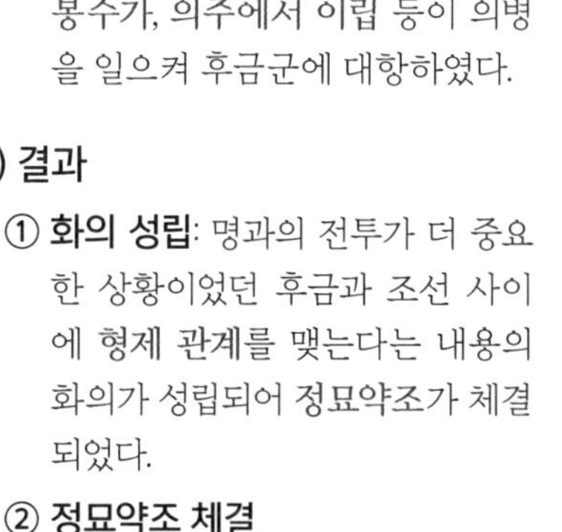

| 정묘호란과 병자호란의 전개 과정

(3) 결과

① **화의 성립**: 명과의 전투가 더 중요한 상황이었던 후금과 조선 사이에 형제 관계를 맺는다는 내용의 화의가 성립되어 정묘약조가 체결되었다.

② **정묘약조 체결**

형제 관계	조선은 후금과 형제 관계 체결
조공	조선은 매년 후금에 목면 1만 5천 필 등의 세폐(사신이 바치는 공물)지급
중립 유지	명과 후금 사이에서 중립을 지킬 것을 약속

> **정묘호란(1627)** 기출사료
>
> 정주 목사 김진이 아뢰기를, "금나라 군대가 이미 선천·정주의 중간에 육박하였으니 장차 얼마 후에 안주에 도착할 것입니다."하였다. 임금께서 묻기를, "이들이 명나라 장수 모문룡을 잡아가려고 온 것인가, 아니면 전적으로 우리나라를 침략하기 위하여 온 것인가?"하니, 장만이 아뢰기를, "듣건대 홍태시란 자가 매번 우리나라를 침략하고자 했다고 합니다."하였다. -『인조실록』
>
> ▶ 인조반정으로 권력을 장악한 서인 세력의 **친명 배금 정책이 자극이 되어 후금이 조선을 침략**하였다.

3. 병자호란(1636)

(1) 원인: 후금은 세력을 더욱 확장해 국호를 청이라 고치고, 조선에 군신 관계를 요구하였다. 더불어 청은 명나라 정벌을 위한 군량미와 병선도 요구하였다.

(2) 경과

① **주화론과 주전론의 대립**: 청의 요구에 대하여 조선에서는 주화론(외교적 해결 추구)과 주전론(전쟁 주장)으로 국론이 분열되었다.

구분	주화론(주화파)	주전론(척화파)
주장	주화론	척화론
성격	현실적, 실리적, 친청 외교	대의명분 중시, 친명 외교
사상	양명학	정통 성리학
인물	최명길	3학사(홍익한, 윤집, 오달제), 김상헌

기출 사료 읽기

주화론과 주전론

1. 최명길의 주화론

주화(主和) 두 글자는 신의 일평생에 신변의 누가 될 줄로 압니다. …… 화친을 맺어 국가를 보존하는 것보다 차라리 의를 지켜 망하는 것이 옳다고 하였으나, 이것은 신하가 절개를 지키는 데 쓰이는 말입니다. 종묘와 사직의 존망이 필부의 일과는 판이한 것입니다. …… 자기의 힘을 헤아리지 아니하고 경망하게 큰소리를 쳐서 오랑캐들의 노여움을 도발, 마침내는 백성이 도탄에 빠지고 종묘와 사직에 제사지내지 못하게 된다면 그 허물이 이보다 클 수 있겠습니까. …… 정묘년(1627)의 맹약을 지켜서 몇 년이라도 화를 늦추시고, 그동안을 이용하여 인정을 베풀어서 민심을 수습하고 성을 쌓으며, 군량을 저축하여 방어를 더욱 튼튼하게 하되 군사를 집합시켜 일사분란하게 하여 적의 허점을 노리는 것이 우리로서는 최상의 계책일 것입니다. - 『지천집』

사료 해설 | 최명길은 전쟁 전에 적극적인 대책을 펼치지 못하면 적의 침입을 받았을 때 국가를 온전히 지탱할 수 없음을 걱정하며 강력하게 화의를 주장하였다.

2. 윤집의 주전론(척화론)

"화의로 백성과 나라를 망치기가 …… 오늘날과 같이 심한 적이 없습니다. 명은 우리나라에 있어서 곧 부모요, 오랑캐(청)는 우리나라에 있어서 곧 부모의 원수입니다. 신하된 자로서 부모의 원수와 형제가 되어서 부모를 저버리겠습니까. 하물며 임란의 일은 터럭만한 것도 황제의 힘이어서 우리나라에 있어서는 먹고 숨쉬는 것조차 잊기 어렵습니다. 차라리 나라가 없어질지라도 의리는 저버릴 수 없습니다. …… " - 『인조실록』

사료 해설 | 윤집은 최명길의 화의 주장에 강력하게 반발하였고, 병자호란으로 청과 화의하게 되자 청나라에 잡혀가 온갖 고문을 받았다. 청은 고문과 회유로 윤집의 뜻을 돌리려 하였으나 윤집은 자신의 주장을 꺾지 않았고, 결국 사형에 처해졌다.

② **청의 침입**: 조선 조정 내에서 주전론이 우세해지자 청이 침입하였다.

③ **인조의 남한산성 피난**: 청 태종은 직접 군대를 이끌고 쳐들어와 임경업이 이끄는 백마산성을 우회하여 한양을 점령하였다. 청군의 빠른 진군 속도를 감당할 수 없었던 인조는 남한산성으로 피난하여 청군에 대항하였으나, 결국 청에 항복하였다(삼전도의 굴욕).

삼전도의 굴욕

30일 해도 빛을 잃었다. 임금(인조)이 세자와 함께 푸른 옷을 입으시고 서문으로 나가셨다. 성에 있던 사람들이 통곡하니 울부짖는 소리가 하늘에 사무쳤다. …… 한(汗, 청 태종)이 황금으로 된 의자 위에 걸터앉아 전하로 하여금 걸어 들어오게 하시니 (인조는) 백 보는 걸어 들어가셔서 따라온 신하들과 함께 뜰 안 진흙 위에서 배례를 하셨다. 신하들이 돗자리 깔기를 청하니 임금께서 말씀하셨다. '황제 앞에서 어찌 감히 자신을 높이리오.' 세 번 절하고 아홉 번 고개를 조아리는 예를 행하시고 성에 오르셔서 서쪽을 향하여 제단 위에 앉으셨다. - 『산성일기』

▶ **인조는 남한산성에서 항전**하였지만 결국 **청에 항복**하게 되었고, **삼전도**에서 청 태종 앞에 무릎을 꿇고 **굴욕적인 항복**을 하였다. 삼전도는 현재의 서울 송파구 부근이다.

기출 사료 읽기

병자호란의 발발

홍서봉 등이 한(汗)의 글을 받아 되돌아왔는데, 그 글에, "대청국의 황제는 조선의 관리와 백성들에게 알린다. 짐이 이번에 정벌하러 온 것은 원래 죽이기를 좋아하고 얻기를 탐해서가 아니다. 본래는 늘 서로 화친하려고 했는데, 그대 나라의 군신이 먼저 불화의 단서를 야기시켰다."라고 하였다.

사료 해설 | 후금은 나라 이름을 청으로 바꾸고 조선에 군신 관계를 요구하였다. 이에 조선 내부에서는 주전론이 우세해 청의 요구를 거부하자, 청 태종은 직접 군사를 이끌고 조선을 침략하였다.

(3) 결과

① **청과의 군신 관계 수용**: 조선이 청과 군신 관계를 체결하면서 명과의 관계가 단절되었다.

② **인질**: 두 왕자(소현 세자, 봉림 대군)와 척화론자들(3학사 등)이 인질로 청에 호송되었다.

(4) 호란의 영향

① **국토의 황폐화**: 청군이 거쳐 간 서북 지역은 약탈과 살육에 의해 황폐화되었다.

② **반청 의식 고조**: 조선에서 오랑캐라고 여겨왔던 여진족이 세운 나라와 거꾸로 군신 관계를 맺고, 임금이 굴욕적인 항복을 했다는 사실은 조선인들에게 큰 충격이었다. 이로 인해 소중화를 자처하던 유학자들의 자존심이 실추되고, 청에 대한 적개심이 커졌다.

③ **북벌론 제기**: 청에 대한 적개심과 문화적인 우월감을 바탕으로 북벌론이 제기되었다.

필수 개념 정리하기

병자호란

원인	후금이 '청'으로 국호를 고치고 조선에 군신 관계 요구
전개	· 청의 요구에 주화론(최명길)과 척화론(김상헌, 윤집, 홍익한, 오달제)으로 국론 분열 · 척화론에 따라 청의 요구 거부 → 청 태종이 군대를 이끌고 조선 침입 → 인조는 남한산성으로 피난하여 항전 → 청군에 항복
결과	· 청과 군신 관계 체결(삼전도의 굴욕) · 소현 세자·봉림 대군·척화론자들(홍익한, 윤집, 오달제 등)이 청에 압송됨

OX 빈칸 핵심 개념 점검

* 학습한 개념을 OX/빈칸 문제를 통해 점검해보세요.

핵심 개념 1 | 조선과 명과의 관계

01 명은 표전의 문구를 문제 삼아 정도전의 압송을 요구하였다. □ O □ X

02 조선은 명나라와 태종 이후로 관계가 좋아져 교류가 활발했다. □ O □ X

03 조선은 이성계가 이인임의 아들이었다는 중국 측 기록을 둘러싼 ________ 문제로 명과 외교적 갈등을 빚었다.

핵심 개념 2 | 조선과 여진과의 관계

04 세종 때 4군 6진이 설치되어 오늘날과 같은 국경선이 확정되었다. □ O □ X

05 조선은 경성과 경원에 무역소를 설치하여 여진과 교역하였다. □ O □ X

06 조선은 삼남 지방의 일부 주민을 북방 지역으로 이주시키는 ________을 실시하였다.

핵심 개념 3 | 조선과 일본·동남아시아와의 관계

07 세종 때 왜구를 토벌하기 위해 김종서를 보내 왜구의 소굴인 쓰시마 섬을 토벌하였다. □ O □ X

08 세종 때 대마도주가 무역을 요청해 오자, 부산, 인천, 원산 3포를 열어 무역을 허용하였다. □ O □ X

09 조선은 류큐에 불경, 유교 경전, 범종 등을 전해 주어 문화 발전에 기여하였다. □ O □ X

10 세종은 대마도주와 ________를 맺어 무역선을 1년에 50척으로 제한하였다

11 조선이 왜구에 대한 무역 통제를 강화하자, 왜인들이 명종 때 ________을 일으켰다.

핵심 개념 4 | 임진왜란의 전개와 전란 이후의 상황

12 임진왜란 때 이순신 장군이 한산도 앞바다에서 왜의 수군을 격퇴하고 제해권을 장악하였다. □ O □ X

13 임진왜란 때 김시민이 진주성에서 일본군을 저지하였다. □ O □ X

14 임진왜란 이후 광해군은 명과 후금 사이에서 중립 외교로 대처하였다. □ O □ X

15 광해군은 임진왜란으로 발생한 문제를 해결하기 위해 토지 대장과 호적을 새로 정비하였다. □ O □ X

16 임진왜란 때 이순신이 ________에서 거북선을 처음 사용하였다.

17 임진왜란 때 권율 장군이 ________에서 왜군을 크게 무찔렀다.

18 임진왜란의 휴전 협상이 진행되는 동안 조선은 유성룡의 건의에 따라 ________을 설치하였다.

핵심 개념 5 | 호란의 발발과 전개

19 인조반정으로 권력을 잡은 서인 정권은 친명 배금 정책을 추진하였다. □ O □ X

20 조선은 정묘호란의 결과로 후금과 굴욕적인 형제의 맹약을 맺었다. □ O □ X

21 후금이 국호를 청(淸)이라 고치고 조선에 대하여 군신(君臣)의 관계를 맺을 것을 요구해 왔다. □ O □ X

22 인조 때 공로 평가에 불만을 품은 ____ 이 난을 일으켰다.

23 후금의 태종은 광해군을 위하여 보복한다는 명분을 내걸고 ________ 을 일으켰다.

24 ________ 의 결과 소현 세자와 봉림 대군이 인질로 청나라에 잡혀갔다.

정답과 해설

01	O 조선 태조 때 명은 정도전을 '조선의 화근'이라 표현하며 표전의 문구를 문제 삼아 정도전을 명으로 압송할 것을 요구하였다.	**13**	O 임진왜란 때 진주 목사 김시민이 이끄는 조선군과 의병이 진주성에서 왜군을 저지하였다(제1차 진주성 전투).
02	O 조선은 태종 때 명과의 관계가 친선 관계로 바뀌면서 문화 교류가 활발해졌다.	**14**	O 광해군은 명과 후금 사이에서 중립 외교 정책을 취하며 임진왜란의 피해 수습에 주력하였다.
03	종계변무	**15**	O 광해군 때 임진왜란으로 소실된 토지 대장(양안)과 호적을 정비하여 전란으로 무너진 수취 체제를 안정시키고 국가 재정을 늘리려 하였다.
04	O 세종 때 최윤덕과 김종서로 하여금 4군 6진을 개척하게 하여 오늘날과 같이 압록강에서 두만강을 경계로 하는 국경선을 확정하였다.	**16**	사천(사천포) 해전
05	O 조선은 태종 때 국경 지역인 경성과 경원에 무역소를 설치하여 여진과 교역하였다.	**17**	행주산성
06	사민 정책	**18**	훈련도감
07	✖ 세종 때 김종서가 아닌 이종무를 보내 쓰시마 섬(대마도)을 토벌하였다.	**19**	O 인조반정으로 광해군과 북인 정권을 몰아내고 권력을 잡은 서인 세력은 친명 배금 정책을 추진하였다.
08	✖ 세종 때 개항한 곳은 부산포(동래), 제포(진해), 염포(울산)이다. 부산, 인천, 원산은 강화도 조약(조·일 수호 조규, 1876)이 체결된 결과 개항된 곳들이다.	**20**	O 정묘호란의 결과로 후금과 조선 사이에 형제 관계를 맺는다는 내용의 강화 조약인 정묘약조가 체결되었다.
09	O 조선은 건국 초기에 류큐에 불경, 유교 경전, 범종, 부채 등을 전해주어 류큐의 문화 발전에 영향을 주었다.	**21**	O 후금은 정묘호란 이후 국호를 청으로 고치고 조선에 대하여 군신 관계를 맺을 것을 요구하였다. 그러나 조선에서는 척화 주전론이 우세해지면서 청의 요구를 거절하였다.
10	계해약조	**22**	이괄
11	을묘왜변	**23**	정묘호란
12	O 임진왜란 때 이순신 장군은 한산도 앞바다에서 학익진 전법을 펼쳐 왜의 수군을 격퇴하고 남해의 제해권을 장악하였다.	**24**	병자호란

조선 전기의 경제·사회

1 조선 전기의 경제

학습 포인트
과전법을 중심으로 조선 토지 제도의 변천 과정을 살펴보고, 조선의 수취 제도의 특징과 변질 내용을 정리한다. 또한 농업을 중시하였던 조선 전기의 농업 정책과 수공업, 상업 활동도 학습한다.

빈출 핵심 포인트
과전법, 직전법, 관수 관급제, 공법, 『농사직설』, 관영 수공업, 장시

1 조선의 경제 정책

1. 농업 정책

(1) **중농 정책**: 조선은 농민 생활의 안정을 위해 농경지를 확대하고 농업 생산력을 증가시키며, 농민의 조세 부담을 줄이는 등 농업을 중시하는 중농 정책을 실시하였다.

(2) **토지 개간과 양전 사업**: 건국 초부터 개간을 장려하고, 원칙적으로 20년마다 양전 사업을 실시하였다. 그 결과 고려 말 50여만 결이였던 경지 면적이 15세기 중반에는 160여만 결로 증가하였다.

2. 상공업 정책

(1) **상업 활동 억제**: 조선의 사대부들은 자유로운 상업 활동이 사치와 낭비를 조장하고, 이는 농업의 피폐로 이어져 결국 빈부의 격차를 심화시킨다고 여겨 상공업자가 국가의 허가 없이 마음대로 영업하는 것을 규제하였다.

(2) **자급자족적 농업 중심 경제**: 조선에서는 자급자족적 농업 중심 경제 체제를 지향하여 상공업 활동, 무역 등이 다소 부진하였으며 도로와 교통 수단도 미비하였다. 정부의 화폐 보급 및 유통 정책 또한 부진하여 삼베, 무명, 미곡과 같은 물품 화폐가 사용되었다.

2 토지 제도

1. 과전법 시행(1391, 공양왕)

(1) **배경**: 고려 말 권문세족의 농장 확대로 국가 재정과 민생에 심각한 문제를 초래하였다.

(2) 목적

① **신진 사대부의 경제 기반 마련**: 과전법을 실시하여 고려 말의 권문세족이 소유하던 대농장을 해체하고, 신진 사대부들의 경제적 기반을 마련하고자 하였다.

토지 결수의 변화

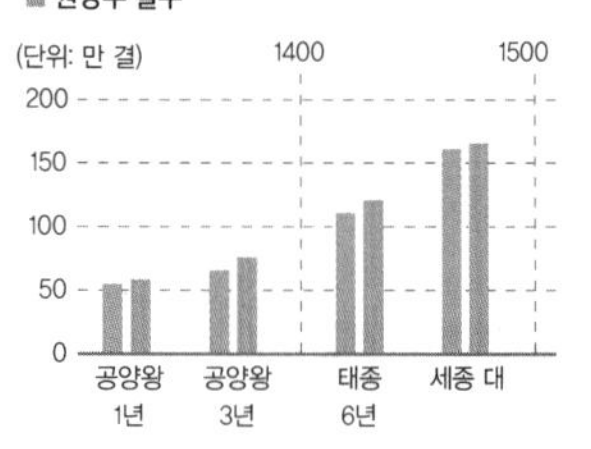

양전 사업 실시의 주기

조선 시대에 『경국대전』을 통해 20년마다 양전 사업을 실시하여 양안을 작성하는 것을 법제적 원칙으로 삼았다. 그러나 양전 사업에는 많은 비용과 인력이 소모되었기 때문에 이 원칙은 제대로 지켜지지 않았다.

과전법의 시행 배경 기출사료

대사헌 조준이 글을 올려 아뢰기를 "…… 근년에는 (토지를) 겸병하는 일이 더욱 심해져 간사하고 흉악한 무리의 토지가 주(州)에 걸치고 군(郡)을 포괄하며, 산천을 경계로 삼을 정도입니다. 1무(畝)의 주인이 5, 6명이나 되고 1년에 조세를 받는 횟수가 8, 9차에 이릅니다. 위로는 어분전(御分田)부터 종실·공신·조정·문무관의 토지, 외역·진·역·원·관의 토지와 백성들이 여러 대 동안 심은 뽕나무와 지은 집에 이르기까지 모두 빼앗아 차지하니 호소할 곳 없는 불쌍한 백성들이 사방으로 흩어져 떠돌아다닙니다." -『고려사』

▶ 고려 말에 권문세족의 토지 겸병과 과중한 세금 수취 등이 극심해지자 정도전·조준 등 **신진 사대부의 주도로 과전법이 시행**되었다(1391).

② **국가 재정 확충**: 과전법의 실시를 통해 농민 생활을 안정시키고, 동시에 국가의 재정 기반을 확보하고자 하였다.

(3) 내용

① **지급**: 18등급(18과)에 따라 전·현직 관리들에게 최고 150결에서 최하 10결까지의 과전(경기 지역에 한정)에 대한 수조권을 지급하였다. 또한 지방에 거주하는 한량(유향품관)에게는 본전을 몰수하는 대신 정치적·군사적 목적으로 5~10결의 군전을 지급하였다.

② **세습 금지**: 원칙적으로 과전의 세습은 금지되었기 때문에 과전을 받은 사람이 죽거나 반역을 하면 국가에 반환해야 했다(실제로는 수신전·휼양전 등으로 세습됨).

③ **조세**: 1결당 생산량의 1/10인 최고 30두로 통일하였다. 수조권자는 농민에게 30두(조세)를 거두어서 그 가운데 1/15인 1결당 2두를 국가에 세금(전조)으로 납부하였다.

④ **병작반수제 금지**: 토지가 없는 농민이 지주에게 토지를 빌리고 그 수확량의 절반을 지주와 소작인이 나누어 가지는 형태의 병작반수제를 금지하였다.

필수 개념 정리하기

사전(수조권을 개인이 가진 토지)

과전	품계에 따라 관리에게 지급한 토지, 죽거나 반역을 하면 국가에 반납
수신전	과전을 지급받은 관리가 죽은 뒤 재혼하지 않은 그 처에게 지급한 토지
휼양전	관리 부부가 사망하고 자식만 남았을 경우 상속하도록 한 토지
공신전	공신들에게 지급된 토지로 세습이 가능
별사전	준공신들에게 지급된 토지로, 3대까지 세습이 가능
군전	본전을 몰수 당한 지방 한량(유향품관)에게 지급(5~10결)

(4) 결과: 수신전, 휼양전 등의 명목으로 토지 세습이 허용되면서 신진 관리에게 지급해야 할 토지가 부족해졌다.

기출 사료 읽기

과전법의 시행

경기는 사방의 근본이니 마땅히 과전을 설치하여 사대부를 우대한다. 경성에 거주하며 왕실을 시위하는 자는 전·현직 관리를 막론하고 과(科)에 따라 과전을 받는다. 과전을 받은 자가 죽은 후, 그의 아내가 자식이 있고 재가(再嫁)하지 않는 경우에는 남편의 과전 모두를 전수받고, 자식이 없는 채로 재가하지 않는 경우에는 반을 감하여 전해 받으며, 재가하는 경우에는 이에 해당하지 않는다. 부모가 모두 사망하고 자손이 유약한 자는 마땅히 휼양(恤養)하여야 하니 아버지의 과전 모두를 전해 받고, 20세가 되는 해에 본인의 등급에 따라 받는다. -『태조실록』

사료 해설 | 과전법은 조선을 건국한 신진 사대부 세력의 경제적 기반을 마련하기 위해 실시되었다. 원칙적으로 과전의 세습은 금지되었으나, 실질적으로는 공신전과 수신전, 휼양전 등을 통해 세습이 이루어졌다.

2. 직전법(1466, 세조)

(1) 배경: 수신전·휼양전의 명목으로 과전이 세습되는 경향이 나타났고, 세습이 허용된 공신전이 증가하였다. 이에 관리에게 지급할 토지가 부족해지자 세조 때 현직 관리에게만 토지를 지급하는 직전법을 실시하였다.

직전법 시행 반대 상소 기출사료

대사헌 양지가 상소하였다. "과전은 사대부를 기르는 것입니다. 장차 직전을 두려고 한다는데, 조정의 신하는 직전을 받게 되지만 벼슬에서 물러난 신하와 무릇 공경대부의 자손들은 1결의 토지도 가질 수 없게 되니 이는 대대로 국록을 주는 뜻에 어긋납니다. 관리들이 녹봉을 받지 못한다면 서민과 다를 바가 없게 되어 세신이 없게 될 것이니 이를 염려하지 않을 수 없습니다." -『세조실록』

▶ 직전법의 시행에 반대하는 상소문으로, **관료들은 관직에서 물러난 후와 자손들의 생계 문제를 이유**로 직전법 시행에 반대하였다.

(2) **내용**: 직전법에 따라 현직 관리에게만 토지(수조권)를 지급하고, 지급되는 토지의 양도 감소하였으며, 수신전과 휼양전을 폐지하였다(토지 세습 금지).

(3) **폐단**

① **농장 확대**: 직전법의 실시로 토지 부족 현상은 해소되었으나, 퇴직 이후의 생활을 염려한 양반 관료들은 토지 겸병을 통해 농장을 확대하였다.

② **과다 수취**: 농민에 대한 관리들의 수조권 남용이 심화되었다.

3. 관수 관급제(1470, 성종)

(1) **배경**: 과전법이나 직전법 체제에서는 수조권을 가진 관리가 농민으로부터 직접 조세를 거두었는데, 이 과정에서 관리가 조세를 과다하게 수취하는 경우가 많았다.

(2) **내용**: 성종은 지방 관청에서 그 해의 생산량을 조사하여 직접 조를 거두고, 관리에게 나누어 주는 방식을 시행하였다.

(3) **결과**: 관수 관급제가 실시되면서 양반 관료들이 수조권을 빌미로 토지와 농민을 지배하는 방식이 사라졌다(수조권 지급 제도는 잔존). 또한 수조권을 국가가 대신 행사하게 되면서 국가의 토지 지배력이 강화되었다.

(4) **폐단**: 관수 관급제의 실시는 훈구 관리들의 토지 소유 욕구를 자극하여 실제로는 농장이 확대되고 소작농이 증가하는 결과를 가져와 지주 전호제가 더욱 가속화되었다.

4. 직전법 폐지(1556, 명종)

(1) **내용**: 관리들의 농장이 계속 확대되자 명종 대에는 유명무실해진 직전법을 폐지하고 관리들에게 녹봉만 지급하였다.

(2) **결과**: 직전법 폐지로 수조권 지급 제도는 완전히 소멸하였고, 소유권에 바탕을 둔 지주 전호제가 더욱 확대되었다.

3 수취 체제의 확립

1. 조세(전세)

(1) **부과 대상**: 조세는 토지 소유자에게 부과되는 것이 원칙이었으나, 토지 소유자(지주)의 상당수가 소작 농민에게 대납을 강요하였다.

(2) 과전법

① **조세 수취율**: 과전법에서는 최대 300두의 쌀을 생산할 수 있는 토지의 면적을 1결로 계산하고, 토지 1결당 수확량의 1/10인 30두를 조세로 수취하는 것이 원칙이었다.

② **답험 손실법**: 한 해의 농작 상황을 현지에 나가 조사하고, 풍흉에 따라 조세 납부액을 조정하는 제도이다. 국가가 수조권을 가지는 공전은 담당 관원이, 개인이 수조권을 가지는 사전은 그 관리가 직접 답험(조사)하여 납부액을 조정하였다.

지주 전호제

토지 소유주인 지주와 지주로부터 토지를 빌려 이를 소작하는 농민인 전호(소작농)가 연결되어 나타나는 토지 소유 형태를 의미한다. 이는 수조권을 토대로 형성되는 전주 전객제와 구별되는 개념으로, 전주는 수조권을 가진 관료를, 전객은 수조지를 실제로 보유·경작하는 농민을 의미한다. 관수 관급제의 실시(성종) 및 직전법의 폐지(명종)로, 수조권 지급 제도가 약화·소멸되면서 지주 전호제가 점차 확대되고 소작농이 증가하였다.

수취 제도

조세	토지에 부과되는 세금
공납	가호마다 토산물(현물)로 부과되는 세금
역	호적에 등재된 정남에게 부과되는 군역과 요역

답험 손실법(踏驗損實法)

'**답험**'은 한 해의 농업 상황을 직접 조사해 등급을 정하는 것이고, '**손실법**'은 조사한 등급에 따라 적당한 비율로 조세를 감면해 주는 것을 말한다.

(3) 공법(1444, 세종)

① **배경**: 답험 손실법에서 관원이나 관리의 부정이 개입하는 경우가 많았다. 세종은 이러한 부정을 방지하고, 보다 합리적인 조세 수취 제도를 마련하고자 하였다.

② **공법 마련**: 세종 때 조세 제도의 개혁 추진을 위한 관청으로 전제상정소와 공법상정소를 설치하고, 조정의 신하와 지방의 촌민에 이르기까지 18만 명의 의견을 물어 전분 6등법과 연분 9등법의 공법을 마련하였다.

㉠ **전분 6등법**: 토지 비옥도에 따라 토지 1결을 1~6등전으로 구분하였다.

㉡ **연분 9등법**: 그 해의 풍흉의 정도에 따라 상상년~하하년까지 9등급으로 구분하여 1결당 최고 20두에서 최하 4두까지의 조세를 징수하였다.

③ **공법의 문제점**: 조세 산출 과정이 복잡하여 원칙대로 적용하기 어려웠기 때문에, 16세기에 이르러 대부분의 토지에 최저율의 세액(4~6두)을 적용하는 경향이 나타났다.

공법 시행 기출사료

국왕(세종)이 말했다. "나는 일찍부터 공법을 시행해 여러 해의 평균을 파악하고 답험(踏驗)의 폐단을 영원히 없애려고 해왔다. 신하들부터 백성까지 두루 물어보니 반대하는 사람은 적고 찬성하는 사람이 많았으므로 백성의 뜻도 알 수 있다."

▶ 세종은 합리적인 조세 수취 제도를 마련하고자 중앙의 관료부터 일반 서민에게 이르기까지 폭넓게 의견을 물어 전분 6등법과 연분 9등법의 공법을 마련하였다.

(4) 조운(漕運) 제도

① **내용**: 조운 제도는 지방 군현에서 거둔 조세를 한양의 경창까지 운반하는 제도이다. 지방의 강가나 바닷가에 있는 조창에 조세를 임시 보관하였다가, 용산(강창·풍저창, 국가 재정 담)과 서강(광흥창, 관리의 녹봉 지급 담당) 등 서울의 경창으로 운송하였다.

② **잉류 지역**: 국경 지대인 평안도와 함경도, 지리적 특성으로 인해 조운에서 제외된 제주도는 조세를 중앙으로 보내지 않고, 현지에서 자체 소비하였다.

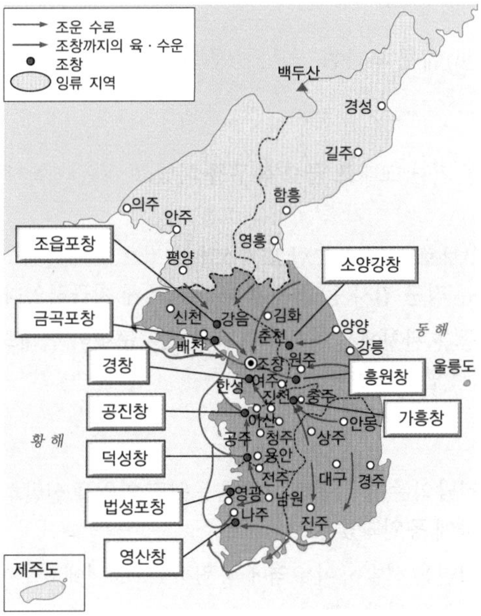

| 조운 제도

조선 후기 조운 제도의 운영

조선 후기에는 조운량이 증가하자 배다리 건설을 위해 정조 때 설치된 관청인 **주교사 소속의 배를 이용**하기도 하였다.

2. 공납

(1) 징수 방법: 각 지역의 토산물을 조사하여 중앙 관청이 군현에 공납으로 바칠 물품·액수를 할당하면, 해당 군현은 가호(家戶)마다 이를 할당하여 징수하였다.

(2) 징수 품목: 공납은 현물 부과가 원칙(각종 수공업 제품, 광물, 수산물, 모피, 과실, 약재 등)이었으나, 예외적으로 현물 대신 미·포 등을 부과하는 경우도 있었다.

(3) 종류

상공	정기적인 것으로, 매년 지정된 품목의 토산물을 호조에 납부
별공	부정기적인 것으로, 지방 관청의 필요에 따라 납부
진상	각 도의 관찰사, 병사, 수사 등 지방관이 토산물을 국왕에게 바치는 것

(4) 폐단

① **방납의 폐단**: 풍흉 등으로 현물의 생산이 감소·중단되어도 할당된 액수의 물품을 납부해야 했다. 이에 서리나 상인들이 타지에서 현물을 구입하여 대리 납부하고 농민 등에게 이윤을 취하는 폐단(방납)이 발생하였다.

② **농민 부담**: 공납은 전세보다 물품 운반과 저장에 어려움이 많았으며, 특산물의 생산량이 일정하지 않아 농민에게 더욱 큰 부담으로 작용하였다.

③ **개선책**: 공납의 폐단을 개선하기 위한 주장들이 제기되었다.

㉠ **조광조**: 공안(貢案)의 개정과 수미법을 통한 방납의 폐단 시정을 주장하였다.

㉡ **이이**: 『동호문답』에서 방납의 폐단을 지적하고, 공물을 지방관이 직접 중앙에 납입할 것과 공물을 쌀로 대신 거두는 방법인 수미법을 주장하였다.

㉢ **유성룡**: 이이와 유사하게 공물을 쌀로 통일하여 거두는 수미법을 주장하였다.

3. 역(役)

(1) 기준: 역은 16세 이상의 정남(丁男)에게 부과한 것으로, 군역과 요역으로 구분되었다.

(2) 군역

① **정군과 보인**(봉족): 정군은 일정 기간 교대로 군사 복무를 하였고, 보인(봉족)은 정군의 복무 비용을 부담하였다.

② **보법 시행**: 세조 때 정남 2정을 1보로 삼았다. 또한 토지 5결을 1정으로 계산하고, 노비도 봉족에 포함시켰다. 보인의 수는 정군·갑사 등 병종에 따라 다르게 지급하였다.

③ **면제 대상**: 양반과 서리, 향리 등은 관청에서 직역을 담당하므로 군역이 면제되었다. 이 외에 성균관 유생 등도 군역에서 면제되었다.

(3) 요역

① **초기**: 가호(家戶)를 기준으로 정남의 수를 고려해 요역에 동원될 인원을 선발하였고, 이들은 성, 왕릉, 저수지 등의 공사에 동원되었다.

② **성종 대**: 경작하는 토지 8결당 1인을 선발하여 요역에 동원하였고, 1년에 6일 이내로 동원을 제한하였으나 실제로는 임의로 징발되었다.

공안

중앙 관청에서 지방의 여러 군현에 부과할 공물의 품목과 수량을 기록한 장부를 가리킨다.

수미법

공납의 폐단을 시정하기 위한 것으로 **현물 대신 쌀을 납부하도록 한 제도**이다. 공납이 문란해지자 조광조와 이이, 유성룡 등은 수미법을 주장하였으나 실시되지 않았다. 이후 수미법은 광해군 때 대동법이라는 이름으로 실시되었다.

보인(봉족)

보인으로부터 잡물을 함부로 거두는 자(1인으로부터 매월 면포 1필을 초과하여 거두지 못한다.) 및 법을 어기면서 보인을 개인적으로 함부로 부리는 자는 가까운 이웃까지 함께 모두 군령으로 논하고 본인은 강등하여 보인으로 한다. -『경국대전』

▶ **보인은 정군이 군역을 지는 동안 필요한 식량, 의복 등 경비를 부담**하기 위해 매월(정군의 복무 기간) **무명 1필**을 국가에 바쳐야 했다. 그러나 토지가 3~4결 이상 되는 중상층 정군에게는 보인이 주어지지 않았다.

4 수취 제도의 문란

1. 배경

16세기 이후 수취 제도 운영의 폐단과 지주 전호제의 일반화로 몰락 농민이 증가하였다.

2. 내용

(1) 공납의 폐단

① **배경**: 토산물의 생산량이 감소하거나, 물품 생산지가 변화하는 등 현지의 상황이 바뀌었으나, 중앙의 공물 납부 기준은 그대로였기 때문에 부과된 물품을 타지에서 구입해서 내야 했다. 이 때문에 공납은 전세보다 더 큰 부담이 되었다.

② **폐단**: 중앙 관청의 서리, 경저리, 상인들이 공물을 농민 대신 납부하고 큰 대가를 챙기는 방납의 폐단이 발생하였다. 또한 공납을 감당하지 못한 농민이 도망하면 그 지역의 이웃이나 친척에게 대신 내게 하는 인징·족징의 폐단이 발생하여 유망 농민이 급증하였다.

(2) 군역의 변질

① 배경

㉠ **농민의 요역 기피**: 요역의 동원은 농사에 지장을 초래했기 때문에 농민들이 요역을 기피하였다.

㉡ **군역의 요역화**: 보법의 시행으로 요역을 담당해야 할 장정의 수가 감소한 데다가, 농민들이 요역을 기피하자, 군인을 왕릉 축조, 성곽 보수 등 각종 토목 공사에 동원하였다.

② 방군수포(放軍收布)와 대립제

㉠ **내용**: 군인(군역 대상자)들이 요역화된 군역을 기피하자, 관청이나 군대에서는 군역에 복무해야 할 사람에게 포를 받고 군역을 면제시키는 방군수포(放軍收布)와, 다른 사람을 사서 군역을 대신하게 하는 대립(代立)이 불법적으로 성행하였다.

㉡ **결과**: 과도한 군포의 부담으로 농민의 생활은 더욱 어려워졌으며, 도망하는 자가 더욱 증가하면서 군적의 문란과 농촌의 황폐화가 심화되었다.

③ 군적수포제(軍籍收布制)

㉠ **배경**: 방군수포와 대립제의 성행으로 군역 제도의 폐해가 커지자, 정부가 이를 제도화하여 대역(代役)의 대가로 납부해야 할 군포의 양을 정해주었다.

㉡ **내용**: 수령이 관할 지역의 장정으로부터 2필의 군포를 징수하여 중앙의 병조에 올려보내면 이를 군사력이 필요한 지역에 보내어 군인을 고용하게 하였다.

㉢ **결과**: 군역의 의무가 국가에 포를 납부하는 수포군 방식으로 변화하였다. 그러나 양반은 군적에서 제외되고 상민만이 군적에 올라 군포를 부담하였으며, 농민들의 부담은 더욱 가중되었다.

(3) 환곡의 폐단

① **환곡제**: 농민 생활을 안정시키기 위하여 곤궁한 농민에게 곡물을 빌려 주고 10분의 1 정도의 이자를 거두는 제도이다.

② **폐단**: 지방 수령과 향리들이 원래 정한 이자보다 더 많이 거두어 사적으로 사용하면서 환곡이 고리대로 변질되었으며, 농민들에게 강제로 부가되는 경향(환곡의 부세화)이 나타났다.

3. 결과

(1) 유민 증가: 수취 체제의 문란과 환곡의 고리대화 등으로 농민 생활이 어려워지자 각 지방에서 유민이 증가하였다.

(2) 유민의 도적화: 유민 중 일부는 도적이 되기도 했는데, 명종 때 황해도와 경기도 일대에서 활동한 임꺽정이 대표적이다. 양주 백정 출신 임꺽정 등은 몰락한 사림, 아전, 노비, 평민 등을 규합하여 황해도 구월산에 본거지를 두고 활동하였다.

군역의 변질

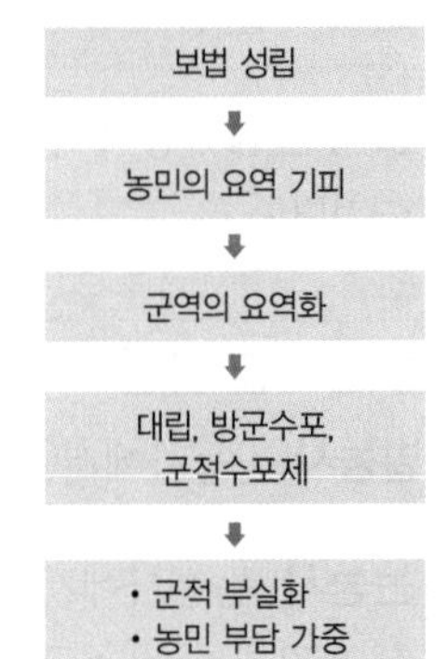

군적수포제

중종 때인 1541년에 정부는 번상정병(지방에서 올라와 중앙의 5위에 근무하던 정병) 가운데 보병에 한해 대립가의 수납 절차를 통일시키는 군적수포제를 실시하였다. 이로써 보병의 번상 의무는 없어지고 보인(봉족)과 정군(호수) 모두 국가에 포를 내는 것으로 군역의 의무를 대신하게 되었다.

임꺽정 기출사료

임꺽정은 양주의 백성으로 성품이 교활하고 또 날래고 용맹했으며 그 무리 10여 명이 모두 날래고 빨랐다. …… 경기에서 황해에 이르는 사이의 아전과 백성들이 적과 비밀히 결탁하고 관에서 잡으려 하면 반드시 먼저 알려주었으므로 거리낌 없이 돌아다녀도 관에서 잡을 수가 없었다. 조정에서 선전관을 시켜 염탐케 하였더니 미투리를 거꾸로 신고 혼란하게 한 뒤 뒤에서 활을 쏘아 죽였다.

- 이긍익, 『연려실기술』

▶ 임꺽정은 명종 때 황해도를 중심으로 경기·강원·평안·함경도 주변 지역에서 활동하였다.

5 농민 생활의 변화

1. 농민 생활의 안정

(1) **중농 정책**: 조선 정부는 세력가들의 토지 탈취 행위를 엄격히 규제하고 농업을 권장하였다. 이를 위해 농민들에게 개간을 장려하고, 각종 수리 시설을 보수·확충하였다.

(2) **농서 간행**: 『농사직설』, 『금양잡록』 등의 농서를 간행하여 농업 생산력을 높이고자 하였다.

2. 농업 기술 발달

(1) **밭농사**: 밭농사에서 조, 보리, 콩을 돌려 농사 짓는 2년 3작의 윤작법이 널리 보급되었다.

(2) **논농사**: 논농사에서 이앙법(모내기법)의 보급(전국적 실시 ×)으로 벼와 보리의 이모작이 가능해졌다. 그러나 이앙법은 가뭄에 취약한 농법이었으며, 조선 전기에는 수리 시설도 확충되지 않아 일부 남부 지역에서만 제한적으로 시행되었다.

(3) **시비법의 발달**: 밑거름과 덧거름을 사용하는 시비법이 발달하였다. 이에 경작지를 묵히지 않고 계속 농사지을 수 있는 연작이 가능해져 휴경지가 감소하였다.

3. 농민의 유망과 정부의 대책

(1) **농민의 몰락**: 지주제가 점차 확대되면서 자연재해, 고리대, 과중한 세금 등으로 농민들이 자신의 소유지를 팔고 소작농이 되는 경우가 증가하였고 농민들의 토지 이탈 현상이 심화되었다.

(2) **정부 대책**: 조선 정부는 잡곡·도토리·나무껍질의 가공법(『구황촬요』) 등을 보급하는 등 구황 대책을 마련하고, 호패법·5가작통법 등을 강화하여 농민을 통제하였다.

6 수공업 생산 활동

1. 관영 수공업

(1) **조선 초기**: 조선 초기에는 전문 기술자를 공장안에 등록시켜 서울과 지방의 각급 관청에 속하게 하고, 관청에서 필요로 하는 물품을 제작·공급하게 하였다.

(2) **관장**(官匠, 관청에 등록된 장인)

① **생산**: 관장들은 관청에 소속되어 의류, 활자, 무기, 문방구 등을 제조하여 납품하였다.

② **생계**: 관장들은 근무 기간 동안 식비 정도만 지급받았고, 책임량을 초과한 생산품에 대해 세금을 내고 판매하여 가계를 꾸렸다. 또한, 부역 기간 이외에는 사적으로 물건을 제작해 판매할 수 있었다.

(3) **16세기 이후**: 16세기 이후 부역제의 해이, 상업의 발달로 관영 수공업 대신 민영 수공업이 발달하였다.

『농사직설』 기출사료

농사는 천하의 대본이다. …… 이제 우리 주상 전하께서 밝은 가르침을 계승하시고 다스리는 도리를 도모하시어 더욱 백성들의 일에 뜻을 두셨다. 5방(五方)의 풍토가 다르고 곡식을 심고 가꾸는 법이 각기 있어 고서(古書)의 내용과 맞지 않음을 아시고 각 도 감사에게 명하여 주와 현의 늙은 농부들이 경험한 바를 모두 들어 올리라 하였다. 중복됨이 없는 간결한 내용을 한편의 책으로 엮었으니, 이름하여 『농사직설』이라 하였다.

▶ 『농사직설』은 **세종 때** 정초·변효문 등이 편찬한 농서이다.

『금양잡록』

성종 때 강희맹이 금양(현재 경기도 시흥과 과천 일대)에서 직접 농사 지은 경험을 토대로 저술한 것으로, 80여 종의 작물이 가진 특성과 재배법 등을 논하였다. 특히 곡물 이름을 이두와 한글로 표기하여 국어 연구에도 중요한 자료가 된다.

이앙법(모내기법)

모내기로 재배하는 방법은 물이 있는 논을 선택하되 비록 가물어도 마르지 않는 곳이어야 한다. …… 논마다 10분의 1은 모를 기르고 나머지 10분의 9는 모를 심는다. 모를 뽑고 나면 못자리에도 아울러 모를 심는다. …… 이 방법은 제초하기에는 편리하나 만일 크게 가물면 농사를 망치게 되므로 위험한 방법이다. - 『농사직설』

▶ 조선 전기에 남부 일부 지역에 보급된 이앙법은 노동력 절감의 효과는 있었으나, 가뭄에 취약한 농법이었다. 이 때문에 **조선 정부에서는 이앙법을 금지**하기도 하였다.

농민에 대한 정부의 통제책

- 왕의 명에 따라 5호(戶)를 1통(統)으로 하여, 그 통 내에 도적을 감추어 주는 것은 물론이고, 강도, 절도를 한 자가 있을 경우에는 통 내의 모든 가구를 변방으로 옮기게 하였다. - 『세조실록』
- 남자 장정으로 16세 이상이면 호패를 가지고 다닌다. - 『경국대전』

▶ 농민들의 토지 이탈 현상이 심화되자 정부는 농민을 통제하기 위해 **호구 대장 작성, 5가작통법, 호패법 등을 강화**하였다.

2. 민영 수공업

(1) **생산**: 농민들을 상대로 농기구를 공급하거나 양반들의 사치품을 제작하였다.

(2) **가내 수공업**: 농가에서 자급자족의 형태로 생활 필수품을 제작하였으며, 무명, 명주, 삼베, 모시(목화 재배 확대·보급) 등을 생산하였다.

7 상업 활동

1. 상업

(1) **특징**: 조선 시대에는 유교적 경제관의 영향으로 상업에 대한 통제를 강화하였다.

(2) **시전 상업**: 종로 거리에 시전을 설치하고, 시전 상인에게는 관청에서 필요로 하는 물품을 납품하게 하는 대신 특정 상품에 대한 독점 판매권을 부여하였다.

(3) **육의전(六矣廛)**: 육의전은 시전 가운데 명주, 비단, 무명, 모시, 어물, 종이를 파는 점포였다.

(4) **경시서**: 경시서는 시전의 불법 상행위를 감독·통제하는 관청으로, 세조 때 평시서로 개칭되었다(1466).

2. 장시의 출현

(1) **발생**: 15세기 후반에 전라도 지역에서 장시가 등장하였다.

(2) **발전**: 장시는 서울 근교와 지방에서 농업 생산력의 발달에 힘입어 증가했고, 일부는 정기 시장으로 정착하였으며, 16세기 중엽 전국적으로 확대되었다.

(3) **보부상의 활동**: 보상(봇짐 장수)과 부상(등짐 장수)을 합쳐 부르는 말로, 보부상은 대개 5일마다 열리는 각 지방의 장시를 통해 농산물, 수공업 제품, 수산물 등을 판매·유통하였다.

3. 화폐의 발행

(1) **종류**: 조선 정부는 태종 때 저화, 세종 때 조선통보, 세조 때 팔방통보 등을 만들었다.

저화	· 태종 때 사섬서를 설치하여 발행한 지폐 · 법화로 유통 및 보급시키고자 하였으나 실패
조선통보	세종 때 주전소를 설치하고 발행하였으나 널리 유통되지 못함
팔방통보	· 세조 때 주조하였으나 유통되지 못함 · 유사시에 화살촉으로 사용할 수 있도록 제작

(2) **유통 부진**: 정부의 유통 노력에도 불구하고 화폐에 대한 수요가 많지 않았기 때문에 일반 농민들은 쌀과 무명(포화)을 화폐로 사용하였다.

시전 기출사료

시전은 일반 백성이 물건을 사고 파는 곳이고, 조정이나 왕실에서 필요한 물품을 조달하는 데 없어서는 안 되기 때문에 나라를 다스리는 자가 중히 여기는 것이다. 도성 안에 있는 시전은 앉아서 하는 장사를 위한 것이다. 큰 것이 여섯 개 있다. … 이것을 육의전이라고 한다.

– 서영보 등, 『만기요람』

▶ 종로 거리에 형성된 상점가를 시전이라 하였으며, 시전 중에서 명주·비단·무명·모시·어물·종이를 독점적으로 판매하는 점포를 육의전이라고 하였다.

저화

공양왕 때 지폐인 저화가 제조(1391)되었으나 고려의 멸망으로 모두 소각되었다. 이후 조선 태종이 다시 저화를 발행(1402)하여 유통시키려 하였으나 실패하였다.

OX 빈칸 핵심 개념 점검

* 학습한 개념을 OX/빈칸 문제를 통해 점검해보세요.

핵심 개념 1 | 조선 전기 토지 제도의 변천

01 과전법 제도 하에서 과전은 사후에 반납하는 것이 원칙이었다. □ O □ X

02 과전법의 토지 분급은 토지에 대한 세금을 거둘 수 있는 수조권을 나누어 준 것이었다. □ O □ X

03 조선 초기 과전법 체제에서는 전직 관리와 현직 관리에게 모두 수조권을 지급하였다. □ O □ X

04 과전법에서는 관료에게 지급하는 토지를 경기 지역에 한정하였다. □ O □ X

05 직전법에 따라 국가에서 직접 세금을 거두어 관리에게 지급하였다. □ O □ X

06 관수 관급제가 실시되면서 국가의 토지 지배력이 강화되었다. □ O □ X

07 과전법 체제에서는 관료가 사망한 이후 ______과 ______이 죽은 관료의 가족에게 지급되기도 하였다.

08 세조는 과전의 세습 등으로 관료에게 지급할 토지가 부족해지자 현직 관리에게만 토지를 지급하는 ______을 시행하였다.

09 조선 성종 때 시행된 ______는 수조권자의 과다한 수취를 막기 위해 국가가 수조를 대행하는 제도이다.

핵심 개념 2 | 조선 전기 수취 제도의 확립과 변질

10 과전법 체제 하에서는 토지 소유자에게 수확량의 10분의 1을 조세로 징수하였다. □ O □ X

11 공법은 토지의 비옥도와 그 해의 풍흉에 따라 조세를 차등 징수한 제도이다. □ O □ X

12 조선 세종 대에 연분 9등법과 전분 6등법을 시행하여 조세 제도를 개편하였다. □ O □ X

13 공납의 종류로는 정기적으로 납부하는 상공과 부정기적으로 납부하는 별공, 지방관이 지방 특산물을 상납하는 진상이 있었다. □ O □ X

14 역에는 교대로 번상해야 하는 ______과 1년에 일정한 기간 노동에 종사해야 하는 ______이 있었다.

15 평안도, 함경도, 제주도 등은 조세를 한양으로 보내지 않고 자체적으로 소비하는 ______이었다.

16 16세기 이후 수취 제도가 문란해져 군역의 경우는 포를 받고 군역을 면제해 주는 ______와 다른 사람을 사서 대신 군역을 지게 하는 ______이 성행하였다.

핵심 개념 3 | 조선 전기 농업 기술의 발달

17 조선 전기에는 밭농사에서 2년 3작의 윤작법이 널리 보급되었다. □ O □ X

18 조선 전기에는 농민의 실제 경험을 종합하여 『농사직설』을 편찬하였다. □ O □ X

19 모내기법(이앙법)은 조선 전기에 일부 남부 지역에서만 제한적으로 시행되었다. □ O □ X

20 조선 전기에는 밑거름과 덧거름을 사용하는 ______이 발달하였다.

핵심 개념 4 | 조선 전기의 상업 활동

21 조선 전기에 관청에 등록된 장인은 부역 기간 이외에는 사적으로 물건을 제작해 판매할 수 있었다. □ O □ X

22 조선의 시전 상인은 특정 상품에 대한 독점 판매권을 부여받았다. □ O □ X

23 조선 세종 때 정부가 조선통보를 유통시킴으로써 동전 화폐 유통이 활발해졌다. □ O □ X

24 조선 전기 ______은 농산물, 수산물 등을 가지고 다니면서 판매하였다.

정답과 해설

01	O 과전법 하에서 관료 본인이 사망한 후 반납하는 것이 원칙이었으나 실질적으로는 세습되는 경우가 많았다.	**13**	O 공납의 유형으로는 정기적으로 지정된 품목을 납부하는 상공, 국가의 필요에 따라 부정기적으로 납부하는 별공, 각 도의 지방관이 지방 특산물을 상납하는 진상이 있었다.
02	O 과전법은 토지의 수조권을 지급한 제도이다.	**14**	군역, 요역
03	O 조선 초기 과전법 체제 하에서는 전·현직 관리 모두에게 수조권을 지급하였다.	**15**	잉류 지역
04	O 조선 시대 과전법에서는 관료에게 지급하는 토지를 경기 지역에 한정하였다.	**16**	방군수포, 대립
05	× 국가에서 직접 세금을 거두어 관리에게 지급한 것은 성종 때 실시된 관수 관급제이다.	**17**	O 조선 전기 밭농사에서는 조, 보리, 콩을 돌려 농사를 짓는 2년 3작의 윤작법이 널리 보급되었다.
06	O 관수 관급제가 실시되면서 국가의 토지 지배력이 강화되었다.	**18**	O 조선 전기인 세종 때 농민들의 실제 영농 경험을 토대로 『농사직설』이 편찬되었다.
07	수신전, 휼양전	**19**	O 모내기법(이앙법)은 조선 전기에 수리 시설이 확충되지 않아 일부 남부 지역에서만 제한적으로 시행되었다.
08	직전법	**20**	시비법
09	관수 관급제	**21**	O 조선 전기의 관청에 등록된 장인(관장)은 부역 기간 이외에는 사적으로 물건을 제작해 판매할 수 있었다.
10	O 과전법 체제 하에서는 토지 소유자에게 수확량의 10분의 1을 조세로 징수하였다.	**22**	O 조선의 시전 상인은 왕실이나 관청에 국역의 형태로 물품을 공급하는 대신에 특정 상품에 대한 독점 판매권을 부여받았다.
11	O 세종 때 실시된 공법은 토지의 비옥도와 그 해의 풍흉을 기준으로 1결당 4~20두의 조세를 차등 징수한 제도이다.	**23**	× 세종 때 조선통보를 주조하였으나 널리 유통되지는 못하였다.
12	O 조선 세종 대에 공법인 연분 9등법과 전분 6등법을 시행하여 조세 제도를 개편하였다.	**24**	보부상

2 조선 전기의 사회

학습 포인트
양천 제도와 반상 제도의 차이, 그리고 양반, 중인, 상민, 천민으로 구분되는 각 신분의 특징을 구분하여 학습한다. 그 밖에 사회 제도와 법률 제도 등에 대해서도 확인하고 향촌 사회가 성리학적 사회 질서를 강화하기 위해 행한 노력들도 알아본다.

빈출 핵심 포인트
양천 제도, 반상 제도, 양반, 노비, 유향소, 경재소, 향약, 서원

1 양천 제도와 반상 제도

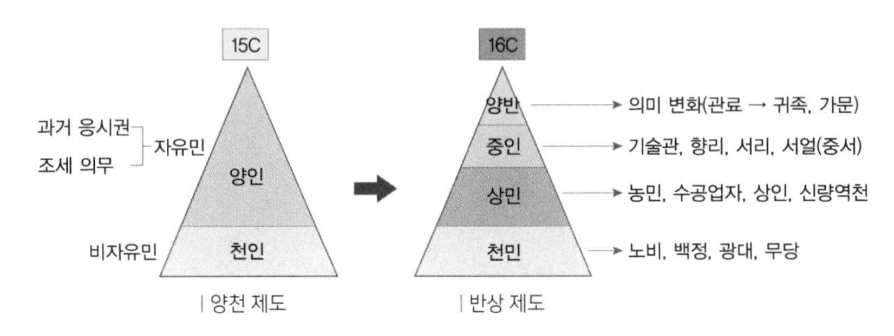

| 양천 제도
| 반상 제도

1. 양천 제도(법제적 구분)

조선은 사회 신분을 양인과 천인으로 구분하고 법제화하였다. 이는 1894년 갑오개혁 이전까지 조선의 기본 신분 제도로 유지되었다.

구분	내용
양인	과거 응시가 가능하여 관직에 진출할 수 있는 자유민으로, 조세와 국역 등의 의무 담당
천인	비자유민으로 개인이나 국가에 소속되었으며 천역 담당

2. 반상 제도(실제적 구분)

양반의 특권이 강화되면서 실제로는 지배층인 양반과 피지배층인 상민 간에 차별을 두는 반상 제도가 일반화되었고 양반, 중인, 상민, 천민의 네 신분층이 정착되었다.

구분	내용
양반	본래 관직을 가진 사람을 의미(문반, 무반)하였으나 추후 하나의 신분으로 정착
중인	양반 관료들을 보좌하면서 하나의 신분으로 정착
상민	백성의 대다수로 농민, 수공업자, 상인 등으로 구성
천민	노비, 백정, 광대 등

3. 신분 이동

(1) 특징: 조선은 엄격한 신분 사회였지만 신분 이동이 가능하였다.

(2) 개방적 사회

① **신분 상승**: 법제적으로 양인이면 과거에 응시할 수 있었고, 관직 진출이 가능하였다.

② **신분 하강**: 양반도 죄를 지으면 노비가 되었고, 경제적으로 몰락하여 중인·상민으로 전락하기도 하였다.

2 신분 사회

1. 양반

(1) 의미

① **초기**(15세기): 양반은 본래 문반과 무반을 함께 부르는 명칭이었다.

② **중기**(16세기): 조선 중기에 양반 관료 체제가 점차 정비되면서 양반이 문·무반직을 가진 사람뿐만 아니라 그 가족과 가문까지도 통칭하는 신분적 개념으로 변화하였다.

(2) 지위와 특권

(2) 지위와 특권: 양반들은 과거·음서·천거 등을 통하여 국가의 고위 관직을 독점하였다. 또한, 양반들은 경제적으로 토지와 노비를 많이 소유한 지주층이었으며, 각종 국역을 면제받는 특권을 소유하였다.

2. 중인

(1) 의미: 중인은 좁은 의미로는 역관·율관·산관 등 **기술관**만을 지칭하였고, 넓은 의미로는 양반과 상민의 **중간 신분 계층**을 의미하였다. 즉, 기술관, 향리, 서리, 토관, 군교, 역리, 서얼 등의 여러 계층을 포괄하여 '중인'이라 일컬었다.

(2) 특징: 중인은 중앙과 지방에 있는 관청의 직역을 세습하는 서리·향리·기술관 등으로 관청 근처에 거주하였으며, 같은 신분 내에서 통혼하였다. 이들은 양반에게 하대를 받았으나, 대개 전문 기술이나 행정 실무를 담당하였으므로 나름대로 행세할 수 있었다.

(3) 구성

① **역관**: 역관은 사신 수행을 통해 무역에 관여하며 부(富)를 축적하였다.

② **향리**: 향리는 토착 세력으로 수령을 보좌하며 영향력을 행사하였다. 조선 정부에서는 향리의 중앙 진출을 제한하고, 향리들의 부패를 방지하기 위해 원악향리처벌법을 제정하였다.

③ **서얼**(중서)

㉠ **의미**: 양반의 첩에게서 태어난 서얼은 양반의 자손이면서도 중인과 같은 신분적 처우를 받아 중서(中庶)라고도 불리었다.

㉡ **관직 진출**: 15세기 초까지 서얼에 대한 큰 제약이 없었으나 태종 때 서얼금고법이 제정된 이후 **서얼은 문과에 응시하는 것이 금지**되었다. 또한 무반직에 급제하여도 **한품서용**(限品敍用)이라 하여 승진에 한계가 있었다.

교과서 사료 읽기

서얼에 대한 차별

서얼의 자손들이 과거에 응시하고 벼슬에 진출하는 것을 막는 것은 우리나라의 옛 법이 아니다. …… 그런데 『경국대전』을 편찬한 뒤로부터 금고(禁錮)를 가하기 시작하였으니 현재 아직 백 년도 채 되지 못한다. …… 양반 사대부의 자식으로서 다만 외가가 미천하다는 이유만으로 대대로 금고하여 비록 훌륭한 재주와 능력이 있어도 끝내 머리를 숙이고 시골에서 그대로 죽어 향리나 수군만도 못하니 참으로 가련하다.

\- 어숙권, 『패관잡기』

사료 해설 | 서얼은 첩의 자손으로 '서'는 양첩의 자손, '얼'은 천첩의 자손을 뜻한다. 『경국대전』에 의하면 서얼은 문과에 응시할 수 없었고, 관직에 등용되더라도 최고 3품까지만 승진할 수 있었다.

양반 개념의 변천

- **고려 시대**: 문반(동반)·무반(서반)을 합한 말로 양반이라 하였다.
- **조선 초(15세기)**: 무과를 실시하면서 문·무의 관직을 가진 사람을 양반이라 칭하였다.
- **16세기 이후**: 벼슬할 자격이 있는 특권 신분을 의미하여, 부·조·증조·외조 등 4대 조상 이내에 벼슬한 현관이 있어야 양반으로 인정받을 수 있었다.

음서와 대가

조선 시대에는 2품 이상 관리의 후손, 3품 관원의 아들과 손자, 이조·병조·도총부·삼사 관원의 아들에게는 음서를 통한 관직 진출이 허용되었다. 또한 국가의 경사가 있을 때 정3품 이상에게 별도로 부가된 품계를 아들, 동생, 사위, 조카 등에게 줄 수 있었던 대가제(代加制)가 실시되기도 하였다.

원악향리처벌법(元惡鄕吏處罰法)

형조에서 아뢰기를, "이제부터 향리로서 영세민을 침해하여 도죄(徒罪)를 범한 자는 장형을 집행한 뒤에 역리로 귀속시키고, 유죄(流罪)를 범한 자는 장형을 집행한 후에 다른 도의 역리로 귀속시켜야 합니다. 백성들을 괴롭히는 향리를 사람들에게 고발하게 하고 이를 심리하지 않는 관리도 아울러 치죄하소서."라고 하니, 왕이 이에 따랐다. - 『세종실록』

▶ 고려의 향리는 해당 지역의 실질적인 행정 업무를 담당하였지만, 조선은 지방의 토착 세력이었던 향리를 규제하고 중앙에서 직접 지방을 통제하려 하였다. 그 일환으로 제정된 **원악향리처벌법은 수령을 조롱하거나 인민의 토지를 강제로 빼앗는 향리를 처벌하는 법**이었다.

서얼금고법

서얼금고법(서얼차대법)은 태종 때인 1415년에 제정되었으며, **서얼을 문과나 생원·진사시에 응시하지 못하도록 하는 제도**이다. 다만 서얼은 무과와 잡과 등에는 응시가 가능하여 관직에 등용되기도 하였으나 **한품서용의 제한을 받아 승진에 제한**을 받았다.

3. 상민(=평민, 양민)

(1) 의미: 상민은 백성의 대부분을 차지하는 농민, 수공업자, 상인 등을 의미한다.

(2) 구성

농민	조세, 공납, 부역 등의 의무를 가짐
수공업자	공장으로 불리며 관영이나 민영 수공업에 종사
상인	시전 상인과 행상 등이 있었고, 국가의 통제 아래 상거래에 종사
신량역천	· 신분은 양인이나 천역을 담당한 계층 · 조례(관청의 잡역 담당)·나장(형사)·일수(지방 고을 잡역)·조졸(조운)·수군·봉군(봉수)·역보(역졸)

4. 천민

(1) 노비: 노비는 천민의 대다수를 구성하였으며, 재산으로 취급되어 매매·상속·증여의 대상이었다.

① **법률**

㉠ **일천즉천(一賤則賤)**: 부모 중 한쪽이 노비이면 자녀도 노비가 되었다.

㉡ **천자수모법(賤子隨母法)**: 노비 부모의 소유주가 다를 경우 그 자녀에 대한 소유권은 어머니쪽 소유주에 귀속되었다.

② **노비의 종류**

㉠ **공노비**: 국가에 신공을 바치거나 관청에 노동력을 제공하였다. 유외잡직(流外雜織)이라 불리는 하급 기술직에 종사하면서 물품 제조, 말 사육 등의 잡일을 할 수 있었다.

㉡ **사노비**: 개인에 속한 노비였다.

(2) 기타: 노비 외에 천민으로는 백정, 무당, 창기, 광대, 사당, 악공 등이 있었다. 이들은 조선 건국 초기에는 천민이 아니었으나, 이들의 직업이 사회적으로 천시되면서 천민화되었다.

유외잡직

관품이 없는 관직으로, 하급 기술직의 일종인 유외잡직에는 공노비뿐만 아니라 상인이나 수공업자도 임명될 수 있었다.

3 사회 제도와 법률 제도

1. 사회 제도

(1) 환곡 제도(국가 주도)

① **의창**: 의창을 설치하여 춘궁기에 농민들에게 양식과 종자를 빌려주고 추수가 끝난 가을에 원곡을 회수하였다(15세기).

② **상평창**: 상평창은 풍년에 곡물이 흔하면 값을 올려 사들이고, 흉년에 곡물이 귀하면 값을 내려 팔아 물가를 조절하였다. 16세기부터는 의창 대신 환곡까지 담당하였고, 원곡의 감소분을 감안하여 이자로 1/10을 거두어 들였는데 이것이 점차 고리대로 변질되었다.

(2) 사창 제도: 향촌 사회에서 자치적으로 시행된 제도로, 양반 지주들이 농민 생활을 안정시켜 양반 중심의 향촌 질서를 유지하기 위한 것이었다.

사창

- 세종 때(1448) 대구에서 시험적으로 실시되었고, 문종 때 제도화되었으나 허술한 관리로 인해 성종 때(1470) 폐지되었다.
- 이자는 20%였고, 의창의 곡식을 배당받아 정부의 감독하에 향촌 자치적으로 운영되었다.
- 18세기 이익이 사창제 실시를 주장하였고, 흥선 대원군 때 재실시되었다.

(3) 의료 시설

① **혜민국**: 수도권 서민 환자의 구제와 약재 판매를 담당하였으며, 병자가 있는 곳에 의원을 보내 치료하기도 하였다. 이후 세조 때 혜민서로 개칭(1466)되었다.

② **제생원**: 서민 환자의 구호와 진료, 의학 교육을 담당하였다. 이후 세조 때 혜민국에 통합(1460)되었다.

③ **동·서 대비원**(활인서): 고려의 동·서 대비원을 계승한 것으로, 유랑자의 수용과 구휼을 담당하였다. 세조 때 활인서로 개칭되었다.

2. 법률 제도

사법 기관	· 중앙: 의금부(국왕 직속, 중대 범죄 담당), 사헌부(관리 감찰), 형조(사법 행정 감독), 한성부(수도의 치안, 토지·가옥에 관한 소송), 장례원(노비 장부와 소송 담당) · 지방: 관찰사와 수령이 관할 구역 내의 사법권 행사
형법	· 『경국대전』「형전」의 조항이 소략하기 때문에 『대명률』 적용 · 반역죄·강상죄는 중죄로 다룸(연좌제 적용, 심한 경우 범죄가 발생한 고을의 등급을 강등하거나 수령을 파면) · 태형, 장형, 도형, 유형, 사형의 5종이 기본으로 시행됨
민법	· 재판권을 가지고 있는 지방관(관찰사, 수령)이 관습법에 따라 처리 · 소송은 원칙적으로 신분에 관계없이 제기할 수 있었음(실제로는 신분 질서 때문에 소송을 제기하기 어려움) · 소송 내용: 15세기 노비 관련 소송이 주류 → 16세기 이후 조상의 묘지에 관한 소송(산송)이 주류

강상죄(綱常罪)

강상(綱常)의 윤리를 범한 죄로 '강상'은 **삼강**(군신, 부자, 부부의 도)이며 '오상'은 **오륜**(부자, 군신, 부부, 형제, 친구 간의 윤리)을 의미한다.

4 유향소와 경재소

1. 유향소

(1) **기능**: 유향소는 지방 사족들의 향촌 자치 기구로, 수령을 보좌하고 향리를 규찰하며 향촌 사회의 풍속을 교정하였다.

(2) **구성**: 향촌 사회에서 덕망 있는 인사(재지 사족, 사림)들로 좌수, 별감 등 책임자를 구성하였고, 사족은 향안을 작성하고 향규를 제정하였다.

향안	· 향촌 사회의 지배층인 지방 사족의 명단 · 임진왜란 전후 시기에 각 군현에서 보편적으로 작성
향회	· 향안에 오른 사족들의 총회 · 사족들은 자신들의 결속을 다지고, 지방민을 통제하며 향촌 전반에 영향력 행사
향규	향촌에서의 특권을 유지하기 위해 만든 향회의 운영 규칙

유향소와 경재소

유향소와 경재소는 고려의 사심관 제도가 분화·발전된 것이다.

향촌의 의미

향	· 행정 구역상 군현의 단위 · 중앙에서 지방관이 파견되었음
촌	· 군현 밑에 있는 마을이나 촌락 · 면·리 단위로서 지방관이 파견되지 않았음 · 면에는 면임, 리에는 이정 등의 책임자를 두었는데, 향촌의 유력자 중에 선임되었음

2. 경재소

경재소는 해당 지방 출신 중앙 관리들로 구성하였다. 이는 현직 관료로 하여금 유향소와 정부 사이의 연락을 담당하게 하여, 유향소를 중앙에서 통제하고자 한 제도이다.

5 촌락의 구성과 운영

1. 촌락 통제

(1) **면리제**: 지방 행정 조직으로 면리제(面里制)를 실시해 조선 초의 자연촌 단위였던 리(里)를 면(面)으로 묶어 통제하였다.

(2) **5가작통법**: 5가작통법(五家作統法)은 이웃하는 다섯 가구를 하나의 통으로 묶고 여기에 통주(통수)를 두어 통주가 통을 관장하도록 하는 제도로, 17세기 중엽 이후 촌락 주민의 통제 수단으로 더욱 확대되었다.

2. 촌락 공동체

(1) **두레**: 두레는 공동 노동 작업 공동체였다.

(2) **향도**: 향도는 불교와 민간 신앙 등을 바탕으로 한 조직이었으나, 고려 후기 이후 상(喪)이나 어려운 일을 돕는 마을 공동체로 발전하였다. 이는 조선 시대에도 이어졌으며, 상여를 매는 사람인 상두꾼도 향도에서 유래되었다.

6 보학의 발달

1. 보학(譜學)

(1) **의미**: 족보를 통해 종족의 종적인 내력과 횡적인 종족 관계를 확인하기 위한 것이었다.

(2) **목적**: 양반들은 신분적 우월성을 확보하기 위해 족보를 편찬하였다. 대표적으로 『안동 권씨 성화보』(가장 오래된 족보), 『문화 류씨 가정보』 등이 있다.

(3) **기능**: 족보는 안으로는 종족의 결속을 다지고 밖으로는 가문에 대한 우월 의식을 가지게 하였으며, 붕당을 구별하거나 결혼 상대자를 구하는 데에도 사용되었다.

(4) **영향**: 족보는 조선 후기 양반 문벌 제도 강화에 기여하였다.

족보의 의미 기출사료

내가 생각하건대 옛날에는 종법이 있어 대수(代數)의 차례가 잡히고, 적자와 서자의 자손이 구별 지어져 영원히 알 수 있었다. 종법이 없어지고는 족보가 생겨났는데, 무릇 족보를 만듦에 있어 반드시 그 근본을 거슬러 어디서부터 나왔는가를 따지고, 그 이유를 자세히 적어 그 계통을 밝히고 친함과 친하지 않음을 구별하게 된다. -『안동 권씨 성화보』

▶ 양반들은 족보를 통해 문벌을 형성하였으며 양반으로서의 신분적인 우월성을 확보하였다. 한편, 『안동 권씨 성화보』는 1476년 성종 때 간행된 안동 권씨의 족보로, 현존하는 족보 중 가장 오래되었다.

7 향약과 서원

1. 향약(鄕約)

(1) **기원**: 향약은 중종 때 사림파인 조광조가 중국의 『여씨향약』을 들여와 보급하면서 처음 시행되었다. 이후 퇴계 이황(예안 향약)과 율곡 이이(해주 향약)가 우리나라 실정에 맞게 토착화하여 전국적으로 확산되었다.

(2) **목적**: 향약은 전통적 공동 조직과 미풍양속을 계승하면서 삼강오륜을 중심으로 한 유교 윤리를 통해 향촌 질서 유지와 자치적 기능을 수행하였다.

『여씨향약』

중종 때 조광조, 김식, 김안국 등의 건의로 중국의 『여씨향약』을 들여와 전국적으로 실시하도록 하였다. 이때 김안국은 남송의 주희가 첨삭·주석한 『여씨향약』을 언해하여 『여씨향약언해』를 간행하였다(『주자증손여씨향약언해』).

(3) **4대 덕목**: 향약은 덕업상권, 과실상규, 예속상교, 환난상휼을 강조하였다.

(4) **조직**: 여성을 비롯해 양반부터 노비까지 모든 향민을 향약에 강제로 편성해 유교적 통제를 강화하였다.

(5) **운영**: 약정(도약정, 부약정), 직월(간사) 등 향약 간부는 주로 사족들이 담당하였고, 향약의 규율 위반 시 마을에서 추방할 수 있는 권한을 보유하였다.

(6) **역할**: 향약은 조선 사회의 풍속 교화에 많은 역할을 했을 뿐 아니라 향촌 사회의 질서 유지와 치안까지 담당하였다.

(7) **영향**: 향약을 통해 지방 사림의 지위가 강화되었으나 한편으로 향약은 지방 유력자에 의한 농민 수탈의 기반을 제공하는 등 부작용을 낳았다.

교과서 사료 읽기

예안 향약 약문

부모에게 불순한 자, 형제가 서로 싸우는 자, 가문의 도리를 어지럽히는 자, 일이 관청에 간섭되고 향촌의 풍속에 관계되는 자, 위세를 부려 관을 흔들며 자기 마음대로 행하는 자, 향장(鄕長)을 능욕하는 자, 수절하는 부인을 유인하여 더럽히는 자 등 7항목은 극벌에 처한다. -이황, 『퇴계선생문집』

사료 해설 | 향약은 유교 윤리의 실천을 통하여 향촌 사회의 질서를 유지하고자 하였던 것으로, 중종 이후 활발히 보급되었다.

4대 덕목

- **덕업상권**: 좋은 일은 서로 권한다.
- **과실상규**: 잘못은 서로 규제한다.
- **예속상교**: 예의로 서로 사귄다.
- **환난상휼**: 어려운 일은 서로 돕는다.

2. 서원(書院)

(1) **기원**: 주세붕이 세운 백운동 서원(1543, 중종)이 최초의 서원으로 설립되었으며, 이후 이황의 건의를 통해 최초의 사액 서원(소수 서원)으로 공인되었다(1550, 명종).

(2) **역할**: 서원에서는 성리학을 연구하고 선현에 대한 제사와 교육의 역할을 담당하였다.

기출 사료 읽기

이황의 사액 서원 건의

풍기 군수 이황은 삼가 목욕재계하고 백 번 절하며 관찰사께 글을 올립니다. ...... 이 고을에 백운동 서원이 있는데, 전 군수 주세붕이 창건하였습니다. ...... 주세붕이 비로소 서원을 창건할 적에 세상에서 자못 의심했으나, 그의 뜻은 더욱 독실해져 무리들의 비웃음을 무릅쓰고 비방을 극복하여 전례 없던 장한 일을 이루었습니다. ...... 송조(宋朝)의 고사에 의거하여 서적을 내려 주시고 편액을 내려 주시며 겸하여 토지와 노비를 지급하여 재력을 넉넉하게 해 주실 것을 청하고자 합니다.

사료 해설 | 이황은 풍기 군수로 재직하던 당시에 중국의 예를 들어 백운동 서원에 대한 사액을 요청하였고, 서원을 사림이 자치적으로 운영할 수 있도록 노비 지급 등의 경제적인 후원을 요청하였다.

사액 서원

권위를 인정받아 국왕으로부터 서원의 이름이 쓰인 현판인 편액과 서적, 토지, 노비 등을 하사받은 일종의 공인 서원이다.

OX 빈칸 핵심 개념 점검

* 학습한 개념을 OX/빈칸 문제를 통해 점검해보세요.

핵심 개념 1 | 조선 전기의 신분 제도

01 조선은 엄격한 신분 사회로, 신분 이동이 불가능하였다. □ O □ X

02 조선 시대에는 유교의 적서 구분에 의해 서얼에 대한 차별이 심했기 때문에 서얼은 관직에 진출하지 못하였다. □ O □ X

03 중앙 관직에 진출할 수 있던 고려 시대의 향리와 달리 조선의 향리는 수령을 보좌하는 아전으로 격하되었다. □ O □ X

04 조선 전기에 노비에게는 일천즉천이 적용되었다. □ O □ X

05 조선은 모든 백성을 법제상 ______과 ______으로 구분하였다.

06 조선 전기의 공노비는 ______이라 불리는 하급 기술직에 오를 수 있었다.

핵심 개념 2 | 조선 전기의 사회·법률 제도

07 조선 시대에는 농민의 생활이 어려워졌을 때 지방 자치적으로 의창과 상평창을 설치하였고 환곡제를 실시해 농민을 구제했다. □ O □ X

08 조선 시대의 의료 시설로 혜민국, 제생원, 동·서 대비원 등이 있었다. □ O □ X

09 조선 시대에는 연좌제가 시행되었으며, 심한 경우 범죄가 발생한 고을의 호칭이 강등되기도 하였다. □ O □ X

10 조선은 유교에서 중요시하는 삼강오륜을 어긴 것을 강상죄라 하여 중대 범죄로 취급하였다. □ O □ X

11 조선 시대 ______는 수도의 치안·가옥·토지와 관련되는 소송을 담당하였고, ______은 노비와 관련된 문제를 처리하였다.

핵심 개념 3 | 조선 전기의 향촌 사회 운영

12 조선 전기에는 유향소를 통제하기 위하여 경재소가 설치되었다. □ O □ X

13 조선 시대에는 면리제를 실시하여 자연촌 단위의 리(理)를 면으로 묶어 통제하였다. □ O □ X

14 조선 정부는 ______ 등을 강화하여 농민들의 도망과 이탈을 방지하고자 하였다.

15 조선 시대 농촌 사회에서는 ______와 같은 공동체 조직이 발달하였다.

16 조선 시대 양반들은 ______를 통해 종족 내부의 결속을 다지고 신분적 우월성을 확보하였다.

핵심 개념 4 | 향약과 서원

17 향약은 어려운 일이 생겼을 때에 서로 돕는 역할을 하였고, 상두꾼도 이 조직에서 유래하였다. □ O □ X

18 향약은 향촌 사회의 질서를 유지하고 치안을 담당하는 향촌의 자치 기능을 맡았다. □ O □ X

19 서원과 향약은 향촌 사회에서 ______의 지위를 강화시키는 기반이 되었다.

20 주세붕이 안향을 배향하기 위해 세운 ______이 서원의 시초이다.

정답과 해설

01	✖ 조선은 엄격한 신분 사회였으나, 과거 등을 통한 신분 상승이 가능하였으며, 죄를 지으면 신분이 낮아지기도 하였다.	11	한성부, 장례원
02	✖ 조선 시대의 서얼들은 양반의 첩에서 난 소생들을 말하며 이들은 서얼금고법에 의해 문과에는 응시가 불가능했으나 무과나 잡과 등을 통해 관직에 진출할 수 있었다.	12	O 조선 전기에는 한양에 경재소를 설치하여 중앙 고관이 자기 출신 지역의 유향소를 통제하도록 하였다.
03	O 조선 시대의 향리는 중앙 관직에 진출할 수 있었던 고려 시대와는 달리 각 지방의 수령을 보좌하며 행정 실무를 담당하는 아전으로 격하되었고, 과거 응시에도 제한이 있어 중앙 관직에 나가기가 어려웠다.	13	O 조선 시대에는 국가의 지방 지배 효과를 높이기 위해 면리제를 실시하여 자연촌 단위의 리(理)를 면으로 묶어 통제하였다.
04	O 조선 시대에 노비는 부모 중 어느 한 쪽이 노비이면, 자식도 노비가 되는 일천즉천의 원칙이 적용되었다. 한편 조선 후기 영조 때에는 노비의 신분과 소속이 모친에 따라 정해지도록 한 노비종모법을 확정하였다.	14	5가작통법
05	양인, 천인	15	두레
06	유외잡직	16	족보
07	✖ 의창, 상평창은 국가 주도로 실시된 사회 제도이다. 지방 자치적으로 실시된 구휼 제도는 사창 제도로, 흉년 시 빈민을 구휼하고 물가를 조절하였다.	17	✖ 조선 시대에 상을 당하거나 어려운 일이 생겼을 때 상부상조하는 역할을 담당한 것은 향약이 아닌 향도이다. 상여를 매는 사람인 상두꾼도 향도에서 유래되었다.
08	O 조선 시대의 의료 시설로는 혜민국, 제생원, 동·서 대비원(활인서) 등이 있다.	18	O 향약은 향촌 사회의 질서를 유지하고 치안을 담당하는 등 향촌의 자치적 기능을 수행하였다.
09	O 조선 시대에는 연좌제가 시행되었으며, 심한 경우 범죄가 발생한 고을의 호칭이 강등되거나 지방관이 파면되기도 하였다.	19	사림
10	O 조선 시대에는 유교에서 중요시하는 삼강오륜을 어긴 것을 강상죄라 하여 반역죄와 함께 중대 범죄로 취급하였다.	20	백운동 서원

03 조선 전기의 문화

1 민족 문화의 융성

학습 포인트
우리 고유의 문자인 한글의 편찬 과정과 쓰임새를 파악한다. 또한 조선의 교육 제도를 중앙, 지방, 관학, 사학 등으로 구분하여 학습하고, 조선 전기의 역사서를 시기에 따라 정리한다. 그 밖에 조선 전기의 주요 지리서, 윤리·의례서 등에 대해서도 파악한다.

빈출 핵심 포인트
한글, 성균관, 향교, 서원, 『조선왕조실록』, 『의궤』, 『동국통감』, 혼일강리역대국도지도, 『동국여지승람』, 『삼강행실도』, 『경국대전』

1 한글 창제

1. 배경 및 목적

(1) **배경**: 한글이 창제되기 이전에는 한자와 이두, 향찰을 사용하였으나 우리말을 자유롭게 표현할 수 없었기 때문에, 일상적으로 쓰는 말에 맞으면서도 누구나 배우기 쉽고 쓰기 편한 문자의 필요성이 대두하였다.

(2) 목적
① **피지배층의 도덕적 교화**: 한자음의 혼란을 줄이고 피지배층을 도덕적으로 교화시켜 양반 중심 사회를 원활하게 유지하고자 하였다.
② **농민의 사회적 지위 상승**: 사회 의식이 성장함에 따라 지배층과 피지배층 사이에 공식적인 의사소통의 필요성이 증가하였다.

2. 창제와 반포

(1) **한글 창제를 둘러싼 갈등**: 세종의 한글 창제에 대해 최만리, 김문, 정창손 등 일부 유학자들은 반발하였다.

(2) **훈민정음 반포**: 세종은 훈민정음을 창제(1443)하고, 집현전의 학자들과 함께 훈민정음의 주석서인 『훈민정음(해례본)』을 만들어 반포(1446)하였다.

3. 보급

(1) **한글 서적의 보급**: 조선 정부는 왕실 조상의 덕을 찬양하는 「용비어천가」를 비롯하여 석가의 덕을 기리는 「월인천강지곡」 등 각종 불교 서적을 한글로 간행하였으며, 16세기에는 농서·윤리서 등을 한글로 번역하거나 편찬하였다.

훈민정음 서문 기출사료

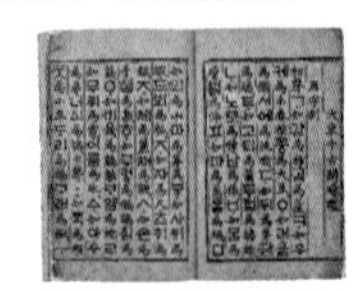

| 훈민정음 해례본

이달에 훈민정음(訓民正音)이 이루어졌다. 어제(御製)에, "나랏말이 중국과 달라 한자(漢字)와 서로 통하지 아니하므로, 우매한 백성들이 말하고 싶은 것이 있어도 마침내 제 뜻을 잘 표현하지 못하는 사람이 많다. 내 이를 딱하게 여기어 새로 28자(字)를 만들었다." - 『세종실록』

▶ 세종과 집현전 학자들이 **훈민정음 28자를 만듦**으로써 일반 백성들도 문자 생활이 가능해졌다.

「용비어천가」

해동(우리나라)의 여섯 용이 나시어서, 그 행동하신 일마다 모두 하늘이 내리신 복이시니, ……
뿌리가 깊은 나무는 아무리 센 바람에도 움직이지 아니하므로, 꽃이 좋고 열매도 많으니.

▶ **「용비어천가」**는 목조(태조 이성계의 고조부)에서 태종에 이르는 여섯 대의 행적을 노래한 서사시로, **조선 왕조의 창업을 찬양**하였다.

불교 서적

서적	내용
『석보상절』	세종의 명으로 수양대군이 소헌 왕후의 명복을 빌기 위해 쓴 석가의 전기
「월인천강지곡」	세종이 『석보상절』을 보고 석가의 공덕을 찬양하며 지은 책
『월인석보』	세조가 『석보상절』과 「월인천강지곡」을 합본한 것

(2) 행정 실무에 이용: 서리들이 한글을 배워 행정 실무에 이용할 수 있도록 서리 선발 시험에 한글 시험을 실시하기도 하였다.

2 교육 기관

1. 학문 교육 기관

(1) 성균관

① **특징**: 성균관은 서울에 위치한 조선 최고의 학부이자 고등 교육 기관으로, 유학 중심의 교육을 실시하였다.

② **입학**

㉠ **자격**: 성균관에는 정규 학생으로 15세 이상의 소과(생원시, 진사시) 합격자가 입학하였고, 이들은 정원(200명 → 후에 100명으로 감소)의 절반을 차지하였다.

㉡ **예외**: 소정의 입학 시험인 승보시에 합격한 자, 현직 관료 중의 희망자 등이 성균관에 입학할 수 있었다.

③ **교육**: 과거의 본시험인 대과를 준비하였고, 통산 300일 이상 기숙하며 공부한 유생은 관시(성균관 유생들만 응시할 수 있는 식년 문과의 초시)에 응시할 자격을 받았다.

④ **구조 및 기능**: 성균관은 대성전(문묘의 정전, 공자 사당), 동무·서무(공자의 제자와 중국·우리나라 선현들의 사당), 명륜당(강의실), 동재·서재(기숙사), 존경각(도서관), 비천당(과거 시험장) 등으로 이루어져 있었고, 선현에 대한 제사와 유학 교육을 담당하였다.

⑤ **특전**: 성균관 유생을 대상으로 하는 비정기 시험인 알성시가 실시되었으며, 성적 우수자는 문과 초시 면제의 혜택을 받았다.

(2) 4학(4부 학당)

① **특징**: 4학은 중앙의 중등 교육 기관으로, 서울에 설치된 중학, 동학, 남학, 서학을 가리킨다. 부학(部學)이라고도 불렸다.

② **입학**: 양인의 신분으로, 8세 이상의 남성이면 입학이 가능하였고, 각 학당의 정원은 100명이었다.

③ **교육**: 4학에서는 교수와 훈도가 『소학』과 4서 5경을 중심으로 교육하였다.

④ **구조**: 재(齋, 기숙사)가 존재하였으며, 문묘(공자 사당)가 없는 순수 교육 기관이었다.

⑤ **시험**: 성균관 대사성이 학당 학생들을 대상으로 승보시를 실시하였고, 합격생은 소과 복시의 응시 자격이나 성균관 기재생으로의 입학 자격을 획득하였다.

(3) 향교

① **특징**: 향교는 지방의 중등 교육 기관으로, 성현에 대한 제사와 유생들의 교육·지방민의 교화 등을 담당하였고, 부·목·군·현에 각각 하나씩 설립되었다.

② **입학**

㉠ **자격**: 향교에는 양인의 신분으로, 8세 이상의 남성이면 입학할 수 있었다.

㉡ **정원**: 향교 정원은 각 군현의 인구 비례에 따라 책정되었다(부·대도호부·목 90명, 도호부 70명, 군 50명, 현 30명).

성균관 기출사료

우리 태조께서 즉위하신 아무 해에 국학(國學)을 동북쪽에 설립하였는데, 그 경영한 설계와 규모·제도가 모두 적절하게 되어 모두가 완전한 것이었다. 대략적으로 남쪽에 문묘(文廟)가 있고 문묘의 좌우에 무(廡)가 있다. 문묘에는 선성(先聖)을 제사하고 무에는 선사(先師)를 제사하니, 이는 나라의 옛 전례(典禮)이다. …… 선생과 제자가 강학(講學)하는 장소를 만들었는데, 이를 명륜당(明倫堂)이라 부른다. -『동문선』

▶ **조선의 최고 교육 기관**인 **성균관**은 문묘, 명륜당 등으로 구성되어 있었다.

관시 응시 자격

성균관과 4부 학당에서 유생들은 아침, 저녁 두 번 식당에 들어가서 도기(출석부)에 서명해야 원점(유생의 출석을 확인한 것) 1점을 얻을 수 있었다. 성균관 유생의 경우 **원점 300점을 취득한 경우**, 즉 **300일간 성균관에서 생활한 유생**에게만 관시에 응시할 자격을 주었다. 한편 4부 학당 유생들도 원점에 따라 알성시를 볼 수 있었다.

4학(4부 학당)

성균관에 비하여 규모가 작고 교육 정도가 낮으나 **교육 방법 및 내용은 성균관과 비슷**하였다. 성균관과는 달리 **문묘(文廟)를 설치하지 않고 교육만을 전담**하였다.

향교

이제 국가에서는 부(府)·주(州)·군(郡)·현(縣)마다 모두 문묘와 학교를 설치하고는 수령을 보내어 제사를 받들고 교수(敎授)를 두어 교육을 담당하게 하니, 이는 풍화(風化)를 베풀고 예의(禮儀)를 강명(講明)하여 인재(人材)를 양성해서 문명(文明)의 다스림을 돕게 하려고 해서이다. - 권근, 『양촌집』

▶ 조선 시대에는 **지방의 중등 교육**을 담당하는 **향교**가 설치되었다.

③ **교육**: 규모와 지역에 따라 중앙에서 교관인 교수(종6품)와 훈도(종9품)를 향교에 파견하여 교육하였다.

④ **구조**: 성균관처럼 대성전(문묘의 정전), 동무·서무, 명륜당, 동재·서재가 존재하였다.

⑤ **시험**: 향교에서는 매년 2차례 시험을 실시해 성적 우수자는 생원·진사 시험(소과)의 초시를 면제해 주었다. 반면, 학업 중 군역이 면제되었으나 성적 미달로 자격이 박탈된 경우 군역을 지도록 하였다.

(4) 서당

① **특징**: 서당은 초등 교육을 담당하였던 사설 교육 기관이었다.

② **입학**: 8~9세부터 15~16세 정도의 선비와 평민의 자제들이 서당에 입학하였다.

③ **교육**: 서당에서는 『천자문』을 통해 글자를 익히고 『동몽선습』(박세무), 『격몽요결』(이이), 『명심보감』 등을 통해 초보적인 문장의 뜻을 해석하는 훈련을 실시하였다.

(5) 서원

① **특징**: 서원은 선대의 유학자들을 제사지내고, 우리나라에 성리학을 처음 소개한 성리학을 연구하는 사립 교육 기관이었다.

② **시초**: 서원의 시초는 풍기 군수 주세붕이 안향을 모시기 위해 세운 백운동 서원이다.

③ **기능**: 서원에서는 봄·가을로 향음주례를 지내고 인재를 모아 학문을 가르쳤으며, 이름난 선비나 공신을 숭배하고 그 덕행을 추모하였다.

④ **구조**: 서원에는 기본적으로 강당, 동재와 서재, 사당이 있었다.

⑤ **영향**: 서원은 향촌 사회의 교화에 공헌하였고, 이에 전국 각처에 많은 서원이 세워졌다.

⑥ **변질**: 조선 후기에 당쟁의 영향과, 지방 사족들의 향권 유지를 목적으로 서원이 남설되었다. 서원은 면세·면역 등의 혜택을 받았기 때문에 서원의 남설은 국가 재정에도 악영향을 주었다. 또한 서원에서 교화를 구실로 지방민을 착취하기도 하였다.

2. 기술 교육(잡학)

(1) 교육 기관: 각 과목별로 해당 관청에서 기술을 가르쳤으며, 지방 기술 교육의 경우 각 지방 관아에서 교육하였다.

종류	담당 관청	종류	담당 관청
의학	전의감	**천문학(음양과)**	관상감
역학	사역원	**도학**	소격서
산학	호조	**서학(그림)**	도화서
율학	형조	**악학**	장악원

(2) 입학: 주로 중인, 서민의 자제들이 입학하여 기술 교육을 받았으며, 양반 자제들은 이를 기피하였다(기술직 천시, 지배 신분의 분화).

(3) 학생 수와 교육 내용: 기술 교육은 군현의 크기와 지방의 특성을 고려하여 학생 수와 교육 내용을 조정하였다.

교육 기관별 구조 비교

구분	4부 학당	향교	성균관	서원
문묘 유무	X	O	O	X
동재·서재 유무	O	O	O	O

교육 기관의 변천

구분	중앙	지방
고구려	태학(관학)	경당(사학)
신라	국학(관학)	-
발해	주자감(관학)	-
고려	국자감(관학), 사학 12도(사학)	향교(관학)
조선	성균관(관학), 4부 학당(관학)	향교(관학), 서원(사학)

3 역사서의 편찬

1. 통치 기록

(1) 관청별 기록

① **『등록』**: 각 관청의 업무 내용을 모아 만든 문서이다. (예 『의정부등록』, 『비변사등록』)

② **『시정기』**: 춘추관에서 『등록』을 모아 정기적으로 편찬한 것으로, 그때그때의 국가 정사(政事)에 대한 기록이었다.

③ **『승정원일기』**: 왕의 비서 기관인 승정원에서 기록한 것으로, 왕과 신하 간에 오고간 문서와 왕의 일과를 기록한 것이었다.

(2) 『조선왕조실록』

① **편찬**: 왕의 사후, 춘추관 내에 설치된 실록청에서 200여 명의 편찬 위원들이 편찬하였다. 이때 사관이 기록한 「사초」와 각 관청의 문서들을 모아 만든 『시정기』, 『승정원일기』, 『의정부등록』, 「조보」(조선 시대의 관보(官報)로 일종의 신문), 『비변사등록』, 『일성록』(영조 때부터 작성된 왕의 일기) 등을 자료로 하여 『실록』을 편찬하였다.

② **과정**: 초초 → 중초 → 정초의 3단계를 거쳐 작성

③ **보관**: 『실록』은 4부를 제작한 후 춘추관과 성주, 충주, 전주의 사고(史庫)에서 보관하였으나, 임진왜란 때 전주 사고본을 제외하고 소실되었다. 이후 조선 후기에 5대 사고로 정비되었다.

필수 개념 정리하기

5대 사고의 『조선왕조실록』

5대 사고	조선 초~세종 이후	임진왜란	광해군	이괄의 난 이후	현재
춘추관 사고	춘추관 사고	소실	춘추관	소실	전하지 않음
오대산 사고	충주 사고	소실	오대산		동경대학으로부터 환수
태백산 사고	성주 사고	소실	태백산		정부기록보관소
묘향산 사고	전주 사고	묘향산으로 이동	묘향산	적상산으로 이동	김일성대학교
마니산 사고	-		마니산	정족산으로 이동	서울대학교

④ **대상**

㉠ **태조~철종**: 태조부터 철종까지 25대 왕의 472년간을 편년체로 서술하였다.

㉡ **연산군·광해군**: 연산군과 광해군의 경우 폐주(廢主)였던 까닭에 『연산군일기』와 『광해군일기』로 격하되었다.

㉢ **고종·순종**: 『고종실록』과 『순종실록』은 일제 강점기에 이왕직의 주관 아래 편찬되었는데, 왜곡된 내용이 많아 가치가 떨어진다.

⑤ **특징**: 『실록』에는 국정 운영뿐만 아니라, 자연 재해와 천문 현상까지 기록하였다.

『실록』의 편찬 이후

편찬에 이용한 기본 자료인 춘추관 『시정기』와 사관의 「사초」 및 『실록』의 초초와 중초는 조지서(造紙署)가 있던 자하문 밖 시냇물에서 세초(洗草)하였다. 이는 왕실 및 국가 기밀 누설을 방지하는 동시에, 종이를 재활용하기 위한 조처였다.

이왕직(李王職)

일제 강점기 대한 제국 황실이 이왕가(李王家)로 격하되며 황실과 관련한 사무 일체를 담당하던 기구

(3) **『국조보감』**: 후대 왕에게 본보기로 남겨 주기 위해 『실록』에서 역대 왕들의 훌륭한 언행을 뽑아 기록해 놓은 편년체 사서로, **왕들의 정치 참고서**로 이용되었다.

(4) **『의궤』**: 국가 행사의 주요 장면을 그린 그림과 참가자, 비용 등을 상세히 글로 기록한 서적이다. 이두와 차자(借字) 및 우리의 고유한 한자어 연구에도 귀중한 자료이다. 국초부터 제작되었으나 현재는 **임진왜란 이후의 『의궤』만 남아 있다.**

① **제작**: 왕이 보는 '어람용' 1권과 보관 목적의 '분상용'을 10권 이내로 제작하였다.

② **약탈**: 1866년 병인양요 때 강화도로 쳐들어온 프랑스군이 외규장각의 수많은 『의궤』를 약탈하였다.

③ **반환**: 한국 정부와 학계가 지속적으로 프랑스에 『의궤』의 반환을 요청하여 2010년에 5년 단위의 영구 임대 방식으로 반환이 결정되어 2011년 4월과 5월에 걸쳐 모두 되돌아왔다.

(5) **의의**: 『조선왕조실록』은 1997년에 **유네스코 세계 기록유산으로 지정**되었으며, 『승정원일기』와 『의궤』도 각각 2001년과 2007년에 세계 기록유산으로 등재되었다.

2. 역사 편찬

(1) 건국 초기

① **특징**: 조선 왕조의 건국에 대한 정당성을 밝히고 성리학적 통치 규범을 정착시키기 위하여 국가적 차원에서 역사서를 편찬하였다.

② **『고려국사』**(1395): 『고려국사』는 태조의 명을 받아 정도전 등이 고려 시대의 역사를 편년체로 정리한 것으로 **조선 건국의 정당성을 강조**한 역사서이나, 현존하지 않는다.

③ **『동국사략』**(1403): 『동국사략』은 태종 대에 권근, 하륜 등이 단군 조선에서 신라 말까지의 역사를 정리한 **편년체 통사**이다.

(2) 15세기 중엽 이후

① **특징**: 사회의 안정과 국력 성장을 토대로 민족적 자각을 일깨우고 왕실과 국가의 위신을 높이며, 문화를 향상시키는 방향에서 역사 편찬을 시도하였다.

② **『고려사』**(1451)

㉠ **편찬**: 『고려사』는 세종의 명을 받은 정인지, 김종서 등이 『고려국사』를 개찬(改竄)하기 시작(1449)해 **문종 대에 완성**(1451)한 **기전체** 형식의 역사서이다.

㉡ **의의**: 제후국의 지위에 해당하는 칭호를 사용하지 않고, 종(宗), 폐하 등의 칭호를 사용하여 고려 시대를 자주적 입장에서 서술하였다.

③ **『고려사절요』**(1452)

㉠ **편찬**: 『고려사절요』는 문종 대에 김종서 등이 기전체로 서술된 『고려사』를 보완하여 완성한 편년체 형식의 역사서이다.

㉡ **의의**: 『고려사절요』는 『고려사』와 함께 고려 시대 연구에 중요한 사료이다.

④ **『삼국사절요』**(1476)

㉠ **편찬**: 『삼국사절요』는 성종 대에 신숙주, 노사신, 서거정 등이 『삼국사기』에서 빠진 고조선사를 보완하고, 삼국 시대의 역사를 자주적 입장에서 재정리한 역사서이다.

㉡ **의의**: 『삼국사절요』는 단군 조선부터 삼국 멸망까지의 역사를 편년체로 서술하였다.

『국조보감』

조선의 왕이라도 함부로 『실록』을 열람할 수 없었다. 그러나 통치를 위해서는 역대 왕의 업적을 참고할 필요가 있었고, 이에 세조는 중요 내용만 모아 『국조보감』을 편찬하라 지시하였다. 조선의 왕들은 『국조보감』을 열람하여 **역대 왕들의 업적**을 살펴보고 **자신의 정치에 참고**할 수 있었다.

『의궤』

대중적으로 잘 알려진 『의궤』로는 정조의 화성 행차 광경을 담아낸 『원행을묘정리의궤』, 화성 축조 과정을 정리한 『화성성역의궤』 등이 있다. 한편 병인양요 때 프랑스가 약탈해 간 『의궤』 중 상당수는 재료, 그림 수준 등이 매우 뛰어난 어람용 『의궤』였다. 이는 파리 국립 도서관에 보관되어 있다가 박병선 박사에 의해 발견되어 세상에 알려졌다.

『고려국사』

『고려국사』는 고려 왕조의 『실록』과 『편년강목』, 『금경록』, 이제현의 「사략」, 민지의 『본조편년강목』을 참고하여 편찬되었다. 이 중 『금경록』은 고려 후기에 이색과 이인복이 지은 역사서로, 현존하지 않는다.

⑤ **『동국통감』**(1485)

㉠ **편찬**: 세조 때 시작된 『동국통감』 편찬 사업 과정에서 성종 때 『삼국사절요』가 간행되었다. 이후 고려 시대의 역사와, 노사신·서거정 등의 「사론」을 더해 『동국통감』 56권을 간행하였다(1485, 성종).

㉡ **의의**: 『동국통감』은 단군 조선부터 고려 말까지의 역사를 엄격한 유교적 명분론에 입각한 편년체 사서로 편찬되었다.

기출 사료 읽기

> **『동국통감』 서문**
>
> 일찍이 세조께서 말씀하셨습니다. "우리 동방은 비록 역사책이 있으나 『자치통감』처럼 장편으로 된 통감이 없다." …… 범례는 모두 『자치통감』을 따랐습니다. 강목에서 가려 뽑은 뜻을 따라 번잡한 것을 없애고 중요한 것을 보존하는 데에 힘썼습니다. 삼국이 병립하였을 때는 「삼국기」라 하고, 신라가 통일한 뒤에는 「신라기」라 하였습니다. 고려 때는 「고려기」라 하였고 삼한 이전시대는 「외기」라 하였습니다.
>
> - 『동국통감』
>
> **사료 해설** | 『동국통감』은 단군 조선부터 고려 말까지의 역사를 편년체로 정리한 것이다. 신라 통일의 의미를 부각시키기 위해 「신라기」를 따로 두었고, 삼국 이전은 「외기」로 처리하였다.

(3) 16~17세기

① **특징**: 사림의 집권으로 16~17세기에는 사림의 존화주의적 역사 인식이 반영된 사찬 사서가 많이 편찬되었다. 이에 단군 조선은 부정되고 기자 조선에 대한 연구가 심화되었다.

② **『동국사략』**(16세기 초): 『동국사략』은 박상이 단군 조선부터 고려 말까지의 역사를 기록한 것으로, 유교적 기준에서 열전에 오른 인물들을 중심으로 서술하였다. 이 책에서는 이색, 정몽주 등 고려 왕조에 절의를 지킨 인물을 긍정적으로 평가하고, 정도전 등 개국 공신을 비판하였다.

③ **『동몽선습』**(16세기): 『동몽선습』은 박세무가 중종 때 저술한 아동용 수신서로, 유학의 핵심 윤리인 오륜(五倫)을 설명하고, 중국과 우리나라의 역사를 약술하였다.

④ **『기자실기』**(1580): 『기자실기』는 중국 중심의 화이 사관에 입각하여 **이이**가 편찬한 것으로, 기자가 우리 민족을 교화하였다고 하여 기자를 성인으로 추앙하였다.

⑤ **『동사찬요』**(1606): 『동사찬요』는 오운이 편찬한 역사서로, 기자 조선을 높여서 우리나라 유교 전통의 시작이 기자로부터 시작되었다고 기록하였다.

4 지리서의 편찬

1. 지도

혼일강리역대국도지도 (태종)	· 김사형·이회·이무가 제작한 우리나라 최초의 세계 지도(1402) · 이슬람 지도학의 영향을 받았고, 중화 사상이 반영됨, 현존하는 동양 최고(最古)의 세계 지도로 현재 필사본이 일본에 남아있음
팔도도	태종 때 이회가 제작한 전국 지도인 팔도도(1402)와 세종 때 정척이 북방 영토를 실측하여 제작한 전국 지도인 팔도도가 있음
동국지도(세조)	양성지 등이 전국의 실측 지도를 모아 제작, 압록강 이북까지 기록
조선방역지도(명종)	8도를 각각 다른 색으로 표시, 만주와 대마도를 우리 영토로 표시

16세기 사림의 역사 인식 기출사료

물론 단군께서 제일 먼저 나시기는 하였으나 문헌으로 상고할 수 없다. 삼가 생각하건대 기자께서 우리 조선에 들어오시어 그 백성을 후하게 양육하고 힘써 가르쳐 주시어 머리를 틀어 얹는 오랑캐의 풍습을 변화시켜 문화가 융성하였던 제나라와 노나라 같은 나라로 만들어 주셨다.

- 이이, 『기자실기』

▶ 16세기에 **이이**를 비롯한 사림들은 **존화 사상을 바탕으로 역사를 연구**하였다. 이이는 **『기자실기』**에서 기자가 중국에서 한반도로 와서 동이족을 교화시켰다고 하였다.

『동국사략』

시기	편찬자
태종	권근, 하륜 등
16세기 초	박상
1906	현채

혼일강리역대국도지도

· **태종 2년(1402)에 완성한 세계 지도**로 사본이 일본 류코쿠 대학에 있다.
· 정종 때 명에서 가져온 성교광피도와 승려 청준의 혼일강리도를 합하여 개정하였고, **일본에서 1401년에 가져온 지도를 참고하여 완성**하였다.
· **중화 사관에 입각**하여 **중국과 조선을 실제보다 크게 그렸고**, 유럽 및 아프리카를 매우 작게 표현하였다(아메리카 대륙이 발견되기 이전이므로 나타나 있지 않음).

2. 지리서

『신찬팔도지리지』(세종)	조선 왕조 최초의 지리지, 현존하지 않음
『세종실록』「지리지」(단종)	군현 단위로 연혁·인물 등 60여 항목이 기록됨, 우산(독도)과 무릉(울릉도) 명시
『팔도지리지』(성종)	『동국여지승람』 편찬에 활용됨, 현존하지 않음
『동국여지승람』(성종)	군현의 연혁·지세·인물·풍속·산물 등을 기록, 단군 신화 수록
『신증동국여지승람』(중종)	『동국여지승람』 증보, 울릉도·독도 표기

5 윤리·의례서와 법전의 편찬

1. 목적

성리학이 조선 사회를 지배하면서 유교적 질서를 확립하고 유교적 통치 규범을 성문화하기 위한 각종 윤리·의례서와 법전이 편찬되었다.

2. 윤리·의례서

(1) 15세기

① **윤리서**: 세종 때에 모범이 될 만한 충신, 효자, 열녀 등의 행적을 그림으로 그리고 설명을 붙인 『삼강행실도』가 편찬되었다.

기출 사료 읽기

『삼강행실도』 서문

천하의 떳떳한 다섯 가지가 있는데 삼강이 그 수위에 있으니, 실로 삼강은 경륜의 큰 법이요 일만 가지 교화의 근본이며 원천입니다. …… 우리 주상 전하가 근신(近臣)에게 명하기를 "삼대의 정치는 모두 인륜을 밝혔는데 후세에는 교화가 차츰 해이해져서 백성이 서로 화목하지 못하니 군신·부자·부부의 큰 인륜이 모두 본연의 성품과 위배되어 항상 박(薄)한 데에 흘렀다 ……"하시고, 왕께서 집현전 부제학 신(臣) 설순에게 명하여 편찬하는 일을 맡게 하셨습니다. 이에 동방 고금의 서적에 기록되어 있는 것을 모두 열람하여 효자·충신·열녀로서 우뚝이 높아서 기술할 만한 자를 각각 1백 인을 찾아내었습니다. 그리하여 앞에는 형용을 그림으로 그리고, 뒤에는 사실을 기록하였으며, 모두 시를 붙였습니다.

사료 해설 | 세종 때 편찬된 『삼강행실도』는 충신, 효자, 열녀 등의 행적을 널리 알려 백성들을 교화시키기 위해 그림을 그리고 설명을 붙여 쉽게 알아볼 수 있도록 만들어졌다.

② **의례서**: 『국조오례의』는 세종 때 편찬을 시작하여 성종 때 완성된 책으로, 5례의 예법과 국가의 여러 행사에 필요한 의례를 정비한 것이다.

(2) 16세기

① **사림의 활동**: 16세기에 사림은 『소학』, 『주자가례』를 보급하고, 『이륜행실도』, 『동몽수지』를 간행하여 성리학적 유교 질서 보급을 위해 노력하였다.

② **『동몽수지』**: 『동몽수지』는 중국 송나라의 주자가 어린이가 지켜야 할 예절을 기록한 윤리서로, 조선 중종 때 목판본으로 간행되었다.

『국조오례의』(1474)

갑오년 여름이 지나 비로소 능히 책이 완성되어 본뜨고 인쇄하여 장차 발행하고자 하였다. 신이 가만히 살펴보건대, 예를 기술한 것이 3300가지의 글이 있기는 하나 그 요점은 길·흉·군·빈·가(吉凶軍賓嘉)라고 말하는 5가지에 불과할 뿐이다.

▶ 신숙주, 정척 등이 제사 의식인 「**길례**」, 관례와 혼례 등의 「**가례**」, 사신 접대 의례인 「**빈례**」, 군사 의식에 해당하는 「**군례**」, 상례 의식인 「**흉례**」의 다섯 가지 의식(오례)을 정리한 책이다. 이 책은 **세종 때 편찬하기 시작하여 성종 때 신숙주 등에 의해 완성**되었다.

③ **『이륜행실도』**: 『이륜행실도』는 중종 때 간행된 윤리서로, 연장자와 연소자, 친구 사이에서 지켜야 할 윤리를 강조한 책이다.

3. 법전

(1) **편찬 목적**: 유교적 통치 규범을 성문화하기 위해 법전이 편찬되었다.

(2) **『조선경국전』, 『경제문감』**: 『조선경국전』과 『경제문감』은 태조 때 정도전이 편찬한 사찬 법전이다.

(3) **『경제육전』**: 『경제육전』은 태조 때 조준이 위화도 회군 이래의 조례를 모아서 편찬한 조선 시대 최초의 공식적인 통일 성문 법전이다.

(4) **『경국대전』**

① **편찬**: 『경국대전』은 세조 때 편찬하기 시작하여, 성종 때 완성·반포되었다.

② **구성**: 『경국대전』은 「이전」, 「호전」, 「예전」, 「병전」, 「형전」, 「공전」의 6전으로 구성된 조선의 기본 법전으로, 조선 후기까지 법률 체계의 골격을 형성하였다.

③ **의미**: 『경국대전』의 편찬으로 조선 초기 유교적 통치 질서와 문물 제도가 완성되었다.

『경국대전』의 편찬

세조 때 당시까지의 모든 법을 전체적으로 모아 통치의 기본이 되는 법전을 만들기 위해 『경국대전』의 편찬을 위한 **육전상정소가 설치**되면서 편찬 작업이 시작되었다. 먼저 **「호전」과 「형전」이 완성**된 후 예종과 성종 때에 보완 작업을 계속하여 **1485년 성종 때 반포**되었다.

기출 사료 읽기

『경국대전』 서문

(세조께서 말씀하시길) "우리 조종의 심후하신 인덕과 크고 아름다운 규범이 훌륭한 전장에 퍼져 있으니 이는 『경제육전(經濟六典)』의 원전(元典), 속전(續典)과 등록(謄錄)이며, 또 여러 번 내린 교지가 있어 법이 아름답지 않은 것이 아니지만 관리들이 용렬하고 어리석어 제대로 받들어 행하지 못한다. 이는 진실로 법의 과목이 너무 호번(넓고 크며 번거롭게 많음)하고 앞뒤가 서로 모순되어 하나로 크게 정해지지 않았기 때문이다. 이제 손익을 헤아리고 회통할 것을 산정하여 만대의 성법을 만들고자 한다."라고 하셨다. 책이 완성되어 여섯 권으로 만들어 바치니, 『경국대전(經國大典)』이라는 이름을 내리셨다. 「형전(刑典)」과 「호전(戶典)」은 이미 반포되어 시행하고 있으나 나머지 네 법전은 미처 교정을 마치지 못했는데, 세조께서 갑자기 승하하시니 지금 임금께서 선대왕의 뜻을 받들어 마침내 하던 일을 끝마치게 하시어 나라 안에 반포하셨다. - 『경국대전』

사료 해설 | 『경국대전』은 세조 때 편찬하기 시작하여, 성종 때 반포·시행되었다. 「이전」, 「호전」, 「예전」, 「병전」, 「형전」, 「공전」의 6전 체제를 갖춘 법전으로, 조선 법률 체계의 골격이 되었다.

필수 개념 정리하기

조선 시대의 법전

법전	편저자	시기
『조선경국전』	정도전	태조(1394)
『경제육전』	조준	태조(1397)
『경국대전』	최항, 노사신	성종(1485)
『속대전』	김재로	영조(1746)
『대전통편』	김치인	정조(1785)
『대전회통』	조두순	고종(1865)

OX 빈칸 핵심 개념 점검

* 학습한 개념을 OX/빈칸 문제를 통해 점검해보세요.

핵심 개념 1 | 한글 창제

01 한글 창제는 양반 관료층의 적극적인 지지를 받아 이루어졌다. □ O □ X

02 조선 정부는 서리들이 행정 실무에 이용할 수 있도록 그들의 채용에 한글을 시험으로 치르게 하였다. □ O □ X

03 세종 때 한글을 보급하기 위해서 왕실 조상의 덕을 찬양하는 「　　　　」를 편찬하였다.

핵심 개념 2 | 조선 시대의 교육 기관

04 조선 시대의 성균관에는 생원이나 진사만 입학하였다. □ O □ X

05 조선 시대 향교는 지방의 군현에 있던 유일한 관학이다. □ O □ X

06 조선 시대 서원에서는 성적 우수자에게 문과의 초시를 면제해 주었다. □ O □ X

07 조선 시대의 서원은 선현에 대한 제사를 지내고 인재 교육, 향음주례 등의 역할을 담당하였다. □ O □ X

08 조선 시대의 향교에는 규모와 지역에 따라 중앙에서 교관인 　　와 　　를 파견하여 교육하였다.

09 조선 시대의 　　은 초등 교육을 담당하였으며, 선비와 평민 자제를 교육하였다.

핵심 개념 3 | 조선 전기의 역사서

10 조선 시대에는 「사초」·『시정기』·『승정원일기』 등을 바탕으로 『조선왕조실록』을 편찬하였다. □ O □ X

11 『조선왕조실록』은 임진왜란 이전까지 춘추관, 충주, 전주, 성주의 4대 사고에 보관하였다. □ O □ X

12 『가례도감의궤』 등의 『의궤』는 임진왜란 이후부터 편찬되기 시작하였다. □ O □ X

13 성종 때 고조선부터 고려 말까지의 역사를 정리한 『동국통감』을 간행하였다. □ O □ X

14 『　　　　』은 태조에서 철종 때까지의 역사를 편년체로 기록한 역사서이다.

15 조선 시대에는 역대 왕들의 훌륭한 언행을 뽑아 기록한 『　　　　』을 편찬하여 후대 왕에게 본보기로 제공하였다.

16 조선 시대의 『고려사』는 　　　, 『고려사절요』는 　　　의 방식으로 서술되었다.

핵심 개념 4 | 조선 전기의 지도와 지리서

17 팔도도는 양성지 등이 세조 때 완성하였으며, 북방 영토를 실측하여 만들었다. □ O □ X

18 세종 때 편찬된 『동국여지승람』에는 군현의 연혁·지세·인물·풍속 등이 자세히 수록되어 있다. □ O □ X

19 태종 때 제작된 ____________ 에는 중국이 세계의 중심이라는 중화 사상이 반영되었다.

핵심 개념 5 | 조선 전기의 윤리·의례서·법전

20 성종 때 편찬된 『국조오례의』는 국가의 여러 행사에 필요한 의례를 정비한 의례서이다. □ O □ X

21 조선 성종 때 『경국대전』을 완성하여 조선의 통치 규범과 법을 정리하였다. □ O □ X

22 『 ______ 』은 이·호·예·병·형·공전으로 나뉘어 정리되었다.

정답과 해설

01	✖ 한글 창제에 대해 최만리, 정창손 등의 양반 관료층은 중국의 글자를 버리는 것은 오랑캐와 같아지는 것이라며 반대하였다.	**12**	✖ 『의궤』는 조선 초기부터 제작되었으나, 임진왜란 이후의 『의궤』만 현존하고 있다.
02	O 조선 정부는 서리 선발 시험에 한글을 도입하였다.	**13**	O 『동국통감』은 세조 때 편찬이 시작되어 성종 때 완성·간행된 사서로, 서거정 등이 고조선부터 고려 말까지의 역사를 편년체로 정리한 역사서이다.
03	용비어천가	**14**	조선왕조실록
04	✖ 성균관에는 15세 이상의 생원·진사가 입학하는 것이 원칙이었으나, 승보시 합격자나 공신의 자제도 입학할 수 있었다.	**15**	국조보감
05	O 조선 시대 향교는 지방의 군현에 있던 유일한 관학(국립 교육 기관)으로 전국의 부·목·군·현에 각각 설립되었다.	**16**	기전체, 편년체
06	✖ 성적 우수자에게 문과(대과)의 초시를 면제해 준 것은 국립 고등 교육 기관인 성균관이다.	**17**	✖ 양성지 등이 북방 영토를 실측하여 세조 때 완성한 지도는 동국지도이다.
07	O 사립 교육 기관인 서원은 선현에 대한 제사를 지내고, 인재 교육, 향음주례 등을 담당하였다.	**18**	✖ 『동국여지승람』은 성종의 명에 따라 노사신 등이 편찬·완성한 각 도의 지리·풍속 등을 기록한 관찬 지리지이다.
08	교수, 훈도	**19**	혼일강리역대국도지도
09	서당	**20**	O 성종 때 신숙주, 정척 등이 오례의 예법과 국가의 여러 행사에 필요한 의례를 정비하여 『국조오례의』를 편찬하였다.
10	O 조선 시대에는 왕의 사후에 춘추관 내에 설치된 실록청에서 「사초」·『시정기』·『승정원일기』 등을 바탕으로 『조선왕조실록』을 편찬하였다.	**21**	O 조선의 통치 규범과 법을 정리한 『경국대전』은 세조 때 편찬을 시작하여 성종 때 완성되었다.
11	O 『조선왕조실록』은 국초부터 편찬된 것으로 춘추관, 충주, 전주, 성주의 4대 사고에 보관하였으나, 임진왜란 이후로는 춘추관과 태백산, 오대산, 정족산, 적상산의 5대 사고에 보관하였다.	**22**	경국대전

2 성리학의 발달

학습 포인트
조선 성리학의 대표적인 인물인 이황, 이이의 학문적 특징을 비교하여 정리한다.

빈출 핵심 포인트
훈구, 사림, 서경덕, 조식, 이황, 주리론, 『성학십도』, 이이, 주기론, 『성학집요』

1 성리학의 정착

1. 고려 말의 성리학

성리학은 고려 말에 수용되어 신진 사대부의 개혁 논리와 조선 건국의 사상적 기반을 제공하였으나, 성리학을 수용·이해하는 과정에서 신진 사대부 사이에 입장의 차이가 발생하였다.

2. 훈구와 사림

	훈구(관학파)	사림(사학파)
기원	혁명파 사대부(정도전·조준·권근 등)	온건파 사대부(정몽주·이색 등)
성립	계유정난에서 공을 세우며 세력 확장	성종 때부터 등용되다가 선조 때부터 집권
기반	막대한 토지를 소유한 대지주	영남·기호 지방의 중소 지주
사상	중앙 집권, 민생 안정, 부국강병 주장	향촌 자치·왕도 정치 주장
특징	· 현실적, 사장(한문학) 중시 · 타 사상에 대해 개방적·관용적 · 자주적 사관	· 이상적, 경학(유교 경전 공부) 중시 · 성리학 이외의 사상은 배척 · 존화주의적 사관(기자 중시)

2 성리학의 융성

1. 배경

16세기 사림은 사화로 인해 큰 타격을 받았으나, 향촌 사회에서의 기반을 확고히 하여 꾸준히 성장하였다.

2. 성리학의 철학적 분화

(1) 이기론의 발달: 이(理)와 기(氣)의 작용을 해석하는 과정에서 이(理)를 중시하는 이기이원론과, 상대적으로 기(氣)의 능동성에 주목한 기일원론이 등장하였다.

이(理)	우주 만물 생성의 근원인 기(氣)가 존재할 수 있는 근거이자 운동 법칙
기(氣)	우주 만물을 구성하는 요소로, 기가 모이고 흩어짐에 따라 우주 만물을 생성

① 주리론

㉠ **특징**: 현실 세계에 대한 도덕적 원리의 우위를 주장하였으며, 신분 질서와 도덕 규범을 확립하고자 하였다. 주리론은 임진왜란 이후 일본에 전해져 일본 성리학의 발전에 기여하였으며, 개화기의 위정척사 사상에 영향을 주었다.

ⓛ **이언적**(1491~1553): 이언적은 '기'보다는 '이' 중심의 이론을 제시한 주리론의 선구자로, 이는 기가 존재할 수 있는 근거이자 운동 법칙이라고 주장하였다. 이언적의 사상은 이황을 비롯한 후대 성리학자들에게 영향을 미쳤다.

② 주기론

㉠ **특징**: 인간의 경험적·현실적 세계를 중시하여 사물의 객관적 파악을 통한 제도 개혁 사상으로 이어졌고, 이후 북학파 실학 사상과 개화 사상으로 연결되었다.

ⓛ **서경덕**(1489~1546): 서경덕은 이(理)보다는 기(氣)를 중시하여, 기(氣)가 다른 존재에 의해 움직이는 것이 아니라 스스로 작용하여 만물을 존재하게 한다는 주기론을 주장하였다. 또한 이를 기 속에 포함시켜 이와 기를 둘로 보지 않는 기일원론을 제시하여 독창적인 유기철학을 수립하였다. 한편 서경덕은 불교와 노장 사상에 개방적이었고, 이후 이이의 주기론에 영향을 주었다.

③ **기타 - 조식**(1501~1572): 조식은 노장 사상에 비교적 포용적이었다. 또한 경(敬)과 의(義)를 바탕으로 학문의 실천성을 강조하였으며, 절의와 기개를 중시하였다.

(2) 사단 칠정(四端七情) 논쟁: '사단과 칠정이 이(理)에 속하는가, 기(氣)에 속하는가'에 대한 것과 '이가 과연 발동할 수 있는가, 없는가'에 대한 논쟁이었다.

① **이황과 기대승의 주장**: 이황은 이(이성)는 귀하고, 기(감성)는 천하다는 전제 아래 '사단은 이가 발하는 것이고, 칠정은 기가 발하는 것(이기호발설)'이라는 이기이원론적인 주장을 펼쳤다. 이에 기대승은 '사단은 칠정에 근거하여 발생하기 때문에 따로 분리해서 볼 수 없다'는 이기일원론적인 주장을 펼쳤다. 한편 이황 사후에 이이는 기대승의 학설을 지지하였다.

② **이황의 학설 수정**: 기대승과 8년간 논쟁(8차례의 편지)을 거친 후 이황은 자신의 학설을 수정하여 '사단은 이가 발동하는 데 기가 따르는 것이며(이발이기수지), 칠정은 기가 발동하는 데 이가 타는 것(기발이이승지)'이라고 주장하였다.

필수 개념 정리하기

사단 칠정 논쟁

구분		사단	칠정
본성		인·의·예·지	인간의 본성·감정
감정		측은지심, 수오지심, 사양지심, 시비지심	기쁨, 노여움, 슬픔, 두려움, 애착, 미움, 욕심
논쟁	이황	사단은 이의 작용이며, 칠정은 기의 작용(이의 능동성 강조) → 논쟁 이후 정정	
	기대승	사단 칠정의 문제에서 이와 기를 분리해서 생각할 수 없음 → 이이가 발전시켜 기발이승(기가 능동성을 가지고 스스로 작용하면, 이가 기에 올라타는 것)을 주장	

3. 성리학의 융성

(1) 이황(1501~1570)

① **활동**: 이황은 도덕적 수양과 실천을 통해 조선의 사회 질서 재확립에 노력하였으며, 도덕적 행위의 근거로 인간의 심성을 중시하였다.

서경덕

서경덕은 **주기론의 선구자**로, 우주 자연은 미세한 입자인 기(氣)로 구성되어 있으며, 기는 영원불멸하면서 생명을 낳는다고 보았다. 또한 서경덕은 자신의 논문인 「**태허설**」에서 존재와 비존재, 생성과 소멸의 연속성을 기(氣)와 허(虛)의 인식을 통해 밝혀냈으며, 「태허설」과 함께 「원이기」, 「이기설」, 「귀신사생론」 등의 글을 지어 자신의 이기론을 정리하였다.

조식

- **조식의 학문 사상 지표는 경(敬)과 의(義)**이다. 마음이 밝은 것을 경(敬)이라 하고 밖으로 과단성 있는 것을 의(義)라고 하였다. 이러한 그의 주장은 바로 경으로써 마음을 곧게 하여 수양하는 기본으로 삼고 의로써 외부 생활을 처리하여 나간다는 생활 철학을 표방한 것이었다.
- 조식은 올바른 정치의 도리를 논한 상소문인 「무진봉사(戊辰封事)」를 올렸는데, 여기에서 논한 '**서리망국론**(胥吏亡國論)'은 당시 서리의 폐단을 강력하게 지적한 것으로 유명하다.
- **조식의 학풍을 따르는 문인들**로는 곽재우, 정인홍 등이 있었는데, 이들은 **주로 북인**이 되었다. 북인은 임진왜란 때 의병장으로 활동하였으며, 광해군 집권 시기에 정국을 주도하였다.

② **사상**: 이언적의 사상을 계승하여 주리론을 집대성하였다.

㉠ **이기이원론**: 이(理)와 기(氣)는 서로 섞일 수 없는 것(이기불상잡)이라고 하였다. 또한 이는 선한 것이며, 기는 선할 수도 있고 악할 수도 있는데, 수양을 통하여 기를 선하게 유지해야 한다고 보았다.

㉡ **이기호발설**: 사단은 선하고 보편적인 이가 발동한 것인 반면, 선악이 혼재된 칠정은 기가 발동한 것으로 보았다. 이후 이황은 기대승과의 사단 칠정 논쟁을 거치며 자신의 주장을 다소 완화시켰다(사단: 이발이기수지, 칠정: 기발이이승지).

③ **저서**

『성학십도』	· 성리학의 원리를 10개의 도식으로 설명 · 군주 스스로가 노력하여 성학을 따를 것(성학군주론)을 제시
『주자서절요』	· 『주자대전』 중에서 중요한 부분을 추려서 편찬 · 일본 성리학 발전에 큰 영향을 줌
『전습록논변』	양명학의 경전인 『전습록』을 조목별로 비판(양명학 비판)

④ **영향**

㉠ **영남학파 형성**: 김성일, 유성룡, 장현광, 정구 등 영남학자들에게 학설이 계승되었다.

㉡ **일본에 영향**: 이황의 사상이 임진왜란 이후 일본에 전해져 일본 성리학 발전에 큰 영향을 주었으며, 일본에서는 이황을 '동방의 주자'라고 불렀다.

(2) 이이(1536~1584)

① **활동**: 이이는 현실적·제도적 개혁을 통해 사회 혼란을 수습하고자 하였다.

② **사상**: 서경덕에 이어 주기론을 집대성하였다.

㉠ **일원론적 이기이원론**: 이와 기는 둘이면서도 분리될 수 없다(이기불상리)고 보고, 기가 능동적으로 작용하면 원리인 이는 항상 내재되어 있다고 주장하였다.

㉡ **기발이승일도설**: 이는 스스로 활동 작용하는 것이 아니라 기가 활동 작용하는 원인이 될 뿐이기 때문에, 능동적으로 기가 발하면 이는 거기에 올라탄다고 보았다.

㉢ **이통기국론**: '이는 통하고(보편) 기는 국한(특수)된다'는 것으로, 만물의 보편성과 특수성을 모두 강조하였다. 이것은 인간의 도리는 불변하지만 현실은 시대와 상황에 따라 변하게 되므로 현실을 개혁해야 한다는 논리적 근거가 되었다.

㉣ **사회경장론**: 이통기국을 논리적 근거로 삼아 현실적인 문제의 해결이 수반되어야 한다고 강조하였고, 경제가 안정되어야 한다고 주장하였다. 이에 따라 이이는 10만 양병설과 수미법을 주장하기도 하였다.

③ **저서**

『성학집요』	현명한 신하가 군주에게 성학을 가르쳐 그 기질을 변화시켜야 한다고 주장
『동호문답』	· 왕도 정치의 구현을 문답 형식으로 정리 · 방납의 폐단에 대해 수미법 실시를 주장
『격몽요결』	성리학 초심자들을 가르치기 위한 아동 수신서, 『소학』을 장려

④ **영향**

㉠ **기호 학파 형성**: 조헌, 김장생 등에게 계승되어 기호 학파를 형성하였다.

㉡ **개화 사상에 영향**: 북학파 실학 사상과 개화 사상에 영향을 주었다.

이기호발설

이기이원론의 관점 하에, 사단(이가 발현)과 칠정(기가 발현)이 발현되는 근거를 구별한 이황의 학설이다. 기대승과의 사단 칠정 논쟁 이후 이황의 이기호발설은 다소 완화되었으나, 여전히 기대승·이이의 주장에 비해 이의 능동성을 강조한 것이 특징이다.

『성학십도(聖學十圖)』

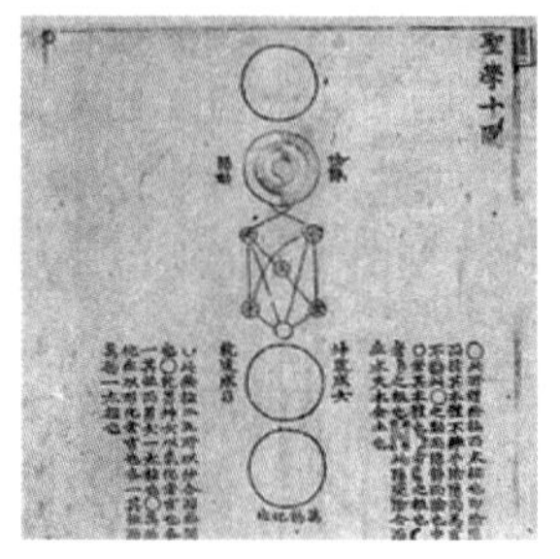

선조가 즉위하자 이황이 군왕의 도에 대해 10개의 도식으로 설명한 상소문

사회경장론(중쇠기) 기출사료

예로부터 나라의 역사가 중기에 이르면 인심이 반드시 편안만 탐해 나라가 점점 쇠퇴한다. 그때 현명한 임금이 떨치고 일어나 천명을 연속시켜야만 국운이 영원할 수 있다. 우리나라도 200여 년을 지내 지금 중쇠(中衰)에 이미 이르렀으니, 바로 천명을 연속시킬 때이다. -『율곡전서』

▶ **이이**는 조선이 개국한지 200여 년이 지난 16세기의 사회를 서서히 쇠퇴해가는 **중쇠기(中衰期)**로 인식하였으며, 이를 극복하기 위해 **사회경장론을 주장**하였다.

『성학집요』

- '현명한 신하가 군주에게 성학을 가르쳐 그 기질을 변화시켜야 한다'고 주장
- 통설, 수기, 정가, 위정, 성현도통 등으로 구성

기출 사료 읽기

이황과 이이의 사상

1. 이황

- 천하의 모든 사물은 반드시 각각 그렇게 되는 까닭이 있으며 바로 그렇게 되어야 하는 법칙이 있는데 그것이 이(理)이다. 무릇 모든 사물은 모두 능히 그렇게 되는 것이니 이는 사물에 앞서 존재한다.
  - 『퇴계집』
- 후세 임금들은 천명을 받아 임금의 자리에 오른 만큼 그 책임이 지극히 무겁고 지극히 크지만, 자신을 다스리는 도구는 하나도 갖추어지지 않았습니다. …… 바라옵건데 밝으신 임금께서는 이러한 이치를 깊이 살피시어, 먼저 뜻을 세워 "노력하면 나도 순임금처럼 될 수 있다."라고 생각하십시오.
  - 이황, 『성학십도』

사료 해설 | 이황은 이(理)의 우위성과 능동성을 강조하였으며, 이를 토대로 이기호발설을 주장하기도 하였다. 또한, 이황은 『성학십도』를 저술하여 군주 스스로가 성학을 따라 성학 군주가 되어야 함을 강조하였다.

2. 이이

- 이와 기는 서로 떨어지지 않을 수 없으나 묘하게 결합된 가운데 있다. 이는 이고 기는 기이지만 혼돈 상태여서 틈이 없으며 선후가 없으며 떨어졌다, 붙었다 하는 일이 없으니 두 개의 물건이라고 볼 수 없다. 따라서 두 개의 물건이 아니다.
  - 『율곡집』
- 왕의 학문은 기질을 바꾸는 것보다 절실한 것이 없고, 제왕의 정치는 정성을 다해 어진 이를 등용하는 것보다 우선하는 것이 없을 것입니다. 기질을 바꾸는 데는 병을 살펴 약을 쓰는 것이 효과를 거두고, 어진 이를 쓰는 데는 상하가 틈이 없는 것이 성과를 얻습니다.
  - 이이, 『성학집요』

사료 해설 | 이이는 이황에 비하여 상대적으로 기의 역할을 강조하는 일원론적 이기이원론을 주장하였다. 또한, 『성학집요』를 통해 현명한 신하가 군주에게 성학을 가르쳐 그 기질을 변화시켜야 한다고 주장하였다.

필수 개념 정리하기

이황과 이이

구분	퇴계 이황(1501~1570)	율곡 이이(1536~1584)
계열	주리론(主理論)	주기론(主氣論)
사상사적 위치	· 주자의 이기이원론 계승 · '동방의 주자'	· 일원론적 이기이원론 · 이기론 집대성
붕당	영남 학파 → 동인	기호 학파 → 서인
학문적 특징	· 도덕적 행위의 근거로서 인간의 심성 중시 · 근본적, 이상주의적 · 경(敬)의 실천 중시(수양 방법)	· 관념적 도덕 세계를 중시하면서도, 현실적·개혁적 개혁 추구 · 사회 경장(更張)을 주장
핵심이론	이귀기천(理貴氣賤), 이기호발(理氣互發)	기발이승(氣發理乘), 이통기국(理通氣局)
영향	조선 성리학의 주류 → 위정척사 사상, 일본 성리학에 영향	북학파의 실학 사상과 개화 사상으로 연결
저서	『주자서절요』, 『성학십도』, 『전습록논변』	『동호문답』, 『격몽요결』, 『성학집요』, 『기자실기』, 『만언봉사』
활동	· 백운동 서원 사액(→ 소수 서원) · 예안 향약 실시	· '구도장원공(9번의 과거에서 모두 장원)' · 해주 향약 실시

『기자실기』

이이가 편찬한 책으로, 존화주의적 역사관을 바탕으로 기자를 추앙하였으며, 사림이 추구하는 왕도 정치가 기자에서 시작되었다는 평가를 담았다.

예안 향약과 해주 향약

이황은 경상도 안동 지역에서 예안 향약을, 이이는 황해도 지역에서 해주 향약을 실시하였다. 이들은 성리학에 기반을 둔 향약의 실시를 통해, 향촌 사회의 질서를 바로 잡고자 하였다.

3 학파의 형성과 대립

1. 학파의 형성

16세기 중반부터 성리학에 대한 이해가 심화되면서 학설과 지역적 차이에 따라 서원을 중심으로 학파가 형성되었다.

2. 정파의 형성

(1) 배경: 선조 때 사림들이 정권을 장악하고 주도함에 따라 각 학파를 기반으로 정파가 형성되었다.

(2) 분류: 서경덕 학파·이황 학파·조식 학파가 동인을 형성하였고, 이이 학파와 성혼 학파가 서인을 형성하였다. 분당 초기에는 동인이 정국을 주도하였다.

3. 정파의 대립

(1) 동인의 분파: 정여립 모반 사건(기축옥사)과 건저 문제를 계기로 동인이 북인(서경덕, 조식 학파 중심)과 남인(이황 학파 중심)으로 분화되었다.

(2) 북인 정권: 북인은 선조 말부터 광해군 시기까지 정권을 장악하였다.

① **의병장 배출**: 임진왜란 때 곽재우·정인홍(조식의 제자) 등의 의병장을 배출하였다.

② **사회 경제 정책 추진**: 임진왜란으로 인한 사회 경제적 피해를 복구하기 위해 북인은 대동법의 시행과 은광 개발 등을 적극적으로 추진하였다.

③ **중립 외교**: 북인은 국가 안정을 위해 중립 외교를 취하는 등 성리학적 의리 명분론에 구애받지 않았으며 광해군 집권 시기에 정국을 주도하였다.

④ **회퇴변척**: 북인 정인홍은 스승 조식이 문묘에 종사되지 않은 것이 이황의 비판 때문이라고 여겨, 조식을 높인다는 구실로 이언적(회재)과 이황(퇴계)을 폄하하는 회퇴변척을 일으켰다. 그러나 오히려 정인홍이 유생들로부터 배척받는 계기가 되었다.

⑤ **몰락**: 서인의 인조반정으로 광해군과 함께 몰락하였다.

(3) 서인의 정국 주도: 인조반정 이후 서인이 정국을 주도하면서 남인이 정권에 참여하는 공론 정치가 이루어졌다.

① **주자 중심의 성리학 강조**: 서경덕과 조식의 사상·양명학·노장 사상 등은 배척하고, 주자 중심의 성리학을 강조하였다.

② **친명 배금 정책과 척화론**: 성리학적 명분론에 입각하여 친명 배금 정책과 척화론을 펴다가 정묘호란(1627)과 병자호란(1636)을 초래하였다.

(4) 서인의 분파: 숙종 때 일어난 경신환국(1680) 등을 계기로 서인이 분화되었다.

① **노론**(이이 학파): 송시열을 중심으로 하는 노론은 주자 중심의 성리학을 절대시하였다.

② **소론**(성혼 학파): 윤증을 중심으로 하는 소론은 성리학에 대한 탄력적 이해를 시도하였다. 이황의 학설에도 호의적이었으나, 이이에 대해서는 비판적이었다. 노론(송시열계)의 주자 절대화에 반발하여 양명학에 관심을 두기도 하였다.

학파의 형성(16세기 중반)

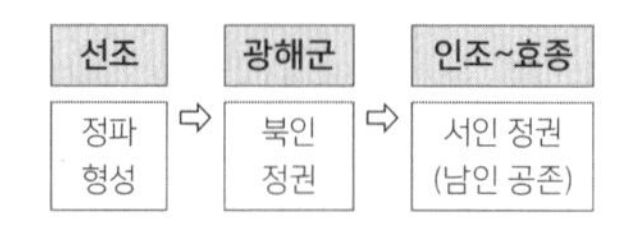

기축옥사와 건저 문제

1. 기축옥사(己丑獄死)
1589년 전주 사람 정여립의 역모 사건을 말하는데 이 사건으로 서경덕·조식 학파가 많은 피해를 입었으며, 호남 지역은 반역의 지역으로 낙인 찍혀 중앙 정계로 진출하는 일이 급격히 줄어들었다. 정여립은 원래 이이의 문하였으나, 급진적인 일부 동인과 연결하여 천민·평민·승려 등을 끌어들여 '대동계'라는 비밀 결사를 조직하였고, 혁명을 준비하다 사전에 발각되었다고 전해지나, 서인에 의해 조작된 사건이라는 견해도 있다. 한편 기축옥사의 국문을 서인인 정철이 주도하면서, 정철(서인)이 동인에게 원한을 사는 계기가 되었다.

2. 건저(建儲) 문제
1591년 서인의 영수 정철이 선조에게 광해군을 세자로 책봉할 것을 건의하자 정철을 향해 동인들이 공격을 감행하였다. 동인은 정철에 대한 처리를 두고 북인(강경파)과 남인(온건파)으로 분화되었다.

은광

임진왜란 시기 명에서는 은을 화폐로 사용하였는데, 명군의 참전으로 명의 은이 조선으로 유입되어 조선에서 은이 활발하게 유통되었다.

OX 빈칸 핵심 개념 점검

* 학습한 개념을 OX/빈칸 문제를 통해 점검해보세요.

핵심 개념 1 | 성리학 연구의 선구자

01 서경덕은 이보다 기를 중심으로 세계를 이해하고 불교와 노장 사상에 개방적이었다. □ O □ X

02 조식은 경과 의를 근본으로 하는 실천적 성리학풍을 강조하였다. □ O □ X

03 이언적은 기(氣)보다는 이(理)를 중심으로 자신의 이론을 전개하여 후대에 큰 영향을 끼쳤다. □ O □ X

04 조식은 ______을 부르짖으며 당시 서리의 폐단을 강력하게 비판하였다.

핵심 개념 2 | 이황

05 이황은 이언적의 사상을 계승하여 주리론을 집대성하였다. □ O □ X

06 이황은 『성학십도』를 저술하여 경연에서 강의하였다. □ O □ X

07 이황은 아홉 차례의 과거 시험에 장원하여 '구도장원공'이라는 별칭을 얻었다. □ O □ X

08 이황은 『주자서절요』를 편찬하여 일본의 주자학 발달에 기여하였다. □ O □ X

09 이황의 학설은 유성룡, 김성일 등 영남 학자들에게 계승되었다. □ O □ X

10 이황에 의해 집대성된 주리론은 개화 사상으로 계승되었다. □ O □ X

11 이황은 ______과의 8차례 편지를 통해 4단과 7정에 대한 논쟁을 벌였다.

12 이황은 양명학의 경전을 조목별로 비판한 『______』을 저술하였다.

핵심 개념 3 | 이이

13 이이는 기(氣)보다는 이(理)를 중시했고, 예안 향약을 만들었다. □ O □ X

14 이이는 왕도 정치의 구현을 문답 형식으로 정리한 『동호문답』을 저술하였다. □ O □ X

15 이이는 현실 세계를 구성하는 기를 중시하여 경장을 주장하였다. □ O □ X

16 이이는 현명한 신하가 군주에게 성학을 가르쳐 그 기질을 변화시켜야 한다고 주장한 『______』를 저술하였다.

17 이이의 문인과 성혼의 문인들이 결합해 ______ 학파를 형성하였다.

18 이이는 사림이 추구하는 왕도 정치가 기자에서 시작되었다는 평가를 담은 『______』를 저술하였다.

핵심 개념 4 | 학파의 형성과 대립

19 16세기 중반부터 성리학 연구가 심화되면서 학설과 지역적 차이에 따라 서원을 중심으로 학파가 형성되기 시작하였다. □ O □ X

20 서경덕·이황·조식 학파가 동인을 형성하였고, 이이·성혼 학파가 서인을 형성하였다. □ O □ X

21 북인은 광해군 집권 시기에 명과 후금 사이에서 중립 외교를 폈다. □ O □ X

22 인조반정 이후 서인은 주자 중심의 성리학을 강조하고, 양명학과 노장 사상은 배척하였다. □ O □ X

정답과 해설

01	O 서경덕은 기일원론을 주장하는 등 기를 중심으로 세계를 이해하였으며, 불교와 노장 사상에 개방적이었다.	**12**	전습록논변
02	O 조식은 경과 의를 근본으로 하는 실천적 성리학풍을 강조하였다.	**13**	× 기보다 이를 중시하였으며, 예안 향약을 만든 인물은 이황이다.
03	O 이언적은 '기'보다는 '이' 중심의 이론을 제시한 주리론의 선구자이며, 이황을 비롯한 후대 학자들에게 영향을 주었다.	**14**	O 『동호문답』은 왕도 정치의 구현을 문답 형식으로 정리한 것으로 이이의 대표적인 저서이다.
04	서리망국론	**15**	O 이이는 기의 능동성을 중시하였으며, 경장(사회의 폐단을 개혁하여 새롭게 함)을 강조하여 수미법 시행 등의 현실 개혁을 주장하였다.
05	O 이황은 '기'보다는 '이' 중심의 이론을 제시한 이언적의 사상을 계승하여 주리론을 집대성하였다.	**16**	성학집요
06	O 이황은 성리학의 원리를 도식으로 정리한 『성학십도』를 저술하여 경연에서 강의하였다.	**17**	기호
07	× 아홉 차례의 과거 시험에 장원하여 '구도장원공'이라는 별칭을 얻은 것은 이이이다.	**18**	기자실기
08	O 이황은 『주자대전』에서 중요한 주자의 서찰을 뽑아 『주자서절요』를 편찬하였는데, 이 책은 임진왜란 이후 일본에 전해져 일본 주자학(성리학) 발달에 기여하였다.	**19**	O 사림이 정권을 장악한 16세기 중반부터 학설과 지역적 차이에 따라 서원을 중심으로 학파가 형성되었다.
09	O 이황의 학설은 유성룡, 김성일, 장현광, 정구 등의 영남 학자들에게 계승되어 영남학파를 형성하였다.	**20**	O 서경덕·이황·조식 학파가 동인을 형성하였고, 이이·성혼 학파가 서인을 형성하였다.
10	× 이황이 집대성한 주리론은 이후 위정척사 사상으로 계승되었다.	**21**	O 광해군 집권 시기에 집권한 북인은 명과 후금 사이에서 중립 외교를 폈다.
11	기대승	**22**	O 인조반정 이후 정국을 주도한 서인은 주자 중심의 성리학을 강조하고, 양명학과 노장 사상은 배척하였다.

3 신앙 · 과학 · 예술의 발달

학습 포인트

불교에 대한 각 국왕의 억불 정책을 정리하고, 기타 사상인 도교, 풍수지리설에 대해서도 알아본다. 과학 기술이 발달한 조선 전기의 주요 발명품들의 제작 시기, 용도를 정리하고, 농서 및 병서의 명칭 등 서적 관련 내용도 학습한다. 문화재는 대표적인 작품을 중심으로 사진과 함께 학습하는 것이 좋다.

빈출 핵심 포인트

도첩제, 소격서, 측우기, 인지의, 『칠정산』, 분청사기, 백자, 안견, 강희안

1 불교

1. 숭유 억불

(1) **태조**: 태조는 도첩제를 실시하여 승려의 수를 제한하였으며 사원의 지나친 건립을 금지하였다.

(2) **태종**: 태종은 강력한 억불책을 실시하여 사원의 토지와 노비를 회수하였으며, 전국에서 242개의 사원만 공인하였다.

(3) **세종**: 세종은 불교 종파를 선·교 양종으로 정리하고, 전국 36개의 사원만 허용하였다.

(4) **성종**: 성종은 강력한 억불책을 실시하여 도첩제를 폐지하고 승려의 출가를 금지시켰다. 특히 이 때에는 사림의 적극적인 불교 비판으로 절이 산간(山間)으로 이동하였다.

(5) **중종**: 중종 때 조광조의 건의로 승과 제도가 폐지되었다.

2. 일시적 불교 부흥 및 보호책

(1) **명맥 유지**: 왕실의 안녕을 기원하고 왕족의 명복을 비는 불교 행사가 자주 시행되어 불교의 명맥은 유지되었다.

(2) **세종**: 내불당을 설치하고 『월인천강지곡』, 『석보상절』 등의 불교 서적을 간행하였다.

(3) **세조**: 세조는 간경도감을 설치하고 불교 경전을 한글로 번역하여 간행·보급하였으며, 서울 원각사지 10층 석탑을 건립하는 등 적극적인 불교 진흥책을 추진하여 일시적으로 불교가 중흥하였다.

3. 중기 이후

(1) **명종**: 명종 즉위 초에 모후인 문정 왕후의 지원으로 불교 회복 정책이 실시되어 승려 보우가 중용되고 승과 제도가 부활하였다.

(2) **승병의 활약**: 임진왜란 때 승병들과 승려 출신 의병장(사명 대사, 서산 대사)들이 활약하여 불교계의 위상이 새롭게 정립되었다.

도첩제

무릇 중이 되는 사람이 양반(兩班)의 자제이면 닷새 베(五升布) 1백 필을, 서인이면 1백 50필을, 천인이면 2백 필을 바치게 하여, 소재(所在)한 관사(官司)에서 이로써 관에 들어온 베의 숫자를 계산하여 그제야 도첩(度牒)을 주어 출가(出家)하게 하고, 제 마음대로 출가하는 사람은 엄격히 다스리게 할 것이다.

-『태조실록』

▶ 도첩제는 **승려가 출가할 때 국가가 그 신분을 공인**해 주던 제도로, 조선 시대에는 숭유 억불 정책에 따라 자유로운 출가를 제한하고 **불교를 국가적인 통치 아래 예속시키기 위해 시행**하였다.

세종의 내불당(內佛堂) 창건

우참찬(右參贊) 정갑손(鄭甲孫)이 "불법이 다시 일어나는 것이 참으로 두렵습니다. 백성이 또 새로 내불당(內佛堂)을 창건한다는 말을 들으면 뒤를 이어서 만계(萬計)가 되지 못할 것입니다. …… 불사(佛事)에 이르러서는 쌀과 베를 내기를 제한 없이 하나, 이것이 비록 작은 일이기는 하나 공사 간에 낭비하는 것이 이루 말할 수 없습니다. 이것으로 보더라도 불법이 사람에게 무익한 것을 또한 알 수 있습니다." 하였으나 임금(세종)은 듣지 않았다.

-『세종실록』

▶ 세종 30년(1448)에는 모든 신하의 반대를 물리치고 **내불당을 세웠는데**, 이는 세종 26년(1444)에 광평대군, 이듬해에 평원 대군, 세종 28년(1446)에 소헌 왕후를 연이어 잃게 됨에 따라 큰 상실감에 빠진 **세종이 말년에 불교를 통해 내적 평안을 얻으려 한 것**으로 여겨진다.

2 도교·풍수지리설·기타 사상

1. 도교

(1) **15세기**: 도교는 조선 시대에 크게 위축되어 행사가 줄고 사원도 축소되었다.

(2) **초제**: 초제는 국가의 안녕과 왕실의 번성을 하늘에 비는 제사로, 단군왕검이 쌓았다고 전해지는 참성단(강화도 마니산)에서 일월성신에게 제사를 지냈다.

(3) **소격서 설치**: 제천 행사가 국가의 권위를 높이는 점이 인정되어 초제를 담당하는 관청인 소격서가 설치되었다.

(4) **원구단 설치**: 원구단은 세조가 왕권 강화를 위해 설치한 것으로, 이곳에서 원구제라는 제천 행사를 거행하였다.

(5) **16세기 이후**: 사림의 진출 이후 도교 행사가 사라지면서 의식을 중시하는 도교는 쇠퇴하였다.

2. 풍수지리설

(1) **영향**: 풍수지리설은 조선 초기 이래로 매우 중시되어 한양 천도에 반영되었으며 양반 사대부의 묘지 선정에도 영향을 주었다.

(2) **폐해**: 풍수지리설로 인해 묘지 자리(명당)를 두고 싸우는 산송(山訟)이 발생하였다.

3. 기타 사상

(1) **민간 신앙**: 무격 신앙, 산신 신앙, 삼신 숭배, 촌락제(村落祭, 촌락에서 지내는 제례) 등의 민간 신앙이 성행하였다.

(2) **국조 숭배 사상**: 황해도 구월산에 환인, 환웅, 단군의 삼신을 국조(國祖)로 숭배하는 삼성사(三聖祠)가 설치되었다. 평양에는 단군 사당을 건립하고 국가에서 제사를 지냈으며, 중국 사신이 올 때 이곳을 참배하게 하였다.

소격서

도교의 제례 의식을 거행하기 위해 설치하였던 관청으로, **중종 때 조광조가 혁파**를 주장하면서 폐지되었다. 이후 다시 복설되었으나 임진왜란 이후 다시 폐지되었다.

국조 숭배 사상

조선의 단군은 동방에서 처음으로 천명을 받은 임금이고, 기자는 처음으로 교화를 일으킨 임금입니다. 평양부로 하여금 때에 맞추어 제사를 지내도록 하소서. - 『태조실록』

▶ 조선 시대에는 **환인·환웅·단군의 삼신을 국조로 모시고 제사를 지내**도록 평양에 단군 사당을 건립하였다.

3 과학 기술

1. 천문·역법과 의학

(1) 천문·역법

① **천문 관측 기구**: 세종 때 혼천의(혼의), 간의 등이 제작되었다.

② **시간 측정 기구**: 세종 때 물시계인 자격루(1434)와 해시계인 앙부일구(1434) 등이 제작되었다.

③ **강우량 측정 기구**: 세종 때 강우량 측정 기구인 측우기(1441)와 하천의 수위 변화 측량기인 수표(水標) 등이 제작되었다.

앙부일구

처음으로 앙부일구(仰釜日晷)를 혜정교와 종묘 앞에 설치하여 해 그림자를 관측하였다. 집현전 직제학 김돈(金墩)이 명(銘)을 짓기를, …… 길옆에 설치한 것은 보는 사람이 모이기 때문이다. 지금부터 시작하여 백성들이 만들 줄을 알 것이다." - 『세종실록』

▶ **세종 때 장영실**이 만든 앙부일구는 **한국 최초의 공중 시계 역할**을 하다가 임진왜란 때 유실되었다. 현재 남아 있는 것은 17~18세기에 만든 것으로 전의 것과 제작 기법이 같다.

④ **토지 측량 기구**: 세조 때 인지의와 규형을 제작하여 토지 측량과 지도 제작에 활용하였다.

⑤ **천문도 제작**: 태조 때 고구려의 천문도를 바탕으로 별자리의 모습을 돌에 새긴 천상열차분야지도를 제작하였다.

⑥ **역법서 편찬 - 『칠정산』**

㉠ **내용**: 『칠정산』은 세종 때 만들어진 역법서로, 「내편」(1442)은 중국(원)의 수시력과 명의 대통력을, 「외편」(1444)은 아라비아의 회회력을 참고하여 제작하였다.

㉡ **의의**: 우리나라 역사상 최초로 한양을 기준으로 천체 운동을 정확하게 계산하였으며, 15세기 조선의 과학이 세계 과학의 첨단 수준에 이른 것으로 평가받는다.

(2) 의학: 15세기에 조선 의약학의 독자적인 체계가 마련되어 민족 의학이 더욱 발전하였다.

의학서	편찬	특징 및 내용
『향약제생집성방』	1398년(태조)	고려 말의 『향약간이방』을 기초로 편찬
『향약채취월령』	1431년(세종)	약재 이론서로, 우리나라의 자생 약재 소개
『향약집성방』	1433년(세종)	· 7백여 종의 국산 약재 소개 · 1천 종의 병에 대한 치료 예방법 소개
『의방유취』	1445년(세종)	동양의 의학을 부문별로 집대성한 의학 백과사전
『동의보감』	1610년(광해군)	· 허준이 저술한 의학 서적 · 조선 의학을 집대성한 동양 최고의 의서

2. 활자 인쇄술

(1) 배경: 15세기에는 활발한 편찬 사업이 진행되면서 인쇄술이 발달하였다.

(2) 활자 인쇄술의 발전

① **금속 활자의 개량**

㉠ **태종**: 태종 때 주자소를 설치하고 구리로 계미자를 주조하였다(1403).

㉡ **세종**: 세종 때 경자자(1420), 갑인자(1434), 병진자(1436)를 주조하였다.

② **인쇄 기술의 발전**: 세종 때 밀랍 대신 식자판을 조립하는 방법을 창안해 종전보다 두 배 정도로 인쇄 능률이 올랐다.

3. 농서 편찬

(1) 배경: 전통적 농법을 토대로 조선의 풍토에 맞는 농사 기술과 품종을 개발하고 보급하기 위하여 농서를 편찬하였다.

(2) 농서

① **『농사직설』**(1429): 『농사직설』은 세종 때 정초, 변효문 등이 편찬한 농서로, 농민(촌로)들이 실제 경험한 농법(씨앗 저장법, 토질 개량법, 모내기법 등)을 종합하여 간행하였다.

② **『금양잡록』**(1492): 『금양잡록』은 성종 때 강희맹이 금양(경기도 시흥)에서 직접 경험한 것을 바탕으로 지역의 관행 농법을 수록한 농서이며, 곡물 이름을 이두와 한글로 표기하였다.

천상열차분야지도

권근은 천상열차분야지도를 만든 경위를 다음과 같이 썼다. "예전에, 평양성에 천문도 석각본이 있었다. …… 그런데 태조가 즉위한 지 얼마 안 되어 그 천문도의 인본을 바친 사람이 있었다. 태조는 그것을 매우 귀중히 여겨 돌에 다시 새겨 두도록 서운관에 명하였다."

▶ **천상열차분야지도**란 하늘의 별자리를 그린 천문도로, 하늘의 모양(별자리)을 차례대로 나눈 그림이란 뜻이다.

세종 대의 활자 개량

태종 대 만들어진 **계미자**는 이전에 주조된 활자보다 글자의 모양이 고르고 균일하였다. 하지만 글자체가 크고 거칠며 활자 아래의 끝이 뾰족했기 때문에 밀랍 바탕에 활자를 꽂아 판을 짜야만 책장을 찍을 수 있었다. 그러므로 **인쇄량은 하루에 불과 몇 장** 밖에 미치지 못하였다. 계미자의 문제점은 **세종** 2년(1420)에 **경자자**(庚子字)가 제작되면서 어느 정도 해결되었다. **경자자는 계미자에 비해 글자가 작고 정교**하였으며 조판용 동판과 활자를 평평하고 바르게 만들어 **인쇄 속도를 획기적으로 높였다.**

『농사직설』

『농사직설』은 중국의 농서인 『제민요술』, 『농상집요』, 『사시찬요』 등을 참고하여 중국의 농업 기술을 수용하면서 우리의 풍토에 맞는 독자적인 농법을 정리한 것이다.

③ **기타**: 세조 때 강희안은 『양화소록』을 편찬하여 화초 재배법을 소개하였으며, 세조 때 양성지는 『농잠서』, 『목축서』를 편찬하였다.

4. 병서의 편찬

(1) 배경: 조선 초기에는 국방력을 강화하려는 노력의 일환으로 많은 병서를 편찬했으며, 이와 함께 각종 무기의 제조 기술이 발달하였다.

(2) 병서

① **『진법서(진도)』**: 태조 때 요동 정벌을 위해 정도전이 편찬한 것으로, 독특한 전술과 부대 편성 방법을 창안하여 정리한 것이다.

② **『총통등록』**: 세종 때 편찬된 것으로, 화약 무기의 제조법과 사용법을 정리한 병서이다(1448).

③ **『동국병감』**: 문종 때 고조선부터 고려 말까지의 전쟁사를 정리하여 편찬한 것이다.

세종 대의 무기 개발

세종은 화약과 화약 병기를 전문화·규격화하기 위해 **『총통등록』을 편찬**하였다. 또한 세종 대에 **화기 사격법의 개혁**도 이루어져 사격을 하는 사수와 장전을 해 주는 보조가 분업을 통해 보다 **전문화된 화기의 전술적 운용**이 가능해졌다. 그 결과 조선의 화약과 화기 제작 기술은 국제적으로 높은 수준에 도달하였다.

4 문학

1. 전기(15세기)

작자에 따라 내용과 형식에 큰 차이를 보였으며, 격식을 존중하고 질서와 조화를 추구하는 경향의 사장(詞章) 문학이 주류를 형성하였다.

(1) 악장

① **특징**: 악장은 주로 새 왕조의 탄생과 업적을 찬양하고 우리 민족의 자주 의식을 표명하였다.

② **대표 작품**: 정인지 등이 지은 「용비어천가」(조선 왕조의 창업 찬양)와 세종이 지은 「월인천강지곡」(석가모니의 공덕 찬양) 등이 있다.

(2) 한문학

① **특징**: 한문학은 조선 초기 문학의 주류로, 사장을 좋아하는 문신 관료들에 의해 발달하였으며, 당시 양반들의 필수 교양으로 정착하였다.

② **대표 작품**: 『동문선』은 서거정, 노사신 등이 삼국 시대부터 조선 초까지 시와 산문 중 뛰어난 작품을 선별하여 편찬한 것(성종, 1478)으로, 우리나라 글에 대한 자주 의식을 나타내었다.

『동문선』 서문 기출사료

우리는 상감(上監)의 분부를 우러러 받아 삼국 시대부터 뽑기 시작하여 당대의 사부(辭賦)·시문에 이르기까지 약간의 글을 합하여서, 글의 이치가 순정하여 백성을 다스리고 가르치는 데 도움이 되는 것을 취하고 부문으로 나누고 종류대로 모아 130권으로 정리하여 올린 바, 『동문선』이라고 이름을 내리셨습니다. - 서거정, 『동문선』

▶ 성종 때 서거정이 편찬한 **『동문선』은 삼국 시대 이래의 시문을 모아 정리**한 것이다.

(3) 설화 문학

① **특징**: 설화 문학은 일정한 격식 없이 보고 들은 이야기를 적은 것으로, 관리들의 기이한 행적이나 서민들의 풍속, 감정, 역사 의식 등을 표현하였다.

② **대표 작품**: 『금오신화』(김시습), 『필원잡기』(서거정), 『용재총화』(성현), 『추강냉화』(남효온), 『촌담해이』(강희맹) 등

김시습

김시습은 세조에게 밀려난 단종에 대한 신의를 끝까지 지키며 벼슬길에 나가지 않고 자연에 은거한 **생육신의 한 사람**이다. 김시습은 계유정난(1453) 이후 경주 **금오산에 머물면서** 매월당이란 서재를 짓고 **최초의 한문 소설**인 **『금오신화』를 썼다**.

(4) 시조: 중앙 고관의 작품으로는 조선 건국 초에는 패기가 넘치는 시조로서 김종서와 남이의 작품이 유명하며, 재야 인물의 작품으로는 고려에 대한 유교적 충절을 읊은 길재와 원천석의 시조가 대표적이다.

2. 중기(16~17세기)

사림 문학이 주류를 이루었으며, 표현 형식보다는 흥취와 정신을 중시하였다.

(1) 시조: 순수한 인간 본연의 감정을 시조에 표현하였다.

① **황진이**: 황진이는 남녀 간의 애정과 이별의 정한을 표현하였다.

② **윤선도**: 윤선도는 「오우가」와 「어부사시사」에서 자연을 벗하여 살아가는 여유롭고 자족적인 삶을 표현하였다.

(2) 가사

① **특징**: 시조의 한계를 극복하고 감정을 구체적으로 표현하려는 욕구에서 등장하였다.

② **대표 작품**: 정철은 「관동별곡」, 「사미인곡」, 「속미인곡」에서 우리말 어휘를 풍부하게 구사하였다. 이외에 「면앙정가」(송순, 정철의 스승), 「누항사」(박인로) 등이 있다.

(3) 방외인 문학(풍자 문학)

① **특징**: 사회 질서 밖에서 방랑하면서 살았던 방외인들을 중심으로 작성된 것으로, 주로 관료와 사림을 비판하였다.

② **대표 작품**: 임제의 풍자적·우의적인 시와 사회 의식과 유학자들의 존화 의식을 비판하는 산문, 그리고 어숙권이 문벌 제도와 적서 차별에 대한 비판을 담은 『패관잡기』 등이 있다.

(4) 여류 문인

① **특징**: 문학의 저변이 확대됨에 따라 여류 문인이 등장하였다.

② **대표 인물**: 신사임당은 시·글씨·그림에 두루 능하였고, 허난설헌은 한시로 유명하였다(16세기).

5 건축

1. 전기(15세기)

(1) 특징: 사원 위주의 고려 건축과는 달리 조선의 건축은 궁궐, 관아, 성문, 학교 등이 주류를 형성하였다. 또한 국왕의 권위를 높이고 신분 질서 유지를 위해 신분에 따라 건물 크기와 장식에 제한을 두었다.

(2) 공공 건축: 조선 전기에는 궁궐(조선 전기의 독창적 건축, 경복궁, 창덕궁, 창경궁 등)과 종묘, 개성 남대문과 평양 보통문(고려 양식 계승), 한양 숭례문(고려의 건축 기법과 다른 독자적 건축 방식 적용, 조선 전기의 대표적 건축), 사직단(제단) 등 공공 건물 건축이 주류를 이뤘다.

(3) 사원 건축: 무위사 극락전, 해인사 장경판전, 서울 원각사지 10층 석탑 등

(4) 종묘와 해인사 장경판전: 종묘와 해인사 장경판전은 조선 건축 기술이 집약된 것으로, 모두 1995년에 유네스코 문화유산으로 등재되었다.

황진이의 시조

동짓달 기나긴 밤을 한 허리를 버혀 내어
봄바람 이불 아래 서리서리 넣었다가
어론님 오신 날 밤이어든 굽이굽이 더디게 펴리라.

▶ 황진이는 남녀 간의 애정과 이별의 정한을 표현하였다.

윤선도의 시조

- 내 벗이 몇인가 하니 수석(水石)과 송죽(松竹)이라 / 동산(東山)에 달 오르니 그 더욱 반갑구나 / 두어라, 이 다섯밖에 또 더하면 무엇하리.
  - 「오우가」
- 우는 것이 뻐꾹샌가 푸른 것이 버들숲가 / 배 저어라 배 저어라 / 어촌의 두어 집이 안개 속에 들락날락/ 찌거덩 찌거덩 어야차/ 맑은 깊은 연못에 온갖 고기 뛰논다
  - 「어부사시사- 춘사 4」

▶ 남인이었던 윤선도는 붕당 간의 갈등 과정에서 장기간 유배 및 은거 생활을 하였다. 이러한 상황에서 윤선도는 자연을 소재로 한 많은 시조 작품을 남겼다.

임제의 『원생몽유록』

조선 중기에 임제가 지은 한문 소설로, 『원생몽유록』은 사육신과 단종의 사후 생활을 그려 은연 중에 세조의 찬탈을 비판하였다.

조선의 궁궐

양궐 체제	왕이 공식적으로 생활하고 거처하는 법궁과 화재 등 사고로 거처를 옮길 때 쓰는 별도의 궁궐인 이궁을 동시에 운영하는 방식
후원(後園)	궁궐의 뒤편에 있는 왕실 사람들의 휴식 공간인 정원으로, 북쪽에 있어서 북원(北園) 혹은 아무나 못 들어간다고 해서 금원(禁園)으로 불림
조정(朝廷)	궁궐의 외전 앞 마당을 의미하며, 품계의 순서에 따라 나열된 품계석이 설치되어 있음

2. 중기(16세기)

(1) 특징: 사림의 정계 진출에 영향을 받아 서원 건축이 활발하게 전개되었다.

(2) 구조: 학생들의 교육 공간인 강당을 중심으로 정면에는 기숙사인 동재와 서재가 위치했고, 뒤쪽에는 선현을 제사 지내는 사당이 있었다. 이러한 건물 배치는 사원의 가람 배치 양식의 영향을 받은 것이었다.

(3) 대표적인 서원: 주위의 자연과 빼어난 조화를 이룬 경주의 옥산 서원과 안동의 도산 서원이 대표적이다.

| 서원 배치도(안동 병산 서원)

교과서 분석하기

한양 건설

5대궁	경복궁	· 태조 때 창건(조선 최초의 궁궐), 백악산 아래에 위치, 이칭은 북궐, 임진왜란 때 소실되어 흥선 대원군 때 중건 · 강녕전·교태전(왕과 왕비의 침전), 근정전(정전, 국가 의식 거행), 동궁(세자가 거처하는 곳), 사정전(편전, 왕이 평상시에 머물며 정사를 보는 곳) · 세종 때 만든 보루각과 간의대가 있었음
	창덕궁	태종 때 창건, 이칭은 동궐, 임진왜란 때 소실되어 광해군 때 중건, 역대 임금의 초상을 봉안하던 선원전이 있었음
	창경궁	성종 때 수강궁(세종)을 수리·확장, 임진왜란 때 소실되었으나 이후 중건
	경희궁	광해군 때 경덕궁으로 창건되었으나 영조가 경희궁으로 개칭, 이칭은 서궐
	경운궁	· 본래 월산대군의 집터로 임진왜란 이후 선조의 임시 거처로 사용되어 정릉동 행궁으로 불리다가 광해군 때에 경운궁으로 개칭 · 후에 덕수궁으로 개칭, 대한 제국의 법궁
4대문	흥인지문(동대문), 돈의문(서대문), 숭례문(남대문), 숙정문(북대문)	
4소문	혜화문(동북 동소문), 광희문(동남 남소문), 창의문(서북 북소문), 소의문(서남 서소문)	
종묘와 사직	· 남향을 기준으로 경복궁의 좌측(동쪽)에는 종묘가, 우측(서쪽)엔 사직이 위치(좌묘우사) · 종묘: 조선의 왕과 왕비의 신주를 모시고 제사를 지내는 유교 사당 · 사직: 땅의 신과 곡식의 신에게 제사지내는 사당	

안동 도산 서원

안동 병산 서원

유성룡을 배향한 서원으로, 서원 건물 배치의 전형을 보여주는 곳이다. 한편 안동 병산 서원과 더불어, 영주 소수 서원·안동 도산 서원 등 조선 성리학 문화의 전통을 보여주는 9곳의 서원은 2019년에 유네스코 세계 문화유산으로 등재되었다.

한양 건설

정도전은 유교적 윤리 덕목과 오행 사상을 담아 한양을 건설하였는데, 백악산(아래에 경복궁), 목멱산(남산), 낙타산(좌청룡, 낙산), 인왕산(우백호)으로 배치하여 풍수지리의 틀을 맞추고, 한양에 이 산을 연결하는 둥근 도성을 쌓았으며, 오행의 방위에 따라 4대문과 4소문을 두었다.

근정전

경복궁의 정전인 근정전(勤政殿)의 **명칭은 정도전이 지은 것**으로, 근정이란 **임금이 부지런히 정치에 임할 것을 의미**하는 것이다.

4대문과 종묘·사직

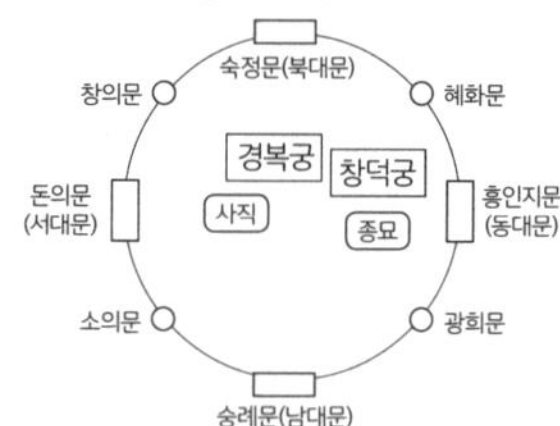

4대문은 유교에서 오행의 덕목인 인(仁)·의(義)·예(禮)·지(智)·신(信) 가운데, 인·의·예·지의 4가지 덕목을 담아 이름을 지었다. 북쪽 대문에는 풍수지리설과 음양오행설을 반영하여 지(智)자를 쓰지 않고 숙청문(숙정문)이라 하였다. 한편 한양 중심의 종루인 보신각의 이름에는 신(信)의 덕목이 반영되었다.

6 분청사기·백자와 공예

1. 분청사기와 백자

(1) 분청사기(15세기): 고려 원 간섭기에 북방 가마 기술이 도입되며 생산되기 시작한 분청사기는 청자에 백토의 분을 칠한 회청색 도자기이다. 15세기 자기 공예의 주류를 이룬 분청사기는 안정된 그릇 모양과 소박하고 천진스런 무늬가 어우러져, 정형화되지 않은 우리의 멋이 잘 표현되어 있다.

(2) 백자(16세기)

① **특징**: 백자는 청자보다 깨끗하고 담백하며 고상한 분위기로 선비들의 유교적 취향과 잘 어울렸기 때문에 널리 이용되었다.

② **제작**: 백자는 전국의 자기소에서 생산되었으며, 경기도 광주의 사옹원 분원의 것이 유명하였다.

2. 기타

목공예(장롱, 문갑), 돗자리 공예 분야에서도 재료의 자연미를 그대로 살린 작품이 생산되었고, 쇠뿔의 껍질을 벗겨 얇게 편 후 채색하여 목공예 제품에 붙여 장식하는 화각 공예, 자개 공예 등이 유명하였다.

분청사기

| 철화 어문병

| 물고기무늬 편병

순백자

7 그림·글씨·음악

그림	· 15세기: 몽유도원도(안견, 현실 세계와 이상 세계를 표현), 고사관수도(강희안, 선비의 유유자적한 모습 표현) · 16세기 – 산수화·사군자 유행: 송하보월도(이상좌), 초충도 (신사임당), 모견도(이암) – 시·서·화에 능한 3절: 이정은 대나무(풍죽도), 황집중은 포도(묵포도도), 어몽룡은 매화(월매도)를 잘 그리기로 유명
글씨	· 15세기: 안평 대군(송설체를 따르면서도 독자적인 서체 사용) · 16세기: 한호(석봉체) 사용
음악	· 15세기: 아악의 체계화, 여민락, 「정간보」 창안(세종), 『악학궤범』(성종, 성현 등이 의궤와 악보 등을 정리한 음악 이론서) · 16세기: 당악과 향악 → 속악으로 발전(서민 음악)

조선 전기와 중기의 그림

| 고사관수도(강희안)

| 송하보월도(이상좌)

교과서 분석하기

몽유도원도

몽유도원도는 '꿈에 도원을 거닐다'라는 뜻으로, 안견이 세종의 아들인 안평 대군의 꿈의 내용을 바탕으로 자연스러운 현실 세계와 환상적인 이상 세계를 표현한 그림이다. 현재, 일본 덴리 대학에 소장되어 있다.

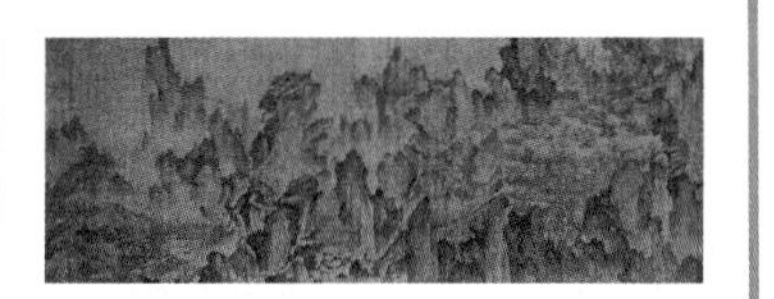

OX 빈칸 핵심 개념 점검

* 학습한 개념을 OX/빈칸 문제를 통해 점검해보세요.

핵심 개념 1 | 조선 전기의 신앙·사상

01 태조는 도첩제를 실시하여 승려의 수를 제한하였다. □ O □ X

02 세종 때에는 불교 종파를 선·교 양종으로 병합하고 사원의 수를 제한하였다. □ O □ X

03 조선 시대에 풍수지리설은 양반 사대부의 묘지 선정에도 영향을 미쳐 산송 문제를 초래하였다. □ O □ X

04 세조는 ______을 두어 『월인석보』를 언해하여 간행하였다.

05 조선 초기에는 도교 제사인 초제를 담당하는 관청으로 ______를 두었다.

핵심 개념 2 | 조선 전기의 과학 기술

06 태종 때 토지 측량 기구인 인지의와 규형을 제작하여 토지 측량과 지도 제작에 활용하였다. □ O □ X

07 『칠정산』「내외편」은 세종 때 원의 수시력과 아라비아의 회회력 등을 참고하여 제작되었다. □ O □ X

08 세종 때는 농민들이 실제 경험한 농법을 종합하여 『농사직설』을 편찬하였다. □ O □ X

09 세조 때 우리나라 전쟁사를 정리한 『동국병감』을 편찬하였다. □ O □ X

10 태조 대 별자리를 그린 ______가 제작되었다.

11 세종은 새로운 금속 활자 인쇄 기술의 발전에 관심을 가지고 ______, ______, 병진자 등을 주조하였다.

12 세종 재위 기간에는 『향약채취월령』, 『______』, 『______』 등의 의서가 편찬되었다.

핵심 개념 3 | 조선 전기의 문학

13 성종 때 서거정 등이 우리나라 역대 문장의 정수를 모은 『동문선』을 편찬하였다. □ O □ X

14 어숙권은 『패관잡기』에서 문벌 제도와 적서 차별 등을 비판하였다. □ O □ X

15 김시습은 우리나라 최초의 한문 소설인 『______』를 저술하였다.

핵심 개념 4 | 조선 전기의 건축

16 조선 전기에는 무위사 극락전, 해인사 장경판전 등이 지어졌다. □ O □ X

17 조선 시대에는 유교 사상인 인·의·예·지 덕목을 담아 도성 4대문의 이름을 지었다. □ O □ X

18 ______은 태조 때 창건된 조선 최초의 궁궐이며 주요 건물로는 근정전, 사정전 등이 있다.

핵심 개념 5 | 조선 전기의 미술과 음악

19 몽유도원도는 안견이 안평 대군의 꿈을 바탕으로 자연스러운 현실 세계와 환상적인 이상 세계를 그려낸 작품이다. □ O □ X

20 성종 때 성현 등이 음악 이론서인 『악학궤범』을 편찬하였다. □ O □ X

21 ______는 청자에 백토의 분을 칠한 도자기이다. □ O □ X

22 강희안의 ______는 선비의 유유자적한 모습을 표현하였다.

정답과 해설

01	**O** 태조는 도첩제를 실시하여 승려의 수를 제한하였으며, 사원의 지나친 건립을 금지하였다.	**12**	향약집성방, 의방유취
02	**O** 세종은 불교 종파를 선·교 양종으로 정리하고, 전국의 사원 수를 36개로 제한하였다.	**13**	**O** 성종 때 서거정 등은 삼국 시대 이래의 시와 산문 중 뛰어난 작품을 선별하여 『동문선』을 편찬하였다.
03	**O** 풍수지리설은 양반 사대부의 묘지 선정에 영향을 주어 산송 문제를 초래하는 원인이 되었다.	**14**	**O** 『패관잡기』는 대표적인 방외인 문학으로, 어숙권은 이 책에서 문벌 제도와 적서 차별 등을 비판하였다.
04	간경도감	**15**	금오신화
05	소격서	**16**	**O** 조선 전기에는 무위사 극락전, 해인사 장경판전, 원각사지 10층 석탑 등이 지어졌다.
06	**×** 인지의와 규형은 세조 때 제작된 토지 측량 기구이다.	**17**	**O** 조선 시대 한양의 도성 4대문은 유교 덕목 가운데 인(仁)·의(義)·예(禮)·지(智)의 4가지 덕목을 담아 이름을 지어 동쪽의 대문은 흥인지문, 서쪽의 대문은 돈의문, 남쪽의 대문은 숭례문이라 하였다. 나머지 북쪽의 대문에는 풍수지리설과 음양오행설을 반영하여 지(智)자를 쓰지 않고 숙청문(숙정문)이라 하였다.
07	**O** 『칠정산』 「내외편」은 원의 수시력과 명의 대통력, 아라비아(이슬람)의 회회력을 참고하여 제작되었다.	**18**	경복궁
08	**O** 세종 때는 나이 많은 농민의 실제 경험을 바탕으로, 우리나라의 기후와 풍토에 알맞은 독자적인 농법을 정리한 『농사직설』이 편찬되었다.	**19**	**O** 몽유도원도는 세종 때 안견이 안평 대군의 꿈을 바탕으로 그린 것으로, 자연스러운 현실 세계와 환상적인 이상 세계를 그려낸 작품이다.
09	**×** 우리나라의 전쟁사를 정리한 『동국병감』이 편찬된 것은 문종 때이다.	**20**	**O** 성종 때 성현 등이 의궤와 악보 등을 정리한 음악 이론서인 『악학궤범』을 편찬하였다.
10	천상열차분야지도	**21**	분청사기
11	경자자, 갑인자	**22**	고사관수도

핵심 키워드로 조선 전기 마무리

구분 왕	주도 세력	정치
태조	관학파	• 도읍 기틀 마련: 한양 천도, 경복궁 건설 • 재상 중심 정치(정도전) • 의흥삼군부 설치 • 제1차 왕자의 난: 방원이 방석, 방번, 정도전 등 제거
정종		• 도평의사사를 의정부로 고침(이방원) • 제2차 왕자의 난 → 방원을 세자로 삼고 양위
태종		왕권 강화: 6조 직계제 실시, 사병 혁파, 사간원 독립
세종		• 의정부 서사제 실시 → 왕권과 신권의 조화 • 집현전 설치 • 대외 정책 – 대여진: 4군 6진 설치(최윤덕, 김종서) – 대일본: 대마도 정벌(이종무), 3포 개항(부산포, 제포, 염포), 계해조약(무역 규모 제한)
세조	훈구	• 왕권 강화: 6조 직계제 부활, 집현전·경연 폐지, 보법 실시, 5위와 진관 체제 확립 • 『경국대전』 편찬 시작 • 이시애의 난 진압
성종	훈구 Vs 사림	• 홍문관의 언론 기구화, 경연 확대, 사림파 등용 • 『경국대전』 완성·반포
연산군		• 무오사화(「조의제문」) • 갑자사화(폐비 윤씨 사사 사건) → 중종반정
중종		• 조광조의 개혁 정치: 현량과 실시, 위훈 삭제 → 기묘사화 • 3포 왜란
명종		• 을사사화(대윤 vs 소윤) • 을묘왜변 → 비변사 상설 기구화
선조	사림	• 사림의 중앙 정계 주도 → 붕당 형성(동인 vs 서인) • 임진왜란: 한산도 대첩, 행주 대첩, 진주 대첩 • 정유재란: 명량 대첩, 노량 대첩 • 비변사의 기능 강화, 훈련도감(중앙군)과 속오군(지방군) 편성
광해군	북인	• 전쟁 피해 수습: 국가 재정 확충, 성곽과 무기 수리 • 중립 외교 전개 → 후금과 친선 • 북인 집권, 임해군·영창 대군 살해, 인목 대비 유폐 → 인조반정

14C · 15C · 16C · 17C

경제	사회	문화
과전법 실시: 고려 말 이래로 계속 실시, 경기 지역에 한정하여 토지에 대한 수조권 지급	–	• 역사서: 『고려국사』(정도전 등) • 법전: 『조선경국전』, 『경제문감』 • 천상열차분야지도 제작
–	–	–
• 양전 사업 실시 • 사섬서 설치	• 호패법 실시, 신문고 설치 • 유교 질서 강화: 서얼의 문과 응시 제한·재가한 여성 차별	• 역사서: 『동국사략』(권근 등) • 주자소 설치, 계미자 주조 • 혼일강리역대국도지도 제작
• 전분 6등법(토지 비옥도), 연분 9등법(풍흉) 실시 → 1결당 최고 20두에서 최저 4두까지 징수 • 조선통보 주조 • 『농사직설』 간행	–	• 한글 창제 • 한글 서적 보급: 「용비어천가」, 「월인천강지곡」, 『석보상절』 • 역사서: 『고려사』(완성-문종) • 『칠정산』, 『향약집성방』, 『삼강행실도』 간행 • 측우기, 자격루 등 제작 • 경자자, 갑인자 등 주조, 밀랍 대신 식자판 조립 방법 창안 • 불교 교단 정리
• 직전법 실시: 현직 관리에게 토지 지급 • 경시서를 평시서로 개칭	유향소 폐지	• 불교 진흥: 서울 원각사지 10층 석탑 건립 • 인지의와 규형 제작
• 관수 관급제 실시: 국가가 농민에게 조를 거둔 뒤 관리에게 지급 • 요역: 토지 8결당 1인 선발, 1년에 6일 이내 동원 제한 • 『금양잡록』 간행	유향소 부활	• 역사서: 『동국통감』 • 『동국여지승람』, 『동문선』, 『국조오례의』, 『악학궤범』 간행
–	–	–
–	• 향약 실시: 조광조의 건의로 실시 • 백운동 서원을 최초의 사액 서원으로 공인	• 역사서: 『동몽선습』(박세무) • 『신증동국여지승람』 • 소격서 폐지
직전법 폐지: 관리들에게 녹봉만 지급	임꺽정의 난	역사서: 『기자실기』(이이)
–	경재소 폐지	–
• 대동법을 경기 지역에서 시험 실시 • 토지 대장과 호적 정비	–	• 『동의보감』 편찬 • 5대 사고 재정비

조선 후기 출제 경향

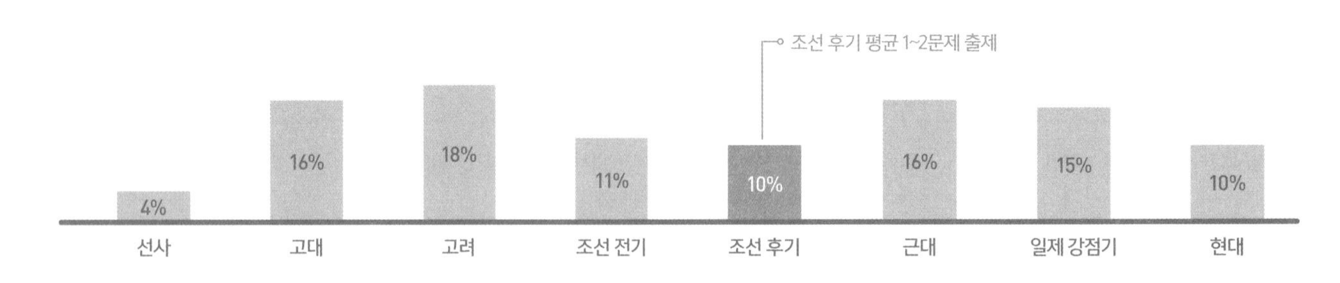

조선 후기에서는 매해 평균 1~2 문제가 출제되고 있습니다. 조선 후기는 변동이 많았던 시대인 만큼 조선 전기에서 조선 후기로의 변화에 초점을 맞추어 학습하는 것이 중요합니다. 또한, 최근에 주요 사건들의 전후 관계를 묻는 문제가 출제되고 있기 때문에 사건의 흐름을 이해하고 발생한 연도를 완벽하게 숙지해야 합니다.

해커스공무원 한국사 기본서 **1권 전근대사**

V 조선의 변화

01 조선 후기의 정치
02 조선 후기의 경제
03 조선 후기의 사회
04 조선 후기의 문화

	출제 비중	빈출 키워드
01 조선 후기의 정치	36%	비변사, 병자호란, 붕당 정치, 예송 논쟁, 영조, 정조
02 조선 후기의 경제	23%	균역법, 대동법, 상품 화폐 경제의 발전
03 조선 후기의 사회	14%	신분제 변동, 향촌 사회의 변화
04 조선 후기의 문화	27%	정약용, 박지원, 박제가 등의 실학자와 저술, 국학 연구

조선 후기는 정치, 경제, 사회, 문화에 걸쳐 문제가 고르게 출제되고 있습니다. 정치사는 **비변사, 붕당 정치, 영·정조의 탕평책**이 주로 출제되고 있으며, 경제사는 수취 제도의 변화와 **조선 후기 경제 상황**이 주로 출제됩니다. 사회사에서는 신분제 변동, 향촌 사회의 변화 등이 자주 출제되며, 문화사에서는 **실학자와 그들의 저술, 국학 연구** 등이 주로 출제됩니다.

한눈에 보는 조선 후기 연표

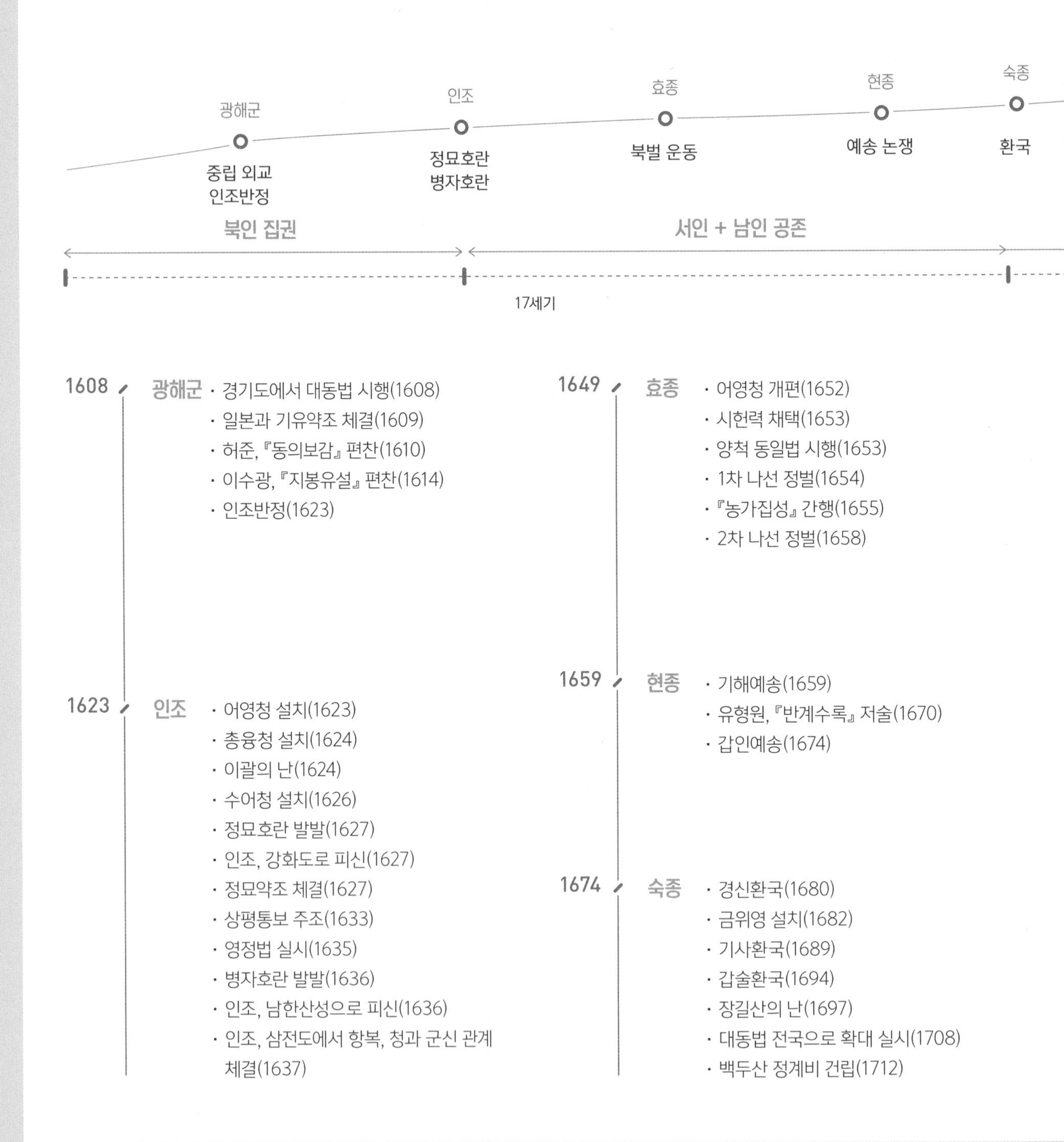

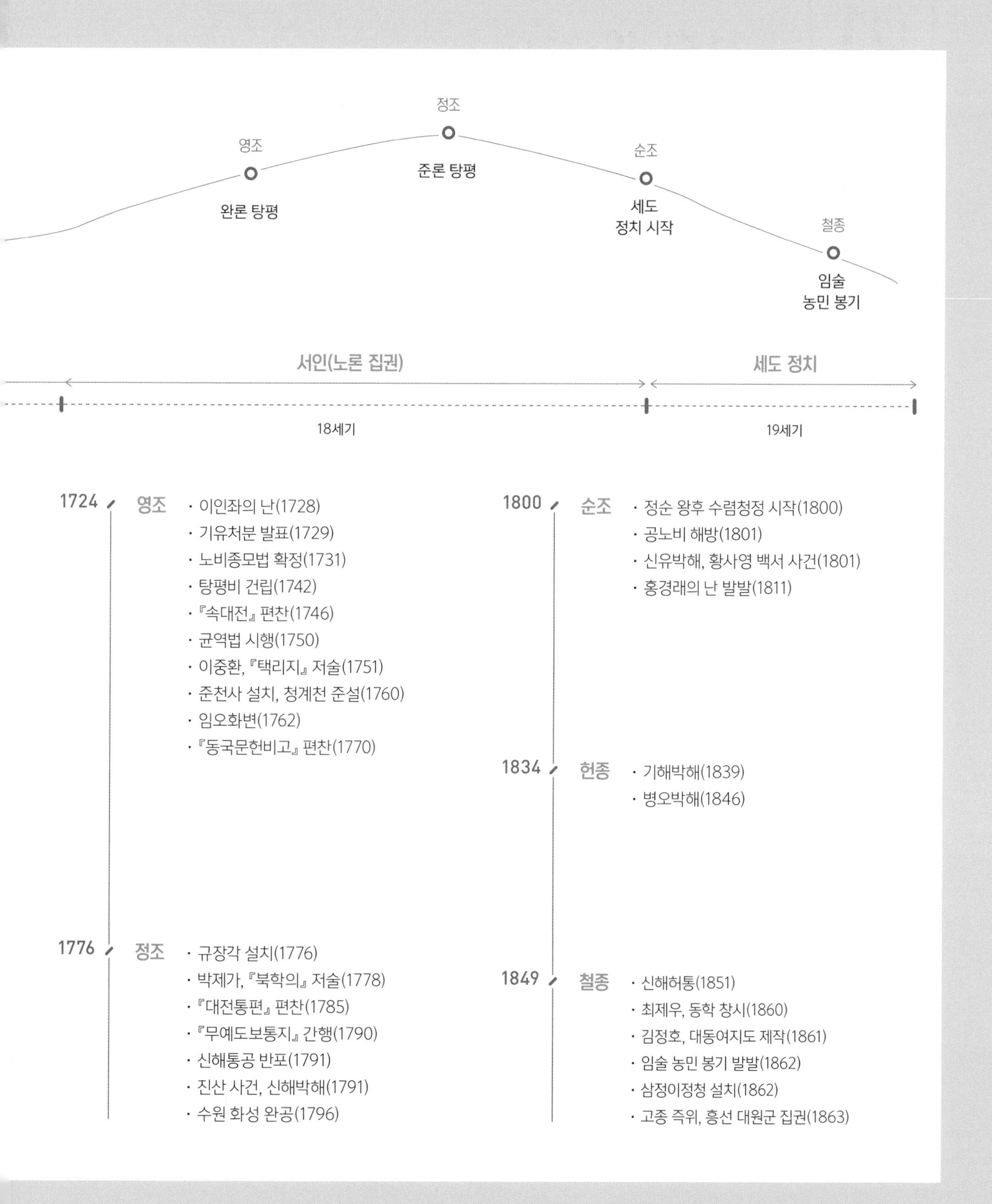
정조
영조
준론 탕평
순조
완론 탕평
세도
정치 시작
철종
임술
농민 봉기
서인(노론 집권)
세도 정치
18세기
19세기
1724 영조
· 이인좌의 난(1728)
· 기유처분 발표(1729)
· 노비종모법 확정(1731)
· 탕평비 건립(1742)
· 『속대전』 편찬(1746)
· 균역법 시행(1750)
· 이중환, 『택리지』 저술(1751)
· 준천사 설치, 청계천 준설(1760)
· 임오화변(1762)
· 『동국문헌비고』 편찬(1770)
1776 정조
· 규장각 설치(1776)
· 박제가, 『북학의』 저술(1778)
· 『대전통편』 편찬(1785)
· 『무예도보통지』 간행(1790)
· 신해통공 반포(1791)
· 진산 사건, 신해박해(1791)
· 수원 화성 완공(1796)
1800 순조
· 정순 왕후 수렴청정 시작(1800)
· 공노비 해방(1801)
· 신유박해, 황사영 백서 사건(1801)
· 홍경래의 난 발발(1811)
1834 헌종
· 기해박해(1839)
· 병오박해(1846)
1849 철종
· 신해허통(1851)
· 최제우, 동학 창시(1860)
· 김정호, 대동여지도 제작(1861)
· 임술 농민 봉기 발발(1862)
· 삼정이정청 설치(1862)
· 고종 즉위, 흥선 대원군 집권(1863)

01 조선 후기의 정치

1 통치 체제의 변화

학습 포인트
양난 이후 비변사의 변천과 조선 후기 군사 제도의 변화 내용을 살펴본다.

빈출 핵심 포인트
비변사, 훈련도감, 5군영, 속오군

1 정치 구조의 변화

1. 배경

농민들의 농지 이탈 현상이 심화되는 가운데 집권층은 정치, 군사, 경제 등 여러 면에서 개혁을 추진하여 사회 변화에 대처하려 하였다.

2. 비변사의 기능 강화

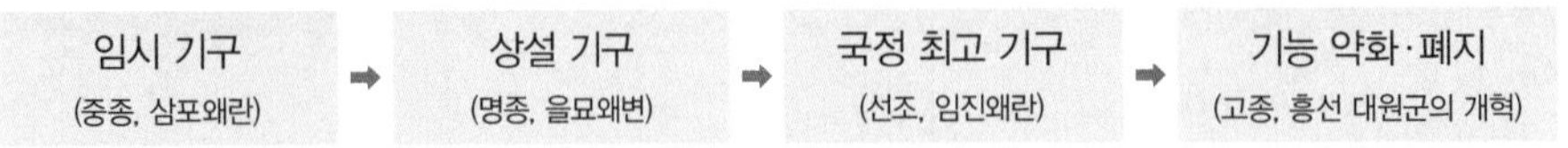

| 비변사의 변천 과정

(1) **설치:** 비변사는 16세기 중종 초 삼포왜란(1510)을 계기로 여진족과 왜구의 침입에 대비하기 위한 임시 회의 기구로 설치되었다. 이 시기에 비변사는 국방 문제에 정통한 지변사재상을 중심으로 운영되었다.

(2) **상설 기구화:** 국방의 중요성이 강조되면서 16세기 중엽 을묘왜변(1555, 명종) 이후 비변사가 상설 기구화되었다.

(3) **기능 확대**

① **배경:** 임진왜란 중 국가적 위기 타개에 필요한 정책 수립과 집행을 위해 고위 관원들이 함께 모일 회의 기구의 필요성이 증대되었다.

② **구성원 확대:** 임진왜란 이후 전·현직 정승을 비롯하여 공조를 제외한 5조의 판서와 참판, 각 군영 대장, 대제학, 강화 유수 등 국가의 중요 관원들로 구성원이 확대되었다.

③ **결과:** 임진왜란 이후 비변사는 군사 문제뿐만 아니라 외교, 재정, 사회, 인사 문제 등 거의 모든 정무를 총괄하게 되면서 국가 최고 정무 기구로 발전하였다.

④ **영향:** 비변사의 기능이 강화되면서 왕권이 약화되었고, 의정부와 6조 중심의 행정 체계가 유명무실화되었다. 특히 19세기에 이르러 비변사는 세도 정치의 중심 기구가 되었다.

비변사(備邊司)의 의미
- 변방의 일을 준비하는 관청
- 비국(備局), 묘당(廟堂), 주사(籌司)라고도 함

지변사재상
변방 사정과 군사에 밝은 종2품 이상의 문무 재상들을 지변사재상(知邊事宰相)으로 정하고 중요한 군사 문제들이 제기되면 그들이 모여 대책을 의논하도록 하였다.

비변사의 구성원 확대 기출사료
중앙과 지방의 군국 기무를 모두 관장한다. …… 도제조(都提調)는 현임과 전임 의정이 겸임한다. 제조는 정수가 없으며, 왕에게 아뢰어 차출하되 이조·호조·예조·병조·형조의 판서, 훈련도감과 어영청의 대장, 개성·강화의 유수, 대제학이 예겸한다. 4명은 유사당상(有司堂上)이라 부르고 부제조가 있으면 예겸하게 한다. 8명은 팔도구관당상을 겸임한다.
－『속대전』

▶ 임진왜란 이후 비변사의 구성원에 포함되는 고위 관원들이 점차 늘어나면서 비변사가 국가 최고 정무 기구로 발전하였다.

(4) 축소·폐지: 비변사는 흥선 대원군의 개혁으로 기능이 축소되었고, 일반 정무는 의정부가, 국방 문제는 삼군부가 담당하게 되면서 폐지되었다.

기출 사료 읽기

비변사의 기능 강화

김익희가 상소하여 말하기를, "임시로 비변사를 설치하였는데, 재신(宰臣)으로서 이 일을 맡은 사람을 지변재상(知邊宰相)이라고 불렀습니다. 그러나 이것은 일시적인 전쟁 때문에 설치한 것으로 국가의 중요한 모든 일들을 참으로 다 맡긴 것은 아니었습니다. 오늘에 와서 큰 일이건 작은 일이건 중요한 것으로 취급되지 않는 것이 없는데, 정부는 한갓 헛이름만 지니고 육조는 모두 그 직임을 상실하였습니다. 명칭은 변방의 방비를 담당하는 것이라고 하면서 과거 시험에 대한 판하(判下)나 비빈(妃嬪)을 간택하는 등의 일까지도 모두 여기를 경유하여 나옵니다."라고 하였다. -『효종실록』

사료 해설 | 비변사의 기능이 점차 강화됨에 따라 의정부와 6조 중심의 행정 체계는 유명무실해지고 왕권은 약화되었다.

2 군사 제도의 변화

1. 중앙군의 개편

(1) 배경

① **5위제의 기능 상실:** 16세기 이후 군역에서 대립(사람을 구해서 역을 대신 지게 하는 것)이 일반화되면서 5위를 중심으로 한 중앙군이 제대로 된 기능을 발휘하지 못하였다.

② **임진왜란 초기의 패전:** 임진왜란 초기에 패전이 거듭되자, 왜군을 물리치는 데 효과적인 군대 편제와 훈련 방식을 모색하였다.

(2) 5군영 설치

① **5군영 체제**

㉠ 훈련도감(1593, 선조)

설치	· 임진왜란 중 유성룡의 건의로 설치 · 명의 장수 척계광이 지은 『기효신서』를 참고하여 훈련법 습득
구성	포수(총) · 사수(활) · 살수(칼과 창)의 삼수병으로 구성
특징	· 장기간 근무를 하고 일정한 급료를 받는 상비군으로, 의무병이 아니라 일종의 직업군 · 훈련도감 군인들의 급료를 위해 삼수미세 징수
기능	· 국왕을 숙위하고 서울을 방어하며, 수도를 수비하는 역할 담당 · 지방군의 훈련 담당

㉡ **어영청(1623, 인조):** 인조반정 이후 서인 정권이 후금의 침입에 대비하기 위하여 설치하였다. 이괄의 난 이후 기능이 더욱 강화되었고, 효종이 북벌 정책을 추진할 때 중앙군으로 편성하여 수도 방어와 북벌을 담당하게 하였다.

㉢ **총융청(1624, 인조):** 인조 때 이괄의 난을 진압한 후 설치되었으며, 북한산성 중심으로 개성, 남양 등 경기 북부 일대를 방어하였다. 경비를 스스로 부담하는 경기도 속오군이 배치되었다.

훈련도감 기출사료

선조 26년(1593) 10월 국왕의 행차가 서울로 돌아왔으나 …… 이때 왕께서 도감을 설치하여 군사를 훈련시키라고 명하시고 나를 도제조로 삼으셨다. …… 얼마 안 되어 수천 명을 얻어 조총 쏘는 법과 창칼 쓰는 기술을 가르치고 초관과 파총을 세워 그들을 거느리게 하였다. 또 당번을 정하여 궁중을 숙직하게 하고, 국왕 행차가 있을 때 이들로써 호위하게 하였다. - 유성룡, 『서애집』

▶ 훈련도감은 임진왜란 중에 설치되어 **삼수병**으로 편성되었고, **상비군**으로서 급료를 지급받았다.

어영청의 확대

어영청은 **북벌**을 국시(國是)로 삼았던 **효종 대에 크게 확장**되었다. 효종 2년(1651) 8월, 국왕은 이완(李浣)을 어영 대장에 임명하였고, 이완은 이듬해 어영청을 대대적으로 개혁하였다. 그 결과 정원이 2만 1,000명으로 증원되어 이전의 3배에 달하였다.

㉣ **수어청**(1626, 인조): 남한산성을 중심으로 광주 및 그 부근 일대를 방어하였다. 경비를 스스로 부담하는 경기도 속오군이 배치되었다.

㉤ **금위영**(1682, 숙종): 병조 소속의 군대인 정초군과 훈련도감 소속의 훈련별대를 합하여 설치한 것으로, 궁궐 수비를 담당하는 번상병이며 유지 비용은 보(保)로 충당하였다. 금위영이 설치됨으로써 조선 후기 중앙군인 5군영 체제가 완성되었다.

② **5군영의 성격**

㉠ **임기응변적 설치:** 5군영은 국제 정세, 정권 유지의 필요성에 따라 임기응변적으로 설치되었다.

㉡ **서인의 군사적 기반**: 5군영은 국가의 국방력 강화를 위해 설치되었으나, 실제로는 서인 정권의 군사적 기반이 되어 서인의 일당 전제화를 뒷받침하였다.

5군영의 운영

5군영은 **수도 인근의 직업군**과 지방 각 지역에서 충원된 **번상병으로 구성**되어 실제 군사 훈련 성과와 효용이 높지 않았다. 또한 5군영은 **후임 대장을 군영 대장이 내정**한 뒤 국왕의 형식적인 결재를 받는 **자천제**(自薦制)를 실시하여 **서인의 일당 전제화를 뒷받침**하였다.

2. 지방군의 방어 체제

(1) 개편 과정

① **초기**: 세조 때부터 각 지역의 중요 지역(거진)을 집중 방어하는 진관 체제를 실시하였다.

② **15세기 이후**: 대립과 방군수포제 등 군역의 문란으로 진관 체제가 유명무실화되었다.

③ **16세기 후반**: 16세기 후반에 농민의 유망 및 수포군화(收布軍化)로 병력이 격감하자 유사시에 각 지역의 병력을 동원하여 방어가 필요한 곳에 집결시키고, 중앙에서 파견되는 장수가 지휘하게 하는 제승방략 체제를 채택하였다.

④ **임진왜란 발발 이후**: 임진왜란이 전개되고 있는 상황에서 제승방략 체제의 한계가 드러났고, 이에 지방군을 속오법에 따라 속오군 체제로 정비하여 진관 체제를 복구하였다.

(2) 속오군

① **편성**: 양반에서 노비까지 전 계층이 편성되었다(양천 혼성군). 평상시에는 생업에 종사하고 농한기에 군사 훈련을 받았으며, 유사시에 전투에 동원되었다.

② **영향 및 문제점**: 속오군이 조직됨으로써 진관 체제의 기능이 회복되었으나, 양반들이 속오군 편성을 회피하여 상민과 노비들의 부담이 증가하였다.

속오군의 문제점

사간원이 아뢰기를, "병란(兵亂) 이후 일반 백성을 편성하면서 공천(公賤)이나 사천(私賤) 및 잡류(雜類)를 따지지 않고 속오군(束伍軍)으로 편성했는데, 그 의도는 대개 무예(武藝)를 훈련하여 돌발 사태에 대비하려는 것이었습니다. 그런데 지금은 속오군의 역(役)이 정군(正軍)보다 갑절은 되고 본관(本官)에 조금이라도 백성들을 부역시킬 일이 있으면 속오군을 데려다가 부리므로 부역에 시달려 조금도 쉴 수가 없습니다."라고 하였다.

- 『선조실록』

▶ 속오군에는 양반부터 노비까지 모두 편성되었지만 **양반들이 이를 회피**하게 되면서 **상민과 노비의 부담이 증가**하였다. 이후 영조 무렵에는 천예군(賤隸軍)이라 불릴 정도로 속오군 내 천인의 비중이 높아졌다.

필수 개념 정리하기

지역 방어 체제의 변천

방어 체제	내용	문제점
진관 체제 (15세기, 세조)	· 지역 단위의 소규모 방어 체제(진관=군현) · 각 도에 병영, 수영을 설치하고 그 아래에 거진 설치 → 거진 중심의 방어	적의 소규모 침입에는 효과적이지만, 대규모 침입에 취약
제승방략 체제 (16세기, 명종~선조)	· 총동원 체제(지역 연합 방어 체제) · 중요 지점에 각 지방의 병력을 집결한 후 중앙에서 파견된 장수가 통제	· 현지 실정을 잘 알지 못하는 사람이 지휘관이 됨(신속한 대처 불가) · 1차 방어선 붕괴 시 후방 방어 어려움 → 임진왜란 초기 패전의 원인
속오군 체제 (왜란 중, 선조)	· 진관 체제 복구, 속오법에 따라 군대 편제 · 평상시 생업에 종사, 유사시 전투에 동원	양반들의 회피 → 상민과 천민의 부담 가중

OX 빈칸 핵심 개념 점검

* 학습한 개념을 OX/빈칸 문제를 통해 점검해보세요.

핵심 개념 1 | 비변사의 기능 강화

01 비변사는 의정부를 견제하고 왕권을 강화하는 역할을 하였다. □ O □ X

02 비변사는 붕당 정치의 폐단을 막기 위해 설치되었다. □ O □ X

03 비변사는 의정부의 의정과 공조 판서를 제외한 판서 등 주요 관직자가 참여하는 합좌 기관이었다. □ O □ X

04 비변사는 임진왜란이 끝난 후 위상이 추락하였다. □ O □ X

05 비변사는 ________을 계기로 설치된 임시 관청이며, 1555년에 ________을 계기로 정식 관청이 되었다.

06 비변사는 고종 때 ________에 의해 폐지되었다.

핵심 개념 2 | 중앙군의 개편

07 훈련도감에서는 척계광의 『기효신서』를 참고하여 훈련하였다. □ O □ X

08 훈련도감은 포수, 사수, 살수로 조직되었다. □ O □ X

09 훈련도감의 군인은 근무를 하고 일정한 급료를 받는 상비군이었다. □ O □ X

10 17세기에 완비된 5군영은 어영청, 총융청, 수어청, 금위영, 장용영으로 구성되었다. □ O □ X

11 조선 후기에는 훈련도감 등 5군영이 설치되어 남인의 권력을 뒷받침하였다. □ O □ X

12 ________은 임진왜란을 겪으면서 유성룡의 건의를 받아 설치되었다.

13 ________은 북한산성을 중심으로 경기 북부 일대를 방어하였다.

14 조선 후기 5군영은 어영청 → 총융청 → ________ → 금위영의 순서로 완성되었다.

15 숙종은 훈련별대를 정초군과 통합하여 ________을 발족시켰다.

핵심 개념 3 | 지방군의 개편

16 진관 체제는 유사시 중요 방어처에 각 지역의 병력을 동원하고 중앙에서 파견된 장수가 이를 지휘하는 체제이다. □ O □ X

17 임진왜란이 발생하자 진관을 폐지하고 제승방략 체제를 수립하였다. □ O □ X

18 진관 체제는 지역 단위의 방어 체제이며, 지방 수령이 지휘관을 겸임하였다. □ O □ X

19 속오군은 신분 구분 없이 노비에서 양반까지 편성되었다. □ O □ X

20 ________ 체제는 1차 방어선이 무너지면 후방에 방어선이 없어 방어 체제가 쉽게 무너진다는 단점이 있다.

정답과 해설

01	× 비변사의 기능이 확대되면서 의정부와 6조 중심의 통치 체제가 무너졌고, 왕권도 약화되었다.	11	× 5군영은 남인이 아닌 서인 정권의 군사적 기반이 되었다.
02	× 비변사는 여진족과 왜구의 침입에 대비하기 위해 설치되었다.	12	훈련도감
03	O 비변사에는 의정부의 3정승과 5조의 판서(공조 제외), 각 군영 대장, 대제학, 강화 유수 등이 참여하여 비변사 운영을 주도하였다.	13	총융청
04	× 비변사는 임진왜란 이후 국가 최고 정무 기구로 발전하여 의정부의 기능을 약화시켰다.	14	수어청
05	삼포왜란, 을묘왜변	15	금위영
06	흥선 대원군	16	× 제승방략 체제에 대한 설명이다.
07	O 선조 때 유성룡의 건의로 척계광의 『기효신서』를 참고하여 훈련도감을 설치하고 군사들을 훈련시켰다.	17	× 제승방략 체제는 임진왜란이 일어나기 전인 16세기 후반에 수립되었다.
08	O 훈련도감은 포수, 사수, 살수의 삼수병으로 조직되었다.	18	O 진관 체제는 지역 단위의 방어 체제로, 지방 수령이 지휘관을 겸임하였다.
09	O 훈련도감의 군인은 장기간 근무를 하고 일정한 급료를 받는 상비군으로, 의무병이 아니라 일종의 직업 군인이었다.	19	O 조선 후기 지방군인 속오군은 신분의 구분 없이 노비에서 양반까지 편성되었다.
10	× 장용영이 아닌 훈련도감이 5군영에 속한다.	20	제승방략

2 정쟁의 격화와 탕평·세도 정치

학습 포인트
붕당 정치의 전개 과정에서 발생한 예송 논쟁, 환국 등 정치적 사건을 살펴본다. 또한 붕당 정치의 폐해를 극복하기 위한 영조, 정조의 탕평 정치를 중점적으로 학습하고, 서로 비교해 보는 것이 좋다. 마지막으로 세도 정치의 전개 내용과 그 시기에 발생한 폐단 등을 파악한다.

빈출 핵심 포인트
기해예송, 갑인예송, 경신환국, 기사환국, 갑술환국, 완론 탕평, 준론 탕평, 초계문신제, 규장각, 장용영, 수원 화성

1 붕당 정치의 전개

1. 인조(1623~1649) ~ 효종(1649~1659)

(1) **인조반정**(1623): 서인은 광해군의 폐모살제(인목 대비를 유폐하고 영창 대군을 살해한 것)와 중립 외교 정책을 구실로 인조반정을 일으켰다. 이때, 서인의 주도 하에 남인이 반정에 참여하였으며, 반정의 결과 광해군과 북인 정권이 몰락하였다.

(2) **정국 운영**: 서인과 남인 일부가 연합하여 정국을 운영하였고, 서로의 학문적 입장을 인정하며 상호 비판적인 공존 체제를 형성하였다.

(3) **산림(山林)의 여론 주재**: 산림이란 학식과 덕망을 겸비한 각 학파의 지도적 인물을 의미하는데, 이들은 재야에서 여론을 주재하였다. 효종 대에는 송시열, 송준길 등 산림 인사들을 중용하여 북벌을 전개하였다.

(4) **정치적 여론 반영**: 각 붕당은 서원을 중심으로 공론을 형성하고, 이 공론을 자기 학파의 관리들을 통해 중앙 정치에 반영하였다. 공론이 중시되면서 합좌 기구인 비변사와 언론 기관인 3사의 기능이 중시되었다.

2. 현종(1659~1674)

(1) **붕당 정치 유지**: 현종이 즉위하였을 때에는 인조 때부터 정권을 잡은 서인이 우세한 가운데 이들이 남인 일부와 연합하여 상호 공존하는 형태가 유지되고 있었다.

(2) **예송 논쟁**

① **원인**: 효종의 왕위 계승에 대한 정통성과 관련하여 서인과 남인 사이에 두 차례의 예송이 발생하였다.

② **서인의 입장**: 왕실도 사대부와 같은 예법을 따라야 한다고 주장하였다(신권 강화).

③ **남인의 입장**: 왕실의 예는 사대부의 예와 다르다고 주장하였다(왕권 강화).

④ **1차 예송 논쟁**(기해예송, 1659): 효종이 죽은 후 인조의 계비인 자의 대비(효종의 계모)의 복상 기간을 둘러싸고 일어난 논쟁이다. 이때 서인은 1년설(기년설), 남인은 3년설을 주장하였는데, 서인의 주장이 받아들여졌다.

⑤ **2차 예송 논쟁**(갑인예송, 1674): 효종비가 죽은 후 자의 대비의 복상 기간을 둘러싸고 일어난 논쟁으로, 서인은 9개월설(대공설), 남인은 1년설(기년설)을 주장하였다. 이때, 남인의 주장이 받아들여짐으로써 서인의 세력이 약화되고 남인 중심으로 정국이 운영되었다.

효종의 정치

북벌 정책 추진	· 남한산성을 복구하고 어영청 확대 · 조총과 화포 개량(하멜)
산림 인사 중용	송시열, 송준길 등 산림 인사 등용
기타	· 시헌력 채택 · 설점 수세제 시행 · 상평통보 주조·유통 노력 · 『농가집성』 간행

공론

조정에서 어떤 **정책을 논의할 경우**, 각 붕당은 그 정책이 이론적으로 타당한지 검토하고, **여론을 광범위하게 수렴하면서 토론**을 벌였다. 이렇게 **수렴된 여론**을 공론이라고 한다. 그러나 붕당이 적극적으로 내세운 공론도 백성의 의견을 반영하는 것이 아니라 **지배층의 의견을 수렴**한 것이라는 한계를 지니고 있었다.

예송의 의미

예송은 의례를 둘러싼 논쟁을 말한다. 효종과 효종비는 효종의 계모인 자의 대비보다 먼저 죽었는데, **자의 대비가 죽은 아들과 며느리의 상복을 얼마 동안 입어야 하는지의 문제**를 둘러싸고 예송이 벌어졌다. 『주자가례』에 따르면, 어머니보다 장남이 먼저 죽으면 어머니는 3년 상복을, 차남부터는 1년 상복을 입는 것으로 되어 있었다. 문제는 효종이 인조의 장남이 아닌 차남이라는 것에서 비롯되었다. **서인**은 '효종이 선왕의 혈통이기는 하나 **적장자가 아님(체이부정, 體而不正)**'을 들어 **왕과 사대부에게 동일한 예(효종 장례: 1년설, 효종비 장례: 9개월설)가 적용되어야 한다고 주장**하였다. 반면 **남인**은 **왕에게는 사대부와 다른 예가 적용되므로, 왕위를 계승한 효종 및 효종비의 장례는 장자의 예법(효종 장례: 3년설, 효종비 장례: 1년설)을 따라야 한다고 주장**하였다.

⑥ **결과**: 남인의 우세 속에 서인이 공존하는 정국이 경신환국(숙종) 전까지 유지되었다.

기출 사료 읽기

예송

· 좌참찬 송준길(서인)이 상소하기를, "…… 대신들 뜻이 모두 국조 전례에 자식을 위하여 3년복을 입는 제도는 없고 고례(古禮)로 하더라도 명명백백하게 밝혀 놓지 않았기 때문에, 혹시 후일 후회스러운 일이 있을지 모르니 차라리 국조 전례를 그대로 따르는 것이 좋다고 하였습니다. 그리하여 신도 다른 소견 없이 드디어 기년제로 정했던 것입니다. …… 둘째 적자(嫡子) 이하는 통틀어 서자(庶子)라고 한다는 뜻을 분명히 밝혀놓았고, 그 아래에 "체(體)는 체이나 정(正)이 아니라고 한 것은 바로 서자로서 뒤를 이은 자를 말한다" 하였습니다. 그런데 허목(남인)은 그 '서자'를 꼭 첩의 자식으로 규정지으려 하고 있습니다." -『현종실록』

· 기해년의 일은 생각할수록 망극합니다. 그때 저들이 효종 대왕을 서자처럼 여겨 대왕 대비의 상복을 기년복(1년 상복)으로 낮추어 입도록 하자고 청했으니, 지금이라도 잘못된 일은 바로잡아야 하지 않겠습니까? -『현종실록』

사료 해설 | 효종 사후에 발생한 기해예송(1차 예송 논쟁) 때 서인은 1년설(기년설), 남인은 3년설을 주장하였고, 효종비 사후에 발생한 갑인예송(2차 예송 논쟁) 때 남인은 1년설(기년설), 서인은 9개월설(대공설)을 주장하였다. 기해예송 때는 서인의 주장이 채택되었고, 갑인예송 때는 남인의 주장이 채택되었다.

2 붕당 정치의 변질

1. 전개 과정

(1) **붕당의 대립 격화**: 초기에는 서인과 남인이 상호 공존하며 비판하는 붕당 정치의 원칙을 잘 유지해 나갔으나, 예송 논쟁을 계기로 각 붕당 간의 대립이 격화되었다.

(2) **붕당 정치의 변질**: 경신환국을 통해 서인이 집권한 뒤 붕당 정치의 원칙이 무너지고, 특정 붕당이 정권을 독점하면서 상대 세력의 존재를 인정하지 않는 일당 전제화의 추세가 대두하였다.

2. 붕당의 대립 심화

(1) **서인의 분열**(경신환국과 회니시비): 경신환국 이후 집권한 서인 내부에서 남인에 대한 강경론(노장 세력)과 온건론(신진 세력)의 대립·갈등이 심화되었고, 결국 서인이 노론(강경파)과 소론(온건파)으로 분열되었다.

(2) **붕당의 대립**: 초기에는 남인·노론·소론이 대립하였으나, 갑술환국으로 남인이 몰락한 이후 노론과 소론의 대립이 심화되었다.

3 탕평론의 대두

1. 배경

붕당 정치가 변질되면서 정치 집단 간의 세력 균형이 무너지고, 왕권이 불안해졌다.

회니시비(懷尼是非)

서인의 거두 송시열과 남인의 중심 윤휴가 서로 대립하자, 윤휴와 친분이 있던 윤증(송시열의 제자)의 아버지 윤선거가 이를 중재하려고 하였다. 그러나 이로 인하여 오히려 윤선거와 송시열의 사이가 나빠졌다. 윤선거 사후 아들 윤증이 자신의 스승인 송시열에게 아버지의 묘지문을 써주길 청하였으나 송시열은 감정적으로 기술한 무성의한 문장을 써주었다. 이로 인해 사제의 연이 끊어지고 서인이 노론과 소론으로 분열하게 되는 계기가 되었다. 회니시비라는 명칭은 송시열의 거주지는 회덕(懷德)이고, 윤증의 거주지는 이성(尼城)이었기 때문에 붙여진 이름이다.

박세채의 탕평론

어질고 능력이 있어 쓸 만한 자는 실로 죄를 씻어 주어 그로 하여금 스스로 새롭게 하도록 함으로써, 원통함을 품거나 인재를 빠뜨리는 탄식이 없게 해야 합니다. 비록 다시 들어온 자가 털끝만큼이라도 편중(偏重)될 근심이 있을 경우 더욱 징계하고 격려한다면 거의 공경하는 아름다움이 이르게 될 것입니다. 그러나 그 대체는 참으로 전하께서 우뚝하게 자립하여 인륜을 살피시고 본성을 다하는 것이 아니면, 황극(皇極)의 도를 세워 그것으로 비춰 보며, 옳고 그름과 맑고 사특한 것으로 하여금 형감의 아래에서 도망할 수 없게 할 수 있겠습니까? 피차를 의논할 것 없이 어진 자는 반드시 나아가게 하고 어질지 못한 자는 반드시 물러나게 하여 평이하고 명확한 이치를 밝히소서. -『숙종실록』

▶ 당시 대부분의 정치가들이 탕평을 위해서는 노론과 소론이 화해해야 한다고 생각했던 것과 달리 **박세채는 노·소 보합이라는 토대에서 남인은 물론 과거 북인까지 규합할 것을 주장**하였다. 또한 왕권의 중요성을 강조하고 국왕의 정치적 조정이나 결단을 보장하고자 하였다.

2. 숙종(1674~1720)

(1) 탕평책 실시

① **목적**: 공평한 인사 관리를 통해 붕당 간의 세력 균형을 유지하고자 하였다.

② **한계**: 명목적인 탕평과 편당적인 인사 조치로 환국이 일어나는 빌미를 제공하였다.

(2) 환국 발생

① **경신환국**(1680, 경신대출척)

㉠ **원인**: 숙종 초에 윤휴와 허적 등 남인이 정국을 주도하였다. 그러나 군사력 장악을 목적으로 북벌론을 내세우며 도체찰사부를 부활시킨 것과, 허적이 왕실용 기름 천막을 허락 없이 사용한 사건(유악 남용 사건) 등으로 남인은 숙종의 불신을 샀다. 이와 함께 서인들이 허적의 서자 허견 등이 모반을 꾀했음을 숙종에게 고발하였다(삼복의 변).

㉡ **결과**: 윤휴와 허적 등은 처형당하고 나머지 남인들도 축출됨으로써 서인이 대거 등용되었다. 한편 서인은 경신환국 이후 남인에 대한 처벌 문제를 두고 노론(강경파)과 소론(온건파)으로 분화되었다.

② **기사환국**(1689)

㉠ **원인**: 희빈 장씨가 낳은 아들(경종)의 원자 정호 문제로 인해 일어났다.

㉡ **결과**: 숙종은 희빈 장씨(후궁) 소생의 왕자를 원자로 정하려는 자신의 뜻에 반대한 서인들을 몰아내고 남인을 등용하였다. 이때 서인의 영수인 송시열이 제주도에 유배되었다가 사사되었다. 기사환국 이후 숙종은 인현 왕후를 왕비에서 폐하고, 희빈 장씨를 왕비로 책봉하였다.

③ **갑술환국**(1694)

㉠ **원인**: 서인(김춘택 등)이 폐비 민씨(인현 왕후)의 복위 운동을 전개하자, 남인이 이를 탄압하였다.

㉡ **결과**: 숙종이 서인의 편을 들어 남인이 몰락하고 서인이 재집권하게 되었고, 인현 왕후가 복위되고 장씨가 희빈으로 강등되었다.

(3) 노론과 소론의 대립: 경신환국 이후 집권한 서인은 남인에 대한 처벌을 놓고 강경론을 주장한 노론과 온건론을 주장한 소론으로 분열하였다. 송시열 중심의 노론은 대의명분을 중시하고, 윤증 중심의 소론은 실리를 중시하는 경향을 보였다. 한편 갑술환국 이후에는 정계에서 남인이 축출되면서 노론과 소론의 쟁론이 심화되었다.

구분	노론	소론
인물 구성	노장파(송시열 중심)	소장파(윤증, 박세채 중심)
주요 주장	대의명분 중시, 민생안정	실리 중시, 적극적인 북방 개척
성향	보수적	진취적
학문적 경향	성리학 절대주의	성리학에 대한 탄력적 이해
정치적 입장	영조(연잉군) 지지	경종 지지

(4) 노론의 일당 전제화: 인현 왕후가 병으로 죽자(1701), 희빈 장씨가 인현 왕후를 무고했다는 이유로 사사되었다(무고의 옥, 1701). 무고의 옥 이후 희빈 장씨 및 남인에게 우호적이었던 남구만 등의 소론이 몰락하고 노론이 정국을 주도하였다.

유악 남용 사건

궐내에 보관하던 기름 먹인 장막을 허적이 다 가져갔음을 듣고, 임금이 노하여 "궐내에 쓰는 장막을 마음대로 가져가는 것은 한명회도 못하던 짓이다."라고 말하였다. 시종에게 알아보게 하니, 잔치에 참석한 서인은 몇 사람뿐이었고, 허적의 당파가 많아 기세가 등등하였다고 아뢰었다. 이에 임금이 남인을 제거할 결심을 하였다. …… 허적이 잡혀오자 임금이 모든 관직을 삭탈하였다.

- 『연려실기술』

▶ 숙종이 남인의 영수인 허적의 가문 행사 날 비가 내리자 왕실의 유악(기름 장막)을 쓸 것을 명하였으나, 이미 허적이 가져간 것을 알고 크게 노하여, **남인이 장악하고 있던 군권을 서인에게 넘기는 등의 조치를 취하였다.**

삼복의 변

숙종 때 김석주(서인) 등이 '당시 **남인의 영수였던 허적의 서자 허견**이 인조의 손자이며 인평 대군의 아들(숙종의 5촌)인 **복창군, 복선군, 복평군 3형제(3복)와 역모를 꾀하였다'고 고발**하였다. 이 사건으로 허견과 3복뿐 아니라 허적, 윤휴 등 많은 남인계 인물들이 죽었고, 100여 명이 넘는 남인들이 처벌되었다.

기사환국

전교하기를, "나라의 근본이 정해지기 전에는 임금의 물음에 따라 각각 소견대로 진달하는 것이 혹 가하지만, 명호를 이미 정한 지금에 와서 송시열이 산림의 영수로서 상소 가운데에 감히 송나라 철종의 일까지 끌어대어서 은연중 '너무 이르다.'고 하였다. …… 마땅히 멀리 귀양 보내야겠지만, 그래도 유신이니, 아직은 가벼운 법을 좇아서 삭탈관작하고 성문 밖으로 내쫓는다." 하였다.

- 『연려실기술』

▶ 숙종은 희빈 장씨의 아들을 원자로 정하려는 것에 대해 서인 세력이 반대하자 서인의 중심 인물인 송시열을 삭탈관작하여 제주도로 유배보냈다. 송시열은 그해 사약을 받고 죽었다.

원자

원자는 국왕과 (정실)왕비 사이에 태어난 맏아들에게 주어지던 칭호로, 일반적으로 원자가 성장한 후 세자에 책봉되었다.

(5) **정유독대**(1717): 숙종이 노론의 영수 이이명과 독대하여 세자 교체 문제를 논의하였다(정유독대). 숙종은 세자(경종)가 병약하다는 이유로 숙빈 최씨의 아들 연잉군(영조)을 후사로 부탁하였는데, 경종을 지지하는 소론의 반발과 숙종의 질병으로 실패하였다.

(6) **금위영 설치**(1682): 금위영의 설치로 5군영 체제가 완성되었다.

(7) **경제 정책**: 대동법이 전국적으로 확대 실시되었으며, 상평통보가 법화로 채택되어 전국적으로 유통되었다.

(8) **백두산 정계비 건립**(1712): 숙종 때 간도 지역을 둘러싸고 청과 국경 분쟁이 발생하자 청의 목극등과 조선의 박권이 만나 백두산 일대를 답사하고 백두산 정계비를 건립하여 국경선을 확정하였다.

필수 개념 정리하기

숙종 때의 주요 사건

사건	내용	영향
경신환국(1680)	모반 혐의로 남인 몰락	서인 집권, 서인이 노론과 소론으로 분열
기사환국(1689)	장희빈 아들의 원자 책봉 문제를 둘러싸고 서인이 원자 책봉을 반대함	서인 몰락, 남인 집권
갑술환국(1694)	서인의 폐비 민씨 복위 운동 전개	남인 몰락, 서인 집권
무고의 옥(1701)	장희빈이 인현 왕후를 무고했다는 이유로 사사됨	소론 몰락, 노론 집권
정유독대 (1717)	세자 교체 논의 (노론에게 연잉군을 후사로 부탁)	경종 즉위 후 소론이 노론 숙청 (신임사화)

3. 경종(1720~1724)

(1) **노론과 소론의 대립 격화**: 경종 즉위 후 연잉군의 왕세제 책봉과 대리 청정 문제를 둘러싸고 노론과 소론의 대립이 격화되었다.

(2) **신임사화**(1721~1722): 경종이 즉위하자 노론은 그가 병약하다는 이유를 들어 이복동생 연잉군(후에 영조)을 세제로 책봉할 것과 세제의 대리 청정을 요구하였다. 소론은 이를 빌미로 김창집, 이이명 등의 노론 세력이 역모를 꾸미고 있다고 몰아 제거하였다. 이 사건은 신축년(1721)과 임인년(1722) 두 해에 걸쳐 일어나서 신임사화라고 한다.

4 영조(1724~1776)의 탕평 정치

1. 집권 초기

(1) **초기의 탕평책**: 영조는 왕권 강화와 정치 안정화를 위해 즉위 직후 탕평 교서를 발표하여 탕평에 대한 강력한 의지를 표명하였다. 그러나 노론과 소론을 번갈아 기용하는 편당적 조치로 정국을 어지럽게 하였다.

영조의 탕평책 기출사료

(영조 4년) 참찬관 김시형이 말하기를 "당론의 폐단이 거의 1백 년이나 되었으니 어찌 갑자기 크게 변할 수 있겠습니까마는 세월을 두고 힘쓰면 혹 줄어드는 보람이 있을 것입니다. 위에서 지극한 정성으로 탕평하시면, 신하로서 어찌 감동하는 마음이 없겠습니까?" -『영조실록』

▶ 영조는 붕당 정치의 폐해를 없애기 위해 탕평책을 시행하였다.

① **을사처분**(1725): 영조는 정세가 안정되자 을사처분(을사환국)을 단행하여 신임사화를 일으킨 소론을 축출하였으며, 노론의 4대신과 당시 죽거나 처벌된 사람들의 죄를 모두 없애고 그 충절을 포상하였다. 이로써 다시 노론이 실권을 장악하였다.

② **정미환국**(1727): 노론이 정권을 다시 잡은 후 영조의 뜻을 따르지 않고 소론에 대한 보복을 고집하자 영조는 다시 노론을 내치고 소론을 불러들이는 조치를 취하였다.

③ **이인좌의 난**(1728)

㉠ **배경**: 정계에서 축출된 소론과 남인 일부 세력이 영조가 숙종의 아들이 아니며 경종의 죽음에 관계되었다고 주장하면서, 영조와 노론을 제거하고 밀풍군 이탄(소현 세자의 증손)을 왕으로 추대하고자 하였다. 그러나 새롭게 집권한 소론 온건파에 의해 정변 모의가 발각되었다.

㉡ **전개**: 이인좌를 대원수로 일어난 반란군이 안성을 중심으로 진격하여 청주성을 함락하고, 곡식을 풀어 백성들의 참여를 유도하였으나, 안성·죽산 전투에서 관군에게 패배함으로써 이인좌의 난은 실패하였다.

㉢ **결과**: 이인좌의 난이 실패로 돌아간 이후 노론이 권력을 장악하였고, 소론은 재기 불능의 상태가 되었다. 이 사건의 영향으로 정부에서는 지방 세력을 억누르는 정책을 강화하였고, 토착 세력에 대한 수령들의 권한이 커졌다.

이인좌의 난(1728)

이인좌 등 적이 청주성을 함락시켰다. …… 도순무사 오명항이 적을 격파하고 적의 괴수 이인좌 등을 서울로 보냈다. 백관이 군기시(軍器寺) 앞길에 차례로 서 있는 앞에서 역적의 괴수 이인좌를 참하였다. -『영조실록』

▶ 이인좌의 난은 **조선 후기 영조 때 소론과 남인 계열이 주도한 반란**이다. 이 난을 진압하는 데 병조판서 오명항 등 소론 인물들이 적극적으로 참여하였다.

(2) **기유처분**(1729): 이인좌의 난 이후 영조는 각 붕당 모두에 역적과 충신이 있으므로 붕당을 타파하고 각 붕당의 인재를 고루 등용할 것을 선언하였다.

기출 사료 읽기

붕당 정치의 폐해와 영조의 탕평 교서

· 붕당 정치의 폐해

신축·임인년 이래로 조정에서 노론·소론·남인의 삼색(三色)이 날이 갈수록 더욱 사이가 나빠져 서로 역적이란 이름으로 모함하니 이 영향이 시골에까지 미치게 되어 하나의 싸움터를 만들었다. 그리하여 서로 혼인을 하지 않을 뿐만 아니라 다른 당색(黨色)끼리는 서로 용납하지 않는 지경에 이르렀다. …… 대체로 당색이 처음 일어날 때에는 미미하였으나 자손들이 그 조상의 당론을 지켜 200년을 내려오면서 마침내 굳어져 깨뜨릴 수 없는 당이 되고 말았다. …… 근래에 와서는 사색(四色)이 모두 진출하여 오직 벼슬만 할 뿐, 예부터 저마다 지켜온 의리는 쓸모없는 물건처럼 되었고, 사문(斯文, 유학)을 위한 시비와 국가에 대한 충역은 모두 과거의 일로 돌려 버리니 ……

- 이중환, 『택리지』

· 영조의 탕평 교서

붕당의 폐해가 요즈음보다 심한 적이 없었다. 처음에는 유학 내에서 시비가 일어나더니 이제는 한쪽 편 사람들을 모두 역당으로 몰아붙이고 있다. …… 우리나라는 원래 땅이 협소하여 인재 등용의 문도 넓지 못하였다. 그런데 근래에 와서 인재 임용이 당에 들어 있는 사람만으로 이루어지니 …… 이러한 상태가 그치지 않는다면 조정에 벼슬할 사람이 몇 명이나 되겠는가. …… 조정의 대신들이 서로 공격하여 공론이 막히고 역당으로 지목하니 선악을 분별할 수 없게 되었다. 아! 임금과 신하는 부자(父子)와 같으니, 아비에게는 여러 아들이 있어 서로 시기하고 의심해 저쪽은 억제하고 이쪽만을 취한다면 그 마음이 편안하겠는가, 불안하겠는가? …… 유배된 사람은 경중을 헤아려 다시 등용하되 탕평의 정신으로 하라. 지금 나의 이 말은 위로는 종사를 위하고 아래로 조정을 진정하려는 것이니, 이를 어기면 종신토록 가두어 내가 그들과는 나라를 함께 할 뜻이 없음을 보이겠다. -『영조실록』

사료 해설 | 숙종 이후 하나의 당이 정권을 독점하는 일당 전제화의 경향이 대두하자 영조는 탕평 정치를 실시하고자 하였다. 이때 영조는 온건하고 타협적인 인물을 등용하는 완론 탕평을 실시하여 노론·소론·남인을 가리지 않고 등용하였다.

2. 완론 탕평 – 완만한 탕평

(1) 의미: 완론 탕평이란 붕당의 시비를 가리는 것이 아닌, 온건하고 타협적인 인물들로 구성된 탕평파를 등용한다는 것으로, 영조는 이들을 세력화하여 왕권을 뒷받침하였다.

(2) 붕당의 기반 제거

① **산림(山林) 부정 및 서원 정리**: 영조는 붕당의 뿌리를 제거하기 위해 공론의 주재자로 인식되던 산림의 존재를 인정하지 않았고, 붕당의 본거지인 서원을 대폭 정리하였다.

② **이조 전랑의 권한 약화**(1741): 영조는 이조 전랑의 권한을 약화시키기 위하여, 이조 전랑이 자신의 후임자를 천거하는 자대권(자천권)과 3사의 관리를 선발하던 통청권의 관행을 폐지하였다. 이와 함께 영조는 한림들이 자신의 후임을 자천하는 회천법도 폐지하였다. 그러나 이조 전랑의 자대권은 곧 부활하여 정조 때에야 완전히 폐지되었다.

③ **기타**: 영조는 탕평의 의지를 천명하고 붕당의 폐해를 경계하는 뜻으로 성균관 입구에 탕평비를 세웠다.

3. 영조 탕평책의 한계

(1) 근본적 해결 실패: 영조의 탕평책은 그동안 지속되어온 붕당 정치의 폐단을 근본적으로 해결한 것이 아니라 강력한 왕권으로 붕당 사이의 치열한 다툼을 일시적으로 억누른 것에 불과하였다.

(2) 노론 중심의 정국: 영조가 탕평책을 시행하고 한때 탕평의 원리에 따라 노론과 소론이 공존하였으나, 소론 강경파의 변란(이인좌의 난, 나주 괘서 사건) 등으로 소론의 정치적 입장이 약화되었고, 결국 노론이 정국을 주도하였다.

(3) 시파와 벽파의 분열

① **원인**: 사도 세자의 죽음(1762, 임오화변) 이후 중앙 정치 세력이 사도 세자의 신원 문제를 두고 시파와 벽파로 분열되었다.

② **시파와 벽파**

구분	시파	벽파
특징	· 사도 세자의 죽음을 애도하며, 그의 신원 회복을 통해 정조의 권위를 높이려는 입장 · 남인과 소론, 그리고 노론의 일부로 구성	· 사도 세자에 대한 영조의 처분이 정당하였음을 주장하며, 사도 세자의 신원에 반대하는 입장 · 대부분 영조를 지지하는 노론 강경파로 구성
중심 인물	사도 세자의 외척인 홍봉한	영조의 사돈인 김귀주(정순 왕후의 오빠)

4. 개혁 정책 추진

(1) 균역법 실시(1750): 군역의 부담을 줄이기 위하여 군포 부담을 2필에서 1필로 경감하는 균역법을 실시하였다.

(2) 군영의 정비: 붕당이 장악하였던 군권(軍權)을 병조에 귀속시켰으며, 도성 수비에 대한 명령인 수성윤음을 반포(1751)하여 백성들이 훈련도감·금위영·어영청 세 군영에서 훈련을 받고, 유사시 도성을 나누어 방위하는 체제를 확립하였다.

탕평비 건립(1742)

영조는 '원만하여 편당 짓지 않음은 곧 군자의 공정한 마음이고, 편당만 짓고 원만하지 않음은 바로 소인의 사사로운 마음이다.'라는 글이 새겨진 탕평비를 성균관 입구에 건립하였다.

영조 탕평책의 한계

영조의 완론 탕평은 붕당을 없애고 탕평파를 중심으로 정국을 운영하는 것이었지만 실제로 붕당 자체는 사라지지 않았다. 또한 탕평파를 외척으로 끌어들여 정국 안정을 도모한 탓에 영조 통치 후반에는 **척신 정치의 폐해**가 나타나게 되었다.

나주 괘서 사건

1755년(영조 31)에 소론 일파가 노론을 제거하기 위해 일으킨 역모 사건. 나주에서 소론 일파인 윤지 등이 거사를 일으키기 전 민심을 동요시키고자 나라를 비방하는 괘서를 붙였는데 이것이 발각되어 처형당하였다.

임오화변

노론·소론 및 궁중 세력의 갈등 과정에서, 영조의 아들인 사도 세자(장헌 세자, 정조의 아버지)가 뒤주(곡식을 담는 상자)에 갇혀 죽은 사건이다.

(3) **『속대전』 편찬**(1746): 『경국대전』 시행 이후 공포된 법령 중 시행할 내용을 정리하여 『속대전』을 편찬하였다.

(4) 사회 정책

① **형벌 제도 개선**: 압슬형, 낙형 등 가혹한 형벌을 폐지하고 사형수에 대한 삼복법(삼심제)을 엄격하게 시행하여 억울한 일이 없도록 하였다.

② **신문고의 부활**: 영조는 신문고를 다시 설치하였으며, 궁 밖에 자주 나가서 백성들을 만나 상언과 격쟁을 통해 직접 민의(民意)를 청취하였다.

③ **청계천 준설**: 준천사(濬川司)를 설치(1760)하여 청계천 준설 사업을 추진함으로써 홍수 때 범람을 막아 주거환경을 개선하였다.

④ **노비종모법 시행**: 양인의 수를 확보하기 위해 노비 자녀의 신분을 결정할 때 아버지가 노비이더라도 어머니가 양인일 경우 어머니의 신분을 따르도록 규정하였다.

⑤ **서얼 차별 완화**: 영조는 통청윤음(1772)을 내려 서얼들의 청요직 진출을 허용하였다.

기출 사료 읽기

영조의 민생 안정책

적전(籍田)을 가는 쟁기를 잡으시니 근본을 중시하는 거둥이 아름답고, 혹독한 형벌을 없애라는 명을 내리시니 살리기를 좋아하는 덕이 성대하였다. …… 정포(丁布)를 고루 줄이신 은혜로 말하면 천명을 받아 백성을 보전할 기회에 크게 부합되었거니와 위를 덜어 아래를 더하며 어염세(魚鹽稅)도 아울러 감면되고 여자·남자가 기뻐하여 양잠(養蠶)·농경(農耕)이 각각 제자리를 얻었습니다.

- 영조 대왕 시책문, 『영조실록』

사료 해설 | 영조는 민생을 안정 시키기 위해 형벌 제도를 개선하여 가혹한 형벌을 폐지하였으며, 군포를 2필에서 1필로 줄이는 균역법을 시행하였다. 이로 인해 줄어든 재정은 결작과 어염세 등으로 보충하게 하였다.

5. 편찬 사업

우리나라의 제도와 문물을 총망라한 한국학 백과사전인 『동국문헌비고』, 『국조오례의』를 보완하여 조선 후기 실정에 맞게 의례를 정비한 『속오례의』, 무예법을 재정리한 병서인 『속병장도설』 등을 편찬하였다.

5 정조(1776~1800)의 탕평 정치

1. 준론 탕평 – 적극적 탕평

(1) 새로운 인사 등용

① **척신·환관 제거**: 정조는 영조 때부터 세력을 키워온 척신과 환관 등을 제거하였다.

② **소론 및 시파 중용**: 정조는 그동안 권력에서 배제되었던 소론과, 채제공·이가환 등 남인 계열의 시파를 중용하였다.

(2) **능력 중시**: 정조는 각 붕당의 입장을 떠나 의리와 명분에 합치되고 능력 있는 사람을 중용하는 적극적인 탕평인 준론 탕평을 실시하여 왕권을 강화하였다.

신문고의 부활

(영조가) 국초(國初)에 있었던 전례에 따라 창덕궁의 진선문과 시어소(時御所)의 건명문 남쪽에 신문고를 다시 설치하도록 명하였다. 그리고 하교하기를, "…… 그리고 신문고의 전면과 후면에 '신문고'라고 세 글자를 써서 모든 백성이 알게 하라."고 하였다.

- 『영조실록』

▶ 신문고는 연산군 대에 이르러 폐지되었다가 영조 때 부활하였다. 이때에는 병조에서 신문고를 주관하였다.

상언과 격쟁

영조는 **일반 백성의 의견**이 **정치에 반영**될 수 있도록 상언과 격쟁 제도를 활성화시켰다. **상언은 상소와 마찬가지로 국왕에게 올리는 문서**인데 상소와는 달리 개인이 사적으로 올렸다. **격쟁은 임금 앞에서 징이나 꽹과리를 쳐서 직접 억울함을 호소하는 제도**로, 『속대전』에서 정식으로 법제화되었다.

청계천 준설

임금께서 집경당에 나아가 대신과 비국(비변사) 당상을 인견하였다. 좌의정 김상철(金尙喆)이 말하기를, "이번에 청계천을 준설하고 석축(石築)할 물력(物力)을 제때에 마련하지 않을 수 없습니다. 그런즉 관서(關西)의 무역 보관 중인 소미(小米) 1만 석을 3군문에 나누어 주어 청계천을 준설해야 할 것이옵니다." 하니 임금이 이를 윤허하였다.

- 『영조실록』

▶ 영조는 청계천 홍수 피해를 방지하기 위해 공사를 실시하였고, 공사에 대해 모두 정리·기록하여 『준천사실』과 『준천계첩』을 남겼다.

영조와 정조의 탕평 정치

영조	'완론' 탕평 - 붕당(당색)을 인정하지 않고, 강경적인 인물을 배제 - 온건하고 타협적인 인물(탕평파)을 중심으로 정국을 운영 → 정쟁을 억제
정조	'준론' 탕평 - 각 붕당의 주장이 옳고 그른지를 명백히 가리고, 인재를 고루 등용하는 적극적인 탕평책 - 의리와 명분, 절의를 강조 - 척신 세력을 정치에서 배제

2. 왕권 강화 정책

(1) 정조의 정치 사상

① **군주도통론**: 정조는 산림이 성리학의 정통을 이어받아 의(義)·리(理)를 주관한다는 산림도통론을 부정하고, 성리학의 정통이 군주에게 있음을 주장하였다.

② **만천명월주인옹**: 정조는 창덕궁 존덕정 현판에 자신을 가리키는 휘호인 '만천명월주인옹'을 썼는데, 이는 백성들에게 왕의 통치가 직접 전달될 수 있도록 하는 것이 목표임을 밝히며 강력한 왕권을 천명한 것으로 볼 수 있다.

기출 사료 읽기

> 정조의 정치 사상
>
> 국왕은 "탕평은 의리에 방해받지 않고 의리는 탕평에 방해받지 않은 다음에야 바야흐로 탕탕평평(蕩蕩平平)의 큰 의리라 할 수 있다. 지금 내가 한 말은 곧 의리의 탕평이지, 혼돈의 탕평이 아니다."라고 하였다. …… 국왕은 행차 때면 길에 나온 백성들을 불러 직접 의견을 들었다. 또한 척신 세력을 제거하여 정치의 기강을 바로 잡았고, 당색을 가리지 않고 어진 이들을 모아 학문을 장려하였다. 침전에는 '탕탕평평실(蕩蕩平平室)'이라는 편액을 달았으며, "하나의 달빛이 땅 위의 모든 강물에 비치니 강물은 세상 사람들이요, 달은 태극이며 그 태극은 바로 나다(만천명월주인옹)."라고 하였다.
>
> -『정조실록』
>
> **사료 해설** | 정조는 각 붕당의 입장을 떠나 능력 있는 인사를 등용하는 적극적인 탕평인 준론 탕평을 실시하였다. 또한 정조는 백성과 신하를 수많은 물에 비유하고 자신을 만물을 비추는 달에 비유하면서 초월적 군주를 자처하였다.

(2) 초계문신제 시행: 신진 인물이나 중·하급 관리 중에서 유능한 문신들을 재교육하여 인재를 양성하는 초계문신제를 시행하였다.

(3) 규장각 설치(1776)

① **목적**: 정조는 붕당의 비대화를 막고 자신의 권력과 정책을 뒷받침할 수 있는 능력 있는 인재를 양성하기 위해 강력한 정치 기구로 규장각을 육성하였다.

② **기능 확대**: 규장각은 본래 역대 왕의 글과 책을 수집·보관하기 위한 왕실 도서관의 역할을 하는 기구였으나, 정조는 비서실의 기능과 문한 기능을 통합적으로 부여하고 과거 시험 주관과 문신 교육의 임무까지 부여하였다.

③ **인재 등용**: 박제가·유득공·이덕무·서이수(규장각 4검서) 등 서얼 출신으로 능력 있는 자들을 규장각 검서관에 등용하기도 하였다.

(4) 장용영 설치

① **설치**: 장용영은 국왕의 신변을 보호하기 위한 친위 부대로, 내영은 한성에, 외영은 화성에 설치되었다.

② **목적**: 정조는 장용영을 통해 병권을 장악하여 각 군영의 독립적 성격을 약화시키고, 왕권을 뒷받침하는 군사적 기반을 마련하였다.

(5) 화성 건설(1796)

① **수원 육성**: 사도 세자의 묘를 수원으로 이전하여 현륭원이라 하고, 화성을 세워 정치적·군사적 기능을 부여하였으며, 상공인을 유치하여 자신의 정치적 이상을 실현하는 도시로 육성하였다.

군주도통론(君主道通論)

군주가 사문(斯文, 유학)의 지도자·계승자이며, 의리(義理)의 주인임을 주장한 이론이다. 정조는 이 논리에 따라 노론 벽파의 영수 김종수를 은퇴시키는 등 왕권 강화를 추진하였으나 이로 인해 노론 벽파의 강력한 반발과 저항을 받았다.

만천명월주인옹 기출사료

내가 바라는 것은 성인을 배우는 일이다. 비유하자면 달이 물속에 있어도 하늘에 있는 달은 그대로 밝다. 그 달이 아래로 비치면서 물 위에 그 빛을 발산할 때 용문(龍門)의 물은 넓고도 빠르고, 안탕(雁宕)의 물은 맑고 여울지며 …… 달은 하나이나 냇물의 갈래는 만 개가 된다. …… 나는 그 냇물이 세상 사람들이라는 것을 안다. 빛을 받아 비추어서 드러나는 것은 사람들의 상이다. 달이라는 것은 태극이요, 태극은 나이다.

-『홍재전서』

▶ 정조는 만천명월주인옹(만갈래 하천을 비추는 밝은 달과 같은 존재)을 자신의 자로 삼고 자신을 명월(明月)로, 백성들을 만천(萬川)으로 비유하여 **왕의 통치가 백성들에게 직접 전달되는 통치를 추구**하였다.

초계문신제 시행

문신으로 승문원에 분관(分館, 문과에 급제한 사람 중 승문원에서 실무를 익히도록 배치)된 사람들 가운데 참상(參上)이나 참외(參外)를 막론하고 정부에서 상의하여 37세 이하로 한하여 초계(抄啓, 뽑아 일깨워 줌)한다. -『정조실록』

▶ 초계문신제는 **37세 이하의 당하관 중 젊고 유능한 문신들을 선발**하여 **규장각에서 교육**을 시키고, **40세가 되면 졸업**시키는 제도였다.

현륭원

아버지의 무덤을 수원으로 옮긴 오늘 무덤의 칭호를 현륭(顯隆)이라 하노라. 아! 소자 불초가 하늘과 땅에 사무치는 원한을 품어 죽지 못하고 오늘에 와서 보니, 아득하고 완고한 토석과 같도다. 낳으신 보답의 큰 축복을 이루었으니 하늘이여, 인간의 소망을 하늘이 따라 주셨습니다.

-『정조실록』

▶ 현륭원은 정조의 생부인 사도 세자와 어머니 혜경궁 홍씨의 묘이다.

② **화성 행차**: 정조는 화성 행차 시에 상언과 격쟁을 통해 일반 백성들과 직접 접촉하는 기회를 확대하였으며, 그들의 의견을 수렴하여 정치에 반영하고자 하였다.

③ **기타**: 수원에 백성들의 일자리를 창출하고 화성 건축 비용을 충당하기 위해 국영 농장인 대유둔전을 설치하고, 수리 시설(만석거) 개선 등을 실시하였다.

(6) **수령의 권한 강화**: 정조는 수령이 군현 단위의 향약을 직접 주관하게 하여 지방 사족의 영향력을 줄이고 수령의 권한을 강화하였다. 이로 인해 지방에 대한 중앙 정부의 통제력이 강화되었다.

(7) **민생 안정책**: 정조는 서얼과 노비에 대한 차별을 완화하고, 장인 등록제를 폐지하여 민간 수공업자들이 자유롭게 생산 활동을 할 수 있도록 하였다.

3. 문물 제도 정비

(1) **특징**: 정조는 민생 안정과 문화 부흥에 힘썼으며, 서얼과 노비에 대한 차별을 완화하고 능력 있는 인재를 등용하여 문물 제도를 정비하였다.

(2) **신해통공**(1791): 정조는 신해통공을 반포하여 육의전을 제외한 시전의 금난전권을 폐지하고, 사상(私商)들의 자유로운 상업 활동을 보장하였다.

(3) **편찬 사업**: 정조는 전통 문화를 계승하면서 중국과 서양의 과학 기술을 적극적으로 받아들였으며, 중국 청나라 때 편찬된 백과사전인 『고금도서집성』을 수입하였다. 또한 정조 대에는 활자 주조가 활발하게 이루어졌는데, 동활자인 정유자(1777), 한구자(1782), 정리자(1796), 목활자인 생생자(1792) 등이 주조되어 많은 서적이 간행되었다.

『대전통편』	왕조의 통치 규범을 전반적으로 재정리(1785)
『일성록』	· 정조의 개인 일기 → 공식 국정 일기로 전환 · 임금의 동정과 국정 운영 상황을 매일 기록한 것으로, 1910년까지 꾸준히 작성 · 2011년 유네스코 세계 기록유산으로 등재
『증보동국문헌비고』	영조 때 편찬된 『동국문헌비고』를 개정하여 편찬
『무예도보통지』	· 이덕무, 박제가 등이 편찬한 종합 무예서 · 무예의 동작을 글과 그림을 통해 설명
『동문휘고』	조선 후기 대청, 대일 외교 문서 집대성
『홍문관지』	홍문관의 연혁과 고사(故事) 정리
『규장각지』	규장각의 연혁을 비롯한 제도와 의식 수록
『탁지지』	호조의 사례를 수집하여 정리
『추관지』	형조의 사례를 수집하여 정리
『춘관지』	예조의 사례를 수집하여 정리, 영조 시기 편찬된 것을 다시 증보
『규장전운』	이덕무 등이 편찬한 한자 운서(韻書, 한자의 운을 분류하여 일정한 순서로 배열한 서적), 당시 우리의 한자음과 중국의 한자음 연구에 귀중한 자료
『홍재전서』	정조의 시문집
『해동농서』	서호수가 편찬한 농서
『자휼전칙』	걸식하거나 버려진 아이들을 구휼하기 위한 방법을 규정한 법령집

수령의 권한 강화

"향촌의 사족들이 선비의 법도를 잊은 채, 사나운 기세로 백성을 짓누르는 일이 비일비재합니다. 수령은 임금의 대리인이자 애민(愛民)의 근원입니다. 앞으로 수령으로 하여금 향약을 직접 주관하게 하소서.

-『정조실록』

▶ 정조는 수령으로 하여금 향약을 주관하게 함으로써 수령의 권한을 강화시켜 중앙 정부의 지방에 대한 통제력을 강화하고자 하였다.

『대전통편』

정조께서 말씀하시기를 "아! 속전이 갑자년(1744, 영조 20)에 완성되었으나 선왕의 왕명 중 갑자년 이후의 것이 오히려 많은데, 감히 지금과 가까운 데 있는 것만 오로지 취하고 지금보다 먼 데 있는 것을 소홀하게 할 수 있는가. 또 『원전』과 『속전』이 각각 딴 책으로 되어 있어 살펴보기 어려우니, 내가 일찍이 그것을 걱정하였다. 마땅히 두 법전과 신구(新舊) 명령들을 모아서 한 책으로 통합하고자 두세 명의 재상에게 명령하여 그 일을 맡게 하고 대신이 그것을 총괄하도록 하였다. 책이 완성되었으니, 이름을 『대전통편(大典通編)』이라 한다."고 하셨다.

-『대전통편』

▶ 『대전통편』은 **『경국대전』과 『속대전』 및 그 뒤의 법령을 통합**하여 편찬한 법전이다.

V 조선의 변화 | 해커스공무원 한국사 기본서

(4) 문체 반정(文體反正)

① **배경**: 조선 후기에 이르러 박지원, 홍대용 등 북학파 인사들을 중심으로 전통적인 표현 양식에서 벗어나 다채롭고 독특한 신문체(新文體)를 사용하기 시작하였다(『열하일기』, 『양반전』, 『의산문답』 등).

② **내용**: 정조는 신문체가 모범적이지 못하고 불순하며, 자신의 정치 노선에 도전하는 것이라 생각하여 신문체를 금지하고 고문체(古文體)를 사용하게 하는 문체 반정을 전개하였다. 이후 정조는 문체가 불순한 자는 과거에 응시하지 못하도록 했고, 자송문(自訟文, 일종의 반성문)을 지어 바치도록 하였다.

③ **결과**: 정조의 노력에도 불구하고 신문체는 더욱 확산되어 소설적 문체와 사실주의적 표현 기법의 작품이 계속 인기를 끌었다.

문체 반정

임금이 일렀다. "요즈음 문체(文體)도 점차 그 수준이 낮아지고 있다. …… 문체가 옹졸한 자는 모두 과거 시험에 합격시키지 않는다면 저절로 교정이 되지 않겠는가. 일반 산문의 경우는 사육문(四六文)과 다른데, 또 어찌 볼 만한 작품이 없단 말인가. 경은 유생들을 깨우쳐 주어 조정에서 문체를 크게 바꾸려고 한다는 뜻을 알게 하라." -『정조실록』

▶ 문체 반정은 노론 벽파의 공격으로부터 남인 시파를 보호하기 위한 정조의 여론 조성 정책으로, 어느 정도 성공을 거두었다.

6 세도 정치의 전개

1. 세도 정치의 출현

(1) 배경: 정조 사후의 국왕들이 강력한 왕권을 행사하지 못하자 정치 세력간의 균형이 붕괴되고, 국왕이 배제된 채 몇몇 유력 가문의 인물에게 권력이 집중되었다.

(2) 의미: 세도 정치란, 특정 가문이 권력을 독점하는 정치 형태를 가리킨다. 정조가 죽은 후 순조·헌종·철종을 거치는 3대 60여 년 동안 안동 김씨나 풍양 조씨 같은 왕의 외척 세력이 권력을 행사하였다.

세도 정치의 의미

19세기 들어 특정 세력이 위임 받은 권력을 장악하고 전횡한다는 '세도 정치(勢道 政治)'는 **순조·헌종·철종 연간의 정치를 지칭하는 용어**가 되었다.

(3) 영향: 일당 전제 수준을 넘어 하나의 가문이 권력을 독점하면서 붕당 정치는 완전히 붕괴되었다. 또한 세도 정권은 사회적 기반이 없었기 때문에 향촌 사회를 장악하기 위해 지방 수령의 권한을 강화하였다.

2. 세도 정치의 전개

(1) 순조(1800~1834)

① **정순 왕후의 수렴청정**

㉠ **노론 벽파의 권력 장악**: 정조의 갑작스런 죽음으로 순조가 11세의 어린 나이에 즉위하자, 영조의 계비인 정순 왕후가 수렴청정을 하게 되면서 노론 벽파가 정권을 장악하였다.

㉡ **정조 개혁 이전으로 복귀**: 노론 벽파는 신유박해(1801)를 일으켜 정조가 규장각을 통해 양성한 인물들을 대거 몰아내고 장용영을 혁파하였으며, 훈련도감을 정상화시켜 군권을 장악하였다.

② **안동 김씨의 세도 정치**

㉠ **권력 장악**: 정순 왕후 사후에 벽파는 쇠퇴하고, 시파였던 순조의 장인인 김조순을 중심으로 하는 안동 김씨가 권력을 장악하였다.

㉡ **유력 가문의 협조**: 풍양 조씨, 반남 박씨 등 유력 가문의 협조를 얻어 정부의 고위직을 차지하고 국가를 운영하였다.

(2) 헌종(1834~1849): 헌종이 8세에 즉위하자 외척인 풍양 조씨 가문이 득세하였다.

(3) 철종(1849~1863): 강화도에 있던 이원범이 19세의 나이에 즉위하면서 안동 김씨 가문이 다시 권력을 장악하였다.

3. 정치 구조

(1) 정치 기반 축소: 소수의 특정 가문이 권력을 독점하게 되면서 일부 붕당에게 정치적 실권이 집중되었던 것보다 정치 기반이 축소되었다.

(2) 고위 관료 중심: 정2품 이상의 고위 관리에게 정치 권력이 집중되었고, 하위 관리들은 언론 활동 같은 정치적 기능을 거의 상실한 채 행정 실무만 담당하였다.

(3) 비변사 강화: 국정을 총괄하는 최고 권력 기구인 비변사의 고위직을 일부 유력 가문 출신의 인물들이 독점하면서 권력을 행사하였다. 이로 인해 왕권은 약화되고 의정부와 6조 체제는 유명무실화되었다.

7 세도 정치의 폐단

1. 세도 정치의 폐단

(1) 관리의 수탈 심화: 세도 정권은 지방 사회에서 성장하던 상인, 부농들을 통치 집단에 포섭하지 못하고 오히려 수탈의 대상으로 삼았다.

(2) 비리의 만연: 과거 시험에서는 부정 행위가 자행되고 관직이 매매되는 등 비리가 만연하였고, 탐관오리들의 부당한 조세 수탈이 심각한 사회 문제로 대두하였다.

(3) 삼정의 문란: 향촌에서는 지방 사족을 배제한 채 수령이 절대권을 가지고 향리와 향임을 이용하여 과도하게 조세를 수취함으로써 삼정(전정, 군정, 환곡)이 문란해졌다. 또한 자연재해가 잇따르면서 기근과 질병이 널리 퍼지고 인구가 급격히 감소하였으나, 농민의 조세 부담은 가중되어 농촌 사회의 불만이 고조되었다.

2. 백성의 저항

백성들은 괘서와 벽서 등을 통해 불만을 표출하다가 이후에는 민란을 일으켜 저항하였다. 대표적인 민란으로는 홍경래의 난(1811, 순조)과 임술 농민 봉기(1862, 철종)가 있다.

교과서 사료 읽기

세도 정치의 폐단

가을에 한 늙은 아전이 대궐에서 돌아와 처와 자식에게 "요즘 이름 있는 관리들이 모여서 하루 종일 이야기를 하여도 나랏일에 대한 계획이나 백성을 위한 걱정은 전혀 하지 않는다. 오로지 각 고을에서 보내오는 뇌물의 많고 적음과 좋고 나쁨에만 관심을 가지고, 어느 고을의 수령이 보낸 물건은 극히 정묘하고 또 어느 수령이 보낸 물건은 매우 넉넉하다고 말한다. 이름 있는 관리들이 말하는 것이 이러하다면 지방에서 거둬들이는 것이 반드시 늘어날 것이다. 나라가 어찌 망하지 않겠는가." 하고 한탄하면서 눈물을 흘려 마지 않았다.

- 정약용, 『목민심서』

사료 해설 | 조선 후기의 다양한 변화에 대처할 역량이 없었던 세도 가문은 오히려 권력을 지배층에 집중시켜 전통적인 지배 체제를 유지하고자 하였다. 그리하여 백성들의 삶은 파탄에 이르게 되었다.

과거제의 폐단 지적 교과서 사료

지금 나라와 백성의 폐단을 말할 만한 것이 한두 가지가 아니지만 서둘러서 기필코 고치고야 말 것은 곧 과거(科擧)의 폐단입니다. …… 만약 그 폐단의 항목을 열거한다면, 거리낌 없이 남이 대신 글을 짓고 대신 써 주며, 수종(隨從)들이 책을 가지고 과장에 마구 따라 들어가고 …… 바깥 장소에서 써 가지고 들어가며 …… 이졸(吏卒)들이 얼굴을 바꾸어 드나드는가 하면 …… 이 밖에도 수없이 많은 부정한 행위들을 다시 제가 들어 말할 수 없습니다.

- 이형하의 과거팔폐(科擧八弊)

▶ 순조 때 성균관의 사성(司成) 이형하는 남이 대신 글을 쓰는 것, 책을 시험장에 가지고 들어가는 것, 시험장에 아무나 들어가는 것, 시험지를 바꾸어 내는 것 등 **세도 정치 시기 과거제가 문란하여 공정성을 잃었음을 비판**하였다.

괘서와 벽서

괘서와 벽서는 남을 비방하거나 민심을 선동하기 위해 익명으로 글을 작성하여 공공장소에 몰래 붙이는 게시물을 말한다.

OX 빈칸 핵심 개념 점검

* 학습한 개념을 OX/빈칸 문제를 통해 점검해보세요.

핵심 개념 1 | 예송 논쟁

01 효종 때 서인과 남인이 두 차례에 걸쳐 예송을 전개하였다. □ O □ X

02 기해예송 때 서인은 3년설을 주장하였다. □ O □ X

03 갑인예송 때는 남인의 주장이 채택되었다. □ O □ X

04 현종 때 남인은 ______에서 왕권을 강조하며 기년복을 주장하였다.

핵심 개념 2 | 붕당 정치의 변질과 환국

05 붕당 정치는 반대당의 존재를 인정하고 공론에 입각한 상호 비판을 보장하였다. □ O □ X

06 인조반정을 주도한 서인은 북인과 연합하여 정국을 운영하였다. □ O □ X

07 숙종 때의 환국은 경신환국 → 기사환국 → 갑술환국의 순서로 일어났다. □ O □ X

08 경신환국의 결과 서인은 송시열을 영수로 하는 ______과 윤증을 중심으로 하는 ______으로 분당되었다.

09 숙종 때 남인은 ______으로 다시 집권하였다.

핵심 개념 3 | 영조의 탕평 정치

10 영조는 박제가, 유득공 등의 서얼 출신을 규장각 검서관에 기용하였다. □ O □ X

11 영조는 산림의 존재를 인정하지 않고, 그들의 본거지인 서원을 상당수 정리하였다. □ O □ X

12 영조는 탕평파를 육성하고 탕평비를 건립하였다. □ O □ X

13 영조는 ______를 다시 설치하여 백성들의 억울함을 왕에게 호소할 수 있도록 하였다.

14 영조는 ______ 준설 사업으로 일자리를 만들어주고 홍수에 대비하게 하였다.

핵심 개념 4 | 정조의 탕평 정치

15 정조는 각 붕당의 주장이 옳은지 그른지를 명백히 가리는 적극적인 탕평책을 추진하였다. □ O □ X

16 정조는 왕권을 강화하기 위해 장용영이라는 친위 부대를 창설하였다. □ O □ X

17 정조 재위 기간에 『대전회통』이 편찬되었다. □ O □ X

18 정조는 기존의 문체에 얽매이지 않는 신문체를 장려하였다. □ O □ X

19 정조는 스스로 초월적 군주로 군림하면서 신하들을 양성하고 재교육시키기 위한 방편으로 ______를 시행하였다.

20 정조는 친위 부대인 ______을 설치하여 왕권을 뒷받침하는 군사적 기반을 갖추었다.

핵심 개념 5 | 세도 정치의 폐단

21 순조 때 정순 왕후의 수렴청정으로 노론 시파가 정권을 장악하였다. □ O □ X

22 철종 재위 시기에는 안동 김씨가 권력을 장악하였다. □ O □ X

23 세도 정치기에는 몇몇 유력 가문에 권력이 집중되었는데, 그 중에는 ______, 풍양 조씨 등의 외척 가문이 있었다.

24 세도 정치기에 ______가 핵심 정치 기구로 자리잡았다.

정답과 해설

01	✖ 자의 대비의 복제 문제를 둘러싸고 서인과 남인이 두 차례의 예송을 전개한 것은 효종 때가 아닌 현종 때이다.	**13**	신문고
02	✖ 기해예송 때 서인은 1년설(기년설)을 주장하였다. 한편, 3년설을 주장한 것은 남인이다.	**14**	청계천
03	O 갑인예송 때는 남인의 주장(1년설)이 채택되었다.	**15**	O 정조는 각 붕당의 주장이 옳은지 그른지를 명백히 가리는 적극적인 준론 탕평을 실시하였다.
04	갑인예송	**16**	O 정조는 국왕의 친위 부대인 장용영을 설치하여 왕권을 강화하고자 하였다.
05	O 붕당 정치는 반대당의 존재를 인정하고, 각 붕당 사이의 공론에 입각한 상호 비판과 견제를 원리로 하는 정치 운영 형태이다.	**17**	✖ 정조 재위 기간에 편찬된 법전은 『대전통편』이다. 『대전회통』은 고종 재위 기간에 흥선 대원군의 주도로 편찬되었다.
06	✖ 인조반정으로 북인을 몰아내고 집권한 서인은 남인 일부와 연합하여 정국을 운영하였다.	**18**	✖ 정조는 기존의 문체에 얽매이지 않는 신문체의 사용을 금지하고, 이를 정통 고문(古文)으로 바로잡고자 하는 문체 반정을 전개하였다.
07	O 숙종 때 환국은 경신환국(1680), 기사환국(1689), 갑술환국(1694)의 순서로 일어났다.	**19**	초계문신제도
08	노론, 소론	**20**	장용영
09	기사환국	**21**	✖ 순조 때 정순 왕후가 수렴청정을 하면서 노론 시파가 아닌, 노론 벽파가 정권을 장악하였다.
10	✖ 박제가, 유득공 등의 서얼 출신을 규장각 검서관에 기용한 왕은 정조이다.	**22**	O 철종 재위 시기에는 안동 김씨가 다시 권력을 장악하였다.
11	O 영조는 붕당의 기반을 제거하기 위해 산림의 존재를 부정하고 붕당의 본거지인 서원을 대폭 정리하였다.	**23**	안동 김씨
12	O 영조는 성균관 입구에 붕당의 폐단을 경계하라는 내용이 담긴 탕평비를 세우고, 온건하고 타협적인 탕평파를 등용하였다.	**24**	비변사

3 대외 관계의 변화

학습 포인트
양난 이후의 대일·대청 관계의 변화 내용을 학습하고, 간도, 울릉도·독도 등 청·일과 영토 분쟁이 일어난 지역에 대해서도 살펴본다.

빈출 핵심 포인트
북벌론, 북학론, 백두산 정계비, 통신사, 안용복

1 청과의 관계

1. 북벌론의 대두

(1) 호란 이후 청과의 관계

① **표면적**: 병자호란 이후 청과 군신 관계를 맺은 조선은 표면적으로 청에 사대하는 형식의 대외 관계를 유지하였다.

② **실질적**: 실제로 조선은 은밀하게 국방에 힘을 기울여 북벌을 준비하였다.

(2) **북벌 추진**: 병자호란 이후 조선은 청에 복수하고 치욕을 씻자는 복수설치를 당면 과제로 삼고 북벌 운동을 추진하였다.

① **효종**

㉠ **군사력 확충**: 효종은 어영청을 중심으로 병력을 확보하고, 귀화인 하멜을 훈련도감에 배치하여 조총·화포 등의 신식 무기를 제조하였다.

㉡ **인재 등용**: 효종은 송시열·송준길·김장생 등의 서인들을 등용하여 친청 세력을 축출하고, 남인인 허적·윤선도 등을 등용하여 왕권 강화와 붕당의 조화를 추진하였다.

㉢ **북벌론의 정치적 악용**: 북벌론은 병자호란 패전의 책임을 져야 할 처지였던 서인들이 정권을 유지하는 수단으로 악용되었다.

기출 사료 읽기

> 송시열의 북벌 주장
>
> 오늘날에 시세를 헤아리지 않고 경솔히 오랑캐와 관계를 끊다가 원수는 갚지 못하고 패배에 먼저 이르게 된다면, 또한 선왕께서 수치를 참고 몸을 굽혀 종사를 연장한 본의가 아닙니다. 삼가 원하건대 전하께서는 마음에 굳게 정하시기를 '이 오랑캐는 임금과 아버지의 큰 원수이니, 맹세코 차마 한 하늘 밑에 살 수 없다.'고 하시어 원한을 축적하십시오. 그리고 원통을 참고 견디며 말을 공손하게 하는 가운데 분노를 더욱 새기고, 금화를 바치며 와신상담을 더욱 절실히 하여 계책의 비밀은 귀신도 엿보지 못하게 하소서. 또한 의지와 기개의 견고함은 분육(賁育)도 빼앗지 못하도록 하시고, 5~7년 또는 10~20년까지도 마음을 늦추지 말고 우리 힘의 강약을 보며 저들 형세의 성쇠를 관찰하소서.
> - 송시열, 『송자대전』
>
> 사료 해설 | 송시열이 존주대의(중화를 명나라로, 이적을 청나라로 구별하여 밝힘), 복수설치(청나라에 당한 수치를 복수하고 설욕함)를 역설한 것이 효종의 북벌 의지와 맞아떨어짐으로써 송시열은 북벌 계획의 중심 인물로 발탁되었다.

② **숙종**: 숙종 때 청의 정세 변화(삼번의 난 등)를 계기로 남인인 윤휴, 허적 등이 북벌을 주장하였으나 좌절되었다.

삼번의 난

청나라의 한족 장군인 오삼계, 상지신, 경정충 등의 **삼번이 만주족 왕조인 청에 대항하여 일으킨 반란**으로, **8년에 걸쳐 대규모로 전개**되었으나 이내 평정되면서 청은 중국 대륙에서의 지배권을 확립할 수 있었다.

윤휴의 북벌 주장 교과서 사료

윤휴가 비밀리에 상소를 올리기를, …… "아, 병자·정축년의 일은 하늘이 우리를 돌봐 주지 않아 일어난 것입니다. 그리하여 짐승 같은 것들이 핍박해 와 우리를 남한산성으로 몰아넣고 우리를 삼전도에 곤욕을 주었으며, 우리 백성을 도륙하고 우리 의관(衣冠)을 갈기갈기 찢어 버렸습니다 …… 머리털을 깎인 유민들이 가슴을 치고 울먹이며 명나라를 잊지 않고 있다 하니, 가만히 태풍의 여운을 듣건대 천하의 대세를 알 수 있습니다. …… 우리나라의 정예로운 병력과 강한 활 솜씨는 천하에 소문이 난 데다가 화포와 조총을 곁들이면 넉넉히 진격할 수 있습니다. ……"라고 하였다. - 『현종실록』

▶ 윤휴가 상소를 올린 때는 1674년으로 이는 현종이 죽은 해이자 숙종이 즉위한 해이다. 한편 삼번의 난은 1673년에서 1681년까지 지속되었으므로 윤휴는 숙종 때 더욱 활발하게 북벌을 주장하였다.

2. 나선 정벌

(1) **배경**: 러시아가 남하하여 청을 자극하였다.

(2) **청의 원병 요청**: 러시아 탐험대의 출현과 탐사에 대해 청은 러시아 정벌군을 파견하며 조선에 원병을 요청하였다.

(3) **나선 정벌**: 효종 때 두 차례에 걸쳐 청에 조총 부대를 파견하였다.

① **제1차 나선 정벌**(1654, 효종 5): 변급 외 150여 명이 출전하여 쑹화 강에서 러시아군을 격퇴하였다.

② **제2차 나선 정벌**(1658, 효종 9): 신유 외 200여 명이 출전하여 헤이룽(흑룡)강 유역에서 러시아군을 격퇴하였다.

| 나선 정벌

3. 북벌 운동의 실패

북벌론은 인조의 뒤를 이어 즉위한 효종 때 가장 활발하게 전개되었으나 효종 사후 북벌 계획이 무력화되었고, 서인 정권은 축적된 군사력을 자신들의 정권 유지를 위한 군사적 기반으로 활용하였다.

4. 북학론의 대두

(1) 배경

① **청의 문화 발전**: 국력이 크게 신장된 청은, 중국의 전통 문화를 보호·장려하며 서양의 문물까지 받아들여 문화 국가로 발전하였다.

② **사신의 문물 소개**: 청에 다녀온 조선의 사신들에 의해 변화하는 청의 사정과, 천리경·자명종·화포·만국지도·『천주실의』 등의 새로운 문물·서적이 조선에 소개되었다.

(2) **북학론 제기**: 조선에서는 청을 무조건 배척하기보다는 우리에게 이로운 것은 적극적으로 배우자는 북학론이 제기되었다.

5. 간도 문제

(1) **청과의 국경 분쟁 발생**: 간도는 조선인들이 활발히 활동하던 지역이었으나, 청이 건국 이후 출입 금지 지역으로 정해 성역화(청이 여진족의 발원지로 여김)하면서 간도 지역을 두고 조선과 청 간의 국경 분쟁이 발생하였다.

(2) **백두산 정계비 건립**(1712)

① **건립**: 숙종 때 청의 오라총관 목극등과 조선의 박권이 대표로 만나 백두산 일대를 답사하고 국경을 확정하여 정계비를 건립하였다.

② **내용**: 양국 간의 국경은 서쪽으로는 압록강, 동쪽으로는 토문강(서위압록, 동위토문)을 경계로 한다고 기록하였다. 한편 19세기에 이르러 백두산 정계비의 구문 해석(토문강의 위치)을 놓고 조선과 청 사이에 간도 귀속 문제가 발생하였다.

나선 정벌

이일선이 말하기를, "대국이 군병을 동원하여 나선(羅禪)을 토벌하려는데 군량이 매우 부족합니다. 본국에서도 군병을 도와주어야 하니 본국에서 다섯 달 치 군량을 보내 주시오" …… 상이 이르기를, "먼 지역에 군량을 운송하자면 형세상 매우 어렵기는 하겠으나, 어찌 요구에 응하지 않을 수 있겠소"라고 하였다.

- 『효종실록』

▶ 청나라에서 나선 정벌에 앞서 조선에 군량을 요청하는 내용이다. 청은 러시아와의 접경 지역에서 분쟁이 일어나자 조선에 조총군 파병을 요구하였고, 조선은 1차 때 변급 등 150여 명을, 2차 때 신유 등 200여 명을 **영고탑(지금의 지린성) 지역에 파병하여 청군과 함께 러시아군을 정벌**하였다.

북학론 기출사료

우리를 저들과 비교해 본다면 진실로 한 치의 나은 점도 없다. 그럼에도 단지 머리를 깎지 않고 상투를 튼 것만 가지고 스스로 천하에 제일이라고 하면서 지금은 옛날의 중국이 아니라고 말한다. 그 산천은 비린내 노린내 천지라고 나무라고, 그 인민은 개나 양이라고 욕을 하고, 그 언어는 오랑캐 말이라고 모함하면서, 중국 고유의 훌륭한 법과 아름다운 제도마저 배척해 버리고 만다.

- 박지원, 『연암집』

▶ 정치적 안정을 바탕으로 청이 문화 국가로 발전하자 조선에서는 **청을 무조건 배척하기보다는 우리에게 이로운 것은 적극적으로 배우자**는 **북학론이 제기**되었다.

간도 귀속 문제

백두산 정계비의 구문 해석을 둘러싸고 우리나라와 청이 상호 상반되는 주장을 하는 가운데, 을사늑약으로 우리나라의 외교권이 박탈된 상황에서 일제가 청과 **간도 협약(1909)을 체결**하여 남만주 철도 부설권을 얻는 대신 **간도에 대한 청의 종주권을 인정**하였다.

기출 사료 읽기

백두산 정계비

박권이 보고하였다. "총관 목극등과 백두산 산마루에 올라 살펴보았더니, 압록강의 근원이 산허리의 남쪽에서 나오기 때문에 이미 경계로 삼았으면서, 토문강의 근원은 백두산 동쪽의 가장 낮은 곳에 한 갈래 물줄기가 동쪽으로 흘렀습니다. 총관이 이것을 가리켜 두만강의 근원이라 말하고 이 물이 하나는 동쪽으로, 하나는 서쪽으로 흘러서 나뉘어 두 강이 되었으니 분수령 고개 위에 비를 세우는 것이 좋겠다고 하였습니다." -『숙종실록』

西爲鴨綠 東爲土門 故於分水嶺 上勒石爲記
'서쪽은 압록강을 동쪽은 토문강을 경계로 하고 돌에 새겨 표를 삼는다.'

사료 해설 | 간도 지역을 두고 조선과 청 사이에 국경 분쟁이 발생하자 숙종 때 청의 목극등과 조선의 박권이 만나 백두산 2,200미터 지점에 서쪽은 압록강, 동쪽은 토문강을 경계로 한다는 내용의 비석을 세웠다. 그러나 19세기에 토문강의 해석을 놓고 청은 토문강이 두만강을 뜻한다 주장하였고, 조선은 쑹화 강의 지류인 토문강을 뜻한다고 주장하였다.

2 일본과의 관계

1. 국교 재개

(1) 배경

① **일본의 국교 요청**: 임진왜란 이후 새롭게 성립된 에도 막부(도쿠가와 막부)는 경제적인 어려움을 해결하고 선진 문물을 받아들이기 위하여 대마도 도주를 통해 조선에 국교 재개를 요청하였다.

② **조선인 포로 쇄환**(선조): 조선은 막부의 사정을 알아보고 전쟁 때 잡혀 간 조선인들의 포로 쇄환을 위해 유정(사명 대사) 등을 회답겸쇄환사로 파견하여 조선인 포로 3,500여 명을 데려왔다.

(2) 기유약조(1609): 광해군 때 기유약조를 체결하고 제한된 범위 내에서 교역을 허용하였다. 주요 내용은 세사미두는 100석으로 하고, 세견선은 20척으로 제한하며, 부산포 이외의 거류를 금지하고, 무역 상인은 증명서를 지참하도록 하는 것이었다.

2. 통신사 파견

(1) 일본의 파견 요청: 일본은 조선의 선진 문물을 수용하고, 막부의 쇼군(將軍)이 바뀔 때마다 그 권위를 대외적으로 인정받고자 조선에 사절 파견을 요청하였다.

(2) 파견: 1607년에서 1811년까지 12회에 걸쳐 많게는 450여 명 정도의 통신사를 파견하였으며, 통신사는 부산 - 오사카를 거쳐 에도(도쿄)에 방문하였다. 일본에서는 통신사를 국빈으로 예우하고 학문과 사상, 기술, 예술 등 발달된 조선의 선진 학문을 배우고자 하였다. 통신사는 일본 내 재정 부담과 국학 운동으로 인한 반한 감정 등으로 중단되었다.

(3) 역할: 통신사는 외교 사절로 국왕의 외교 문서인 서계(書啓)를 가지고 갔으며, 조선의 선진 문물을 전파하는 문화 사절단의 역할을 하였다.

통신사 파견

동래 부사(東萊府使)가 일본 관백(關白, 쇼군)이 새로 즉위하였다고 아뢰자, 비국(備局, 비변사)에서 통신사를 차출(差出)하도록 계청(啓請)하였다. -『숙종실록』

▶ 에도 막부는 쇼군의 국제적 지위를 인정받기 위해 조선에 통신사 파견을 요청하였다. 한편 조선 통신사에 관한 기록물은 2017년에 유네스코 세계 기록유산으로 등재되었다.

3. 울릉도와 독도 문제

(1) **배경**: 울릉도와 독도에 일본 어민의 잦은 침범으로 양국 간 충돌이 발생하였다.

(2) **안용복의 활약**: 숙종 때 동래 수군 출신 어민 안용복이 울릉도에 출몰하는 일본 어민들을 쫓아내고, 일본에 건너가 울릉도와 독도가 조선 영토임을 확인받고 돌아왔다[1차(1693), 2차(1696)].

교과서 사료 읽기

> **안용복의 독도 수호**
>
> 안용복이 오랑도 도주에게 "울릉과 우산(독도)은 원래 조선에 속해 있으며, 조선은 가깝고 일본은 먼데 어찌 나를 감금하고 돌려보내지 않는가?" 하니, 오랑도 도주가 백기주로 보냈다. …… 안용복이 전후 사실을 말하고 이르기를, "침략을 금지하여서 이웃 나라끼리 친선을 도모함이 소원이다."라고 하였다. 백기주 태수가 이를 승낙하고 에도 막부에 보고하여 문서를 주고 돌아가게 하였다.
>
> \- 이익, 『성호사설』
>
> **사료 해설** | 안용복은 숙종 때 울릉도에 출몰한 일본 어민들과 어업권을 두고 실랑이를 벌이다 일본으로 잡혀갔으나, 에도 막부와 담판하여 울릉도와 독도가 조선의 영토임을 확인받고 돌아왔다.

(3) **정부의 울릉도 정책**: 일본 어민의 침범이 계속되자 19세기 말 조선 정부에서는 적극적으로 울릉도 경영에 나서 주민의 이주를 장려하였다. 또한 울릉도에 군을 설치하고 관리를 파견하여 독도까지 관할하도록 하였다(대한 제국 칙령 제41호, 1900).

대한 제국 칙령 제41호

대한 제국은 1900년 10월 25일 '대한 제국 칙령 제41호'를 통해 **울릉도를 울도군으로**, 기존의 **울릉도 도감을 울도군 군수로 격상**시키는 관제 개정을 단행하여 공표하였다. 이와 동시에 **독도 역시 울도군 군수가 관할하도록 하였다.**

필수 개념 정리하기

독도와 관련된 기록

관련 서적	내용
『삼국사기』「신라본기」	신라 지증왕 때 이사부가 우산국(울릉도) 복속
『세종실록』「지리지」	무릉도(울릉도)와 우산도(독도)를 별도로 기록하고, 무릉도와 우산도 두 섬이 강원도 울진현에 소속된 것으로 기록
『동국여지승람』	우산도(독도)와 무릉도(울릉도)가 강원도 울진현에 속하는 것으로 기록
『팔도총도』	우산도(독도를 의미)가 울릉도 안쪽으로 표기되어 있음
『조·일 외교 관계 사료집』	일본 도쿠가와 막부는 조선에 다케시마(당시 일본에서 울릉도를 일컫던 말)와 부속 도서를 조선 영토로 인정하는 외교 문서를 전달

OX 빈칸 핵심 개념 점검

* 학습한 개념을 OX/빈칸 문제를 통해 점검해보세요.

핵심 개념 1 | 호란 이후 청과의 관계

01 조선은 병자호란 이후 복수설치(復讐雪恥)를 과제로 삼았다. □ O □ X

02 효종은 하멜을 훈련도감에 배치하여 서양식 무기를 제조하였다. □ O □ X

03 효종은 청의 요구에 따라 조총 부대를 영고탑으로 파견하였다. □ O □ X

04 17~18세기에 청의 국력이 크게 신장하자, 우리나라 학자들 사이에서 청을 배척하기보다 청을 배우자는 북학론이 대두하였다. □ O □ X

05 ＿＿＿은 청을 정벌하자는 북벌 운동을 추진하였다.

06 숙종 즉위 초에 ＿＿＿를 중심으로 북벌 움직임이 제기되었다.

핵심 개념 2 | 청과의 국경 문제

07 숙종 때 백두산 정계비를 세워 서쪽으로 압록강, 동쪽으로 토문강을 경계로 삼았다. □ O □ X

08 19세기에 이르러 백두산 정계비의 해석을 놓고 조선과 청 사이에 분쟁이 발생하였다. □ O □ X

09 숙종 때 청과 국경을 확정하고 ＿＿＿＿＿＿를 세웠다.

핵심 개념 3 | 일본과의 교섭 재개와 통신사 파견

10 조선 정부는 사명 대사(유정) 등을 회답겸쇄환사로 파견하여 조선인 포로를 데려왔다. □ O □ X

11 왜란이 끝난 후 조선은 일본에 통신사를 파견하여 국교 재개를 요청하였다. □ O □ X

12 조선은 임진왜란 이후 일본으로 통신사를 매년 파견하여 교류하였다. □ O □ X

13 조선에서 파견한 통신사는 일본에 선진 문물을 전파하는 역할을 담당하였다. □ O □ X

14 일본 에도(도쿠가와) 막부와 조선은 1609년에 ＿＿＿＿＿를 체결하였다.

15 ＿＿＿＿는 1607년에서 1811년까지 12회에 걸쳐 일본에 파견되었다.

핵심 개념 4 | 울릉도와 독도 문제

16 숙종 때 안용복이 일본에 가서 울릉도와 우산도가 조선의 영토임을 확인받았다. □ O □ X

17 19세기 말 조선 정부에서는 적극적으로 울릉도 경영에 나서 주민의 이주를 장려하였다. □ O □ X

18 『세종실록』「지리지」에서는 우산도(독도)를 강원도 울진현에 속하는 것으로 기록하였다. □ O □ X

정답과 해설

01	O 조선은 병자호란 이후 복수설치(청에게 복수를 하고 치욕을 씻자는 입장)를 과제로 삼아 북벌 운동을 전개하였다.	**10**	O 조선 정부는 사명 대사(유정) 등을 회답겸쇄환사로 파견하여 임진왜란 때 잡혀간 조선인 포로를 데려왔다.
02	O 효종은 하멜을 훈련도감에 배치하여 조총·화포 등의 서양식 무기를 제조하였다.	**11**	✖ 왜란이 끝난 후 국교 재개를 먼저 요청한 것은 일본이다. 임진왜란 이후 성립된 일본의 에도 막부는 대마도 도주를 통해 조선에 국교를 재개해 줄 것을 요청하였다.
03	O 효종은 청과 러시아 사이에 국경 충돌이 일어나자 청의 요구에 따라 영고탑(지금의 지린성)에 조총 부대를 파견하였다.	**12**	✖ 조선의 통신사는 일본에 매년 파견된 것이 아니라 비정기적으로 파견되었다.
04	O 17~18세기에 청의 국력이 크게 신장하고 문화 국가로 발전하자, 청을 배우자는 북학론이 대두하였다.	**13**	O 통신사는 일본 막부의 장군이 바뀔 때 정치·외교적인 목적에서 축하 사절로 파견된 것으로, 일본에 선진 문물을 전파하였다.
05	효종	**14**	기유약조
06	윤휴	**15**	통신사
07	O 숙종 때 서쪽으로는 압록강, 동쪽으로는 토문강을 경계로 한다는 내용의 백두산 정계비를 세웠다.	**16**	O 숙종 때 안용복은 두 차례에 걸쳐 일본에 건너가 울릉도와 독도가 조선의 영토임을 확인 받았다.
08	O 19세기에는 백두산 정계비의 해석(토문강의 위치)을 두고 조선과 청 사이에 분쟁이 발생하였다.	**17**	O 19세기 말 조선 정부에서는 적극적으로 울릉도 경영에 나서 주민의 이주를 장려하였다.
09	백두산 정계비	**18**	O 『세종실록』「지리지」에서는 독도를 우산도로 표기하였으며, 우산도와 무릉도(울릉도) 두 섬이 강원도 울진현에 소속된 것으로 기록하였다.

02 조선 후기의 경제

1 수취 체제의 개편

학습 포인트
영정법, 대동법, 균역법 등 조선 후기에 개편된 수취 체제의 변화 내용을 꼼꼼하게 살펴본다.

빈출 핵심 포인트
영정법, 대동법, 공인, 균역법, 결작, 선무군관포

1 영정법 - 전세의 정액화

1. 배경

(1) **당시 상황**: 왜란과 호란을 겪으면서 토지(경작지)가 황폐해졌고, 전세 제도의 문란이 더욱 가중되었다.

(2) **정부의 대응 정책**: 개간을 장려하여 경작지를 확충하고, 양안(토지 대장)에 누락된 은결을 찾아내어 세원을 증대시키기 위해 양전 사업을 실시하였다. 또한, 수취 체제를 개편하여 농촌 사회를 안정시키고자 하였다.

2. 영정법 실시(1635, 인조)

(1) **배경**: 세종 때 마련된 공법(전분 6등법과 연분 9등법)은 산정 과정이 복잡하여 제대로 적용되지 못하였고, 대체로 최저율의 세액(4~6두)이 적용되고 있었다.

(2) **내용**: 인조 때 영정법을 실시하여 전세를 풍흉에 관계없이 토지 1결당 4두~6두로 고정하였다.

(3) **한계**: 전세율이 이전에 비해 다소 낮아졌으나, 대부분 농민이 자기 땅이 없는 소작농이었기 때문에 실질적으로 농민에게 주어진 혜택은 적었다. 또한 지주들이 전세를 납부할 때 부과되는 각종 수수료 등을 농민들에게 떠넘겨 농민의 부담은 오히려 증가하였다.

기출 사료 읽기

영정법의 실시

삼남 지방은 처음에 각 등급으로 결수를 정하고 조안에 기록하였다. 영남은 상지하(上之下)까지만 있게 하고, 호남과 호서 지방은 중지중(中之中)까지만 있게 하며, 나머지 5도는 모두 하지하(下之下)로 정하여 전례에 의하여 징수한다. 경기 · 삼남 · 해서 · 관동은 모두 1결에 전세 4두를 징수한다.
- 서영보 등, 『만기요람』

사료 해설 | 영정법은 풍흉에 관계없이 지역의 농업 생산력, 토지 비옥도 등에 따라 전세를 1결당 4~6두를 거둔 것으로, 인조 때 실시되었다.

수취 체제의 개편

구분	제도	내용
전세(토지세)	영정법(17C)	정액제: 1결당 4두~6두
공납(호구세)	대동법(17C)	· 현물 납부 → 쌀, 베, 돈 납부 · 호(戶) 기준 → 토지 기준 · 1결당 12두
군역(인두세)	균역법(18C)	· 납부량 경감(2필 → 1필) · 부족분 보충을 위해 선무군관포, 결작 등 각종 세금 부과

↓

전세화(田稅化)
- 지주 부담↑
- 농민 부담↓

영정법 제정 배경

국가의 토지는 여섯 등급으로 나누는 법(전분 6등법)이 있고, 세를 거둘 때에는 아홉 등급의 제도(연분 9등법)가 있다. …… 그런데 토지의 등급을 나누고 세를 내게 할 때 모두 하하(下下)를 따른다. 중상(中上)의 법이 있음을 알지 못하고 되풀이하여 답습하다 보니 마침내 일상적인 규정이 되어 버렸다. -『선조실록』

▶ 세종 때 마련된 공법은 적용이 복잡하다는 단점이 있었기 때문에 실질적으로는 거의 하하년에 따라 세금을 거두었다.

3. 양척동일법 시행(1653, 효종)

(1) 배경: 양전(토지 조사·측량) 과정에서 수등이척법보다 양척동일법이 전세 측량 과정에서 발생하는 불법 행위를 통제하는 데 효과적이었기 때문에, 양전의 편의를 도모하면서 공평한 과세를 부과하기 위해 양척동일법이 시행되었다.

(2) 내용: 토지 등급에 따라 자(척, 尺)를 달리하던 것(수등이척법)을 바꾸어 같은 자로 측량하는 양척동일법을 시행하면서 1등전 1결을 기준으로 삼고, 그 이하의 토지는 결부수를 체감하는 방식을 채택하였다.

양척동일법

옛 등급 제도에 따라 척수(尺數)를 달리한 법을 없애고, 주척(周尺)의 4척 7촌 7분 5리를 양척으로 정하고, 등급의 높낮이는 논할 것 없이 통틀어 결부를 계산하여 전(田) 1척을 파로, 10파를 속으로, 10속을 부로, 100부를 1결로 하고 계산하여 10,000척이 되는 전지에 대하여 1등전을 1결 …… 6등전은 25부로 정하여 전품에 따라 세를 걷도록 하였다. -『효종실록』

▶ 양척동일법은 **토지를 측량하는 자를 통일**해 1등전 자(척, 尺)로 측량하여 각 등전의 면적을 환산하도록 하였다.

2 대동법 – 공납의 전세화

1. 배경

공물의 부담과 방납의 폐단을 견디지 못한 농민들이 농토를 떠나 유랑민이 되었다.

방납의 폐단 기출사료

방납의 폐단이 나날이 심해집니다. …… 각 고을에서 공물을 상납하려 할 때 각 관청의 사주인(방납인)들이 여러 가지로 농간을 부려 좋은 것도 불합격 처리하기 때문에 바칠 수가 없습니다. 이리하여 방납인들은 자기가 갖고 있는 물품으로 관청에 대신 내고, 그 고을 농민들에게 자기가 낸 물건 값을 턱없이 높게 쳐서 열 배의 이득을 취하니 이것은 백성들의 피땀을 짜내는 것입니다. -『선조실록』

▶ **관리들이 방납인과 결탁**하여 백성들이 공물을 납부하여도 받지 않고, 방납인에게 구입한 것만 받았는데, 이때 **방납인들은 원래 가격보다 더 많은 값을 요구**하였다. 그리하여 몰락하는 농민이 점차 증가하였다.

2. 대동법 실시

(1) 목적: 대동법은 부족한 국가 재정을 보완하고 농민의 부담을 줄이기 위해서 실시되었다.

(2) 실시 과정: 광해군 때 이원익, 한백겸 등의 주장에 따라 선혜청을 설치하고, 경기도에서 대동법을 시험 실시한 후 인조 때 강원도, 효종 때 충청도와 전라도 연해, 현종 때 전라도 내륙까지 확대 실시되었다. 이후 숙종 때 평안도·함경도·제주도를 제외한 전국으로 확대되었다.

(3) 부과 기준: 가호(家戶)를 기준으로 현물(토산물)을 징수하던 방식에서 소유한 토지 결수에 따라 쌀(토지 1결당 12두) 또는 삼베, 무명, 동전 등으로 납부하도록 변경하였다.

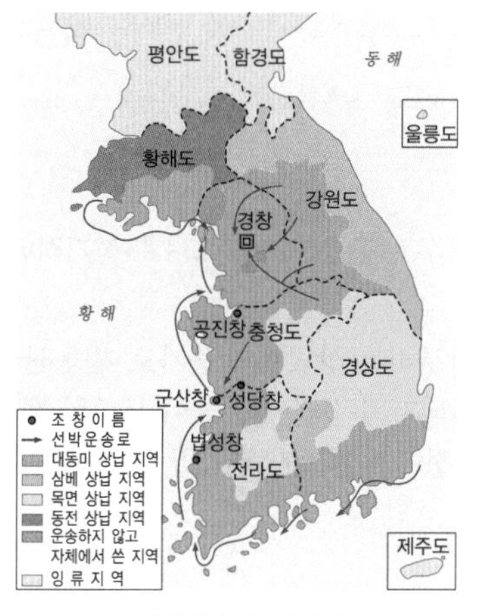

| 대동세의 징수와 운송

(4) 운영: 국가에서 대동세를 거두어들이면 어용 상인인 공인에게 공가로 지급하여 공인들로 하여금 필요한 물품을 사서 국가에 납부하게 하였다.

선혜청

선혜청은 **대동법을 관리하기 위해 광해군 때 설치된 관서**였다.

3. 결과와 한계

(1) 결과

① **공납의 전세화:** 대동법은 가호를 기준으로 징수하던 공물을 토지 결수에 따라 전세화한 것으로 토지 소유의 정도에 따라 차등 있게 세금을 징수하였다.

② **농민의 부담 감소:** 공납의 전세화로 토지가 없거나 적은 농민들의 공물 부담은 없어지거나 어느 정도 경감하였다.

③ **장시·상공업의 발달:** 관청에 물품을 납품하는 어용 상인인 공인의 활동이 활발해지면서 각 지방에 장시가 발달하였다.

대동법의 실시와 결과

선혜법이 경기에 시행된 지 지금 20년이 되는데, 백성들이 이를 매우 편하게 여기고 있습니다. 8도에 두루 행하여지면 곧 8도의 백성들이 가히 그 혜택을 입을 것입니다. -『인조실록』

▶ 대동법의 시행으로 농민의 부담이 감소하고, 상품 화폐 경제가 성장하였다.

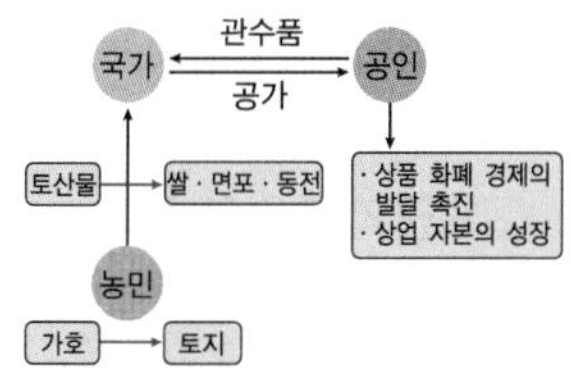

| 대동법의 실시와 결과

④ **상품 화폐 경제의 성장**: 공인들이 국가에 납부하기 위해 시장에서 많은 물품을 구매함으로써 상품의 수요가 증가하였고 현물로 납부하던 공납이 쌀, 베, 동전 등으로 바뀌면서 조세의 금납화를 촉진하였다. 농민들도 대동세를 납부하기 위해 토산물을 시장에서 팔아 쌀, 베, 돈을 마련하였다. 이러한 과정에서 상품의 공급과 수요가 증가하면서 상품 화폐 경제가 발달하였다.

기출 사료 읽기

대동법의 실시

- 선혜청을 설치하였다. 영의정 이원익이 제의하기를, "각 고을에서 진상하는 공물이 각급 관청의 방납인에 의해 중간에서 막혀 한 물건의 값이 3, 4배 혹은 수십, 수백 배까지 되어 그 폐해가 극심하고, 특히 경기 지방은 더욱 그러합니다. 지금 마땅히 별도로 하나의 청을 설치하여 매년 봄, 가을로 백성에게서 쌀을 거두되 토지 1결마다 두 번에 걸쳐 8두씩 거두어 본청에 수납하게 하고, 본청은 그때의 물가 시세를 보아 쌀로써 방납인에게 지급하여 수시로 물건을 구입하게 하소서." 하니 임금이 이에 따랐다. -『광해군일기』
- 우의정 김육이 아뢰다. "…… 대동법은 역을 고르게 하여 백성을 편안케 하니 실로 시대를 구할 수 있는 좋은 계책입니다. …… 다만 교활한 아전은 명목이 간단함을 싫어하고 모리배들은 방납하기 어려움을 원망하여 반드시 헛소문을 퍼뜨려 어지럽게 할 것입니다. 삼남에는 부호가 많은데 이 법의 시행을 부호들이 좋아하지 않으나 국가에서 법령을 시행할 때에는 마땅히 소민들이 원하는 대로 해야 합니다." -『효종실록』

사료 해설 | 이원익, 김육 등을 비롯한 여러 대신들은 방납의 폐해를 지적하며 대동법을 전국적으로 시행할 것을 주장하였다.

(2) 한계

① **현물 부담의 잔존**: 대동법 시행 이후 상공은 없어졌으나 부정기적인 별공·진상 등이 여전히 존재하였다.

② **농민 수탈의 증가**: 중앙 정부로 납부하는 상납미의 증가로 지방 관아에 남아 있는 유치미가 감소하여 지방 재정이 악화되자 수령과 아전들이 부족한 재정을 채우기 위해 농민들을 수탈하였다. 또한 운영 과정에서 지주가 부담할 대동세가 소작인에게 전가되는 문제가 발생하였다.

군포의 독자적 징수 교과서 사료

황해도 병영은 포를 2필씩 거두는데, 감영은 1필을 거두기 때문에 감영군은 앞을 다투어 들어오려고 하고, 병영군은 모두 싫어하여 달아나려고 한다. …… 평안도와 함경도에서는 신역이 무겁고 헐함이 매우 크다. 병영군은 정군이기 때문에 2필을 거두는데 감영군은 당초 끌어들일 때 정군이 아니기 때문에 단지 1필만을 거둔다. -『비변사등록』

▶ 군적이 제대로 정비되지 않고 징수 기관도 통일되지 않아 **한 사람의 농민이 군포를 이중, 삼중으로 부담**하는 경우가 많았고, 징수되는 군포의 양도 소속 기관에 따라 달라 일률적이지 못했다.

3 균역법 - 군포 부담의 감소

1. 배경

(1) 양역의 폐단 심화

① **군적의 부실**: 5군영의 성립으로 모병제(직업군제)가 확산되자 군영의 경비를 마련하기 위해 포를 내는 것으로 군역을 대신하는 수포군이 점차 증가하였다.

② **군포의 중복 징수**: 군포가 단일 기관에 의해 통일적으로 징수되어 배분되는 것이 아니라 5군영, 지방의 감영, 병영 등 여러 기관에서 독자적으로 징수됨으로써 한 사람의 장정이 이중, 삼중으로 군포를 부담하는 경우가 많았으며, 군포의 양도 소속에 따라 2필, 3필로 균일하지 않았다.

③ **군역 재원의 감소**: 양난 이후 납속과 공명첩 등으로 양반이 되어 역을 면제받는 자가 늘자 군역의 재원이 점차 줄어들었다.

④ **지방관의 수탈 심화**: 백골징포, 황구첨정, 족징, 인징 등의 폐단이 자행되었다.

양역의 폐단

구분	내용
백골징포	죽은 사람에게 부과
황구첨정	어린아이에게 부과
족징	도망간 사람의 군포를 친척에게 부과
인징	도망간 사람의 군포를 이웃에게 부과

기출 사료 읽기

> **군역의 폐단**
>
> 나라의 100여 년에 걸친 고질 병폐로서 가장 심한 것은 양역(良役)이니 호포, 구전, 유포, 결포의 말이 어지러이 번갈아 나왔으나 적절히 따를 바가 없습니다. 백성은 날로 곤란해지고 폐혜는 날이 갈수록 심해지니 혹 한 집안에 부자 조손(祖孫)이 군적에 한꺼번에 기록되어 있거나 혹은 3~4명의 형제가 한꺼번에 군포를 납부해야 합니다. 또 한 이웃의 이웃이 견책을 당하고(인징), 친척의 친척이 징수를 당하며(족징), 황구(黃口, 어린아이)는 젖 밑에서 군정으로 편성되고(황구첨정), 백골(白骨)은 지하에서 징수를 당하며(백골징포), 한 사람이 도망하면 열 집이 보존되지 못하니, 비록 좋은 재상과 현명한 수령이라도 역시 어찌 할 수 없습니다. -『영조실록』
>
> **사료 해설** | 조선 후기에 군역을 부담하는 양인이 감소하여 백성들의 군포 부담이 늘어났다. 여기에 농민의 유망과 지배층의 수탈이 더해져, 인징, 족징, 황구첨정, 백골징포 등 많은 폐단이 발생하였다.

(2) **양역변통론의 대두**: 양역의 폐단이 심해지자 농민들은 유망이나 피역으로 저항하였다. 이에 양역의 폐단을 시정하자는 양역변통론(良役變通論)이 대두하였다.

① **농병 일치제로의 환원**: 유형원은 양역의 폐단을 시정하기 위해 군사 제도를 농병 일치제로 환원하자고 주장하였으나 토지 개혁을 전제로 하였기 때문에 시행되기 어려웠다.

② **호포론**: 양반층에게도 군포를 부담시키자는 주장이었으나, 대다수 양반들의 반대로 시행되지 못하였다.

2. 균역법의 실시(1750, 영조)

(1) **내용**: 영조는 1년에 2필씩 내던 군포를 1필로 감면하는 균역법을 시행하였다.

(2) **재정 보충책**: 균역법 실시로 군포 수입이 반으로 줄자 정부는 군포 감소분을 보충하기 위해 재정 보충책을 실시하였다.

결작	토지 소유자(지주)에게 1결당 미곡 2두를 부과
선무군관포	지방의 토호나 일부 부유한 양민에게 선무군관이라는 명예직을 수여하고 1년에 군포 1필 징수
잡세	어장세·염세·선박세 등의 잡세 수입을 균역청에서 관할하여 국고로 전환

기출 사료 읽기

> **균역법의 실시**
>
> 양역(良役)의 절반을 감하라고 명하였다. 임금이 명정전에 나아가 여러 신하들을 불러 양역의 변통에 대한 대책을 물었다. 임금이 말하기를, "구전(口錢)은 한 집안에서 거두는 것이니 주인과 노비의 명분이 문란하며, 결포(結布)는 이미 정해진 세율이 있으니 결코 더 부과하기가 어렵고, 호포(戶布)가 조금 나을 것 같아 1필을 감하고 호전(戶錢)을 걷기로 하였으나 마음은 매우 불편하다. …… 호포나 결포나 모두 문제점이 있다. 이제는 1필로 줄이는 것으로 돌아가야 할 것이니, 1필을 줄였을 때 생기는 세입 감소분을 보완할 대책을 강구하라." 하였다. -『영조실록』
>
> **사료 해설** | 균역법의 시행으로 군포 납부액이 절반으로 줄어들자 부족한 재정을 보충하기 위하여 정부는 지주에게 결작을 부과하고, 선무군관포 등을 징수하였다.

(3) **결과·한계**: 농민의 군포 부담이 일시적으로 감소되었으나, 지주가 결작의 부담을 소작농에게 전가하면서 농민의 부담이 다시 증가하였고, 군정의 문란으로 인한 군액 수의 증가로 족징, 인징 등의 폐단이 다시 나타났다.

양역변통론

구분	내용
호포(戶布)	모든 가호에 군포 부과(가호 기준, 양반호 포함)
구포(口布)	모든 인정(人丁)들에게 군포 부과(양반 포함)
유포(遊布)	군역 기피자들을 색출하여 의무 부과
결포(結布)	토지 면적에 따라 군포 부과

균역법은 양역 변통론의 대안으로 **감필론(減疋論, 2필 → 1필)을 채택하고, 결포론의 일부(결작 부과)를 수용**하여 만들어진 것이다.

균역법 실시 결과

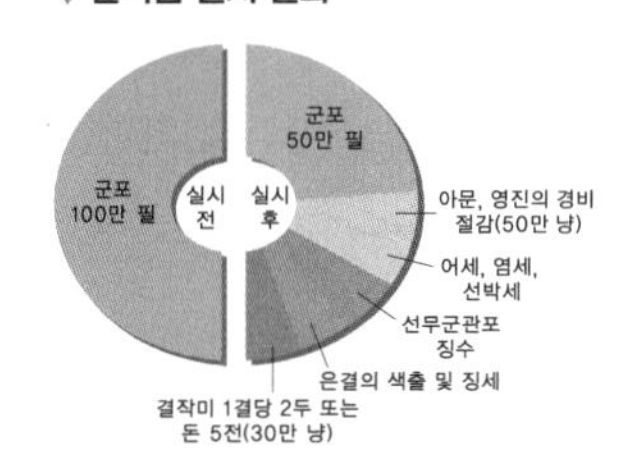

균역법의 한계

예전에는 군포(軍布)가 2필이던 것이 지금은 1필로 되었으니 백성들이 더욱 넉넉해져야 마땅한데 도리어 더욱 가난해진 것은 어째서입니까. 누락된 군정(軍丁)을 찾아내지 못해서입니다. -『정조실록』

▶ 균역법 실시로 농민의 부담이 일시적으로 해소되긴 하였으나 **결작의 부담 전가와 군정의 문란 등으로 농민의 부담이 다시 증가**하였다.

V 조선의 변화 | 해커스공무원 한국사 기본서

OX 빈칸 핵심 개념 점검

* 학습한 개념을 OX/빈칸 문제를 통해 점검해보세요.

핵심 개념 1 | 영정법

01 조선 정부는 영정법을 실시하여 풍흉에 관계없이 1결당 쌀 4~6두씩을 내게 하였다. □ O □ X

02 영정법에 따라 전세의 비율이 이전보다 다소 낮아져 대다수 농민의 부담이 경감되었다. □ O □ X

03 ______는 연분 9등법에 의해 복잡하게 적용되던 전세율을 고정시키기 위해 영정법을 실시하였다.

핵심 개념 2 | 대동법

04 대동법은 광해군 때 경기도에서 처음으로 실시되었다. □ O □ X

05 대동법에서는 토지 결수를 기준으로 1결당 쌀 12두를 납부하게 하였다. □ O □ X

06 대동법은 호(戶)를 기준으로 하였기 때문에 농민의 세금 부담이 줄어들었다. □ O □ X

07 대동법은 상품 화폐 경제의 발달에 영향을 주었다. □ O □ X

08 대동법 시행 이후에도 별공과 진상은 그대로 남아 있었다. □ O □ X

09 공인의 활동은 상품 화폐 경제 발달에 영향을 끼쳤다. □ O □ X

10 대동법 시행에 따라 지주에게 결작을 부과하였다. □ O □ X

11 ______은 공납의 폐단을 막기 위해 실시하였다.

12 대동법의 실시로 ______이라는 특허 상인이 등장하게 되었다.

13 대동법을 시행하면서 관할 관청으로 ______을 설치하였다.

핵심 개념 3 | 균역법

14 인징, 족징 등 폐단이 심각하여 균역법이 실시되었다. □ O □ X

15 균역법의 시행으로 양반과 상민이 똑같이 군포를 부담하게 되었다. □ O □ X

16 균역법의 시행으로 농민의 군포 부담이 일시적으로 감소하였으나, 결작의 부담이 소작농에게 전가되었다. □ O □ X

17 ______ 때 백성들의 군역 부담 완화를 위해 균역법이 실시되었다.

18 균역법의 시행으로 줄어든 재정을 보충하고자 일부 부유한 양민에게 ______________를 징수하였다.

정답과 해설

01	**O** 인조 때 영정법을 실시하여 전세를 풍흉에 관계없이 1결당 미곡 4~6두 정도로 고정시켰다.	**10**	**×** 대동법의 시행은 결작 부과와 관련이 없다. 결작은 균역법의 시행으로 부족해진 재정을 보충하기 위해 지주에게 토지 1결당 쌀 2두를 부과한 세금이다.
02	**×** 영정법의 실시로 전세율이 이전보다 다소 낮아졌으나, 지주들이 각종 잡세를 소작농민들에게 떠넘겼기 때문에 농민의 부담은 증가하였다.	**11**	대동법
03	인조	**12**	공인
04	**O** 대동법은 광해군 때 경기도에서 처음으로 실시되었다.	**13**	선혜청
05	**O** 대동법 체제하에서는 토지 소유자에게 소유한 토지의 결수를 기준으로 1결당 쌀 12두를 조세로 징수하였다.	**14**	**O** 균역법은 백골징포, 황구첨정, 족징, 인징 등 군역의 폐단을 개선하기 위하여 실시되었다.
06	**×** 대동법의 부과 기준은 호가 아닌 소유한 토지의 결수였다.	**15**	**×** 균역법은 양인에게 부과된 군포의 액수를 1년에 2필에서 1필로 줄인 제도로, 양반에게는 군포를 징수하지 않았다.
07	**O** 대동법의 시행으로 공납을 현물 대신 쌀·포(삼베, 무명)·동전 등으로 납부하게 되면서 상품 화폐 경제가 발달하게 되었다.	**16**	**O** 균역법의 시행으로 농민의 군포 부담은 일시적으로 감소되었으나, 지주들이 소작농에게 결작의 부담을 전가하여 부담이 증가하였다.
08	**O** 대동법은 상공에만 적용되어, 별공과 진상은 여전히 현물로 부과되었다.	**17**	영조
09	**O** 정부에 관수품을 조달하는 공인의 활동은 상품 화폐 경제 발달에 영향을 끼쳤다.	**18**	선무군관포

2 서민 경제의 발전

학습 포인트
이앙법 보급에 따른 광작, 상품 작물 재배, 소작 쟁의 등 농민 경제생활의 변화 내용을 살펴본다. 또한 민영 수공업, 광산의 발달 내용을 정리한다.

빈출 핵심 포인트
이앙법, 광작, 상품 작물, 도조법, 임노동자, 선대제 수공업, 설점수세제, 수령수세제, 잠채

1 양반 지주의 경영 변화

1. 지주 전호제의 확산

(1) **농토의 확대**: 양반 지주들은 양난 이후 토지 개간에 주력하고, 농민의 토지를 사들여 농토를 확대하였다.

(2) **지주 전호제 경영**: 지주들은 토지를 소작 농민에게 빌려 주고 소작료를 받는 지주 전호제로 토지를 경영하였고, 이러한 현상은 16세기 이후 점차 확대되었다.

2. 지주 전호제의 변화

(1) **초기**: 양반들은 양반과 지주라는 신분과 경제적인 지위를 이용하여 전호(소작인)에게 소작료 및 그 밖의 부담을 강요하였다.

(2) **전호들의 저항**: 점차 전호들의 저항이 심해지자 지주들은 전호들의 소작권을 인정하였고, 기존 타조법의 지대 납부 방식 대신 도조법이 확산되었다.

타조법과 도조법
타조법은 지주와 소작인이 수확량의 절반씩 나누어 갖는 방식이고, **도조법은 수확 전에 소작료(지대)의 액수를 미리 정하는 방식**이다. 소작인은 대체로 타조법보다는 도조법을 선호하였다.

(3) **후기**: 지주와 전호의 관계가 신분적 예속 관계에서 경제적 계약 관계로 변화하였다.

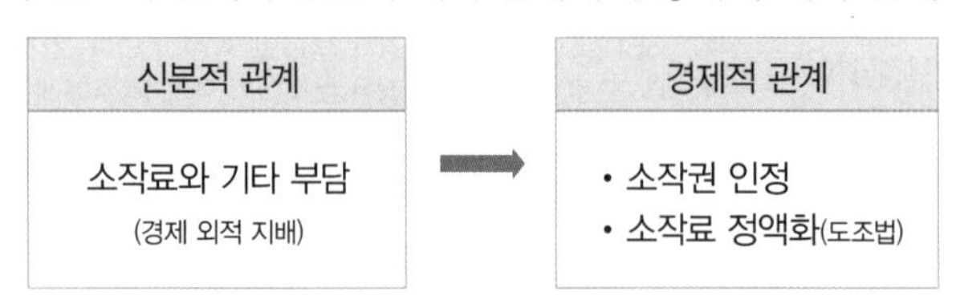

| 지주·전호 관계의 변화

2 농민 경제의 변화

1. 농민들의 노력

(1) 농업 생산력 증대

① **새로운 농법의 도입**: 양난 이후 농민들은 이앙법, 견종법을 비롯한 새로운 농사법을 적극 도입하였고 농기구와 시비법을 개량하였다.

② **수리·관개 시설 정비**: 조선 후기에는 1,000여 개의 저수지가 만들어졌다. 이를 관리하기 위해 현종 때에 제언사를 복설하였고, 정조 때에는 저수지의 유지·관리를 위한 방법을 정리한 『제언절목』을 반포하였다.

(2) 이앙법(모내기법)의 보급과 벼농사의 발달

① **이앙법의 보급**: 이앙법은 모판을 만들어 싹을 틔운 후 모가 한 움큼 이상 자라면 한 번에 3~5모씩 논에 심는 방법이다. 조선 초기부터 정부는 가뭄에 취약한 이앙법 보급에 반대하였으나 점차 수리 시설이 확충되면서 남부 일부 지방을 시작으로 이앙법이 점차 전국으로 확산되었다.

② **생산량의 증가**: 이앙법은 볍씨를 바로 논에 뿌리는 직파법에 비해 김을 매는 노동력을 줄일 수 있었고, 농지를 사용하는 기간이 적었다. 따라서 이앙법이 본격적으로 도입되자 벼와 보리의 이모작이 가능해졌고, 이를 바탕으로 단위 면적당 생산량이 증가하였다.

③ **보리 농사 확대**: 이모작을 통해 생산한 보리는 수취 대상에서 제외되었기 때문에 소작농들은 보리 농사를 선호하였고, 보리 농사를 통해 농민들의 소득이 증대되었다.

기출 사료 읽기

이앙법

모내기로 재배하는 방법은 물이 있는 논을 선택하되 비록 가물어도 마르지 않는 곳이어야 하며 2월 하순부터 3월 상순 사이에 갈아야 한다. 그 무논의 10분의 1에 모를 기르고 나머지 9분에는 모를 심을 수 있게 준비한다. 먼저, 모를 기를 자리를 갈아 법대로 잘 다듬고 물을 빼고서 부드러운 버드나무 가지를 꺾어다 두텁게 덮은 다음 밟아 주며, 바닥을 볕에 말린 뒤 물을 댄다. …… 모가 4촌(寸) 이상 자라면 옮겨 심을 수 있다. -『농사직설』

사료 해설 | 이앙법을 통해 여름의 제초 작업에 드는 일손이 줄어들어 노동력이 절감되었고, 모를 모판에서 미리 키우는 동안 토지에서 보리 농사를 지을 수 있어 농업 생산력도 증가하였다.

(3) 견종법의 보급과 밭농사의 발달

① **견종법의 보급**: 조선 전기에 밭농사에서는 농종법(밭이랑에 씨를 뿌리는 방법)이 일반적이었으나, 17~18세기 무렵에 견종법(밭고랑에 씨를 뿌리는 방법)이 보급되었다. 견종법은 김매기가 쉬워 노동력 절감의 효과와 더불어 방한·보습 효과가 크며, 통풍이 잘되고 거름의 낭비가 적다는 장점이 있다.

② **밭농사의 발달**: 견종법이 보급되면서 기존보다 밭농사에 투입되는 노동력은 2~3배 적게 들고, 수확량은 크게 증가하여 토지 생산성이 급증하였다.

2. 농업 경영 방식의 변화

(1) 광작의 대두

① **배경**: 이앙법이 보급되면서 노동력이 절감되어 1인당 경작 가능한 면적이 확대되었다.

② **의미**: 농민들은 경작지의 규모를 확대하여 넓은 토지를 경작하려는 등 농업 경영 방식을 변화시켰는데, 이를 광작이라 한다.

③ **결과**: 광작에 참여한 일부 농민은 경영형 부농으로 성장하였지만, 대부분의 농민들은 임노동자 등으로 전락하는 등 농민 계층이 분화되었다.

(2) 상품 작물의 재배

① **상품 작물 재배**: 장시가 점차 증가하여 상품의 유통이 활발해짐에 따라 농민들은 인삼, 목화, 채소, 담배, 약초, 고추, 호박 등 상품 작물을 재배하여 판매하였다.

② **쌀의 상품화**: 농민 계층의 탈농촌화와 도시의 성장으로 인해 주식인 쌀의 수요가 늘어 장시에서 가장 많이 거래되었고, 이에 밭을 논으로 바꾸는 현상이 발생하였다.

이앙법

물이 있는 곳을 택하여 미리 묘종을 기르고 4월을 기다려 옮겨 심는데 그 유래는 오래되었다. …… 경상, 강원도의 사람들이 묘종하는 것을 금지하는 법이 『육전』(태조 때 편찬된 『경제육전』)에 실려 있다. -『세종실록』

▶ 이앙법은 고려 후기에 도입되었으나, 가뭄에 취약하여 경상도, 강원도 일부 지역에서만 시행되었다. 그러나 **조선 후기 수리 시설이 확충**되면서 **이앙법이 널리 보급**되었다.

상품 작물의 재배

이른 새벽 보슬비에
담배 심기 참 좋다네
담배 모종 옮겨다가
울 밑 밭에 심어 보세
금년 봄엔 가꾸는 법
영양법을 배워 들여
황금같은 잎담배를 팔아
일 년 살아보세
- 정약용, '장기농가'

▶ 조선 후기에는 담배와 같이 **고소득을 올릴 수 있는 상품 작물의 재배가 확산**되었고, 이를 통해 일부 농민들은 부를 축적하였다.

(3) 구황 작물의 재배: 고구마(18세기, 일본)·감자(19세기, 청) 등의 구황 작물이 조선에 전래되어 재배되었다.

기출 사료 읽기

> **상품 작물의 재배**
>
> 농민들이 밭에 심는 것은 곡물만이 아니다. 모시, 오이, 배추, 도라지 등의 농사도 잘 지으면 그 이익이 헤아릴 수 없이 크다. 도회지 주변에는 파 밭, 마늘 밭, 배추 밭, 오이 밭 등이 많다. 특히 서도 지방의 담배 밭, 북도 지방의 삼 밭, 한산의 모시 밭, 전주의 생강 밭, 강진의 고구마 밭, 황주의 지황 밭에서의 수확은 모두 상상등전(上上等田)의 논에서 나는 수확보다 그 이익이 10배에 이른다.
>
> – 정약용, 『경세유표』
>
> **사료 해설 |** 조선 후기에 농민들은 목화, 채소, 담배 등의 상품 작물을 재배함으로써 수입을 늘릴 수 있었다.

3. 소작 쟁의

(1) 소작권 인정: 소작 농민들은 좀 더 유리한 경작 조건을 얻어 내기 위하여 지주에게 대항하는 소작 쟁의(항조 운동)를 전개하였고, 그 결과 소작권을 인정받았다.

(2) 지대의 변화

① **지대 납부 방법의 변화**: 지대액(소작료)을 미리 정하지 않고 매년 지주와 소작농이 수확량을 절반씩 나누는 지대 납부 방식인 타조법은 수확량에 따라 지주의 수입도 변화하므로 소작농의 농업 경영에 대한 지주의 간섭이 심하였다. 이에 소작농들이 보다 유리한 경작 조건을 얻어내기 위해 지주에게 대항하여 소작 쟁의를 일으키고 도지권을 행사한 결과, 사전에 정한 일정 액수의 지대를 납부하는 도조법이 점차 확대되었다.

타조법	→	도조법
• 정률 지대(병작 반수) • 지주 – 전호: 예속 관계 • 지주에게 유리	→	• 정액 지대(대개 1/3 정도) • 지주 – 전호: 계약 관계 • 소작인이 도지권 행사

② **지대의 금납화**: 농민들은 소작료를 곡물이나 화폐로 납부하였다.

4. 농민 출신 지주의 출현

농민 중 시장 경제를 잘 이용하는 농민들은 광작, 상품 작물의 재배, 정액 지대 등을 통해 소득을 올렸으며, 일부 농민은 토지를 개간하거나 매입하면서 지주로 변모하였다.

5. 몰락 농민의 증가

(1) 토지의 상실: 부세의 부담, 고리대의 이용 등으로 재정 압박에 시달리던 농민들은 토지를 헐값에 내놓았고, 이를 양반 관료나 토호·상인 등이 매입하였다.

(2) 소작지의 상실

① **지주들의 직접 경영**: 광작이 가능해지면서 지주들은 소작지를 회수하여 노비를 늘리거나 머슴을 고용하여 직접 경영하였다. 이에 소작농들은 소작지를 잃게 되었고, 소작지를 얻는 것도 어려워져 농촌을 이탈하였다.

고구마의 전래

고구마는 1764년 영조 때 통신사로 일본에 다녀온 조엄이 가져와 널리 퍼졌다. 1766년 **영조 때 『감저보』**, 1813년 **순조 때 『감저신보』** 등을 간행하여 고구마의 재배, 이용 방법 및 저장 방법 등을 알리기도 하였다.

작물의 전래 시기

시기	작물
14세기(공민왕)	목화
임진왜란 무렵	고추
17세기	호박
	담배(남초)
18세기(영조)	고구마
19세기 초	감자

도지권

조선 후기 소작농들이 획득한 **소작지에서의 부분적인 소유권**이다. 도지권을 가진 소작농은 그 소작지를 영구히 경작할 수 있었고 지주의 승낙이 없어도 도지권을 임의로 타인에게 매매, 양도, 저당, 상속할 수 있었다.

② **농민층의 분화**: 농민층이 부농과 빈농으로 분화되었다. 부를 축적한 부농층은 양반으로 신분을 상승시키거나, 향직에 진출하기도 하였다.

(3) 농촌 이탈

① **임노동자화**: 농촌에서의 삶이 막막해진 농민들은 도시로 이동하여 상공업에 종사하거나 임노동자로 변모하였다.

② **새로운 도시 형성**: 일부 농민은 광산이나 포구로 가서 임노동자가 되었고, 이들을 바탕으로 광산, 포구 등에 새로운 도시가 형성되었다.

필수 개념 정리하기

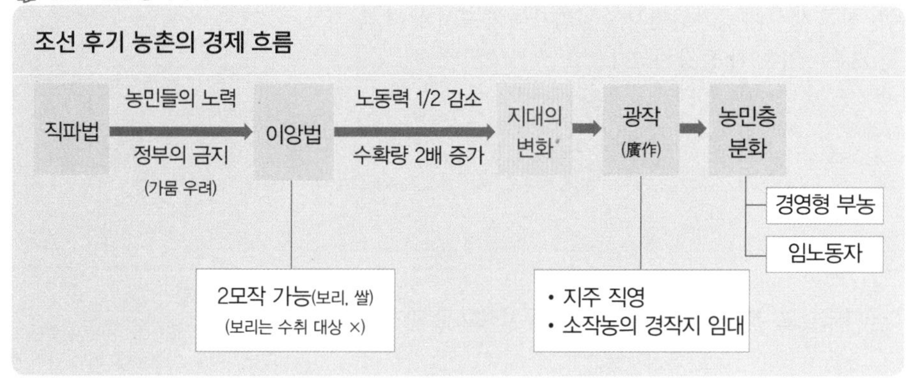

3 민영 수공업의 발달

1. 발달 배경

(1) 상품 화폐 경제의 진전: 도시로 인구가 다수 유입되면서 상품 수요가 크게 증가하고, 대동법의 시행으로 관수품에 대한 수요도 크게 증가함으로써 시장 판매를 위한 수공업 제품 생산이 활발해졌다.

(2) 관영 수공업 쇠퇴: 16세기 부역제의 해이로 관영 수공업이 제 기능을 못하고, 정부의 재정도 악화되어 관영 수공업 체제를 유지하기 어렵게 되었다.

2. 민영 수공업의 발달

(1) 수공업의 형태 변화

① **납포장 증가**: 납포장은 장인세로 베(布)를 납부하는 대신, 상품을 자유롭게 생산·판매하는 활동을 할 수 있는 공장(工匠)으로, 조선 후기에 상품 화폐 경제가 발달함에 따라 납포장의 수가 증가하였다.

② **공장안 폐지**: 민간 수공업자들이 생산한 상품의 품질이 우수하여 정부에서도 민간 장인을 고용하였다. 이러한 추세에 따라 18세기 말 정조 때 공장안을 폐지하였다.

(2) 점(店)의 발달: 점은 민간 수공업자들의 작업장으로, 철기 수공업체는 철점, 사기 수공업체는 사기점 등 생산되는 물품에 따라 구분하여 불렸으며, 도시를 중심으로 전국적으로 발달하였다.

공장안 폐지 교과서 사료

여러 관청 중에 사섬시, 전함사, 소격서, 사온서, 귀후서 등은 지금은 없어졌고, 내자시, 내섬시, 사도시, 예빈시, 제용감, 전설사, 장원서, 사포서, 양현고, 도화서 등은 소속 장인이 없어졌으며, 그 밖의 여러 관청은 장인의 종류도 서로 달라졌고, 정해진 인원도 들쑥날쑥하다. 그리고 장인을 공조에 등록하던 규정들은 점차 폐지되어 시행되지 않는다.

-『대전통편』

▶ 18세기 말 공장안이 폐지되면서 민영 수공업은 더욱 발전하였다.

(3) 선대제 수공업의 발달

① **특징**: 선대제 수공업은 민간 수공업자들이 공인, 상인들로부터 물품 주문과 함께 자금과 원료를 미리 받아 제품을 생산하는 방식이었다.

② **상업 자본의 지배**: 민간 수공업자들의 작업장과 자본 등이 대체로 소규모였기 때문에 원료의 구입과 제품의 처분에 있어 상인 등 자본가에게 의존할 수밖에 없었다.

(4) 독립 수공업자의 발달

① **특징**: 18세기 후반에 이르러 수공업자 가운데서도 독자적으로 제품을 생산하고 이를 직접 판매하는 독립 수공업자가 등장하였다.

② **점촌의 등장**: 소득을 올리기 위한 상품 생산이 증가하면서 수공업자들이 모여 살며 특정 상품을 전문적으로 생산하는 거주지(점촌)가 등장하였다.

4 민영 광산의 증가

1. 광산 정책의 변화

(1) **조선 초기**: 민간인 채굴(사채)이 금지되었고, 부역제를 통해 국가가 독점적으로 광물을 채굴하였다.

(2) 17세기

① **설점수세제**(1651, 효종): 허가를 받은 민간인에게 정부의 감독 아래 광물을 채굴할 수 있도록 하였고, 호조에서 광산을 관리하기 위해 파견한 임시 관원인 별장이 세금을 징수(별장수세제)하였다.

② **은광의 개발**: 새로운 은 제련법(연은분리법)의 발명(1503, 연산군)과, 청과의 무역으로 은의 수요가 늘어나면서 17세기 말에는 거의 70여 개소의 은광이 개발되었다.

(3) 18세기 후반

① **수령수세제**(1775, 영조): 영조 때 별장수세제를 폐지하고 민간에 광물 채굴을 허용하는 대신 징수하던 세금을 지방 수령이 관리하도록 한 수령수세제가 시행되었다. 이를 통해 광산 개발이 자유로워져 민영 광산이 증가하였다.

② **금광의 개발**: 상업 자본이 채굴과 제련이 쉬운 사금 채굴에 몰리면서 금광이 활발하게 개발되기 시작하였다.

③ **잠채(潛採)의 성행**: 광산의 개발을 통해 얻을 수 있는 이득이 많았기 때문에, 세금을 내지 않고 몰래 광산을 채굴하는 잠채가 성행하였다.

2. 광산 경영의 변화

(1) **경영 전문화**: 조선 후기에는 광산 경영 전문가인 덕대가 민간 상인 등의 물주가 제공한 자본을 가지고 혈주(채굴업자)·채굴 노동자·제련 노동자 등을 고용하여 광물을 채굴하고 제련하였다.

(2) **작업 과정**: 분업(채굴, 운반, 분쇄, 제련)을 토대로 한 협업으로 광산의 경영이 이루어졌다.

설점수세제

우리나라는 물력(物力)이 부족하고 요역이 매우 무거운데, 매번 나라에서 채굴하면 비용이 많이 들 것입니다. 은광 채굴을 담당하는 관리로 하여금 은혈(銀穴)을 찾아서 개발한 이후 백성을 모집하여 채굴할 것을 허락해 주고, 세를 바치게 하되 많고 적음을 적당하게 헤아려 수량을 정한다면 나라의 힘을 허비하지 아니하여도 세입(稅入)이 절로 많게 될 것입니다. -『증보문헌비고』

▶ 설점수세제는 **민간인들의 금광이나 은광 경영을 허가하고 세금을 거둔 제도**이다. 이는 국가 재정을 보충하고 중국과의 무역을 활성화하는 데 그 목적이 있었다.

덕대(德大)

광산의 주인과 계약을 맺고 광물을 채굴하여 광산을 경영하는 전문가이다. 광산 주인은 계약된 광구(구획) 내의 광물 채굴권을 덕대에게 부여하고, 덕대는 광주에게 보증금 및 분철(分鐵, 광산물의 일부 배당)을 납부하거나 이에 상응하는 대가를 치른 뒤 계약 기간 중 덕대 자신의 재산으로 광산을 경영하였다. 이러한 덕대제는 우리나라 특유의 광산 경영 방식이기도 하다.

OX 빈칸 핵심 개념 점검

* 학습한 개념을 OX/빈칸 문제를 통해 점검해보세요.

핵심 개념 1 | 지주 전호제의 변화

01 조선 후기에는 수확량에 관계 없이 일정 액수의 지대를 납부하는 방식인 타조법이 등장하였다. □ O □ X

02 조선 후기에는 상품 화폐 경제가 발달하면서 지주와 전호 사이의 신분적 관계가 강해졌다. □ O □ X

03 조선 후기에는 일부 지방에서 ______으로 지대를 납부하였다.

핵심 개념 2 | 조선 후기 농민 경제의 변화

04 조선 후기에는 모내기법이 전국적으로 보급되었다. □ O □ X

05 조선 후기에는 벼·보리의 이모작이 가능해져 보리 농사가 성행하였다. □ O □ X

06 조선 후기에는 면화, 담배 등 상품 작물을 재배하였다. □ O □ X

07 조선 후기에는 상품 작물 재배가 늘면서 쌀에 대한 수요가 줄었다. □ O □ X

08 조선 후기에는 머슴을 고용하여 농토를 직접 경영하는 지주가 생겨났다. □ O □ X

09 조선 후기의 ______은 밭농사에서 농업 생산력의 발전을 가져온 농법이었다.

10 조선 후기에는 시비법과 이앙법 등의 발달로 농민층에서 ______이 성행하였다.

핵심 개념 3 | 조선 후기 수공업의 발달

11 조선 후기에는 상품 화폐 경제가 진전되면서 시장 판매를 위한 수공업 제품의 생산이 활발해졌다. □ O □ X

12 조선 후기에는 관영 수공업이 쇠퇴하고 민영 수공업이 발달하였다. □ O □ X

13 조선 후기에는 상인 자본이 장인에게 돈을 대는 선대제가 성행하였다. □ O □ X

14 조선 후기에는 수공업에서 자금과 원자재를 미리 받아 제품을 만드는 ______가 활발해졌다.

15 조선 후기에는 수공업자들이 모여 살며 특정 상품을 전문적으로 생산하는 ______이 형성되었다.

핵심 개념 4 | 조선 후기 광업의 발달

16 조선 후기에는 광물의 수요가 증가하면서 은광 개발이 활발해졌다. □ O □ X

17 18세기 후반에는 금광·은광을 몰래 개발하는 잠채가 성행하였다. □ O □ X

18 조선 후기에는 정부에서 덕대를 직접 고용해 광산 개발을 주도하였다. □ O □ X

19 효종 때 민간의 광산 개발 참여를 허용하는 ______를 처음 실시하였다.

20 조선 후기에는 ____라는 광산 경영 전문가가 상인 물주로부터 자금을 받아 광산을 경영하였다.

정답과 해설

01	✖ 조선 후기에는 수확량에 관계 없이 일정 액수의 지대를 납부하는 방식인 도조법이 등장하였다. 타조법은 지주와 소작인이 수확량의 절반씩 나누어 가지는 방식이다.	**11**	O 조선 후기에는 상품 화폐 경제의 발달로 시장에 판매하기 위한 수공업 제품 생산이 활발해졌다.
02	✖ 조선 후기에는 상품 화폐 경제의 발달로 지주와 전호의 신분적 관계가 경제적 계약 관계로 변화하였다.	**12**	O 조선 후기에는 점차 관영 수공업이 쇠퇴하였으며, 정조 때 공장안(장인 등록 장부)이 폐지되면서 민영 수공업이 더욱 발달하였다.
03	도조법	**13**	O 조선 후기에는 상인이 장인 등의 민간 수공업자에게 돈과 재료 등 자본을 대어 물품을 생산하는 선대제 수공업이 성행하였다.
04	O 조선 후기에는 수리 시설이 확충되어 모내기법(이앙법)이 전국적으로 보급되었고, 농업 생산량이 증가하였다.	**14**	선대제
05	O 조선 후기에는 이앙법의 발달로 벼와 보리의 이모작이 가능해지면서 소작농들 사이에서 소작료 수취 대상이 되지 않는 보리의 재배가 성행하였다.	**15**	점촌
06	O 조선 후기에는 상품의 유통이 활발해지면서 면화, 담배와 같은 상품 작물들이 재배되었다.	**16**	O 조선 후기에는 민영 수공업이 발달함에 따라 그 원료인 광물의 수요가 급증하고, 청과의 무역에서 은의 수요가 늘어나면서 은광 개발이 활발해졌다.
07	✖ 조선 후기에는 쌀의 상품화로 그 수요가 크게 증가하였고, 이에 밭을 논으로 바꿔 쌀을 경작하는 현상이 나타났다.	**17**	O 조선 후기에는 금광, 은광을 몰래 개발·채굴하는 잠채가 성행하였다.
08	O 조선 후기에 광작이 가능해지면서, 지주들은 농업 노동자인 머슴을 고용하여 농토를 직접 경영하였다.	**18**	✖ 조선 후기에 광산 경영 전문가인 덕대를 고용하여 광산 개발을 주도한 것은 민간의 물주이다.
09	견종법	**19**	설점수세제
10	광작	**20**	덕대

3 상품 화폐 경제의 발달

학습 포인트
상업은 조선 후기의 경제 중 가장 두드러진 변화를 보인 부분이므로 꼼꼼하게 학습해야 한다. 사상, 장시, 포구, 대외 무역, 화폐 등 주요 주제를 중심으로 각각의 내용을 정리한다.

빈출 핵심 포인트
금난전권, 송상, 경강 상인, 도고, 보부상, 선상, 객주와 여각, 개시, 후시, 상평통보, 전황

1 사상(私商)의 대두

1. 사상의 성장

(1) 금난전권의 폐지

① **배경**: 시전 상인의 횡포로 생산자와 소비자가 피해를 보았고, 물가가 급등하였다. 또한 사상들의 활동이 활발해지면서 시전 상인과의 마찰이 심화되었다.

② **신해통공**(1791, 정조): 육의전을 제외한 다른 시전 상인들의 금난전권을 폐지하였다.

③ **결과**: 신해통공으로 사상의 자유로운 상업 활동이 보장됨으로써(난전의 합법화) 조선 후기 상업 발달의 토대가 마련되었고, 사상 중에 일부는 도고로 성장해 갔다.

교과서 사료 읽기

금난전권의 폐지

백성들이 육전(육의전) 이외에는 허가받은 시전 상인들과 같이 장사를 할 수 있도록 하셨다. 채제공이 아뢰기를 "…… 마땅히 평시서로 하여금 20, 30년 사이에 새로 벌인 영세한 가게 이름을 조사해 내어 모조리 없애도록 하고, 형조와 한성부에 분부하여 육전이 아니라면 난전이라 하여 잡혀 오는 자들을 처벌하지 말도록 할 뿐만 아니라 잡아 온 자를 처벌하시면, 장사하는 사람들은 서로 매매하는 이익이 있을 것이고 백성들도 가난에 대한 걱정이 없어질 것입니다. 그 원망은 신이 스스로 감당하겠습니다."라고 하니 왕께서 따랐다. -『정조실록』

사료 해설 | 시전 상인들이 금난전권을 통해 사상의 활동을 통제하고 물가를 상승시키면서 영세 상인, 도시 빈민들의 생활이 어려워지자 결국 정부는 신해통공을 반포하여 금난전권을 폐지하였다.

(2) 사상의 특징

① **활동 영역**: 사상은 18세기 이후 상업 활동을 주도하였으며, **이현**(동대문)·**칠패**(남대문)·종루(종로)·송파 등 도성 주변과 개성·평양·의주·동래 등 지방에서 활발하게 활동하였다.

② **전국적인 유통망 형성**: 사상은 각 지방의 장시들을 연결하고 물화를 교역하였으며, 각 지방에 지점을 설치하여 상권을 확대하였다.

③ **대외 무역**: 사상은 청·일과의 대외 무역에도 관여하여 부를 축적하였다.

(3) 대표적인 사상

송상	개성(송도) 중심으로 활동, 전국에 지점(송방) 설치, 인삼 재배·판매로 성장, 청과 일본 간 중계 무역(의주의 만상과 동래의 내상)에 관여
경강 상인	한강을 중심으로 서남 연해안을 오가며 미곡·소금·어물 등의 운송·판매, 선박의 건조 등 생산 분야에 진출
기타	만상(의주, 대중국 무역 주도), 내상(동래, 대일 무역 주도), 유상(평양)

금난전권(禁亂廛權)
정부가 시전 상인들에게 부여한 권한으로, 시장 질서를 유지하기 위해 난전을 금하도록 한 것이었으나 이는 **사상(私商)들의 활동을 억압하는 역할**을 하기도 하였다.

육의전(六矣廛)
한양 종로에 있던 시전으로 비단, 무명, 명주, 종이, 건어물, 모시 등을 판매하였다.

난전 기출사료
이현과 칠패는 모두 난전이다. 도고 행위는 물론 집방(執房)하여 매매하는 것이 어물전의 10배에 이르렀다. 또 이들은 누원점의 도고 최경윤, 이성노, 엄차기 등과 체결하여 동서 어물이 서울로 들어오는 것을 모두 사들여 쌓아두었다가 이현과 칠패에 보내서 난매(亂賣)하였다. -『각전기사』

▶ 한양의 중심 시장인 종로에서는 시전 상인들의 견제로 사상들이 활동하기 어려웠다. 그리하여 사상들은 종로를 벗어나 **도성 주변인 이현, 칠패 등에서 장사**를 하였다.

2. 도고(都賈)의 등장

(1) **특징**: 일부 공인과 사상이 대규모로 자본을 축적하면서 한 가지 물품을 대량으로 취급하는 독점적 도매 상인(도고)으로 성장하였다.

(2) **긍정적 측면**: 도고의 성장으로 유통 경제가 활성화되고 상업 자본이 축적되었으며, 자본의 일부는 평민권 신장을 위한 정치 자금으로 이용되었다.

(3) **부정적 측면**: 도고들의 매점매석으로 영세 상인이 몰락하였고 물가가 상승하였다. 또한 도고는 탈세 행위를 통해 관리들에게 정치 자금을 제공하였다(유수원 등 실학자들의 비판을 받음).

2 장시(場市)의 발달

1. 장시의 증가

15세기 말 남부 지방에서 처음으로 장시가 개설되었고, 이후 18세기 중엽에는 장시의 수가 전국 1,000여 개소로 확대되었다.

2. 특징

(1) **지역적 시장권 형성**: 일부 장시는 상설 시장이 되기도 하였지만 인근의 장시와 연계하여 하나의 지역적 시장권을 형성하였다.

(2) **대표적인 장시**: 18세기 말 송파장(광주), 강경장(은진), 원산장(덕원), 마산포장(창원) 등은 전국적인 유통망을 연결하는 상업의 중심지로 성장하였다.

3. 보부상(褓負商)의 활동

(1) **역할**: 보부상은 지방 장시를 연결하여 하나의 유통망을 형성하고 생산자와 소비자를 이어주는 데 큰 역할을 한 행상이었다.

(2) **보부상단 조직**: 보부상들은 자신들의 이익을 보호하고 단결을 추구하기 위해 보부상단을 조직하였다.

3 포구에서의 상업 활동

1. 포구의 성장

(1) **배경**: 조선 시대에는 육로 교통(도로, 수레 등)이 발달하지 않아 물화의 대부분을 육로보다는 수로(선박)를 통하여 운송하였다.

(2) **포구의 역할**: 종래의 포구는 세곡이나 소작료를 운송하는 기지의 역할을 담당하였는데 18세기에 상거래가 활발해지면서 장시보다 규모가 큰 상업의 중심지로 성장하였다.

도고의 매점매석 기출사료

- 그(허생)는 안성의 한 주막에 자리 잡고서 대추, 감, 배, 귤 등의 과일을 모두 사들였다. 허생이 과일을 도거리로 사 두자, 온 나라가 잔치나 제사를 치르지 못할 지경에 이르렀다. 따라서 과일 값은 크게 폭등하였다. 허생은 이에 10배의 값으로 과일을 되팔았다. 이어서 허생은 그 돈으로 곧 칼, 호미, 삼베, 명주 등을 사 가지고 제주도로 들어가서 말총을 모두 사들였다. 말총은 망건의 재료였다. 얼마 되지 않아서 망건 값이 10배나 올랐다. 이렇게 하여 허생은 50만 냥에 이르는 큰돈을 벌었다. - 박지원, 「허생전」
- 영의정 김상철이 말하기를, "도성 백성이 의지하여 살아가는 것은 오로지 시사를 벌여 놓고, 있고 없는 것을 팔고 사며 교역하는 데 달려 있습니다. 그런데 근래에는 기강이 엄하지 않아 간사한 무리들이 어물(魚物)과 약재(藥材) 등의 물종은 물론이고, 도고라 이름 하면서 중앙에서 이익을 독점하는 폐단이 그 단서가 한둘이 아닙니다." - 『영조실록』

▶ 박지원의 소설 「허생전」의 허생은 과일을 매점매석하여 가격을 폭등시키고 큰 이득을 취하였다. 조선 후기에는 **도고의 상행위로 물가가 폭등**하는 등 **여러 폐단이 발생**하였다.

장시의 증가

경기의 광주 사평장·송파장, …… 공충도의 은진 강경장, …… 경상도의 창원 마산포장, 평안도의 박천 진두장, 함경도의 덕원 원산장이 가장 큰 장들이다. - 서영보 등, 『만기요람』

▶ 조선 후기에는 장세(場稅) 납부로 지방 재정이 충원될 정도로 장시가 급격하게 증가하였다.

보부상

보부상은 일정한 장소에 개설한 점포에서가 아니라, **각지를 돌아다니며 상거래**를 하는 **봇짐 장수**와 **등짐 장수**를 통틀어 이르는 말이다.

(3) 대표적 포구: 칠성포(김해), 강경포(논산), 원산포(덕원·원산), 영산포(나주), 법성포(영광) 등이 대표적이었다.

2. 포구 활동 상인

(1) 선상

① **활동**: 선상은 선박을 이용해 각 지방의 물품을 구입·운송하여 포구에서 판매하였다.

② **경강 상인**: 경강 상인은 운송업에 종사하다가 거상으로 성장한 대표적인 선상으로, 한강을 근거지로 하여 주로 서남 연해안 지방을 오가며 미곡, 소금, 어물 등을 거래하였다.

(2) 객주와 여각

① **활동**: 객주와 여각은 선상들이 물화를 싣고 포구에 들어오면 그 상품의 매매를 중개하고 부수적으로 운송·보관·숙박·금융(어음 발행) 등의 영업 활동도 전개하였다.

② **활동 무대**: 객주와 여각은 포구는 물론 지방의 대형 장시에서도 활동하였다.

4 대외 무역의 발달

1. 주요 무역

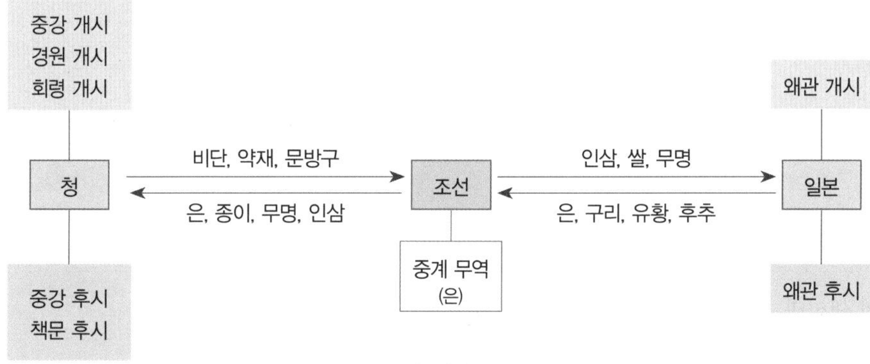

| 개시와 후시

(1) 개시: 개시는 국가가 인정한 대외 교역 시장으로, 중국, 일본 등을 상대로 열렸다.

중강 개시	의주의 중강(中江, 압록강의 난자도)에서 이루어진 대(對)중국 무역
경원·회령 개시	함경도 지방에서 이루어진 대(對)중국 무역
왜관 개시	동래에서 이루어진 대(對)일본 무역

(2) 후시: 후시는 사상들이 전개한 밀무역으로, 조선 후기에 크게 성행하였다.

회동관 후시	중국의 회동관(외국 사신의 접견·접대를 관할하는 관청)에서 이루어진 무역
중강 후시	의주의 중강에서 이루어진 무역
책문 후시	의주 맞은편의 책문에서 이루어진 무역
북관 후시	함경도 경원 등에서 야인들과 거래
왜관 후시	부산 등의 왜관에서 왜인들과 거래

경강 상인

- 광주(廣州) 삼전도의 부호 손도강은 경강 근처에 근거지를 두었는데, 양주(楊洲)와 광주의 부민과 계약을 체결하여 수천만 금을 마련하였다. - 『각전기사』
- 대개 경강 상인이 곡식을 모아 둔 것이 올해와 같이 많은 적이 없었던 까닭으로 …… 그런데 경강 상인들은 쌓아 둔 곡식 값이 뛰어오르지 않는 것을 안타깝게 여겨 연안 포구에서 여각(旅閣)·객주(客主)들을 지휘하여 곡식을 감추게 하고 저잣거리의 백성들과 호응하여 값을 더하게 하였던 것입니다. - 『순조실록』

▶ **경강 상인**은 **한강을 근거지**로 서남 해안을 오가며 **미곡, 어물, 소금 등의 운송·거래를 주도하면서 활동**하였는데, 이후 도성 안의 미전 상인을 좌지우지 할 정도로 성장하였다. 이러한 경강 상인의 위세는 경강 상인인 김재순이 시전 상인들과 공모하여 쌀을 매점매석해 쌀 값이 크게 오르자 한성의 빈민들이 흥분하여 미전 상인들을 공격한 한성 쌀 폭동을 통해 알 수 있다.

객주와 여각의 구분

객주와 여각을 구분하는 뚜렷한 기준은 없다. 대개 모든 상품을 취급하는 상인을 객주, 소금과 해산물을 취급하는 상인을 여각으로 구분하거나 비교적 많은 자본을 가진 상인을 여각이라 하였다.

후시에서의 무역 교과서 사료

숙종 26년(1700) 예부에 청하여 중강 후시를 폐쇄시켰으나 책문 후시는 지금까지 행한다. …… 사행이 책문을 출입할 때 만상과 송도 상인들이 일부러 사신을 먼저 책문으로 나게 한 뒤, 저희 마음대로 매매하고 돌아온다. 이를 책문 후시라고 한다. 세폐 방물을 교부한 뒤에 돌아오는 인마에 이르러서는 특별히 단련사를 뽑아 보내 간악하고 외람된 짓을 금하게 하였다. 그 뒤에 단련사가 도리어 상인들의 두령이 되어 뒤에 떨어져서 여러 날을 머물러 마음껏 매매하고 돌아오는 말 편에 싣고 온다. 이를 단련사 후시라고 한다. - 서영보 등, 『만기요람』

▶ 조선 후기에는 대외 무역의 발달로 밀무역인 후시가 크게 성장하였다.

2. 청과의 무역

(1) **무역 형태**: 조공 사행 수행원들의 무역, 중강(의주)과 책문(중국 봉황) 등의 국경 지대를 중심으로 공적 무역인 개시와 사적 무역인 후시가 열렸다.

(2) **교역품**: 조선은 청에 은·종이·무명·인삼 등을 수출하였고, 청으로부터는 비단·약재·문방구 등을 수입하였다.

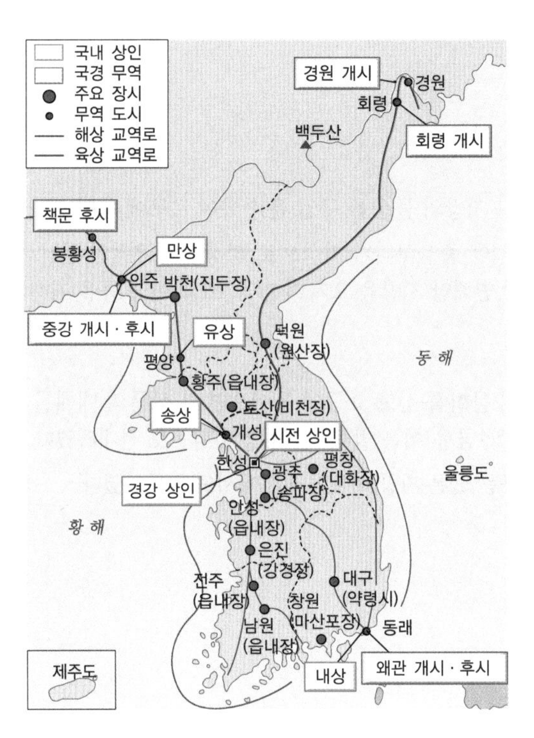

| 조선 후기 상업과 무역 활동

3. 일본과의 무역

(1) **무역 형태**: 임진왜란 이후 경직되어 있던 일본과의 관계가 점차 정상화되면서 왜관 개시를 통한 대일 무역이 활발하게 전개되었다.

(2) **교역품**: 조선은 인삼, 쌀, 무명 등을 수출하였고, 일본으로부터는 은·구리·황·후추 등을 수입하였다.

사행 수행원들의 무역(팔포 무역)

조선은 청으로 가는 사행원에게 인삼 10근을 한 포(包)로 하여 총 8포를 휴대할 수 있도록 공인하였다. 이에 8포는 연경으로 가는 사행(使行)의 사무역으로 공인된 자금을 의미하게 되었고, 이로부터 연행팔포·팔포무역이라는 말이 생겼다. **조선 후기 사행원들은 팔포의 인삼을 지참해 가 청에서 무역을 하면서 국제 무역에 참여**하였다.

5 화폐의 유통

1. 배경

(1) **상업의 발달**: 양 난 이후 상품의 생산과 유통이 활발해 지면서 시전의 규모가 커지고 각지에 장시가 크게 증가하는 등 상업이 발달하였다.

(2) **무역의 확장**: 상업이 발달됨에 따라 인근 국가들과의 대외 무역도 활기를 띠었다. 무역 수요가 증가하면서 화폐 사용이 확대되어 동전(상평통보)이 전국적으로 유통되었고, 세금과 지대(地代)까지 동전으로 낼 수 있게 되면서 화폐의 사용이 일반화되었다.

기출 사료 읽기

상평통보

대신과 비변사의 여러 신하를 만나서, 비로소 돈(錢)을 사용하는 일을 논의하여 결정하였다. 돈은 천하에 통행하는 재화인데, 오직 우리나라에서만 조종조(祖宗朝)로부터 여러 차례 행하려고 하였으나 행할 수 없었다. 이때에 이르러 대신 허적과 권대운 등이 시행하기를 청하였다. 왕이 군신에게 물으니, 군신들이 모두 편리함을 말하였다. 숙종이 그대로 따르고, 호조(戶曹)·상평청(常平廳)·진휼청(賑恤廳)·어영청(御營廳)·사복시(司僕寺)·훈련도감(訓鍊都監)에 명하여 상평통보를 주조하여 돈 400문(文)을 은 1냥(兩)의 값으로 정하여 시중에 유통시켰다. -『숙종실록』

사료 해설 | 우리나라는 고려 시대부터 화폐를 유통시키기 위해 노력하였으나 상품 화폐 경제가 발달하기 시작한 조선 후기에 이르러 비로소 화폐가 전국적으로 유통될 수 있었다.

2. 상평통보 발행 과정

인조	· 상평청을 설치하고 동전(조선통보, 상평통보 등) 주조 · 개성 등을 중심으로 시범적으로 통용시킴
효종	김육의 건의로 서울 및 일부 지방에 유통
숙종	· 상평통보를 법화로 채택하고 전국적으로 유통시킴 · 18세기 후반부터는 세금과 소작료를 동전으로 납부하는 비중이 증가

3. 화폐 보급의 영향

(1) **재산의 축적**: 동전은 교환 수단일 뿐 아니라 재산 축적의 수단이었다.

(2) **상품 유통의 촉진**: 화폐의 보급은 상품 유통을 촉진시키는 데 크게 기여하였다.

(3) **전황(錢荒)의 발생**

① **원인**: 지주나 대상인들이 화폐를 고리대나 재산 축적에 이용하였다.

② **전황 발생**: 광산의 개발로 인한 구리 공급의 증가와 사적 주조의 성행으로 동전의 발행량이 상당히 늘어났지만, 제대로 유통되지 않아 시중에 동전이 부족해지는 현상인 전황이 발생하였다.

③ **영향**: 시중에 동전이 유통되지 않아 화폐 가치가 상승하고 물가가 하락하여 농민의 부담이 가중되었다.

④ **대책**: 이익 등 중농학파 실학자들이 화폐의 사용을 중지하자는 폐전론을 제기하였다.

기출 사료 읽기

> **폐전론**
>
> 대저 우리나라는 지역이 좁은 데다가 물길이 사방으로 통해 있기 때문에 동전이 필요치 않다. …… 지금 동전을 사용한 지 겨우 70년밖에 되지 않았으나, 폐단이 매우 심하다. 동전은 탐관오리에게 편리하고 사치하는 풍속에 편리하며 도둑에게 편리하나, 농민에게는 불편하다. 많은 사람들이 돈꿰미를 차고 저잣거리에 나아가 무수한 돈을 허비하니, 인심이 날로 각박해진다. - 이익, 『성호사설』
>
> **사료 해설** | 이익은 전황의 발생으로 인해 백성들이 피해를 입는 등의 폐단이 발생하자 화폐 사용을 중지해야 한다는 폐전론을 주장하였다.

전황(錢荒)의 발생

· 최근에 전황이 심합니다. 신의 생각에 이것은 부상대고(富商大賈)들이 때를 타서 화폐를 숨겨 이익을 노리고자 한 것으로 보입니다. - 『비변사등록』

· 근래 각종의 물건들은 돈이 아니면 살 수가 없다. 비록 쌀과 베가 있어도 반드시 돈으로 바꾼 뒤에 교역을 한다. 근년에 이르러 동전이 매우 귀해지고 물건이 천해지니 농민과 상인이 함께 곤란해져 능히 견디지를 못한다. - 정상기, 『농포문답』

▶ 전황은 1700년대 초부터 1810년대에 이르는 시기에 거의 만성적으로 나타났다.

4. 신용 화폐의 보급

상품 화폐 경제의 발달로 동전 사용량이 증가하였으나 무게로 인해 대규모로 거래하기에는 불편하다는 한계가 나타났다. 이에 환, 어음 등 신용 화폐가 등장하였다.

OX 빈칸 핵심 개념 점검

* 학습한 개념을 OX/빈칸 문제를 통해 점검해보세요.

핵심 개념 1 | 사상의 대두

01 조선 후기에 정조는 신해통공을 반포하여 육의전의 금난전권을 폐지하였다. □ O □ X

02 조선 후기 사상의 활동은 개성, 평양, 의주, 동래 등 지방 도시에서도 활발하였다. □ O □ X

03 한강을 근거지로 활동하던 경강 상인은 조선 후기의 조운까지 담당하였다. □ O □ X

04 만상은 왜관에서 활동하며 일본과의 무역을 주도하였다. □ O □ X

05 조선 후기의 일부 공인과 사상은 도고로 성장하였다. □ O □ X

06 송상은 ____을 근거지로 하여 상행위를 하였으며, 전국에 ____이라는 지점을 설치하였는데 주로 인삼을 재배·판매하였다.

07 ________은 운송업에 종사하면서, 선박 건조 등 생산 분야에 진출하기도 하였다.

08 조선 후기에는 ____라 불리는 독점적 도매 상인이 활동하였다.

핵심 개념 2 | 장시의 발달과 포구에서의 상업 활동

09 15세기 후반에 남부 지방에 개설되기 시작한 장시는 18세기 중엽에 이르러 1,000여 개소로 늘어났다. □ O □ X

10 조선 후기 포구에서의 상거래는 장시보다 규모가 컸다. □ O □ X

11 조선 후기에는 포구에서 상품 매매를 중개하며 덕대가 성장하였다. □ O □ X

12 조선 후기 지방 장시의 ____와 ____은 상품의 매매뿐 아니라 숙박·창고·운송 업무까지 운영하였다.

핵심 개념 3 | 대외 무역의 발달

13 조선 시대에는 명과의 교류에서 중강 개시와 책문 후시가 전개되었다. □ O □ X

14 조선 후기에는 은, 구리, 황 등을 일본에 수출하였다. □ O □ X

15 조선 후기에 청(淸)과의 무역이 활발해지면서, 국경 지대를 중심으로 공적으로 허용된 무역인 ____와 사적인 무역인 ____가 이루어졌다.

핵심 개념 4 | 화폐의 유통

16 숙종 때 상평통보를 법화로 채택하고 전국적으로 유통시켰다. □ O □ X

17 조선 후기에는 환이나 어음과 같은 신용 화폐도 사용되었다. □ O □ X

18 18세기 후반, 동전으로 세금이나 소작료를 납부하는 비중이 증가하였다. □ O □ X

19 조선 후기에는 시중에 동전이 부족해지는 현상인 ＿＿＿이 발생하였다.

20 중농학파 실학자 이익은 화폐를 없애자는 ＿＿＿을 주장하였다.

정답과 해설

01	✖ 정조는 신해통공을 반포하여 육의전을 제외한 시전 상인들의 금난전권을 폐지하였다.	11	✖ 조선 후기 포구에서 상품 매매를 중개하며 성장한 것은 객주, 여각 등이다. 덕대는 조선 후기에 나타난 광산 경영 전문가이다.
02	O 조선 후기의 사상의 활동은 한양뿐만 아니라 개성, 평양, 의주, 동래 등 지방 도시에서도 활발하였다.	12	객주, 여각
03	O 경강 상인은 한강을 근거지로 활동하였으며, 조선 후기의 조운까지 담당하였다.	13	✖ 조선 시대에는 명이 아닌 청과의 교류에서 중강 개시와 책문 후시가 전개되었다.
04	✖ 동래의 왜관에서 활동하며 일본과의 무역을 주도한 것은 내상이다. 만상은 의주에서 중국과의 무역을 주도하였다.	14	✖ 은, 구리, 황 등은 조선이 일본에서 수입한 상품이다. 조선은 일본에 인삼, 쌀, 무명 등을 수출하였다.
05	O 조선 후기에는 일부 공인과 사상이 대규모로 자본을 축적하면서 독점적 도매 상인인 도고로 성장하였다.	15	개시, 후시
06	개성, 송방	16	O 숙종 때 상평통보를 법화로 채택하고, 전국적으로 널리 유통시켰다.
07	경강 상인	17	O 조선 후기에는 환이나 어음 등의 신용 화폐도 사용되었다.
08	도고	18	O 18세기 후반에 화폐가 널리 유통되면서 동전으로 세금이나 소작료를 납부하는 비중이 증가하였다(조세의 금납화).
09	O 15세기 후반에 전라도 지방에서 등장한 장시는 전국으로 확대되어 18세기 중엽에는 1,000여 개로 늘어났다.	19	전황
10	O 조선 후기에는 포구에서의 상거래가 활발해지면서 포구가 장시보다 규모가 큰 상업 중심지로 성장하였다.	20	폐전론

조선 후기의 사회

1 사회 구조와 향촌 질서의 변화

학습 포인트

조선 후기 신분제의 동요를 중간 계층과 천인층 중심으로 살펴보고, 가족 제도의 변화 모습을 조선 전기와 비교하며 학습한다. 또한 조선 후기의 사회 변화에 대해 양반층, 농민층이 어떻게 대처하고 적응하였는지 파악한다.

빈출 핵심 포인트

서얼, 노비 종모법, 공노비 해방, 족보, 동약, 서원과 사우, 부농층, 향전, 가부장적 가족 제도

1 신분제의 동요

1. 조선의 신분 계층 구조

(1) **법제적**: 조선은 법제적으로 신분을 양인과 천인으로 구분하는 양천제 사회를 지향하였다.

(2) **실제적**: 실제로는 양반, 중인, 상민, 천민으로 구분하는 반상제가 실질적인 신분제로 통용되었다.

2. 신분 계층의 동요

양반층의 분화	· 붕당 정치의 변질로 일당 전제화 전개 · 권력을 잡은 일부 양반(권반)을 제외한 다수의 양반이 몰락 → 향반과 잔반으로 분화
상민·노비 수 감소	부를 축적한 부농층의 신분 상승으로 양반의 수는 증가하고, 상민과 노비의 수는 감소

기출 사료 읽기

조선 후기 신분제의 동요

· 옷차림은 신분의 귀천을 나타내는 것이다. 그런데 어찌 된 까닭인지 근래 이것이 문란해져 상민과 천민이 갓을 쓰고 도포를 입는 것이 마치 조정의 관리나 선비같이 한다. 진실로 한심스럽기 짝이 없다. 심지어 시전 상인이나 군역을 지는 상민까지도 서로 양반이라 부른다. -『일성록』

· 근래 아전의 풍속이 나날이 변하여 하찮은 아전이 길에서 양반을 만나도 절을 하지 않으려 한다. 아전의 아들, 손자로써 아전의 역을 맡지 않은 자가 고을 안의 양반을 대할 때, 맞먹듯이 너나하며 자(字)를 부르고 예의를 차리지 않는다. -『목민심서』

사료 해설 | 조선 후기에는 상품 화폐 경제가 발달하면서 재산을 모은 일부 상민들이 공명첩을 사서 양반이 되거나, 몰락한 양반의 족보를 매입·위조하여 양반으로 행세하기도 하였다. 이로 인하여 양반의 수가 크게 늘어나고 상민의 수는 줄어들면서 양반 중심의 신분 질서가 동요되었다.

조선 후기 신분제 변화

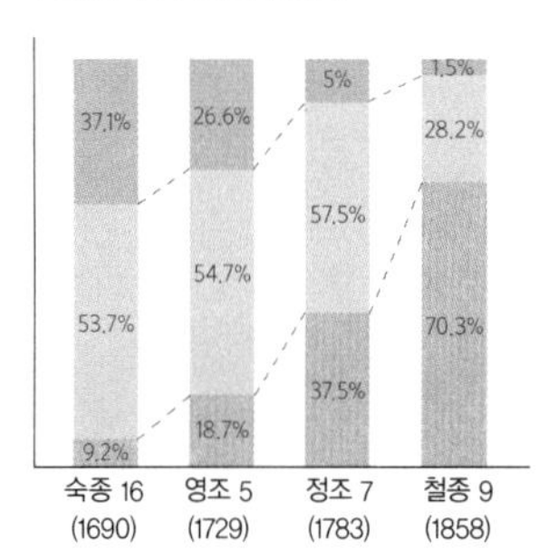

향반과 잔반

향반(鄕班)이란 향촌 내에서 겨우 행세할 수 있을 정도의 **군소 양반**을 말하며, **잔반**(殘班)이란 거의 상민과 다름 없을 정도로 **몰락한 양반**을 가리킨다.

2 중간 계층의 신분 상승 운동

1. 서얼들의 신분 상승 운동

(1) **배경**: 서얼에 대한 차별은 임진왜란 이후 완화되기 시작하였다. 특히 서얼들은 납속이나 공명첩을 통해 과거 응시권을 획득한 후 관직에 진출하였다.

(2) **전개**: 서얼 출신들이 영조와 정조 시기에 어느 정도 등용되기 시작하였고, 이를 계기로 서얼들은 수 차례에 걸쳐 허통(과거 응시), 통청(청요직 진출), 후사권(가족 내의 권리) 등을 요구하는 **집단 상소 운동을 전개**하며 관직 진출의 제한 철폐를 요구하였다.

(3) **결과**: 이덕무, 유득공, 박제가, 서이수 등이 정조 때 **규장각 검서관**으로 등용되었다. 이후 19세기 중엽 서얼은 법적으로 **허통, 통청의 권리를 획득**하였다.

2. 기술직 중인들의 소청 운동

(1) **배경**: 서얼들의 소청 운동에 자극받은 기술직 중인들은 축적된 재산과 실무 경험을 바탕으로 신분 상승을 추구하였다.

(2) **전개**: 철종 때 기술직 중인에 대한 차별 철폐와 청요직 진출의 요구를 담은 **대규모 소청(통청) 운동을 전개**하였다.

(3) **결과**: 소청 운동을 결집할만한 강력한 세력이 형성되지 못하면서, 기술직 중인들의 소청 운동은 실패하였다.

기출 사료 읽기

> **기술직 중인의 소청 운동**
>
> 아! 중인들은 본시 모두 사대부였는데 또는 의료직에 들어가고 또는 통역에 들어가 그 역할을 7~8대나 10여 대로 전하니 사람들이 서울 중촌(中村)의 오래된 집안이라고 불렀다. 문장과 대대로 쌓아 내려오는 미덕은 비록 사대부에 비길 수 없으나 유명한 재상, 지체 높고 번창한 집안 외에 이들보다 나은 자는 없다. 비록 나라의 법전에 금지한 바 없으나 자연히 명예롭고 좋은 관직으로의 진출은 막히거나 걸려 수백 년 원한이 쌓여 펴지 못한 한이 있고 이를 호소할 기약조차 없으니 이는 무슨 죄악이며 무슨 업보인가?
>
> -『상원과방』
>
> **사료 해설 |** 서얼들이 신분 상승 운동을 통해 청요직 등의 관직에 진출하자, 이에 자극을 받은 기술직 중인들도 관직 진출의 제한을 없애고 사대부와 같이 벼슬을 할 수 있게 해달라는 대규모 소청 운동을 전개하였다. 그러나 이는 받아들여지지 않았다.

3 노비 해방

1. 노비의 감소

(1) **국가의 정책**: 정부는 군공, 납속을 통한 노비의 신분 상승을 허용하였고, 유지 비용 과다로 공노비의 효율성이 떨어지자 입역 노비를 납공 노비로 전환하였다.

(2) **도망 노비 증가**: 노비들이 도망 후에도 임노동자나 머슴, 행상 등으로 생계를 유지할 수 있게 되자 노비들의 도주가 증가하였다.

서얼의 신분 상승 운동

통청윤음(영조, 1772): 청요직 진출 허용

서얼허통절목(정조, 1777): 청요직 허용

신해허통(철종, 1851): 서얼 차별 철폐

통청의 실현(철종, 1857): 완전한 통청 허용

납속

곡식을 바치는 사람에게 벼슬을 내리거나 죄를 면제해주는 제도이다.

공명첩 발행 교과서 사료

적의 목을 벤 자, 납속을 한 자, 작은 공이 있는 자에게 모두 관리 임명장을 주거나, 천인 신분 또는 국역을 면하는 증서를 주었다. 병사를 모집하고 납속을 모집하는 담당 관리가 이것을 가지고 지방에 내려갈 때, 이름 쓰는 곳만 비워 두었다가 응모자가 있으면 수시로 이름을 써서 주었다.

-『선조실록』

▶ 공명첩은 이름을 기재하지 않은 **백지 임명장**으로, 임진왜란이후 **재정 확보를 위해 정부가 공명첩을 발급**하자 서얼들은 이를 이용하여 관직에 나아갈 수 있게 되었다.

청요직

청요직이란 홍문관, 사간원, 사헌부 등의 관직을 말한다. 청요직 출신은 판서나 정승으로 진출하는 데 유리하였기 때문에 청요직은 조선 시대 관리들이 선망하는 자리였다.

(3) **노비종모법 실시(1731, 영조)**: 양반의 증가와 상민의 감소로 국가 재정 상태가 악화되자, 영조는 상민 증가 방안으로 아버지가 노비여도 어머니가 양인이면 그 자식을 양인으로 삼는 노비종모법을 실시하였다.

2. 노비 해방

(1) **공노비 해방**(1801): 공노비의 도망과 노비의 합법적인 신분 상승으로 신공을 받아낼 수 없게 되자, 순조 때 중앙 관청의 노비 66,000여 명을 해방시켰다(모든 공노비 해방은 ×).

(2) **노비제 폐지**(1894): 가혹한 수탈과 사회적 냉대로 도망하는 경우가 증가했던 노비는 갑오개혁 때 법제상으로 신분제가 폐지되면서 해방되었다.

4 향촌 질서의 변화

1. 양반의 향촌 지배력 약화

(1) 향촌 질서의 변화

① **부농층의 성장**: 조선 후기에는 일부 평민과 천민 중에 재산을 모아 부농층(요호부민)으로 성장하는 사람이 생겨났다.

② **양반 내부의 계층 분화**: 세도 정치 시기에 권력이 일부 양반에게 집중되자, 몰락한 많은 양반들의 사회적·경제적 처지는 일반 농민과 다를 바 없어졌다. 몰락한 양반들은 자영농·소작농이 되어 농사를 짓거나, 상업과 수공업에 종사하며 생계를 유지하였다. 이에 따라 사족 중심의 향촌 질서가 변화하고 양반의 권위가 점차 약화되었다.

(2) 양반의 향촌 지배력 강화 노력

① **족보 작성**: 양반은 친족과의 관계를 긴밀히 하기 위해 부계 위주의 족보를 작성하였고, 족보를 연구하는 보학이 성행하였다.

② **청금록과 향안 작성**: 청금록과 향안은 양반 신분을 확인시켜 주는 일종의 증거 서류였는데, 재지 사족들이 향촌 지배권 유지를 위해 작성하였다.

③ **동계와 동약 실시**: 재지 사족의 권위 약화로 인해 군현 단위에서 그 범위를 좁혀 촌락 단위의 동약을 실시하여 백성을 통제하였다.

④ **동족 마을과 서원, 사우 형성**: 사족은 가문 내부의 족적 결합을 강화하여 자신들의 지위를 유지하고자 하였다. 이에 전국에 많은 동족 마을이 만들어졌고, 문중을 중심으로 서원과 사우(가문의 유명한 선조나 인물을 모셔 제사지내는 곳)가 다수 건립되었다.

(3) 부농층의 도전

① **배경**: 조선 후기 향촌 사회에서는 종래까지 영향력을 행사하였던 양반 대신에 부농층(요호부민)이 새롭게 등장하여 향촌 지배권에 도전하였다.

② **전개**: 경제력을 갖춘 부농층은 수령을 중심으로 한 관권과 결탁하여 향안에 이름을 올리고, 향회를 장악하여 향촌 사회에서 영향력을 키우려 하였다. 또한 부농층은 종래의 재지 사족이 담당하던 정부의 부세 제도 운영에 적극 참여하였으며 향임직에 진출하거나 기존 향촌 세력과 타협하면서 상당한 지위를 확보하였다.

공노비 해방

하교하기를, "선조(先朝)께서 내노비(內奴婢)와 시노비(寺奴婢)를 일찍이 혁파하고자 하셨으니, 내가 마땅히 이 뜻을 이어받아 지금부터 일체 혁파하려 한다. 그리고 그 급대(給代)는 장용영으로 하여금 거행하게 하겠다." 하고, 문임으로 하여금 윤음(綸音)을 대신 지어 효유케 하였다. 그리고 승지에게 명하여 내사(內司)와 각 궁방(宮房) 및 각 관사(官司)의 노비안을 돈화문(敦化門) 밖에서 불태우고 아뢰도록 하였다. -『순조실록』

▶ 노비의 합법적인 신분 상승과 도망으로 공노비의 노비안이 유명무실해지자, 순조는 **중앙 관서에 소속된 공노비를 해방**시켰다(1801). 순조 때의 공노비 해방은 노비종모법(영조)과 마찬가지로, 양인의 확보를 통한 국가 재정의 확충을 목적으로 실시되었다.

청금록

서원, 향교, 성균관에 출입하는 양반들의 출석부로 '청금'은 유생들이 입는 옷을 가리키는데 이것에서 명칭이 유래되었다.

사우(사당) 남설

사당을 세운 것이 해마다 더욱 많이 불어나서 고을마다 즐비하게 되었습니다. 그래서 그 폐단이 널리 퍼져 심지어는 논의가 공정하지 못한 데까지 이르러, 혹 벼슬이 높은 사람이면 향사하고, 혹 세력 있는 집안 사람이면 향사하여, 서로 다투어 제사 지내는 것을 일삼아 이것을 가지고 서로 자랑하며, 또 그로 인하여 사사로이 명예를 세움으로써 배척과 훼방이 따르기도 합니다." -『인조실록』

▶ 양반들은 **족적 결합을 강화**하여 자신들의 지위를 지키기 위해 **사우(사당)를 남설**하였다.

2. 신향과 관권의 강화

(1) 향전

① **배경**: 기존에 향촌 세력을 지배하던 구향과 새롭게 등장한 신향 사이에 향권을 두고 다툼이 벌어졌다.

② **전개**: 정부는 부세 수취 등에 협조적인 부농층(신향)을 적극 활용하는 대신 납속이나 향직의 매매(매향)를 통한 합법적인 신분 상승의 길을 열어주었다. 따라서 향전은 향임·향리를 활용하려는 정부 시책에 대한 구향의 반발이기도 하였다. 그러나 수령이 향전에 깊게 개입하는 한편, 부농층(신향)이 수령 및 향리층과 결탁하면서 향전은 점차 구향에게 불리한 양상으로 전개되었다.

기출 사료 읽기

향전

- 지방 고을의 향전은 마땅히 금지해야 할 것이다. …… 반드시 가볍고 무거움에 따라 양쪽의 주동자를 먼저 다스려 진정시키고 향전을 없애는 것을 위주로 하는 것이 옳다. …… 향임을 임명할 때 한쪽 사람을 치우치게 쓰지 않는 것이 좋다. -『거관대요』
- 보성군에는 교파와 약파가 있다. 교파는 향교에 다니는 자들이고, 약파는 향약을 주관하는 자들이다. 서로 투쟁이 끊이지 않고 모함하는 일이 갈수록 더하여 갔다. 드디어 풍속이 도에서 가장 나빠졌다. -『목민심서』

사료 해설 | 향촌 지배권을 둘러싸고 구향과 신향 사이에 벌어진 싸움을 향전이라고 한다. 신향은 향촌 지배권을 행사하는 데 중요한 역할을 했던 향교를 두고 구향과 다투거나, 구향과 타협하여 향촌 지배에 참여하는 등 다양한 방법으로 향촌 사회에서 자신들의 영향력을 확대해 갔다. 위 사료에서 '고가와 대족, 남인, 약파'는 구향을 가리키며, '서인, 교파'는 신향을 가리킨다.

(2) 관권의 강화

① **수령의 권한 강화**: 종래 재지 사족의 힘이 약화되고, 수령이 부농층을 중심으로 한 신향층을 포섭하면서 조선 후기 향촌 사회에서는 관권이 강화되었다. 정조 때에는 군현 단위의 향약을 수령이 직접 주관하도록 하였다.

② **향리의 역할 증대**: 재지 사족의 지위가 흔들리고 수령을 중심으로 한 관권이 강화되면서 향촌에서 관권의 실제 집행을 맡아보고 있던 향리의 역할이 커졌다.

③ **향회의 기능 변화**: 종래에 향촌 지배 전반을 관장하며 재지 사족인 양반의 이익을 대변하던 향회는 수령이 세금을 부과할 때에 의견을 물어 보는 자문 기구로 전락하였다.

5 농민층의 변동

1. 농민층의 변화

(1) 농민층의 구성

① **중소 지주층**: 상층 농민으로 자기가 소유한 토지를 소작제로 경영하였다.

② **자영농, 소작농**: 대다수의 농민이 자영농과 소작농이었다.

(2) **정부의 정책**: 정부는 조세·공납·역을 부과하고 호패법을 실시(이탈 억제 목적)하여 농민들이 대대로 한 곳에 정착하여 살도록 하였다. 이때 농민들은 어렵게 자급자족 생활을 하였다.

신향

조선 후기에 새롭게 향안과 향임직에 오른 계층으로, 재지 사족인 구향과 대비되는 계층이다. 신향은 조선 후기에 부를 축적한 부농 및 향촌에서 소외된 서얼·중인 등으로 구성되었다.

매향의 폐단 교과서 사료

매향(향직을 돈 받고 파는 것)에는 여러 가지 방법이 있습니다. 돈을 받고 향임(향청의 직임)이나 군임, 면임에 임명하는가 하면, 향안(양반 명부), 교안(향교 교생 명부)에 올려 줍니다. 여기에 응하는 자는 모두 국가의 군역을 진 상민입니다. …… 한번 향임이나 군임을 지낸 자나 향안, 교안에 오른 자는 대개 군역과 요역에서 벗어납니다. 군정(軍丁)이 부족하면 중첩되게 정하는 문제가 생기고, 요역이 고르지 못하면 한쪽만 치우치게 고통 받는 문제가 생깁니다. -『정조실록』

▶ 조선 정부는 **부족한 재정을 보충**하기 위해 **돈을 받고 향직을 팔아(매향) 부농층의 신분을 상승**시켜 주었다. 그러나 결국 부농층이 역에서 벗어나게 되며 군정이 부족해지는 결과를 낳았다.

(3) 농민층의 분화

① **배경**: 양난 이후 실시한 영정법, 대동법, 균역법 등은 실질적인 효과를 거두지 못하였고, 수취량의 계속적인 증가로 농민 생활이 악화되었다.

② **분화**: 농민층의 일부가 경영형 부농으로 성장하거나 상공업자로 전환하였다. 그러나 대다수는 농촌에서 이탈하여 생계 유지를 위해 도시나 광산의 임노동자가 되었다.

교과서 사료 읽기

농민층의 분화

부농층은 …… 직접 농사를 짓지 않고서도 향락을 누릴 수 있으며, 빈농층 중 어떤 농민은 지주의 농지를 빌려 경작함으로써 살아갈 수 있으며, 그들 가운데 어떤 자는 농지를 얻을 수 없으므로 임노동자가 되어 타인에게 고용됨으로써 생계를 유지한다. - 정상기, 『농포문답』

사료 해설 | 농민 중 일부는 광작을 통해 부농으로 성장하였으나 다수의 농민들은 소작농, 임노동자로 전락하였다.

6 가족 제도의 변화와 혼인

1. 가족 제도 변화

(1) 특징: 조선 시대의 가족 제도는 조선 전기에 부계와 모계가 함께 영향을 끼치는 형태에서 조선 후기에 이르러 부계 위주의 형태로 변화하였다.

(2) 조선 중기까지: 혼인 후 남자가 여자 집에서 생활하는 경우가 있었고, 집안의 대를 잇는 자식은 1/5을 추가로 상속받았을 뿐 균등 상속이 일반적이었으며, 제사는 자식들이 돌아가면서 지내거나 책임을 분담하였다.

(3) 17세기 이후: 가부장적 가족 제도가 확립되었다.

적장자 상속·제사 독점	· 제사는 반드시 적장자인 큰아들이 지내야 한다는 의식 확산 · 재산 상속에서도 큰아들 우대
친영과 신행 제도 정착	혼인 후 곧바로 남자 집에서 생활하는 친영·신행 제도 정착
양자 제도의 일반화	· 아들(적장자)이 없는 집안에서는 양자를 들이는 것이 일반화 · 다른 성씨는 양자로 삼을 수 없다는 이성불양의 원칙 적용
족보 편찬	부계 위주의 족보를 적극적으로 편찬
동성 마을 형성	같은 성을 가진 사람끼리 모여 사는 동성 마을 형성

(4) 역할: 가족 제도는 사회 질서를 지탱하는 버팀목 역할을 하였으며, 국가는 이를 잘 유지하기 위한 윤리 덕목으로 '효'와 '정절'을 강조하였다.

친영과 신행

친영(親迎)은 **신랑이 신부를 신랑 집으로 맞이하여 혼례를 치르는 것**이고, 신행(新行)은 **혼례를 올린 뒤 신부가 신랑 집으로 가는 것**을 의미한다.

OX 빈칸 핵심 개념 점검

* 학습한 개념을 OX/빈칸 문제를 통해 점검해보세요.

핵심 개념 1 | 신분제의 동요와 중간 계층의 신분 상승 운동

01 조선 후기에 양반의 수는 증가하고 상민과 노비의 수는 감소하였다. □ O □ X

02 조선 후기 서얼은 신분 상승 운동을 전개하였지만 관직에는 진출할 수 없었다. □ O □ X

03 조선 후기에 기술직 중인들은 대규모 통청 운동으로 청요직 진출이 허락되었다. □ O □ X

04 서얼의 신분 상승 운동은 중인에게 자극을 주었다. □ O □ X

05 조선 후기에 ______의 실시와 ______의 발행 등을 통해 신분의 변동이 심해졌다

06 조선 후기에는 서얼의 ______ 진출이 부분적으로 허용되었다.

07 서얼에 해당하는 인물로는 정조 때 ______으로 등용된 유득공, 박제가, 이덕무 등이 있다.

핵심 개념 2 | 노비의 해방

08 조선 후기에는 군공, 납속을 통한 노비의 신분 상승이 허용되었고, 공노비는 해방되었다. □ O □ X

09 정조 때 노비 수의 감소로 노비 제도에 대한 실효성이 떨어지자 공노비를 해방시켰다. □ O □ X

10 조선 후기 ______ 때 아버지가 노비여도 어머니가 양인이면 그 자식을 양인으로 삼는 ______을 실시하였다.

핵심 개념 3 | 양반의 권위 약화와 부농층의 도전

11 조선 후기의 재지 사족은 동계와 동약을 통해 향촌 사회에 대한 영향력을 유지하려 하였다. □ O □ X

12 조선 후기에 향회는 수령의 부세 자문 기구로 전락하였다. □ O □ X

13 조선 후기에 몰락한 일부 농민은 도시나 광산의 임노동자가 되었다. □ O □ X

14 조선 전기부터 향촌을 지배하였던 기존의 사족들을 ______이라고 하였다.

15 조선 후기의 부농층은 수령과 결탁하여 ______에 이름을 올렸다.

16 조선 후기에 발생한 ______은 수령과 향리의 권한이 강해지는 결과를 가져왔다.

핵심 개념 4 | 가족 제도의 변화와 혼인 제도

17 조선 후기에는 아들들에게 균등한 재산 상속이 이루어졌다. □ O □ X

18 조선 후기에는 혼인 후 곧바로 남자 집에서 생활하는 친영 제도가 정착되었다. □ O □ X

19 조선 후기에는 남녀를 구분하지 않고 태어난 순서대로 족보에 기재하였다. □ O □ X

20 조선 후기에는 아들이 없는 경우 이성불양의 원칙에 따라서 ______를 들이는 것이 확산되었다.

정답과 해설

01	O 조선 후기에는 신분제의 동요로 양반의 수가 급증하였으며, 상민과 노비의 수는 크게 감소하였다.	**11**	O 이전에 비해 향촌 지배력이 약화된 조선 후기의 재지 사족은 동계와 동약 등을 통해 향촌 사회에 대한 영향력을 유지하려고 하였다.
02	✖ 조선 후기에 서얼이 신분 상승 운동을 전개한 결과 관직에 진출할 수 있게 되었다.	**12**	O 재지 사족의 이익을 대변하던 향회는 조선 후기에 수령의 부세 자문 기구로 전락하였다.
03	✖ 조선 후기에 기술직 중인들은 청요직 진출을 요구하는 대규모 통청 운동을 전개하였으나 성공하지는 못하였다.	**13**	O 조선 후기에 몰락한 농민들은 생계 유지를 위해 도시나 광산의 임노동자가 되었다.
04	O 서얼의 신분 상승 운동이 성공하자, 기술직 중인들도 자극을 받아 소청 운동을 전개하였으나 실패하였다.	**14**	구향
05	납속책, 공명첩	**15**	향안
06	청요직	**16**	향전
07	규장각 검서관	**17**	✖ 조선 후기에는 재산 상속에 있어 제사를 지내는 큰아들이 우대되었다.
08	O 조선 후기에는 군공이나 납속 등 합법적인 방법을 통한 노비의 신분 상승이 허용되었고, 순조 때 공노비가 해방되었다.	**18**	O 조선 후기에는 가부장적 가족 제도가 확립되면서 혼인 후 곧바로 남자 집에서 생활하는 친영 제도가 정착되었다.
09	✖ 공노비가 해방된 것은 순조 때이다.	**19**	✖ 조선 후기에는 태어난 순서에 관계없이 아들을 먼저 족보에 기재하고 딸을 나중에 기재하였다.
10	영조, 노비종모법	**20**	양자

2 사회 변혁의 움직임

학습 포인트
조선 후기의 사회 변화에 따라 등장한 천주교, 동학 등 새로운 사상의 특징과 이에 대한 정부의 박해를 살펴본다. 조선 후기의 대표적 항거인 홍경래의 난과 임술 농민 봉기는 원인, 전개 과정, 결과로 구분하여 정리한다.

빈출 핵심 포인트
천주교, 신유박해, 동학, 최제우, 홍경래의 난, 임술 농민 봉기, 삼정이정청

1 사회 불안의 심화와 예언 사상의 대두

1. 농민 생활의 고통과 위기

(1) **정치 기강의 문란**: 19세기에 들어와 탐관오리의 탐학과 횡포가 날로 심해져 농민의 생활이 더욱 악화되었다.

(2) **재난과 질병**: 1820년에 발생한 전국적인 수해와 이듬해 일어난 콜레라로 많은 백성이 목숨을 잃었다.

(3) **사회 동요**: 양반 중심의 지배 체제가 무너지고, 삼정의 문란 등으로 농민 생활이 파탄되었다.

(4) **불안 고조**: 비기, 도참설이 널리 퍼지고, 서양의 이양선까지 연해에 출몰하여 민심의 불안이 고조되었다.

기출 사료 읽기

장길산의 난

극적(劇賊) 장길산은 날래고 사납기가 견줄 데가 없다. 여러 도로 왕래하여 그 무리들이 번성한데, 벌써 10년이 지났으나, 아직 잡지 못하고 있다. 지난번 양덕에서 군사를 징발하여 체포하려고 포위하였지만 끝내 잡지 못하였으니, 역시 그 음흉함을 알 만하다. 지금 이영창의 초사를 관찰하니, 더욱 통탄스럽다. 여러 도에 은밀히 신칙하여 있는 곳을 상세하게 정탐하게 하고, 별도로 군사를 징발해서 체포하여 뒷날의 근심을 없애는 것도 의논하여 아뢰도록 하라. -『숙종실록』

사료 해설 | 조선 후기 숙종 때 활약한 장길산은 광대 출신으로 황해도와 평안도 등지에서 활동하였으며, 승려 세력과 함께 봉기하였다.

2. 예언 사상의 유행

사회적 혼란으로 인해 유교적 명분론이 영향력을 상실하여 말세의 도래, 왕조의 교체, 변란의 예고 등 낭설이 횡행하였고, 『정감록』이 널리 유행하였다.

3. 민간 신앙의 유포

(1) **무격 신앙**: 무격(무당)을 통해 현세에서 얻지 못하는 행복을 기대하였다.

(2) **미륵 신앙**: 일부 무리들이 살아있는 미륵불을 자처하며 신앙을 유포하였다.

비기(秘記)
인간의 **길흉화복**이나 **국가의 미래**에 관하여 **도참 사상 및 음양오행설에 의해 행하는 예언적 기록**으로, 공공연하게 발표될 수 없는 비밀스런 기록이라는 뜻에서 '비기'라고 하였다. 비기는 고려 성립 시기부터 조선 시대에 이르기까지 많은 영향을 주었다.

도참설
세상의 변화나 사람의 운수에 대한 예언을 믿는 사상으로, 음양오행설이나 풍수지리설 등과 결합되기도 하였고, 비유를 통해 미래를 예언하는 경우도 많았다.

『정감록』 교과서 사료
계룡산 밑에 도읍할 땅이 있으니, 정(鄭)씨가 나라를 세울 것이다. 그러나 복덕(福德)이 이씨에 미치지 못하리라. 다만, 밝은 임금과 의로운 임금이 계속하여 나고, 세상의 운수가 돌아오는 때를 당하여 크게 불교가 일어나고, 어진 정승과 지혜 있는 장수, 불사(佛士), 문인이 많아 왕국에 나서 한 시대의 예악을 빛나게 꾸미리니……. -『정감록』
▶ **조선 후기**에는 사회적 혼란으로 말세의 도래, 왕조의 교체 등 **낭설이 횡행**하였는데, 특히 **정씨 성을 가진 자가 나라를 세울 것이라는 『정감록』이 유행**하였다.

미륵 신앙
불교에서는 석가의 시대가 다하고 미륵의 시대가 온다고 하니, 속세 또한 새로운 세상이 반드시 올 것이다. 군복과 무기를 미리 갖추어 이 세상이 다할 때 군사를 일으킬 준비를 하라.
▶ 변화하는 사회에서 유교적 명분론이 설득력을 잃어가자 비기, 도참 등을 이용한 예언 사상과 더불어 **미륵이 나타나 세상을 구제한다는 미륵 신앙도 유행**하였다.

2 천주교의 전파

1. 전래 과정

(1) 유입: 천주교는 17세기에 중국 베이징의 천주당을 방문한 우리나라 사신들에 의해 서학(西學)으로서 유입되었다.

(2) 종교로서 수용

① **신앙 활동 전개**: 18세기 후반 정치와 사회의 모순을 해결하고자 하였던 권철신, 이벽, 이가환, 정약종 등 남인 계열의 일부 실학자들이 천주교 서적을 읽고 신앙 생활을 시작하였다. 이에 대해 안정복(보수 남인) 등은 서학을 사학(邪學)으로 몰아 배척하기도 하였다.

② **포교**: 1784년 이승훈이 최초로 베이징에서 서양인 신부에게 세례를 받고 돌아온 이후 신앙 활동을 더욱 활발하게 전개하였다.

2. 천주교 탄압

(1) 배경: 정부는 초기에 천주교에 대해 관망하는 태도를 취하였다. 그러나 천주교가 제사 의식을 거부하자 이를 양반 중심의 신분 질서를 부정하고 왕권에 도전하는 것으로 받아들여, 천주교를 사교(邪教)로 규정하고 탄압하였다.

(2) 정조

① **을사 추조 적발 사건**(1785): 이승훈, 이벽, 정약용 등이 김범우의 집에서 비밀 집회를 드리다가 추조(형조)에 발각되었다. 정부의 설득으로 이승훈, 이벽 등이 교회 활동을 멀리하게 되었고, 집회 장소를 제공한 김범우가 유배형에 처해졌다.

② **신해박해**(1791): 진산에서 천주교 신자인 윤지충이 모친상을 당했을 때 신주를 불사르고 천주교식으로 장례를 치르자(진산 사건) 사형에 처했다.

기출 사료 읽기

> **진산 사건**
>
> 전라도 관찰사 정민시가 죄인 윤지충과 권상연을 조사한 일을 아뢰기를 "…… 윤지충과 권상연을 다시 자세히 문초하고 매 30대를 치니, 윤지충이 공술하기를 '양대(兩代)의 신주를 과연 태워 버리고 그 재를 마당에다 묻었습니다. 그래서 전에 묻었다고 공초했던 것입니다. 그리고 8월 모친 장례 때에도 신주를 세우지 않았습니다. …… 말끝마다 천주의 가르침이라고 하였습니다. 그리고 심지어는 임금의 명을 어기고 부모의 명을 어길 수는 있어도, 천주의 가르침은 비록 사형의 벌을 받는다 하더라도 결코 바꿀 수 없다고 하였으니, 확실히 칼날을 받고 죽는 것을 영광으로 여기는 뜻이 있었습니다." 하였다.
>
> **사료 해설 |** 전라도 진산에 사는 천주교 신자 윤지충이 부모의 제사를 거부하고 위패를 불태운 일이 조정에 알려지면서 정치적으로 큰 파장이 일어났다.

(3) 순조 - 신유박해(1801)

① **원인**: 순조 때 정권을 장악한 노론 벽파는 남인 시파를 탄압하기 위해 천주교를 박해하였다.

② **경과 및 결과**: 주문모(청나라 신부)를 비롯하여 실학자인 이가환, 권철신, 정약종, 이승훈 등 교도 약 100명이 처형되었고, 정약용·정약전 형제를 비롯하여 약 400명이 유배당하였다. 이후 황사영 백서 사건(1801)으로 천주교 박해는 더욱 심화되었다.

천주교 배척 관련 서적

안정복은 정약용, 정약전 등 남인 소장학자들이 사교(邪敎)에 빠져들어 감을 안타깝게 여겨 그들의 미혹을 깨우치고자 **『천학고(天學考)』**와 함께 **『천학문답』**을 저술하였다. 이외에도 이기경은 천주교를 배격하기 위해 **『벽위편』**을 지었는데, 이 책은 천주교사 연구에 중요한 자료가 된다.

정약용·정약전의 유배 생활

정약용	· 신유박해로 인해 경상도 포항 부근에 있는 장기로 유배 됨 · 황사영 백서 사건으로 인해 **전라도 강진**에서 유배 생활을 함 · 강진 유배 생활 동안 많은 문도를 거느리고 강학과 연구·저술에 전념, 조선 왕조의 사회 현실을 반성하고 이에 대한 개혁안을 정리함 · 저술: **『경세유표』**(1817), **『목민심서』**(1818), **『흠흠신서』**(1822) 등
정약전	· 신유박해로 인해 전남 신지도로 유배 됨 · 황사영 백서 사건으로 인해 **흑산도**로 유배 됨 · 저술: **『자산어보』**(1814)

황사영 백서 사건

황사영(정약용의 조카사위)이 **신유박해**가 일어나자 **혹독한 박해의 전말 보고**와 **그 대책(군대를 동원하여 신앙의 자유 확보 요구)**을 흰 비단에 써서 **베이징 주재 주교에게 전달하려다 발각된 밀서 사건**이다.

③ **안동 김씨 집권기:** 신유박해 이후 시파인 안동 김씨의 세도 정치 시기에는 천주교에 대한 탄압이 완화되었다.

(4) 헌종

① **기해박해**(1839)

㉠ **원인:** 벽파인 풍양 조씨가 집권하면서 천주교에 대한 탄압을 강화하였다.

㉡ **경과 및 결과:** 신자 색출을 위해 5가작통법을 시행하고 척사윤음(천주교에 대한 강력한 처벌)을 반포하였으며, 정하상(정약종 아들) 등 많은 신도와 신부들을 처형하였다.

② **병오박해**(1846): 마카오에서 신학교를 졸업하고 한국인 최초의 신부가 된 김대건이 귀국하여 포교 활동을 하였다. 김대건은 1846년 황해도에서 체포되었고, 이때 김대건 등 9명의 관련자들이 처형되었다.

(5) **고종 – 병인박해**(1866): 남종삼 등 수천 명이 순교하였고, 병인양요의 원인이 되었다.

3 동학의 발생

1. 동학의 성립

(1) **창도(1860)**: 동학은 철종 때 경주 지역 잔반 출신인 최제우가 창도하였다.

(2) **동학(東學)의 의미**: 서학(西學)에 반대하는 의미로 동학이라 명명하였다.

2. 성격과 사상

(1) **성격**: 전통적인 민족 신앙을 바탕으로 유교, 불교, 도교 및 천주교의 교리 일부를 수용하였다.

(2) 사상

① **평등 사상:** 하느님을 모신다는 시천주(侍天主)와 모든 사람이 평등하다는 인내천(人乃天) 사상을 강조하여 양반과 상민을 차별하지 않고 노비 제도 폐지를 주장하였으며, 여성과 어린이의 인격을 존중하는 사회를 추구하였다.

② **보국안민(輔國安民)**: 일본과 서양 세력을 막아 내자는 주장을 펼쳤다.

③ **후천개벽(後天開闢)**: 새로운 세상이 열린다는 의미로, 조선 왕조를 부정하였다.

교과서 사료 읽기

> **동학의 사상**
>
> 사람이 곧 하늘이라. 그러므로 사람은 평등하며 차별이 없나니, 사람이 마음대로 귀천을 나눔은 하늘을 거스르는 것이다. 우리 도인은 차별을 없애고 선사의 뜻을 받들어 생활하기를 바라노라.
>
> – 최시형의 최초 설법
>
> **사료 해설 |** 인내천(사람이 곧 하늘), 보국안민 등은 동학의 주요 사상이다.

보국안민

보국안민의 뜻은 시대적 상황에 따라 그 의미가 변천하였는데, **최제우는 나라를 어려움에서 구해 내고 백성을 편하게 한다는 뜻**에서 보국안민의 기치를 올렸다. 이후 **1894년 동학 농민 운동 시기**에 보국안민은 **'나라를 바로잡고 백성을 편하게 한다'는 뜻**으로 바뀌어졌다.

3. 확산과 탄압

(1) **확산**: 민족적·민중적인 성격의 교리로 인해 민중들의 지지를 받았으며, 삼남 지방에 널리 보급되었다.

(2) **최제우 처형**: 정부는 신분 질서를 부정하는 동학을 위험하게 생각하여 세상을 어지럽히고 백성을 현혹한다는 혹세무민의 죄목을 적용하여 1대 교주 최제우를 처형하였다.

(3) **교리 정리**: 2대 교주 최시형은 보은으로 거점을 옮기고 교세를 확대하였으며, 최제우가 지은 『동경대전』과 『용담유사』를 간행하였다.

(4) **교단 조직 정비**: 동학의 의식과 제도를 정착시켜 포·접 등 교단 조직을 정비하였다.

(5) **전국적 확산**: 정부의 탄압에도 동학은 경상도, 충청도, 전라도는 물론 강원도와 경기도 일대까지 확산되었다.

4 세도 정치 시기 농민의 항거

1. 배경

(1) **세도 정치의 폐해와 농민 수탈**: 19세기의 세도 정치 하에서 국가 기강이 해이해진 틈을 타 탐관오리의 부정과 탐학이 심화되었다. 또한 삼정의 문란과 같은 수령과 향리의 농민 수탈이 강화되었다.

(2) **농민의 사회의식 성장**: 농촌 사회는 피폐해졌지만 농민의 사회의식은 성장하였다.

(3) **농민의 저항**: 초기의 소극적인 저항 형태(소청, 벽서, 괘서 등)에서 점차 적극적인 저항 형태(농민 봉기)로 전환되었다.

2. 농민의 봉기

(1) **홍경래의 난**(1811, 순조)

① **원인**: 홍경래의 난은 세도 정치의 폐해와 평안도 지역에 대한 부당한 차별 대우(중앙 진출 제한, 상공업 활동 억압)가 원인이 되었다.

② **중심 세력**: 몰락 양반 홍경래를 비롯하여 서얼 출신 우군칙, 천민 출신이나 금광과 상업으로 돈을 모아 무과로 출세한 이희저, 토호 출신 김창시 등이 참여하였다.

③ **전개**: 홍경래 등은 금광 경영, 인삼 무역 등으로 자금을 마련하고 무기와 군수 물자를 준비하여 영세 농민, 중소 상인, 광산 노동자 등 다양한 계층을 끌어 모아 가산 다복동에서 봉기하였다. 이들은 평안도민의 호응을 얻어 선천, 정주 등을 점거하고 청천강 이북 지역을 거의 장악하였으나 5개월 만에 관군에게 진압되었다.

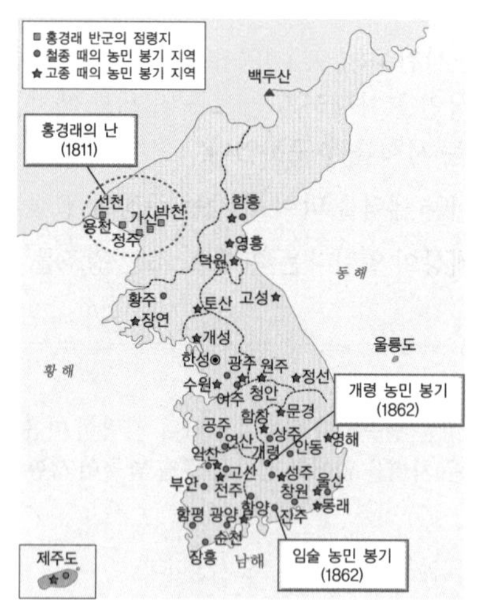

| 19세기 농민 봉기

④ **실패 원인**: 평안도 지역에 한정되었고, 농민층을 포섭할 개혁안이 없었다.

⑤ **영향**: 반봉건적 저항 운동으로 19세기 농민 항쟁의 선구적인 역할을 하였다.

『동경대전』 교과서 사료

경신년(1860)에 와서 전해 듣건대 서양인들은 천주(天主)의 뜻을 행한다 하고 부귀는 취하지 않는다 하면서 천하를 쳐서 빼앗아 그 교당을 세우고 그 도를 행한다 들었다. …… 세상 사람이 나를 상제(上帝)라 이르거늘 너는 상제를 알지 못하느냐." …… 대답하시기를 "그렇지 않다. 나에게 신선한 부적(靈符)이 있으니, 그 이름은 선약이요, 그 형상은 태극이요, 또 형상은 궁궁이니 나의 부적을 받아 사람을 질병에서 건지고, 나의 주문을 받아 사람을 가르쳐 나를 위하게 하면, 너도 오래 살며 덕을 천하에 펴리라." - 『동경대전』

▶ 『동경대전』은 최제우가 지은 동학의 경전으로 「포덕문」, 「논학문」, 「수덕문」 등을 포함하고 있다.

『용담유사』

『용담유사』는 최제우가 한글로 지은 동학 포교 가사집으로, 「용담가」·「안심가」·「교훈가」 등으로 구성되어 있다.

홍경래의 난

적도들은 평안도 가산읍 북쪽 다복동에서 무리를 모아 봉기하여 가산과 선천, 곽산 등 청천강 북쪽의 주요 고을들을 점령하고 기세를 떨쳤다. - 『서정록』

▶ 홍경래는 세도 정치 시기에 평안도 지역에 대한 차별 대우 등에 반발하여 평안도 다복동에서 **영세 농민, 광산 노동자 등을 모아 봉기**하여 선천, 곽산 등 **청천강 이북까지 점령**하였다.

조선 후기 평안도 지역의 상황

- 평안도는 중국 사신이 오가는 길목이었기 때문에 이 지역에서 활동하는 **상인(평양 유상, 의주 만상)들이 많은 부를 축적**하였음
- 영·정조 대에 들어서 문과 합격자 중 평안도 출신자의 비중이 높아짐
- 그러나 평안도 사람들은 **서북인이라 하여 차별을 받았으며**, 이는 **홍경래의 난**의 원인이 되기도 함

기출 사료 읽기

홍경래의 난

평서 대원수는 급히 격문을 띄우노니 관서의 부로(父老)와 자제와 공 · 사 천민들은 모두 이 격문을 들으라. 무릇 관서는 성인 기자의 옛 터요 단군 시조의 옛 근거지로서 의관이 뚜렷하고 문물이 아울러 발달한 곳이다. …… 그러나 조정에서는 관서를 버림이 분토(糞土)와 다름없다. 심지어 권세 있는 집의 노비들도 서로의 사람을 보면 반드시 "평안도 놈"이라 말한다. 어찌 억울하고 원통하지 않은 자 있겠는가. ……

-『패림』

사료 해설 | 평서 대원수는 홍경래이다. 당시 세도 정권이 서울 상인을 보호한다는 명목으로 평안도민의 상공업 활동을 억압하였는데 이는 홍경래의 난이 일어나는 주요 원인 중 하나가 되었다.

(2) 임술 농민 봉기(1862, 철종)

① **원인:** 경상우병사 백낙신의 수탈에 견디다 못한 농민들이 몰락한 양반 출신인 유계춘 등을 중심으로 봉기하였으니, 이를 임술 농민 봉기라 한다.

② **전개:** 경상도 단성에서 시작되어 진주를 중심으로 전개되었고, 전국적인 민란으로 발전하였다.

③ **정부의 대책:** 정부는 선무사를 파견하여 민심을 회유하고, 안핵사를 파견하여 주동자를 찾아내 처벌하였다. 한편 진주 지역에 안핵사로 파견되었던 박규수의 건의에 따라 조선 정부는 삼정이정청을 설치하고 삼정의 문란을 시정할 것을 약속하는 삼정이정절목을 발표하였다.

④ **결과:** 정부의 대책에 따라 농민 봉기는 다소 진정되었으나 삼정이정청이 얼마 지나지 않아 폐지되면서 근본적인 해결책 마련에는 실패하였다.

기출 사료 읽기

임술 농민 봉기

임술년(1862, 철종 13) 2월 19일 진주민 수만 명이 머리에 흰 수건을 두르고 손에 몽둥이를 들고 무리를 지어, 진주 읍내에 모여 이서-이방과 하급 관리들의 집 수십 호를 태우니, 행동거지가 가볍지 않았다. 병마절도사가 해산시키고자 시장에 가니 흰 수건을 두른 백성들이 길 위에 빙 둘러 함부로 거둔 명목과 아전들이 억지로 세금을 포탈하고 강제로 징수한 일들을 면전에서 여러 번 질책하는데 능멸함과 위협함이 조금도 거리낌이 없었다.

-『임술록』

사료 해설 | 임술 농민 봉기는 진주를 중심으로 전개되었는데, 유계춘의 주도로 한 때 진주성을 점령할 정도였다.

삼정이정절목

좌의정 조두순이 아뢰기를, "군정(軍政)은 이미 품처(稟處)를 거쳐 행회하였는데, 구파(口疤)·동포 사이에 각기 편의를 따라서 할 것이 요구됩니다. 전정(田政)은 오로지 다시 양전(量田)하는 길뿐인데, 이는 일시에 한꺼번에 할 수 있는 일이 아닙니다. 환곡에 관한 한 가지 일을 지금 바로잡아야 할 정사인데, 환곡이라는 이름을 폐지시킨 후에야 비로소 나라를 보존하고 백성을 편안하게 할 수 있습니다." -『철종실록』

▶ **삼정이정절목**이란 삼정이정청을 설치한 후 **삼정의 문란을 바로잡기 위해 만든 절목**(조항)을 의미한다. 주요 내용은 **전정과 군정을 시정**하고, **환곡은 파하여 해당 세금을 토지에 귀속**시킨다는 것이다. 그러나 대부분 근본적인 해결책이 되지 못하였기 때문에 농민의 불만은 점차 높아져만 갔다.

OX 빈칸 핵심 개념 점검

* 학습한 개념을 OX/빈칸 문제를 통해 점검해보세요.

핵심 개념 1 | 조선 후기 사회 불안과 예언 사상의 대두

01 조선 후기에는 재난과 질병이 발생하였고, 연안에 서양의 이양선이 출몰하여 민심이 불안하였다. □ O □ X

02 조선 후기에는 사회 불안이 고조되면서 비기, 도참설이 유행하였다. □ O □ X

03 조선 후기 농민들 사이에서는 왕조 부정의 논리를 담고 있는 『　　　』이 유행하였다.

핵심 개념 2 | 천주교의 전파

04 천주교는 17세기 프랑스 신부에 의하여 우리나라에 서학으로 처음 소개되었다. □ O □ X

05 윤지충 사건을 계기로 하여 기해박해가 일어났다. □ O □ X

06 기해사옥 때 흑산도로 유배를 간 정약전은 그 지역의 어류를 조사한 『자산어보』를 저술하였다. □ O □ X

07 천주교는 안동 김씨의 세도 정치 시기에 더욱 탄압을 받았다. □ O □ X

08 18세기 후반에 서울 부근의 일부 　　　 계열 학자는 천주교를 수용하였다.

09 안정복이 성리학의 입장에서 천주교를 비판하는 『　　　』을 저술하였다.

핵심 개념 3 | 동학의 발생

10 순조 재위 기간에 최제우가 동학을 창도하였다. □ O □ X

11 동학은 시천주와 인내천 사상을 강조하며 모든 인간의 평등을 주장하였다. □ O □ X

12 동학 사상을 바탕으로 『　　　』과 『　　　』가 편찬되었다.

핵심 개념 4 | 홍경래의 난

13 정조 때 홍경래의 난이 발생하였다. □ O □ X

14 세도 정권은 서울 특권 상인의 이권을 보호하기 위해 평안도민의 상공업 활동을 억압했다. □ O □ X

15 홍경래의 난은 몰락 양반인 홍경래를 중심으로 영세 농민, 중소 상인, 광산 노동자 등이 가담하여 일어났다. □ O □ X

16 홍경래 등의 봉기 세력은 선천, 정주 등을 별다른 저항 없이 점거하고, 한때 　　　 이북 지역을 거의 장악하였다.

핵심 개념 5 | 임술 농민 봉기

17 임술 농민 봉기는 진주를 중심으로 전개되었고, 전국적인 민란으로 발전하였다. □ O □ X

18 임술 농민 봉기가 발생하자 정부에서는 박규수를 안핵사로 파견하였다. □ O □ X

19 19세기에 일어난 진주 농민 항쟁에서 봉기 세력이 ______의 지도 아래 진주성을 점령하기도 하였다.

20 임술 농민 봉기가 확산되자 정부는 ______을 설치하고 수취 제도의 개혁을 강구하였다.

정답과 해설

01	O 조선 후기에는 수해 등의 재난과 질병이 발생하였고, 연안에 이양선이 출몰하며 민심이 불안해졌다.	**11**	O 동학은 모든 사람은 마음속에 하느님을 모시고 있다는 시천주와, 모든 사람이 곧 하늘이라는 인내천 사상을 강조하며 모든 인간의 평등을 주장하였다.
02	O 조선 후기에는 사회 불안이 고조되면서 비기, 도참설이 유행하여 왕조의 교체와 변란의 예고 등이 횡행하였다.	**12**	동경대전, 용담유사
03	정감록	**13**	✖ 평안도 지역에 대한 차별 대우가 원인이 되어 발생한 홍경래의 난(1811)은 순조 때 발생하였다.
04	✖ 천주교는 중국에 다녀온 우리나라 사신들에 의해 학문(서학)으로 처음 소개되었다.	**14**	O 세도 정권은 서울 특권 상인을 보호하기 위해 평안도민의 상공업 활동을 억압하였고, 이는 홍경래의 난의 원인이 되었다.
05	✖ 윤지충이 모친상을 당해 신주를 불태우고 천주교식으로 장례를 치른 사건(진산 사건)을 계기로 일어난 박해는 신해박해이다(1791).	**15**	O 홍경래의 난은 몰락 양반인 홍경래의 지휘하에 영세 농민, 중소 상인, 광산 노동자 등 다양한 계층이 합세하여 일으킨 것이다.
06	✖ 정약전은 신유박해(1801) 때 흑산도로 유배되었고, 그곳에서 『자산어보』를 저술하였다.	**16**	청천강
07	✖ 안동 김씨의 세도 정치 시기에는 천주교에 대한 탄압이 완화되었다.	**17**	O 임술 농민 봉기는 경상도 단성에서 시작되어 진주를 중심으로 전개되었고, 전국적인 민란으로 발전하였다.
08	남인	**18**	O 임술 농민 봉기가 발생하자 정부에서는 사태 수습을 위해 박규수를 안핵사로 파견하였다.
09	천학문답	**19**	유계춘
10	✖ 최제우는 철종 재위 시기인 1860년에 동학을 창도하였다.	**20**	삼정이정청

조선 후기의 문화

1 성리학의 변화와 실학의 발달

학습 포인트
성리학의 교조화 경향과 이에 대항하여 나타난 윤휴와 박세당의 주장, 양명학, 실학 등의 주요 내용을 살펴본다. 특히 실학의 경우에는 중농학파, 중상학파로 구분하여 대표적인 학자와 그의 저술, 주장을 파악한다.

빈출 핵심 포인트
윤휴, 박세당, 호락 논쟁, 양명학, 강화 학파, 중농학파, 유형원, 이익, 정약용, 중상학파, 박지원, 박제가, 안정복, 유득공, 김정희

1 성리학의 교조화 경향

1. 성리학의 교조화(절대화)

(1) 주도: 서인은 인조반정 이후 정국의 주도권을 잡고 의리 명분론을 강화하였다.

(2) 목적: 주자 중심의 성리학을 절대화함으로써 자신들의 학문적 기반을 강화하였다.

2. 성리학에 대한 반성

(1) 경향: 17세기 후반부터 성리학을 상대화하고, 6경(시경·서경·역경·예기·춘추·악기)과 제자백가 등에서 모순 해결의 사상적 기반을 찾고자 하였다.

(2) 대표적인 학자

① **윤휴**(남인 계열): 윤휴는 유교 경전에 대한 독자적인 해석을 시도하였다.

② **박세당**(소론 계열): 박세당은 양명학과 노장 사상의 영향을 받아 『사변록』을 저술하여 주자의 학설을 비판하였다.

③ **결과**: 윤휴와 박세당은 주자의 학문 체계와 다른 모습을 보였기 때문에 당시 집권층인 서인(노론)의 공격을 받아 사문난적으로 몰렸다.

3. 호락 논쟁의 전개

(1) 성리학 연구의 심화: 성리학에 대한 이해가 깊어지면서 학자들은 인간 본성에 대한 깊이 있는 연구와 논쟁을 벌였다. 16세기 후반 영남 남인(이황 학파)과 서인(이이 학파) 사이에서 이기론을 둘러싼 논쟁이 전개되었다.

(2) 호락 논쟁: 18세기에 노론 내부에서는 '인간과 사물의 본성을 어떻게 볼 것인가'라는 문제를 두고 인물성이론(人物性異論)을 주장하는 호론(湖論)과, 인물성동론(人物性同論)을 주장하는 낙론(洛論) 간의 논쟁 이 전개되었다(호락 논쟁).

성리학의 교조화
조선 후기에 들어오면서 사회 모순이 노출되고 이를 해결하려는 움직임이 있었으나 주류 사상이었던 **성리학은 시대적 상황에 잘 대처하지 못하였고, 그 과정에서 한계와 문제점이 노출되었다.** 게다가 정통 성리학자들은 자신들에 대한 비판과 변화 요구를 체제에 대한 위협으로 간주하였다. 즉, 자신들이 생각하는 주자에서 율곡 이이로, 율곡 이이에서 우암 송시열로 이어지는 학문적 흐름을 절대적으로 사수하였던 것이다. 그리하여 **성리학은 획일적이고 폐쇄적인 경향**을 보이게 되었으며, 특정 이론만을 인정하는 **교조적 성격이 강화**되었다.

윤휴의 독자적인 경전 해석 기출사료
나의 저술 의도는 주자의 해석과 다른 이설(異說)을 제기하려는 것보다 의문점 몇 가지를 기록했을 뿐이다. 만약 내가 주자 당시에 태어나 제자의 예를 갖추었더라도 감히 구차하게 뇌동(雷同)하여 전혀 의문점을 해소하기를 구하지 못하고 찬탄만 하고 앉아 있지는 못했으리라.
- 윤휴, 「도학원류속」

▶ 윤휴는 주자뿐 아니라 누구의 학설이라도 맹목적으로 따르는 것을 비판하였다.

『사변록』
박세당의 반주자학적 경학 사상은 만년에 저술한 『사변록』에 잘 나타나 있다. 『사변록』은 『대학』, 『중용』, 『논어』, 『맹자』에 대한 주자의 주해에 반기를 들고 주자와는 상반되는 자기 나름의 주해를 붙인 것이다.

사문난적
유교적 질서와 학문을 어지럽히는 사람이라는 뜻으로, 윤휴와 박세당은 사문난적으로 몰려 유배를 가게 되었다.

구분	호론	낙론
주장	인물성이론 (인간과 사물의 본성은 서로 다름 → 명을 중화로, 청을 오랑캐로, 조선은 중화의 정통성을 계승한 소중화로 보는 대의명분론 → 청을 배척)	인물성동론 (인간과 사물의 본성은 결국 같음 → 중화와 오랑캐를 구분하는 중국 중심의 이분법적인 화이론 부정 → 청 문물의 수용 주장)
인물	권상하(송시열 제자), 한원진(권상하 제자), 윤봉구	이간(권상하 제자), 이재, 김창협
지역	충청도, 호서(湖西) 지방	낙하(洛下, 서울), 경기 지방
계승	위정척사 사상	북학파 실학 사상

2 양명학의 수용

1. 양명학

(1) **성격**: 양명학은 성리학(주자학)의 절대화와 형식화를 비판하는 동시에 심즉리(心卽理), 치양지설(致良知說)과 지행합일(知行合一)을 주장하며 실천성을 강조하였다.

기출 사료 읽기

양명학의 주요 이론

- 심즉리(心卽理): 인간의 마음(心), 밖에 따로 이치(理)가 존재한다고 볼 수는 없다. 마음이 있으므로 이치가 있는 것이다.
- 치양지(致良知): 모든 인간은 양지(良知)라고 하는 선험적 지식을 가지고 태어난다. 인간은 상하 존비의 차별 없이 본래 타고난 천리로서의 양지를 실현하여 사물을 바로 잡을 수 있다.
- 지행합일(知行合一): 알았다고 행하지 아니하였다면 그 앎은 진정한 앎이 아니다. 앎은 행함의 시작이요, 행함은 앎의 완성이다. 성학(聖學)은 단지 이 하나의 공부이니, 앎과 행함은 두 가지 일로 나눌 수 없다.

- 왕양명, 『전습록』

사료 해설 | 왕양명은 명나라 사람으로 심즉리, 치양지, 지행합일을 양명학의 주요 이론으로 제시하였다. '심즉리'는 인간의 마음이 곧 이치라는 것이고, '치양지'는 선험적 지식인 양지를 충분히 발휘하는 것을 의미한다. '지행합일'은 앎과 행함이 분리되거나 선후 관계가 있는 것이 아니라 앎은 행함을 통해서 성립한다는 뜻이다.

(2) **전래**: 중종 때인 16세기 전반에 명나라 왕양명(왕수인)의 양명학이 조선에 소개되었다.

(3) **확산**: 명과의 교류가 활발해지면서 주로 서경덕 학파와 왕실 종친들 사이에서 양명학이 점차 확산되었다.

(4) **이황의 비판**: 이황은 『전습록논변』에서 양명학이 인의를 해치고 천하를 어지럽힌다고 하며 이단으로 간주하였다.

(5) **본격적인 수용**: 17세기 후반부터 재야 소론 학자와 불우한 왕실 종친이 양명학을 수용하였다(최명길, 장유 등). 양명학은 신분보다는 재능을 중시하는 등 성리학적 질서를 비판하는 측면이 강하였다. 이러한 실리적인 부분이 상업과도 밀접하게 연결되어, 강화도를 중심으로 개성·서울·충청도 등 서해안 지방에서 호응을 얻었다.

이황의 양명학 비판

이 학문(양명학)은 인의를 해치고 천하를 어지럽히는 것이다. "천하의 이(理)는 내 마음속에 있지 밖의 사물에 있는 것이 아니니, 다만 마음을 보존하여 기르는 데 힘쓸 뿐 이를 구해서는 안 된다."라고 한다. 그렇다면 사물에 오륜과 같이 중요한 것이 있어도 되고 없어도 된다는 것인데, 불교와 무엇이 다른가?

- 이황, 『전습록논변』

▶ 이황이 성리학(주자학) 입장에서, 왕양명이 저술한 『전습록』의 내용을 비판한 글이다.

2. 양명학의 발전

(1) 학파의 형성

① **강화 학파 형성**: 18세기 초에 정제두는 몇몇 소론 학자들에 의해 명맥을 이어가던 양명학을 체계적으로 연구하여 강화도를 중심으로 **강화 학파**를 형성하였다.

② **계승**: 정제두의 제자들은 대개 정권에서 소외된 소론이었으며, 그의 학문은 자신과 제자들의 집안 후손 및 인척들을 통해 **가학(家學)의 형태**로 계승되었다.

(2) 정제두의 양명학 연구

① **학문적 체계 확립**: 정제두는 『하곡집』, 『존언』, 『만물일체설』 등을 저술하여 양명학의 학문적 체계를 갖추었다.

② **주장**: 정제두는 왕양명(왕수인)의 친민설을 수용하여 일반민을 도덕 실천의 주체로 인식하였으며, 이를 바탕으로 양반 신분제의 폐지를 주장하였다.

기출 사료 읽기

정제두의 사상

이미 양지라고 말하면 앎 속에 행함이 있고 행함 속에 앎이 있으니, 선후로 나눌 수는 없다. …… 앎과 행함은 본래 하나인 것이다. 앎과 행함을 나누는 사람은 평범한 사람이며, 앎과 행함을 하나로 하는 사람은 어질고 지혜로운 사람이다. -『하곡집』

사료 해설 | 양명학을 수용한 정제두는 치양지설과 지행합일을 긍정하였다. 한편 그는 일반민을 도덕 실천의 주체로 인식하고, 양반 신분제의 폐지를 주장하였다.

(3) **계승**: 양명학은 19세기 말 이건창으로 계승되었고, 한말·일제 강점기의 국학자인 박은식과 정인보에게도 이어졌다.

강화 학파의 형성

정몽주의 후손인 **정제두**는 호를 하곡이라 하고 강화도 지방을 중심으로 양명학을 연구하는 학자들을 양성하였다. 그는 『존언』, 『만물일체설』 등을 저술하여 **양명학의 이론적 체계**를 세웠으며, 그의 영향을 받은 아들 **정후일**과 종친 출신의 소론 계열인 **이광명, 이광사, 이긍익, 이충익** 등의 양명학자들은 **강화 학파를 형성**하였다.

3 실학의 등장

1. 실학의 등장 배경

조선 후기 양반 사회의 모순이 심각해졌음에도 불구하고 성리학은 현실 문제의 해결 기능을 상실하였다. 이에 한편에서는 성리학의 한계성을 자각하고 **현실 생활과 직결되는 문제를 탐구하려는 움직임**이 대두하였다.

2. 실학의 발전

(1) 실학의 선구자

① **이수광**(1563~1628): 『지봉유설』을 통해 마테오 리치의 『천주실의』를 소개하였다.

② **한백겸**(1552~1615): 『동국지리지』에서 우리나라의 역사 지리를 치밀하게 고증하였으며, 삼한의 위치와 고구려의 발상지가 만주 지방이라는 사실을 처음으로 고증하였다.

③ **허균**(1569~1618): 경제적으로 여유가 있는 호민(豪民)이 나라의 중심이 되어야 한다는 호민 혁명(豪民革命)을 주장하였다.

④ **허목**(1595~1682): 허목은 『기언』을 통해 왕과 6조의 기능 강화, 중농 정책 강화, 난전 금지, 부세 완화 등을 주장하였는데 궁극적으로는 농촌의 **자급자족적인 경제를 지향**하였다.

허균의 유재론 기출사료

하늘이 재능을 균등하게 부여하는데 관리의 자격을 대대로 벼슬하던 집안과 과거 출신으로만 한정하고 있으니 항상 인재가 모자라 애태우는 것은 당연한 일이다. …… 노비나 서얼이어서 어진 인재를 버려두고, 어머니가 개가했으므로 재능을 쓰지 않는다는 것은 듣지 못했다. -「유재론」

▶ 허균은 「유재론」에서 신분 제도에 근거한 불평등한 인재 등용 정책을 비판하고, 능력에 따른 인재 등용을 촉구하였다.

『기언』

허목은 『기언』 권11 **『청사열전』**에서 **김시습**, 정희량 등 **도가(道家) 관련 인물 5인의 일생에 관한 이야기를 열전 형식으로 기술**하였다.

(2) **성격**: 실학 연구는 18세기에 가장 활발하였으며, 민생 안정과 부국강병을 목표로 하여 비판적이면서 실증적인 논리로 사회 개혁론을 제시하였다.

4 농업 중심의 개혁론(중농학파, 경세치용학파)

1. 특징

(1) **시기·인물**: 실학의 농업 중심 개혁론은 18세기 전반에 성행하였고, 대부분 서울 부근의 경기 지방에서 활약한 **근기 남인 출신**들이 주장하였다.

(2) **주장**: 중농학파는 농촌 사회의 안정을 위하여 토지 제도를 비롯한 각종 제도의 개혁을 추구하였으며 그중에서 **토지 제도의 개혁**을 가장 중요시하였다.

2. 중농주의 실학자

(1) **반계 유형원**(1622~1673): 농업 중심 개혁론의 선구자였다.

① **균전론 주장**: 유형원은 『반계수록』에서 토지 국유를 전제로 관리, 선비, 농민 등에게 신분에 따라 차등 있게 토지를 지급하는 **균전론**을 내세워 자영농 육성을 주장하였다.

② **경무법**: 결부법(수확량 단위)이 아닌 경무법(면적 단위) 사용을 주장하였다.

③ **군사·교육 제도 개편**: 유형원은 자영농을 바탕으로 **농병 일치**의 군사 조직과 **사농 일치**의 교육 제도를 확립해야 한다고 생각하였다.

④ **모순 비판**: 유형원은 양반 문벌 제도, 과거 제도, 노비 제도의 모순을 비판하였다.

(2) **성호 이익**(1681~1763): 『성호사설』(백과사전식 저서), 『곽우록』(국가 제도 전반에 대한 의견 제시) 등을 저술하였다.

① **한전론 주장**: 한 가정의 생활을 유지하는 데 필요한 일정한 토지를 **영업전**으로 하고, 그 밖의 토지는 매매할 수 있게 하여 점진적으로 토지 소유의 평등을 이루고자 하였다.

② **6좀 지적**: 이익은 노비 제도, 과거 제도, 양반 문벌 제도, 사치와 미신 숭배, 승려, 게으름을 나라를 좀먹는 여섯 가지의 폐단이라고 지적하였다.

③ **폐전론 주장**: 『곽우록』에서 화폐 유통으로 농민 파산이 가속화되고 풍속이 각박해졌으므로 화폐 유통을 금지하자고 주장하였다.

④ **성호 학파 형성**: 이익은 벼슬을 단념하고 경기도 광주 첨성촌에 은거하면서 『성호사설』을 비롯한 여러 저술을 남기고, 권철신·이벽·정약용 등 많은 제자들을 길러 내어 성호 학파를 형성하였다.

(3) **다산 정약용**(1762~1836): 이익의 실학 사상을 계승하면서 다방면에 관심을 가지고 실학을 집대성하였다.

① **여전제 주장**

㉠ **내용**: 여전제는 한 마을을 단위로 하여 토지를 공동으로 소유·경작하고 그 수확량을 노동량에 따라 분배하는 일종의 **공동 농장 제도**를 말하는 것이다.

㉡ **의의**: 경자유전의 원칙에 따라 농사를 짓는 농민만이 토지를 소유하고 농사를 짓지 않는 사람은 토지를 소유할 수 없도록 구상하였다.

유형원의 『반계수록』

유형원은 전라도 부안군 우반동에 은거할 무렵인 효종 때부터 『반계수록』을 집필하기 시작하여 약 20년 가까이 지난 현종 때 완성하였다. 유형원은 『반계수록』을 통해 토지 소유 관계를 혁신하고 이를 국가가 재분배하는 **공전제를 주장**하여 **농민 생활과 국가의 재정을 안정시키고자** 하였다.

경무법

중국에서 사용하던 토지 측량법으로 결부법이 소출을 기준으로 면적을 정하는 것인데 비해, 경무법은 **토지의 절대 면적을 측량하는 것**이었다.

유형원의 한계

유형원은 양반 문벌, 노비 제도 등을 비판하였지만 가정 내 적서 차별과 노비 제도 및 신분 제도 자체를 인정하여 유교적 한계를 탈피하지 못하였다.

② **정전제 주장:** 정전제는 가족의 노동력을 기준으로 농업 종사자에게 정자(井字)로 구분한 토지의 8구를 분배하고, 1구의 수확을 세금으로 충당하자는 것이었다. 정약용은 처음에 여전론을 내세웠다가 후에 정전제를 현실에 맞게 실행할 것을 주장하였다.

③ **주요 저술:** 지방 행정의 개혁을 논한 『목민심서』, 중앙 행정의 개혁을 제기한 『경세유표』, 형옥에 관한 실무 지침서인 『흠흠신서』를 비롯한 500여 권의 저술을 남겼다.

㉠ **『목민심서』:** 수령들이 백성을 수탈하는 도적으로 변한 현실을 바로잡기 위해 백성을 기르는 목민관으로서 지켜야 할 규범을 제시한 일종의 수신 교과서이다.

㉡ **『경세유표』:** 『주례』에 나타난 주나라 제도를 모범으로 하여 중앙과 지방의 정치 제도를 개혁할 것을 제안했다.

㉢ **『흠흠신서』:** 백성들이 억울한 벌을 받지 않도록 형법을 신중하게 집행하기 위해 지은 법률 지침서이다.

㉣ **기타:** 정약용의 저술을 모은 문집인 『여유당전서』에는 정약용의 사회 개혁에 관한 논설이 실려있다. 「탕론(蕩論)」에서는 민본적 왕도 정치를, 「원목(原牧)」에서는 이상적인 지방관상을 제시하였으며, 「전론(田論)」에서는 여전제를 주장하였다.

④ **과학 기술에 대한 관심:** 정약용은 거중기(화성 축조), 주교(배다리) 등을 제작하였다.

⑤ **기타:** 정약용은 상공업 발달에도 많은 관심을 보였으며, 박제가와 함께 종두법을 연구하고 실험하였다(『마과회통』).

기출 사료 읽기

중농학파 실학자의 토지 개혁론

1. 유형원의 균전론

토지 경영이 바로잡히면 모든 일이 제대로 될 것이다. …… 농부 한 사람마다 1경(頃)을 받아 점유한다. 법에 의거하여 조세를 거둬들인다. 4경마다 군인 1명을 뽑는다. 유생으로서 처음 입학한 자는 2경, 내사에 들어간 자는 4경과 병역을 면제한다. 현직 관리로서 9품 이상부터 7품까지는 6경, 관품이 높아질수록 더하여 정2품에 이르면 곧 12경이고, 모두 병역을 면제한다. …… 토지를 받은 자가 죽으면 반납한다.
- 유형원, 『반계수록』

사료 해설 | 유형원은 관리, 선비, 농민 등 신분에 따라 차등 있게 토지를 분배하고, 조세와 병역도 조정할 것을 주장하였다.

2. 이익의 한전론

국가는 마땅히 한 집의 생활에 맞추어 재산을 계산해서 토지 몇 부(負)를 한 호의 영업전으로 한다. 그러나 땅이 많은 자는 빼앗아 줄이지 않고 모자라는 자도 더 주지 않는다. 돈이 있어 사고자 하는 자는 비록 1,000결이라도 허락해 준다. …… 오직 영업전 몇 부 안에서 사고파는 것만을 철저히 살핀다. …… 사는 자는 다른 사람의 영업전을 빼앗은 죄로 다스리고, 구입한 자는 값을 따지지 않고 그 땅을 다시 돌려준다.
- 이익, 『곽우록』

사료 해설 | 이익은 한 가정이 생활을 유지하는 데 필요한 규모의 토지를 영업전으로 정한 다음 영업전은 법으로 매매를 금지하고, 영업전 이상으로 소유한 토지의 매매만을 허용하자고 주장하였다.

3. 정약용의 여전론

이제 농사짓는 사람은 토지를 가지게 하고, 농사짓지 않는 사람은 토지를 가지지 못하게 하려면 여전제를 실시해야 한다. …… 1여마다 여장(閭長)을 두며 무릇 1여의 토지는 사람들에게 공동으로 경작하게 하고, 내 땅 네 땅의 구분 없이 오직 여장의 명령만을 따른다. 매 사람의 노동량은 매일 여장이 장부에 기록한다. …… 국가에 바치는 공세를 제하고, 다음으로 여장의 녹봉을 제하며, 그 나머지를 날마다 일한 것을 기록한 장부에 의거하여 여민(閭民)들에게 분배한다.

사료 해설 | 정약용은 고대 중국의 정전제나 유형원의 균전론, 이익의 한전론 등은 현실성이 없다고 주장하며 가장 이상적인 전제 개혁안으로 여전론을 제시하였다.

정약용의 『목민심서』 기출사료

오늘날 백성을 다스리는 자는 백성에게서 걷어들이는 데만 급급하고 백성을 부양하는 방법은 알지 못한다. …… '심서(心書)'라고 이름 붙인 까닭은 무엇인가? 백성을 다스릴 마음은 있지만 몸소 실행할 수 없기 때문에 그렇게 이름 붙인 것이다.
- 『목민심서』

▶ 정약용은 유배지인 강진에서 지방 행정 개혁 정책 및 수령이 지켜야 할 지침에 대해 정리한 『목민심서』를 저술하였다.

「탕론」과 「원목」 교과서 사료

·「탕론(蕩論)」

대저 천자란 어찌하여 존재하게 되었는가? …… 다섯 가구가 1인(一隣)이 되므로 다섯 가구에서 추대된 사람이 인장(隣長)이 되고, 다섯 인이 1리(里)가 되므로 다섯 인에서 추대된 사람이 이장(里長)이 되고, 다섯 리가 1현이 되므로 다섯 리에서 추대된 사람이 현장이 된다. 여러 현장의 공동 추대를 받은 사람이 제후가 되고 제후들이 공동으로 추대한 사람이 곧 천자(天子)이다. 그러므로 천자란 군중의 추대에 의해서 이루어진 것이다.

·「원목(原牧)」

백성을 위해서 목(牧)이 존재하는가, 백성이 목을 위해서 태어났는가? 백성들은 곡식과 피륙을 내어 목을 섬기고, 백성들은 수레와 말을 내어 추종하면서 목을 송영(送迎)하며, 백성들은 고혈과 진수를 모두 짜내어 목을 살찌게 하니, 백성들이 목을 위해서 태어난 것인가? 아니다. 목(牧)이 백성을 위해서 존재하는 것이다.
- 『여유당전서』

▶ 「탕론」은 신하로서 임금을 몰아낸 탕왕의 행위가 정당한가를 검토한 글이며, 「원목」은 백성과 통치자에 대한 정치 관계를 주제로 한 글이다. 정약용은 「탕론」과 「원목」을 통해 민주·민권적인 정치 개혁 사상을 주장하였다.

5 상공업 중심의 개혁론(중상학파, 이용후생학파, 북학파)

1. 특징

(1) 시기·인물: 18세기 후반에 크게 성행하였고, 대부분 서울의 일부 노론 집안 출신들이 주장하였다.

(2) 주장: 중상학파는 청나라의 문물을 적극적으로 수용하여 부국강병과 이용후생에 힘쓰자고 주장하였는데, 이는 북학론으로 발전하였다.

2. 중상주의 실학자

(1) 농암 유수원(1694~1755): 상공업 중심 개혁론의 선구자였다.

① **『우서』**: 유수원은 『우서』에서 중국과 우리나라의 문물을 비교하면서 여러 가지 개혁안을 제시하였으며, 상공업의 진흥과 기술의 혁신을 중시하였다.

② **상공업 중시**: 유수원은 상인 간의 합자를 통한 경영 규모 확대, 상인의 생산자 고용을 통한 생산과 판매의 결합을 주장하였다.

㉠ **경제 구조 변화**: 상공업을 국부의 원천으로 평가하였으며, 상공업의 진흥을 통해 기존의 농업 중심 경제 구조를 상공업 중심으로 변화시킬 것을 주장하였다.

㉡ **직업적 평등**: 양반의 농·공·상으로의 전업을 주장하며 사농공상의 직업적 평등과 전문화를 도모하였다.

(2) 담헌 홍대용(1731~1783): 홍대용은 기술 혁신과 문벌 제도 철폐, 그리고 성리학의 극복이 부국강병의 근본이라고 강조하였다.

① **『임하경륜』**: 홍대용은 『임하경륜』에서 양반들도 생산 활동에 종사할 것과, 성인 남성에게 2결의 토지를 분배하고 병농 일치의 군대를 조직할 것 등을 제안하였다.

② **『의산문답』**: 홍대용은 『의산문답』에서 실옹과 허자의 대화 형식을 빌려 성리학적 고정관념을 상대주의 논법으로 비판했다. 또한 지전설과 지구가 우주의 중심이 아니라는 무한 우주론을 주장하며 중국 중심의 세계관을 거부하였다.

(3) 연암 박지원(1737~1805): 박지원은 개혁의 주체로서 선비의 자각을 강조하였다.

① **「양반전」**: 박지원은 「양반전」 등의 소설에서 양반의 허위 의식을 고발하였다.

② **『열하일기』**: 『열하일기』는 박지원이 청에 다녀온 후 저술한 책으로, 청의 문물을 소개하였고 수레와 선박의 이용 및 화폐 유통의 필요성을 주장하였다.

③ **『과농소초』, 「한민명전의」**: 박지원은 농업 생산력 증대 방안에 관심을 보였고(『과농소초』), 토지 소유의 상한선을 설정한 후 그 이상의 토지 소유를 금지하는 한전론을 주장하였다(「한민명전의」).

(4) 초정 박제가(1750~1805): 박제가는 서얼 출신으로 박지원의 제자였다.

① **『북학의』**: 박제가는 청에 다녀온 후 『북학의』를 저술하여 청의 문물을 적극적으로 수용할 것을 주장하였다.

② **상공업 발달**: 박제가는 양반도 상업에 종사해야 한다고 주장하였고, 이와 더불어 상공업의 발달, 청과의 통상 강화, 수레와 선박의 이용 등을 강조하였다. 특히 무역선을 파견하여 청에서 행해지는 국제 무역에도 참여해야 한다고 주장하였다.

유수원의 상공업 진흥론 기출사료

상공업을 두고 천한 직업이라 하지만 본래 부정하거나 비루한 일은 아니다. 그것은 스스로 재간 없고 덕망 없음을 안 사람이 관직에 나가지 않고 스스로의 노력으로 물품 교역에 종사하면서 남에게서 얻지 않고 자기 힘으로 먹고 사는 것이다. 어찌 천하거나 더러운 일이겠는가. -『우서』

▶ 유수원은 상공업 중심의 부국안민론(富國安民論)을 주장한 대표적인 인물이다.

박지원이 주장한 농업 생산력 증대 방안과 양반의 역할 기출사료

옛날에 백성에는 네 가지 부류가 있었습니다. 이는 사농공상입니다. 사의 업은 오래 되었습니다. 농공상의 일은 처음에 역시 성인의 견문과 생각에서 나왔고, 대대로 익힌 것을 전승하여 각기 자신의 학문이 있었습니다. …… 그러나 사의 학문은 실제로 농공상의 이치를 포괄하는 것이므로 세 가지 업은 반드시 사를 기다린 뒤에 완성됩니다. 일반적으로 이른바 농업에 힘쓰는 것이나, 상업을 유통시켜 공업에 혜택을 준다고 했을 때 그 힘쓰는 것이나, 상업을 유통시켜 공업에 혜택을 준다고 했을 때 그 힘쓰게 하고 유통시키고 혜택을 주게 하는 것은 사가 아니라면 누가 하겠습니까? -『과농소초』

▶ 박지원은 『과농소초』에서 양반(선비)들이 이용후생의 관점에서 농·공·상민을 선도해야 함을 강조하였으며, 이를 토대로 한 영농 방법의 혁신, 상업적 농업의 장려, 수리 시설의 확충 등을 통해 농업 생산력을 증대시켜야 한다고 주장하였다. 한편 박지원은 「양반전」, 「허생전」 등의 한문 소설을 통해 허례허식에 빠진 양반 계층을 비판하기도 하였다.

이익과 박지원의 한전론

- 이익: 토지 소유의 하한선(최소한의 영업전 매매 금지) 주장
- 박지원: 토지 소유의 상한선 설정 주장

박제가의 『북학의』

박제가는 『북학의』에서 중국에 와서 활동하고 있던 **서양 선교사들을 직접 초빙하여 그들로부터 서양 선진 기술을 배우자고 주장**하였다.

③ **소비 강조**(우물론): 박제가는 소비와 생산의 관계를 우물물에 비유하여 생산을 자극하기 위해서는 절약보다는 소비를 촉진해야 한다고 강조하였다.

기출 사료 읽기

> **박제가의 소비관**
>
> 지금 우리나라 안에는 구슬을 캐는 집이 없고 시장에 산호 따위의 보배가 없다. 또 금과 은을 가지고 가게에 들어가도 떡을 살 수가 없는 형편이다. …… 이것은 물건을 이용하는 방법을 모르기 때문이다. 이용할 줄 모르고, 생산할 줄 모르니 백성은 나날이 궁핍해지는 것이다. 대체로 재물은 비유하건대 샘과 같은 것이다. 퍼내면 차고 버려 두면 말라 버린다. 그러므로 비단 옷을 입지 않아서 나라에 비단을 짜는 사람이 없게 되면 여공이 쇠퇴하고, 찌그러진 그릇을 싫어하지 않고 기교를 숭상하지 않아서 장인이 작업하는 일이 없게 되면 기예가 망하게 되며, 농사가 황폐해져서 그 법을 잃게 되므로 사·농·공·상의 4민이 모두 곤궁하여 서로 구제할 수 없게 된다.
>
> – 박제가, 『북학의』
>
> **사료 해설** | 박제가는 『북학의』에서 수레나 선박의 사용을 늘릴 것을 주장하였으며, 생산과 소비의 관계를 샘(우물)에 비유하며 절약보다는 소비할 것을 주장하였다.

(5) **풍석 서유구**(1764~1845): 도시에 치중했던 북학 사상을 농촌 발전에 응용하였다.

① **『임원경제지』**: 농업과 관련된 내용을 정리한 **농촌 생활 백과사전**이다. 농업 기술 혁신과 경영형 부농의 경영 원리를 바탕으로 한 임노동 하의 지주제를 구상하여 체계화하였으며, 농업 생산력 및 농촌 생활·의료 개선 등 광범위한 개혁안을 제시하였다.

② **둔전제**: 주요 도시에 국가 시범 농장인 둔전을 설치하여 혁신적 농법과 경영으로 수익을 올려서 국가 재정을 보충하고, 부민의 참여를 유도하여 유능한 자를 지방관으로 발탁할 것을 주장하였다.

필수 개념 정리하기

중농학파와 중상학파

구분	중농학파(경세치용학파)	중상학파(이용후생학파)
출신	남인 계열	노론 계열
인물	유형원, 이익, 정약용	유수원, 홍대용, 박지원, 박제가
주장	· 경세치용(각종 제도의 개혁) · 토지 개혁을 통한 자영농 육성 · 화폐 사용에 부정적	· 이용후생(기술 혁신, 부국강병) · 상공업 육성 · 기술 혁신을 통한 농업 생산력 증대
공통점	부국강병, 민생 안정, 농업 진흥(방법론이 다름) 추구, 문벌 제도와 자유 상공업 비판	

6 국학 연구의 확대

1. 국사 연구

(1) **이익**(1681~1763): 이익은 실증적, 비판적인 역사 서술을 제시하였다.

① **『성호사설』**: 이익은 『성호사설』에서 역사가의 임무는 당시의 **시세(時勢)**를 **정확하게 파악하는 것**임을 강조하였다.

이익의 역사 인식

이익은 **역사를 움직이는 기본 동력을 '시세(時勢, 역사적 추세) – 행불행(幸不幸, 운명과 우연) – 시비(是非, 도덕적인 옳고 그름)'**의 순서로 파악하여 기존의 **성리학적 도덕 중심 사관을 비판**하였다. 이에 따라 이익은 '당시의 시세(時勢)를 정확하게 파악하는 것'이 역사가의 임무임을 강조하였다.

(2) 안정복(1712~1791): 안정복은 남인 계열로 양명학과 천주교에 부정적인 입장이었다.

① **『동사강목』**(1778): 『동사강목』은 단군 조선에서 고려 말까지의 역사를 편년체 통사와 강목체로 서술한 역사서로, '단군 조선-기자 조선-마한-통일 신라-고려'로 이어지는 우리 역사의 독자적 정통론(삼한 정통론)을 **제시**하였다(이익의 영향).

② **『열조통기』**: 안정복은 조선 태조부터 영조 때까지의 역사를 각 왕별로 편찬한 역사책인 『열조통기』를 저술하였다.

(3) 이긍익(1736~1806): 이긍익은 400여 종의 야사를 참고하여 조선의 정치사를 객관적·실증적으로 서술한 **『연려실기술』**(기사본말체)을 편찬하였다.

(4) 유득공(1748~ 1807): 유득공은 고대사 연구의 시야를 만주까지 확대하였고, 『발해고』(1784)에서 **남북국 시대**라는 용어를 처음으로 사용하였다.

기출 사료 읽기

조선 후기의 국사 연구

1. 안정복

삼국사에서 신라를 으뜸으로 한 것은 신라가 가장 먼저 건국되었고, 뒤에 고구려와 백제를 통합하였으며, 고려는 신라를 계승하였으므로 편찬한 것이 모두 신라의 남은 문적을 근거로 하였기 때문이다. …… 고구려의 강대하고 현저함은 백제에 비할 바가 아니며, 신라가 자처한 땅의 일부는 남쪽에 불과할 뿐이다.

\- 『동사강목』

사료 해설 | 안정복은 중국 중심의 역사인식에서 탈피하여 우리 역사의 독자적인 정통론을 체계화하였다.

2. 이긍익

이 책은 남의 귀나 눈에 익은 이야기들을 모아 분류대로 편집한 것이요, 하나도 나의 사견으로 논평한 것이 없는데, 만일 숨기고 전하지 않는다면 남들이 눈으로는 보지 못하고 귀로만 이 책이 있다고 듣고서 도리어 새로운 말이나 있는가를 의심한다면, 오히려 위태롭고 두려운 일이 아니겠는가?

\- 『연려실기술』

사료 해설 | 이긍익은 조선 왕조의 정치사를 실증적으로 서술하였고, 조선의 정치와 문화를 백과사전식으로 정리하였다.

3. 유득공

고려가 발해사를 편찬하지 않은 것을 보면 고려가 국세를 떨치지 못했음을 알 수 있다. …… 대씨(발해)가 북방을 차지하고는 발해라 하였으니, 이것을 남북국이라 한다. 당연히 남북국을 다룬 역사책이 있어야 하는데, 고려가 편찬하지 않은 것은 잘못이다. 저 대씨가 어떤 사람인가? 바로 고구려 사람이다. 그들이 차지하고 있던 땅은 어떤 땅인가? 바로 고구려 땅이다.

\- 『발해고』

사료 해설 | 유득공은 발해사를 우리나라 역사로 체계화할 목적으로 『발해고』를 편찬하여 통일 신라와 발해의 역사를 남북국의 역사로 체계화하였다.

(5) 이종휘(1731~1797): 이종휘는 기전체 형식의 사서인 **『동사(東史)』**를 편찬하여 고조선과 삼한, 부여·고구려 계통의 역사와 문화를 서술하고, 고대사의 연구 범위를 만주까지 확대하였다.

(6) 한치윤(1765~1814): 한치윤은 540여 종의 중국 및 일본 자료를 참고하여 단군 조선부터 고려까지의 역사를 기전체로 서술한 **『해동역사』**를 편찬하였다.

(7) 김정희(1786~1856): 김정희는 **『금석과안록』**에서 황초령비와 북한산비가 진흥왕 순수비임을 밝혔다.

안정복의 천주교 비판 서적

안정복은 **이익의 역사 의식을 계승**한 **성호 학파의 인물** 중 보수적인 경향을 가진 학자로, 성리학 이외의 사상 배척에 앞장서서 천주교를 비판하는 **『천학고』**와 **『천학문답』을 저술**하였다.

『동사강목』의 서술 체제

『동사강목』의 서술 방식은 편년체이나 주자의 『자치통감강목』의 형식에 의해 강(綱)과 목(目)으로 서술되었다.

안정복의 삼한 정통론

안정복은 삼한 정통론을 정리할 때 **위만 조선은 정통 국가에서 제외**하였고, **삼국 시대는 정통 국가가 없는 무통(無統) 시대로 처리**하였다. 이러한 안정복의 역사 인식은 그의 스승인 이익의 영향을 받은 것이다.

『동사(東史)』

이종휘는 『동사』에서 기전체 형식으로 발해사를 서술하면서 역사상 처음으로 단군 조선을 본기로 서술하고 열전과 지(志)는 고구려 중심으로 서술하여 **고구려 전통을 강조**하였다.

『해동역사』

『해동역사』는 **기전체 형식**으로 서술되었지만 **열전은 없고 세기·지·고(考)로 구성**되어 있다.

필수 개념 정리하기

17~18세기의 역사서

시기	저서	저자	특징
17세기	『동사찬요』	오운	· 신라를 중심으로 서술한 삼국의 역사부터 고려 멸망까지의 역사를 기전체로 서술 · 왜란 중에 의병으로 참여한 내용 기록
	『휘찬여사』	홍여하	· 인조 때 고려사를 기전체로 기록 · 남인에서 중시한 사서로 기자를 중시하여 '기자 - 마한 - 신라'를 정통 국가로 내세움
	『여사제강』	유계	· 현종 때 고려사를 강목체 형식의 편년체로 기록 · 북벌 운동 고취, 고려가 북방 민족에게 강력히 항전한 것과 재상이 주도권을 잡은 사실 강조
	『동사(東事)』	허목	· 단군 조선에서 삼국 시대까지 서술한 기전체 사서(단군, 기자, 신라를 중국의 3대에 비유할 만한 이상 시대로 그려냄) · 중화주의 역사 의식에서 탈피하여 독자적 역사 의식 주장
	『동국통감제강』	홍여하	· 『동국통감』을 주자의 강목법에 따라 수정 · 기자의 전통이 마한을 거쳐 신라로 이어졌다고 하여 기자 - 마한 - 신라를 정통 국가로 내세움
	『동사보유』	조정	· 단군 조선부터 고려 말까지의 역사를 편년체로 서술 · 옛 기록의 신화와 전설 수록
18세기 초	『동국역대총목』	홍만종	단군의 정통성을 강조한 사서로 '단군 조선 - 기자 조선 - 마한 - 통일신라'를 정통 국가로 보았으며, 고려와 조선의 역사를 왕실 중심으로 서술
	『동사회강』	임상덕	· 삼국부터 고려까지의 역사를 기록한 강목체 형식의 편년체 사서 · 마한을 정통으로 인정하지 않고 삼국을 무통으로 간주
18세기 중·후반	『동사강목』	안정복	· 삼국을 무통으로 하고 '단군 조선 - 기자 조선 - 마한 - 통일 신라 - 고려'를 정통으로 간주 · 역사적 사실을 치밀하게 고증하여 고증 사학의 토대 마련
	『연려실기술』	이긍익	조선 시대의 정치와 문화를 기사본말체로 실증적이고 객관적으로 서술
	『해동역사』	한치윤	단군 조선부터 고려까지의 역사를 기전체로 서술, 민족사 인식의 폭 확대
	『동사(東史)』	이종휘	고구려사 연구, 고대사 연구의 시야를 만주 지방까지 확대
	『발해고』	유득공	남북국 시대 용어 사용, 발해사를 우리나라 역사로 체계화할 목적으로 저술

2. 지리 연구

(1) 내용: 조선 후기에는 우수한 지리서와 정밀한 지도가 제작되었다.

(2) 역사 지리지: 고대 지명을 새롭게 고증한 한백겸의 『동국지리지』, 고대사의 강역을 새롭게 고증한 정약용의 『아방강역고』, 신경준의 『강계고』 등이 있다.

저서	저자	내용
『동국지리지』	한백겸	· 한강을 경계로 북쪽에 조선, 남쪽에 삼한이 위치했다는 것을 고증 · 고구려의 발상지가 만주 지방이라는 것을 처음으로 고증
『아방강역고』	정약용	백제의 첫 도읍지가 서울이며, 발해의 중심지가 백두산 동쪽이라는 것 등을 고증
『강계고』	신경준	한백겸의 역사 지리 연구를 계승·발전시킨 역사 지리 전문서

(3) **인문 지리지**: 대표적으로 이중환의 『택리지』가 있는데, 각 지역의 자연환경과 물산, 풍속, 인심 등을 분석하고 어느 지역이 살기 좋은 곳인가를 서술한 것이다.

(4) **지도**: 중국의 방안식 지도 제작법을 받아들여, 정밀하고 과학적인 지도가 제작되었다.

저서	저자	시기	내용
요계관방지도	이이명	숙종	군사적 목적으로 요동에서 북경까지의 형세도를 그린 지도
동국지도	정상기	영조	우리나라 최초로 100리척을 사용하여 만든 지도
동국여지도	신경준	영조	· 우리나라 전도(全圖)와 도지도(道地圖), 전국의 읍을 그린 열읍도(列邑圖)를 묶어 제작한 지도 · 모눈을 활용하여 지도의 정밀성을 높임
대동여지도	김정호	철종	· 목판으로 제작한 지도 · 산맥·하천·포구·도로망을 정밀하게 표시 · 거리를 알 수 있도록 10 리마다 눈금을 표시

3. 국어 연구

(1) **음운 연구**: 『경세정운』(1678, 최석정), 『훈민정음운해』(1750, 신경준), 『언문지』(1824, 유희) 등

(2) **어휘집**: 어휘 백과사전인 『대동운부군옥』(1589, 권문해), 우리의 방언과 해외 언어를 정리한 『고금석림』(1789, 이의봉) 등

4. 백과사전식 저서

저서	저자	시기	내용
『지봉유설』	이수광	광해군	· 백과사전류의 효시 · 우리나라와 중국의 문화를 포괄적으로 비교·서술
『성호사설』	이익	영조	천지, 만물, 경사, 인사, 시문의 5개 부분으로 나누어 우리나라와 중국의 문화를 백과사전식으로 정리
『청장관전서』	이덕무	정조	이덕무의 시문 전집, 역사, 인물, 사상 등 소개
『임원경제지』	서유구	헌종	· 농촌 생활 백과사전 · 농업의 경제·경영에 대하여 정리
『오주연문장전산고』	이규경	헌종	우리나라와 중국 등 외국의 고금, 사물에 대하여 고증학적인 방법으로 소개
『동국문헌비고』	관찬	영조	역대 우리나라의 문물을 총정리한 한국학 백과사전

『택리지』 기출사료

대저 살 곳(可居地)을 잡는 데는 지리(地理)가 첫째이고, 생리(生利)가 다음이다. 그다음은 인심(人心)이며, 다음은 아름다운 산수(山水)가 있어야 한다. 이 네 가지 중 하나라도 모자라면 살기 좋은 땅이 아니다.

- 『택리지』

▶ 이중환은 『택리지』에서 살 곳을 정할 때는 지리가 첫째이고, 생리(경제적 이익)가 다음, 그다음은 인심이며 다음은 아름다운 산수가 있어야 한다고 서술하였다.

방안식(方眼式, 모눈식)

지도 밑바탕에 일정한 규격의 네모를 그려 놓아 실제 거리와 지도상의 거리를 쉽게 유추할 수 있게 만든 방식이다.

대동여지도(김정호)

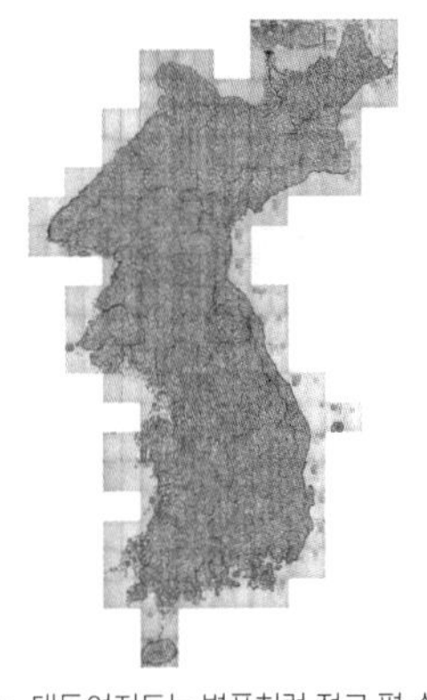

▶ 대동여지도는 병풍처럼 접고 펼 수 있는 분첩 절첩식의 전국 지도첩이었으며, 고종 때 재간행되기도 하였다.

『동국문헌비고』

『동국문헌비고』는 정조 때 『증보동국문헌비고』로, 순종 때인 1908년에 『증보문헌비고』로 다시 한번 편찬되었다.

OX 빈칸 핵심 개념 점검

* 학습한 개념을 OX/빈칸 문제를 통해 점검해보세요.

핵심 개념 1 | 성리학의 상대화와 호락 논쟁

01 노론은 인성(人性)과 물성(物性)은 다르다고 보는 '인물성이론(人物性異論)'을 주장하였다. □ O □ X

02 낙론의 주장은 북학파의 과학 기술 존중과 이용후생 사상으로 이어졌다. □ O □ X

03 ______와 ______은 주자의 학설을 비판하여 사문난적으로 몰렸다.

04 박세당은 양명학과 노장 사상의 영향을 받아 『______』을 저술하였다.

핵심 개념 2 | 양명학의 수용

05 18세기 초 정제두 등이 양명학을 본격적으로 수용하였다. □ O □ X

06 정제두는 일반민을 도덕 실천의 주체로 인정하였으며, 양반 신분제의 폐지를 주장하였다. □ O □ X

07 정제두는 양명학을 수용하여 ______를 형성하였다.

핵심 개념 3 | 농업 중심의 개혁론(중농학파)

08 한치윤은 『기언』을 지어 토지 제도의 개혁을 주장하였다. □ O □ X

09 유형원은 『반계수록』에서 신분 차별 없이 모든 사람에게 균등한 토지 분배를 강조하였다. □ O □ X

10 이익은 『성호사설』을 저술하였다. □ O □ X

11 이익은 영업전을 설정하여 최소한의 농민 생활을 보장하고자 하였다. □ O □ X

12 ______은 한 마을을 단위로 토지를 공동 소유하고 공동 경작할 것을 강조하였다.

13 정약용은 처음에 토지 개혁론으로 ______를(을) 내세웠다가, 후에 ______를(을) 현실에 맞게 실행할 것을 주장하였다.

핵심 개념 4 | 상업 중심의 개혁론(중상학파)

14 홍대용은 『임하경륜』에서 성인 남자에게 2결의 토지를 나누어 주자고 주장하였다. □ O □ X

15 박지원은 영농 방법의 혁신, 상업적 농업의 장려, 수리 시설의 확충 등을 통한 농업 생산력 향상에 관심을 기울였다. □ O □ X

16 박제가는 소비의 중요성을 강조하며 상공업 진흥을 주장하였다. □ O □ X

17 유수원은 『______』에서 상업적 경영을 통해 농업 생산성을 높여야 한다고 주장하였다.

18 홍대용은 『______』에서 무한 우주론을 주장하며 중국 중심의 세계관을 비판하였다.

핵심 개념 5 | 국학 연구의 확대

19 유득공은 『발해고』에서 발해사 연구를 심화하여 고대사 연구의 시야를 만주 지방까지 확대시켰다. □ O □ X

20 한치윤은 『해동역사』에서 중국과 일본의 자료를 참고하여 민족사 인식을 확대하였다. □ O □ X

21 대동여지도는 산맥, 하천, 포구, 도로망을 정밀하게 표시하고 거리를 알 수 있도록 10리마다 눈금을 표시하였다. □ O □ X

22 이종휘는 『 　　 』를 지어 고구려사에 대한 관심을 고조시켰다.

23 유희는 『 　　 』를 지어 우리말의 음운을 연구하였다.

24 서유구는 농촌 생활 백과사전인 『 　　 』를 저술하였다.

정답과 해설

01	O 권상하, 한원진, 윤봉구 등을 중심으로 한 호론(충청도 노론)은 인간의 본성(인성)과 사물의 본성(물성)이 다르다고 보는 '인물성이론'을 주장하였다.	13	여전제(여전론), 정전제(정전론)
02	O 인간과 사물의 본성이 같다는 낙론의 주장(인물성동론)은 북학파의 이용후생 사상으로 계승되었다.	14	O 홍대용은 『임하경륜』에서 성인 남성에게 2결씩 토지를 분배할 것을 주장하였다.
03	윤휴, 박세당	15	O 박지원은 『과농소초』에서 영농 방법의 혁신, 상업적 농업의 장려, 수리 시설의 확충 등을 통한 농업 생산력 향상을 주장하였다.
04	사변록	16	O 박제가는 『북학의』에서 소비와 생산의 관계를 우물물에 비유하여 생산력을 높이기 위해서는 절약보다는 소비를 촉진해야 하며, 이를 통해 상공업의 진흥을 이뤄야 한다고 주장하였다.
05	O 18세기 초 소론 출신 인물인 정제두가 양명학을 본격적으로 수용하였다. 정제두는 양명학을 학문적으로 체계화하였으며, 강화도에서 후학을 양성하면서 강화 학파를 형성하였다.	17	우서
06	O 정제두는 일반민을 도덕 실천의 주체로 보고, 양반 신분제의 폐지를 주장하였다.	18	의산문답
07	강화 학파	19	O 『발해고』를 저술한 유득공은 고대사 연구의 시야를 만주 지방까지 확대시켰다.
08	✖ 『기언』은 허목의 저서이다. 한치윤의 대표적인 저서는 『해동역사』이다.	20	O 한치윤은 국내와 중국, 일본의 서적 등 다양한 외국 자료를 참고하여 『해동역사』를 집필하였으며 민족사 인식의 폭을 넓히는 데 기여하였다.
09	✖ 유형원은 신분에 따라 토지를 차등있게 지급하여 자영농을 육성할 것을 주장하였다.	21	O 김정호의 대동여지도는 산맥, 하천 등의 표시가 정밀하고, 거리를 알 수 있도록 10리마다 눈금이 표시되어 있다. 또한 지도를 목판에 새겨 많은 사람들이 편리하게 이용할 수 있도록 하였다.
10	O 조선 후기 실학자인 이익은 『성호사설』을 저술하고, 제자들을 양성하여 성호 학파를 형성하였다.	22	동사
11	O 이익은 매 호마다 매매가 불가능한 토지인 영업전을 설정하고, 영업전 이외의 토지는 매매를 허락하도록 하는 한전론을 주장하여 최소한의 농민 생활을 보장하고자 하였다.	23	언문지
12	정약용	24	임원경제지

2 문화의 새 경향

학습 포인트
과학의 경우 서양 문물의 수용 등에 따른 변화 내용을 천문학, 지도 등을 중심으로 살펴보고 그 밖에 기술 개발 내용을 파악한다. 서민 문화의 발달 부분에서는 판소리와 탈놀이, 문학, 그림, 건축 등으로 구분하여 대표적인 인물과 작품을 중심으로 사진과 함께 학습한다.

빈출 핵심 포인트
홍대용, 곤여만국전도, 『동의보감』, 『마과회통』, 『농가집성』, 「홍길동전」, 진경 산수화, 풍속화, 청화 백자

1 서양 문물의 수용

1. 수용

(1) **전래**: 17세기경부터 청나라를 왕래하던 사신과 서양 선교사들을 통해 서양 문물이 전래되었다. 그리하여 선조 때 이광정이 세계 지도(곤여만국전도)를 들여왔고, 인조 때 정두원이 화포, 천리경, 자명종 등을 가져왔다.

(2) **실학자들의 관심**: 이익과 그의 제자들 및 북학파 실학자들은 서양 문물의 수용에 관심을 가졌으며, 일부는 서양의 종교인 천주교까지 수용(정약용)하였다.

소현 세자의 서양 문물 수용

교과서 사료

"어제 받은 천주상, 천구의, 천문서 및 기타 양학서는 전혀 생각지도 못했던 것으로 깊이 감사 드립니다. …… 이러한 것들은 본국에서는 완전히 암흑이라 해야 할 정도로 모르고 있는데, 지식의 빛이 될 것입니다. …… 제가 고국에 돌아가면 궁궐에서 사용할 뿐만 아니라 이것들을 출판하여 학자들에게 보급할 계획입니다. 그리하면 우리나라가 학문의 전당으로 변하게 될 것입니다."

- 「아담 샬의 회고록」 중 소현 세자의 편지

▶ 병자호란 때 청나라에 볼모로 잡혀간 **소현 세자**는 북경에서 아담 샬과 친분을 맺은 후 **서양 문물을 가지고 귀국하여 조선에 서양의 문물을 소개**하였다.

2. 서양인의 표류

(1) **벨테브레**(J. J. Weltevree, 네덜란드)

① **활동:** 벨테브레는 인조 때 제주에 표류한 후 조선에 귀화하여 무과에 급제하였다.

② **대포 제작:** 벨테브레는 박연이라는 이름으로 훈련도감에 소속되어 서양식 대포(홍이포)의 제조법과 사용법을 전수하였다.

(2) **하멜**(Hendrik Hamel, 네덜란드)

① **활동:** 하멜은 효종 때 일행들과 제주에 표류하였고, 15년 동안 억류되었다.

② **『하멜표류기』:** 본국에 돌아가 『하멜표류기』를 지어 조선의 사정을 서양에 알렸다.

3. 한계

서양 과학 기술 수용은 18세기까지는 어느 정도 이루어졌으나 19세기에는 정체되었다.

2 천문학과 지도 제작 기술의 발달

1. 배경

조선 후기에는 백성의 생활 개선을 위해 과학과 기술 분야에 관심을 가진 학자가 많았다.

2. 천문학

(1) **특징**: 천문학은 서양 과학의 영향을 받아 크게 발전하였다.

(2) **김석문**(1658~1735): 김석문은 『역학도해』에서 우리나라 최초로 지전설을 주장하여 우주관 전환에 크게 기여하였다.

(3) **이익**(1681~1763): 이익은 서양 천문학에 큰 관심을 가지고 연구하였으며, 지구가 둥글다는 서양 지식을 받아들이고 지구의 중심을 향해 모든 것이 몰려든다는 지심론(地心論)을 주장하였다.

(4) **홍대용**(1731~1783)

① **지전설**: 홍대용은 과학 연구에 힘써 혼천의를 제작하였고, 지전설을 주장하였다.

기출 사료 읽기

> **홍대용의 지전설**
>
> 천체가 운행하는 것이나 지구가 자전하는 것은 그 세가 동일하니, 분리해서 설명할 필요가 없다. 다만, 9만 리의 둘레를 한 바퀴 도는 데 이처럼 빠르며, 저 별들과 지구와의 거리는 겨우 반경(半徑)밖에 되지 않는데도 몇 천만 억의 별들이 있는지 알 수 없다. 하물며 천체들이 서로 의존하고 상호 작용하면서 이루고 있는 우주 공간의 세계 밖에도 또 다른 별들이 있다. …… 지구에서 볼 때 지구에서 가까워 크게 보이는 것을 사람들은 해와 달이라 하고 지구에서 멀어 작게 보이는 것을 사람들은 오성(五星)이라 하지만, 사실은 모두 동일한 성계이다. - 홍대용, 『담헌집』
>
> **사료 해설** | 홍대용은 지전설, 무한 우주론 등의 자연관을 바탕으로 화이(華夷)의 구분을 부정하고, 민족의 주체성을 강조하였다.

② **무한 우주론**: 홍대용은 『의산문답』에서 지구가 우주의 중심이 아니라 무수한 별 중 하나라는 무한 우주론을 주장하였다.

(5) **최한기**(1803~1877)

① **개화 사상의 철학적 기반 마련**: 서양 과학 기술을 토대로 주기적인 경험주의 철학을 발전시켜 개화 사상의 철학적 기반을 마련하였다.

② **『지구전요』**: 『해국도지』, 『영환지략』 등을 기초로 편집한 것으로, 지구의 자전과 공전을 함께 주장하고, 자전과 공전설이 코페르니쿠스의 것임을 밝혔다.

(6) 의의

① **근대적 우주관**: 조선 후기의 천문학은 전통적 우주관에서 벗어나 근대적 우주관으로 접근하였다.

② **성리학적 세계관의 변화**: 김석문과 홍대용의 지전설은 중화 사상에 입각한 성리학적 세계관에 대한 비판의 근거를 제공하였다.

3. 역법

(1) **시헌력 채택**(1653): 시헌력은 청나라에서 활동한 예수회 선교사인 아담 샬이 중심이 되어 만든 서양식 역법으로, 조선에서는 김육 등이 약 60여 년간 노력한 끝에 효종 때 시헌력이 채용되었다.

(2) **『천세력』 간행**(1782): 역법이 계속 연구되어 정조 때 우리나라의 사정에 맞는 『천세력』을 만들어 간행하였다.

성리학적 세계관의 변화 교과서 사료

중국은 서양과 180도 정도 차이가 있다. 중국인은 중국을 중심으로 삼고 서양을 변두리로 삼으며, 서양인은 서양을 중심으로 삼고 중국을 변두리로 삼는다. 그러나 실제에 있어서는 하늘을 이고 땅을 밟는 사람은 땅에 따라서 모두 그러한 것이니 중심도 변두리도 없이 모두가 중심이다.
- 홍대용, 『의산문답』

▶ 홍대용은 중국과 조선을 상대화하여 **모두가 중심이라고 주장**하며 중국 중심의 세계관인 **화이론을 비판하는 근거를 제공**하였다.

4. 서양 지도 전래

(1) **곤여만국전도 전래**: 조선 후기에 서양 선교사들이 만든 세계 지도인 곤여만국전도가 중국을 통하여 전해지면서 조선은 보다 과학적이고 정밀한 지리학 지식을 가지게 되었고, 더 정확한 지도 제작이 가능해졌다.

(2) **영향**: 서양 지도는 당시 조선인의 세계관 확대에 기여하였다.

3 의학, 농학의 발달과 기술 개발

1. 의학의 발달

(1) **특징**: 조선 후기 의학에서는 종래 한의학의 관념적인 단점을 극복하고, 실증적인 태도에 입각하여 의학 이론과 임상의 일치에 주력하였다.

(2) 17세기

① **『동의보감』**(허준)

㉠ **의학 정리:** 『동의보감』은 우리의 전통 한의학을 체계적으로 정리한 것으로, 우리나라 의학 발전에 크게 공헌하였다.

㉡ **동아시아로 전파:** 『동의보감』은 우리나라뿐만 아니라 중국과 일본에서도 간행되어 뛰어난 의학서로 인정받았으며, 2009년에 유네스코 세계 기록유산으로 등재되었다.

② **『침구경험방』**(허임): 『침구경험방』은 침구술을 집대성한 것이다.

③ **『벽온신방』**(안경창): 안경창이 효종의 명을 받아 전염병 치료를 목적으로 편찬하였다.

(3) 18세기

① **서양 의학 전래:** 인체의 해부학적 구조와 생리적 기능에 관한 서양 의학 지식이 전래되었다.

② **『마과회통』**(정약용): 『마과회통』은 정약용이 홍역(마진)에 대한 연구를 진전시키고 이 분야의 의서를 종합하여 편찬한 것이다. 또한 박제가와 함께 천연두에 대해 연구한 정약용은 이 책을 통해 제너가 발명한 종두법(우두법)을 우리나라에 처음으로 소개하였다.

(4) 19세기

① **『방약합편』**(황필수)

㉠ **특징:** 본래 황도연의 저술로, 그 아들 황필수가 다시 엮어 편찬하였다.

㉡ **내용:** 한의학의 각종 한약 처방들을 실제로 사용하기 쉽고 간략하게 기술하여 한의학의 대중화에 기여하였다.

② **『동의수세보원』**(이제마)

㉠ **사상 의학:** 이제마는 사람의 체질을 태양인, 태음인, 소양인, 소음인으로 구분하여 치료하는 체질 의학 이론인 사상 의학(四象醫學)을 확립하였다.

㉡ **영향:** 이제마가 정리한 사상 의학은 오늘날까지도 한의학계에서 통용되고 있다.

곤여만국전도

1602년에 마테오리치와 명의 학자 이지조가 함께 만들어 목판으로 찍어 펴낸 6폭의 타원형 **세계 지도**이다. 1603년(선조 36) 북경에 파견되었던 이광정과 권희가 돌아올 때 가지고 온 것으로, 지도에는 유럽, 아프리카 등의 5대주가 나타나 있고, 850여 개가 넘는 지명이 적혀 있으며, 각지의 민족과 물산에 대해 지리적으로 서술되어 있다.

『동의보감』

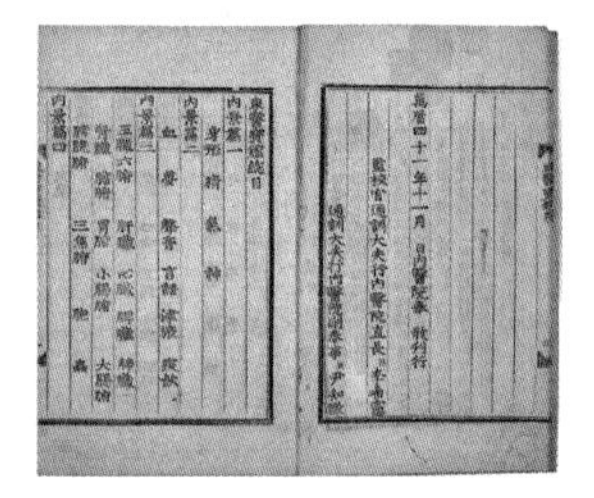

『동의보감』은 내과에 관계되는 내경, 외과에 관한 외형, 유행성병·급성병·부인과·소아과 등을 합한 잡병, 약제학·약물학에 관한 탕액, 침구, 목차 등 총 25권으로 구성되어 있다.

종두법 연구

『강희자전』에, "신두법(神痘法)은 대체로 두즙(痘汁)을 코에 넣고 호흡하면 당장 솟는다."라고 하였다. 나는 항상 묘한 방법이 있는데도 우리나라에는 전해 오지 않는다고 의심하여 섭섭하게 생각하여 왔다. 기미년 가을, 종두법을 적은 책을 급급히 구하여 보았다. …… 두 번째로 관노 아이에게 접종하고 세 번째로 초정의 조카에게 접종하니, 종핵도 점점 커지고 종두도 더욱 훌륭하였다. 이에 의사(醫師) 이씨(李氏)라는 이를 불러 처방을 주어 두종을 가지고 경성 이북 지방으로 들어가게 하였더니 선비 집안에서 많이들 접종하였다고 한다. - 『여유당전서』 「종두설」

▶ 우리나라에서는 정약용이 종두법을 처음 소개하였고, 지석영이 최초로 종두(천연두의 예방 접종)를 실시하였다.

2. 농서의 편찬

(1) 17세기 중엽

① **배경:** 17세기에 이르러 많은 농서가 편찬되었고, 농업 기술도 크게 발달하였다.

② **『농가집성』(신속):** 신속은 『농가집성』에서 벼농사 중심의 농법을 소개하고, 이앙법의 보급에 공헌하였다.

(2) 17세기 말~18세기 후반

① **배경:** 상업적 농업이 발달하고 농업의 영역이 확대됨에 따라 곡물 재배법뿐만 아니라 채소, 과수, 원예, 양잠, 축산 등의 농업 기술을 소개하는 농서의 필요성이 대두하였다.

② **농서:** 『색경』(박세당), 『산림경제』(홍만선), 『해동농서』(서호수) 등이 편찬되어 농업 기술의 발전에 이바지하였다.

저서	저자	내용
『색경』	박세당	· 토질에 따른 재배 품종을 소개한 상권과 양잠법을 소개한 하권으로 구성 · 인삼이나 고추와 같은 상품 작물 재배법을 소개
『산림경제』	홍만선	농촌의 일상생활과 관련된 내용과 함께 원예 작물, 특용 작물, 임업, 목축, 양봉, 물고기 양식, 식품 가공, 구황 방법 등을 담은 농촌 생활 백과사전
『해동농서』	서호수	정조의 명으로 우리 고유의 농학을 중심에 두고 중국 농학을 선별적으로 수용하여 체계화

서호수

서호수는 우리 고유의 농학을 중심에 두고 **중국 농학을 선별적으로 수용**하여 **한국 농학의 새로운 체계화를 시도**하였다. 이러한 연구 경향은 그의 아들인 서유구(『임원경제지』 저술)에게 계승되었다.

(3) 19세기: 김장순이 고구마 재배법을 정리한 『감저신보』를 편찬하였으며, 서유구는 농업과 농촌 생활에 필요한 것을 종합하여 『임원경제지』라는 농촌 생활 백과사전을 편찬하였다.

3. 기술 개발

(1) 정약용의 기예론: 정약용은 인간이 다른 동물보다 뛰어난 것은 기예(기술)이 있기 때문이라고 보고, 기술 발달이 인간의 생활을 풍요롭게 한다고 믿었다.

기출 사료 읽기

> 정약용의 기예론
>
> 짐승들이 날카로운 발톱과 이빨, 단단한 발굽과 뿔을 가지고 자신을 보호하듯이, 인간은 지혜로운 생각과 교묘한 연구로써 기예를 익혀서 살아가게 태어났다. …… 기예는 한 사람의 성인보다 뭇 사람들의 경험과 의견이 중요하다. …… 오랑캐의 기예라도 우수한 것이 있으면 받아들여야 한다.
>
> - 『여유당전서』
>
> **사료 해설 |** 정약용은 기술이 인간의 생활을 풍요롭게 한다고 보았으며, 스스로 거중기, 주교 등을 제작하였다.

(2) 정약용의 기술 개발

① **거중기**

㉠ **『기기도설』의 영향:** 정약용은 서양 선교사 요하네스 테렌츠가 펴낸 『기기도설』을 참고하여 거중기를 제작하였다.

㉡ **수원 화성 건설에 공헌:** 거중기는 수원 화성을 쌓을 때에 사용되어 공사 기간을 단축하고 공사비를 줄이는 데 크게 공헌하였다.

② **주교(舟橋, 배다리)**: 정약용은 정조가 수원에 행차할 때 한강을 안전하게 건너도록 하기 위하여 배다리를 설계하였다.

4 서민 문화의 발달

1. 배경

(1) **교육 확산**: 조선 후기 상공업의 발달과 농업 생산력의 증대를 바탕으로 문화면에서 새로운 기운이 형성되었다. 서당 교육이 보급되고, 서민의 경제적·신분적 지위가 향상됨에 따라 서민 문화가 대두하였다.

(2) **문화 향유 계층의 확대**: 문예 활동에 역관이나 서리 등의 중인층 및 상공업 계층과 부농층이 활발하게 참여하였고, 상민이나 광대들의 활동도 증가하였다.

2. 서민 문화의 발달

(1) **한글 소설**: 서민들의 의식 수준이 높아졌고, 글을 읽을 수 있는 사람의 수가 늘어갔다. 한글 소설은 처음에는 부녀자를 중심으로 필사하여 돌려 보거나 강독사가 소설을 읽어주어 대중에게 호응을 얻었다. 한글 소설에서는 대부분 평범한 인물이 주인공이었고, 현실적인 세계를 배경으로 하였으며, 누구나 쉽게 읽을 수 있어 매우 큰 영향력을 행사하였다.

(2) 서민 중심의 문화

① **판소리와 탈춤**

㉠ **내용**: 춤과 노래 및 사설로 양반에 대한 풍자와 함께 서민의 감정을 그대로 표현하였다.

㉡ **의의**: 판소리와 탈춤은 조선 후기의 문화 중에서 가장 두드러지고 인기있는 분야로, 서민 문화를 확대시키는 데 크게 기여하였다.

② **풍속화와 민화**: 서민 문화의 저변이 확대되어 회화에서는 풍속화와 민화가 유행하였고, 음악과 무용에서도 감정을 대담하게 표현하는 경향이 짙었다.

5 판소리와 탈놀이

1. 판소리

(1) **특징**: 판소리는 창, 사설, 추임새로 구성되었으며, 감정 표현이 직접적이고 솔직해 조선 후기 서민 문화의 중심으로 성장하였고, 서민을 비롯한 넓은 계층으로부터 호응을 얻었다.

(2) **작품**: 판소리 작품으로 열두 마당이 있었으나, 19세기 후반에 신재효가 판소리 사설을 창작하고 정리하여 판소리 여섯 마당이 확립되었다. 지금은 「춘향가」, 「심청가」, 「흥보가」, 「적벽가」, 「수궁가」 등 다섯 마당만 전하고 있다.

한강주교환어도(화성행행도)

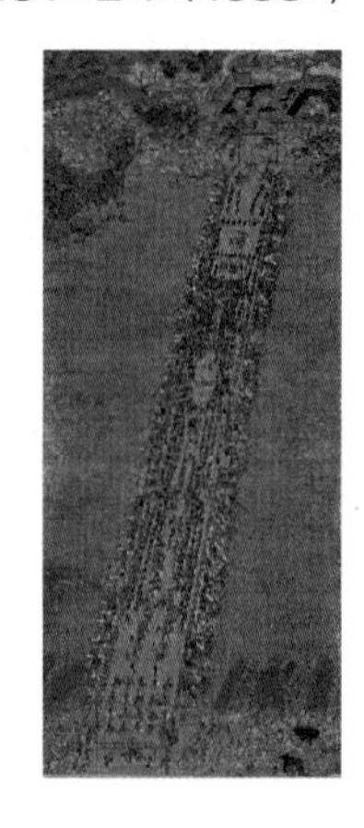

서당의 보급과 확산

지난해 조정의 분부에 따라 지방 향촌이 각기 서당을 세우고 훈장을 두어 가르치니 그 효과가 없지 않았는데, 근래에는 오히려 허물어지니 한스럽다. 그러므로 지금 마땅히 전날의 사목에 따라 타일러 경계하고 시행하되, 그 훈장을 고을로 하여금 공론에 따라 뽑아 임명하고 관청에 고하기를 태학의 장의(掌議)의 예와 같이 하고 각 마을에 나눠 정해서 취학에 편리하게 한다. 관가에서도 편리에 따라 충분히 지원해 주고 수령은 공무 여가에 때때로 직접 찾아가 살피고 그 학도들을 고강한다.

-『효종실록』

▶ 서당의 보급 및 확산으로 교육을 받은 서민들이 증가하면서 **서민 문화가 발전**하였다.

「흥보가」

가난이야, 가난이야, 원수년의 가난이야. 잘 살고 못 살기는 묘 쓰기에 매였는가? …… 어떤 사람 팔자 좋아 고대 광실 높은 집에 호가사로 잘사는데 이년의 신세는 어찌하여 밤낮으로 벌었어도 삼순구식(三旬九食)을 헐수가 없고, 가장은 부황이 나고, 자식들은 아사 지경이 되니, ……

▶ 흥보가에서 흥보(흥부)는 임노동자, 놀보(놀부)는 부농으로 볼 수 있다.

2. 탈놀이와 산대놀이

(1) **내용**: 탈놀이와 산대놀이는 승려들의 부패, 양반들의 허구 등 사회적 모순에 대한 해학적 폭로와 풍자의 내용을 담고 있다.

(2) **탈놀이**: 탈놀이는 향촌에서 마을굿의 일부로서 공연되었다. 탈놀이는 19세기에 이르러 더욱 성행하였는데, 황해도의 봉산탈춤, 안동의 하회탈춤 등이 유명하다.

(3) **산대놀이**: 산대놀이는 산대라는 무대에서 공연되던 가면극이 민중 오락으로 정착된 것으로, 도시의 상인이나 중간층의 지원으로 성행하였다. 산대놀이는 양주의 별산대놀이, 통영의 오광대놀이가 유명하다.

하회탈춤(탈놀이) 교과서 사료

양반: 나는 사대부의 자손인데.
선비: 아니, 나는 팔대부의 자손인데.
양반: 팔대부는 뭐냐?
선비: 아니, 양반이란 게 팔대부도 몰라? 사대부의 갑절이지 뭐.

▶ 안동 하회탈춤에 나오는 대사의 일부로, 양반을 조롱하는 내용이다.

양주의 별산대놀이

6 한글 소설과 사설시조

1. 한글 소설

(1) **「홍길동전」**(허균): 「홍길동전」은 서얼에 대한 차별 철폐, 이상 사회의 건설을 묘사하는 등 당시의 현실을 날카롭게 비판한 소설이다.

(2) **「춘향전」**: 「춘향전」은 상민과 천민이 양반과 동등한 인격을 소유하고 있음을 말하며 신분 차별의 비합리성을 표현한 소설이다.

(3) **기타**: 「별주부전」, 「심청전」, 「장화홍련전」 등의 한글 소설이 등장하였다.

기출 사료 읽기

「홍길동전」

길동이 점점 자라 8세가 되자, 총명하기가 보통이 넘어 하나를 들으면 백 가지를 알 정도였다. 그래서 공은 더욱 귀여워하면서도 출생이 천해, 길동이 늘 아버지니 형이니 하고 부르면 즉시 꾸짖어 그렇게 부르지 못하게 하였다.

– 허균, 「홍길동전」

사료 해설 | 「홍길동전」은 허균이 쓴 소설로, 연산군 때 활동한 도적인 홍길동을 주인공으로 하여 조선 정치의 부패상을 비판하였다.

춘향전 기출사료

어사또 분부하되, "얼굴을 들어 나를 보라."하시니, 춘향이 고개를 들어 대상(臺上)을 살펴보니 걸객(乞客)으로 왔던 낭군, 어사또로 뚜렷이 앉았구나. 반 웃음 반 울음에 "얼씨구나 좋을씨고. 어사 낭군 좋을씨고. 남원 읍내 추절(秋節)들어 떨어지게 되었더니, 객사에 봄이 들어 이화춘풍(李花春風) 날 살린다. 꿈이냐 생시냐, 꿈을 깰까 염려로다."

▶ 「춘향전」은 이몽룡과 춘향의 사랑, 특권 계급의 전횡을 대표하는 변학도와 이에 대한 평민들의 저항 등을 표현하였다.

2. 사설시조

선비들의 절의와 자연관을 담고 있던 이전의 시조와는 달리, 이 시기의 시조는 서민의 감정을 솔직하게 드러내는 경향이 나타났다. 격식에 구애되지 않는 사설시조 형식을 통해 남녀 간의 사랑이나 현실에 대한 비판을 거리낌 없이 표현하였다.

3. 시조·가사집

(1) **『청구영언』**(김천택, 영조): 고려 시대부터 편찬 당시에 이르기까지의 역대 시조를 모아 편찬한 시조집이다. '청구'는 우리나라를, '영언'은 노래를 뜻하는 말이다.

(2) **『해동가요』**(김수장, 영조): 김수장이 역대 시조를 모아 여러 차례의 수정을 거쳐 편찬한 시조집이다. 김천택의 『청구영언』, 고종 때 박효관과 안민영이 편찬한 『가곡원류』와 함께 3대 시조집으로 일컬어진다.

4. 한문학

(1) 특징: 양반층은 한문학 작품을 통해 부조리한 현실을 비판하였다.

(2) 정약용: 정약용은 삼정의 문란을 폭로하고, 지배층의 수탈로 고통받는 백성의 처지를 묘사하는 「애절양」 등의 한시를 저술하였다.

(3) 박지원: 박지원은 「양반전」, 「허생전」, 「호질」, 「민옹전」 등의 한문 소설을 저술하여 양반 사회의 허구성을 지적하였다.

기출 사료 읽기

박지원의 한문 소설

1. 「양반전」

양반이란 사족(士族)들을 높여서 부르는 말이다. 정선군에 한 양반이 살았다. 이 양반은 어질고 글읽기를 좋아하여 매양 군수가 새로 부임하면 으레 몸소 그 집을 찾아가서 인사를 드렸다. 그런데 이 양반은 집이 가난하여 해마다 고을의 환자(봄에 빌린 곡식을 가을에 갚던 일)를 타다 먹은 것이 쌓여서 천 석에 이르렀다. …… "보세요, 제가 무어라고 하였습니까? 당신은 평생 글을 읽기만 좋아하고 꾸어다 먹은 관곡을 갚을 방법을 생각하지 않으니 참으로 딱한 노릇입니다. 항상 '양반 양반'만 찾아 대더니 그 양반이란 것은 결국 한 푼 값어치도 못 되는 것이 아니겠어요?" - 박지원, 「양반전」

사료 해설 | 「양반전」은 양반 신분을 팔고 산 정선 양반과 상인인 부자를 풍자한 것으로 당시 양반들의 허위의식과 부패를 폭로한 소설이다.

2. 「호질」

어느 고을에 벼슬을 좋아하지 않는 듯한 선비가 있으니 그의 호는 북곽 선생이었다. …… 그 고을 동쪽에는 동리자라는 과부가 살았는데 수절하는 과부였으나 아들 다섯의 성이 각기 달랐다. 어느 날 밤 둘이 같은 방에 있으니 그 아들들은 어진 북곽 선생이 밤에 과부를 찾아올 일이 없으니 여우가 둔갑한 것이라 여기고 잡으려 하였다. 북곽 선생이 놀라 도망치다가 벌판의 거름 구덩이에 빠지고 말았다. - 박지원, 「호질」

사료 해설 | 「호질」에서 주인공 북곽 선생과 동리자는 표리부동하고 위선적인 인물로 대표되는 당시의 양반 계층을 나타낸다. 박지원은 이 글에서 양반 계층의 부패한 도덕관념과 허위의식을 풍자하고 비판하였다.

박지원의 소설

『열하일기』에 수록된 소설	「허생전」, 「호질」
『방경각외전』에 수록된 소설	「마장전」, 「예덕선생전」, 「민옹전」, 「광문자전」, 「양반전」 등

5. 위항 문학

(1) 시사 조직: 중인층과 서민층이 문학 창작 활동을 전개하며 시사(詩社)를 조직하였다. 대표적인 시사로는 천수경 등의 옥계시사(송석원시사), 최경흠 등의 직하시사 등이 있었다.

(2) 문학 활동: 시사에 참여하는 중인층은 문학 활동을 전개하며 자신들의 사회적 지위를 높였고, 역대 시인들의 시를 모아 시집을 간행하기도 하였다.

시집	『해동유주』(서리 출신 홍세태), 『소대풍요』(역관 출신 고시언), 『풍요속선』(역관 출신 천수경), 『풍요삼선』(서리 출신 유재건)
사적·전기집	· 『연조귀감』(정조): 향리 이진흥이 향리들의 사적을 집약 · 『호산외기』(헌종): 중인 출신 조희룡이 엮은 인물 전기집 · 『규사』(철종): 역대의 서얼에 관계된 사실과 행적 등을 기록 · 『이향견문록』(유재건, 철종): 유재건이 중인층 이하의 인물로, 각 분야에서 뛰어난 행정을 보인 인물 308명을 기록

위항 문학

양반 사대부가 아닌 **서얼, 서리, 역관 등 중인 이하 하급 계층인 위항인들에 의해 이루어진 문학**으로, 여항 문학이라고도 한다.

7 미술과 서예

1. 진경 산수화

(1) 배경: 17세기부터 우리 고유 정서와 자연을 표현하려는 움직임이 발생하였다.

(2) 특징: 진경 산수화는 우리의 자연을 사실적으로 표현한 것으로, 중국 남종과 북종의 화법을 고루 수용하여 우리 고유의 화풍으로 정착되었다.

(3) 정선: 정선은 인왕제색도와 금강전도에서 바위산은 선으로 묘사하고 흙산은 묵으로 묘사하는 기법을 사용하여 진경 산수화의 새로운 경지를 구축하였다.

2. 풍속화

(1) 특징: 풍속화는 당시 각 계층 사람들의 생활과 일상을 생동감 있게 표현한 것이다.

(2) 김홍도: 김홍도는 산수화, 기록화, 신선도 등을 많이 그렸지만 특히 풍속화를 그린 것으로 유명하며, 밭갈이, 추수, 씨름, 서당 등에서 서민의 생활을 소탈하고 익살스럽게 묘사하였다.

(3) 신윤복: 신윤복은 주로 양반과 부녀자의 생활과 유흥, 남녀 사이의 애정 등을 감각적이고 해학적으로 묘사하였다.

(4) 김득신: 김득신은 정조의 궁정 화가로 사대부들의 사랑을 받았고, 김홍도의 영향을 받은 파적도(야묘도추)·노상알현도 등의 풍속화를 많이 남겼다.

3. 서양화 기법의 영향

18세기에는 강세황 등의 화가가 개성 있는 그림을 그리며 활동하였다. 강세황은 서양화의 수채화 기법을 동양화와 접목하고 원근법을 도입하는 등 서양화 기법을 반영하여 사물을 실감나게 표현하였다. 대표적인 작품으로는 강세황의 영통동구도가 있다.

4. 19세기의 화풍

(1) 장승업: '신필(神筆)'이라고도 불린 장승업은 강렬한 필법과 채색법으로 뛰어난 기량을 발휘하였는데, 호취도·삼인문년도 등이 대표적인 그의 작품이다.

(2) 김정희: 김정희는 학자이자 예술가로 서권기(書卷氣), 문자향(文字香)의 특징을 강조하는 수준 높은 문인화 작품을 남겼으며, 세한도는 최고의 문인화 걸작으로 꼽힌다.

(3) 진경 산수화와 풍속화의 침체: 김정희 등의 영향으로 문인화가 부활하면서 진경 산수화와 풍속화가 침체되었다가 한말에 새로운 모습으로 출현하였다.

5. 민화

민화는 일상생활 속에서 항상 접하는 해, 달, 나무, 꽃, 동물, 물고기 등을 소재로 민중의 미적 감각과 소박한 정서를 잘 표현하였다.

인왕제색도(정선)

금강전도(정선)

김홍도의 풍속화(무동)

노상알현도(김득신)

영통동구도(강세황)

세한도(김정희)

6. 기타

(1) **윤두서**: 17~18세기에 활동한 화가로, 본인의 얼굴을 그린 자화상이 대표작이다.

(2) **심사정**: 18세기에 활동한 화가로 진경 산수화는 물론, 중국의 남종 화풍을 중심으로 북종 화풍까지 두루 섭렵하여 독자적인 화풍을 정립하였다. 그의 대표적인 산수화 작품으로 강상야박도, 파교심매도, 촉잔도권 등이 있다.

7. 서예

(1) **이광사**: 이광사는 왕희지체를 바탕으로 우리의 정서와 개성을 추구하는 단아한 글씨인 동국진체(원교체)를 완성하였다.

(2) **김정희**: 김정희는 고금의 필법을 두루 연구하여 굳센 기운과 다양한 조형성을 가진 추사체를 창안하고 서예의 새로운 경지를 개척하였다.

자화상(윤두서)

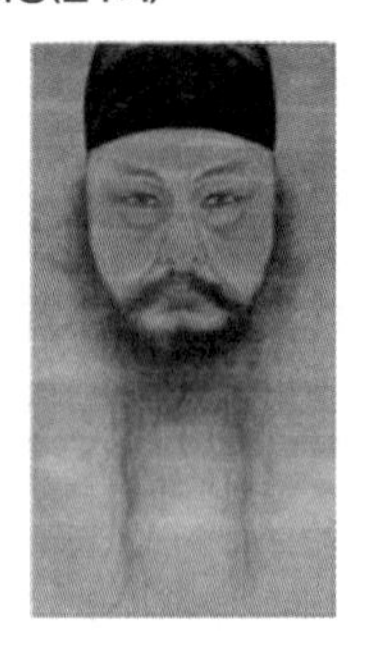

추사체(김정희)

8 건축의 변화

1. 배경

조선 후기에는 양반과 새롭게 부상하고 있던 부농, 상공업 계층의 지원 아래 많은 사원이 세워졌고, 정치적 필요에 의하여 대규모 건축물이 건립되었다.

2. 건축물과 특징

시기	내용
17세기 ~ 18세기	· 다층 건물이지만 내부는 하나로 통하는 구조인 거대한 규모의 사원 건축물이 건립(양반 지주층의 경제적 성장과 불교의 사회적 지위 향상을 반영) - 대표적 건축물: 보은 법주사 팔상전, 김제 금산사 미륵전, 공주 마곡사 대웅보전, 구례 화엄사 각황전 · 부농 및 상인의 지원을 받아 장식성이 강한 사원을 건립 - 대표적 건축물: 논산 쌍계사, 부안 개암사, 안성 석남사 · 정조 때 당시의 문화적인 역량을 집약시켜 수원 화성 건립 - 정약용의 거중기를 사용하여 공사 기간을 단축시킴 - 화성 축조에 관한 경위와 구체적인 사실들을 기록한 『화성성역의궤』를 제작함 - 수원 화성은 1997년에 유네스코 세계 문화유산으로 등재됨
19세기	· 특징: 흥선 대원군이 왕실의 권위를 내세우기 위해 경복궁을 재건함 · 건축물: 경복궁 근정전과 경회루

| 법주사 팔상전

| 화엄사 각황전

| 쌍계사 대웅전

| 수원 화성

수원 화성

정조 때 문화적인 역량을 집약시켜 만든 화성은 군사적 기능은 물론 경제적 기능까지 어우러지게 한 **종합적인 도시 계획** 아래 만들어졌다. 또한 수원 화성을 축조하는데 **정약용의 거중기를 사용**하여 공사 기간을 단축시켰으며, 화성 축조에 관한 경위와 구체적인 사실들을 기록한 **『화성성역의궤』**를 제작하기도 하였다. 한편, 수원 화성은 1997년에 **유네스코 세계 문화유산**으로 등재되었다.

9 공예와 음악

1. 공예

(1) **발달 배경**: 조선 후기 산업 부흥에 따라 공예가 크게 발달하였다.

(2) **자기 공예**

① **특징**: 백자가 민간에도 널리 사용되면서 본격적으로 발전하였다.

② **청화 백자 등의 유행**: 조선 후기에는 백자에 다양한 안료를 사용하여 무늬를 넣은 청화 백자, 철화 백자, 진사 백자 등이 많이 제작되었다. 양반들은 이러한 화려한 문양의 백자를 사용한 반면, 서민들은 주로 옹기를 사용하였다.

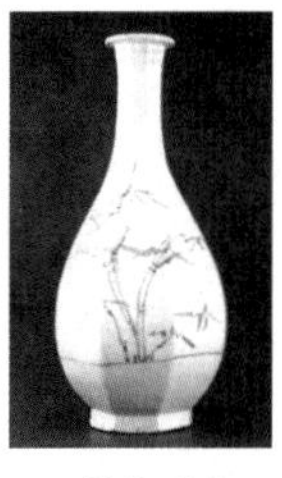

| 청화 백자 대나무무늬 각병

(3) **목공예**: 목공예는 나무 재질을 살리면서 기능성도 강조되었다.

(4) **화각 공예**: 화각 공예에서는 독특한 우리의 멋을 풍기는 작품들이 등장하였다.

2. 음악

(1) **특징**: 향유층 확대로 다양한 음악이 출현하였고 감정을 솔직하게 표현하는 경향이 강하였는데, 양반층은 가곡과 시조를, 서민층은 민요를 애창하였다.

(2) **직업적인 광대·기생**: 상업의 성황으로 직업적 광대나 기생들이 판소리, 산조, 잡가 등을 창작하고 발전시켰다.

가곡
관현악의 반주가 따르는 전통 성악곡이다. 선율로 연결되는 27곡의 노래 모음으로, 노래말로 짧은 시를 쓴다.

산조
느린 장단에서 빠른 장단으로 연주하는 기악 독주의 민속 음악으로, 장구 반주가 따르며, 무속 음악과 시나위에 기교가 확대되어 19세기경에 탄생하였다.

교과서 분석하기

우리나라의 대표적인 국보와 제작 시기

제작 시기	국보
고구려	금동 연가 7년명 여래 입상, 충주 고구려비
백제	부여 정림사지 5층 석탑, 익산 미륵사지 석탑, 서산 용현리 마애 여래 삼존상, 금동 관음 보살 입상, 백제 금동 대향로 등
신라	서울 북한산 신라 진흥왕 순수비, 경주 분황사 모전 석탑, 경주 첨성대, 천마총 금관 등
통일 신라	충주 탑평리 7층 석탑, 경주 불국사 3층 석탑, 성덕대왕 신종, 상원사 동종, 보은 법주사 석련지, 양양 진전사지 3층 석탑 등
고려	영주 부석사 무량수전, 안향 초상, 여주 고달사지 승탑, 합천 해인사 대장경판 등
조선	구례 화엄사 각황전, 『징비록』, 『비변사등록』, 송시열 초상 등

OX 빈칸 핵심 개념 점검

* 학습한 개념을 OX/빈칸 문제를 통해 점검해보세요.

핵심 개념 1 | 서양 문물의 수용

01 박연은 훈련도감에 소속되어 서양식 대포의 제조법과 조종법을 가르쳤다. □ O □ X

02 인조 때 조선에 표류했었던 하멜은 네덜란드로 돌아간 후 『하멜표류기』를 지었다. □ O □ X

03 조선 후기에는 ________ 같은 세계 지도가 전해짐으로써 보다 과학적이고 정밀한 지리학의 지식을 가지게 되었다.

핵심 개념 2 | 천문학과 수학의 발달

04 김석문은 우리나라에서 처음으로 지전설을 주장하였다. □ O □ X

05 이광정은 『지구전요』에서 지구의 자전과 공전을 함께 주장하였고, 자전과 공전설이 코페르니쿠스의 것임을 밝혔다. □ O □ X

06 역법에서는 효종 때 ________이 채택되었고, 정조 때 우리나라의 사정에 맞는 ________이 만들어졌다.

07 ________은 『주해수용』을 저술하여 우리나라, 중국, 서양 수학의 연구 성과를 정리하였다.

핵심 개념 3 | 의학 · 농학의 발달과 기술 개발

08 『동의보감』은 우리의 전통 한의학을 체계적으로 정리한 것으로, 중국과 일본에서도 간행되었다. □ O □ X

09 조선 후기에 지석영은 서양 의학의 성과를 토대로 서구의 종두법을 최초로 소개하였다. □ O □ X

10 정약용은 요하네스 테렌츠의 『기기도설』을 참고하여 거중기를 제작하였다. □ O □ X

11 정약용은 홍역 관련 의서를 종합해 『________』을 저술하였다.

12 신속은 『________』을 펴내 이앙법 보급에 공헌하였다.

13 정약용은 정조가 수원에 행차할 때 한강을 건너도록 ________를 설계하였다.

핵심 개념 4 | 문학의 새 경향

14 조선 후기에는 『홍길동전』, 『춘향전』 등과 같이 신분제를 비판하거나 탐관오리를 응징하는 한글 소설이 유행하였다. □ O □ X

15 조선 후기에는 위선적인 양반의 생활을 풍자하는 「양반전」, 「허생전」 등의 한문 소설이 유행하였다. □ O □ X

16 조선 후기에는 중인층을 중심으로 ________가 결성되어 문학 활동을 벌였다.

핵심 개념 5 | 그림의 새 경향

17 조선 후기에는 우리의 자연을 사실적으로 표현한 진경 산수의 화풍이 등장하였다. □ O □ X

18 조선 후기에 서당 교육의 보급으로 서민 문화가 발달하면서 풍속화와 민화가 크게 유행하였다. □ O □ X

19 김홍도는 서양화 기법을 수용하여 남녀 사이의 애정을 감각적이고 해학적으로 묘사하였다. □ O □ X

20 세한도는 최고의 문인화 걸작 중 하나로, ______가 그렸다.

핵심 개념 6 | 서예 · 건축 · 공예의 새 경향

21 김정희는 추사체를 창안하여 서예의 새로운 경지를 열었다. □ O □ X

22 김제 금산사 미륵전, 보은 법주사 팔상전, 논산 쌍계사 등은 조선 후기를 대표하는 불교 건축물이다. □ O □ X

23 정조 때 건립된 ______은 1997년에 유네스코 세계 문화유산으로 등재되었다. □ O □ X

24 19세기에는 왕실의 권위를 높이기 위해 흥선 대원군이 임진왜란 때 소실된 ______을 중건하였다.

정답과 해설

01	O 조선에 귀화한 박연(벨테브레)은 훈련도감에 소속되어 서양식 대포(홍이포)의 제조법과 사용법을 전수하였다.	13	배다리(주교)
02	× 하멜은 효종 때 조선에 표류하였다. 인조 때 조선에 표류한 서양인은 벨테브레(박연)이다.	14	O 조선 후기에는 『홍길동전』(허균), 『춘향전』 등과 같이 신분제를 비판하고 부패한 관리를 응징하는 내용의 한글 소설이 유행하였다.
03	곤여만국전도	15	O 조선 후기에는 박지원이 위선적인 양반의 생활을 풍자하며 저술한 「양반전」, 「허생전」 등의 한문 소설이 유행하였다.
04	O 김석문은 『역학도해』에서 우리나라 최초로 지전설을 주장하였다.	16	시사
05	× 『지구전요』에서 지구의 자전과 공전을 함께 주장하였고, 자전과 공전설이 코페르니쿠스의 것임을 밝힌 인물은 최한기이다.	17	O 조선 후기에는 우리의 자연을 사실적으로 표현한 진경 산수화가 등장하였으며, 대표적인 화가로는 겸재 정선이 있다.
06	시헌력, 천세력	18	O 조선 후기에는 서당 교육이 보급되면서 서민 의식이 성장하여 풍속화와 민화 등의 서민 문화가 크게 발달하였다.
07	홍대용	19	× 조선 후기에 서양화 기법을 수용한 화가는 강세황이며, 남녀 사이의 애정을 감각적이고 해학적으로 묘사한 화가는 신윤복이다.
08	O 허준이 지은 『동의보감』은 우리나라뿐만 아니라 중국과 일본에서도 간행되었다.	20	김정희
09	× 우리나라에 종두법을 최초로 소개한 인물은 『마과회통』을 저술한 정약용이다.	21	O 김정희는 굳센 기운과 다양한 조형성을 가진 추사체를 창안하여 서예의 새로운 경지를 개척하였다.
10	O 정약용은 서양 선교사 요하네스 테렌츠의 『기기도설』을 참고하여 거중기를 제작하였다.	22	O 김제 금산사 미륵전과 보은 법주사 팔상전은 17세기에 지어졌고, 논산 쌍계사는 18세기에 지어진 건축물로써 모두 조선 후기를 대표하는 불교 건축물이다.
11	마과회통	23	수원 화성
12	농가집성	24	경복궁

핵심 키워드로 조선 후기 마무리

구분 왕	집권 세력	정치
인조	서인	• 서인 집권, 친명 배금 정책 추진 • 정묘호란: 조선과 후금 사이에 형제 관계 체결 • 병자호란: 삼전도의 굴욕, 조선과 청 사이에 군신 관계 체결 • 어영청, 총융청, 수어청 설치
효종	서인	• 북벌 계획(송시열, 이완): 군사 양성, 군비 확충, 산성·성곽 수리 • 나선 정벌에 동원됨
현종	서인 ↓ 남인	• 1차 예송 논쟁(기해예송): 서인 1년, 남인 3년 주장 → 서인 승리 • 2차 예송 논쟁(갑인예송): 서인 9개월, 남인 1년 주장 → 남인 승리
숙종	남인 ↓ 서인 ↓ 남인 ↓ 서인(노론)	• 탕평책 실시 → 환국의 빌미 • 환국 정치 → 일당 전제화 – 경신환국: 서인 집권 – 기사환국: 남인 집권 – 갑술환국: 서인 집권 → 남인의 처벌을 두고 노론, 소론의 대립 심화 • 금위영 설치(5군영 체제 완성) • 대외 정책: 윤휴의 북벌 주장(실현 ×), 백두산 정계비 건립, 울릉도·독도 영유권 확인(안용복)
영조	탕평파 (노론 위주)	• 이인좌의 난 → 기유처분 발표 • 완론 탕평 실시: 탕평비 건립(성균관) • 붕당 정치 억제: 산림 부정, 서원 정리, 전랑의 권한 약화 • 나주 괘서 사건 → 소론 약화, 노론의 정국 주도 • 사도 세자 사건(임오화변) • 수성윤음 반포(훈련도감·금위영·어영청) • 서얼들의 청요직 진출 점차 허용
정조	능력 있는 이들 중용	• 준론 탕평 실시: 척신과 환관 제거, 시파·남인 중용 • 왕권 강화 정책: 초계문신제 시행, 규장각 설치, 장용영 설치, 화성 건설 • 규장각 검서관으로 서얼 중용(박제가, 이덕무 등) • 문체 반정 전개
순조	외척(세도가)	• 정순 왕후 수렴청정 → 노론 벽파 집권(정조 개혁 이전으로 복구) • 정순 왕후 사후 → 세도 정치(안동 김씨)
철종		• 세도 정치 지속(안동 김씨) • 삼정이정청 설치

경제·사회	문화
영정법 실시	–
• 설점수세제(광산): 사채 허용, 호조 별장이 세금 징수 • 상평통보 보급 • 『농가집성』(신속)	• 조총 기술(하멜) • 시헌력 사용
–	–
• 상평통보 전국적으로 유통 • 대동법을 전국적으로 확대·실시	–
• 균역법 실시(2필 → 1필), 부족분은 결작·선무군관포 등으로 보충 • 수령수세제(광산): 지방 수령이 세금 징수 • 고구마 수입 • 형벌 제도 개혁: 가혹한 형벌 폐지, 사형수 3심제 시행 • 신문고 부활 • 준천사 설치, 청계천 준설 • 노비종모법 실시	• 『속대전』 편찬 • 『속오례의』, 『동국문헌비고』 간행 • 동국지도(정상기) • 『반계수록』(유형원) • 김홍도, 김득신 등 활약
• 수령 권한 강화 • 신해통공 반포: 육의전을 제외한 시전의 금난전권 폐지 • 신해박해(1791): 진산 사건 처벌	• 『대전통편』 편찬 • 『고금도서집성』 수입 • 『일성록』(유네스코 세계 기록유산 등재), 『무예도보통지』 편찬 • 정약용: 거중기 발명(화성 건설에 이용), 주교 설계 • 『동사강목』(안정복), 『발해고』(유득공), 『열하일기』(박지원) 편찬
• 신유박해(1801): 정약용, 정약전 형제 유배 • 공노비 해방 • 홍경래의 난(1811)	『목민심서』(정약용)
• 임술 농민 봉기(1862) • 역관들의 대규모 소청 운동 → 실패 • 동학 개창(최제우)	대동여지도(김정호)

부록

유네스코 세계 유산

유네스코 세계 유산

유네스코 세계 문화유산

해인사 장경판전(1995)	대장경(팔만대장경) 목판을 보관하기 위해 지어진 조선 전기의 건축물
종묘(1995)	조선의 왕과 왕비의 신주를 모시고 제사를 지내는 유교 사당
석굴암과 불국사(1995)	• 신라 경덕왕 때 김대성의 발원으로 건립 • 신라인들의 예술 감각과 한국 고대 불교 예술의 정수를 보여주는 건축물
창덕궁(1997)	• 임진왜란 이후(광해군~고종) 왕이 정사를 보는 정궁의 기능을 한 궁궐(가장 오랜 기간 왕이 거처한 궁궐) • 우리나라 궁궐 건축의 창의성을 보여줌(자연과 건물이 조화롭게 배치)
수원 화성(1997)	• 정조가 건설하려던 이상 도시로 군사적·상업적 기능 보유 • 우리나라, 중국, 일본, 서구의 과학적 지식을 활용하여 축조(정약용의 거중기 이용)
경주 역사 유적 지구(2000)	• 남산 지구, 월성 지구, 대릉원 지구, 황룡사 지구, 산성 지구 등 5지구로 구성 • 남산 지구(나정·포석정·경주 배동 석조 여래 삼존 입상), 월성 지구(계림·첨성대) 등
고창 · 화순 · 강화 고인돌 유적(2000)	한 지역에 수백 기 이상의 고인돌 집중 분포
제주 화산섬과 용암 동굴(2007)	• 제주도에 위치한 한국 최초의 세계 자연유산 지구 • 대표 유적지: 한라산·성산 일출봉·거문오름 용암 동굴계 등
조선 왕릉(2009)	• 조선의 왕·왕비 및 추존된 왕·왕비의 무덤과 부속 지역 • 총 40기(북한 지역 및 광해군·연산군 무덤 제외)가 등재됨
한국의 역사 마을: 하회와 양동(2010)	조선 초기의 유교적 양반 문화를 확인할 수 있는 씨족 마을(안동의 하회 마을과 경주의 양동 마을)
남한산성(2014)	조선 시대에 임시 수도의 역할을 담당하도록 축조된 산성 도시, 병자호란 때 인조가 피난한 곳
백제 역사 유적 지구(2015)	• 백제의 옛 수도였던 공주시·부여군과 천도를 시도한 익산시의 역사 유적 • 공주 지구(웅진성·송산리 고분군), 부여 지구(관북리 유적과 부소산성·정림사지·나성·능산리 고분군), 익산 지구(미륵사지)
산사, 한국의 산지 승원(2018)	• 한국 불교만의 역사성과 특징, 불교 공동체의 생활·문화 등을 종합적으로 살펴 볼 수 있음 • 순천 선암사, 해남 대흥사, 보은 법주사, 공주 마곡사, 양산 통도사, 안동 봉정사, 영주 부석사
한국의 서원(2019)	• 한국의 성리학과 관련된 문화적 전통과 역사적 변화 과정을 보여주는 9곳의 서원 • 조선 시대 명현을 제사하고, 인재를 교육하기 위해 전국에 세운 사설 기관 • 영주 소수 서원, 함양 남계 서원, 경주 옥산 서원, 안동 도산 서원, 장성 필암 서원, 달성 도동 서원, 안동 병산 서원, 논산 돈암 서원, 정읍 무성 서원
한국의 갯벌(2021)	• 지구 생물 다양성의 보존을 위한 세계적으로 중요한 서식지 중 하나로, 특히 멸종 위기 철새의 기착지로서 가치가 큼 • 서천 갯벌, 고창 갯벌, 신안 갯벌, 보성-순천 갯벌
가야 고분군(2023)	• 한반도에 존재했던 고대 문명 가야를 대표하는 7개의 고분군 • 전북 남원 유곡리와 두락리 고분군, 경북 고령 지산동 고분군, 경남 김해 대성동 고분군, 경남 함안 말이산 고분군, 경남 창녕 교동과 송현동 고분군, 경남 고성 송학동 고분군, 경남 합천 옥전 고분군

유네스코 세계 유산

유네스코 세계 유산 잠정목록

구분	유산	내용
문화 유산	강진 도요지(1994)	• 고려 시대(10세기~14세기)의 도요지가 집중적으로 분포함 • 청자의 기원과 초기 청자의 특징을 파악하는 데 유리함
	염전(2010)	• 전북 신안군, 영광군에 소재 • 염전은 생산 및 서식의 기능, 오염 정화 기능, 심미적 기능, 홍수 조절 기능을 함
	중부 내륙 산성군(2010)	• 고대부터 근대에 이르는 산성 문화의 실체를 보여줌 • 당나라 등 이웃 문명과 국가 사이의 교류·군사적 시설물의 비교 연구와 영향을 관찰할 수 있음 • 보은 삼년 산성, 청주 상당 산성, 충주 산성(충주 남산성), 충주 장미 산성, 제천 덕주 산성, 단양 온달 산성, 괴산 미륵 산성 등이 존재
	대곡천 암각화군(2010)	• 울산 대곡리 반구대 암각화와 울산 천전리 암각화를 포함 • 반구대 암각화는 해양 동물 중심, 천전리 암각화는 육지 동물 중심으로 구성되어 있으며, 천전리 암각화에는 한국에서 가장 일찍 새겨진 암각화가 포함되어 있음
	순천 낙안읍성(2011)	마을을 둘러싼 성곽과 관아, 민가들이 그대로 남아있어 조선 시대 고을의 모습을 살펴볼 수 있음
	외암마을(2011)	• 조선 시대를 거치면서 예안 이씨 집성촌으로 발전 • 유교 이념에 부합하도록 재편성된 취락의 대표적 사례
	서울 한양 도성(2012)	• 주변 지형을 이용해 축조한 석축 성곽 • 도성의 경계이면서 도성의 안팎이 함께 조망되는 역사 도시 경관이 잘 보존되어 있음
	화순 운주사 석불 석탑(2017)	10~16세기 말까지 조성된 다양한 형태의 석불상과 석탑, 별자리나 '칠성신앙(별이 인간의 길흉화복과 수명을 지배한다고 믿는 신앙)'과 관련된 칠성석 등이 포함되어 있음
	양주 회암사지 유적(2022)	• 경기도 양주시에 있는 고려 시대에 창건된 회암사의 사절터 • 14세기 동아시아 전역에서 번성했던 선종 불교의 모습을 보여줌
	한국 전쟁기 피란 수도 부산의 유산(2022)	• 한국 전쟁 중 피란 수도의 기능을 유지했던 모습을 보여주는 부산의 문화 유산 • 경무대(대통령 관저), 임시중앙청(정부 청사) 등 9개의 유산
	여수 · 고흥 · 무안 갯벌(2023)	• 멸종 위기종, 고유종을 포함한 300여 종 이상의 야생동물이 서식하고 철새들의 서식지로서 가치가 큼 • 2021년에 등재된 '한국의 갯벌'에 대한 추가 등재
자연 유산	설악산 천연 보호 구역(1994)	화강암과 현무암의 차별침식으로 웅장한 자연 경관을 보여주며, 다양한 식물과 동물이 분포되어 있음
	남해안 일대 공룡 화석지(2002)	매우 넓은 규모이면서 보존 상태가 완벽한 공룡알 화석 산지로, 익룡 발자국 화석과 가장 오래된 물갈퀴 발자국이 존재함
	우포늪(2011)	대한민국 최대의 자연 배후 습지이며, 신석기 시대 조개무지·도토리 저장 구덩이 및 비봉리 패총 유적 등 고고학적 유적이 밀집되어 있음

해커스공무원 한국사 기본서 **1권 전근대사**

부록

왕조 계보표

왕조 계보표

고구려 (기원전 37~기원후 668)

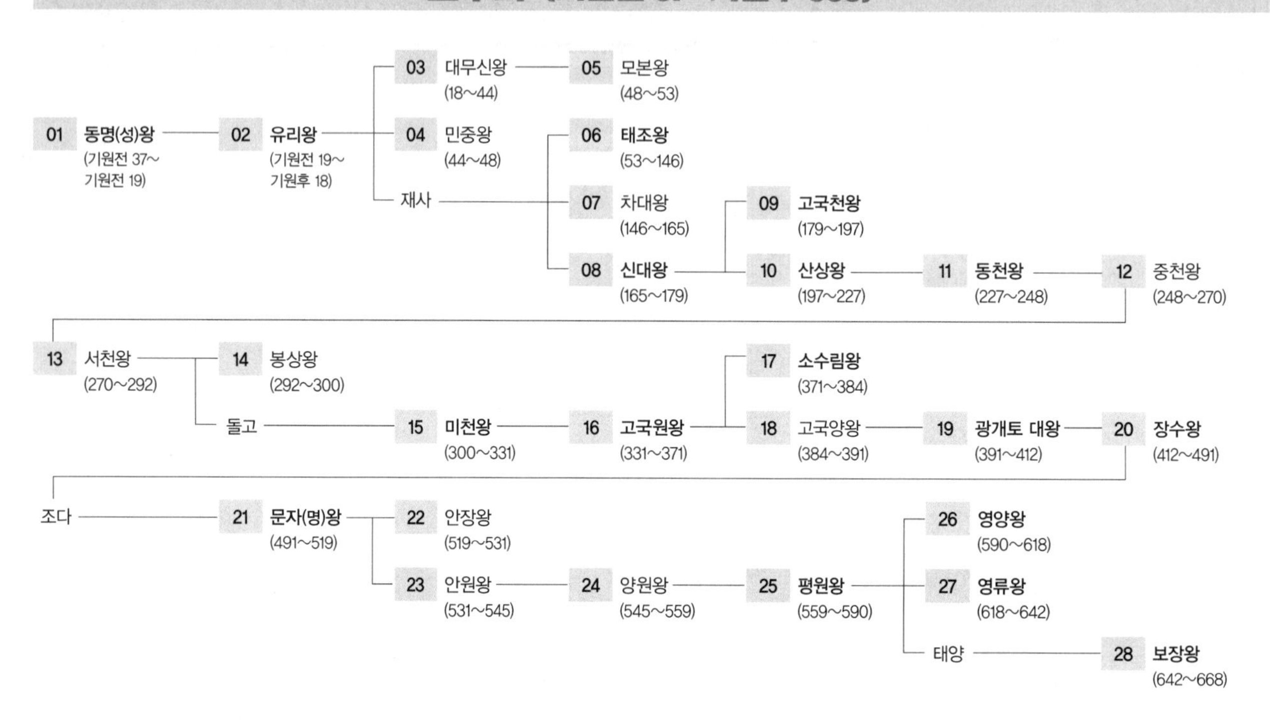

백제 (기원전 18~기원후 660)

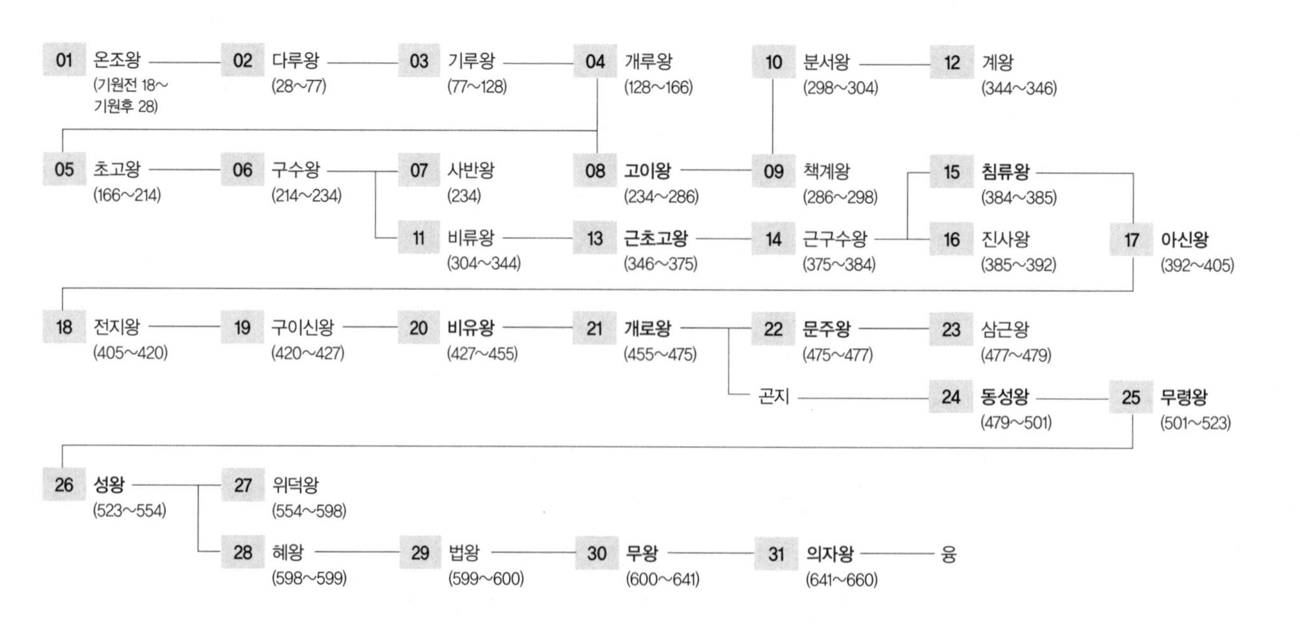

신라 (기원전 57~기원후 935)

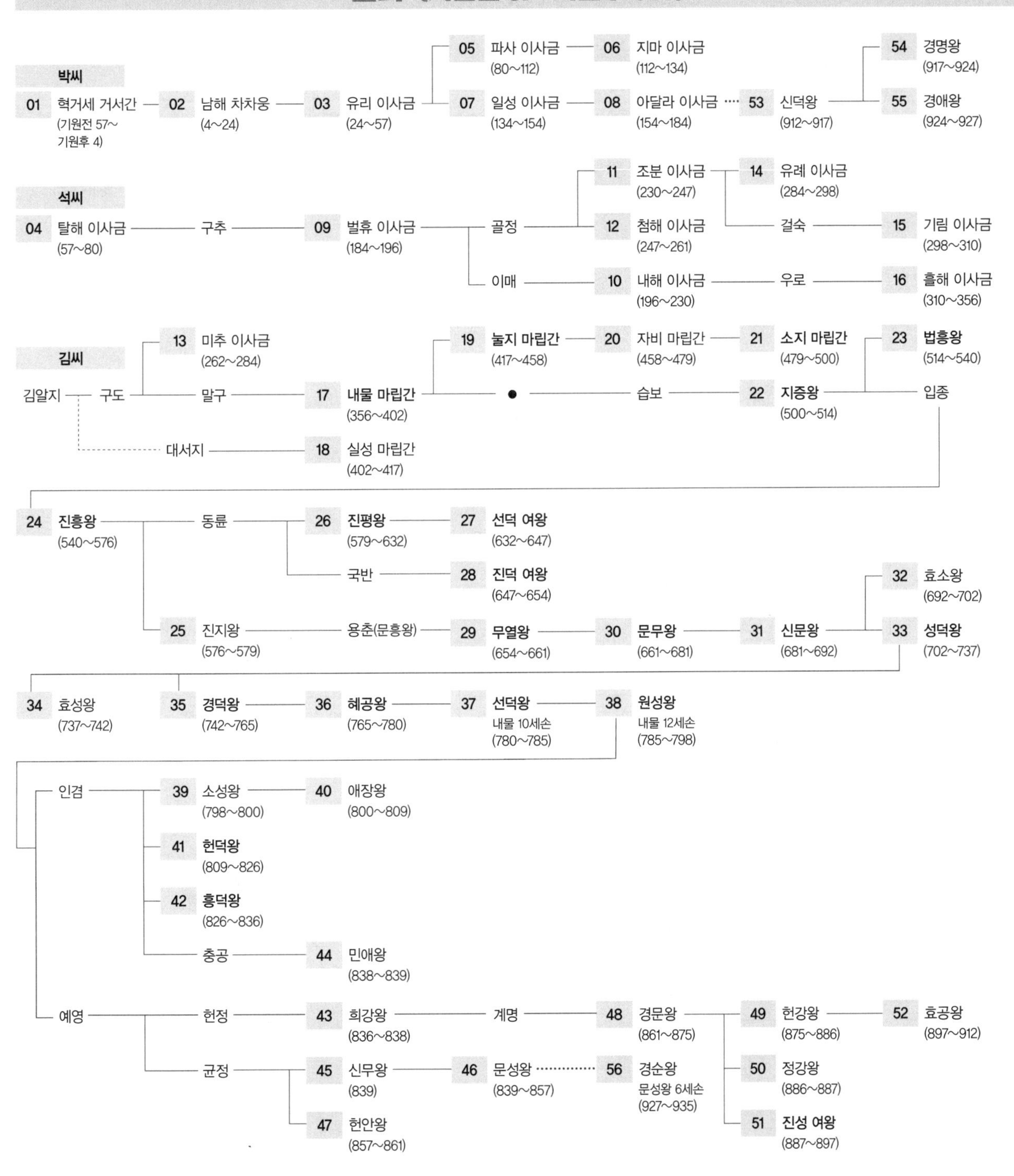

계보표

해커스공무원 한국사 기본서

왕조 계보표

발해 (698~926)

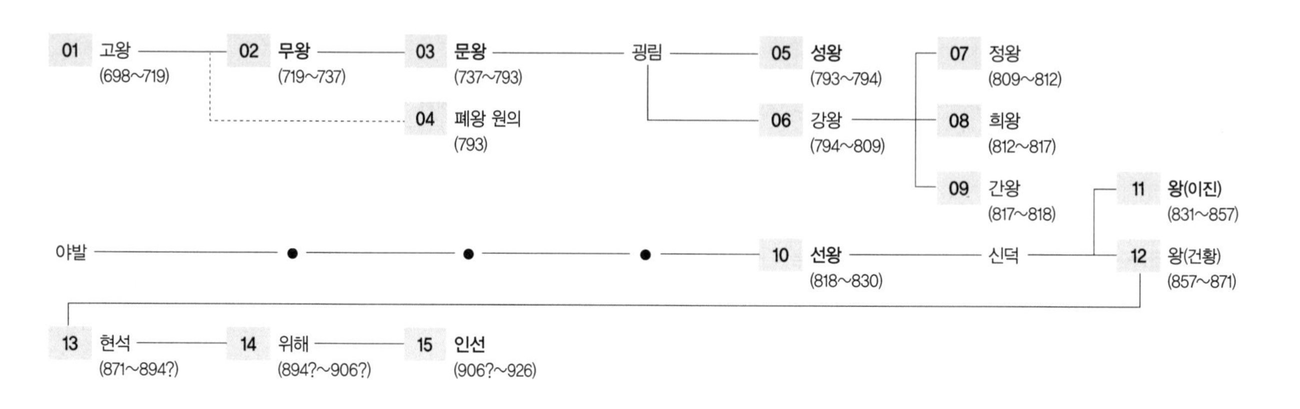

고려 (918~1392)

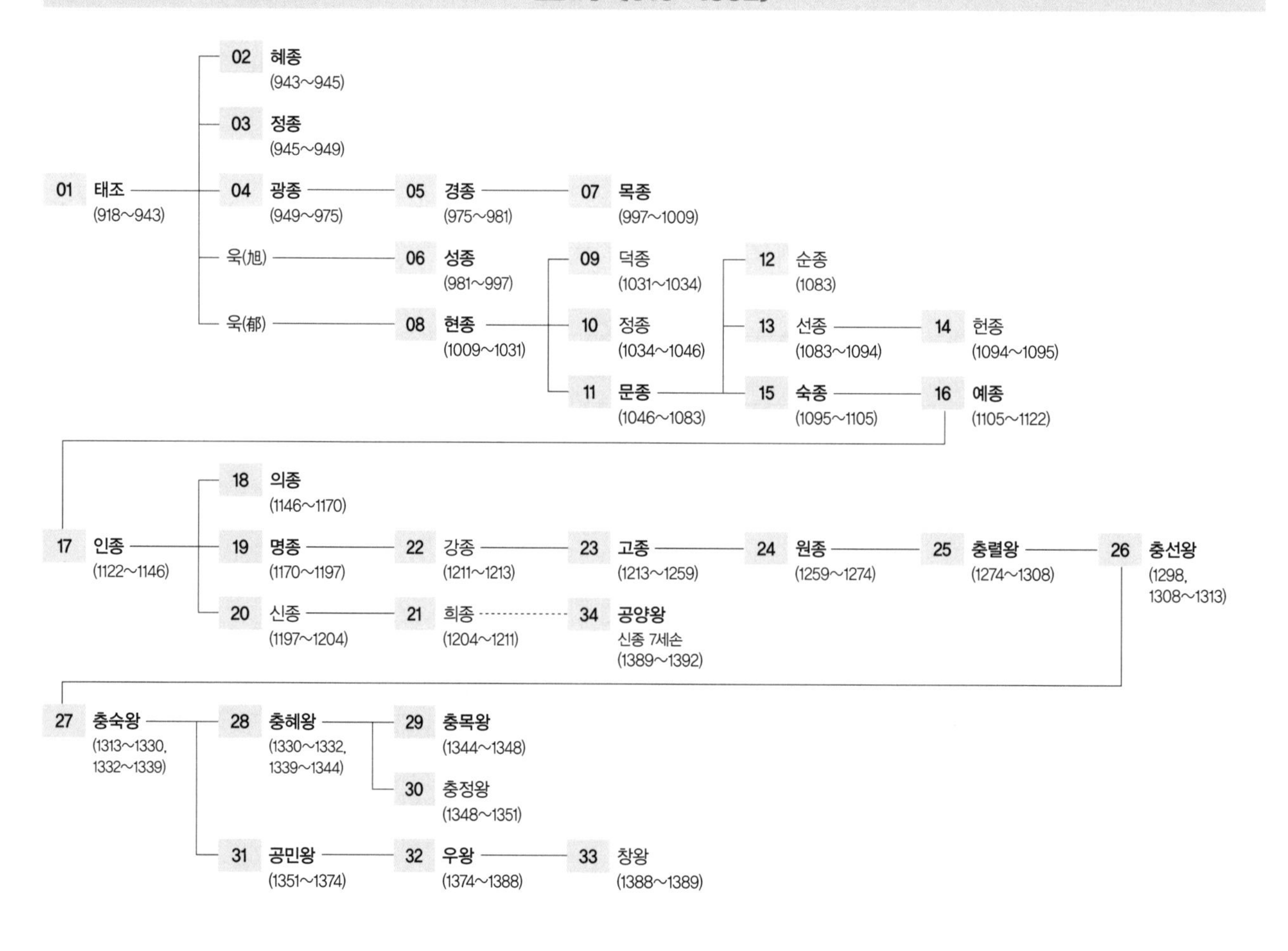

조선 (1392~1910)

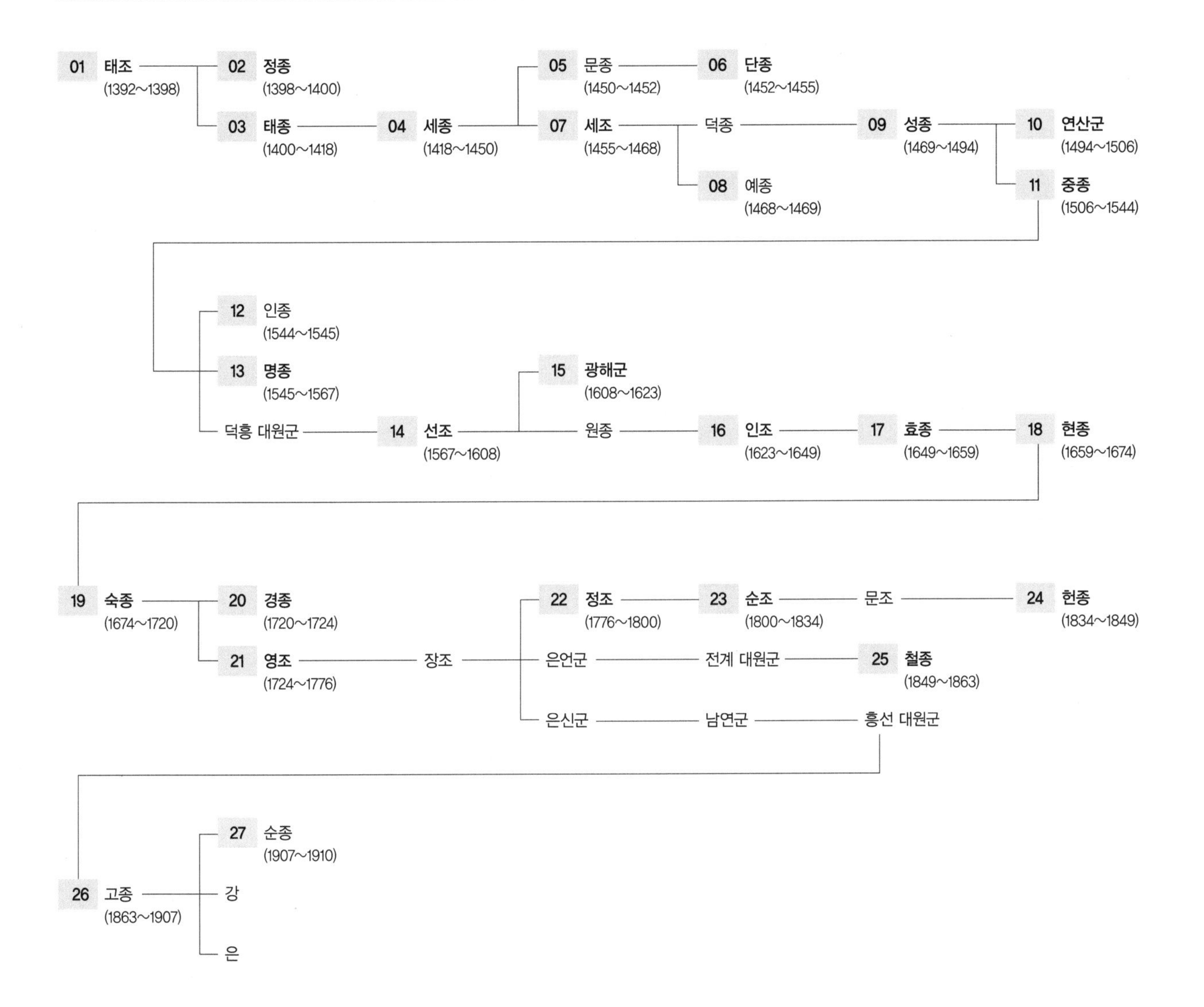

계보표

해커스공무원 한국사 기본서

2025 대비 최신개정판

해커스공무원 한국사 기본서 1권 | 전근대사

개정 11판 1쇄 발행 2024년 5월 2일

지은이	해커스 공무원시험연구소
펴낸곳	해커스패스
펴낸이	해커스공무원 출판팀
주소	서울특별시 강남구 강남대로 428 해커스공무원
고객센터	1588-4055
교재 관련 문의	gosi@hackerspass.com 해커스공무원 사이트(gosi.Hackers.com) 교재 Q&A 게시판 카카오톡 플러스 친구 [해커스공무원 노량진캠퍼스]
학원 강의 및 동영상강의	gosi.Hackers.com
ISBN	1권: 979-11-6999-996-0 (14910) 세트: 979-11-6999-995-3 (14910)
Serial Number	11-01-01